MEYERS
GROSSES
TASCHEN
LEXIKON

Band 7

D1374067

MEYERS GROSSES TASCHEN LEXIKON

in 24 Bänden

5., überarbeitete Auflage
Herausgegeben und bearbeitet von
Meyers Lexikonredaktion

Band 7:
Farn – Gap

B.I.-Taschenbuchverlag
Mannheim · Leipzig · Wien · Zürich

Redaktionelle Leitung der 5. Auflage: Dr. Rudolf Ohlig

Redaktionelle Bearbeitung der 5. Auflage:
Ariane Braunbehrens M. A., Dipl.-Inform. Veronika Licher,
Otto Reger, Wolfram Schwachulla, Johannes-Ulrich Wening

Die Deutsche Bibliothek – CIP-Einheitsaufnahme
Meyers großes Taschenlexikon: in 24 Bänden/hrsg. und bearb.
von Meyers Lexikonredaktion. – Mannheim; Leipzig; Wien; Zürich:
BI-Taschenbuchverl.
Früher im Bibliogr. Inst., Mannheim, Wien, Zürich.
ISBN 3-411-11005-8 (5., überarb. Aufl.) kart. in Kassette
NE: Digel, Werner [Red.]
Bd. 7. Farn - Gap. – 5., überarb. Aufl. /
[red. Leitung der 5. Aufl.: Rudolf Ohlig]. – 1995
ISBN 3-411-11075-9
NE: Ohlig, Rudolf [Red.]

© Bibliographisches Institut & F. A. Brockhaus AG, Mannheim 1995
Satz: Bibliographisches Institut & F. A. Brockhaus AG, Mannheim
(DIACOS Siemens)
Druck: Klambt-Druck GmbH, Speyer
Bindearbeit: Röck GmbH, Weinsberg
Papier: 80 g/m², Eural Super Recyclingpapier matt gestrichen
der Papeterie Bourray, Frankreich
Printed in Germany
Gesamtwerk: ISBN 3-411-11005-8
Band 7: ISBN 3-411-11075-9

Farn

Farne (Filicatae, Filicopsida), Klasse der Farnpflanzen mit rd. 10 000 Arten; meist krautige Pflanzen mit großen, meist gestielten und gefiederten Blättern (Farnwedel). Auf der Unterseite der (in der Jugend stark eingerollten) Blätter befinden sich in kleinen Häufchen (Sori) oder größeren Gruppen die Sporenbehälter (Sporangien). – Charakteristisch für die F. ist der Wechsel von 2 Generationen. Beide Generationen, *Gametophyt* und *Sporophyt* (die eigtl. Farnpflanze), leben selbständig. Aus einer Spore entwickelt sich ein Gametophyt (Prothallium); auf ihm bilden sich die männl. und weibl. Geschlechtsorgane. Die Befruchtung der Spermatozoid- und Eizellen ist nur in Wasser (feuchter Untergrund, Tautropfen) möglich. Aus der befruchteten Eizelle entsteht der ungeschlechtl. Sporophyt. Aus seinen Sporangien lösen sich die Sporen, die wieder zu Gametophyten auswachsen. – Bekannte Arten sind z. B. Wurm-, Adler- und Tüpfelfarn.

Farnese, italien. Adelsgeschlecht und Dynastie, ben. nach dem Sitz „Castrum Farneti" bei Orvieto; seit dem 11. Jh. nachweisbar. *Pier Luigi F.* (* 1503, † 1547) erhielt 1545 Parma und Piacenza zu erbl. Hzgt.; 1547 wurden die Hzgt. von Kaiser Karl V. eingezogen und 1552/56 seinem Schwiegersohn *Ottavio F.* (* 1524, † 1586) übertragen. 1731 erloschen die F. im Mannesstamm. Bed.:
F., Alessandro d. Ä. ↑ Paul III., Papst.
F., Alessandro d. J., * Valento 10. Okt. 1520, † Rom 4. März 1589, Kardinal. – Leitete seit 1538 die päpstl. Staatsgeschäfte, führte 1546 das päpstl. Hilfskorps in den Schmalkald. Krieg. 1555 entschied er die Wahl Papst Pauls IV. Bed. als Kunstmäzen.
F., Alessandro ↑ Alexander, Herzog von Parma und Piacenza.
F., Elisabeth ↑ Elisabeth (Spanien).
F., Ottavio ↑ Ottavio, Herzog von Parma und Piacenza.
Farnesischer Stier, eine 1547 bei den Ausgrabungen der Farnese in den Caracallathermen in Rom gefundene röm. Nachbildung eines um 50 v. Chr. gearbeiteten Werkes der Bildhauer Apollonios und Tauriskos von Tralleis; Teil der **Farnesischen Sammlungen,** die sich heute im Museo Nazionale in Neapel befinden.

Farnpflanzen (Pteridophyta), Abteilung der Pflanzen mit vier Klassen: ↑ Urfarne, ↑ Bärlappe, ↑ Schachtelhalme, ↑ Farne.
Faro [portugies. 'faru], portugies. Stadt an der Algarveküste, 28 200 E. Bischofssitz; Museen. Fischereihafen; Korkverarbeitung; Fremdenverkehr, ✈.
Faro, Kartenglücksspiel, ↑ Pharao.
Färöer [fɛ'rø:ər, 'fɛ:røər], dän. Inselgruppe im Europ. Nordmeer, rd. 475 km sö. von Island, 1 399 km²; 47 600 E (1989). Die Hauptinseln sind Streymoy, Eysturoy, Suðuroy, Sandoy und Vágar. Hauptort ist Tórshavn auf Streymoy. Die Küsten sind durch Fjorde stark gegliedert. Die Moränendecke über den Basalt- und Tuffschichten ist baumlos, mit Gras und Heide überzogen. Schafzucht, Fischerei.
Seit dem 7. Jh. von Kelten besiedelt, im 8./9. Jh. von norweg. Wikingern erobert; gehörten bis ins 19. Jh. zu Norwegen. Bei der Lösung Norwegens von Dänemark 1814 verblieben die F. bei Dänemark; seit 1948 weitgehende innere Selbstverwaltung mit eigenem Parlament und eigener Flagge.
färöische Sprache (färingische Sprache), zur Gruppe der nordgerman. Sprachen gehörend, von etwa 40 000 Menschen auf Färöer gesprochen; urspr. von norweg. Mundarten ausgehend, stellt die f. S. heute ein eigenes System dar. Neben Dänisch ist sie öffentl. gebrauchte Landessprache. Im 19. Jh. begann mit der Tätigkeit von V. U. Hammershaimb die Grundlegung einer nat. färöischen Schriftsprache, deren Orthographie noch heute weitgehend gilt.
Farrell, James Thomas [engl. 'færəl], * Chicago 27. Febr. 1904, † New York 22. Aug. 1979, amerikan. Schriftsteller. – Seine naturalist. Romane stellen eine düstere, quälende und kalte Welt dar. In dem stark autobiograph. Hauptwerk, der Trilogie „Studs Lonigan" (1932–35), schildert er den Untergang eines ir. Einwanderers in einer amerikan. Großstadt; auch literaturkrit. Essays.
Farrère, Claude [frz. fa'rɛːr], eigtl. Frédéric Charles Bargone, * Lyon 27. April 1876, † Paris 21. Juni 1957, frz. Schriftsteller. – Schrieb zahlr. exot. Romane, deren Handlung meist vor dem Hintergrund gegensätzl. europ. und oriental. Zivilisationen

spielt, u. a. „Opium" (R., 1904), „Kulturmenschen" (R., 1906), „Die Schlacht" (R., 1909).

Farrow, Mia [engl. 'færəʊ], * Los Angeles (Calif.) 9. Febr. 1945, amerikan. Schauspielerin. – ∞ 1966–68 mit F. Sinatra, 1970–79 mit A. Previn. Begann 1963 beim Off-Broadway-Theater und 1964 beim Film; wurde 1968 mit R. Polanskis „Rosemaries Baby" bekannt; seit 1982 v. a. in Filmen von W. Allen. – *Weitere Filme:* Der große Gatsby (1978), Zelig (1983), The Purple Rose of Cairo (1985), Hannah und ihre Schwestern (1986), Alice (1990), Schatten und Nebel (1992).

Farrukhabad (Farrukhabad-Fatehgarh), Stadt im ind. Bundesstaat Uttar Pradesh, im Gangestiefland, 161 000 E. Agrarhandelszentrum. – 1714 gegründet.

Fars, Prov. in S-Iran, in den südl. Ketten des Sagrosgebirges, 133 298 km², 3,19 Mill. E (1986); Hauptstadt Schiras. – Das Gebiet von F. war nach pers. Besiedlung im 8. Jh. v. Chr. der Kernraum des pers. Reiches **(Persis).**

Färse [niederl.] (Sterke), geschlechtsreifes weibl. Rind vor dem ersten Kalben bis zum Ende der nach dem ersten Kalben folgenden Laktationsperiode.

Farthing [engl. 'fɑːðɪŋ] „vierter Teil"], Münze der Brit. Inseln; 1 F. = ¼ Penny; zuerst in Silber, seit dem 17. Jh. in Kupfer.

Faruk I., * Kairo 11. Febr. 1920, † Rom 18. März 1965, König von Ägypten (1937–52). – Nachfolger seines Vaters Fuad I.; 1952 nach einem Militärputsch des Generals Nagib gestürzt; nach Ausweisung aus Ägypten in der Emigration.

Farvel, Kap (grönländ. Uummannarsuaq), der südlichste Punkt Grönlands, auf der der Hauptinsel im S vorgelagerten Eggersinsel.

Fasanen (Phasianinae) [griech.-lat., eigtl. „am Phasis (einem Schwarzmeerzufluß, heute Rioni) lebende Vögel"], Unterfam. der Fasanenartigen mit 48 ursprüngl. in Asien (Ausnahme: ↑ Kongopfau) beheimateten Arten; farbenprächtige Bodenvögel mit meist langem Schwanz, häufig unbefiederten, lebhaft gefärbten Stellen am Kopf und kräftigen Läufen, die im ♂ Geschlecht Sporen aufweisen. – Bekannte Arten oder Gruppen: **Edelfasan** (Jagdfasan, Phasianus colchicus), ♂ etwa 85 cm lang, Gefieder metallisch schillernd, Hinterkopfseiten mit beiderseits einem Büschel verlängerter, aufrichtbarer Ohrfedern; ♀ rebhuhnbraun. Zur Gatt. **Kragenfasanen** (Chrysolophus) gehören der in M-China vorkommende **Goldfasan** (Chrysolophus pictus) und der in SW-China und Birma vorkommende **Diamantfasan** (Amherstfasan, Chrysolophus amherstiae). Das Goldfasan-♂ ist bis 1 m lang, farbenprächtig, mit goldgelbem Federschopf und abspreizbarem, rotgelb und schwarz gebändertem Halskragen; ♀ unauffällig braun gescheckt. Der Diamantfasan ist

mit Schwanz bis 1,7 m lang; ♂ prächtig bunt gefärbt; ♀ unscheinbar braun gesprenkelt. In Hinterindien und O-Asien lebt der bis 1 m lange **Silberfasan** (Gennaeus nycthemerus); ♂ oberseits weiß mit feiner, schwarzer Zeichnung, Unterseite und Schopf blauschwarz. Der bis 85 cm lange **Kupferfasan** (Syrmaticus soemmeringii) kommt in Japan vor; ♂ hellbraun und kupferrot. In SO-China verbreitet ist der **Elliotfasan** (Syrmaticus ellioti), ♂ (mit Schwanz) etwa 80 cm lang. Die Gatt. **Ohrfasanen** (Crossoptilon) hat drei Arten in Z-Asien; mit weißen Ohrfedern und nackten, roten Hautstellen um die Augen. Im Himalaja und angrenzenden Gebirgen kommen die drei Arten der Gatt. **Glanzfasanen** (Monals, Lophophorus) vor; etwa 70 cm lang, kurzschwänzig; ♂ oberseits rot, gold, grün und blau schillernd, unterseits samtschwarz; ♀ unscheinbar braun. Am bekanntesten ist der **Himalajaglanzfasan** (Lophophorus impejanus), dessen ♂ ähnlich wie der Pfau balzt und pfauenartige Kopfschmuckfedern hat. Die Gattungsgruppe **Hühnerfasanen** (Fasanenhühner) umfaßt etwa 10 Arten in Z- und S-Asien. Zu den F. gehören außerdem die zwei asiat. Arten der ↑ Pfauen und der ↑ Kongopfau.

Fasanenartige (Phasianidae), mit über 200 Arten fast weltweit verbreitete Fam. 0,12–1,3 m langer Hühnervögel; ♂♂ häufig auffallend gefärbt, mit großen Schmuckfedern und bunten Schwellkörpern an Kopf und Hals. Zu den F. gehören: ↑ Rauhfußhühner, ↑ Feldhühner, ↑ Truthühner, ↑ Satyrhühner, ↑ Fasanen, ↑ Pfaufasanen, ↑ Perlhühner.

Fasanerie [griech.-lat.-frz.], meist großes, unterholzreiches Gehege, das zur Aufzucht von Jagdfasanen dient.

Fasano, italien. Stadt, 50 km nw. von Brindisi, Apulien, 37 200 E. Zentrum eines Wein- und Olivenanbaugebiets. 5 km nördl. liegen die Ruinen der antiken Hafenstadt Egnatia. – F. war Feudalbesitz des Johanniterordens von Rhodos. – Palast (1509).

Fasces ['fastsɛs] ↑ Faszes.

Fasch, Christian Friedrich Carl (Carl Friedrich), * Zerbst 18. Nov. 1736, † Berlin 3. Aug. 1800, dt. Komponist. – Sohn von Johann Friedrich F.; Cembalist am Hof Friedrichs II. in Berlin, 1791 Gründer der Berliner Singakademie.

F., Johann Friedrich, * Buttelstedt bei Weimar 15. April 1688, † Zerbst 5. Dez. 1758, dt. Komponist. – 1722 Hofkapellmeister in Zerbst. Seine Werke stehen am Übergang vom Barock zur Frühklassik (Ouvertüren, Sinfonien, Konzerte, Triosonaten, Kantaten, Messen).

Faschinen [frz., zu lat. fascis „Rutenbündel"], zusammengeschnürte Bündel aus Reisig, die zur Böschungssicherung dienen.

Fasching [zu mittelhochdt. vas(t)schanc „Ausschenken des Fastentrunks"], bayrisch-östr. Bez. für die Wochen, die der Fastenzeit vorangehen. – ↑ Fastnacht.

Faschir, Al, Hauptstadt des Bundesstaates Darfur, Rep. Sudan, 60 000 E. Straßenknotenpunkt; ⚒. – Residenz der Sultane von Darfur 1787–1916.

Faschismus [italien., zu fascio „Rutenbündel" (von ↑ Faszes)], 1. das von B. Mussolini geführte Herrschaftssystem in Italien (1922–45); 2. i. w. S. Bez. für extrem nationalist., nach dem Führerprinzip organisierte antiliberale und antimarxist. Bewegungen und Herrschaftssysteme in verschiedenen Ländern Europas nach dem 1. Weltkrieg; 3. nach marxist. Auffassung eine in kapitalist. Industriegesellschaften bei sozialer, wirtsch. und polit. Krisenlage angewandte Form bürgerl. Herrschaft. – Mit ↑ Neofaschismus bezeichnet man Strömungen und Parteien, die nach 1945 an die Tradition des F. anknüpften. Heute wird „faschistisch" häufig unreflektiert auf Phänomene angewandt, auf die diese Bez. gar nicht oder nur tendenziell zutrifft.

Der Faschismus in Italien: In der 1919 von Mussolini als „Fasci di combattimento" begr. Bewegung von Syndikalisten, Frontkämpfern und Interventisten verband sich militanter Nationalismus mit einem lautstarken politisch-sozialen Erneuerungswillen. Doch erst als die Nachkriegskrise Italiens (Unzufriedenheit des Bürgertums mit den Ergebnissen des Krieges, mangelnde Koalitionsbereitschaft zw. Liberalen, Kath. Volkspartei und Sozialisten, soziale Auseinandersetzungen) im Sept. 1920 in mehrwöchigen Fabrikbesetzungen einen Höhepunkt erreichte, fand die militante, antisozialist. Taktik des F. die Unterstützung von Ind., Grundbesitz, Kirche, Bürokratie und liberaler Presse. Anfangs eine kleinbürgerl. Protestbewegung, griff der F. nun auf die Gebiete des sozialist. ländl. Genossenschaftswesens in N-Italien über. Bewaffnete Kampfgruppen führten einen Vernichtungskampf gegen die organisierte Linke, oft mit Duldung, z. T. mit offener Unterstützung staatl. Stellen. Bei den Wahlen 1921 erhielt der F. innerhalb des gegen Sozialisten und Volkspartei (Popolari) gerichteten „Nat. Blocks" eine erste parlamentar. Vertretung (35 Abg. von insgesamt 535). Um die regionalen Gruppen im F. besser beherrschen zu können, formte Mussolini die Bewegung im Nov. 1921 zum **Partito Nazionale Fascista** (PNF) um (Mgl. Ende Mai 1922: 322 000). Loyalitätserklärungen gegenüber der kath. Kirche und der Monarchie sowie ein liberalist. Wirtschaftsprogramm erhöhten die Koalitionsfähigkeit gegenüber den bürgerl. Parteien. Im vorhandenen Machtvakuum vermochte der F. sich als einzige polit. Alternati-

ve zum zerbrechenden liberalen System zu etablieren. Ende Okt. 1922 bahnte sich Mussolini mit Gewalt, Erpressung und Überredung den Weg zur Macht (**Marsch auf Rom** 27./28. Okt. 1922). Am 30. Okt. ernannte Viktor Emanuel III. Mussolini zum Min.präs. eines Kabinetts aus 4 Faschisten und insgesamt 10 Nationalisten, Liberalen, Demokraten und Popolari. Das wenig umrissene Programm des F. beruhte großenteils auf Ressentiments und Negationen (Antimarxismus, Antiliberalismus usw.). Mussolini war v. a. von F. Nietzsche, G. Sorel und V. Pareto beeinflußt. Auf die Lehre des F. wirkten neben dem Futurismus und dem Aktionismus D'Annunzios v. a. der revolutionäre Syndikalismus (im linken Flügel des F.) und der Nationalismus ein. Die nationalist. Partei wurde 1923 mit dem F. verschmolzen. Die faschist. Idee des „stato totalitario" bedeutete Unterordnung des einzelnen unter die Zwecke des Staates zur machtpolit. Entfaltung der Nation.

Ein auf ein Jahr befristetes Ermächtigungsgesetz (3. 12. 1922) gab der Reg. weitgehende Vollmachten. Mit der Gründung des Großrats des Faschismus (15. Dez. 1922) und der Institutionalisierung der faschist. Kampfgruppen in einer parastaatl. Parteiarmee begann die Umwandlung des liberalen Systems. Kapitalfreundl. Maßnahmen sicherten das Wohlwollen der besitzenden Schichten. Ein neues Wahlgesetz gab dem PNF und seinen rechtsliberalen Listenverbündeten in den Wahlen vom April 1924 eine Zweidrittelmehrheit. Das durch die Ermordung des Sozialisten G. Matteotti (10. Juni 1924) signalisierte Drängen des radikalen Flügels des F. nach der Parteidiktatur führte zu einer tiefen Krise des F. (auch zur Formierung einer ersten, streng legalen, antifaschist. Oppositionsbewegung), die Mussolini mit dem Übergang zum Einparteienstaat beantwortete. 1925/26 wurden die individuellen Grundrechtsgarantien und die Gewaltenteilung beseitigt, die nichtfaschist. Parteien verboten, Verwaltung und Justiz gleichgeschaltet und die Pressefreiheit aufgehoben. Mussolini erhielt prakt. unumschränkte Vollmachten. Die Errichtung eines polit. Sondergerichts und einer Geheimpolizei institutionalisierte die terrorist. Seite des Systems. Ein Netz von Berufs-, Frauen-, Jugend-, Freizeitorganisationen u. a. sollte alle Altersstufen und Lebensbereiche erfassen. Das Führerprinzip wurde auf allen polit. und sozialen Ebenen durchgesetzt. Doch kannte die Wirklichkeit des totalitären Staates auf Grund der unangetasteten Existenz von Kirche (Lateranverträge 1929), Monarchie und Heer eine Reihe von Freiräumen.

Mit der Ausschaltung der kath., sozialist. und

kommunist. Gewerkschaften und der Errichtung des Korporationensystems erhob der F. den Anspruch, eine transkapitalist. Wirtschaftsordnung geschaffen zu haben. Faktisch kam jedoch die Neuregelung mit der Aufhebung des Achtstundentages, der Betriebsvertretungen und mehrfachen Lohnsenkungen weitgehend der Arbeitgeberseite zugute. Beim Aufbau des PNF verließ man schon bald das Konzept einer Eliten- zugunsten einer Massenpartei (1943: 4,75 Mill. Mgl.). Außenpolitisch ordnete sich das faschist. Italien anfangs in die von Frankreich und Großbritannien bestimmte europ. Nachkriegsordnung ein. Die Hinwendung zum nat.-soz. Deutschland (gemeinsame Intervention im Span. Bürgerkrieg) gipfelte im Kriegseintritt Italiens (Juni 1940) auf dt. Seite. Nach den raschen militär. Niederlagen 1940–43 schritt der konservativ-monarchist. Flügel des F. zum Mißtrauensvotum im Großrat des Faschismus (24./25. Juli 1943), das dem König Entlassung und Verhaftung Mussolinis ermöglichte. Nach seiner Befreiung durch die Deutschen inszenierte Mussolini in Oberitalien das kurzlebige Experiment der Republik von Salò.

Die faschistischen Bewegungen: In fast allen Staaten Europas gab es in den 1920er und 1930er Jahren faschist. Bewegungen: *Deutschland:* Nationalsozialismus, *Spanien:* Falange Española Tradicionalista y de las J.O.N.S., *Großbritannien:* British Union of Fascists, *Frankreich:* Croix de feu, Francismus, Parti Populaire. Français, *Niederlande:* Nationaal-Socialistische Beweging, *Belgien:* Rexbewegung, *Norwegen:* Nasjonal Samling, *Schweiz:* Frontismus, *Österreich:* Heimwehren, *Ungarn:* Pfeilkreuzler, *Rumänien:* Eiserne Garde, *Slowakei:* Hlinka-Garde, *Kroatien:* Ustascha. Auslöser waren die sozialen und polit. Veränderungen nach dem 1. Weltkrieg und die Furcht vor der seit der russ. Oktoberrevolution 1917 offenen Möglichkeit einer sozialen Revolution. Die Anhänger des F. stammten aus dem alten und neuen Mittelstand (Handwerker, Kaufleute, Bauern, Angestellte, Beamte), die sich durch das Anwachsen der Arbeiterbewegung wie durch die fortschreitende Industrialisierung in ihrer materiellen Existenz und in ihrem Status bedroht fühlten. In ihrem Ansatz waren die faschist. Bewegungen sowohl antimarxist. wie antikapitalist., gingen jedoch auf dem Weg zur Macht, unter Ausschaltung der linken Flügel, vielfache Kompromisse mit vorhandenen Machtträgern (rechtsbürgerl. Parteien, Heer, Bürokratie, Großindustrie, Kirchen usw.) ein. Die Ideologie war gekennzeichnet durch Antimarxismus, Antiliberalismus, Militarismus und übersteigerten Nationalismus. Mit Volksgemeinschaftsparolen versuchte

man, die sozialen Spannungen – unter Verfolgung polit., religiöser und rass. Minderheiten – auf Randgruppen abzulenken. Als Organisationsform wurde ein hierarch. aufgebautes, von einem „Führer" geleitetes Einparteiensystem proklamiert. Im Kampfstil verbanden sich Propaganda und Terror, ausgeübt durch paramilitär. Verbände und Geheimpolizei.

Faschismustheorien: Während in der bürgerlich-liberalen F.theorie F. und Kommunismus wesentl. Gemeinsamkeiten aufweisen (Totalitarismus), bildet der F. nach marxist.-leninist. Auffassung eine in bürgerl. Demokratien in ökonom. oder bürgerl. Krisenlage angewandte neuartige Form polit. Herrschaft. Der F. ermöglicht die Zerschlagung der Arbeiterparteien und der Gewerkschaften, Senkung der Lohnkosten und Erhöhung der Rentabilität. Seine Funktion ist, auch in einer Krisenlage die bestehenden Eigentums- und Privilegienverhältnisse unter Preisgabe der polit., aber Beibehaltung der sozialen Herrschaft aufrechtzuerhalten.

☼ *Nolte, E.: Der F. in seiner Epoche. Action Française, Italien. F., Nationalsozialismus. Mchn. ³1990. – Kühnl, R.: F.theorien. Ein Leitfaden. Aktualisierte Neuaufl. 1990. – Wippermann, W.: F.theorien. Darmst. ⁵1989. – Wippermann, W.: Europ. F. im Vergleich 1922–1982. Ffm. 1983. – F. als soziale Bewegung. Deutschland u. Italien im Vergleich. Hg. v. W.Schieder. Gött. ²1983. – DeFelice, R.: Der F. Dt. Übers. Stg. 1977.*

faschistoid [lat.-italien.], dem Faschismus ähnlich, faschist. Züge zeigend.

Faschodakrise, brit.-frz. Kolonialkonflikt um die Herrschaft über den Sudan 1898/1899; entstand, als brit. Kolonialtruppen den Oberlauf des Nils unter brit. Herrschaft zu bringen suchten und 1898 bei Faschoda (= Kodok) auf frz. Truppen stießen. Die internat. isolierte frz. Reg. ließ das Niltal bedingungslos räumen. Das Abkommen von 1899 regelte die Besitzverhältnisse am oberen Nil, sicherte Frankreich das Tschadseebecken und erleichterte schließlich die Bildung der Entente cordiale.

Fasci di combattimento [italien. 'faʃʃi di kombatti'mento] ↑ Faschismus.

Fasciola [lat.] (Distomum), weit verbreitete Gatt. der Saugwürmer mit einigen in Säugetieren parasitierenden Arten, z.B. Großer Leberegel.

Fasciolose [lat.], svw. ↑ Leberegelkrankheit.

Fase, durch Bearbeiten einer Kante entstandene, abgeschrägte Fläche.

Faser ↑ Fasern.

Fasergeschwulst, svw. ↑ Fibrom.

Faserhanf (Kulturhanf, Cannabis sativa ssp. sativa), aus Asien stammende Kulturform des Hanfs, angebaut in Asien, Europa, N-Afrika, N-Amerika, Chile und Australien; wird bei weitem Pflanzabstand bis 3 m hoch und großfaserig **(Riesenhanf, Schließhanf, Seilerhanf)**, bei dichter Aussaat niedrig und feinfaserig **(Spinnhanf)**; Fasergewinnung ähnlich wie beim Gespinstlein. Die Fasern sind für Segeltuche, Netze und Seile geeignet.

Faserknorpel ↑ Knorpel.

Faserkrebs (Szirrhus), harter Drüsenepithelkrebs mit reichl. Entwicklung von derbem, schrumpfendem Bindegewebe (Stroma), v.a. bei Brustdrüsen- und Magenkrebs.

Faserkristall, svw. ↑ Haarkristall.

Faserlein, svw. Gespinstlein (↑ Flachs).

Fasern, langgestreckte Strukturen im pflanzl. und tier. Organismus, als Zellen, Zellstränge, Zellstrangbündel oder auch als Zellanteile (Nervenfasern, Muskelfasern).

◆ (Textilfasern) in der *Textiltechnik* lange feine Gebilde, die zu Garnen versponnen werden können. Man unterscheidet zw. Naturfasern (z.B. Baumwolle, Flachs, Wolle) und Chemiefasern.

Fasernessel, Zuchtform der Großen Brennessel, die zur gewerbl. Gewinnung von Nesselfasern für Nesseltuch angebaut wird.

Faseroptik, svw. ↑ Glasfaseroptik.

Faserpflanzen, Bez. für Pflanzen, die Rohstoffe für die Spinnerei- und Seilerind. zur Herstellung von Polstern, Geflechten, Besen, Pinseln liefern. Größere wirtschaftl. Bedeutung haben nur Baumwolle, Faserhanf, Kapok, Sisal und Flachs.

Faserplatten ↑ Holzfaserplatten.

Faserstoffe, Stoffe mit einer ausgeprägten Faserstruktur; sie zeichnen sich durch eine parallele Anordnung aller an ihrem

Fasern (Auswahl)		
Name	Vorkommen und Gewinnung bzw. Herstellung	Verwendung
Pflanzenfasern		
Baumwolle	Samenhaare von Arten der Baumwollpflanze	Textilfaser
Flachs (Lein)	Bastfasern aus den Stengeln von Echtem Lein	Textilfaser
Hanf	Bastfasern aus den Stengeln von Faserhanf	Segeltuche, Netze, Seile
Jute	Bastfasern aus den Stengeln verschiedener Jutearten	Verpackungsgewebe, Bespannstoffe, Gurte, Läufer
Kokos	Hartfasern aus der faserigen Schicht der Fruchthülle der Kokospalmenfrüchte	Seile, Netze, Matten, Polstermaterial, Säcke
Manilafaser (Abakafaser)	Hartfasern aus den Blattscheiden des Stamms der Faserbanane und verwandter Arten	Seile, Taue, Netze, Säcke
Ramie	Bastfasern aus den Blattstengeln von Boehmeriaarten	Nähzwirne, Fallschirmstoffe, Schlauchgewebe
Sisal	Bastfasern aus den Blättern der Sisalagaven	Garne für Schnüre, Seile, Taue, Läufer, Teppiche
Tierfasern		
Alpakawolle	Woll- und Deckhaare vom Alpaka	Textilfaser
Angorawolle	Haare der Angorakaninchen	Textilfaser, bes. leicht und fein, meist zus. mit Schafwolle verwendet
Kamelwolle (Kamelhaar)	Woll- und Deckhaare des Kamels	Textilfaser; Wollhaare v.a. für Decken und Mantelstoffe, Deckhaare für Teppiche
Kaschmirwolle	Woll- und Deckhaare der Kaschmirziege	Textilfaser für bes. feine, dichte Wollgewebe
Mohair[wolle]	Haare der Angoraziege	Textilfaser, bes. stark glänzend, wenig filzend, für Gewebe, Strick- und Wirkwaren
Roßhaar	Schweif- und Mähnenhaare des Pferdes	Polstermaterial
Schafwolle (Wolle)	Wollhaare der Merino-, Lincoln- und Crossbredschafe	Textilfaser für Wollgewebe aller Art
Vikunjawolle	Wollhaare des Vikunja	Textilfaser für bes. feine und leichte Wollgewebe
Seide	Kokonfasern der Seidenspinner, insbes. des Maulbeerseidenspinners	Textilfaser, bes. für Stoffe, Nähgarne, Stickgarne

Fasern (Fortsetzung)		
Name	Vorkommen und Gewinnung bzw. Herstellung	Verwendung
Chemiefasern		
Acetat[faser]	Acetylierung von Zellulose	Textilfaser für Stoffe, Futterstoffe, Stickgarn
Cupro	Kupferoxid-Ammoniak-Verfahren	Textilfaser für Stoffe und Futterstoffe
Viskose (früher: Reyon)	Viskoseverfahren	Textilfaser, ähnlich wie Baumwolle für Stoffe; ferner für Autoreifeneinlagen (Kord)
Polyacryl[faser]	Polymerisation von Acrylnitril; Verspinnen im Trocken- oder Naßspinnverfahren	Textilfaser, bes. Strick- und Wirkwaren
Polyamid[faser]	Polykondensation von Dicarbonsäuren mit Diaminen, von ω-Aminocarbonsäuren oder von Lactamen; Verspinnen im Trockenspinnverfahren	Textilfaser für Stoffe, Seile
Polyester[faser]	Polykondensation von Terephthalsäure und einem zweiwertigen Alkohol (Diol)	Textilfaser, bes. für Oberbekleidungsstoffe
Polyurethan[faser]	Polyaddition von zweiwertigen Isocyanaten (Diisocyanate) und zweiwertigen Alkoholen (Diolen)	Textilfaser, bes. für elast. Gewebe
Anorganische Fasern		
Glasfasern	Schmelzen von Quarzsand mit Zuschlägen	Isoliermaterial, Verstärkungsmaterial für Kunststoffe
Kohlenstofffasern	Verkohlung von organ. Fasern (v. a. Polyacryl und Viskose)	Verstärkungsmaterial für Kunststoffe und Gläser
Metallfasern	Ziehen der Metalle, Drahtziehverfahren	Dekorationsstoffe, Verstärkungsmaterial für Kunststoffe, Kabelherstellung

Aufbau beteiligten Moleküle oder kleinen Kristallbereiche aus.

Faservlies, Faserverbundstoff, dessen Zusammenhalt durch eine den Fasern eigene oder durch Präparation erzielte Haftung bewirkt wird. Verwendung u. a. als Einlagestoffe für Bekleidungsstücke.

Fashion [engl. 'fæʃən; zu frz. façon († Fasson)], Mode, Vornehmheit, gepflegter Lebensstil.

fashionable [engl. 'fæʃənəbl], modisch, elegant, vornehm.

Fasnacht † Fastnacht.

Fasolt, german. Sagengestalt, † Eckenlied.

Faß, früher meist aus Eichenholzdauben gefertigter Behälter für die Bereitung, Lagerung und den Transport u. a. von Wein, Branntwein und Bier. An die Stelle der traditionellen Fässer sind heute weitgehend säurefeste Metallfässer, Kunststoffbehälter, zur Lagerung oder als Gärbehälter auch Stahltanks oder mit Glas ausgekleidete Betonräume getreten.

◆ alte dt. Volumeneinheit unterschiedl. Größe, z. B. in Bayern für Bier 17,1 hl.

Fassade [frz., zu lat. facies „Aussehen"], Schauseite eines Gebäudes, meist die Haupteingangsseite; gelegentlich auch zum Garten (Barockschlösser) o. a.; bei modernen Bauten auch svw. Hauswand (Fensterwand).

Fassatal, italien. Hochgebirgstallandschaft der oberen Avisio in den Dolomiten, zw. Rosengarten und Marmolada; Hauptorte sind Vigo di Fassa, Campitella di Fassa und Canazei.

Faßbender, Joseph, * Köln 14. April 1903, † ebd. 5. Jan. 1974, dt. Maler und Graphiker. – Steht im Übergang zw. zeichenhafter Abstraktion und reinen Farb-Form-Werten.

Fassbinder, Rainer Werner, * Bad Wörishofen 31. Mai 1945, † München 10. Juni 1982, dt. Regisseur und Filmproduzent. – Gilt als einer der kreativsten und produktivsten Vertreter des internat. Autorenfilms; schrieb Theaterstücke und Drehbücher, die er selbst inszenierte und verfilmte. – *Werke:* Iphigenie auf Tauris von J. W. von Goethe (Dr., 1968), Katzelmacher (Dr., 1968; Film, 1969), Liebe ist kälter als der Tod (1969), Warnung vor einer hl. Nutte (1970), Die bitteren Tränen der Petra von Kant (1972), Martha (1972), Angst essen Seele auf (1973), Fontane Effi Briest (1974), Der Müll, die Stadt und der Tod (Dr., 1976), Satansbraten (1977), Die Ehe der Maria Braun (1978), Berlin Alexanderplatz (1980; Fernsehserie in 14 Folgen, nach dem R. von A. Döblin), Lili Marleen (1980), Lola (1981), Die Sehnsucht der Veronika Voss (1982), Querelle (1982, nach dem Roman von J. Genet).

Faßbinder (Böttcher), ehem. Handwerk. – ↑ Böttcherei.

Fasson (Façon) [fa'sõ:; frz., zu lat. factio „das Machen"], Art, Muster, Form; Schnitt (bei Kleidungsstücken); Haltung (die F. bewahren).

Faßschnecke (Tonnenschnecke, Tonna galea), räuberisch lebende Meeresschnecke mit bis 25 cm langer, bräunl., eiförmiger Schale.

Fassung, genormte Vorrichtung zum Einsetzen von elektr. Glühlampen und Elektronenröhren bei gleichzeitigem Herstellen des elektr. Kontaktes. Bei **Schraubfassungen** ist v. a. die *Edison-F.* mit einzuschraubendem Edison-Sockel gebräuchlich. Auf dem Prinzip des Bajonettverschlusses beruht die **Bajonettfassung,** die wegen des festeren Sitzes v. a. in Fahrzeugen verwendet wird.

◆ die farbige Bemalung der Bildwerke aus Stein und Holz, im Altertum, im MA sowie im Barock weitgehend üblich. Die F. führte der **Faßmaler,** nicht der Schnitzer aus.

◆ die einem literar. Text vom Autor bei der Niederschrift gegebene Form.

Fast, Howard, Pseud. Walter Ericson, * New York 11. Nov. 1914, amerikan. Schriftsteller. – Verf. sozial engagierter histor. Romane u. a. – *Werke:* Spartacus (R., 1952), Versuchung der Macht (1962), The Jews (1968), Romantrilogie: Die Einwanderer (1977), Der Außenseiter (1984), Die Tochter des Einwanderers (1985).

Fastebene (engl. Peneplain), in der Geomorphologie eine Verebnungsfläche, Endstadium der Abtragung, die in sehr langen Zeiträumen wirksam war.

Fasten [eigtl. „an den (Fasten)geboten festhalten" (verwandt mit fest)], in der Religionsgeschichte weit verbreitete, individuell oder gemeinschaftl. vollzogene Abstinenz von bestimmten Nahrungsmitteln und Getränken, z. T. auch totale Enthaltung von Nahrungsaufnahme, die zu bestimmten F.zeiten oder – wie gelegentl. im Dschainismus – dauernd geübt wird. Ihr Ziel kann in der Abwehr schädl. Kräfte, in eigener Kraftgewinnung oder ekstat. Steigerung bestehen. In einigen Religionen dient das F. der Buße und Heiligung, der Freiheit zum Gebet, der Vision und Erleuchtung, der Vorbereitung auf kult. Handlungen, insbes. auf den Genuß

hl. Speisen. – So gibt es in der *kath. Kirche* zwei Fastenzeiten jeweils vor den Hochfesten (Ostern und Weihnachten). Gebotene **Fasttage** sind (seit 1966) nur noch Aschermittwoch und Karfreitag, die zugleich **Abstinenztage** sind (Verbot des Genusses von Fleisch warmblütiger Tiere). Zum F. verpflichtet sind alle Kirchenangehörigen, die das 18. Lebensjahr vollendet und das 60. noch nicht begonnen haben. – In den *Ostkirchen* gibt es mehrere F.zeiten (vor höheren Festen) und Fasttage. Das F. besteht in der Abstinenz von Fleisch, Eiern, Milch (auch Butter, Käse usw.), Fisch, Öl und Wein. Beschränkung in der Quantität der erlaubten Speisen gibt es nicht. – In den *ev. Kirchen* wurde v. a. die Ansicht bekämpft, F. sei als gutes Werk verdienstvoll.

Fastenkur (Heilfasten), eingreifende, unter ärztl. Anleitung und nur zeitlich begrenzt durchzuführende diätet. Maßnahme; als *Voll-F.* (völliger Nahrungsentzug) oder *Saft-F.* möglich.

Fastenmonat ↑ Ramadan.

Fasti [lat. „Tage des Rechtsprechens" (zu fari „sprechen")], die Werktage des röm. Kalenders, lat. Dies fasti; Ggs.: Dies nefasti.

◆ der röm. Kalender, d. h. Listen aller Tage des Jahres mit Angabe ihres jeweiligen Rechtscharakters und weiterer Kommentaren.

◆ Namenslisten der höchsten Jahresbeamten, der Priester und Verzeichnis der röm. Siegesfeiern; führte zur Entwicklung der Annalen.

Fastnacht (Fasnacht), urspr. der Abend vor der Fastenzeit, später v. a. die letzten drei Tage, auch die vorhergehende Woche, seit

Fastnacht. Alemannische Fastnachtsmasken

dem 19. Jh. meist die Zeit vom Dreikönigstag bis Aschermittwoch. Während die prot. Länder eine eigtl. F.feier heute kaum mehr kennen, begeht das Rheinland den **Karneval,** Mainz und Umgebung **Fastnacht,** das schwäb.-alemann. Gebiet die **Fasnet,** Franken die **Fosnat,** der bayr.-östr. Raum den **Fasching.** Grundlegendes Motiv der verschiedenen F.bräuche dürften die bevorstehenden, zur Enthaltsamkeit mahnenden Fasten- und Bußwochen sein. Die F.bräuche des MA sind bes. gut in den Städten faßbar und hier wesentl. von Erscheinungsformen des öffentl. Festwesens geprägt. Bis ins 14. Jh. dominieren zur F. Reiterspiele der Patrizier, dann entwickelt sich ein vielgestaltiges Maskenbrauchtum. Den vielfach groben und exzessiven Brauchhandlungen des Spät-MA folgen im 16. Jh. neue Schau- und Vorführbräuche der Handwerker. In der Barockzeit blüht die F. als prunkvolles Kostümfest an den Fürstenhöfen und beeinflußt mit ihren motiv. Ausformungen, z. B. in mytholog. und allegor. Figuren, die bürgerl. F. der Städte seit des 19. Jh. Wichtige Einflüsse auf die künstler. Ausgestaltung kamen seit etwa 1700 aus Italien. – Öffentl. Feiern mit Tanz, Spiel, Umzügen, Heischebräuchen und mannigfachen Formen der Verkleidung charakterisieren die F. als Zeit, in der die gewohnte Ordnung außer Kraft gesetzt ist und im Gewand des Narren verspottet wird (z. B. Etablierung einer „Gegenregierung" [Elferrat], Übergabe des Rathausschlüssels an die Narren), und es ist dem einzelnen gestattet ist, gegen tradierte Verhaltensnormen zu verstoßen. Vielfach wurde in der Geschichte diese „Ventilfunktion" der F. bedeutsam, etwa in satir. gewendeten Widerstand gegen kirchl. Institutionen seit dem 15. Jh. oder gegen die frz. Besatzung im W Deutschlands im 19. Jh., wovon sich v. a. in Rosenmontagsumzügen zeitkrit. Elemente erhalten haben.

📖 *Küster, J.: Die F.feier. Über Sinn u. Herkunft der Narrenbräuche. Freib. 1987. – Moser, D. R.: F., Fasching, Karneval. Graz 1986. – Sund, H.: F. in Gesch., Kunst u. Lit. Konstanz 1984.*

Fastnachtsspiel, ältester gattungsmäßig ausgebildeter Typ des weltl. Dramas in dt. Sprache, v. a. in Nürnberg entwickelt im Rahmen stadtbürgerl. Fastnachtsfeiern, d. h. vermummter Fastengesellschaften; literarisch greifbar etwa zw. 1430 und 1600; gelegentl. Bez. für das dt.sprachige weltl. Drama des Spät-MA und des 16. Jh. überhaupt. – Es lassen sich zwei Typen unterscheiden: das *Reihenspiel* (H. Rosenplüt), hervorgegangen aus einer Folge derb-kom. Sprüche, und das *Handlungsspiel* (H. Folz), das oft an spätma. Schwänke anknüpft. Die Tradition des Nürnberger F. greift im 16. Jh. H. Sachs auf.

Fasttage † Fasten.

Fasces (Fasces) [lat.], in Rom von den Liktoren getragenes Rutenbündel mit Beil, Symbol der Amtsgewalt der röm. Magistrate (imperium) und des damit verbundenen Rechts, zu züchtigen und die Todesstrafe zu verhängen; seit der Frz. Revolution mit der Jakobinermütze Sinnbild des Republikanismus; im italien. Faschismus ab 1926 offizielles Staatssymbol.

Faszie (Fascia) [lat.], bindegewebige Umhüllung von Muskeln oder Muskelgruppen sowie von Organen.

Faszikel [lat.], Aktenbündel, Heft.

Faszination [zu lat. fascinatio „Beschreiung, Behexung"], Bezauberung, Berückung, Bann (von einer Person oder Sache aus).

Fatah, Al (arab. Al Fath), militante palästinens. Kampforganisation; spielte, seit Jan. 1965 tätig, unter der Leitung von J. Arafat nach dem Sechstagekrieg 1967 die führende Rolle unter den Exilorganisationen der Palästinenser. Ihre „Al Asifa" („Sturm") gen. Partisanengruppen führten Terroraktionen v. a. im israel. besetzten Gebiet aus; bei Zusammenstößen mit der jordan. Armee 1971 fast vollständig zerschlagen; wirkte dann hauptsächl. vom Libanon aus.

fatal [lat. „vom Schicksal bestimmt"], verhängnisvoll; widerwärtig, peinlich, unangenehm.

Fatalismus [lat. (zu † Fatum)], eine Haltung, in der die Annahme einer von den Zwecksetzungen des Menschen unabhängigen „blinden" Notwendigkeit allen Geschehens das Handeln bestimmt.

Fata Morgana [italien. „Fee Morgana" (auf die der Volksglaube die in der Straße von Messina häufige Erscheinung zurückführte)], Luftspiegelung, die in Wüstengebieten Wasserflächen vorgaukelt und entfernte Teile einer Landschaft näherrückt.

Fatehpur-Sikri, ind. Stadt im Bundesstaat Uttar Pradesh, 18 000 E. – Von Akbar ab 1569 erbaut, 1574–86 Hauptstadt des Mogulreiches. – Die vollständig erhaltene Mogulstadt mit Stadtmauer, Palast, Moschee u. a. (alle 16. Jh.) wurde von der UNESCO zum Weltkulturerbe erklärt.

Fatiha [arab. „die Eröffnende"], die erste Sure (d. h. Abschnitt) des Korans, Grundgebet des Islams.

Fatima, * Mekka um 606, † Medina 632, Tochter Mohammeds und Chadidschas; ∞ mit dem Vetter Mohammeds, dem späteren Kalifen Ali Ibn Abi Talib; von ihr stammen die einzigen männl. Nachkommen des Propheten ab (Fatimiden). Von Schiiten wird sie deshalb wie eine Heilige verehrt.

Fátima, portugies. Wallfahrtsort 20 km sö. von Leiria, 800 m ü. d. M., 6 400 E. Drei Kinder hatten hier 1917 jeweils am 13. der

Monate Mai–Okt. Erscheinungen Marias; 1930 von der kath. Kirche für glaubwürdig erklärt. Am Ort der ersten Erscheinung entstand ein großer Versammlungsplatz mit Basilika, Klosterbauten und Unterkünften.

Fatimiden, von ↑ Fatima abstammende islam. Dynastie schiit. Richtung (909–1171); unterwarfen nach Sturz der Aghlabiden 909 ganz Nordafrika und Sizilien; 969 Eroberung Ägyptens (Verlegung der Residenz in das neugegr. Kairo 973); bei Ausdehnung der F.herrschaft vom Atlantik bis Arabien begann das westl. Nordafrika wieder selbständig zu werden; ab Anfang 11. Jh. Niedergang. 1171 übernahm Saladin, der die Dyn. der Aijubiden begr., nach dem Tode des letzten F. die Herrschaft in Ägypten.

Fatjanowokultur, nach einem Gräberfeld bei dem russ. Dorf Fatjanowo in der Nähe von Jaroslawl ben. endneolith. Kulturgruppe, in die Zeit um 2000 v. Chr. zu datieren; Kennzeichen: u. a. schnur-, strich- und stempelverzierte Gefäße, Streitäxte aus Felsgestein und Kupfer, kupferne Ringe und Perlen, Knochenschmuck.

Fatra ↑ Große Fatra, ↑ Kleine Fatra.

Fattori, Giovanni, * Livorno 6. Sept. 1825, † Florenz 30. Aug. 1908, italien. Maler und Graphiker. – F. malte anfangs Historien- und Schlachtenbilder, später, angeregt von den frz. Realisten und Frühimpressionisten, Landschaften, Tier- und Figurenbilder sowie Porträts.

Fatzke, umgangssprachl. für: arroganter, eitler Mensch.

Faubourg [frz. fo'bu:r; zu lat. foris „draußen"], in Frankreich außerhalb der Befestigungsanlagen erbaute Vorstadt; heute oft Name von Straßen und Stadtteilen, die früher Vorstädte waren (z. B. in Paris F. Saint-Germain).

Faulbaum, zwei Arten der Kreuzdorngewächse; **Gemeiner Faulbaum** (Rhamnus frangula), bis 5 m hoher Strauch oder kleiner Baum in feuchten Wäldern Europas und NW-Asiens; Blätter bis 7 cm lang, breitelliptisch, ganzrandig; Steinfrüchte erbsengroß, erst grün, dann rot, zuletzt schwarz, ungenießbar. Aus dem Holz wird Zeichenkohle hergestellt. **Amerikanischer Faulbaum** (Rhamnus purshianus), im westl. N-Amerika, dem Gemeinen F. ähnlich, jedoch mit größeren Blättern; liefert Cascararinde.

Faulbaumgewächse, svw. ↑ Kreuzdorngewächse.

Faulbehälter (Faulkammer) ↑ Kläranlage.

Faulbrand ↑ Brand.

Faulbrut, durch Bakterienbefall hervorgerufene, seuchenartige Krankheit der Bienenbrut; gekennzeichnet durch schleimige Zersetzung der Larven in ihren Waben.

Faulenbach, Bad, Ortsteil von ↑ Füssen.

Faulgas, svw. ↑ Biogas.

Faulhaber, Michael von (seit 1913), * Heidenfeld bei Schweinfurt 5. März 1869, † München 12. Juni 1952, dt. kath. Theologe. – 1892 Priester, 1903–10 Prof. für A. T. in Straßburg, 1911–17 Bischof von Speyer; seit 1917 Erzbischof von München und Freising, 1921 Kardinal. Stellte sich entschieden gegen Rassismus (Verteidigung des A. T.) und Kirchenfeindlichkeit des Nationalsozialismus.

Faulkner, William [engl. 'fɔ:knə], * New Albany (Miss.) 25. Sept. 1897, † Oxford (Miss.) 6. Juli 1962, amerikan. Schriftsteller. – Stammte aus einer Pflanzerfamilie der Südstaaten, lebte seit 1926 als Farmer in Oxford (Miss.). Mit „Sartoris" (1929) gelang ihm der erste seiner großen Romane, die die Schicksale einer Reihe von Südstaatenfamilien zw. Pionierzeit und Niedergang im Bürgerkrieg bis zur Gegenwart verfolgen; sie spielen im imaginären Yoknapatawpha County des nördl. Mississippi. F. verwendet eine verrätselnde Erzähltechnik, bes. bedient er sich der Fiktion mehrerer Erzähler und gibt innere Monologe wieder. Dem anfängl. Fatalismus folgte ein durch Resignation nuancierter Optimismus („Eine Legende", 1954; „Requiem für eine Nonne", szen. R., 1951), wobei F. Auflehnung und Ergebung in das menschl. Schicksal darstellt. F. erhielt 1949 den Nobelpreis für Literatur. – *Weitere Werke:* Schall und Wahn (R., 1929), Als ich im Sterben lag (R., 1930), Licht im August (R., 1932), Absalom, Absalom! (R., 1936), Wilde Palmen (R., 1939), Das Dorf (R., 1940), Das verworfene Erbe (E., 1942), Griff in den Staub (R., 1948), Die Stadt (R., 1957), Das Haus (R., 1959), Die Spitzbuben (R., 1962).

Fäulnis, die Zersetzung von stickstoffhaltigem pflanzl. oder tier. Material (bes. Eiweiße) durch Mikroorganismen (hauptsächlich Bakterien) bei Sauerstoffmangel, wobei ein unangenehmer Geruch auftritt (Ammoniak, Schwefelwasserstoff).

Fäulnisbewohner, svw. ↑ Saprobien.

Faulschlamm (Sapropel), schwarzer Schlamm am Boden nährstoffreicher (eutropher) Gewässer, bes. solcher, die stark abwasserbelastet sind. Das Überangebot an Stoffen führt zu starker Sauerstoffzehrung und zur Ausbildung anaerober Zonen, wo anaerobe Bakterien sie unter Bildung von Gasen (v. a. Schwefelwasserstoff, ferner Methan, Stickstoff, Kohlensäure, Wasserstoff) abbauen; führt zum Absterben vieler Mikroorganismen und Fische; am Boden können feste organ. Sedimente **(Sapropelite)** entstehen, die als wesentl. Erdölmuttergesteine angesehen werden. Aus F.-Sedimenten entstehen u. a. auch Kohle, Ölschiefer und Kupferschiefer.

Faultiere (Bradypodidae), Fam. der Säugetiere mit etwa 5 Arten in den Wäldern S- und M-Amerikas; Körperlänge etwa 50–65 cm, Kopf rundlich, sehr weit drehbar, mit sehr kleinen, runden Ohren; Zehen mit stets 3, Finger mit 2 oder 3 langen, sichelförmigen, als Klammerhaken dienenden Krallen, Arme deutlich länger als Beine; Fell dicht, aus langen, harten Haaren bestehend, einheitlich blaß- bis dunkelbraun oder mit heller und dunkler Zeichnung, Haarstrich „verkehrt" von der Bauch- zur Rückenmitte verlaufend. Das Fell ist oft von Blaualgen besiedelt, die den Tieren eine hervorragende Tarnung bieten; die beiden Gatt. sind ↑Ai und ↑Unau.

Faun ↑Faunus.

Fauna [nach der röm. Göttin Fauna, der Gemahlin des Faunus], die Tierwelt eines bestimmten, begrenzten Gebietes.

◆ systemat. Zusammenstellung der in einem bestimmten Gebiet vorkommenden Tierarten (in erster Linie zu deren Bestimmung).

Faunenreich ↑Tierreich.

Faunenregionen, svw. ↑tiergeographische Regionen.

Faunus, röm. Wald-, Flur- und Herdengott. Sohn des Picus, Enkel des Saturnus, Gemahl der Fauna (bzw. Fatua, Luperca, die mit ↑Bona Dea identifiziert wurde), zeugt mit der Nymphe Marica den Latinus. Von ambivalentem Charakter; wie der ihm gleichgesetzte Pan (und wie dieser bocksgestaltig und in der Vielzahl gedacht) äfft er den Wanderer und quält die Menschen als Alp im Traum. Der **Faun** symbolisiert in Kunst und Literatur starke, ungehemmte sexuelle Triebhaftigkeit.

Faure [frz. fɔːr], Edgar, * Béziers (Hérault) 18. Aug. 1908, † Paris 30. März 1988, frz. Jurist und Politiker. – 1943/44 Mgl. des Nat. Befreiungskomitees in Algier; 1945/46 einer der frz. Anklagevertreter im 1. Nürnberger Kriegsverbrecherprozeß; 1946–80 (mit Unterbrechungen) Abg. der Nat.versammlung; ab 1950 mehrfach Min., 1952 und 1955/56 Min.präs.; aus der Radikalsozialist. Partei ausgeschlossen, blieb Chef des Rassemblement des Gauches Républicaines; leitete vor dem Hintergrund der Studentenunruhen 1968 als Unterrichtsmin. eine Univ.reform ein; 1973–78 Präs. der frz. Nat.versammlung; 1962–66 Prof. in Dijon, seit 1978 Mgl. der Académie française, 1979–81 MdEP. – Unter dem Pseud. **E. Sandoz** auch schriftstellerisch tätig.

F., Félix, * Paris 30. Jan. 1841, † ebd. 16. Febr. 1899, frz. Politiker. – Gemäßigter Republikaner; seit 1881 Abg., dreimal Staatssekretär für die Kolonien, 1894/95 Marinemin.; 1895–99 Präs. der Republik.

F., Maurice, * Azerat (Dordogne) 2. Jan. 1922, frz. Politiker (Radikalsozialist). – 1951–81 Abg.; 1953–55 Generalsekretär, 1961–65 und 1969–71 Vors. seiner Partei; 1961–68 Präs. der Europ. Bewegung; 1959–67 und 1973–81 MdEP, 1981 Justizmin., seit 1983 Senator.

Fauré, Gabriel [Urbain] [frz. fɔˈre], * Pamiers (Ariège) 12. Mai 1845, † Paris 4. Nov. 1924, frz. Komponist. – Organist, Kapellmeister und Musikpädagoge. Seine Werke zeigen bei deutl. klassizist. Tendenzen eine lyr. fließende, geschmeidige Harmonik, deren Klänge dem Impressionismus den Weg bereiteten, u. a. Opern „Prométhée" (1900) und „Pénélope" (1913), Bühnenmusiken (u. a. „Pelléas et Mélisande", 1898), Kammermusik, Lieder.

Fausi, Mahmud, * Schubra Buchum 19. Sept. 1900, † Kairo 12. Juni 1981, ägypt. Politiker. – Seit 1926 im auswärtigen Dienst; 1952–64 Außenmin., 1964–67 stellv. Min.-präs. für auswärtige Angelegenheiten, dann außenpolit. Berater Nassers im Min.rang; 1970–72 Min.präs. 1972–74 1. Vizepräs. und polit. Berater von Staatspräs. Sadat.

Faust, Johannes, wahrscheinl. eigtl. Georg F., * Knittlingen (Württ.) um 1480, † Staufen (Breisgau) 1536 oder kurz vor 1540, dt. Arzt, Astrologe und Schwarzkünstler. – Nach 1507 wohl Theologiestudium in Heidelberg. War u. a. 1513 in Erfurt, 1520 in Bamberg, 1528 in Ingolstadt, 1532 in Nürnberg. F. stand in Verbindung mit humanist. Gelehrtenkreisen und hatte anscheinend Kenntnisse auf dem Gebiet der Naturphilosophie („magia naturalis") der Renaissance. – Aus Berichten über F., verschmolzen mit älteren Zaubergeschichten, entstand die **Faustsage,** die zur Grundlage eines Volksbuches wurde (Erstausgabe „Historia von D. Joh. Fausten" 1587 bei J. Spies in Frankfurt am Main, geht mit einer um 1575 niedergeschriebenen Wolfenbütteler Handschrift auf eine gemeinsame, nicht erhaltene Vorlage zurück; 1599 neu bearbeitet von G. Widmann in Hamburg, 1674 von J. N. Pfitzer gekürzt). Das älteste überlieferte F.drama ist „The tragical history of Doctor Faustus" (1604, entstanden wohl vor 1589) von C. Marlowe; es schließt sich eng an das (Spiessche) F.buch an. Den Anfang bildet der F.monolog, in dem F. sich der Magie verschreibt (festes Bauelement fast aller späteren F.dramen). F.spiele waren bei den engl. Komödianten in Deutschland (zuerst 1608 in Graz bezeugt) und später bei den dt. Wandertruppen beliebt, worauf dann das Puppenspiel vom Doktor F., das seit 1746 bezeugt ist, fußt. G. E. Lessing sah in seinem F.drama in F. Streben nach Wissen erstmals nicht Vermessenheit und Aufbegehren gegen Gott. Die Dichter des Sturm und Drang faßten F. als titan. Persönlichkeit auf (Maler Müller, F. M. Klinger, der sog. „Urfaust" des jungen Goethe [entstanden 1772–75, erhalten in einer Abschrift des Fräuleins von Göchhausen; er-

schienen 1887]). Durch Goethe wird das
F.drama zum Menschheitsdrama, verwirklicht in der Endfassung des Werkes (Teil I, 1808; Teil II, 1832): in einer doppelten Wette Mephistopheles' mit dem „Herrn" und mit F. geht es um das Streben des Menschen nach Selbstverwirklichung, das für den Nihilisten Mephistopheles nur Selbsttäuschung ist und daher in dumpfem Genuß enden muß. Im 19. Jh. bearbeiteten u. a. C. D. Grabbe und N. Lenau, im 20. Jh. P. Valéry und T. Mann den Stoff. – Unter den musikal. Bearbeitungen zu Goethes „F." sind neben Bühnenmusiken und Ouvertüren (R. Wagner) C. Gounods Oper „F." (1859; auch als „Margarete" bekannt), die „F.-Sinfonie" von F. Liszt (1857), die dramat. Legende „F. Verdammnis" von H. Berlioz (1846) sowie Chorwerke, Lieder, Ballette und Operetten zu nennen. Die Opern „F." von L. Spohr (1816) und „Doktor F." von F. Busoni (1925) knüpfen direkt an die Volkssage an. – Verfilmungen von Goethes „F." erfolgten durch F. Murnau (1926) und G. Gründgens (1960).
🕮 *Arens, H.: Kommentar zu Goethes F. II. Hdbg. 1989. – Hartmann, H.: F.gestalt, F.sage, F. Bln. ⁵1989. – Hamm, H.: Goethes „F." Werkgesch. u. Textanalyse. Bln. ⁵1988. – Historia von D. Johann Fausten. Hg. von H. Henning. Lpz. ³1984. – Conradt, M./Huby, F.: Die Gesch. vom Doktor F. Mchn. 1980.*

Faust (geballte F.), aus einer kommunist. Grußformen hervorgegangenes visuelles Klassenkampfsymbol, speziell als Sinnbild der Diktatur des Proletariats; hat innerhalb militanter afroamerikan. Organisationen emblemat. Funktionen im sozialen Rassenkampf.

Fausta (Flavia Maxima F.), *wohl 298, † Trier 326, röm. Kaiserin. – Als Tochter Maximians 307 mit Konstantin d. Gr. vermählt; vielleicht wegen eines Liebesverhältnisses mit ihrem Stiefsohn Crispus auf Befehl ihres Gatten getötet.

Faustball, ↑ Rückschlagspiel zw. zwei Mannschaften zu je fünf Spielern auf einem 50 m langen und 20 m breiten Spielfeld, das durch eine 3–5 mm starke Leine (2 m über der Mittellinie an 2 Pfosten befestigt) in zwei gleiche Hälften geteilt ist. Ziel ist es, den Lederhohlball (Umfang 62–68 cm, Masse 320–380 g) mit der Faust oder dem Unterarm so in das gegner. Feld zu schlagen, daß dem Gegner ein Rückschlag unmögl. ist. Der Ball darf nur einmal auf den Boden aufspringen und nur von 3 Spielern der gleichen Mannschaft hintereinander berührt werden. Die Wertung des Spiels (2 × 15 Min.) erfolgt nach Punkten.

Fäustel, bergmänn. Werkzeug (Gezähe), Hammer mit schlankem, leicht gekrümmtem Hammerkörper.
◆ kleiner ↑ Faustkeil.

Faustfeuerwaffe, leichte Schußwaffe für Einhandbedienung, Kaliber 5,6–12,4 mm, bestimmt zum Einsatz auf kurze Entfernungen. Man unterscheidet Pistolen und Revolver. **Pistolen** haben eine Patronenkammer im Lauf, in die bei modernen **Selbstladepistolen** (meist mit Stangenmagazin im Pistolengriff) nach jedem Schuß automat. eine neue Patrone eingeführt wird. **Revolver** sind mehrschüssige F. mit sich selbsttätig drehenden Walzen (Trommeln) als Patronenmagazin.

Faustkampf ↑ Boxen.

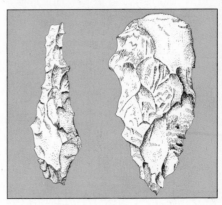

Faustkeile aus dem Abbevillien

Faustkeil (Fäustel; engl. hand axe, frz. coup de poing), kennzeichnendes Steinwerkzeug vieler Gruppen des Alt- und Mittelpaläolithikums (↑ Faustkeilkultur); charakteristisch die beidflächige Bearbeitung.

Faustkeilkultur, nach dem kennzeichnenden Werkzeugtypus ben. Komplex alt- und z. T. mittelpaläolith. Kulturen; *ältere Phase:* Abbevillien, Acheuléen mit der Hauptverbreitung in Afrika, Westeuropa, Vorderasien und Indien; *jüngere Phase:* Spätbzw. Jungacheuléen, Micoquien, Fauresmithkultur und Sangoankultur.

Faustpfandrecht ↑ Pfandrecht.

Faustrecht, in der älteren Rechtssprache (16. Jh.) Bez. für tätl. Streitigkeiten und die darauf gesetzte Strafe; seit dem 19. Jh. in der Umgangssprache Synonym für Fehde und für (unzulässige) Selbsthilfe.

Faustulus, nach der röm. Sage der Hirte, der ↑ Romulus und Remus fand.

faute de mieux [frz. fotdə'mjø], in Ermangelung eines Besseren; im Notfall.

Fauteuil [fo'tøj; frz., zu altfrz. faldestoel „Faltstuhl"], seit dem 18. Jh. geläufige Bez. für einen vollständig gepolsterten Sessel mit Arm- und Rückenlehne.

Fautfracht

Fautfracht [frz.] ↑ Fehlfracht.

Fautrier, Jean [frz. fotri'e], * Paris 16. Mai 1898, † Châtenay-Malabry bei Paris 21. Juli 1964, frz. Maler und Graphiker. – Vertreter der informellen frz. Malerei. Zyklus „Otages" (Geiseln; 1943–45).

Fauvismus [fo...; frz.], Stilrichtung der frz. Malerei Anfang des 20. Jh. Der impressionist. Farbzergliederung und -differenzierung setzen die fauvist. Maler Bildkompositionen in reinen Farben entgegen, dem impressionist. Illusionismus die dekorative Flächigkeit. Anläßl. des Herbstsalons 1905 in Paris wurde eine dort vertretene lose Gruppe von Malern wegen dieser als grell empfundenen Farbgebung in der Presse als die „Fauves" („wilde Tiere") bezeichnet, heute ist ihre Verwurzelung in der frz. Farbkultur deutlicher. Vertreter: H. Matisse, A. Marquet, H. Manguin, A. Derain, M. de Vlaminck, O. Friesz, R. Dufy, G. Braque und K. van Dongen. Ab 1907 löste sich die Gruppe auf.

Fauxbourdon [fobur'dõ:; frz.], in der frz. Musik des 15. Jh. eine Aufführungsanweisung, durch die zwei in Oktaven und Sexten verlaufende Stimmen durch eine in parallelen Quarten zur Oberstimme verlaufende Mittelstimme klangl. ergänzt wurden.

Fauxpas [frz. fo'pɑ „Fehltritt"], bildungssprachlich für: Taktlosigkeit, gesellschaftlicher Verstoß.

Favart, Charles Simon [frz. fa'va:r], * Paris 13. Nov. 1710, † ebd. 12. Mai 1792, frz. Dramatiker. – Einer der Schöpfer des frz. Singspiels; schrieb etwa 150 Vaudevilles und Operetten, u. a. „Bastien und Bastienne" (1753).

Favelas [portugies.], Elendsquartiere in südamerikan. Großstädten.

Faventia, antike Stadt, ↑ Faenza.

Favoris [favo'ri:; lat.-frz.], im Biedermeier aufgekommener Backenbart, der knapp bis zum Kinn reicht.

favorisieren [lat.-frz.], begünstigen, bevorzugen.

Favorit [lat.-frz.], bevorzugter Günstling, Liebling; als Sieger zu erwartender Teilnehmer eines sportl. Wettkampfes; in übertragener Bedeutung: jemand, der die größten Chancen hat, etwas zu erringen; **Favoritin**, weibl. Entsprechung zu Favorit.

Favosites [lat.], ausgestorbene Gatt. der Korallen; Leitfossil des oberen Silurs; teils verzweigte Kolonien, teils massige Stöcke.

Favre [frz. fa:vr], Jules, * Lyon 21. März 1809, † Versailles 19. Jan. 1880, frz. Politiker. – Jurist; Gegner Napoleons III. und Führer der demokrat. Republikaner; handelte als Außenmin. der „Regierung der nat. Verteidigung" (1870/71) den Waffenstillstand von 1871 aus und unterzeichnete den Frankfurter Frieden.

F., Louis, * Chêne-Bourg bei Genf 26. Jan. 1826, † im Sankt-Gotthard-Tunnel bei Göschenen (Schlaganfall) 19. Juli 1879, schweizer. Ingenieur. – Erbaute den Mont-Cenis-Tunnel; übernahm 1872 den Bau des Sankt-Gotthard-Tunnels.

F., Pierre (Lefèvre), latinisiert Petrus Faber, sel., * Villaret (Savoie) 13. April 1506, † Rom 1. Aug. 1546, frz. Theologe, Mitbegr. des Jesuitenordens. – Legte als erster Priester der Jesuiten 1534 mit Ignatius und fünf Gefährten die Ordensgelübde ab; gründete 1544 die erste dt. Ordensniederlassung in Köln.

Favus [lat.], svw. ↑ Erbgrind.

Faw, Al, irak. Erdölexporthafen am inneren Ende des Pers. Golfes, ständig versandend; der Endpunkt der südirak. Pipeline liegt deshalb heute 30 km vor der Küste auf einer künstl. Insel mit Tiefwassergraben.

Fawkes, Guy [engl. fɔ:ks], ≈ York 18. April 1570, † London 31. Jan. 1606, engl. Verschwörer. – Haupt der ↑ Pulververschwörung; nach deren vorzeitiger Entdeckung verurteilt und hingerichtet. Der Tag des mißlungenen Anschlags (5. Nov.) wird bis heute als **Guy Fawkes Day** mit Feuerwerk gefeiert.

Faxabucht, Bucht an der W-Küste Islands, zw. den Halbinseln **Snæfellsnes** (rd. 100 km lang) und **Reykjanes** (65 km lang). An der S-Küste liegt Reykjavík.

Faya-Largeau [frz. fa'ja lar'ʒo] (früher Largeau), Oasenort in der Landschaft Borkou, Republik Tschad, 268 m ü. d. M., 10 000 E. Verwaltungssitz einer Region; ⚲. – L. wurde 1913 von Oberst Largeau bei der Oase Faya gegründet.

Fayalit ↑ Olivin.

Faydherbe (Faidherbe), Lucas [frz. fɛ-'dɛrb], ≈ Mecheln 19. Jan. 1617, † ebd. 31. Dez. 1697, fläm. Bildhauer und Baumeister. – Gründer der Mechelner Bildhauerschule, die die Rubenstradition bis ins 18. Jh. bewahrte; zahlr. Elfenbeinarbeiten, v. a. aber Skulpturen und Terrakottareliefs. Auch Bauaufträge (Frauenkirche in Mecheln, 1663–81).

Faye, Jean-Pierre [frz. faj], * Paris 19. Juli 1925, frz. Schriftsteller. – Experimentelle Gedichte, Dramen, Romane und v. a. sprachtheoret. sowie ideologiekrit. Essays. – *Werke:* Pulsschläge (R., 1962), Die Schleuse (R., 1974), Inferno (R., 1975), Verres (Ged., 1977), Dictionnaire politique portatif en cinq mots (1982).

Fayence [fa'jã:s; frz.], weißglasierte, bemalte Irdenware, benannt nach Faenza, einem Hauptort der italien. F.produktion (**Majolika** bezeichnet technisch dasselbe; von dem Haupthandelsplatz der span. F.erzeugung, der Insel Mallorca, abgeleitet; heute eingengend verwendet für die italien. zinnglasierte Töpferware). Werkstücke aus feingeschlämmten Tonsorten werden an der Luft getrocknet, darauf in Öfen bei 800 bis 900 °C verfestigt, dann in ein mit Zinndioxid angereichertes Glasurbad getaucht und noch feucht blau, grün, braun, gelb und rot bemalt. In einem zweiten Brand verschmelzen bei hoher Temperatur (bis etwa 1 100 °C) die weißdeckende Glasur und die sich in ihr einbettenden Scharffeuerfarben zu einem glänzenden Überzug. ↑ Muffelfarben ergeben eine breitere Farbpalette, sind aber nicht festhaftend und ohne große Leuchtkraft.

Geschichte: Schon das Ägypten des 4. Jt. v. Chr. kannte Farbglasuren. Die Zinnglasur, F. im engeren Sinne, stammt aus Mesopotamien, wurde aber auch in China und im Indusgebiet erfunden. Im 2. Jt. v. Chr. war F. im ganzen Vorderen Orient verbreitet (Fliesen). Die islam. Kunst, ausgehend von Persien, brachte mit der metallisch glänzenden Glasur (Lüster) eine neue Blüte der F., deren Technik im 15. Jh. in Italien bekannt wurde (Faenza und Florenz; im 16. Jh. u. a. Siena, Deruta, Gubbio, Castel Durante, Urbino, Venedig). Über die angewandte Kunst hinaus gingen z. T. die Arbeiten der Familie Della Robbia. In Frankreich entfalteten sich im 16.–18. Jh. Manufakturen (Rouen, Moustiers-Sainte-Marie), in den Niederlanden im 17. Jh. (↑ Delfter Fayencen), auch zahlr. dt. Manufakturen (die ersten in Hanau 1661 und Frankfurt am Main 1662, weitere in Berlin, Kassel, Braunschweig, Straßburg, Ansbach, Nürnberg, Bayreuth, Erfurt, Durlach, Fulda, Künersberg, Höchst, Schrezheim, Stralsund, Flörsheim). Gegen das seit dem Ende des 18. Jh. von England den Kontinent überflutende Steingut konnte sich die F. nicht halten, im Kunsthandwerk des Jugendstils hat sie jedoch wieder an Bedeutung gewonnen. – Abb. S. 18.

📖 *Langer, H.: Östr. F. Mchn. 1988. – Graesse, J. G. T./Jaennicke, F.: Führer für Sammler von Porzellanen und F. Mchn.* [26]*1986. – Klein, A.: F. Europas. Mchn. 1980.*

FAZ, Abk. für: Frankfurter Allgemeine Zeitung [für Deutschland], ↑ Zeitungen (Übersicht).

Fazenda [fa'zɛnda; portugies.], landw. Großbetrieb mit Dauerkulturanbau oder Viehwirtschaft in Brasilien.

Fäzes [lat.], svw. ↑ Kot.

Fazetie [zu lat. facetia „Witz, Scherz"], pointierte Kurzerzählung in lat. Prosa, von dem Humanisten F. G. ↑ Poggio Bracciolini eingeführt. In Deutschland sind H. Bebel (* 1472, † 1518) („Libri facetiarum iucundissimi", 3 Bde. 1509–14) und J. Wickram („Rollwagenbüchlin", 1555) zu nennen.

Fazialis [lat.], svw. Gesichtsnerv (↑ Gehirn).

Fazialislähmung (Fazialisparese), svw. ↑ Gesichtslähmung.

Fazialisphänomen, svw. ↑ Chvostek-Zeichen.

Fazies [...tsi-es; lat.] (Facies), in der *Geologie* die unterschiedl. (petrograph. und/oder paläontolog.) Merkmale gleichzeitig entstandener Gesteine.
◆ in der *Medizin* und *Anatomie* ↑ Facies.

Fazilettlein (Fazelet) [lat.-italien.], Taschentuch als Ziertuch im 15./16. Jh.

Fazilität [zu lat. facilitas „Leichtigkeit"], die Gesamtheit der (von einer Bank einem Kunden eingeräumten) Kreditmöglichkeiten, die bei Bedarf in Anspruch genommen werden können.

Fazit [zu lat. facit „(es) macht"], Ergebnis; Resultat, Schlußfolgerung; Quintessenz.

F. B. A. [engl. 'ɛfbiː'ɛɪ], Abk. für engl.: Fellow of the British Academy („Mgl. der Brit. Akad.").

FBI [engl. 'ɛfbiː'aɪ], Abk. für: Federal Bureau of Investigation, Bundeskriminalpolizei der USA, Sitz der Zentrale: Washington, D. C. Gegr. 1908 als **Bureau of Investigation,** heutige Bez. seit 1. Juli 1935. Es untersteht dem Bundesjustizminister. Aufgaben: u. a. Aufklärung von Verstößen gegen Bundesstrafrecht, Sammlung von erkennungsdienstl. Unterlagen und Beweismaterial, Spionage- und Sabotageabwehr, Staatsschutz und Schutz des Präsidenten.

FCKW, Abk. für: ↑ Fluorchlorkohlenwasserstoffe.

F'Derik, Regionshauptstadt in NW-Mauretanien, 10 000 E. ⚒; Abbau der Eisenerze des Bergmassivs **Kédia d'Idjil,** an dessen W-Seite F'D. liegt.

FDGB, Abk. für: ↑ Freier Deutscher Gewerkschaftsbund.

FDJ, Abk. für: ↑ Freie Deutsche Jugend.

FdP, übl., jedoch nicht parteioffizielle Abk. für: ↑ Freisinnig-demokratische Partei der Schweiz.

FDP (F.D.P.), Abk. für: ↑ Freie Demokratische Partei.

Fe, chem. Symbol für ↑ Eisen.

Fearnley, Thomas [norweg. 'færnli], * Frederikshald (= Halden) 27. Dez. 1802, † München 16. Jan. 1842, norweg. Maler und Radierer. – F. begr. mit J. C. Dahl die norweg. Landschaftsmalerei.

Feature ['fiːtʃə; engl. „Aufmachung" (zu lat. factura „das Machen")], Bericht, der die wesentl. Punkte eines Sachverhaltes skizziert; im *Zeitungswesen* mit den Stilmitteln der Reportage zur Erläuterung von Zusammenhängen; im *Hörfunk* Sendetyp ohne Spielhandlung, der aktuelle Ereignisse publikumswirksam aufbereitet; gestaltet bei *Film* und *Fernsehen* undramat. Stoffe und Sachverhalte, hat primär dokumentar. Charakter.

febril [lat.], fieberhaft, fiebrig, mit Fieber einhergehend (auf Krankheiten bezogen).

Fayence. Oben: Schale aus Spanien;
Ende 15. Jh. Unten: Deckelschüssel;
Mitte 18. Jahrhundert

Febris [lat.], svw. ↑ Fieber; **Febris quinta-na**, svw. ↑ Fünftagefieber; **Febris recurrens**, svw. ↑ Rückfallfieber.

Febronianismus [nlat.], nach dem Pseud. J. N. von Hontheims (Justinus Febronius) ben., im 18. Jh. entstandene kirchenpolit. Richtung; Betonung der Rechte und Freiheiten der dt. Reichskirche; Versuch, die päpstl. Primatansprüche zurückzudrängen, um günstigere Voraussetzungen für die Wiedervereinigung der christl. Kirchen zu schaffen. Der F. anerkannte zwar grundsätzlich die Unabhängigkeit der Kirche, führte aber in der Praxis zu einer Oberhoheit des Staates über die Kirche. Hauptvertreter des F. waren die Erzbischöfe von Köln, Mainz, Trier und Salzburg. Seine Wirkung auf die Kirchen- und Geistesgeschichte des 18. und 19. Jh. war beträchtlich. Der F. fand nicht die Unterstüt-zung der Bischöfe, die die Macht der Metropoliten entschiedener ablehnten als die des Papstes.

Febronius, Justinus ↑ Hontheim, Johann Nikolaus von.

Februar (lat. Februarius [mensis] „Reinigungsmonat"), 2. Monat des Jahres; hat 28, in Schaltjahren 29 Tage; alter dt. Name: **Hornung.** – Im alten Rom mit 28 Tagen letzter Monat des bürgerl. Jahres.

Februarpatent, im Febr. 1861 von Kaiser Franz Josef erlassene österr. Gesamtverfassung, die ein zentralist. System schuf und das Fundament des Konstitutionalismus von 1867 legte; teilte die Legislative zw. Krone und den 2 Kammern des Reichsrats; 1865 aufgehoben.

Februarrevolution, am 24. Febr. 1848 in Paris ausgebrochene Revolution; führte zum Sturz der Julimonarchie, zur Errichtung der Zweiten Republik und, in europ. Ausweitung, zur Märzrevolution.

♦ die erste Phase der russ. Revolution im März (nach dem damals in Rußland gültigen Kalender Febr.) 1917, die zum Sturz der Zarenherrschaft (Ende der Dynastie Romanow) und zur Ausrufung der Republik führte; ausgelöst durch den für Rußland katastrophalen Verlauf des 1. Weltkrieges. Das Nebeneinander (sog. „Doppelherrschaft") von bürgerl. Provisor. Reg. und revolutionären Räteorganen (v. a. Petrograder Sowjet) mündete in die ↑ Oktoberrevolution.

Februarunruhen (Februarputsch), die z. T. bürgerkriegsähnl. Unruhen im Febr. 1934 in Österreich zw. dem (1933 verbotenen) sozialdemokrat. Schutzbund einerseits und den Heimwehren sowie der Regierung Dollfuß andererseits; führten zur Zerschlagung der österr. Sozialdemokratie.

fec., Abk. für: fecit [lat. „hat (es) gemacht"], häufig hinter dem Namen des Künstlers auf Bildwerken.

Fécamp [frz. feˈkã], frz. Hafenstadt in der Normandie, Dep. Seine-Maritime, 21 700 E. Fischereihafen; Likördestillerie der Benediktiner; Seebad und Segelsportzentrum. – Die Benediktinerabtei, um 600 gegr., war seit 1001 Zentrum monast. Reform. – Frühgot. Kirche der ehem. Abtei (12. Jh.).

Fechner, Gustav Theodor, * Groß-Särchen bei Muskau (Lausitz) 19. April 1801, † Leipzig 18. Nov. 1887, dt. Physiker, Psychologe und Philosoph. – 1834–39 Prof. für Physik, ab 1843 für Naturphilosophie und Anthropologie in Leipzig. Seinen Bemühungen, für das Psychische ein physikal. Maß zu finden, entspringt die Erweiterung des von E. H. Weber aufgestellten Gesetzes zum ↑ Weber-Fechnerschen Gesetz (1860). Begr. der experimentellen Psychologie und der psycholog. Ästhetik.

F., Max, * Rixdorf (= Berlin) 27. Juli 1892,
† Berlin (Ost) 13. Sept. 1973, dt. Politiker. –
Ab 1911 Mgl. der SPD (1917–22 der USPD),
1928–33 preuß. MdL; 1933/34 und 1944 im
KZ; 1945 Vors. des Zentralausschusses der
SPD; ab 1946 Mgl. der SED, ab 1950 Mgl.
des ZK der SED; 1949–53 Justizmin. der
DDR; 1953 als Staatsfeind inhaftiert (bis
1956) und aus der SED ausgeschlossen; von
1958 an wieder SED-Mitglied.

Fechnersches Gesetz, svw. ↑ Weber-
Fechnersches Gesetz.

Fechser [zu althochdt. fahs „Haar"], unterird. Abschnitte vorjähriger Triebe, aus deren Knospen sich im Frühjahr die neuen
Laubsprosse bilden.

Fechten, sportl. Zweikampf auf einer
14 m langen Fechtbahn, bei dem der Gegner
mit einer bestimmten Waffe regelgerecht zu
treffen ist. Man unterscheidet **Florettfechten,**
bei dem mit dem Florett, einer leichten Stoß-
waffe, ausschließlich der Rumpf zu treffen
ist, **Degenfechten** (beides auch für Damen),
bei dem mit dem Degen der ganze Körper getroffen werden kann, und **Säbelfechten,** bei
dem mit einem leichten Säbel auf Hieb und
Stoß nur Oberkörper, Kopf und Arme Treff-

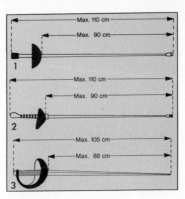

Fechten. Formen und Maße der
Sportwaffen (von oben: Florett,
Degen, Säbel)

fläche sind. Fünf Treffer auf einer Seite oder
6 Minuten reine Kampfzeit beenden in Vor-
runden das Gefecht; in Direktausscheidun-
gen wird im K.-o.-System mit 2 Sieggefechte
zu 5 Treffern weitergefochten.

Fechter, Paul, * Elbing 14. Sept. 1880,
† Berlin 9. Jan. 1958, dt. Journalist, Schriftsteller und Literarhistoriker. – Kritiker führender Berliner Blätter, verfaßte als Literarhistoriker u. a. „Der Expressionismus" (1914),
„Geschichte der dt. Literatur" (3., umgearbei-
tete Auflage 1952), „Das europ. Drama"
(3 Bde., 1956–58); Verf. humorvoller Berlin-
und Ostpreußenromane; Erinnerungen.

Fedajin (arab. Fidaijjun „die sich Opfern-
den"; Einz. Fidai), Name der im Untergrund
gegen Israel kämpfenden palästinens. Araber.

Fédala ↑ Mohammedia.

Feddersen, Berend Wilhelm, * Schleswig 26. März 1832, † Leipzig 2. Juli 1918,
dt. Physiker. – Sein Nachweis, daß in einem
aus Induktivität, Kapazität und ohmschem
Widerstand bestehenden Stromkreis elektr.
Schwingungen entstehen, wurde grundlegend für die Entwicklung der elektr. Nachrichtentechnik.

Feddersen Wierde, im Marschgebiet
nördl. von Bremerhaven gelegene vorgeschichtl. Wurt (200 m breit, bis zu 4 m ü. d. M.
hoch, Fläche von fast 4 ha). Ausgrabungen
1955–61 belegten die mehrphasige Besiedlung vom 1. Jh. v. Chr. bis Anfang des 5. Jh.
n. Chr.

Feder, Gottfried, * Würzburg 27. Jan.
1883, † Murnau 24. Sept. 1941, dt. Politiker
(NSDAP). – Beeinflußte Hitler mit seinen
Thesen von der „Brechung der Zinsknecht-
schaft des Geldes"; MdR 1924–36; verlor an

Fechten. Treffflächen beim Florett-,
Degen- und Säbelfechten

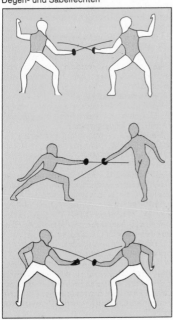

Einfluß, als Hitler die Unterstützung der Unternehmer zu gewinnen suchte.

Feder, svw. ↑ Vogelfeder.

◆ ↑ Schreibfeder.

◆ Maschinenelement, das sich bei Belastung elastisch verformt; dient zur Stoßdämpfung, Energiespeicherung, Kraftmessung, Massesteuerung, Verspannung, Schwingungstilgung und zum Kraftausgleich. Benannt werden F. nach ihrem Verwendungszweck (Uhr-F., Fahrzeug-F. usw.), ihrer Beanspruchung (Zug-, Druck-, Biege-, Torsions- bzw. Verdreh-F.) und/oder Gestalt (Rechteck-, Blatt-, Dreieck-, Trapez-, Spiral-, Schrauben-, Kegel-, Kegelstumpf-, Ring-, Teller-F., Drehstab). Die **Federkennlinie (Federcharakteristik)** stellt den Zusammenhang zw. Federkraft und Federweg (bei Verdreh-F. zw. einwirkendem Drehmoment und dem hervorgerufenen Verdrehwinkel) dar.

◆ ↑ Nut.

Federal Bureau of Investigation [engl. 'fɛdərəl bjʊ'roʊ əv ɪnvɛstɪ'geɪʃən „bundesstaatl. Ermittlungsabteilung"] ↑ FBI.

Federalist Party [engl. 'fɛdərəlɪst 'pɑːtɪ „föderalist. Partei"], polit. Gruppe in den USA 1791–1817, deren unter Führung G. Washingtons, A. Hamiltons und J. Adams' für eine starke Bundesregierung kämpfte; Vorläufer der Republikan. Partei.

Federal Reserve System [engl. 'fɛdərəl rɪ'zəːv 'sɪstɪm, „Bundes-(Währungs-)Reserven-System"], Abk. FRS, das zweistufige Notenbanksystem in den USA; es besteht aus dem *Board of Governors* (BOG), der für die Geld- und Kreditpolitik zuständig ist (vom Präsidenten der USA mit Zustimmung des Senats ernannte Mgl.), und den 12 *Federal Reserve Banks* (FRB), deren wichtigste Funktionen die Geld- und Kapitalversorgung (Notenausgaberecht) der ihnen angeschlossenen Mitgliedsbanken *(Member banks)* und deren Überwachung sind. Die FRB sind gemeinwirtschaftlich organisierte Aktiengesellschaften, deren Grundkapital von den Mitgliedsbanken (National banks und ein Teil der State banks) aufgebracht wird.

Federal style [engl. 'fɛdərəl 'staɪl], Bez. einer frühen Phase in der amerikan. Architektur (1790–1820), entstanden aus dem engl. „Georgian style". Die Ziegelsteinhäuser sind weiß gestrichen oder haben weiße Türen und Fensterrahmen. Der F. s. ging in den Neoklassizismus über.

Fédération de la Gauche Démocrate et Socialiste [frz. federa'sjɔ̃ dəla'goʃ demo'kratəsɔsja'list], Abk. FGDS, „Vereinigung der demokrat. und sozialist. Linken" in Frankreich; 1965–68 Dachverband der nichtkommunist. sozialist. Parteien SFIO (Section Française de l'Internationale Ouvrière), der CIR (Convention des Institu-

tions Républicaines), von Teilen der Radikalsozialist. Partei und verschiedenen Linksklubs; erster Vors. war F. Mitterrand.

Fédération Nationale des Républicains Indépendants [frz. federa'sjɔ̃ nasjɔ'nal derepybli'kɛz ɛ̃depɑ̃'dɑ̃], Abk. FNRI, „Nat. Vereinigung der Unabhängigen Republikaner", 1966 von V. Giscard d'Estaing gegr. frz. Partei; 1977 umbenannt in **„Parti Républicain".**

Federbalg ↑ Vogelfeder.

Federball ↑ Badminton.

Federboa, aus Straußenfedern gefertigter wärmender Halsschmuck.

Federborstengras (Pennisetum), Gatt. der Süßgräser mit etwa 150 Arten, v. a. in Afrika; Ährchen am Grund von einem Kranz langer Borsten umgeben. Nutzpflanzen sind das bis 7 m hohe **Elefantengras** (Pennisetum purpureum) und die formenreiche Art **Negerhirse** *(Perl-, Pinsel-, Rohrkolbenhirse,* Pennisetum spicatum; Brei- und Bierbereitung).

Federbrett, federndes Sprungbrett für Sprünge über Pferd, Bock, Kasten usw.

Federbusch, eine schon im Altertum übliche Helmverzierung.

Federgewicht ↑ Sport (Gewichtsklassen, Übersicht).

Federgras (Pfriemengras, Stipa), Gatt. der Süßgräser mit etwa 250 Arten in Steppen und Wüsten der ganzen Welt; meist hohe, rasenbildende Gräser mit schmalen Rispen und langen, pfriemförmigen oder federig behaarten Grannen. Die in M-Europa vorkommenden Arten, u. a. **Echtes Federgras** (Stipa pennata) mit bis über 30 cm langen, federigen Grannen und **Haarfedergras** (Stipa capillata) mit 10–25 cm langen, kahlen Grannen, sind geschützt.

Federgrassteppe, Form der Steppe, die sich an die Grassteppe anschließt und in die Wermutsteppe übergeht, gekennzeichnet durch zahlr. Federgrasarten.

Federighi, Antonio [italien. fede'riːgi] (A. di Federigo dei Tolomei), * Siena um 1420, † ebd. um 1490, italien. Baumeister und Bildhauer. – 1451 übernahm er die Bauleitung der Domfassade in Orvieto, für die er u. a. die Statuennischen entwarf und einige Apostel ausführte. Ab 1456 war er Leiter der Dombauhütte in Siena, wo er die Statuen der Loggia della Mercanzia (1456–63) und die beiden Weihwasserbecken für den Dom (Einfluß Iacopo della Quercias) schuf.

Federkennlinie ↑ Feder.

Federkiel ↑ Vogelfeder.

Federkiemenschnecken (Valvatidae), Fam. der Vorderkiemer mit zahlr. Arten, v. a. in den Süßgewässern der Nordhalbkugel; sehr kleine Schnecken mit etwa 7 mm hohem, kugeligem bis scheibenförmigem Gehäuse.

Federkleid, svw. ↑ Gefieder.

federlesen, sich einschmeicheln, liebedienern; **nicht viel Federlesens machen,** keine Umstände machen.

Federlinge (Haarlinge, Läuslinge, Kieferläuse, Mallophaga), mit etwa 3000 Arten weltweit verbreitete Ordnung flachgedrückter, 0,8–11 mm großer, flügelloser Insekten, die ektoparasitisch im Federkleid der Vögel und im Fell der Säugetiere leben. Die F. fressen Keratin der Hautschuppen, Feder- und Haarteile.

Federman, Raymond [engl. 'fɛdəmən], * Paris 15. Mai 1928, amerikan. Schriftsteller frz. Herkunft. – Wanderte 1947 nach den USA aus. Seine Romane „Alles oder Nichts" (1971), „Take it or leave it" (1976), „Eine Liebesgeschichte oder sowas" (1985) verbinden autobiograph. Themen und experimentelle Erzähltechniken. Auch Hg. postmoderner Literaturkritik.

Federmann, Nikolaus, * Ulm um 1505, † in Spanien Febr. 1542, dt. Handelsbeauftragter und Konquistador. – Kam 1530, erneut 1534/35 im Dienste der Welser nach Venezuela; unternahm einen Zug zum nördl. Stromgebiet des Orinoko bzw. 1536/37 auf die Hochfläche des Chibchareiches, wo er das heutige Bogotá gründete.

F., Reinhard, * Wien 12. Febr. 1923, † ebd. 29. Jan. 1976, östr. Schriftsteller. – Erzähler und Dramatiker, oft in Zusammenarbeit mit Milo Dor. Schrieb u. a. „Das Himmelreich der Lügner" (R., 1959).

Federmoos, (Ptilium crista-castrensis) hell- bis gelbgrünes, kalkmeidendes Laubmoos mit bis 20 cm langen Stengeln, die dicht zweizeilig gefiedert sind.
◆ (Amblystegium riparium) Art der Gatt. Stumpfdeckelmoos; hellgrünes, zierlich gefiedertes Moos, das in und an Gewässern zu finden ist; beliebte Aquarienpflanze.

Federmotten, (Federgeistchen, Pterophoridae) mit etwa 600 Arten weltweit verbreitete Fam. 1–2 cm spannender Kleinschmetterlinge; Vorderflügel meist in zwei, die Hinterflügel in drei Zipfel mit Fransen gespalten.
◆ (Geistchen, Orneodidae) mit etwa 100 Arten weltweit verbreitete Fam. 1–2 cm spannender Kleinschmetterlinge; Vorder- und Hinterflügel in je 6 Federn gespalten.

Federn (F. und Teeren) ↑ Teeren und Federn.

Federnelke ↑ Nelke.

Federpapille ↑ Vogelfeder.

Federring, Schraubensicherung in Form eines geschlitzten Rings, dessen Enden in axialer Richtung aufgebogen sind.

Federscheide ↑ Vogelfeder.

Federsee, See in Oberschwaben, Bad.-Württ., 1,4 km², bis 3,15 m tief; 1939 samt Röhrichtgürtel unter Naturschutz gestellt, um die einzigartige Flora und Fauna zu erhalten. **Vorgeschichte:** Das Gebiet des F. gehört seit der Entdeckung des ersten Freilandwohnplatzes von Rentierjägern des Magdalénien an der Schussenquelle 1866 und der ersten Ausgrabung neolith. Hausgrundrisse 1875 im Steinhauser Ried zu den archäolog. am besten erforschten in M-Europa; von überregionaler Bed.: spätmesolith. Wohnplatz Tannstock, Fundplätze der mittelneolith. Aichbühler Gruppe und der jungneolith. (1. Hälfte 3. Jt. v. Chr.) Schussenrieder Gruppe (bes. durch eine verzierte Henkelkrugform gekennzeichnet) u. a., die fälschl. als „Wasserburg Buchau" bezeichnete spätbronzezeitl. Moorsiedlung und der Depotfund von Kappel aus der späten La-Tène-Zeit.

Federseele ↑ Vogelfeder.

Federspiel, Jürg, * Zürich 28. Juni 1931, schweizer. Schriftsteller. – Schreibt v. a. kurze Prosastücke, u. a. „Orangen und Tode" (En., 1961), „Der Mann, der Glück brachte" (En., 1966), „Museum des Hasses. Tage in Manhattan" (Bericht, 1969), „Partuga kehrt zurück" (En., 1973), „Die Liebe ist eine Himmelsmacht. 12 Fabeln" (1985), „Geographie der Lust" (R., 1989).

Federspiel, wm. Bez. für eine an einer langen Schnur befestigten, befiederten Köder, den der zur Beizjagd verwendeten Greifvogel zur Faust des Falkners zurücklockt.

Federspule ↑ Vogelfeder.

Federstahl, bes. kohlenstoffarmer Stahl, der wegen seiner Elastizität zur Herstellung von Federn geeignet ist; z. B. Silicium-Stahl, Silicium-Chrom-Stahl, Nickel-Chrom-Molybdän-Stahl.

Federstrahlen ↑ Vogelfeder.

Federung, Element der Rad- bzw. Achsaufhängung bei Fahrzeugen, insbes. bei Kfz; federt die Räder bzw. die Achsen gegenüber der Karosserie ab. Sie ist notwendig zur Erhöhung des Fahrkomforts, zur Verbesserung des Fahrverhaltens (Lenkung, Bremsen, Kraftübertragung) und zum Schutz der transportierten Menschen und Güter. Die F. soll ständigen Bodenkontakt der Räder gewährleisten, Fahrbahnstöße auffangen und in kontrollierte, gedämpfte Schwingungen ableiten. – Abb. S. 23.

Federwaage ↑ Waagen.

Federwechsel, svw. ↑ Mauser.

Federweißer, bei der alkohol. Gärung des Traubenmosts entstehender milchtrüber, moussierender, alkohol-, hefe- und vitaminreicher und stoffwechselfördernder Saft.

Federwild, svw. ↑ Flugwild.

Federwolken, svw. Zirrus (↑ Wolken).

Federzeichnung, mit Feder und Tusche oder Tinte (auch farbig, z. B. Sepia) ausgeführte Zeichnung auf (früher oft grundiertem) Papier, z. T. ein- oder mehrfarbig getönt (laviert) oder weiß gehöht.

Federzinkenegge ↑ Egge.

Federzoni, Luigi [italien. feder'tso:ni], * Bologna 27. Sept. 1878, † Rom 24. Jan. 1967, italien. Journalist und Politiker. – 1910 Mitbegr. der nationalist. Bewegung; seit 1913 Abg., 1922 als Ratgeber·Viktor Emanuels III. beteiligt an der Machtergreifung Mussolinis; sorgte 1923 für die Verschmelzung von nationalist. und faschist. Partei; Innenmin. 1924–26, Senatspräs. 1929–39; stimmte 1943 im Großrat des Faschismus gegen Mussolini.

Fedin, Konstantin Alexandrowitsch, * Saratow 24. Febr. 1892, † Moskau 15. Juli 1977, russ. Schriftsteller. – In seinem ersten Roman, „Städte und Jahre" (1924), ist der Einfluß der dt. Expressionisten spürbar. Die Romane „Frühe Freuden" (1945), „Ein ungewöhnl. Sommer" (1947/48) und „Die Flamme" (1961) bilden eine Trilogie über die Zeit des vorrevolutionären Rußlands bis in die ersten Jahre des 2. Weltkriegs.

Fedtschenkogletscher, mit rd. 77 km längster außerarkt. Gletscher auf dem Gebiet der GUS, im Pamir, vom Pik Revolution ausgehend; Eismächtigkeit bis 1 000 m.

Feedback [engl. 'fi:dbæk, eigtl. „Rückfütterung"], svw. ↑ Rückkopplung.

Feeling [engl. 'fi:lɪŋ], Verständnis durch Einfühlung; Einfühlungsvermögen, Gefühl.

Feen [zu lat. fatum „Schicksal"], meist als gütig gedachte weibl. Geister, die in das menschl. Schicksal eingreifen. F. spielen im Volksglauben, in der altfrz. Dichtung und im Märchen eine bed. Rolle.

Feerie [feə'ri: ; lat.-frz.], szen. Aufführung einer Feengeschichte (auch als Singspiel, Oper, Ballett, Pantomime) mit großem Ausstattungsaufwand; seit dem 18. Jh. beliebt, u. a. die Zauberstücke F. Raimunds.

Feet [engl. fi:t], Mrz. von ↑ Foot.

Fegefeuer [zu mittelhochdt. vegen „reinigen"] (Fegfeuer, Reinigungszustand, lat. Purgatorium), in der *kath. Kirche* Zustand der Läuterung des Menschen nach dem Tod. Die Lehre vom F. geht davon aus, daß im Tode endgültig über das Schicksal des Menschen entschieden wird. Sie löst die Spannung zw. einer mögl. Vollendung und der tatsächl. Unfertigkeit des Menschen durch den Glauben, daß diejenigen, die in der Gnade Gottes sterben, durch die Sühnetat Christi und die Fürbitte der Kirche gereinigt und vollendet werden. – Die bedeutendste dichter. Darstellung des F. findet sich im „Purgatorio" in Dantes „Divina Commedia".

fegen, wm. für: den ↑ Bast abscheuern.

Feh (Grauwerk), Handelsbez. für den Pelz aus den oberseits einfarbig grauen, unterseits weißen Fellen nordosteurop. und sibir. Unterarten des Eichhörnchens.

Fehde, in der german. Zeit und im MA tätl. Feindseligkeit bzw. Privatkrieg zw. Einzelpersonen, Sippen oder Familien zur Durchsetzung von Rechtsansprüchen; seit der germanisch-fränk. Zeit neben dem ordentl. Rechtsweg als legitimes Mittel anerkannt; durch das Waffenverbot für Bürger und Bauern und durch verschiedene Vorschriften eingeschränkt, v. a. die Forderung nach vorheriger Erschöpfung des Rechtsweges, nach förml. Ankündigung **(Fehdebrief)** und den Sühnezwang; Bestrebungen zur Eindämmung des F.wesens seit dem 11. Jh. in verschiedenen Gottes- und Landfrieden; im Ewigen Landfrieden von 1495 absolutes Verbot.

Fehdehandschuh, bei der ritterl. Fehde der Handschuh, der dem zum Zweikampf Herausgeforderten zugeworfen wurde.

Fehlbelegungsabgabe, Abgabe, die die Differenz zw. der Sozialmiete und der entsprechenden Durchschnittsmiete auf dem freien Wohnungsmarkt ausgleichen soll (1982 in der BR Deutschland eingeführt). Die F. gilt für Mieter öff. geförderter Wohnungen von einer bestimmten Einkommensgrenze an; die Bundesländer regeln ihre Einforderung.

Fehlbildung, svw. ↑ Mißbildung.

Fehldruck, mangelhafter, mit textl. und techn. Fehlern behafteter Auflagendruck. Die F. von Kleindrucken (Briefmarken) sind Sammelgegenstand.

fehlerhafte Gesellschaft (auch faktische Gesellschaft), Personengesellschaft, die auf einem nichtigen Gesellschaftsvertrag beruht oder bei kein Gesellschaftsvertrag zugrunde liegt. Die Rechte gutgläubiger Dritter, die mit der f. G. in Rechtsverkehr treten, werden geschützt.

Fehlerrechnung (Fehlertheorie), Teilgebiet der angewandten Mathematik, das sich mit den Methoden zur Erfassung der bei der Messung einer Größe auftretenden Fehler befaßt. Diese **Fehler** teilt man ein in systemat. und in zufällige Fehler. **Systematische Fehler** sind die durch Unvollkommenheiten der Meßvorrichtungen, durch Umwelt (z. B. Temperatur) oder durch den Beobachter selbst verursachten Fehler. Sie lassen sich weitgehend beseitigen oder doch hinreichend genau berücksichtigen; Methoden dafür liefert die **Ausgleichsrechnung,** mit deren Hilfe aus einer Reihe von streuenden Meßwerten der wahrscheinlichste Wert ermittelt wird. **Zufällige Fehler** werden durch nicht unmittelbar erfaßbare Einflüsse bewirkt. Sie lassen sich nur im Mittel mit statist. Methoden bestimmen.

Fehlfarbe, im Kartenspiel die Farbe, die nicht Trumpf ist bzw. die der Spieler nicht hat.

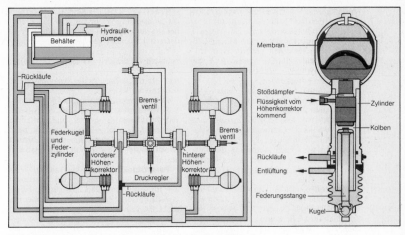

Federung. Kreislauf einer hydropneumatischen Federung (links)
und Längsschnitt durch einen Federzylinder mit Federkugel

◆ Zigarre mit Schönheitsfehlern (fleckig, marmoriert) auf dem Deckblatt; i. d. R. ohne Qualitätsverlust.

Fehlfracht (Fautfracht, Forfeit, Reugeld), Abstandssumme, die ein Befrachter an eine Speditionsfirma bzw. Reederei zahlen muß, wenn er vom Vertrag zurücktritt.

Fehlgeburt (Abort), Abgang einer Frucht mit Nachgeburt (mit einem Gewicht unter 1 000 g) ohne nachweisl. Lebenszeichen (Herzschlag, Atmung) innerhalb der ersten 28 Schwangerschaftswochen. Die **unvollständige Fehlgeburt** (Abortus incompletus) ist eine F., bei der Teile der Frucht oder Nachgeburt nicht ausgestoßen werden; die **vollständige Fehlgeburt** (Abortus completus) führt zum Abgang der Frucht und der gesamten Nachgeburt.

Fehlhandlung, svw. ↑Fehlleistung.

Fehling, Hermann von (seit 1854), * Lübeck 9. Juni 1812, † Stuttgart 1. Juli 1885, dt. Chemiker. – Prof. in Stuttgart. F. befaßte sich u. a. mit den Aldehydsynthesen und führte die **Fehlingsche Lösung** (Kupfersulfat- oder -tartratlösung) als Nachweismittel für reduzierend wirkende Stoffe (z. B. Traubenzucker) in die analyt. Chemie ein.

Fehlleistung (Fehlhandlung), Handlung, bei der auf Grund unterschiedl. Störungen das erstrebte Handlungsziel nicht erreicht wird. Typ. F. sind das Sichversprechen und das Sichverschreiben.

Fehlordnung (Gitterbaufehler, Kristallbaufehler), Abweichungen realer Kristalle in ihrem strukturellen Aufbau sowie in ihrer chem. Zusammensetzung von den sog. Ideal-

kristallen. *Nulldimensionale F.* (Punktdefekte) sind Gitterleerstellen, besetzte Zwischengitterplätze, Fremdatome und Unordnungen in binären Kristallen. Sie beeinflussen bes. viele physikal. Eigenschaften von Metallen und Halbleitern. *Eindimensionale F.* sind Versetzungen, die bes. das elast. Verhalten ändern. *Zweidimensionale F.* sind Kristalloberflächen, Korngrenzen und Stapelfehler, *dreidimensionale F.* Phaseneinschlüsse. Zwei- und dreidimensionale F. bestimmen meistens die mechan. Eigenschaften.

Fehlschluß (Paralogismus), in der Logik ein Schluß, der die Gesetze der Logik verletzt und bei dem aus wahren Prämissen (irrtümlich oder bewußt) auf eine falsche Konklusion geschlossen wird.

Fehlsichtigkeit, auf Refraktionsanomalien (↑Brechungsfehler) des Auges beruhende Verminderung der Sehleistung bei bestimmten Augeneinstellungen, z. B. Kurzsichtigkeit, Weitsichtigkeit, Alterssichtigkeit.

Fehlweisung (Mißweisung) ↑Deklination.

Fehlzündung, die Entzündung des Luft-Kraftstoff-Gemischs bei einem Ottomotor erst im heißen Auspuffrohr und nicht im Zylinder.

Fehmarn, Ostseeinsel, 185,4 km², 12 000 E, Schl.-H., durch den 18 km breiten **Fehmarnbelt** von der dän. Insel Lolland, durch den 1 km breiten, seit 1963 von einer Hochbrücke (Straßen- und Eisenbahnverkehr) überspannten **Fehmarnsund** von der Halbinsel Wagrien getrennt. Getreide- und Feldgemüsebau; Fremdenverkehr. Fährhafen Puttgarden (Vogelfluglinie nach Skandinavien). Einzige Stadt ist Burg auf Fehmarn. – F. (von slaw. vemorje „im Meere"), um 1075 erstmals erwähnt, seit Mitte 12. Jh. von dt. Bauern besiedelt, gehörte schon 1231 zum Hzgt. Schleswig. Die Landschaft F. besaß bis ins 19. Jh. die Selbstverwaltung. 1866 mit Schleswig an Preußen.

Fehn (Venn) [niederdt.; zu niederl. veen „Morast"], sumpfiges, mooriges Gelände, oft in Hochmoor übergehend.

Fehnkultur, Ende des 16. Jh. aufgekommene Methode zur Gewinnung landw. Nutzflächen auf Moorböden; die oberste Weißtorfschicht wird nach Abtorfung der restl. Moorschichten zur Gewinnung des Kulturbodens mit dem sandigen, mineral. Untergrund vermischt.

Fehrbellin, Stadt · in Brandenburg, 3 000 E. Herstellung von techn. Textilien und Förderbändern. – Das seit 1217 belegte Bellin erhielt im 17. Jh. den Namen F.; v. a. bekannt durch den Sieg Kurfürst Friedrich Wilhelms von Brandenburg über die Schweden (28. Juni 1675) unter Feldmarschall W. Wrangel.

Fehrenbach, Konstantin, * Wellendingen (= Bonndorf im Schwarzwald) 11. Jan. 1852, † Freiburg im Breisgau 26. März 1926, dt. Politiker (Zentrum). – Namhafter Strafverteidiger; 1885–87 und 1901–13 bad. MdL (2. Kammer; Präs. 1907–09), seit 1903 MdR; 1918 Reichstagspräs. und Präs. der Weimarer Nat.versammlung; 1920/21 Reichskanzler; seit 1924 Vors. der Reichstagsfraktion.

Feichtmair ↑ Feuchtmayer.

Feierabendheim, regionale Bez. für Altersheim.

feierliches Gelöbnis, durch § 9 SoldatenG festgelegtes Gelöbnis der auf Grund der Wehrpflicht ihren Wehrdienst ableistenden Soldaten in der BR Deutschland, mit dem sie ein Bekenntnis zu ihren Pflichten ablegen.

Feierschicht, vorübergehendes Aussetzen der Arbeit im Ggs. zu vorübergehender Kürzung der normalen Arbeitszeit (Kurzarbeit). Grundsätzlich ist ein Arbeitgeber, der F. anordnet, zur Fortzahlung des Lohnes verpflichtet, sofern nicht eine entgegenstehende Vereinbarung im Tarifvertrag, der Betriebsvereinbarung oder im Arbeitsvertrag getroffen wurde.

Feiertage, Tage, die einen bes. rechtl. Schutz genießen. Die i. d. R. durch Landesrecht festgelegten **gesetzliche Feiertage** sind Tage allg. Arbeitsruhe. Einige F. (wie z. B. je nach Landesrecht Karfreitag, Allerheiligen, Buß- und Bettag sowie der 1. Weihnachtstag) sind durch das Verbot bzw. die Einschränkung von öff. Tanz- u. a. Veranstaltungen, öff. Versammlungen und Umzügen, soweit sie nicht mit dem Charakter des F. vereinbar sind, bes. geschützt. Die **kirchliche Feiertage,** die nicht gesetzl. F. sind und deshalb nicht der allg. Arbeitsruhe unterliegen, können landesrechtl. als *staatl. geschützte Feiertage* ausgestaltet sein (z. B. Freistellung von Arbeitnehmern für die Zeit des Gottesdienstes). – In *Österreich* ist an F. Arbeitsruhe einzuhalten. – In der *Schweiz* ist die Bestimmung der F. Sache der Kantone.

Feiertagskrankheit, svw. ↑ Lumbago.

Feiertagsvergütung, der für Arbeitszeit, die infolge eines gesetzl., nicht auf einen Sonntag fallenden Feiertags ausfällt, vom Arbeitgeber den Arbeitnehmern zu zahlende Arbeitsverdienst, den sie ohne den Arbeitsausfall erhalten hätten.

Feiertagszuschlag, eine zusätzl. Vergütung zum vollen Lohn, die der Arbeitnehmer für seine Arbeit an einem gesetzl. Feiertag erhält; i. d. R. durch Tarifvertrag oder betriebl. Regelung vereinbart.

Feige [lat.], (Ficus) Gatt. der Maulbeergewächse mit etwa 1 000, hauptsächlich trop. Arten; Holzpflanzen mit sommer- oder immergrünen Blättern und krug- bis hohlkugelförmigen Blütenständen. Bekannte Arten sind ↑ Feigenbaum, ↑ Gummibaum, ↑ Maulbeerfeigenbaum.

♦ Frucht des ↑ Feigenbaums.

Feigenbaum (Ficus carica), kultivierte Art der Gatt. Feige; wild wachsend vom Mittelmeergebiet bis NW-Indien, kultiviert und eingebürgert in vielen trop. und subtrop. Ländern; Milchsaft führende Sträucher oder kleine Bäume mit großen, derben, fingerförmig gelappten Blättern. – Der wildwachsende F. bildet 3 Feigengenerationen mit unterschiedl. Früchten pro Jahr, davon eßbare im Sept. **(Fichi)** und ungenießbare im April/Mai **(Mamme)** und Juli **(Profichi).** – Die aus dem wilden F. entwickelte Kulturform tritt in zwei Varietäten auf, wovon die **Bocksfeige** (Holzfeige, Caprificus) ♂ und ♀ Blüten hat, aber keine eßbaren Früchte hervorbringt. Die **Kulturfeige** (Eßfeige) hat nur ♀ Blüten und bildet 3 Generationen **(Fiori di fico** [April bis Juni], **Pedagnuoli** [Juni bis Nov., Haupternte] und **Cimaruoli** [Sept. bis Jan.]). Die Früchte entstehen parthenogenetisch, oder es werden Zweige der Bocksfeige zur Befruchtung (durch Feigenwespen) in die Kulturen gehängt. – Die **Feige** genannte Frucht des F. ist ein grüner oder violetter Steinfruchtstand. Feigen werden frisch oder getrocknet gegessen und zur Herstellung von Alkohol, Wein und Kaffee-Ersatz verwendet. **Geschichte:** Im 1. Jh. n. Chr. kultivierte man im westl. Mittelmeerraum 29 Feigensorten. Die Frucht wurde ein so wichtiges Nahrungsmittel, daß der F. in allen alten Mittelmeerkulturen als Symbol der Fruchtbarkeit und des Wohlbefindens galt. In Griechenland war der F. dem Dionysos heilig; vielfach in der Volksmedizin verwendet.

Feigenkaktus ↑ Opuntie.

Feigenwespen (Agaontidae), Fam. der Erzwespen mit etwa 500 Arten, v. a. in den Tropen und Subtropen; entwickeln sich in Feigenblüten, in denen sie Gallen erzeugen. Einzige europ. Art ist die **Gemeine Feigenwespe** (Blastophaga psenes), knapp 1 mm groß, ♂ hellgelb, flügellos; ♀ schwarz mit gelbbraunem Kopf, geflügelt.

Feigenwinter, Ernst, * Reinach (BL) 16. März 1853, † Bern 15. Sept. 1919, schweizer. Sozialpolitiker. – Im schweizer. Kulturkampf Führer der Basler Katholiken (1917 Nationalrat); 1887 Mitbegr. des Schweizer. Arbeiterbundes.

Feigheit vor dem Feind, als vorsätzl. Verletzung der Dienstpflicht aus Furcht vor persönl. Gefahr im Militärstrafrecht neben Fahnenflucht bis Mitte des 19. Jh. genereller Straftatbestand; mit der Todesstrafe bedroht. Im geltenden *dt.* und *östr. Militärstrafrecht* besteht dieser Tatbestand nicht; im *schweizer. Militärstrafgesetz* eine mit der Todesstrafe oder Zuchthaus bedrohte Dienstverletzung.

Feigwarze, svw. ↑ Kondylom.

Feijoo y Montenegro, Benito Jerónimo [span. fɛiˈxoo i mɔnteˈneɣro], * Casdemiro (Orense) 8. Okt. 1676, † Oviedo 26. Sept. 1764, span. Gelehrter. – Hauptvertreter der span. Aufklärung; setzte sich in seinem breiten publizist. Werk für den Anschluß an die naturwiss.-techn. Errungenschaften W-Europas und die Verwendung experimenteller Methoden ein, ohne nat. Eigenart und kath. Glauben preisgeben zu wollen.

feilbieten, svw. ↑ feilhalten.

Feile, gezahntes oder gerieftes Werkzeug aus gehärtetem Stahl zur spanenden Bearbeitung von Metall, Holz, Kunststoff u. a. Materialien; **Grobfeilen (Schruppfeilen)** dienen der Grobbearbeitung, **Schlichtfeilen** der Nachbearbeitung und dem Glätten, **Präzisionsfeilen** der Feinbearbeitung. Man unterscheidet **Einhieb**- und **Doppelhieb**- oder **Kreuzhiebfeilen.**

Gesetzliche Feiertage

	Deutschland	Baden-Württemberg	Bayern	Berlin	Brandenburg	Bremen	Hamburg	Hessen	Mecklenburg-Vorpommern	Niedersachsen	Nordrhein-Westfalen	Rheinland-Pfalz	Saarland	Sachsen	Sachsen-Anhalt	Schleswig-Holstein	Thüringen	Österreich	Schweiz
Neujahr (1. 1.)	×	×	×	×	×	×	×	×	×	×	×	×	×	×	×	×	×	×	×
Hl. Drei Könige (6. 1.)		×	×															×	×[1]
Karfreitag	×	×	×	×	×	×	×	×	×	×	×	×	×	×	×	×	×	−	×[1]
Ostermontag	×	×	×	×	×	×	×	×	×	×	×	×	×	×	×	×	×	×	×[1]
1. Mai	×	×	×	×	×	×	×	×	×	×	×	×	×	×	×	×	×	×	×[1]
Christi Himmelfahrt	×	×	×	×	×	×	×	×	×	×	×	×	×	×	×	×	×	×	×[2]
Pfingstmontag	×	×	×	×	×	×	×	×	×	×	×	×	×	×	×	×	×	×	×[1]
Fronleichnam		×	×					×			×	×	×					×	×[1]
Bundesfeier (1. 8.)																			×[1]
Mariä Himmelfahrt (15. 8.)			+										×					×	×[1]
Tag der dt. Einheit (3. 10.)	×	×	×	×	×	×	×	×	×	×	×	×	×	×	×	×	×		
Nationalfeiertag (26. 10)																		×	
Reformationstag (31. 10)					×				×					×	×		×		
Allerheiligen (1. 11.)		×	×								×	×	×					×	×[1]
Buß- und Bettag														×					×[3]
Mariä Empfängnis (8. 12.)																		×	
1. Weihnachtstag (25. 12.)	×	×	×	×	×	×	×	×	×	×	×	×	×	×	×	×	×	×	×[1]
2. Weihnachtstag (26. 12.)	×	×	×	×	×	×	×	×	×	×	×	×	×	×	×	×	×	×	×[1]

× in allen Gemeinden bzw. Kantonen; + nur in Gemeinden mit überwiegend kath. Bev.; − nur für Angehörige der ev. Kirche; [1] nicht in allen Kantonen; [2] in der Schweiz „Auffahrt" genannt; [3] in der Schweiz als Eidgenöss. Buß- und Bettag am 3. Sonntag im September.

Feilenfische (Monacanthidae), Fam. bis 1 m langer Knochenfische in allen trop. Meeren; Körper langgestreckt, mit meist feilenartig rauher Haut.

Feilenmuscheln (Limidae), Fam. meeresbewohnender Muscheln v. a. der wärmeren Regionen; Schalen häufig gerippt, Mantelrand in zahlr., meist leuchtendrote Tentakel ausgezogen.

Feilenmuschel. Lima scraba

feilhalten (feilbieten) [zu althochdt. feili „käuflich"], zum Verkauf anbieten, ausstellen; auch übertragen: **Maulaffen feilhalten,** zusehen, angaffen.

Feime [niederdt.], svw. ↑ Schober.

Feinbrennen (Feinen), in der *Hüttentechnik* svw. Reinigen, Raffinieren von Metallen.

Feinchemikalien ↑ Chemikalien.

Feindpflanzen, Pflanzen, die zur Bekämpfung von Schädlingen angebaut werden (v. a. Roggen und Luzerne gegen Rübennematoden).

Feindschaft, zw. Individuen bzw. Gruppen bestehende (z. T. einseitig gerichtete) Beziehung, die durch Ablehnung des bzw. der anderen bestimmt ist und auf einem Widerstreit materieller und/oder ideeller Interessen beruht.

Feindstaatenklausel (Feindstaatenartikel), Bez. für die zur Friedenssicherung in bezug auf sog. Feindstaaten erlassenen Bestimmungen der UN-Charta. Hiernach wurden diejenigen Maßnahmen, die infolge des 2. Weltkriegs in bezug auf einen Staat getroffen wurden, der während des 2. Weltkriegs Feind **(Feindstaat)** eines Unterzeichnerstaats der Charta war, 1945 weder außer Kraft gesetzt noch untersagt (Art. 107). Darüber hinaus wurde in dem Art. 53 Abs. 1 Satz 3 auf Art. 107 verwiesen und bestimmt, daß [bis zum Eingreifen der UN] Zwangsmaßnahmen gegen Feindstaaten auf Grund regionaler Abmachungen oder seitens regionaler Einrich-

tungen nicht der an sich erforderl. Ermächtigung durch den Sicherheitsrat unterlägen, wenn sie in Art. 107 oder in regionalen, gegen die Wiederaufnahme der Angriffspolitik eines Feindstaates gerichteten Abmachungen vorgesehen seien. Die F. hat inzw. ihre prakt. Bedeutung verloren.

Feineisen, Handelsbez. für Stahlstäbe kleinen Querschnitts.

Feinen, svw. ↑ Feinbrennen.

Feingehalt (Feine), Anteil eines Edelmetalls in Legierungen; früher bei Goldlegierung in Karat, heute in Promille ausgedrückt (18 Karat entspricht „750er" Gold).

Feingewicht, die Masse des in einer Edelmetallegierung enthaltenen Edelmetalls.

Feinheit, die Beziehung der Länge von Garnen zu ihrer Masse (↑ Garnnumerierung).

Feininger [engl. 'faınıŋə], Andreas, * Paris 27. Dez. 1906, amerikan. Photograph. – Sohn von Lyonel F.; 1943–62 Bildjournalist des „Life"-Magazins; veröffentlichte Bildbände und Fachbücher.

F., Lyonel, * New York 17. Juli 1871, † ebd. 13. Jan. 1956, dt.-amerikan. Maler und Graphiker. – Seit 1913 stand F. dem ↑ Blauen Reiter nahe, 1919–33 Lehrer am Bauhaus. 1936 Rückkehr in die USA. Die prismat. Struktur seiner Bilder wird in den Gemälden durch eine nuancierte, transparente Farbgebung erreicht, im Holzschnitt durch Kontrastierung von positiven und negativen Flächen.

Feinmechanik, Teilgebiet der Feinwerktechnik, das sich mit der Herstellung mechanisch arbeitender Geräte hoher Präzision befaßt, z. B. mechan. Meßgeräte.

Feinstrahl, svw. ↑ Berufkraut.

Feinstruktur, geometr. Aufbau der Materie im Bereich submikroskop. Dimension. ♦ in der *Atom-* und *Kernspektroskopie* allg. die in einem Spektrum bei Messung mit hoher Auflösung auftretende Aufspaltung einer zunächst einheitlich erscheinenden Spektrallinie in mehrere Komponenten; bekanntestes Beispiel: die gelbe Natrium-D-Linie mit ihren beiden Komponenten D_1 und D_2 (Natriumdublett). – ↑ Hyperfeinstruktur.

Feinwaage ↑ Waagen.

Feinzeiger, Längenmeßgerät, bei dem der Weg eines Meßbolzens durch mechan., opt., elektr. oder pneumat. Übertragungsglieder vergrößert und analog oder digital angezeigt wird.

Feira de Santana [brasilian. 'fejra di sɐn'tɐna], brasilian. Stadt 90 km nw. von Salvador, 289 500 E. Kath. Bischofssitz; Viehhandelsplatz, im Umland Tabakanbau; ⚒.

Feisal, Name arab. Könige, ↑ Faisal.

Feiung, natürl. aktive Immunisierung durch Krankheitserreger im Verlauf einer Krankheit, bei der **stillen Feiung** ohne äußere Krankheitszeichen.

Fel [lat.], svw. ↑Galle.

Felbiger, Johann Ignaz von, * Glogau 6. Jan. 1724, † Preßburg 17. Mai 1788, östr. Schulreformer. – Abt in Sagan (seit 1758); reformierte die Schulverhältnisse im (preuß.) Hzgt. Schlesien und in der Gft. Glatz (1765) sowie das östr. Volksschulwesen im Sinne der kath. Aufklärung (Allg. Schulordnung für die dt. Normal-, Haupt- und Trivialschule, 1774).

Felchen (Maränen, Renken, Coregonus), Gatt. bis 75 cm langer, meist heringsartig schlanker Lachsfische mit 7 Arten, v. a. in küstennahen Meeresteilen des N-Atlantiks und des nördl. Stillen Ozeans sowie in den Süß- und Brackgewässern N-Amerikas und der nördl. und gemäßigten Regionen Eurasiens; Körper häufig silberglänzend mit relativ kleinen Schuppen und Fettflosse; z. T. Wanderfische. Man unterscheidet die beiden Gruppen Boden- und Schwebrenken. Die **Bodenrenken** leben in Grund- und Ufernähe der Gewässer. Bekannt sind: **Kilch** (Kleine Bodenrenke, Coregonus acronius), 15–30 cm lang, schlank; im Bodensee, Ammersee, Chiemsee und Thuner See. **Sandfelchen** (Große Bodenrenke, Coregonus fera), bis 80 cm lang; v. a. in Seen des Alpen- und Voralpengebietes. Beide sind gute Speisefische. Die **Schwebrenken** leben vorwiegend in den oberen Wasserschichten. Sie unterteilen sich in zwei Formenkreise: 1. **Große Schwebrenken** (Große Maränen) mit den bekannten Arten ↑Blaufelchen und **Schnäpel** (Strommaräne, Coregonus oxyrhynchus); bis 50 cm lang, in der sö. Nordsee *(Nordseeschnäpel)* und in der westl. Ostsee *(Ostseeschnäpel).* 2. **Kleine Schwebrenken,** u. a. mit **Gangfisch** (Silber-F., Form des Schnäpels), bis etwa 30 cm lang, v. a. in den Uferzonen der Alpenseen und des Bodensees.

Feld, agrarisch genutztes Stück Land.

◆ svw. Schlachtfeld; v. a. in Wendungen wie *im Feld* (an der Front, im Krieg) und in Komposita, z. B. Feldpost.

◆ in der *Physik* Gesamtheit der allen Punkten des leeren oder stofferfüllten Raumes zugeordneten Werte einer physikal. Größe, der **Feldgröße.** Der F.begriff ist fundamental für die gesamte Physik. Nach der mathemat. Natur der F.größen unterscheidet man *skalare F.* (z. B. Temperatur, Massendichte), *Vektor-F.* (Kraft, elektr. oder magnet. F.stärke), *Tensor-F.* (mechan. Spannung) und *Spinor-F.* **Vektorfelder** spielen in der Physik eine bes. Rolle; sie können anschaulich dargestellt werden mit Hilfe von **Feldlinien,** orientierten Linien, deren Tangente in jedem Raumpunkt die Richtung und deren Dichte den Betrag der dort wirkenden F.größe angeben. Die F.linien eines **Kraftfeldes** heißen **Kraftlinien;** dabei ist die **Feldstärke** bestimmt durch die Kraft, die das F. in einem betrachteten Raumpunkt auf eine Einheitsquelle ausübt.

Nach der Struktur eines Vektor-F. unterscheidet man zw. *Quellen-F.* (die F.linien haben ihren Ursprung in sog. Quellen und enden in sog. Senken) und *Wirbel-F.* (F.linien sind in sich geschlossen). Wirbelfreie Vektor-F. können mathematisch hergeleitet werden aus einem skalaren ↑Potential. Ein beliebiges F. heißt *homogen,* wenn jedem Raumpunkt die gleiche F.größe zugeordnet ist, andernfalls heißt es *inhomogen.* Felder (bes. auch das ↑elektromagnetische Feld) sind wie stoffl. Materie eine Erscheinungsform der Materie; der F.begriff steht durch die Existenz von F.quanten (↑Elementarteilchen) in engem Zusammenhang mit dem Begriff des Teilchens. – ↑Feldtheorie.

◆ in der *Sprachwissenschaft* ein System, in dem ein Wort oder eine größere sprachl. Einheit seinen bestimmten Platz hat und aus dem heraus die Bed. dieses Wortes oder dieser sprachl. Einheit herausgearbeitet werden kann. Die Wörter eines sprachl. F. stehen in Wechselbeziehung; die Bed. eines Wortes wird durch die Bedeutung der F.nachbarn festgelegt.

◆ im *Sport* abgegrenzte und nach bestimmten Regeln eingeteilte und gekennzeichnete Bodenfläche [zum Austragen von Sportspielen]; auch Bez. für eine geschlossene größere Gruppe (z. B. von Gehern, Läufern, Motor- und Radsportlern, Pferden) bzw. für die Gesamtheit der Teilnehmer an einem Wettkampf.

Feld. Magnetische Feldlinien zwischen einem Nordpol und einem Südpol (oben) sowie in der Nähe zweier Nordpole

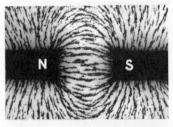

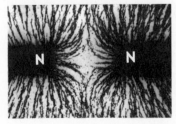

Feldahorn (Maßholder, Acer campestre), europ. Ahornart in Laubwäldern, Feldgehölzen und an Waldrändern; bis 20 m hoher Baum mit kurzem Stamm und unregelmäßiger Krone oder 1–3 m hoher Strauch; Blätter grob fünflappig, gegenständig, langgestielt, Blüten gelbgrün.

Feldartillerie, in motorisiertem Zug durch Rad- oder Kettenfahrzeuge bewegte Geschütze (Haubitzen oder Kanonen).

Feldbahn, schnell verlegbare schmalspurige Schienenbahn; v. a. in Steinbrüchen.

Feldberg, mit 1 493 m höchster Gipfel des Schwarzwaldes, Bad.-Württ. An seinem NO-Abhang liegt der **Feldsee,** ein 10 ha großer, 32 m tiefer Karsee.

Feldberg, Großer ↑ Großer Feldberg.

Feldbinde, militär. Abzeichen: urspr. vor dem Aufkommen einer einheitl. Uniform Erkennungszeichen, später (in Form eines Leibgurts) anstelle der Offiziersschärpe Teil des Dienst- und Paradeanzugs.

Felddiebstahl, Diebstahl von Früchten und geringwertigen Gegenständen von Feld und Wald; wird grundsätzlich als Diebstahl (§ 242 StGB) bestraft. Landesrechtl. Vorschriften können jedoch bestimmen, daß eine Tat in unbedeutenden Fällen nicht bestraft oder verfolgt wird.

Felddienst, früher Bez. für den gesamten Dienst der Truppe im Gelände (Felde) und für den Gefechtsdienst im Kriege.

Feldeffekt, Änderung des elektr. Stromes in einer Halbleiterschicht durch ein elektr. Querfeld, das an der Halbleiteroberfläche Ladungen influenziert; wird im F.transistor angewendet.

Feldeffekttransistor, Abk. FET, ↑ Transistor.

Feldelektronenemission (Feldemission), Austritt von Elektronen aus Festkörperoberflächen bei Einwirkung eines elektr. Feldes von genügend hoher Feldstärke durch den Tunneleffekt.

Feldelektronenmikroskop ↑ Elektronenmikroskop.

Felderbse, svw. ↑ Ackererbse.

Felderwirtschaft, Fruchtfolgesystem, bei dem weniger als 25 % der Ackerfläche für den Anbau von Futterpflanzen verwendet werden; am bekanntesten ist die ↑ Dreifelderwirtschaft.

Feldexperiment ↑ Experiment.

Feldforschung (Feldstudie; engl. Field-research, Field-work, Field-study), in der empir. Soziologie, v. a. auch in der Ethnologie und Anthropologie verwendetes Erhebungs- und Experimentierverfahren, das unter nichtmanipulierten Bedingungen der sozialen Wirklichkeit angewendet wird.

Feldfrüchte, Ernteerzeugnisse des Ackerbaus (z. B. Getreide, Futterpflanzen, Kartoffeln, Mais) im Unterschied zu Garten- und Waldfrüchten.

Feldgemeinschaft, Agrarverfassung, in der die von Einzelpersonen oder Familien genutzten Grundstücke im Kollektiveigentum einer Siedlungsgemeinschaft stehen und/oder kollektiv bewirtschaftet werden, z. B. der russ. Mir, die südslaw. Zadruga.

Feldgendarmerie, 1866 aus Gendarmen und aktiven Unteroffizieren gebildete Truppe mit militärpolizeil. Aufgaben (bis 1945).

Feldgeschrei, früher Bez. für den Erkennungsruf im Felde.

Feld-Gras-Wirtschaft, Art der landw. Bodennutzung, bei der auf derselben Bodenfläche turnusmäßig die Nutzung als Ackerland und als Grünland abwechseln.

Feldgrille ↑ Grillen.

Feldgröße ↑ Feld (Physik).

Feldhamster ↑ Hamster.

Feldhase ↑ Hasen.

Feldhaubitze ↑ Geschütze.

Feldhauptmann, Truppenführer im Heer der Landsknechte.

Feldhausmaus ↑ Hausmaus.

Feldheer, bei der Bundeswehr der Teil der Landstreitkräfte, der im Ggs. zum Territorialheer im Verteidigungsfall der operativen Führung der NATO unterstellt ist.

Feldherrnhalle, Bauwerk in München, errichtet 1841–44 von F. Gärtner; hier endete Hitlers „Marsch zur F." am 9. Nov. 1923.

Feldheuschrecken (Acrididae), heute mit über 5 000 Arten (davon etwa 40 in Deutschland) weltweit verbreitete Fam. 1–10 cm großer Insekten; mit kräftig entwickelten hinteren Sprungbeinen; ♂♂ zirpen, indem sie die Hinterschenkel mit gezähnter Leiste über vorspringende Adern der Flügeldecke streichen. Zu den F. gehören u. a. ↑ Wanderheuschrecken, ↑ Schnarrheuschrecke, ↑ Grashüpfer, ↑ Sumpfschrecke, ↑ Sandschrecke und ↑ Sandheuschrecken.

Feldhühner (Perdicinae), weltweit verbreitete Unterfam. der ↑ Hühnervögel mit etwa 130 Arten; Schnabel kurz, Schwanz meist kurz, Gefieder in der Regel tarnfarben. Zu den F. gehören z. B.: **Steinhuhn** (Alectoris graeca), mit Schwanz über 30 cm lang, in felsigen Gebirgslandschaften der subtrop. Regionen Eurasiens; die bekannteste Unterart ist das **Alpensteinhuhn** (Alectoris graeca saxatilis) im Alpengebiet; **Rothuhn** (Alectoris rufa), mit Schwanz etwa 35 cm lang, oberseits graubraun, auf Feldern, Wiesen und Heiden NW- und SW-Europas; **Rebhuhn** (Perdix perdix), etwa 30 cm lang, v. a. auf Feldern und Wiesen großer Teile Europas; mit dunkelbrauner Oberseite, rotbraunem Schwanz, rostfarbenem Gesicht und großem, braunem, hufeisenförmigem Bauchfleck. Die Gatt.

Frankoline (Francolinus) hat etwa 40 Arten in den Wäldern, Steppen und Savannen Afrikas sowie Vorder- und S-Asiens; bis 45 cm lang, rebhuhnartig, ♂ mit 1 oder 2 Spornen. Vier altweltlich verbreitete Arten hat die Gatt. **Wachteln;** kleine bodenbewohnende Hühnervögel mit sehr kurzem, durch die Oberschwanzfedern verborgenem Schwanz. Die bekannteste, auf Gras- und Brachland vorkommende Art ist die bis 18 cm lange **Wachtel** (Coturnix coturnix), mit braunem, oberseits gelbl. und schwarz gestreiftem Gefieder.

Feldhummel ↑ Hummeln.

Feldjäger, Angehöriger des in Preußen 1740 gebildeten berittenen F.korps, das sich aus Jägern und Forstbeamten rekrutierte; v. a. für Kurierdienste eingesetzt.

◆ in der *Bundeswehr* Truppengattung innerhalb der Führungstruppen; den F. obliegt der militär. Verkehrsdienst und der militär. Ordnungsdienst.

Feldkirch, östr. Bez.hauptstadt in Vorarlberg, an der Ill, 458 m ü. d. M., 25 100 E. Kath. Bischofssitz; Mus.-Pädagog. Akademie, Konservatorium; Heimatmuseum in der Schattenburg (12. Jh.). Textil-, Holzind. – F. wurde vor 1200 planmäßig angelegt, erhielt 1208 Stadtrechte und kam 1375 in den Besitz der Habsburger. – Spätgot. Domkirche (1478 vollendet), Rathaus (1493), Patrizierhäuser (15./16. Jh.).

F., Bistum, 1968 für das östr. Bundesland Vorarlberg gegr.; Suffraganbistum von Salzburg. – ↑ katholische Kirche (Übersicht).

Feldkirchen in Kärnten, östr. Stadt, 550 m ü. d. M., 12 700 E. U. a. Textil- und lederverarbeitende Ind. – 888 erstmals genannt; seit 1930 Stadt. – Romanisch-got. Pfarrkirche mit Fresken (12. Jh.).

Feldkonstante, (elektr. Feldkonstante) ↑ Dielektrikum.

◆ (magnet. Feldkonstante) ↑ Permeabilität.

Feldküche, Küchenfahrzeug (volkstüml. **Gulaschkanone**) zur Zubereitung warmer Verpflegung für die Streitkräfte bei Übungen und im Einsatz; auch als Einrichtung des Roten Kreuzes und des zivilen Bev.schutzes.

Feldlazarett ↑ Lazarett.

Feldlerche ↑ Lerchen.

Feldlinien ↑ Feld.

Feldman [engl. 'feldmən], Marty, * London 1933, † Mexiko 2. Dez. 1982, brit. Komiker. – Ab 1962 Fernsehauftritte; seit 1968 Autor und Darsteller skurril-kom. Fernsehserien; auch erfolgreiche Remakes, z. B. „Frankenstein Junior" (1975); „Silent Movie" (1977) ist eine Persiflage auf den Stummfilm.

F., Morton, * New York 12. Jan. 1926, † Buffalo (N. Y.) 3. Sept. 1987, amerikan. Komponist. – Bedeutsam für sein Schaffen wurde die Begegnung mit J. Cage; komponierte zahlr. Orchesterwerke („Structures", 1962;

„Coptic light", 1986) sowie die Oper „Neither" (1977).

Feldmarschall, in den Streitkräften vieler Länder höchster militär. Dienstgrad; vom Hofamt des Marschalls abgeleitet; im 16. Jh. oberster Befehlshaber der Reiterei eines Heeres, im Dreißigjährigen Krieg Befehlshaber selbständiger Korps; seit dem 17. Jh. war der **Reichsgeneralfeldmarschall** Oberkommandierender der Reichsarmee; der **Generalfeldmarschall** wurde (abgesehen vom Reichsmarschall) seit Ende des 17. Jh. zur höchsten Dienststellung in allen dt. Heeren.

Feldmaße (Ackermaße), Flächeneinheiten zur Bemessung landw. genutzter Flächen. Gesetzl. Einheit ist das **Quadratmeter** (Einheitenzeichen m²); außerdem sind **Ar** und **Hektar** zulässig.

Feldmaus ↑ Wühlmäuse.

Feldmühle Nobel AG, aus der Flick-Gruppe 1986 entstandener Mischkonzern; Sitz Düsseldorf. Das Produktionsprogramm umfaßt Papiere und Karton (v. a. durch die *Feldmühle AG,* gegr. 1885), Spreng- und Zündstoffe (v. a. durch die *Dynamit Nobel AG,* gegr. 1865), weiterhin Stahl- und Gießereierzeugnisse.

Feldplatte (Fluxistor), Halbleiterbauelement, bei dem die Abhängigkeit des elektr. Widerstands der verwendeten Halbleitermaterialien vom [äußeren] Magnetfeld ausgenutzt wird.

Feldpolizei, im Krieg gebildeter eigener polizeil. Vollzugsdienst zur Aufrechterhaltung der öffentl. Sicherheit und Ordnung im Kriegsgebiet.

◆ (Feld- und Forstpolizei) Gesamtheit der staatl. Vollzugsorgane **(Feldhüter, Forsthüter)** zum Schutz von Feld und Forst.

Feldpost, Bez. für das (tariffreie) militär. Postwesen während eines Krieges; stellt die Postverbindungen innerhalb der Truppe und zw. Truppe und Zivilbev. her; erstmals um 1500 eingerichtet; unterstand im 1. Weltkrieg dem Reichspostamt, im 2. Weltkrieg direkt der Wehrmacht.

Feldposten, Teil der Gefechtssicherung; soll die Truppe sichern, alarmieren sowie Anlagen und Einrichtungen schützen.

Feldquanten ↑ Elementarteilchen.

Feldrose ↑ Rose.

Feldrüster, svw. Feldulme (↑ Ulme).

Feldsalat (Ackersalat, Valerianella), Gatt. der Baldriangewächse mit etwa 60 Arten auf der Nordhalbkugel; einjährige Kräuter mit grundständiger Blattrosette. Die bekannteste Art ist der **Gemeine Feldsalat** (Rapunzel, Valerianella locusta), ein Unkraut auf Äckern und Wiesen, das in seiner Kulturform als Blattsalat gern gegessen wird.

Feldscher [verkürzt aus frühneuhochdt. Feldscherer (zu scheren „schneiden, rasieren")], bis ins 18. Jh. unterste Stufe der Militärärzte, später *Kompaniechirurg* genannt.

Feldschlange (Schlangenbüchse, Kolubrine), spätma. Geschütz mit relativ langem Rohr (Kaliber 5–14 cm) zum Verschießen eiserner Vollkugeln (bis 10 kg).

Feldschwirl ↑ Schwirle.

Feldspäte, Gruppe von gesteinsbildenden Mineralen (mengenmäßig 50 bis 60% aller Silicatminerale) mit mehreren gemeinsamen Eigenschaften; Mohshärte 6 bis 6,5; Dichte 2,53 bis 2,77 g/cm^3; spaltbar in zwei senkrecht zueinander stehenden Spaltebenen. Chem. sind die F. Alumosilicate (Gerüstsilikate). Sie bilden zwei Reihen von Mischkristallen, die *Kalknatron-F.* (**Plagioklase,** triklin und „schiefspaltend") und *Alkali-F.* (**Orthoklase,** monoklin und „geradspaltend"). Die triklin kristallisierenden Kalknatron-F. haben die Grenzzusammensetzungen *Albit* (Natron-F.), $Na[AlSi_3O_8]$, und *Anorthit* (Kalk-F.), $Ca[Al_2Si_2O_8]$; als Zwischenglieder unterscheidet man mit steigendem Anorthitgehalt Oligoklas, Andesin, Labradorit, Bytownit. Grenzzusammensetzung der monoklin oder triklin kristallisierenden Alkali-F. ist der Kalifeldspat, $K[AlSi_3O_8]$. Er tritt in den Formen *Orthoklas* (monoklin), *Sanidin* (monoklin) und *Mikroklin* (triklin) auf. Zwischenglieder, (Na, K) $[AlSi_3O_8]$, sind Perthit (Orthoklas mit Albitschnüren), Natronsanidin (monoklin) und Anorthoklas (triklin). Die F. sind meist weiße bis grauweiße oder auch unscheinbar gefärbte Minerale. Einige Varietäten der F. mit bes. opt. Effekten eignen sich als Schmuckstein, z. B. der **Aventurinfeldspat** (*Sonnenstein;* Varietät des Oligoklas mit metall. Schimmer), der **Labrador** (*Labradorit;* mit blaugrünem Farbenspiel), der **Mondstein** (*Adular;* Varietät des Orthoklas mit bläul. Schimmer), der **Amazonit** (blaugrün gefärbte Varietät des Mikroklins).

Feldspatvertreter (Feldspatoide, Foide), meist farblose oder weiße, glasglänzende, gesteinsbildende Minerale, die aus magmat. Schmelzen entstehen, deren Kieselsäuregehalt nicht zur Bildung von Feldspäten ausreicht.

Feldsperling ↑ Sperlinge.

Feldspitzmaus ↑ Weißzahnspitzmäuse.

Feldstärke ↑ Feld.

Feldstecher ↑ Fernrohr.

Feldstudie ↑ Feldforschung.

Feldtauben ↑ Haustauben.

Feldtheorie, Beschreibung der physikal. Realität, bes. auch der Wechselwirkung von Teilchen, mit Hilfe von Feldgrößen, die Feldgleichungen genügen. Jede speziell-relativist. F. ist eine *Nahewirkungstheorie,* da sich alle Wirkungen nur mit endl. Geschwindigkeit (Lichtgeschwindigkeit) ausbreiten; so wird die Kraftwirkung zw. zwei Raumpunkten ver-

Feldwespen. Polistes gallicus auf einem Papiernest

mittels des Feldes zeitlich nacheinander über alle dazwischenliegenden Punkte übertragen. In einer F. werden jedem Raumpunkt die zur Beschreibung der betreffenden Erscheinung notwendigen Feldgrößen zugeordnet, deren raum-zeitl. Änderungen durch die Feldgleichungen beschrieben werden. In der klass. F. findet der Teilchenaspekt der Materie keine befriedigende Erklärung. Durch die Quantisierung der klass. F. (↑ Quantenfeldtheorie) läßt sich dieser Teilchenaspekt und die Wechselwirkung erfassen. Wichtige F. sind die Maxwellsche Theorie des elektromagnet. Feldes und die Diracsche Theorie des Elektron-Positron-Feldes. Es ist bisher nicht gelungen, eine einheitl. F. aufzustellen, die aller wechselwirkenden Materie nur ein einziges Feld zuschreibt.

♦ in der *Psychologie* die histor. auf die Gestaltpsychologie zurückgehende (umstrittene) Auffassung, nach der das Verhalten eines Lebewesens durch die Bedingung des Feldes oder Lebensraums, in dem es erfolgt, bestimmt wird.

Feldthymian ↑ Thymian.

Feldulme ↑ Ulme.

Feldverweis, in Sportspielen Ausschluß eines Spielers vom weiteren Spiel wegen eines groben Regelverstoßes.

Feldwaldmaus (Waldmaus, Apodemus sylvaticus), Art der Echtmäuse in Eurasien; Körperlänge etwa 8–11 cm, Schwanz meist ebenso lang; Oberseite grau- bis gelblichbraun, Bauchseite grauweiß.

Feldwebel [zu althochdt. weibil „Gerichtsbote"], militär. Dienstgrad (vom Feldweibel der Landsknechte abgeleitet); im Dt. Reich bis 1918 höchster Unteroffiziersdienstgrad; bei Kavallerie und Artillerie **Wachtmeister** gen.; in der Bundeswehr unterster Dienstgrad, in dem ein Soldat zum Berufssoldaten ernannt werden kann. – ↑ Dienstgradbezeichnungen (Übersicht).

Feldweibel, Bez. des Feldwebels bei den Landsknechten; heute schweizer. Dienstgrad. – ↑ Dienstgradbezeichnungen (Übersicht).

Feldwespen (Polistinae), mit etwa 100 Arten weltweit verbreitete Unterfam. sozial lebender, schlanker Insekten; bauen Papiernester.

Feldzeichen, takt. Hilfsmittel zur Kennzeichnung von Truppenverbänden und Einzelkriegern sowie zur Befehlsgebung; bei den Römern unter verschiedenen, schwer abzugrenzenden Bez. (z. B. „vexillum", „signum") bekannt; Embleme waren v. a. Tierzeichen; daneben traten im MA seit den Kreuzzügen Fahnen; im Ritterheer dienten Schild des Wappens und Helmzier, bei den Söldnerheeren des späten MA an den Kopfputz gesteckte Federn, Zweige, Laub und Stroh als F.; Feldbinden, Kokarden, Uniformen waren F. i. e. S.; seit dem 19. Jh. zugleich für Fahnen und Standarten verwendet.

Feldzeitungen, vorwiegend für die Truppe hergestellte, z. T. periodisch erscheinende Informationsblätter; entstanden in bed. Ausmaß erst seit Napoleon I.

Feldzeugmeister, in den Landsknechtsheeren und bis in die neuere Zeit der Befehlshaber der Artillerie; in *Österreich* bis 1908 (Abk. FZM) der zweithöchste Generalsrang. In Deutschland ab Ende 19. Jh. bis 1919 Titel eines Generals als Chef der für Beschaffung und Verwaltung von Waffen, Munition und Gerät zuständigen Feldzeugmeisterei, in der Wehrmacht **Heeresfeldzeugmeister** und entsprechend **Luftzeugmeister.**

Feldzug, Gesamtheit der militär. Kampfhandlungen und Operationen, örtlich und zeitlich bezogen auf einen bestimmten Kriegsschauplatz, z. B. Polenfeldzug 1939.

f-Elektronen, Atomelektronen mit der Nebenquantenzahl $l = 3$.

Felge, Teil des Rades zur Aufnahme der Bereifung; **Holzfelge** mit aufgezogenem Eisenreifen bei Fuhrwerken und Kutschen, **Metallfelge** aus gepreßtem Stahlblech und [leichte] **Alufelge** aus Aluminiumguß für Kfz mit Gummibereifung. Nach der Form des F.profils bzw. der Tiefe des F.betts unterscheidet man: *Flachbett-F., Tiefbett-F., Kasten-F.;* Angabe der F.größe: Maulweite $a \times$ Durchmesser d (auch $a-d$); Maße in Zoll bzw. Inch (1 Zoll = 2,54 cm).
◆ turner. Übung an Reck, Barren, Stufenbarren und an den Ringen, bei der der Turner eine ganze Drehung aus dem Stand oder Hang zum Stütz ausführt. Beim **Felgumschwung** beginnt und endet der Turner im Stütz. Bei der **freien Felge** darf die Stange mit dem Körper nicht berührt werden. Felgumschwünge im

Streckhang nennt man **Riesenfelgen. Felgabschwung,** Abschwung vom Gerät mit einer halben Drehung um die Querachse des Körpers. **Felgaufschwung,** Aufschwung auf das Gerät mit einer ganzen Drehung um die Querachse des Körpers.

Félibres [frz. fe'libr], Gruppe provenzal. Schriftsteller (F. Mistral, T. Aubanel u. a.); gründeten 1854 auf Schloß Fontségugne bei Avignon den Bund „Félibrige".

Feliciano, José Monserate [span. feli'θia:no], * Larez (Puerto Rico) 10. Sept. 1945, puertorican. Popmusiker. – Blind; als Gitarrist von der span. Folklore und vom Jazz, als Sänger von R. Charles beeinflußt.

Felicitas, bei den Römern Personifikation und Göttin des Glücks.

Felicitas, hl., † Karthago 7. März 202 oder 203, Märtyrerin. – Wurde als Sklavin mit der vornehmen Frau Perpetua u. a. Christen aus Karthago hingerichtet. – Fest (zus. mit dem der hl. Perpetua): 7. März.

Felix, Name von Päpsten:
F. II. (III.), hl., † Rom 1. März 492, Papst (seit 13. März 483). – Da F. die Absetzung des Patriarchen von Alexandria verlangte und über den Patriarchen Akakios von Konstantinopel Bann und Absetzung aussprach, kam es zum ersten Schisma zw. lat. und östl. Kirche.
F. V., * Chambéry 1383, † Genf 7. Jan. 1451, Gegenpapst (5. Nov. 1439 bis 7. April 1449). – Graf, seit 1416 Hzg. Amadeus VIII. von Savoyen; das Basler Konzil wählte ihn nach Absetzung Eugens IV. zum Papst. F. konnte nur einen Teil der Christenheit gewinnen, geriet in Konflikt mit der Basler Restsynode; er war der letzte Gegenpapst.

Felix, Bez. des ↑ Europäischen Filmpreises.

Felixmüller, Conrad, * Dresden 21. Mai 1897, † Berlin (West) 24. März 1977, dt. Maler und Graphiker. – Sein Werk ist wesentlich vom dt. Expressionismus (Brücke) bestimmt, bes. in Holzschnitten und Illustration; im Mittelpunkt seiner Kunst steht, v. a. in den 20er

Feldzeichen. Römisches „vexillum" mit Adler

Jahren, sozialkrit. Milieuschilderung; auch zahlr. [Holzschnitt]porträts.

Felix und Regula, nach legendärer Überlieferung ein Geschwisterpaar, das während der Diokletian. Verfolgung in Zürich das Martyrium erlitten haben soll. Patrone von Zürich. – Heilige (Fest: 11. Sept.).

Felke, Emanuel, * Kläden bei Stendal 7. Febr. 1856, † Sobernheim 16. Aug. 1926, dt. ev. Geistlicher und Naturheilkundiger. – Wurde bekannt wegen seiner Augendiagnostik und seiner naturheilkundl. Behandlungsmethoden mit Lehmbädern und -packungen.

Fell, Haarkleid der Säugetiere, auch die abgezogene behaarte Haut vor der Verarbeitung.

Fellachen [arab. „Pflüger"], die ackerbautreibende Landbev. in den arab. Ländern. Als Pächter wirtsch. von Großgrundbesitzern abhängig.

Fellatio [zu lat. fellare „saugen"] (Penilingus), Form des oral-genitalen sexuellen Kontaktes, bei der der Penis mit Lippen, Zähnen und Zunge gereizt wird. – ↑Cunnilingus.

Fellbach, Stadt im östl. Bereich des Großraums Stuttgart, Bad.-Württ., 39 100 E. Volkskundl. Museum; mit der Ind.zone des Neckartales eng verknüpfte Ind.; Weinbau. – Schon in röm. Zeit besiedelt, 1121 erstmals erwähnt, 1191 staufisch, um 1291 an Württemberg. Seit 1933 Stadt. – Got. Lutherkirche (14./15. Jh.), Schwabenlandhalle (1976).

Felleisen [zu italien.-frz. valise „Koffer"], veraltet für: Rucksack, Reisesack der wandernden Handwerksgesellen.

Fellenberg, Philipp Emanuel von, * Bern 15. Juni 1771, † Gut Hofwil bei Münchenbuchsee 21. Nov. 1844, schweizer. Sozialpädagoge. – Erwarb 1799 unter dem Einfluß Pestalozzis das Gut Hofwil, das als landw. Musterbetrieb Träger mehrerer schul. Einrichtungen wurde. Sein „Erziehungsstaat" war Vorbild für Goethes „pädagog. Provinz" in „Wilhelm Meisters Wanderjahren".

Fellgiebel, Erich, * Pöpelwitz bei Breslau 4. Okt. 1886, † Berlin 4. Sept. 1944 (hingerichtet), dt. General. – Seit 1939 Chef des Wehrmacht-Nachrichtenverbindungswesens und Chef des Heeresnachrichtenwesens. Maßgeblich an den Vorbereitungen des Attentats vom 20. Juli 1944 gegen Hitler beteiligt.

Fellini, Federico, * Rimini 20. Jan. 1920, † Rom 31. Okt. 1993, italien. Filmregisseur. – Zunächst Journalist, Karikaturist und Schauspieler; als Drehbuchautor und Regieassistent maßgeblich an der Entwicklung des Neorealismus beteiligt. ∞ seit 1943 mit G. Masina, Hauptdarstellerin in „La Strada – Das Lied der Straße" (1954), der F. internat. Ruhm begründete. Viele seiner Filme tragen autobiograph. Züge, z. B. „Il bidone" (1955), „Die Nächte der Cabiria" (1956), „Amarcord" (1973). Kritik an der Äußerlichkeit des Glaubens und an der Dekadenz der italien. Oberschicht übte er in „Das süße Leben" (1959); „Julia und die Geister" (1965) beschreibt die Geschichte der Selbstbefreiung einer Frau. – *Weitere Filme:* „Achteinhalb" (1962), „F. Satyricon" (1969), „F. Roma" (1971), „F. Casanova" (1976), „Die Stadt der Frauen" (1979), „F. Schiff der Träume" (1983), „Ginger und Fred" (1985), „Die Stimme des Mondes" (1990).

Fellow [engl. ˈfeloʊ; eigtl. „Geselle"], in Großbritannien mit Pflichten (Verwaltung) und Rechten (Bezüge, Lehrberechtigung, Forschungsauftrag) ausgestattetes Mgl. eines College (bes. in Oxford oder Cambridge); auch Mgl. einer wiss. Gesellschaft.
◆ in den USA Student höherer Semester, der ein Stipendium **(Fellowship)** erhält, meist verbunden mit Lehraufgaben.

Felmayer, Rudolf, * Wien 24. Dez. 1897, † ebd. 27. Jan. 1970, östr. Lyriker. – Veröffentlichte u. a. die Bände „Die stillen Götter" (1936), „Gesicht des Menschen" (1948), „Barocker Kondukt" (1968).

Felmy, Hansjörg [...mi], * Berlin 31. Jan. 1931, dt. Schauspieler. – Bühnenengagements in Braunschweig, Aachen und Köln; begann beim Film als Typ des jugendl. Helden u. a. in „Der Stern von Afrika" (1956), „Das Herz von St. Pauli" (1958), „Wir Wunderkinder" (1958), „Die Buddenbrooks" (1959). Seit 1973 auch in Fernsehfilmen: „Unternehmen Köpenick" (1986), „Die Wilsheimer" (1987), „Abenteuer Airport" (1990).

Felonie [mittellat.-frz.], verräter. Treuebruch; im MA vorsätzl. Bruch des Treueverhältnisses zw. Lehnsherrn und Lehnsträger.

Felsbilder, in allen Erdteilen vorkommende, in Höhlen und Nischen oder freiliegenden Felsflächen und Blöcken gemalte oder gravierte bildhafte Darstellungen. Die jungpaläolith. F. (frankokantabr. Kunst) sind nur aus Höhlen bekannt. Die dem Mesolithikum zugehörigen Felsmalereien (O-Spanien, N-Afrika [↑ Tassili der Adjer], Australien) finden sich dagegen in offenen Nischen und unter Überhängen, während die Gravierungen in Skandinavien, Karelien, Italien und S-Afrika ungeschützt im Freien auf Felsflächen und Blöcken angebracht sind. **Techniken:** Bei den Malereien sind 3 Techniken des Farbauftrags bekannt: 1. Zeichentechnik mit Verwischen, 2. Auftrag gelöster pulverisierter Farbstoffe mit Pinseln aus Tierhaaren, 3. Aufstäuben mittels dünner Röhrenknochen. Bei den Gravierungen treten neben dünnen Ritzzeichnungen breit und tief ausgeschliffene Darstellungen linearer Art auf (Skandinavien) oder eine flächenhafte

Bearbeitung in sog. „Picktechnik" (Lombardei).

Die **stilistischen Unterscheidungsmerkmale** lassen meist eine relative Datierung zu (bei der Altersbestimmung berücksichtigt man neben archäolog. Kriterien auch naturwiss. Methoden). So läßt sich von der naturnahen, manchmal geradezu impressionist. anmutenden eiszeitl. Höhlenkunst über die in der Form verfestigten, eher expressiv wirkenden Darstellungen der ostspan. Gruppe ein Wandel zur Stilisierung und Abstraktion in den F. des Neolithikums und der Bronzezeit feststellen. Daneben sind an verschiedenen Fundorten stilist. Eigenheiten nach der Art von Kunstschulen erkennbar (z. B. Altamira, Lascaux, Pech-Merle, Font-de-Gaume und Niaux).

Deutung: Der eiszeitl. Höhlenmalerei liegen wahrscheinlich Vorstellungen von Bildmagie zugrunde, die durch das Abbild zauber. Gewalt über das dargestellte Objekt verleihen sollte (Fruchtbarkeits-, Jagdmagie, Vernichtungs-, Abwehrzauber). Mit dem Wandel der Wirtschafts- und Gesellschaftsform durch Ackerbau und Viehzucht im Neolithikum und in der Bronzezeit und mit dem Wunsch nach Beeinflussung höherer Mächte (Sonnenkult, Verehrung der Fruchtbarkeit der Erde usw.) kommt es zur abstrakten, symbolhaften Darstellung. – Abb. S. 34.
Fischer, H.: F. – nord. Geheimnisse. Hornburg 1985. – Striedter, K. H.: F. der Sahara. Kat. Mchn. 1984. – Adam, K./Kurz, R.: Eiszeitkunst im süddt. Raum. Stg. 1980. – Kühn, H.: Höhlenmalerei der Eiszeit. 30000–10000 v. Chr. Mchn. 1975.

Felsecker, Nürnberger Buchhändler-, Drucker- und Verlegerfamilie, ↑ Felssecker.

Felsenbein (Petrosum, Os petrosum), Teil des Schläfenbeins; härtester Abschnitt der Schläfenknochen; bildet die knöcherne Hülle für das Gehör- und Gleichgewichtsorgan.

Felsenbirne (Felsenmispel, Amelanchier), Gatt. der Rosengewächse mit etwa 25 Arten in N-Amerika, Eurasien und N-Afrika; Sträucher oder kleine Bäume mit ungeteilten Blättern. In M-Europa heim. ist die **Gemeine Felsenbirne** (Amelanchier ovalis) mit weißen, an der Spitze oft rötl. Blüten und kugeligen, bläulichschwarzen Früchten.

Felsenblümchen (Draba), Gatt. der Kreuzblütler mit etwa 270 Arten, v. a. in Hochgebirgen und Polargebieten; meist kleine, Rasen oder Polster bildende, behaarte Kräuter mit kleinen, weißen oder gelben Blüten in Trauben.

Felsendom, Moschee im Tempelbezirk von Jerusalem, irrtümlich oft **Omar-Moschee** genannt. 691–692 von dem Kalifen Abd Al Malik über dem hl. Felsen, auf dem Abraham

das Isaak-Opfer vorbereitet haben soll, erbaut, Hauptheiligtum des Islams (seit dem 16. Jh. mehrfach restauriert). Reicher Mosaikschmuck.

Felsengarnele ↑ Garnelen.

Felsengebirge ↑ Rocky Mountains.

Felsengräber, natürlich oder künstlich ausgehauene Felshöhlen, die als Begräbnisplatz genutzt wurden; am bekanntesten die ägypt. F.; meist ein offen zugängl. Teil (Gang oder mehrere Kammern), mit Reliefs und Wandgemälden geschmückt, und ein unzugängl. Teil mit einer oder mehreren Grabkammern. Die ältesten F. stammen aus dem 3. Jt. v. Chr. (↑ Gise, ↑ Bani Hasan, ↑ Assuan u. a.), die bekanntesten liegen in Theben-West (Beamtengräber) und im Tal der Könige sowie im Tal der Königinnen. Repräsentative F. kannten insbes. auch die Achämenidenherrscher (Naghsch e Rostam bei Persepolis) und die Nabatäer (Petra).

Felsenheide ↑ Garigue.

Felsenkamm ↑ Kaukasus.

Felsenkänguruhs ↑ Felskänguruhs.

Felsenkirchen, in Felshöhlen oder -nischen angelegte Kirchen, v. a. in Äthiopien (z. B. in Lalibäla), 5./7.–14. Jh. (?).

Felsenkirsche (Steinweichsel, Weichselkirsche, Prunus mahaleb), der Rosengewächse in Europa und W-Asien, in lichten Wäldern und Gebüschen; sperriger Strauch oder bis 6 m hoher Baum mit weißen Blüten und kugeligen, schwarzen, bitteren Früchten.

Felsenmeer ↑ Blockmeer.

Felsennelke, svw. ↑ Nelkenköpfchen.

Felsenpython ↑ Pythonschlangen.

Felsenrebe (Vitis rupestris), amerikan. Art der Gatt. Weinrebe; Pfropfunterlage für europ. Rebsorten.

Felsenreitschule, Freilichtbühne in Salzburg, die in einen alten Steinbruch 1694 als Arena für Reiterspiele eingebaut wurde.

Felsenschwalbe ↑ Schwalben.

Felsenstein, Walter, * Wien 30. Mai 1901, † Berlin (Ost) 8. Okt. 1975, östr. Regisseur. – Seit 1947 Intendant der Kom. Oper in Berlin, auch zahlr. internat. Gastinszenierungen. Realist. Musiktheater mit text- und partiturtreuer Darstellung, bes. erfolgreich „Das schlaue Füchslein" (L. Janáček), „Othello", „La Traviata" (G. Verdi), „Ein Sommernachtstraum" (B. Britten), „Hoffmanns Erzählungen" (J. Offenbach), Opern von Mozart.

Felsentaube ↑ Tauben.

Felsentempel, in den Fels geschlagene Tempel; verbreitet als buddhist. und hinduist. Heiligtümer in Indien (↑ Ajanta, ↑ Elephanta, ↑ Ellora) und China; Teil größerer Anlagen. Auch ägypt. (↑ Abu Simbel) und hethit. (Yazılıkaya bei ↑ Boğazkale) sowie altamerikan. F. (↑ Malinalco) sind bekannt.

Felsbilder. Lanzenschwingender
Reiter (Saudi-Arabien)

Felsina, antike Stadt, ↑ Bologna.

felsisch, bei magmat. Gesteinen werden
die *hellen Minerale* (Quarz, Feldspat, Feldspatvertreter) f. genannt, die *dunklen* (Glim-
mer, Pyroxen, Amphibol, Olivin) **mafisch.**

Felskänguruhs (Felsenkänguruhs, Petrogale), Gatt. der Känguruhs mit acht Arten
in felsigem Gelände Australiens und auf einigen vorgelagerten Inseln; Körperlänge etwa
50–80 cm mit rd. 40–70 cm langem Schwanz,
der nicht als Sitzstütze dient; Färbung meist
bräunlich, oft mit dunkler und heller Zeichnung. Bekannte Arten sind **Pinselschwanz-
känguruh** (Petrogale penicillata) mit fast körperlangem, schwach buschig behaartem
Schwanz; **Gelbfußkänguruh** (Ringelschwanz-
F., Petrogale xanthopus), etwa 65 cm lang,
mit fast körperlangem, gelb und schwarzbraun geringeltem Schwanz; Fußwurzelre-
gion gelb.

Felsreliefs, Darstellungen auf Felswän-
den, v. a. im alten Orient; dargestellt sind
meist siegreiche Könige, später auch Götter-
weihungen, häufig mit Inschriften. Älteste F.
befinden sich im Sagrosgebirge (Ende 3. Jt.
v. Chr.), F. ägypt., assyr. und babylon. Könige
am Nahr Al Kalb nördlich von Beirut, assyr.
Götterreliefs nördlich von Ninive (um 720
v. Chr.), neuelam. (7. Jh. v. Chr.) in SW-Iran,
achämenid. in ↑ Behistan und in ↑ Naghsch e
Rostam (wo auch die Sassanidenkönige Ardaschir I. und Schapur I. F. aushauen ließen),
wie auch mittelelam. F. des 2. Jt. v. Chr. Um
Schami finden sich parth. F. (110 v. Chr. bis
2. Jh. n. Chr.); in Kleinasien entstanden hethit. Reliefs.

Felssecker (Felsecker), Nürnberger
Buchhändler-, Drucker- und Verlegerfamilie.
Wolfgang Eberhard F. (* 1626, † 1680) druckte
Gebet- und Erbauungsbücher, Zeitungen
und Flugblätter sowie Grimmelshausens
„Simplicissimus" (1669). Die Firma bestand
bis 1847.

Felssturz, ↑ Bergsturz mit geringerer
Massenverlagerung.

Feltre, italien. Stadt in Venetien, 30 km
sw. von Belluno, 325 m ü. d. M., 20 600 E.
Kath. Bischofssitz; Museum; Seidenspinne-
reien. – In der Antike **Feltria;** fiel 1404 an Venedig, gehörte 1797–1866 zu Österreich. –
Aus dem 16. Jh. stammen z. T. freskenverzier-
te Renaissancepaläste, die Kathedrale San
Pietro, die Kirche San Rocco.

Feltrinelli, Giangiacomo, * Mailand 19.
Juni 1926, † bei Segrate nahe Mailand 14.
März 1972, italien. Verleger. – Gründete 1954
in Mailand den Verlag Giangiacomo Feltrinelli Editore (u. a. Erstveröffentlichung von
„Dr. Schiwago" von B. Pasternak). Sympathi-
sierte insbes. mit den südamerikan. Befrei-
ungsbewegungen sowie den student. Protest-
bewegungen. Von 1969 an im Untergrund tätig; starb dem Anschein nach bei dem Versuch, einen Hochspannungsleitungsmast bei
Segrate zu sprengen. Neben Belletristik (darunter viele Übers.) und wiss. Literatur erschienen in seinem Verlag vor allem sozialre-
volutionäre Schriften.

Femelbetrieb (Femelschlagbetrieb),
forstwirtschaftl. Form des Hochwaldbetrie-
bes, bei der Ernte und Verjüngung des Baum-
bestandes so erfolgen, daß nur Einzelstämme

Felsbilder. Bogenschützen
(Libysche Wüste)

oder kleine Baumgruppen entnommen werden, um auf einer Fläche möglichst viele Altersstufen im Baumbestand zu erhalten.

Fememorde, polit., von Geheimgesellschaften in illegaler Privatjustiz durchgeführte Morde, in Deutschland v.a. in der Zeit der Weimarer Republik, als rechtsradikale Gruppen gegen demokrat. Politiker (z. B. B. M. Erzberger, W. Rathenau) und auch eigene Mgl. vorgingen; ähnl. Erscheinungen finden sich z.B. im Ku-Klux-Klan.

Femgerichte [Herkunft ungeklärt, wohl ident. mit niederl. veem „Genossenschaft, Zunft"], seit dem 13. Jh. nachweisbare Bez. für Gerichte in Westfalen u. a. niederdt. Landschaften (auch Schlesien), die Kompetenzen zur Aburteilung schwerer Verbrechen beanspruchten (v. a. 14./15. Jh.). Während in den ost- und mitteldt. Gebieten Territorialgewalten im Zuge der Landfriedensbestrebungen F. errichteten, gingen die westfäl. F. (auch **Freiding, Freigericht, Freistuhl** gen., da sie nur für die persönlich freie Bev. zuständig waren; wegen der geheimbünd. Organisation spätere Bez. meist **heimliches Gericht)** aus alten Grafschafts- und Vogteigerichten hervor. Wegen ihres (aus dem Königsbann hergeleiteten) Anspruchs auf Zuständigkeit im ganzen Reich wurden sie von König Sigismund als Instrument zur Stärkung der Reichsgerichtsbarkeit begünstigt, verloren aber später ihren Einfluß. Ende des 18. Jh. wurden sie dann aufgelöst.

Feminierung, svw. ↑ Feminisierung.

feminin [lat.], weiblich.

Femininum [lat.], Abk. f., weibl. Geschlecht eines Substantivs; weibl. Substantiv, z.B. *die Uhr, eine Frau.*

Feminisierung (Feminierung) [zu lat. femina „Frau"], Verweiblichung, Gesamtheit der körperl. und psych. Veränderungen beim Mann als Folge einer Minderleistung der männl. Keimdrüsen oder der Nebennierenrinde; gekennzeichnet durch Nachlassen von Libido und Potenz, Hodenatrophie, Ausfall der Geschlechtsbehaarung sowie erhöhte Hormonausscheidung; tritt am ⁺häufigsten bei Nebennierenrindentumoren auf.

Feminismus [lat.], Richtung der Frauenbewegung, die sich Ende der 1960er Jahre entwickelte *(neue Frauenbewegung);* im Unterschied zur traditionellen Frauenbewegung versteht sich die F. nicht in erster Linie als eine Frauenrechts-, sondern als eine Frauenbefreiungsbewegung, die eine vom Weiblichen geprägte Veränderung des gesellschaftl. Wertesystems anstrebt.

feministische Kunst ↑ Frauenkunst.

Femme fatale [frz. famfa'tal „verhängnisvolle Frau"], verführer. Frau mit Charme und Intellekt, die bei exzessivem Lebenswandel ihren Partnern oft zum Verhängnis wird.

Femto... [zu schwed. femton „fünfzehn"], Vorsatz vor physikal. Einheiten, Vorsatzzeichen f; bezeichnet das 10^{-15}fache der betreffenden Einheit.

Femur [lat.], svw. Oberschenkelknochen (↑ Bein).
♦ drittes Glied der Extremitäten von Spinnentieren und Insekten.

Fenchel [zu lat. feniculum (mit gleicher Bed.); von fenum „Heu" (wegen des Duftes)] (Foeniculum), Gatt. der Doldenblütler mit 3 Arten im Mittelmeergebiet und Orient; gelbblühende, würzig riechende, bis 1,5 m hohe Stauden. Bekannteste Art ist der **Gartenfenchel** (Foeniculum vulgare), eine seit dem Altertum kultivierte Gewürzpflanze mit bis 8 mm langen, gefurchten Spaltfrüchten, die zum Würzen und zur Herstellung von F.öl und F.tee verwendet werden.

Fenchelöl (Oleum Foeniculi), aus den Früchten des Gartenfenchels gewonnenes äther. Öl mit den Hauptbestandteilen Anethol, Fenchon, Pinen und Methylchavicol. F. wird als Aromastoff in der Süßwaren- und Spirituosenind. und medizinisch bei Husten und Blähungen angewendet.

Fendant [frz. fã'dã], svw. ↑ Gutedel.

Fender [engl., zu lat. defendere „abwehren"], aus Tauen geflochtenes, tonnenförmiges Kissen *(Kissen-F., Tau-F.)* oder luftgefüllte Polyäthylenkörper zum Auffangen von Stößen auf die Bordwand von Schiffen z.B. beim Anlegen; häufig auch abgefahrene Autoreifen oder Rundhölzer *(Rundholz-F.).*

Fendi, Peter, * Wien 4. Sept. 1796, † ebd. 28. Aug. 1842, östr. Maler. – F. war mit seinen anmutigen Genrebildern ein beliebter Künstler des Wiener Biedermeiers.

Fenek, svw. Fennek (↑ Füchse).

Fénelon, eigtl. François de Salignac de La Mothe-F. [frz. fen'lõ], * auf Schloß Fénelon (Dordogne) 6. Aug. 1651, † Cambrai 7. Jan. 1715, frz. Schriftsteller. – Schüler des Seminars Saint-Sulpice in Paris; um 1675 Priester. 1689 mit der Erziehung des Thronfolgers, des Enkels von Ludwig XIV., beauftragt; danach Erzbischof von Cambrai; wurde Anhänger des Quietismus und fiel deshalb in Ungnade. Als Hauptwerk gilt der staatspolitisch-pädagog. Bildungsroman „Die Abenteuer des Telemach", 1699 ohne F. Wissen gedruckt, bis 1717 verboten (dt. 1734-39). Gilt als Wegbereiter der Aufklärung. – *Weitere Werke:* Totengespräche (1700), Lettre sur les occupations de l'Académie française (hg. 1716), Fables (hg. 1734), L'examen de conscience d'un roi (1734).

Fenestella [lat.], vom unteren Silur bis Perm weltweit verbreitete Gatt. riffbildender Moostierchen, die netz- oder fächerartige Stöcke bildete; bes. häufig im mitteleurop. Zechstein.

Fenestraria [lat.], Gatt. der Eiskrautgewächse in S-Afrika; Polsterpflanzen mit grundständigen, langen, zylindr. oder keulenförmigen, verdickten Blättern, von denen nur der blattgrünfreie, fensterartig lichtdurchlässige Spitzenteil aus dem Sandboden herausragt; Blüten groß, weiß oder orangefarben.

Feng Youlan [chin. fəŋjɔulan] (Feng Yu Lan, Fung Yu-lan), *Tanghe (Prov. Henan) 4. Dez. 1895, † Peking 26. Nov. 1990, chin. Philosoph. – Entwickelte ein System in neokonfuzianist. Tradition mit daoist. und westl. Elementen. Näherte sich später marxist. Positionen; bekannt wurde seine Geschichte der chin. Philosophie.

Fen He (Fenho), linker Nebenfluß des Hwangho, China, entspringt im Bergland von N-Shanxi, mündet bei Hancheng, 695 km lang; im Oberlauf gestaut.

Fenier (engl. Fenians ['fiːnjənz]) [nach Fionu (Finn), einem Helden der ir. Sage], Mgl. eines 1858 in den USA gegr. ir. Geheimbunds; wirkten seit 1861 in Irland mit der Irish Republican Brotherhood für die gewaltsame Trennung von Großbritannien und die Errichtung einer Republik Irland; ihre Aufstände (u. a. März 1867) wurden unterdrückt; im frühen 20. Jh. erneut von Bed., mitverantwortlich für den ir. Aufstand von 1916 († Sinn Féin).

Fenken (Fengge), Wald- und Felsgeister („wilde Leute") der Alpen, bes. in Vorarlberg und Tirol, auch in der Schweiz.

Fennek [arab.] ↑ Füchse.

Fennosarmatia [nach Finnland und lat. Sarmatia „poln.-russ. Tiefland"], nordeurop. Urkontinent, umfaßte Skandinavien (außer Norwegen), die russische Tafel und die Barentssee.

Fennoskandia (Fennoskandien) [nach Finnland und lat. Scandia (wohl „Schweden")], in der *Geologie* zusammenfassender Name für die Landscholle, die den ↑ Baltischen Schild und die kaledonisch gefalteten Gebiete Westskandinaviens umfaßt.

Fenrir (Fenriswolf), in der nord. Mythologie gefährlichster aller Dämonen in Wolfsgestalt. Von den Asen aus Furcht gefesselt, befreit er sich bei der Götterdämmerung, tötet Odin und stirbt selbst durch dessen Sohn.

Fens, The [engl. ðə 'fɛnz], rd. 3 300 km² große ostengl. Marschlandschaft an der Nordseeküste. Bereits in der Bronzezeit besiedelt, von den Römern z. T. kultiviert, seit 1637 Trockenlegung; Anbau von Weizen, Kartoffeln; Obstbau und Blumenzucht.

Fenster [lat.], aus einer verglasten Rahmenkonstruktion bestehender Abschluß einer F.öffnung. Nach der Konstruktion unterscheidet man v. a. *Einfach-, Doppel-, Verbund-* und *Blendrahmenfenster.* Nach dem Anschlag der Flügel und deren Funktion unterscheidet man *Dreh-, Kipp-, Klapp-, Wende-, Falt-* und *Schwingflügelfenster* sowie *Schiebe-* und *Hebefenster,* außerdem *Dreh-Kippflügelfenster.* Material für F.rahmen: Holz, Kunststoff, Leichtmetall (eloxiertes Aluminium). Zur besseren Wärmeisolierung werden beschichtete F.scheiben verwendet (gute Lichtdurchlässigkeit und hohes Reflexionsvermögen für Wärme- bzw. Infrarot-Strahlung), häufig auch Doppel- oder Isolierverglasung bei gleichzeitig gutem Lärmschutz.

Geschichte: In prähistor. Zeit gab es lediglich Licht- und Abzugsöffnungen, wie sie auch noch durch frühgriech. und altital. (bes. etrusk.) Zeugnisse belegt sind. In der minoischen Kultur auf Kreta gab es Aussichts-F., F. zu den Innenhöfen sind bes. aus der hellenist. Zeit, v. a. aus Delos und von Priene, bekannt, nach der Straße wie zum Garten hinaus in Herculaneum und Pompeji. Die Römer verwendeten als F.füllung seit dem 1. Jh. n. Chr. als erste Glas. – War in der altchristl. und frühma. kirchl. Architektur i. d. R. das F. rundbogig geschlossen und aus einer senkrecht in die Mauer eingeschnittenen Laibung entstanden, so kam in der Romanik das schräg zur Mauerstärke eingeschnittene F.gewände auf. Der Verschluß der F.öffnung erfolgte v. a. in Kirchen mit Glas (Glasmalerei), das in Bleistege gefaßt war und meist in einem in die Mauer eingelassenen Holzrahmen saß. Auf das roman. Rundbogen-F. folgte das größere spitzbogige der Gotik. In der Renaissance wurde die F. für die Fassade bestimmendes Element, neben dem Rundbogen wurde der gerade F.sturz gleichberechtigt verwendet, und die F. erhielten häufig eine Umrahmung bzw. Verdachung, welche im Barock Giebel- oder Segmentbogenformen annahm, während das Klassizismus wieder gerade Formen bevorzugte.

🕮 *Barbknecht, M.: Die F.formen im rhein.-spätroman. Kirchenbau. Diss. Köln 1986. – Pracht, K.: F. Planung, Gestaltung u. Konstruktion. Stg. 1982. – Kräftner, J./Fusseneger, G.: F. Elemente der Architektur. St. Pölten 1979.*

◆ (Fenestra) in der *Anatomie* Bez. für eine Öffnung in einem Organ, die meist durch Bindegewebe vollständig oder unvollständig verschlossen ist.

◆ in der *Geologie* Bez. für die Erscheinung, daß innerhalb einer Überschiebungsdecke der Untergrund sichtbar wird, verursacht durch Abtragung.

Fensterblatt (Monstera deliciosa), Art der Aronstabgewächse aus Mexiko; Kletterstrauch mit zahlr. Luftwurzeln, herzförmigen, ganzrandigen Jugendblättern und ovalen, fensterartig durchlöcherten oder fingerig gelappten, bis 100 cm langen und etwa 70 cm breiten Altersblättern; Blüten mit Hüllblatt;

Früchte violett, beerenartig, eßbar und wohl-schmeckend; beliebte Zimmerpflanze.

Fensterfliegen (Omphralidae), mit etwa 50 Arten fast weltweit verbreitete Fam. kleiner, bis 4 mm langer, meist schwarzer, metallisch glänzender, häufig an Fenstern vorkommender Fliegen.

Fensterln (Fenstern), bayr. Bez. für den früher in ländl. Gegenden weit verbreiteten Brauch nächtl. Besuche junger Männer (über Leitern durch das Fenster) bei den Mädchen. Der Brauch ist landschaftlich unter verschiedenen Bez. bekannt, z. B. als **Gasseln** (Österreich), als **Kiltgang** (Schweiz) oder als **Fugen** (Schwaben).

Fensterrose, im Sakralbau der Spätromantik und Gotik Rundfenster mit radial angeordnetem Maßwerk und Glasmalerei.

Fenstersturz (Defenestration), Gewaltakt zur Liquidierung des polit. Gegners, v. a. in Böhmen geübt, z. B. Prager F. (1419, 1618). ◆ oberer, waagerechter Abschluß der Fensteröffnung.

Fenstertechnik, Technik für den Dialogbetrieb Computer/Nutzer, wobei der Bildschirm in mehrere rechteckige Fenster **(windows)** aufgeteilt wird und somit verschiedene Texte (Programme) gleichzeitig betrachtet werden können.

Fenton, Roger [engl. fentən], *Heywood (= Manchester) 1819, † London 8. Aug. 1869, brit. Photograph. – F. nutzte als erster die Photographie zur Kriegsberichterstattung (Krimkrieg, 1855); auch meisterhafte Landschaften und Stilleben.

Feodossija, Stadt am Schwarzen Meer, auf der Krim, Ukraine, 83 000 E. Gemäldegalerie; Weinkeltereien, Strumpf-, Tabakfabrik; Kurort, Badestrand; Hafen. – Das griech. **Theodosia** wurde im 6. Jh. v. Chr. von Siedlern aus Milet gegr.; Anfang des 4. Jh. v. Chr. Anschluß an das Bosporan. Reich, große militär. und wirtsch. Bed. bis ins 4. Jh. n. Chr.; im 13. Jh. von den Tataren erobert; vom 13. bis zum 15. Jh. Verwaltungszentrum der Genueser Kolonie am Schwarzen Meer **(Kaffa); (Kafa);** 1475 Eroberung durch die Osmanen **(Kefe);** wurde 1783 unter dem Namen F. russisch.

Feofan (Theophanes) **der Klausner,** eigtl. Georgi Goworow, Beiname Satwornik, *Tschernawa (Gouv. Orel) 10. Jan. 1815, † Kloster Wyscha bei Tambow 6. Jan. 1894, russ. orth. Theologe. – 1859 Bischof von Tambow, 1863 von Wladimir; bed. Prediger, seit 1866 in strenger Klausur.

Feofan Grek (Theophanes der Grieche), *wohl um 1340, † um 1410, griech. Maler. – F. G. kam um 1370 nach Rußland und führte dort den spätbyzantin. Stil ein (bewegte Komposition); u. a. Ikonostase der Verkündigungskathedrale im Kreml (1405).

Fensterrose des südlichen Querhauses der Kathedrale von Amiens; 15. Jahrhundert

Feraoun, Mouloud [frz. fera'un], *Tizi-Hibel (Kabylei) 8. März 1913, † Algier 15. März 1962, alger. Schriftsteller. – Befreundet u. a. mit A. Camus; stand auf der Seite der Befreiungsfront, von der OAS ermordet. Schrieb Romane („Die Heimkehr des Ameru-Karci", 1953; „Die Wege hügelan", 1955) und hinterließ ein Tagebuch der Jahre 1955–62 („Journal", hg. 1963).

Ferber, Edna [engl. 'fə:bə], *Kalamazoo (Mich.) 15. Aug. 1887, † New York 16. April 1968, amerikan. Schriftstellerin ungar. Herkunft. – [Familien]romane und Bühnenstücke, u. a. „Das Komödiantenschiff" (R., 1926), „Giganten" (R., 1952).

Ferberit [nach dem dt. Mineralogen R. Ferber, *1805, † 1875] ↑ Wolframit.

Ferdausi, Abol Ghasem Mansur [pers. ferdou'si:] (Firdausi), *Was bei Tus (NO-Iran) um 940, † Tus 1020 oder 1026, pers. Dichter. – Schrieb etwa 975 bis 1010 das pers. Nationalepos „Schahnamah" („Königsbuch"), eine legendenhafte Verdichtung über die Geschichte Persiens bis zur Eroberung durch die Araber (651).

Ferdinand, Name von Herrschern:

Hl. Röm. Reich:

F. I., *Alcalá de Henares (Spanien) 10. März 1503, † Wien 25. Juli 1564, Kaiser (seit

1556). – Enkel Maximilians I. und Bruder Karls V.; erhielt 1521 die fünf östr. Hzgt., 1522 Tirol, die östr. Vorlande und Württemberg (bis 1534); in Abwesenheit des Kaisers Statthalter; 1526 zum König von Böhmen und Ungarn, 1527 von Kroatien, 1531 zum Röm. König gewählt; vermittelte zw. Kaiser und Fürsten (Passauer Vertrag 1552), ermöglichte den Augsburger Religionsfrieden; 1556 Kaiser, zuletzt um Überwindung der Glaubensspaltung bemüht.

F. II., * Graz 9. Juli 1578, † Wien 15. Febr. 1637, Kaiser (seit 1619). – Enkel F. I.; von Jesuiten erzogen, rekatholisierte rücksichtslos die östr. Länder und leitete nach seinem Regierungsantritt in Böhmen (1617) und Ungarn (1618) auch dort gegenreformator. Maßnahmen ein; damit trug er zum Böhm. Aufstand bei, der zum Dreißigjährigen Krieg führte.

F. III., * Graz 13. Juli 1608, † Wien 2. April 1657, Kaiser (seit 1637). – Sohn Kaiser F. II.; 1625 König von Ungarn, 1627 König von Böhmen; 1634 Oberbefehlshaber des kaiserl. Heeres (Sieg bei Nördlingen); suchte seit 1641 den Frieden anzubahnen und im Ausgleich mit den Kurfürsten die kaiserl. Machtstellung zu stärken, konnte jedoch die Zersplitterung durch den Westfäl. Frieden nicht verhindern; kunstliebend und kulturfördernd.

Aragonien:

F. II., **der Katholische**, * Sos (Aragonien) 10. März 1452, † Madrigalejo 23. Jan. 1516, König von Aragonien (seit 1479), von Sizilien (seit 1468), von Kastilien-León (seit 1474 als F. V.), von Neapel (seit 1504 als F. III.). – Sohn Johanns II. von Aragonien, seit 1469 ∞ mit Isabella von Kastilien (Verbindung ihrer Länder in „Matrimonialunion"); schuf durch die Eroberungen Granadas (1492), Neapels (1504) und Navarras (1512) Grundlagen des späteren span. Weltreiches; unter seiner Herrschaft Aufkommen der Inquisition, Vertreibung der Juden und Verfolgung der Mauren in Kastilien.

Bayern:

F. Maria, * München 31. Okt. 1636, † Schleißheim 26. Mai 1679, Kurfürst (seit 1651). – Sohn Maximilians I.; führte die allmähl. Abwendung von Habsburg und die Anlehnung an Frankreich (Bündnis von 1670) herbei; zeigte erste Ansätze zu einem fürstl. Absolutismus.

Bulgarien:

F. I., * Wien 26. Febr. 1861, † Coburg 10. Sept. 1948, König (Zar). – Sohn des östr. Generals August von Sachsen-Coburg-Koháry; 1887 zum Fürsten gewählt; proklamierte 1908 Bulgarien zum unabhängigen Kgr.; trat im 1. Weltkrieg auf die Seite der Mittelmächte; dankte 1918 ab.

Kastilien und León:

F. I., **der Große**, * 1016 oder 1018, † León 27. Dez. 1065, König (seit 1035). – Sohn Sanchos III. von Navarra; eroberte León, Asturien, Galicien, einen Teil Navarras und N-Portugal; als Oberherr des christl. Spaniens seit etwa 1054 Kaiser genannt.

F. III., **der Heilige**, * Juni 1201, † Sevilla 31.(?) Mai 1252, König von Kastilien (seit 1217) und León (seit 1230). – Sohn Alfons' IX. von León und Enkel Alfons' VIII. von Kastilien; vereinigte endgültig beide Kgr.; führte die Reconquista auf ihren Höhepunkt. – Fest: 30. Mai.

F. V. ↑ Ferdinand II., König von Aragonien.

Mexiko:

F. Maximilian ↑ Maximilian, Kaiser von Mexiko.

Neapel:

F. I. (Ferrante), * Valencia 2. Juni 1431, † Neapel 25. Jan. 1494, König (seit 1458). – Sohn Alfons' V. von Aragonien, mußte sich seinen Thronfolgeanspruch in Neapel gegen das Haus Anjou erkämpfen; sein Hof wurde zu einem Zentrum der Renaissance und des Humanismus.

F. III. ↑ Ferdinand II., König von Aragonien.

F. IV., * Neapel 12. Jan. 1751, † ebd. 4. Jan. 1825, König (seit 1759), als König beider Sizilien F. I. – Sohn des span. Königs Karl III. Regierte unter der Leitung eines Regentschaftsrats; nahm an allen Koalitionskriegen gegen Frankreich teil; verlor dabei Neapel 1798/99 und 1805–15; vereinigte 1816 Neapel und Sizilien zum Kgr. beider Sizilien.

Österreich:

F. I., * Wien 19. April 1793, † Prag 29. Juni 1875, Kaiser (1835–48), als König von Böhmen und Ungarn F. V. – Folgte trotz körperl. Gebrechen seinem Vater, Franz I., um den Grundsatz der Legitimität zu wahren; die Regierungsgeschäfte übernahm die sog. Staatskonferenz (v. a. Staatskanzler Metternich und Min. Graf Kolowrat-Liebsteinsky); dankte 1848 zugunsten Franz Josephs ab.

F. Maximilian, Erzherzog, ↑ Maximilian, Kaiser von Mexiko.

Portugal:

F. I., **der Schöne**, auch **F. der Unbeständige**, * Lissabon 31. Okt. 1345, † ebd. 22. Okt. 1383, König (seit 1367). – Sohn Peters I. und letzter Herrscher aus dem portugies. Haus Burgund; führte Portugal in der Absicht, es mit Kastilien zu vereinen, in wirtschaftl. Krisen.

Rumänien:

F. I., * Sigmaringen 24. Aug. 1865, † Sinaia 20. Juli 1927, König (seit 1914). – Sohn Leopolds von Hohenzollern-Sigmaringen; Neffe König Karls I. von Rumänien, 1889 als Thronerbe adoptiert; trat unter außenpolit. Druck 1916 in den 1. Weltkrieg ein; 1922 zum „ersten König aller Rumänen" gekrönt.

Sizilien:
F. I. † Ferdinand IV., König von Neapel.
F. II., * Palermo 12. Jan. 1810, † Caserta 22.
Mai 1859, König (seit 1830). – Sohn von
Franz Xaver I.; fiel nach anfängl. innenpolit.
Reformen in einen antiliberalen Absolutismus zurück; unterdrückte die Revolution von
1848 mit grausamen Maßnahmen; starb an
den Folgen eines Attentats.
Spanien:
F. VII., * San Ildefonso 14. Okt. 1784, † Madrid 29. Sept. 1833, König (1808 und ab
1814). – Sohn Karls IV. und Maria-Luises von
Parma. Die Besetzung Spaniens durch Napoleon I. führte zur sog. Revolution von Aran-
juez, bei der F. zum König ausgerufen wurde,
zur Entthronung der Bourbonen im Mai 1808
in Bayonne und zum span. Unabhängigkeitskrieg. F. restaurierte nach seiner Rückkehr
aus Frankreich 1814 das absolutist. Königtum und unterdrückte die liberale Revolution
von 1820 mit frz. Hilfe (1823); öffnete seiner
Tochter Isabella II. durch die Pragmat. Sanktion von 1830 die Thronfolge, veranlaßte damit die Karlistenkriege.
Tirol:
F. II., * Linz 14. Juni 1529, † Innsbruck 24.
Jan. 1595, Erzherzog von Österreich, Landes-
fürst in Tirol und den östr. Vorlanden (seit
1564). – Sohn Kaiser Ferdinands I.; 1548–67
Statthalter in Böhmen; begr. die Sammlungen auf Schloß Ambras; heiml. Ehe mit Phil-
ippine Welser.
Toskana:
F. III., * Florenz 6. Mai 1769, † ebd. 18. Juni
1824, Großherzog (seit 1790). – Mußte 1801
auf sein Land verzichten. 1803–05 Kurfürst
von Salzburg; 1806–14 Großherzog von
Würzburg, nach Napoleons I. Sturz wieder
Großherzog von Toskana.
Ferdinand, F. der Standhafte (in Portugal
F. der Heilige), * Santarém 29. Sept. 1402,
† Tanger 5. Juni 1443, Infant von Portugal. –
Sohn Johanns I., mußte sich nach mißlunge-
ner Expedition gegen Tanger 1437 als Geisel
in maur. Gewalt begeben; starb nach Scheitern einer Auslösung; Vorbild für Calderóns
Drama „Der standhafte Prinz". 1470 seliggesprochen. – Fest: 5. Juni.
Ferenczy [ungar. 'fɛrɛntsi], István, * Ri-
maszombat (= Rimavská Sobota) 23. Febr.
1792, † ebd. 4. Juli 1856, ungar. Bildhauer. –
Angeregt von seinem Lehrer B. Thorvaldsen
schuf er v. a. treffende Porträtbüsten.
F., Károly, * Wien 8. Febr. 1862, † Budapest
18. März 1917, ungar. Maler. – Schuf Landschaften, Porträts und bibl. Zyklen. F. war Initiator der Künstlerkolonie Nagybánya
(= Baia-Mare), die sich einer naturalist. Freilichtmalerei widmete.
Fergana [russ. fırga'na], Gebietshaupt-
stadt im O Usbekistan, 200 000 E. PH,

polytechn. Hochschule, Theater; Seidenfa-
brik, Textil-, Stickstoffdüngerwerk, Erdölraffinerie, ⚒. – 1877 gegründet.
Ferganabecken [russ. fırga'na], etwa
300 km langes, bis 170 km breites Becken innerhalb der mittelasiat. Hochgebirge. Im N
vom Tian Shan, im S vom Alaigebirge und
der Turkestankette, im O von der **Ferganaket-
te** (etwa 4692 m hoch) be-
grenzt, im W Zugang zum Tiefland von Tu-
ran. Der nördl. Teil wird vom Syrdarja durchflossen, der zentrale Teil ist Wüste. Das Klima ist kontinental und sehr trocken. Mit Hilfe künstl. Bewässerung Baumwollanbau,
Garten- und Weinbau, am Gebirgsrand Wei-
dewirtschaft; daneben werden hier Erdöl und
Erdgas gefördert.
Ferguson [engl. 'fə:gəsn], Adam, * Logie-
rait bei Perth 20. Juni 1723, † Saint Andrews
22. Febr. 1816, schott. Geschichtsschreiber
und Philosoph. – 1759 Prof. für Naturphilosophie, 1764 für Moralphilosophie in Edinburgh; gilt als Mitbegr. der Soziologie; sein
„An essay on the history of civil society"
(1766) ist eine frühe Geschichte der durch Arbeitsteilung und soziale Konflikte geprägten
bürgerl. Gesellschaft.
F., Maynard, * Montreal 4. Mai 1928, kanad.
Jazzmusiker (Trompeter und Orchesterlei-
ter). – Brillanter Techniker des † Modern
Jazz.
F., Sir (seit 1878) Samuel, * Belfast 10. März
1810, † Howth bei Dublin 9. Aug. 1886, ir.
Gelehrter und Dichter schott. Herkunft. –
Bed. sind seine Übers. und Paraphrasen ir.
Gedichte; begründete eine Sammlung alter
keltischer Inschriften.
Fergusson, Robert [engl. 'fə:gəsn],
* Edinburgh 5. Sept. 1750, † ebd. 16. Okt.
1774, schott. Dichter. – Seine humorist. Dia-
lektgedichte beeinflußten R. Burns.
Feriae [lat.], altröm. Feiertage.
Ferienkurse [lat.], drei- bis vierwöchige
Veranstaltungen europ. Hochschulen in der
vorlesungsfreien Zeit. Sie sollen ausländ. Stu-
denten mit Land, Sprache und Kultur des
Gastlandes bekannt machen.
Feriensachen, Prozesse, in denen auch
während der Gerichtsferien gerichtl. Handlungen vorgenommen werden, z. B. Straf-,
Wohnungsmiet-, Kindschaftssachen, Streitigkeiten über gesetzl. Unterhaltspflicht.
Ferkel, Bez. für das junge Schwein von
der Geburt bis zum Alter von 14–16 Wochen.
Ferkelkraut (Hypochoeris), Gatt. der
Korbblütler mit etwa 70 Arten in Eurasien,
im Mittelmeergebiet und S-Amerika; Rosettenpflanzen mit gabelig verzweigten Stengeln, gelben Zungenblüten und langgestreckten Früchten mit federigem Haarkelch.
Ferlinghetti, Lawrence [engl. fə:lıŋ'gɛti],
* Yonkers (N. Y.) 24. März 1919, amerikan.

Schriftsteller und Verleger. – Seine Buchhandlung in San Francisco wurde zum Treffpunkt der ↑Beat generation und der ↑San Francisco Renaissance in Poetry; gesellschaftskrit., politisch engagierte Lyrik, u. a. „Ein Coney Island des inneren Karussells" (1958). Verlegt avantgardist. Autoren. Schrieb auch „Seven days in Nicaragua" (Reisebericht, 1984).

Ferman [pers.], Erlaß islam. Herrscher.

Fermanagh [engl. fə'mænə], heute Distrikt, ehem. Gft. im sw. Nordirland.

Fermat, Pierre de [frz. fɛr'ma], *Beaumont-de-Lomagne (Tarn-et-Garonne) 17. (?) Aug. 1601, †Castres bei Toulouse 12. Jan. 1665, frz. Mathematiker. – Stellte u. a. wichtige Sätze auf dem Gebiet der Zahlentheorie und der Infinitesimalrechnung auf. Die **Fermatsche Vermutung,** ein noch nicht bewiesener Satz, besagt, daß die diophant. Gleichung $x^n + y^n = z^n$ (n natürl. Zahl > 2) keine positiven ganzzahligen Lösungen besitzt; das **Fermatsche Prinzip** der Optik sagt aus, daß Licht zw. zwei Punkten den Weg zurücklegt, für den es die kürzeste Zeit braucht.

Fermate [italien., zu lat. firmare „festmachen"], Zeichen der musikal. Notation ($\frown$) über einer Note oder Pause, die dadurch auf eine nicht genau festgelegte Zeit, oft bis zum doppelten Wert, verlängert wird.

Fermentation, svw. ↑Fermentierung.

Fermente [lat.], veraltet für ↑Enzyme.

Fermentierung (Fermentation) [lat.], in der Lebensmitteltechnik biochem. Verarbeitungsverfahren zum Zwecke der Aromaentwicklung in Lebens- und Genußmitteln unter Mithilfe von Enzymen spezieller Mikroorganismen, z. B. bei der Tabak-, Tee-, Kaffee-, Kakao- und Gewürzverarbeitung. – ↑Gärung.

Fermi, Enrico, *Rom 29. Sept. 1901, †Chicago (Ill.) 28. Nov. 1954, italien. Physiker. – Prof. für theoret. Physik in Rom, New York und Chicago; lieferte entscheidende Beiträge zur Entwicklung der modernen Physik; begründete 1926 die **Fermi-Dirac-Statistik,** eine Quantenstatistik für ↑Fermionen; entwickelte 1934 die Theorie des ↑Betazerfalls, in der er eine ganz neue Art von Kräften, die schwache Wechselwirkung, einführte. F. errichtete in Chicago den ersten Kernreaktor, mit dem am 2. Dez. 1942 erstmals eine kontrollierte Kernkettenreaktion gelang; er war auch an der Atombombenentwicklung beteiligt. Nobelpreis für Physik 1938.

Fermi [nach E. Fermi], nicht gesetzl. Längeneinheit in der *Kernphysik;* Einheitenzeichen f; 1 f = 10^{-15} m. – ↑Femto...

Fermi-Dirac-Statistik ↑Fermi, Enrico.

Fermionen, (Elementar-)Teilchen mit halbzahliger Spinquantenzahl; sie genügen dem Pauli-Prinzip und der Fermi-Dirac-Sta-

tistik. F. sind die Leptonen, Baryonen und alle Atomkerne mit ungerader Massenzahl.

Fermium [nach E. Fermi], chem. Symbol Fm; künstlich dargestelltes, radioaktives Metall aus der Gruppe der Actinoide. Ordnungszahl 100, Massenzahl des langlebigsten Isotops 257. In seinem chem. Verhalten ist F. dem Erbium sehr ähnlich.

Fermo, italien. Stadt in den südl. Marken, 33 100 E. Kath. Bischofssitz; Museum, Gemäldegalerie, Bibliothek; Handel mit Getreide und Wein. – F. ist das antike **Firmum Picenum,** das 264 v. Chr. röm. Kolonie wurde; fiel durch die Pippinische Schenkung an den Papst. – In der ma. Altstadt u. a. Rathaus (1446), Palazzo degli Studi (16. Jh.), und dem Rocca roman.-got. Dom (13./14. Jh.) mit röm.-byzantin. Fußbodenmosaik.

Fernambukholz, svw. Pernambukholz; ↑Hölzer (Übersicht).

Fernamt ↑Fernvermittlungsstelle.

Fernandel [frz. fɛrnã'dɛl] eigtl. Fernand Joseph Désiré Contandin, *Marseille 8. Mai 1903, †Paris 26. Febr. 1971, frz. Filmschauspieler. – Zuerst groteske-kom. Rollen, wurde weltberühmt als Charakterkomiker in Filmen wie „Der Bäcker von Valorgue" (1953) und v. a. in den „Don-Camillo-und-Peppone"-Filmen der 50er Jahre.

Fernández, Macedonio [span. fɛr'nandes], *Buenos Aires 1. Juni 1874, †ebd. 10. Febr. 1952, argentin. Schriftsteller. – Vertreter der avantgardist. Tendenzen der 20er Jahre in Argentinien (Ultraismo); verfaßte Gedichte und lyr.-philosoph. Prosa.

Fernández de Córdoba y Aguilar, Gonzalo [span. fɛr'nandeð ðe 'kərðoβa i aɣi-'lar], gen. El Gran Capitán, *Montilla bei Córdoba 1. Sept. 1453, †Granada 2. Dez. 1515, span. Feldherr. – Reformator des Heeres; kämpfte gegen die Mauren; gewann 1503 das Kgr. Neapel für die Krone Aragonien; Vizekönig von Neapel bis 1506.

Fernández de Lizardi, José Joaquín [span. fɛr'nandez ðe li'sarði], *Mexiko 15. Nov. 1776; †ebd. 21. Juni 1827, mex. Schriftsteller. – Schuf mit „El Periquillo Sarniento" (1816) den ersten hispano-amerikan. Roman (ein bed. Schelmenroman mit satir. Zügen).

Fernández de Navarrete, Juan [span. fɛr'nandeð ðe naβa'rrɛte], gen. el Mudo („der Stumme"), *Logroño um 1526, †Toledo 28. März 1579, span. Maler. – V. a. für König Philipp II. im Escorial tätig; von Tizian beeinflußter monumentaler maler. Stil.

Fernández Retamar, Roberto [span. fɛr'nandeð rreta'mar], *Havanna 9. Juni 1930, kuban. Schriftsteller. – Schreibt politisch engagierte Lyrik.

Fernando de Noronha [brasilian. fɛr-'nɛndu di no'roɲa], brasilian. Insel im Atlantik, 550 km nö. von Recife, einschl. Neben-

inseln zum Bundesstaat Pernambuco gehörend, 26 km², rd. 1 300 E, Hauptort Remédios.
Bewohnt ist nur die Hauptinsel. – Entdeckt
zu Beginn des 16.Jh. durch den Seefahrer
Fernando de Noronha; seit dem 18.Jh. Straf-
kolonie.

Fernando Póo ↑ Bioko.

Fernau, Joachim, * Bromberg 11. Sept.
1909, † München 24. Nov. 1988, dt. Schriftsteller. – Verf. auflagenstarker Geschichts-
darstellungen, u.a. „Rosen für Apoll. Die Geschichte der Griechen" (1961), „Halleluja.
Die Geschichte der USA" (1977).

Fernbedienung, Einrichtung zur Steuerung verschiedener Funktionen elektr. und
elektron. Geräte und Anlagen ohne direkte
manuelle Einwirkung auf das Gerät. F. arbeiten mit Ultraschall oder Infrarotsignalen.

Fernbestrahlung ↑ Strahlentherapie.

Ferner ↑ Gletscher.

Ferner Osten, (engl. Far East) Bez. für
die östl. Randländer und Inseln Asiens.
◆ in Rußland Bez. für dessen östl. Randge-
biete, v.a. für die zum Pazifik entwässernden
Gebiete.

Ferngas, Erdgas, das über ein landeswei-
tes Rohrleitungsnetz direkt zum Verbraucher
geliefert wird; Betriebsdruck 6,0 MPa.

Fernglas ↑ Fernrohr.

Fernhandel ↑ Handel.

Fernheizung ↑ Heizung.

Fernkopieren (Telekopieren), die origi-
nalgetreue Übertragung von Schriftstücken,
techn. Zeichnungen u.a. Vorlagen in
Schwarzweiß oder mit begrenzter Anzahl von
Graustufen (ggf. auch Farben) unter Benutzung des Fernsprechnetzes. Die Kopiergeräte
(Fernkopierer, Telekopierer) tasten die
Schriftvorlage zeilenweise optisch ab und
verwandeln die Schwarzweiß- und Grauwer-
te in analoge oder digitale elektr. Signale. Auf
der Empfangsseite werden die Signale wieder
in Lichtwerte umgesetzt, die das Aufbringen
eines Farbpulvers auf einem Spezialpapier
steuern. – Das F. ist seit 1979 über das öffentl.
Fernsprechnetz der Dt. Bundespost möglich
(Telefax).

Fernkorn, Anton Dominik Ritter von
(seit 1860), * Erfurt 17. März 1813, † Wien 15.
Nov. 1878, dt. Bildhauer. – Schuf u.a. die
Denkmäler auf dem Wiener Heldenplatz
„Erzherzog Carl" (1853–59) und „Prinz Eu-
gen" (1860–65).

Fernlenkung, Steuerung eines [unbe-
mannten] Land-, Luft- oder Wasserfahrzeugs
durch Signale, die meist auf dem Funkwege,
seltener auf mechan., akust. oder opt. Wege
übertragen werden.

Fernlenkwaffen, Lenkflugkörper (Raketen, Marschflugkörper) und Torpedos, deren Flug- oder Laufbahn durch Fernlenkung
beeinflußt werden kann.

Fernlicht ↑ Kraftfahrzeugbeleuchtung.

Fernling ↑ Restberg.

Fernmeldeanlagen, nach dem Gesetz
über F. vom 14. 1. 1928 i. d. F. vom 3. 7. 1989
zusammenfassende Bez. für Telegrafen-,
Fernsprech- und Funkanlagen. Das Recht
zur Errichtung und zum Betrieb von F. steht
ausschließlich dem Bund zu und wird vom
Teilunternehmen TELEKOM der Dt. Bundespost wahrgenommen. Genehmigungsfrei
sind z. B. Telegrafen- und Fernsprechanlagen
für behördeninterne Zwecke oder innerhalb
eines Grundstücks. Als Ausgleich für das
staatl. Fernmeldemonopol gewährt das Gesetz jedermann gegen Zahlung der Gebühren
das Recht auf Teilnahme am Fernmelde- und
Telegrammverkehr. Das Errichten oder Betreiben von F. ohne Genehmigung durch die
Dt. Bundespost ist strafbar.

Fernmeldeaufklärung, Erfassung des
Fernmeldeverkehrs des militär. Gegners mit
dem Ziel, diesen auszuwerten.

Fernmeldegeheimnis, Grundrecht
aus Art. 10 GG, das sich auf alle durch die
Post beförderten Mitteilungen außer solchen
bezieht, die schriftlich von Person zu Person
gehen und damit unter das ↑ Briefgeheimnis
fallen, also auf Telefongespräche, Telegram-
me oder Fernschreiben. Das F. umfaßt auch
die näheren Umstände des Fernmeldeverkehrs, insbes. ob und zw. welchen Personen
ein Fernmeldeverkehr stattgefunden hat. Das
F. wird geschützt durch §§ 201, 354 StGB (Ab-
hörverbot) und § 10 des Gesetzes über Fernmeldeanlagen i. d. F. vom 3. 7. 1989. Zu den
Einschränkungen ↑ Abhörgesetz.

Fernmeldeordnung ↑ Telekommunika-
tionsordnung.

Fernmeldesatellit ↑ Kommunikationssatelliten.

Fernmeldetechnisches Zentralamt
(FTZ), mittlere, dem Bundesministerium für
Post und Telekommunikation nachgeordnete
Bundesbehörde, Sitz: Darmstadt. Aufgaben-
bereich u.a.: Verbesserung der Fernmeldetechnik durch Forschung und Entwicklung
neuer techn. Einrichtungen und Betriebsver-
fahren, zentrale Beschaffung.

Fernmeldetruppe, in der Bundeswehr
zu den Führungstruppen gehörende Truppengattung; zu ihren Hauptaufgaben gehört
das Herstellen, Betreiben und Unterhalten
von Fernmeldeverbindungen zum Übermit-
teln von Befehlen, Meldungen und Informationen sowie die Durchführung der elektron.
Kampfführung.

Fernmeldeverkehr, Sammelbez. für
Telegrafen-, Fernsprech- und Funkverkehr.

Fernmeldewesen ↑ Post- und Fernmeldewesen.

Fernpaß ↑ Alpenpässe (Übersicht).

Fernrohr ↑ Sternbilder (Übersicht).

Fernrohre von Galileo Galilei;
1609 (Florenz, Museo di Storia
della Scienza)

Fernrohr (Teleskop), opt. Instrument, mit dem man entfernt liegende Gegenstände unter einem vergrößerten Sehwinkel sieht, wodurch sie scheinbar näher gerückt sind. Die *F.vergrößerung* ist das Verhältnis der Winkel, unter dem das Objekt dem Beobachterauge mit bzw. ohne F. erscheint. Der *Objektivdurchmesser* bestimmt den Lichtstrom, der in das F. eintreten kann. Vergrößerung und Objektivdurchmesser (in mm) werden meist auf dem F. angegeben (z. B. 8×30). Das *Sehfeld* (Gesichtsfeld) ist das durch das F. abgebildete und mit diesem übersehbare Feld.

Man unterscheidet **dioptrische Fernrohre (Linsenfernrohre, Refraktoren)** mit Linsen und **katoptrische Fernrohre (Spiegelteleskope, Reflektoren)** mit Spiegeln als Bauelementen. Die wesentl. opt. Baugruppen eines *Linsen-F.* sind Objektiv, Okular und ggf. Umkehrsystem. Das *Objektiv* (Sammellinse) entwirft ein Bild eines weit entfernten Objektes in seiner Brennebene (Zwischenbildebene), wo es sich mit einem sammelnden Okular wie mit einer Lupe vergrößert betrachten läßt. Für einfache, schwach vergrößernde F. kann man als Okular jedoch eine Streulinse verwenden **(holländisches oder Galileisches Fernrohr)**. Die Vergrößerung ergibt sich stets aus dem Verhältnis der Brennweite des Objektivs zur Brennweite des Okulars. Das Galileische F. liefert ein aufrechtes, virtuelles Bild. Das einfachste F. mit sammelndem Okular, das **astronomische** oder **Keplersche Fernrohr**, liefert ein umgekehrtes, reelles Bild. Ordnet man in einer Zwischenbildebene eine Marke an, so wird durch das Objektiv und diese Marke eine Ziellinie bestimmt, z.B. im **Zielfernrohr**. Das **terrestrische** oder **Erdfernrohr** ist ein Keplersches F., bei dem das reelle, umgekehrte Zwischenbild durch eine Sammellinse zw. Objektiv und Okular aufgerichtet wird.

Wichtige Fernrohrarten: Opernglas, kleines, meist Galileisches Doppel-F. (bis 4fache Vergrößerung); **Feldstecher** (Ferngläser, Prismengläser) sind **Doppelfernrohre** mit meist 8- bis 10facher, gelegentlich bis 20facher Vergrößerung; meist auf die Pupillendistanz (Augenabstand) des Beobachters einstellbar. Die Bildschärfe ist häufig mit Mitteltrieb für beide F. gemeinsam einstellbar; Bildumkehrung durch Prismensysteme, Objektivdurchmesser zw. 18 und 60 mm. **Jagd-** oder **Nachtgläser** sind Feldstecher mit mindestens 7facher Vergrößerung und 50 mm Objektivdurchmesser. Für geodät. und militär. Zwecke wurden zahlr. verschiedene Bauformen entwickelt: *Nivellier, Theodolit, Tachymeter, Scherenfernrohr, Periskop.* Die opt. Entfernungsmesser sind im wesentlichen Doppel-F. mit sehr stark erweitertem Abstand der Objektive und Winkelmeßeinrichtungen.

Sonderformen sind die mit elektronenopt. Bildwandlern und Lichtverstärkern ausgestatteten *Infrarot-F.* sowie *Nachtsehgeräte.* Eine bes. Gruppe bilden die meist mit Spiegelobjektiven verschiedenster Bauart versehenen F. für astronom. Beobachtungen (↑ Astrograph, ↑ Refraktor, ↑ Spiegelteleskop).

Geschichte: Erfindung des Linsen-F. um 1608

Fernrohr. Schema des Strahlengangs beim Prismenfeldstecher mit zwei Umkehrprismen

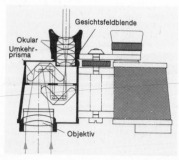

wahrscheinlich von dem niederl. Brillenmacher J. Lipperhey. Galilei baute 1609 sein F. nach ihm zugegangenen Informationen aus den Niederlanden. Theorie des F. 1610/11 durch J. Kepler; 1611 Bau des Keplerschen F. von C. Scheiner. Im 17. Jh. Entwicklung des Spiegelteleskops (N. Zucchi, 1616; I. Newton, 1671; N. Cassegrain, 1672). Seit 1776 Bau der ersten größeren Spiegelteleskope (mit Spiegeln bis 122 cm Durchmesser) durch W. Herschel. 1931 komafreies Spiegelteleskop durch B. Schmidt (Schmidt-Spiegel). ▢ *Riekher, R.: F. u. ihre Meister. Bln. [2]1990. – Rohr, H.: F. f. jedermann. Zürich [7]1983.*

Fernrohrbrille ↑ Brille.

Fernschach (Korrespondenzschach), Form des Schachspiels zw. räumlich voneinander entfernten Partnern.

Fernschreiber, schreibmaschinenähnl. Telegrafieeinrichtung, die sowohl auf der Sende- als auch auf der Empfangsseite die Nachrichten auf Streifen *(Streifenschreiber)* oder Papierrolle *(Blattschreiber)* aufzeichnet. Grundbestandteile des F. sind Tastatur, Sendeteil, Empfangsteil mit Druckwerk und Antrieb; Lochbandgeräte können mit F. konstruktiv verbunden sein. Damit ist es möglich, Texte, die als Lochbänder vorliegen, zu übertragen. Die zum Betreiben im öffentl. Telexnetz notwendigen Einrichtungen werden von der Dt. Bundespost gestellt. Der F. arbeitet nach dem *Start-Stop-Prinzip,* d. h. nach der Übertragung eines Zeichens schaltet der Sende- und Empfangsteil immer wieder ab, der Motor läuft jedoch weiter. Jeder Buchstabe besteht aus einer Kombination von Rechteckimpulsen; gemäß dem *Internat. Telegrafenalphabet 2* sind es 5 Impulse, hinzu kommen ein *Anlauf-* und *Sperrschritt* (Start und Stop). Die Schrittgeschwindigkeit beträgt 50 Baud, d. h. 396 Zeichen pro Minute. In Fernschreibsondernetzen (z. B. Dt. Bundesbahn, Polizei, Banken) werden z. T. F. mit Schrittgeschwindigkeiten von 75 Baud (594 Zeichen pro min) und 100 Baud (auch 200 Baud) benutzt. Für die Dateldienste der Dt. Bundespost sind noch höhere Schrittgeschwindigkeiten möglich.
Bes. Bedeutung hat neben den drahtgebundenen F. der **Funkfernschreiben** erlangt. Hierbei wird das als Stromstoß oder Strompause vorliegende Fernschreibzeichen über Zusatzgeräte in ein Funksignal umgewandelt und über eine Antenne abgestrahlt.

Fernschreibnetz, die Gesamtheit der Vermittlungs- und Übertragungseinrichtungen, die es den Teilnehmern ermöglichen, beliebig miteinander fernschriftl. zu verkehren. Neben den F. für die Abwicklung des Telegrammdienstes **(Gentexnetz)** und für den öff. Teilnehmer-Fernschreibverkehr **(Telexnetz)** entstanden zahlr. private und Behördennetze.

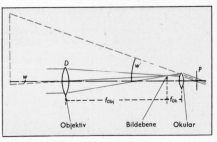

Fernrohr. Die Anordnung der Linsen in einem Fernrohr (Objektivsystem langer Brennweite [f_{Obj}] und Okularsystem kurzer Brennweite [f_{Ok}] im Abstand der Summe der Brennweiten) ergibt eine Vergrößerung des Winkels w auf w' entsprechend dem Brennweitenverhältnis. Diese Winkelvergrößerung ist die Fernrohrvergrößerung (V). Im gleichen Verhältnis zueinander stehen die Durchmesser des Objektivs (D) und der Austrittspupille (P)

Fernsehen (Television, TV), die Aufnahme, Übertragung und Wiedergabe sichtbarer, bewegter Vorgänge oder ruhender Vorlagen (eines „Bildfeldes") mit Hilfe elektromagnet. Wellen (drahtlos) oder über Kabel.
Grundprinzip: 1. Umwandlung der Helligkeitswerte (beim Schwarzweiß-F.) oder der Helligkeits- und Farbwerte (beim Farb-F.) innerhalb eines Bildfeldes in elektr. Signale; 2. Weiterleitung dieser Signale (Videosignale) an bestimmte Stellen (z. B. Ind.-F., Verkehrsüberwachung) oder Ausstrahlung über Sendeanlagen zum allg. Empfang; 3. Rückwandlung der elektr. Signale in entsprechende Helligkeits- oder Farbwerte. – Beim Schwarzweiß-F. wird nur ein Helligkeitsauszug des Bildfeldes zur Signalumwandlung benötigt gegenüber mindestens *drei* Farbauszügen beim Farb-F. Ein Bildfeld enthält eine Vielzahl örtl. und zeitl. wechselnder Helligkeits- oder Farbinformationen, die auf den Stäbchen- und Zapfenzellen des menschl. Auges gleichzeitig abgebildet und im Großhirn ausgewertet werden. Da die elektr. Nachrichtentechnik nur mit unvorstellbarem Aufwand eine entsprechende Anzahl von Kanälen gleichzeitig zur Verfügung stellen könnte, müssen die einzelnen Helligkeits- oder Farbwerte eines Bildfeldes nacheinander übermittelt werden. Im Ggs. zum Punktraster der Drucktechnik wird das Bildfeld in Zeilen zerlegt. Ihre Anzahl ist durch das Verhältnis des Sehwinkels des Auges zur maximalen Sehschärfe gegeben. Dies ergibt 600 Zeilen. In M-Europa gilt seit 1952 die Normzahl von

625 Zeilen auf Beschluß des Comité Consultatif International de Radiodiffusion (**CCIR**). Bei gleichem Auflösungsvermögen in Zeilen- und Bildrichtung (senkrecht zur Zeilenrichtung) können bei einem Format von 4:3 (Breite:Höhe) $4/3 \cdot 625 \cdot 625 \approx 500\,000$ Einzelheiten ("Bildpunkte") wahrgenommen werden. Zur Darstellung bewegter Vorgänge sind mindestens 16 Einzelbilder/s erforderlich. Wegen des dabei noch auftretenden Flimmerns erhöht man die Zahl jedoch auf 50 und mehr Bilder/s, insbes. bei hellem Bildschirm. Besteht das Bildfeld schachbrettartig aus Bildpunkten von Zeilenhöhe und gleicher Breite, so ergibt jedes schwarzweiße Bildpunktpaar eine volle Wechselspannungsperiode als Sinuswelle nach der elektr. Umwandlung. Bei 50 Bildern dieser Art in 1 s entsteht eine Frequenz von 12,5 MHz. Dieses breite Frequenzband ist nur mit unwirtsch. Aufwand übertragbar, daher wird heute allg. das *Zeilensprungverfahren* angewendet: Je Sekunde werden nur 50 Halbbilder abgetastet, und zwar zuerst alle ungeraden Zeilen 1, 3, 5, ... und dann alle geraden Zeilen 2, 4, 6, ..., so daß zwei ineinandergeschachtelte Zeilenraster entstehen. Das Frequenzband wird dadurch halbiert und im prakt. Betrieb nochmals um den Faktor 0,8 auf 5 MHz herabgesetzt. Eine Zeile dauert 64 μs, ein Halbbild 20 ms und ein Vollbild 40 ms. Die Bildzerlegung und die Bildzusammensetzung erfordern einen sehr genauen Gleichlauf zw. Sender und Empfänger, der durch mitübertragene Bild- und Zeilensynchronimpulse zu Beginn jedes Halbbildes und jeder Zeile erreicht wird.

Signalumwandlung: Zur Umwandlung der Helligkeits- bzw. Farbwerte des Bildfeldes in elektr. Signale dient die **Fernsehkamera.** Über ein photograph. Objektiv wird das Bildfeld auf die Photokathode der Aufnahmeröhre abgebildet und mittels eines Elektronenstrahles zeilen- und bildweise abgetastet. Während der Zeilen- und Bildrückläufe wird das Kamerasignal "ausgetastet", d. h., die Rückläufe bleiben unsichtbar.

Das Fernsehsignal wird im Bildkontrollraum auf seine techn. Qualität überprüft. Die Bildgüte ist abhängig von der richtigen Wiedergabe der Helligkeitsstufen (Gradation; Kontrastumfang bis 1 : 100) und vom Auflösungsvermögen. Das Signal wird einem Sender zugeführt oder auf Film bzw. Magnetband gespeichert *(magnet. Bildaufzeichnung),* z. B. auf der Ampex-Maschine ⓦ. Zur Übertragung eines [Spiel-]Films dient ein **Filmgeber** mit einer sehr leistungsfähigen Kathodenstrahlröhre als Lichtquelle, deren Bildschirmraster jedes Filmbildchen in zwei Halbbildern durchleuchtet, so daß in einer Photozelle hinter dem Film das elektr. Fernsehsignal entsteht. Zur Sendung von Standbildern, Testbildern,

Störungsmeldungen dient ein **Diapositivgeber,** dessen elektr. Fernsehsignal in ähnl. Weise wie beim Filmabtaster erzeugt wird. Das *Testbild* wird in elektron. Schaltungen erzeugt, es dient Ind. und Fachhandel zur Justierung der Fernsehempfänger.

Übertragung der Fernsehsignale: Die Verbindung zw. Fernsehstudios und Sendern erfolgt über Richtfunkstrecken im 2- und 4-GHz-Band, vereinzelt über Kabelstrecken. Die Knotenpunkte dieses Netzes, meist Fernmeldetürme im Abstand von 50–200 km, sind Relaisstationen, die das Richtfunksignal mit Parabolspiegelantennen empfangen und verstärkt über gleichartige Antennen weitergeben. Das Netz besitzt einen Sternpunkt auf dem Großen Feldberg im Taunus. Für weltweites F. müssen Kontinente und Ozeane mit (geostationären) *Kommunikationssatelliten* überbrückt werden *(Satellitenfernsehen).* Die allg. Fernsehversorgung erfolgt über *Fernsehsender* mit Rundstrahlung. Ein erhöhter Standort ist wichtig wegen der opt. Gesetzen gehorchenden Ausbreitung der Trägerfrequenzen *(VHF-Bereich:* Band I mit 41–68 MHz sowie Band III mit 175–230 MHz; *UHF-Bereich:* Band IV/V mit 471–853 MHz). Ein Videosignal bis 5 MHz Bandbreite bedeckt nach Amplitudenmodulation der Trägerfrequenz ein Frequenzband von 2×5 MHz, zuzüglich 0,75 MHz für den Tonkanal. Da in den festgelegten Fernsehbändern viel zu wenige Sender Platz finden würden, führte man das *Restseitenbandverfahren* ein, durch das fast 40 % des Frequenzbedarfs des Bildsenders eingespart werden, so daß ein Fernsehkanal nur 7 MHz bedeckt. Der Fernsehtonsender gleicht einem frequenzmodulierten UKW-Sender. Seine Trägerfrequenz liegt bei der westeurop. Norm 5,5 MHz oberhalb des Bildsenders.

Die *Fernsehsendeantennen* bestehen aus Gruppen von Dipolen und strahlen entweder horizontal (waagrechte Stäbe) oder vertikal polarisiert; dadurch geringere Störung zweier Sender im gleichen Kanal. Die *Empfangsantennen* bestehen aus Dipolgruppen in senkrechter oder waagrechter Lage. Der **Fernsehempfänger** arbeitet nach dem *Überlagerungsprinzip,* sowohl im Bild- als auch im Tonteil. Die Frequenzen des gewünschten Bild-Ton-Senderpaares werden mit einem Kanalwähler ausgewählt und mittels eines Oszillators auf feste Zwischenfrequenzen (ZF; 38,9 MHz für den Bildträger, 33,4 MHz für den Tonträger) umgesetzt. Nach Gleichrichtung (Demodulation) des ZF-Signals entsteht das Videosignal mit Bild- und Synchronanteil. Nach der Verstärkung wird das Videosignal der Steuerelektrode der Bildröhre zugeführt, die Synchronzeichen werden in einem Amplitudensieb zur Steuerung des Ablenkteiles abge-

trennt. Die 5,5-MHz-Ton-ZF wird durch einen Verhältnisgleichrichter in Tonfrequenz umgewandelt (demoduliert) und über den Niederfrequenzverstärker dem Lautsprecher zugeführt. Das sichtbare Bild entsteht auf dem Leuchtschirm der Bildröhre bei Abbremsung eines schnellen Elektronenstrahls, der von einer Kathode erzeugt, mittels elektr. Linsen fokussiert und durch eine Hochspannung (12 bis 18 kV) beschleunigt wird und der zeilenweise das Bildfeld überstreicht. Der sehr feine, aber intensive Elektronenstrahl wird in der evakuierten Bildröhre durch zwei Ablenkspulenpaare *(Ablenkeinheit)* in waagrechter (Zeilen-) und senkrechter (Bild-)Richtung im Gleichlauf (Synchronismus) zum Abtastvorgang in der Kameraröhre in zwei ineinandergeschachtelten Halbbildern nach dem *Zeilensprungverfahren* über das Bildfeld geführt und gleichzeitig in seiner Stärke gesteuert. An der Entwicklung serienreifer Bildröhren, die wesentlich flacher als die bisher üblichen sind, wird gearbeitet. Seit etwa 1980 ist Stereotonempfang bei entspr. ausgelegten Geräten möglich. Für das Angebot an Schriftinformationen (Bildschirmtext, Videotext) sind moderne Fernsehempfänger geeignet. Die Nutzung neuer Übertragungswege (Satellit, ↑ Kabelfernsehen) erweiterte den Empfang der Programme quantitativ und qualitativ.
Farbfernsehen: Jede Farbe ist durch Mischung der drei Primärfarben Rot (R), Grün (G) und Blau (B) darstellbar. Die Umformung des Spektralfarbenzuges von B über G nach R zu einem „Farbkreis" oder einer „Farbuhr" erlaubt die Zuordnung von Farbsättigung und Farbton zu zwei voneinander unabhängigen Größen, wie z. B. Betrag und Phase einer Schwingung. Hierauf beruhen die beiden Farbfernsehübertragungssysteme NTSC und PAL.
Grundprinzip: 1. Umwandlung der Farbtöne („Farben") und der Farbsättigung („Farbstärke") in elektr. Signale; 2. elektr. Übertragung (über Leitungen oder drahtlos) an den Empfangsort; 3. Rückwandlung in ein farbiges Bild. Zur Umwandlung werden mindestens drei Farbauszüge – wie z. B. beim Farbdruck – in den Grundfarben Rot (R), Grün (G) und Blau (B) mit drei Aufnahmeröhren unter Verwendung von Farbfiltern hergestellt. Die einzelne Aufnahmeröhre gleicht der in einer Schwarzweißfernsehkamera. Die Größe der elektr. Farbsignale E_R, E_G, E_B ist ein Maß für die Farbsättigung der drei Farbauszüge. Während die Probleme der Aufnahmetechnik relativ leicht lösbar waren, wurden an das Übertragungssystem und an den *Rückwandler* (Empfänger) höchste Anforderungen gestellt: das vorhandene Fernsehverbindungsnetz (Richtfunkstrecken) mit den angeschlossenen Sendern für das Schwarzweiß-F.

mußte auch Farbsendungen mit dem gleichen Frequenzbandbedarf von 5 MHz nach der CCIR-Norm übernehmen können. Die vorhandenen Schwarzweißempfänger müssen Farbsendungen als normale Schwarzweißbilder wiedergeben können und umgekehrt Farbempfänger die Schwarzweißsendungen als Schwarzweißbilder (Grundsatz der „Verträglichkeit" [Kompatibilität]).
NTSC-System: Der in etwa fünfjähriger Arbeit vom „Nat. Fernsehsystem-Ausschuß" der USA (National Television System Committee, Abk. NTSC) ausgearbeitete Kompromißvorschlag setzte sich seit Ende 1953 als NTSC-System in Nordamerika und in Japan durch. Beim NTSC-System wird aus den $E_R - E_G - E_B$-Signalen nach einem Schlüssel (Code) entsprechend der Augenempfindlichkeitskurve in einem „Coder" ein Helligkeitssignal **(Luminanzsignal)** E_Y gebildet, das mit voller Bandbreite von 5 MHz übertragen wird und am normalen Fernsehempfänger als Schwarzweißbild einer farbigen Vorlage erscheint. Dieses Frequenzband ist jedoch nicht durchgehend vom Fernsehsignal besetzt, sondern zeigt gleichmäßig verteilte Lükken im Abstand der Zeilenfrequenz, in die die Farbinformation **(Chrominanzsignal)** eingeschaltet wird. Hierzu dient ein *Farbhilfsträger,* dessen Frequenz ein ungeradzahliges Vielfaches (567) der halben Zeilenfrequenz ist. Sie liegt am oberen Ende des Übertragungsbereiches, im CCIR-System bei 4,4296875 (≈ 4,43) MHz. Dadurch wird die feine Perlschnurstörung des Farbhilfsträgers im Schwarzweißbild infolge der Trägheit des Auges nahezu ausgelöscht, weil in aufeinanderfolgenden Zeilen eines Halbbildes die Stellen größter und kleinster Helligkeit der Perlschnur übereinander liegen. Das NTSC-System ist für Schwarzweißempfänger vollverträglich *(kompatibel).* Zur Farbinformation genügt es, im Coder zwei **Farbdifferenzsignale** z. B. $E_R - E_Y$ und $E_B - E_Y$ zu bilden und diese über den in Amplitude *(Farbsättigung)* und Phase *(Farbton)* doppelt modulierten Farbhilfsträger zu übertragen. Das fehlende grüne Differenzsignal $E_G - E_Y$ läßt sich am Empfangsort aus den beiden anderen leicht wieder gewinnen. In der Praxis des NTSC-Systems werden statt $E_R - E_Y$ und $E_B - E_Y$ zwei neue Kombinationen $E_I - E_Q$ wegen ihrer besseren Übertragungseigenschaften benutzt. Dabei genügt für E_I eine Bandbreite von 1,5 MHz und für E_Q von 0,6 MHz, weil das Auge Farbübergänge Orange→Blaugrün (E_I) etwas schlechter und solche von Grün→Purpur (E_Q) wesentl. schlechter als Helligkeitsübergänge auflösen kann. E_Y, E_I und E_Q modulieren die Bildträgerfrequenz eines Fernsehsenders. Am Empfangsort entsteht das Helligkeitssignal E_Y un-

mittelbar nach der ersten Demodulation, während E_I und E_Q in einer zweiten Demodulation mittels des im Empfänger phasenrichtig zugesetzten Farbhilfsträgers gewonnen werden. Ein „Entschlüßler" *(Decoder)* bildet aus E_I und E_Q die Farbdifferenzsignale $E_R - E_Y$, $E_G - E_Y$ und $E_B - E_Y$, von denen jeweils das Helligkeitssignal E_Y abgezogen wird, so daß die urspr. drei *Farbauszugssignale* E_R, E_G und E_B wieder zur Verfügung stehen. Nachteile des NTSC-Verfahrens im prakt. Betrieb: 1. hohe Empfindlichkeit gegen amplitudenabhängige Phasenfehler, verursacht Farbtonänderungen, 2. Schwierigkeiten bei Magnetbandaufzeichnung, Gleichlaufschwankungen rufen Farbtonänderungen hervor. Daher sind zwei europ. Systeme entwickelt worden: das PAL-System von Bruch/Telefunken (1961) und das SECAM-System von H. de France/CSF-Paris (1958).
PAL-System: PAL (Abk. für engl. „Phase Alternating Line") bedeutet, daß die Phase des Farbhilfsträgers im I- oder Q-Kanal des Farbmodulators beim NTSC-System von Zeile zu Zeile mittels eines einfachen Schalters umgepolt wird. Im Empfänger wird die Umpolung rückgängig gemacht. Das in der urspr. Polung und das in der umgekehrten Polung übertragene Farbbild werden im Auge oder in einer Schaltung über eine Verzögerungsleitung von 64 μs (Zeilendauer) addiert, wobei sich praktisch alle Übertragungsfehler gegenseitig aufheben. Transcodierung (Umwandlung) von NTSC in PAL und umgekehrt ist ohne Güteverlust möglich wegen der Ähnlichkeit beider Systeme (PAL- und NTSC-System benutzen die gleichen Signale).
SECAM-System: SECAM (aus frz. séquentiel à mémoire) bedeutet, daß die beiden Farbsignale E_I und E_Q im Ggs. zu NTSC und PAL nicht dauernd (simultan), sondern abwechselnd von Zeile zu Zeile (sequentiell) übertragen werden. Die Doppelmodulation (in Betrag und Phase) des Farbhilfsträgers wird durch eine Einfachmodulation (in der Frequenz) ersetzt. Zur gleichzeitigen (simultanen) Darstellung aller drei Farben muß ein Speicher für das jeweils nicht übertragene zweite Farbsignal vorhanden sein (Ultraschallspeicher über 64 μs). Nachteil: Störempfindlichkeit ab einer bestimmten Entfernung vom Fernsehsender und Qualitätsverlust bei Transcodierung von NTSC/PAL. Zweinormengeräte NTSC/PAL und SECAM sind nötig. Das SECAM-System wird in Frankreich, Griechenland, den osteurop. Staaten einschließlich der Sowjetunion sowie in einigen afrikan. und asiat. Staaten verwendet. Im Zusammenhang mit dem zunehmenden Einsatz von Fernsehsatelliten und der damit gegebenen Möglichkeit, weiträumig grenzüberschreitend Fernsehsendungen auszustrahlen und [direkt] zu empfangen, wurden Systeme entwickelt, die im Ggs. zu PAL und SECAM einen direkten europ. Satellitenempfang ohne techn. Hürden ermöglichen sollen und überdies die Möglichkeit bieten, mehrere Tonkanäle gleichzeitig zu übertragen (z. B. Fernsehton in mehreren Sprachen). Die Dt. Bundespost hat sich 1985 entschieden, von den unter der Bez. **MAC-Systeme** (Abk. für engl. „Multiplex Analog Components") bekannten Verfahren für Programmausstrahlungen über Fernsehsatelliten das Verfahren **D2 MAC** einzuführen, dessen Einsatz als europaeinheitl. künftige Farbfernsehnorm auch die Techn. Kommission der Europ. Union für das Rundfunkwesen (UER) zugestimmt hatte. Hierbei werden die Helligkeits- und Farbinformationen sowie der Fernsehbegleitton nacheinander, d. h. im Zeitmultiplexverfahren, gesendet, und zwar derart, daß der Fernsehempfänger innerhalb von 64 μs (Zeilendauer) für jede Zeile die jeweiligen Helligkeits- und Farbwerte erhält sowie die (digitalen) Toninformationen, die (zusammengefaßt) den Fernsehbegleitton ergeben. Dieses Verfahren, das mögl. Störungen zw. Farb- und Helligkeitssignal praktisch ausschließt, erlaubt auch die gleichzeitige Verwendung von 4 Tonkanälen, so daß z. B. jeweils 2 Stereokanäle für Stereoempfang oder 4 Kanäle für Monoempfang (z. B. in verschiedenen Sprachen) zur Verfügung stehen. Die Einführung der hochauflösenden **HDTV-Technik** wird erst Mitte der 90er Jahre erwartet.
Farbbildröhren: Man unterscheidet hauptsächl. 2 Typen von Bildröhren. **Deltaröhre:** Sie enthält 3 Elektronenstrahlquellen, die in Form eines gleichseitigen Dreiecks angeordnet sind (ähnl. dem griech. Buchstaben Delta = Δ). Ihre Strahlen gehen gemeinsam durch jedes der 357 000 Löcher (Ø 0,35 mm) der Schatten- bzw. Lochmaske und treffen auf je eine Dreiergruppe von rot, grün und blau aufleuchtenden Farbleuchtpunkten (Ø 0,43 mm) der Phosphorbeschichtung des Leuchtschirms; Abstand Leuchtschirm–Lochmaske ca. 1 cm. **In-Line-Röhre:** Die Elektronenstrahlquellen sind in einer Linie, d. h. nebeneinander angeordnet. Die Schattenmaske ist eine Schlitzmaske, bestehend aus Dreiergruppen von senkrechten Schlitzen.
Geschichte: Auf die Möglichkeit, elektr. zu übertragene Bilder punkt- und zeilenweise abzutasten, wies 1843 A. Bain hin. Eine Lösung fand 1884 P. Nipkow mit dem ersten brauchbaren mechan. Bildfeldzerleger, der *Nipkow-Scheibe*. Bereits 1906 benutzten M. Dieckmann und G. Glage die Braunsche Röhre zur Wiedergabe von 20zeiligen Schwarzweißbildern. Die ersten Sendungen wurden 1928 mit einem von der Firma Gene-

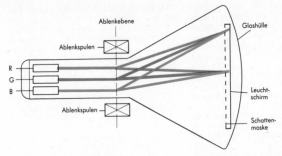

Fernsehen. Schematische Darstellung
des Strahlenverlaufs in einer
In-Line-Farbbildröhre; R, G und B
Elektronenstrahlerzeugungssysteme
mit Wehnelt-Zylindern als
Steuergitter

ral Electric entwickelten System ausgestrahlt.
1929 begann die British Broadcasting Corpo-
ration (BBC) mit regelmäßigen Übertragun-
gen. Den ersten brauchbaren elektron. Bild-
abtaster schuf 1923/24 W. K. Zworykin. Seine
„Ikonoskop-Röhre" wurde seit 1934 serienmäßig hergestellt. In Berlin konstruierte M.
von Ardenne einen Leuchtschirmabtaster
und führte 1930 das erste vollelektron. Fernsehbild vor. Das Reichspostzentralamt in
Berlin begann 1929 mit der Ausstrahlung von
Versuchssendungen. Die ersten großen Über-
tragungen galten 1936 den Olymp. Spielen
(„Fernsehsender Paul Nipkow", Berlin).
1952 konnte das öffentl. F. in der BR
Deutschland aufgenommen werden (1955 in
der DDR). Die Geschichte des Farbfernse-

hens beginnt mit einem 1902 an O. von Bronk
erteilten Patent. J. L. Baird und die Bell Company stellten 1928 prakt. Versuche an. In
Deutschland unternahmen W. Bruch und O.
von Bronk 1936 bei Telefunken erste Versuche. Von 1956 an beschäftigte man sich in Europa mit dem Farb-F., nachdem in Amerika
1954 die NTSC-Norm eingeführt worden
war. Gewisse Mängel dieses Systems waren
in dem von H. de France entwickelten System
SECAM überwunden worden. 1963 schlug
W. Bruch sein bei Telefunken erarbeitetes
Verfahren PAL vor. Es wurde 1966/67 von
den meisten westeurop. Ländern übernommen, während Frankreich, die UdSSR und
die übrigen osteurop. Staaten am SECAM-
System festhielten. 1967 offizieller Beginn
des Farb-F. in der BR Deutschland.

Rechts: Die Hörfunk- und Fernsehfreiheit
(Rundfunkfreiheit) als institutionelle Garantie (Art. 5 Abs. 1 GG) ist ein Wesenselement
der freiheitlich demokrat. Staatsordnung und
unerläßl. Voraussetzung für eine freie Bildung der öff. Meinung. Die Verfassung ver-
langt deshalb, daß Hörfunk und F. weder
dem Staat noch einer gesellschaftl. Gruppe
ausgeliefert werden. In der BR Deutschland

Fernsehen. Ausschnitt aus der
Schattenmaske einer Deltaröhre

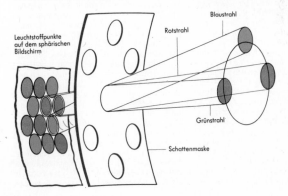

war die Veranstaltung von Hörfunk- und Fernsehsendungen bis vor wenigen Jahren ausschließlich eine öff. Aufgabe, die dem privatwirtsch. Wettbewerb entzogen war und von öff.-rechtl. Anstalten betrieben wurde. Im Zuge des Ausbaus von Kabelnetzen (↑ Kabelfernsehen) traten in den letzten Jahren zunehmend auch private Programmanbieter auf, deren Zulassung durch die Landesmediengesetze der einzelnen Bundesländer geregelt wird. Nach Art. 73 Nr. 7 GG ist der Bund nur für den sendetechn. Bereich des Hörfunks und F. zuständig (Zuteilung von Wellenbereichen, Festlegung von Standort und Sendestärke der Sender u. a.), nicht aber für die Regelung der Organisation von Fernseh- und Hörfunkveranstaltungen. Das Bundesverfassungsgericht hat im sog. Fernsehurteil vom 28. 2. 1961 das bis dahin bestehende Oligopol der öff.-rechtl. Rundfunk- und Fernsehanstalten als verfassungsgemäß bestätigt; gleichzeitig hat es aber betont, daß auch eine rechtsfähige Gesellschaft des privaten Rechts Träger von Fernseh- und Hörfunkveranstaltungen sein könnte, wenn ihre Organisationsform gewährleiste, daß in ihr alle gesellschaftlich relevanten Kräfte zu Wort kämen und die Freiheit der Berichterstattung unangetastet bliebe. Der Medienstaatsvertrag der Bundesländer (1987) und das Bundesverfassungsgericht (1986/87) regelten nach dem Auftreten privater Anbieter deren Verhältnis zu den öffentlich-rechtlichen Anstalten. In *Österreich* bildet die Rechtsgrundlage für den Betrieb des F. das Rundfunkgesetz 1974 (mehrfach geändert). Danach obliegen dem „Österreichischen Rundfunk" (ORF) die [alleinige] Herstellung und Sendung von Fernsehprogrammen. Die *schweizer. BV* kennt bislang keinen Fernsehartikel. Der Bundesrat hat eine Fernsehkonzession allein der als privatrechtl. Verein organisierten Schweizer. Radio- und Fernsehgesellschaft (SRG) erteilt. **Wirtschaftl. Grundlagen:** Das F. ist ein Massenkommunikationsmittel, dem in der BR Deutschland über 96% der Haushalte angeschlossen sind; diese haben den Betrieb von 31,9 Mill. Fernsehgeräten bei der GEZ angemeldet (Dez. 1993). Die Kosten des F. werden in der BR Deutschland aus Gebühren und Werbeeinnahmen gedeckt. Da die Sendegebiete der ARD-Anstalten und damit das Gebührenaufkommen für die Sender unterschiedlich groß sind, führen die Anstalten untereinander einen Finanzausgleich durch. Das Werbefernsehen, das von den ARD-Anstalten im jeweiligen Regionalprogramm und im ZDF als Vorabendprogramm ausgestrahlt wird, besteht aus Werbespots, eingebettet in ein Rahmenprogramm, das Unterhaltung so-

wie regionale bzw. lokale polit. Information bietet. Die Werbeeinnahmen dienen bei den ARD-Anstalten bislang v. a. dem Ausgleich von Finanzierungslücken, sind beim ZDF hingegen eine tragende Säule des Haushalts. Die privaten Programmanbieter finanzieren ihre (über Kabelnetze verbreiteten) Programme im wesentl. durch Werbeeinnahmen. Trotz des erhebl. Aufwands für redaktionelles und techn. Personal können die Anstalten nicht alle Sendungen selbst planen und produzieren. Die Anteile fremdproduzierten Materials (Auftragsproduktion) betrugen z. B. 1992 im 1. Programm 26,9% der tägl. Programmleistung (ohne Werbespots und Programmverbindungen). **Programme:** Das *1. Fernsehprogramm* wird von den nach der Neugründung von Landesrundfunkanstalten in den neuen Bundesländern Anfang 1992 insgesamt 13 in der ARD zusammengeschlossenen *Landesrundfunkanstalten* als Gemeinschaftsprogramm *Erstes Dt. F.* veranstaltet. Daneben unterhalten die einzelnen Rundfunkanstalten eigene Fernsehprogramme *(Regionalprogramme* und die sog. *Dritten Fernsehprogramme).* Ab dem 29. März 1986 strahlte die ARD (unter Beteiligung der Schweizer. Radio- und Fernsehgesellschaft [SRG]) über einen Kommunikationssatelliten ein zusätzl. Programm *„Eins Plus"* aus, das in die Kabelnetze eingespeist wurde (zum 1. Dez. 1993 eingestellt). Die Zusammenarbeit der Landesrundfunkanstalten auf dem Gebiet des 1. Fernsehprogramms beruht auf einer am 27. März 1953 geschlossenen Verwaltungsvereinbarung, dem sog. *Fernsehvertrag.* Die *Zusammenarbeit der Anstalten* ist wie folgt geregelt: Aus den Intendanten der Rundfunkanstalten oder ihren Beauftragten sowie einem von den Rundfunkanstalten auf mindestens 2 Jahre zu wählenden Vorsitzenden (Programmdirektor Dt. F., München) wird eine *Ständige Programmkonferenz* gebildet, die das Gemeinschaftsprogramm unter Beachtung der den einzelnen Rundfunkanstalten nach dem Fernsehvertrag obliegenden prozentualen Pflichtanteile am Gemeinschaftsprogramm erarbeitet. Die Ständige Programmkonferenz wird durch einen *Programmbeirat* beraten. Dieser setzt sich aus je einem Vertreter der Rundfunkanstalten zusammen, der von den Aufsichtsgremien entsandt wird und dem Rundfunkrat, dem Verwaltungsrat oder dem Programmbeirat der Rundfunkanstalt angehören muß. Das *2. Fernsehprogramm* wird vom *Zweiten Dt. Fernsehen (ZDF)* in Mainz ausgestrahlt, das seit dem 1. Dez. 1984 zus. mit dem Östr. Rundfunk (ORF) und der Schweizer. Radio- und Fernsehgesellschaft (SRG) auch ein in die Kabelnetze eingespeistes Satellitenfern-

sehprogramm („3sat") sendet, seit dem 1. Dez. 1993 unter Beteiligung der ARD. Ebenfalls über Kabelnetz und Satellit wird seit dem 30. Mai 1992 das von ARD, ZDF und dem frz. Sender La Sept-ARTE gemeinsam gestaltete Kulturprogramm „ARTE" ausgestrahlt. – Das ZDF ist ebenfalls eine Anstalt des öff. Rechts mit dem Recht der Selbstverwaltung. Sie ist durch Staatsvertrag sämtl. Bundesländer vom 6. 6. 1961 errichtet worden. Die Landesrundfunkanstalten und das ZDF sind dem staatl. Einfluß entzogen und unterstehen nur einer beschränkten staatl. Rechtsaufsicht. Ihre kollegialen Organe sind in einem angemessenen Verhältnis aus Repräsentanten aller bedeutsamen polit., weltanschaul. und gesellschaftl. Gruppen zusammengesetzt. ARD und ZDF, die der Eurovision angehören, strahlen seit 1988 ein gemeinsam gestaltetes Vormittagsprogramm, seit 1991/92 auch ein gemeinsames Frühstücksfernsehen aus. Zur Programmabstimmung haben 1. und 2. Programm zudem seit 1963 mehrfach erneuerte Koordinierungsabkommen geschlossen (zuletzt 18./20. Dez. 1985), die die Auswahlfreiheit des Zuschauers sichern sollen, indem Kontraste von Sendeinhalten und -formen realisiert werden. Seit dem Start des Kabelfernsehens (1984) und des Satellitenfernsehens (1985) etablierten sich neben den öff.-rechtl. Anstalten zahlr. private Konkurrenten, darunter RTL plus (Sitz Köln), SAT 1 (Sitz Mainz) oder der Pay-TV-Sender Premiere (Sitz Hamburg). 1990 konnten in Westdeutschland rd. 65% der Haushalte die eher an Unterhaltungssendungen orientierten privaten Anbieter empfangen. Der Marktanteil aller ARD- und ZDF-Fernsehprogramme an der tägl. Sehdauer der Kabel-Zuschauer (ab 14 Jahren) lag 1991 daher mit 48% erstmals unter 50% (Private: 40%). Die Dauer der tägl. Sendezeit hat sich dabei ebenso beständig ausgeweitet wie die tägl. Einschaltdauer (1991 durchschnittlich 160 Minuten).
Wirkungen: Zu den Folgen der sozialen Institution F. gehört v. a. der Wandel des Verhaltens durch das gestiegene Angebot an Wahrnehmungsimpulsen: F. bietet einerseits die Chance zur Weiterbildung (z. B. Telekolleg) und zur Verbesserung der Kommunikation und Informationsstand; andererseits können die Ausrichtung des Freizeitverhaltens an den Programmen und die Reizüberflutung zu einer Beschleunigung und Beeinflussung des Erlebens und Handelns, zu Orientierungslosigkeit und Isolierung führen.
📖 *Morgenstern, B.: Farbfernsehtechnik. Stg.* [3]*1989. – Limann, O./Pelka, H.: Fernsehtechnik ohne Ballast. Mchn.* [15]*1988. – Zastrow, P.: Fernsehempfangstechnik. Ffm.* [6]*1987. – Bernath, K. W.: Technik des F. Bln. u. a. 1986. –*

Keppler, A.: Präsentation u. Information. Zur polit. Berichterstattung im F. Tüb. 1985. – Jordan, P.: Das F. u. seine Zuschauer. Einflüsse auf Meinungen u. Vorurteile. Ffm. 1982. – Sachwörterb. des F. Hg. v. H. Kreuzer. Gött. 1982. – Mäusl, R.: Fernsehtechnik. Von der Kamera bis zum Bildschirm. Mchn. 1981. – ARD-Jb. (1969 ff.). – ZDF-Jb. (1965 ff.).

Fernsehfilm, ein eigens für die Wiedergabe im Fernsehen hergestellter Dokumentar- oder Spielfilm; auch Synonym für das Fernsehspiel.

Fernsehoper, für das Fernsehen bearbeitete oder eigens geschriebene Oper, die den besonderen künstler. und techn. Bedingungen von Studioinszenierungen angepaßt ist. F. komponierten u. a. E. Křenek, H. Poser, B. Britten, H. Sutermeister.

Fernsehsatellit ↑ Kommunikationssatelliten.

Fernsehserie, vielteilige Sendung im Fernsehen; charakteristisch sind lose verbundene Handlungen und in einzelnen Folgen wiederkehrende Figuren. Hauptformen sind die *Familienserien* und „Krimi"-F.; daneben das zur Serie erweiterte „mehrteilige" ↑ Fernsehspiel.

Fernsehspiel, für das Fernsehen produziertes Stück. Unterschieden werden: das *eigentl. F.* als eine eigens für das Fernsehen entwickelte Spielform mit dafür konzipierten Stoffen; die *F.-Adaption* eines Theaterstücks, eines Hörspiels oder einer ep. Vorlage; der *Fernsehfilm,* das *Live-Spiel,* das auf die techn. Möglichkeiten der Aufzeichnung verzichtet; daneben das *dokumentar. F.* und das Informationen aufbereitete *Fernsehfeature.* – Dem theater- und literaturorientierten F. der 1950er Jahre folgten historisch-polit. F. der 1960er und soziale Problem- bzw. Themen-F. der 1970er Jahre, seitdem herrschen erzählende und psycholog. F. vor. Mehrteilige F. („Mehrteiler") bilden den Übergang zur ↑ Fernsehserie.
📖 *Waldmann, W./Waldmann, R.: Einf. in die Analyse von F. Tüb. 1980. – Theorie des F. Hg. v. C. Beling. Hdbg. 1979.*

Fernsprechansagedienst, Serviceleistung der Post; durch Ansagegeräte werden z. B. Uhrzeit, Veranstaltungsprogramme, Lotto- und Totozahlen, Wetter- und Sportnachrichten mitgeteilt.

Fernsprechauftragsdienst, Einrichtung der Dt. Bundespost, die Anrufe für abwesende Fernsprechteilnehmer entgegennimmt oder den Auftraggeber fernmündlich weckt.

Fernsprechauskunftsdienst, Auskunftsstelle der Dt. Bundespost; erteilt Auskünfte über Rufnummern, Gesprächsgebühren und sonstige Angelegenheiten des Fernsprechdienstes.

Fernsprechen, die auf elektr. Wege erfolgende Übermittlung von Sprache. Prinzip: 1. *Signalumwandlung* der vom Sprecher erzeugten Schallwellen über die Membranbewegungen in einem Mikrophon in ein elektr. Signal, 2. *elektr. Übertragung* dieses Signals über eine Vermittlungseinrichtung zum zweiten Teilnehmer, 3. *Rückwandlung* des elektr. Signals durch die Membranbewegungen in der Hörkapsel in Schallwellen.

Fernsprecher, die anstelle der Wählscheibe *Drucktasten* haben, unterscheiden sich grundsätzlich von der herkömml. **Nummernscheibenwahl.** Beim Drücken einer Taste sendet ein Transistorgenerator von acht möglichen jeweils zwei Tonfrequenzen über die Leitung zur Vermittlungsstelle; Auswahl durch Umschalten der Schwingkreiskondensatoren der Transistorgeneratoren. Die Rückwandlung der Tonfrequenzwählsignale in Schaltimpulse findet in der Vermittlungsstelle statt. Vorteil: Verkürzung des Wählablaufs und damit Ausnutzung der hohen Schaltgeschwindigkeit moderner Vermittlungseinrichtungen; Sprech- und Weckerschaltung sind unverändert.

Teilnehmervermittlung: Aufgabe einer *Fernsprechvermittlung* ist es, Teilnehmer miteinander zu verbinden. Erfahrungsgemäß möchten nie alle Teilnehmer gleichzeitig sprechen, sondern im statist. Mittel 5% bis 12%; entsprechend ist die Zahl der Leitungen und Schaltmöglichkeiten einer Vermittlung. Im *handvermittelten Dienst* werden diese Schaltungen von Hand ausgeführt. 1906 wurde in Deutschland der *Selbstwählferndienst* eingeführt. Zunächst benutzte man Schrittschalter, z.B. den *Hebdrehwähler.* Die Steuerung erfolgt mit Hilfe von Stromstößen von 40 ms Dauer, dazwischen Pause von 60 ms. Die Impulsfolge löst der Teilnehmer durch Drehen der Nummernscheibe selbst aus, die beim Rücklauf einen Unterbrecherkontakt betätigt. Weiterentwicklungen stellen **Motorwähler** und **EMD-Wähler** (Edelmetall-Motor-Wähler) dar. Bei Tastenwahl werden in einem Generator jeweils 2 Tonfrequenzen erzeugt und der Vermittlungsstelle zugeleitet, wo eine Rückverwandlung in Schaltimpulse erfolgt. Beim 1977 bei der Dt. Bundespost (DBP) eingeführten *Elektron. Wähl-System* (EWS) werden mechan. Kontakte durch Halbleiterbauteile ersetzt. Das Vermittlungsnetz ist sternförmig aufgebaut. In der obersten Netzebene gibt es 8 *Zentralvermittlungsstellen* (ZVS). An jeder ZVS sind sternförmig 8 *Hauptvermittlungsstellen* (HVS) angeschlossen, an diese 8 *Knotenvermittlungsstellen* (KVS) mit maximal je 8 *Endvermittlungsstellen* (EVSt); acht deshalb, weil von den 10 Kennziffern (0 bis 9) die 0 für die Wahl von Ferngesprächen und die 1 für die Fernsprechsonderdienste (Auskunft

u.a.) im Ort erforderl. sind. *Fernwahl* ist die unmittelbare automat. Anwahl eines Teilnehmers aus einem anderen Ortsnetz über eine Fernverbindung. Die Gesprächsgebühren werden durch sog. *Zeitzonenzähler* erfaßt. Im Selbstwählferndienst werden Zählimpulse während des Gespräches auf den Gebührenzähler gegeben, die um so rascher aufeinander folgen, je weiter die Gesprächspartner voneinander entfernt sind. *Freizeichen* und *Besetztzeichen* werden in den Endvermittlungsstellen durch Tonfrequenzgeneratoren erzeugt.

Übertragung des Fernsprechsignals: Die Fernsprechleitungen stellen den teuersten Teil der Fernmeldeanlagen dar: früher oberirdisch als Freileitung, heute meist unterirdisch als Kabel. Zur besseren Ausnutzung der Leitungen überträgt man heute mehrere Gespräche gleichzeitig. Das Verfahren heißt **Trägerfrequenztechnik.** Hierbei werden die Sprachfrequenzen (zw. 300 Hz und 3400 Hz) einer höheren Frequenz (Trägerfrequenz TF) aufmoduliert. Über Sendefilter (Einseitenbandfilter) werden die Gespräche auf ein *Koaxialkabel* geschaltet und am anderen Ende durch Empfangsfilter getrennt und wieder demoduliert. Für den Sprechverkehr in Gegenrichtung muß ein zweites System bereitgestellt werden. *Trägerfrequente Vielkanalsysteme* (z.B. V 10800 mit 10800 Kanälen von 4322–59684 kHz für 5400 Gegengespräche auf einer Koaxialleitung) werden im Inlandsverkehr über *Richtfunkstrecken* und im Überseeverkehr über *Kommunikationssatelliten* (Nachrichtensatelliten) im Frequenzbereich zw. 2 und 12 GHz übertragen. Die Relaisstationen der Richtfunksysteme werden auf Fernmeldetürmen in Abständen von 50 bis 200 km errichtet; kennzeichnend sind Parabolantennen von ca. 3 m Durchmesser. In der Weiterentwicklung der Fernsprechtechnik zeichnet sich die Tendenz ab, die Fernsprechsignale bereits in die Nähe der Teilnehmerapparate in schnelle Folgen von Stromimpulsen, sog. *digitale Signale,* umzuwandeln. Ihre Verwendung würde die Technik der Fernsprechvermittlungsämter merklich vereinfachen. Digitale Signale sind auch Voraussetzung für den mögl. Ersatz der Kupferleiter in den Nachrichtenkabeln durch Glasfaserleitungen.

Bei der **Funktelefonie** (drahtloses Fernsprechen, **Funkfernsprecher, Mobilfunk**) werden die Ferngespräche drahtlos, d.h. durch elektromagnet. Wellen übertragen. In der BR Deutschland ermöglicht ein *öffentl. bewegl. Landfunkdienst* (öbL) der Telekom das F. zw. *Funkfernsprechanschlüssen,* d.h. zw. Sprechfunkstellen in Land- und Wasserfahrzeugen, z.B. in Kraftfahrzeugen (**Autotelefon**), wichtigen Fernzügen der Dt. Bahn, Schiffen und ortsfesten Sprechstellen des öffentl. Fernsprechnetzes.

Geschichte: 1861 Apparat zur Tonübertragung („Telephon"), vorgestellt von P. Reis. 1872 Bau eines elektromagnet. Telefons durch A. G. Bell in Boston, USA; 1876 Patent und 8,5 km lange Versuchsstrecke. Ab 1877 Versuche der Dt. Reichspost mit dem Bellschen Apparat; Telefonie als Ergänzung zur Telegrafie. Erste Ortsnetze 1881 in Mülhausen (Elsaß) und Berlin. 1928 Fernsprechdienst (über Funk) Deutschland–USA. 1956 erstes Transatlantikkabel (TAT 1) Europa–Nordamerika. Seit 1960 Fernmeldesatelliten.
📖 *Lehrb. der Fernmeldetechnik.* Hg. v. R. D. Schwetje u. W. Slabon. Bln. ⁵1986. 2 Bde. – Horn, U. u. a.: *Analoge Übertragungstechnik.* Hdbg. ³1984. – *Kompendium der Fernmeldepraxis.* Hg. v. H. Pooch. Bln. 1981 ff. (bisher 6 Bde.).

Fernsprecher ↑ Fernsprechen.

Fernsprechgeheimnis, Unterform des ↑ Fernmeldegeheimnisses.

Fernsteuerung, Überwachung, Bedienung und Steuerung von Anlagen von einer entfernt liegenden Stelle aus. – ↑ Fernbedienung, ↑ Fernlenkung.

Fernstraßen (Fernverkehrsstraßen), Straßen, die über größere Entfernungen hinweg Städte, Ind.zentren oder Ballungsgebiete miteinander verbinden.

Fernstudium, jedes durch Medien vermittelte Studium, meist mittels Studienbriefen, bei weiterer Medien und v. a. zusätzl. personaler Betreuung spricht man von F. im Medienverbund. In der BR Deutschland wird das (Voll)studium an der Fernuniversität Hagen in Studienzentren betreut, ↑ Funkkollegs werden vielfach in Volkshochschulkursen begleitet, pädagog. Weiterbildung in

Fernsprechen. Schematische Darstellung des Verbundsystems von Bedienungsrechner, Ortsvermittlungsstellen und Betriebsdienststellen beim Elektronischen Wähl-System (EWS)

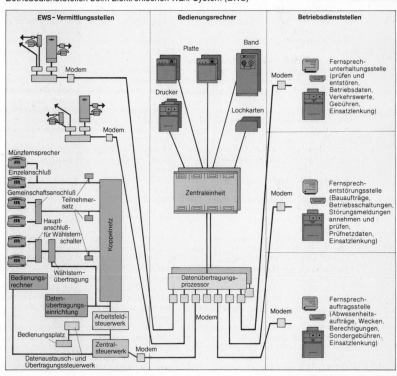

Lehrerfortbildungseinrichtungen, auf Studienbriefen aufbauende Anfangsstudien (1. und 2. Semester) an wiss. und pädagog. Hochschulen in Proseminaren. Studienbriefe erarbeitet neben Hagen v. a. das *Dt. Institut für Fernstudien* an der Univ. Tübingen, gegr. 1967. – ↑ Fernunterricht, ↑ Telekolleg.

Fernuniversität, Bez. für eine Univ., an der das Studium ausschließl. als ↑ Fernstudium möglich ist. Beispiele sind die Correspondence University in Ithaca, N. Y. (seit 1883), die University of South Africa in Pretoria (F. seit 1951), die Open University in Bletchley/Großbritannien (seit 1969) sowie die F. Hagen (1975 eröffnet). Bes. in den USA und in osteurop. Staaten bieten reguläre Univ. häufig auch Fernstudien an.

Fernunterricht, von privaten Fernlehrinstituten angebotener, meist berufl. Unterricht (auch Abiturlehrgänge), der mittels Studienbriefen erfolgt, die auch Tests zur Selbstkontrolle (mit Lösungen im Anhang) enthalten. Am Ende des Kurses kann der Lernende eine Schlußprüfung ablegen. Die Staatl. Zentralstelle für F. (Köln) und das Bundesinstitut für Berufsbildungsforschung (Berlin) überprüfen und bewerten die Fernlehrgänge und Fernlehrinstitute.

Fernverkehrsstraßen, svw. ↑ Fernstraßen.

Fernvermittlungsstelle (früher Fernamt), Vermittlungsstelle für Ferngespräche zw. verschiedenen Ortsnetzen, für Auslandsgespräche und für Gespräche zw. ortsfesten Sprechstellen des öffentl. Netzes und bewegl. Sprechfunkstellen.

Fernwärme, in einer zentralen Anlage (z. B. einem Kraftwerk, speziell einem Heizkraftwerk) erzeugte, in einem Rohrleitungsnetz (F.netz) einer Vielzahl von Wärmeverbrauchern zur Heizung **(Fernheizung)** zugeleitete Wärme.

Fernwirkanlagen, 1. elektr. Einrichtungen zur Übertragung von Steuerbefehlen und zur Meldung von Schalterstellungen und Betriebszuständen über große Entfernungen; 2. die Fernübertragung elektr. und anderer Meßwerte über große Entfernungen auf drahtgebundenem oder drahtlosem Weg.

feroce [italien. fe'ro:tʃe], musikal. Vortragsbez.: wild, ungestüm, stürmisch.

Ferrara, italien. Stadt in der Emilia-Romagna, 10 m ü. d. M., 143 000 E. Hauptstadt der Prov. F.; Erzbischofssitz; Univ. (gegr. 1391); Museen und Bibliotheken; Nahrungsmittelind., petrochem. und chem. Werke; Obstmesse „eurofrut". – Sitz eines langobard. Hzgt., fiel nach 774 an die Päpste, Ende 10. Jh. an die Markgrafen von Tuszien. Im 12. Jh. Mgl. des Lombardenbundes; seit 1240 im Besitz der Familie Este (seit 1471 Herzöge von F.); 1598 dem Kirchenstaat einverleibt;

gehörte seit 1797. zur Zisalpin. Republik, dann bis 1814 zum Napoleon. Kgr. Italien; nach 1815 wieder zum Kirchenstaat, 1860 zum Kgr. Italien. – In der von einer Mauer umschlossenen Altstadt das Castello Estense mit Wassergräben (14. und 16. Jh.), die romanisch-got. Kathedrale (begonnen 1135; unvollendeter Kampanile) und Adelspaläste, v. a. aus der Renaissance.

Ferrara, Konzil von ↑ Basler Konzil.

Ferrari, Enzo, * Modena 20. Febr. 1898, † ebd. 14. Aug. 1988, italien. Automobilfabrikant. – Entwickelte Renn- und Sportwagen, die seit 1943 seinen Namen tragen.

F., Gaudenzio, * Valduggia (Piemont) um 1475, † Mailand 31. Jan. 1546, italien. Maler und Bildhauer. – Verband die ausklingende got. Tradition mit Stilelementen des Manierismus.

Ferras, Christian, * Le Touquet-Paris-Plage (Pas-de-Calais) 17. Juni 1933, † Paris 15. Sept. 1982, frz. Violinist. – Bed. Interpret v. a. klass. Violinkonzerte.

Ferrassie, La [frz. lafɛra'si], Felsüberhang (Abri) bei Le Bugue (Dordogne, Frankreich) mit einer für die Chronologie des frz. Paläolithikums aufschlußreichen Schichtenabfolge.

Ferrate [lat.], anion. Koordinationsverbindungen mit Eisen als Zentralion: Ferrate(III), $[FeO_2]^-$, Ferrate (IV), $[FeO_4]^{4-}$, und die stark oxidierenden Ferrate (VI), $[FeO_4]^{2-}$.

Ferreira, António [portugies. fə'rreirɐ], * Lissabon 1528, † ebd. 29. Nov. 1569, portugies. Dichter. – Mitbegründer der klass. portugies. Literatur; schrieb neben Oden, Epigrammen und Sonetten u. a. die erste portugies. Tragödie nach klass. Muster, „Inês de Castro" (1587).

Ferreira de Castro, José Maria [portugies. fə'rreirɐ ðə 'kaʃtru] ↑ Castro, José Maria Ferreira de

Ferrer, José [engl. fə'reɪ], * Santurce (Puerto Rico) 8. Jan. 1912, † Coral Gables (Fla.) 26. Jan. 1992, amerikan. Schauspieler und Regisseur. – Differenzierter Charakterschauspieler in Filmen wie „Cyrano von Bergerac" (1951), „Moulin Rouge" (1953), „Die Caine war ihr Schicksal" (1954), „Das Narrenschiff" (1964), „Dune" (1984).

F., Mel [engl. fə'reə], eigtl. Melchior F., * Elberon (N. J.) 25. Aug. 1917, amerikan. Filmschauspieler, Regisseur. – 1954–68 ∞ mit A. Hepburn, die in „Krieg und Frieden" (1956), „Geschichte einer Nonne" (1959), „Warte bis es dunkel ist" (1967) seine Partnerin war. Spielte u. a. in „Lili Marleen" (1980).

F., Vinzenz [span. fɛ'rrɛr] ↑ Vinzenz Ferrer.

Ferreri, Marco, * Mailand 11. Mai 1928, italien. Filmregisseur. – Gelangt durch makabre bzw. satir. Übersteigerung des Alltäglichen zu teilweise scharfen gesellschaftskrit.

Aussagen, z. B. in „Der Rollstuhl" (1960), „Dillinger ist tot" (1968), „Die Audienz" (1971), „Das große Fressen" (1973), „Laß die weiße Frau in Ruh" (1976), „Die Geschichte der Piera" (1983), „Die Zukunft heißt Frau" (1984).

Ferri, Enrico, *San Benedetto Po (bei Mantua) 25. Febr. 1856, †Rom 12. April 1929, italien. Jurist und Politiker. – Prof. in Bologna, Siena, Pisa und Rom; führte die von C. Lombroso begr. positivist. Schule der Kriminologie fort; hatte maßgebl. Anteil am italien. StGB (1921).

Ferri- [zu lat. ferrum „Eisen"], veralteter Namensbestandteil in der chem. Nomenklatur für Eisen(III)-Verbindungen.

Ferrière, Adolphe [frz. fɛ'rjɛːr], *Genf 30. Aug. 1879, †ebd. 16. Juni 1960, schweizer. Pädagoge. – Gründete 1921 mit E. Rotten die New Education Fellowship, seit 1927 Weltbund für Erneuerung der Erziehung.

Ferrimagnetismus, magnet. Verhalten bestimmter Festkörper (Spinell, Granat), bei denen die ungleichen magnet. Momente benachbarter Gitterbausteine antiparallel ausgerichtet sind, sich in ihrer Wirkung also teilweise aufheben. Bei ihnen treten deshalb ähnl. Erscheinungen auf wie bei ferromagnet. Stoffen, jedoch zeigen sie eine viel geringere Sättigungsmagnetisierung. Ferrimagnete finden techn. Verwendung als Permanentmagnete.

Ferritantenne (Ferritstabantenne), Rahmenantenne mit stabförmigem Ferritkern; in Heimrundfunkempfängern meist drehbar, in Reiseempfängern fest eingebaut.

Ferrite [lat.], reine, magnet., kohlenstofffreie Eisenkriställchen (α-Eisen); bilden die unterhalb 911 °C beständige Gefügeart in Eisenlegierungen.
♦ Verbindungen von Eisen(III)-oxid mit Mangan-, Nickel-, Zinkoxiden u. a.; hochwertige Magnetwerkstoffe.

Ferritin [lat.], Eisenproteid, das bis zu 25 % Eisen enthält; kommt in der Dünndarmschleimhaut (Eisenresorption) und v. a. in der Leber vor und dient als Eisenspeicher.

Ferritkern, aus Ferriten hergestellter magnetisierbarer Kern für Hochfrequenzspulen; früher auch für Ferritkernspeicher.

Ferritstabantenne ↑Ferritantenne.

Ferro [portugies. 'fɛru], früherer Name der Insel ↑Hierro.

Ferro- [zu lat. ferrum „Eisen"], Bez. in Legierungsnamen, die Eisen als überwiegenden Bestandteil enthalten (z. B. Ferromangan).

Ferrochrom [...'kroːm], aus je einer Schicht Eisenoxid und Chromdioxid bestehende Beschichtung hochwertiger Tonbänder.

Ferroelektrizität (Seignetteelektrizität), Eigenschaft bestimmter Stoffe (z. B. Barium-

titanat, Seignettesalz), ihre elektr. Polarisation nach Abschalten des verursachenden elektr. Feldes beizubehalten. **Ferroelektrika** sind daher das elektr. Analogon zu den ferromagnet. Stoffen. Sie sind piezoelektrisch.

Ferroflüssigkeit, svw. ↑magnetische Flüssigkeit.

Ferrol, El [span. ɛl fɛ'rrɔl], span. Hafenstadt an der Küste NW-Galiciens, 88 100 E. Kriegshafen mit Arsenal und Werften; Badestrände.

Ferrolegierung, Eisenlegierung mit großem Anteil anderer Metalle. F. werden Stahl und Gußeisen zugesetzt, um bes. Materialeigenschaften zu erzielen, z. B. Ferromangan (bis 95 % Mn), Ferrosilicium (bis 90 % Si).

Ferromagnetismus, Magnetismus kristalliner Modifikationen von Eisen, Kobalt, Nickel und manchen Legierungen **(Ferromagnetika).** Bei diesen Stoffen sind Permeabilität und Suszeptibilität keine Konstanten, sondern von einem äußeren Magnetfeld abhängig. Die Elementarmagnete der Ferromagnetika, die zunächst ungeordneten ↑Weiss-Bezirke, stellen sich bei wachsender Feldstärke immer mehr in Richtung des Feldes ein bis zum Erreichen eines Sättigungswertes. Durch irreversible Wandverschiebungen zw. diesen Bezirken bleibt eine (permanente) Magnetisierung zurück, die aber durch Erhitzen bei der Curie-Temperatur verschwindet.

Ferrum [lat.], lat. Bez. für ↑Eisen.

Ferry, Jules [frz. fɛ'ri], *Saint-Dié (Vosges) 5. April 1832, †Paris 17. März 1893, frz. Politiker. – Journalist; seit 1869 Parlamentsmgl. (Linksrepublikaner); 1879–83 (mit Unterbrechungen) Unterrichtsmin.; bemühte sich als Min.präs. (1880/81, 1883–85) durch koloniale Expansion die Zerrissenheit der frz. Innenpolitik zu überwinden.

Ferryville [frz. fɛri'vil] ↑Menzel Bourguiba.

Ferse, bei Mensch und Säugetieren der hintere Teil des Fußes. Die knöcherne Grundlage bildet das **Fersenbein** (Calcaneus), der größte Fußwurzelknochen. – ↑Fuß.

Fersengeld geben [zu mittelhochdt. versengelt „Abgabe" (vielleicht Bußgeld eines Flüchtigen)], umgangssprachl. für: weglaufen, vor etwas fliehen.

Fersensporn (Kalkaneussporn), dornartiger Auswuchs am Fersenbein im Bereich einstrahlender Sehnen (Achillessehne, Fußsohlenband) als Überlastungsfolge.

Ferstel, Johann Heinrich Freiherr von (seit 1879), *Wien 7. Juli 1828, †Grinzing (= Wien) 14. Juli 1883, östr. Baumeister. – V. a. neogot. Bauten, u. a. Votivkirche in Wien (1856–79).

Fertigbauweise, svw. ↑Fertigteilbau.

Fertighäuser, im Fertigteilbau errichtete Häuser.

Fertigteilbau (Fertigbauweise), die Errichtung von Bauten unter Verwendung serienmäßig hergestellter, typisierter größerer Bauteile (**Fertigbauteile**) aus Beton, Holz, Kunststoff u.a. Fundament und Keller werden in herkömml. Bauweise gefertigt.

Fertigung, svw. ↑Produktion.

Fertilität [lat.] (Fruchtbarkeit), die Fähigkeit von Organismen, Nachkommen hervorzubringen. – Ggs. ↑Sterilität.

Fertőd (bis 1950 Eszterháza), ungar. Ort sö. des Neusiedler Sees, 3000 E. Barockschloß, Residenz des Fürsten Esterházy (1766–69; heute landwirtschaftl. Versuchsanstalt).

Fertő-tó, ungar. für Neusiedler See.

Ferula [lat.], im MA gebräuchl., heute nur noch bei bes. liturg. Handlungen vorgeschriebener Hirtenstab der Päpste.

Fes [türk., wohl nach der Stadt Fès], Filzkappe in Form eines Kegelstumpfs mit dunkelblauer Quaste (arab. Mittelmeerländer), in der Türkei 1925 verboten; auch Bestandteil von Nationaltrachten (Balkanländer).

Fès (Fez), marokkan. Provinzhauptstadt im nördl. Vorland des Mittleren Atlas, 370 m ü.d.M., 590000 E. Wichtigstes religiöses Zentrum des Landes, zeitweise Residenz; zwei Univ. (gegr. im 9.Jh. bzw. 1973); Museen; Kunsthandwerk (u.a. Teppichweberei), Metall-, Textil- und Nahrungsmittelind.; internat. ⚓. – Gegr. 789. – Qarawijjin-Moschee (859 gegr., v.a. 12.Jh.), Große Moschee (1276–79), Palast Dar Batha (19.Jh.; heute Museum für marokkan. Kunst). Die Altstadt F. el-Bali wurde 1981 von der UNESCO zum Weltkulturerbe erklärt.

Fesch, Joseph, *Ajaccio 3. Jan. 1763, †Rom 13. Mai 1839, frz. Kardinal. – Onkel Napoleons I.; von ihm 1796 zum Kriegskommissar der italien. Armee ernannt; 1802 Erzbischof von Lyon, 1803 Kardinal, 1804 frz. Gesandter beim Hl. Stuhl; fiel 1811 wegen seiner unabhängigen Leitung des Pariser Nationalkonzils bei Napoleon in Ungnade; zog sich 1814 nach Rom zurück.

Fessan, vollaride Landschaft in der nördl. Sahara, Libyen; Felsschutt- und Sandwüsten. – Das Garamantenland **Phazania,** 19 v.Chr. röm., wurde 660 n.Chr. von Arabern erobert. Bis 1951 unter Fremdherrschaft; seit 1951 Bestandteil Libyens.

Fessel, bei Huftieren der die beiden ersten Zehenglieder umfassende Teil des Fußes zw. ↑Fesselgelenk und Huf.

◆ beim Menschen der Übergang von der Wade zur Knöchelregion.

Fesselballon ↑Ballon.

Fesselgelenk, in der Anatomie Bez. für das Scharniergelenk zw. dem distalen Ende der Mittelfußknochen und dem ersten Zehenglied (Fesselbein) bei Huftieren.

Fesselung, im Strafverfahren zulässige Maßnahme, wenn der Verhaftete Gewalt anwendet, Widerstand leistet, zu fliehen oder sich zu befreien droht, bei Selbstmord- oder Selbstbeschädigungsgefahr. F. während der Hauptverhandlung soll möglichst vermieden werden (§119 Abs. 5 StPO).

Fessenheim, frz. Ort 20 km sö. von Colmar, 2000 E. Wasserkraftwerk am Rheinseitenkanal, nahebei Kernkraftwerk.

Fest [zu lat. festus „feierlich"], seiner Sinngebung nach eine religiöse Feier, die weitgehender Säkularisierung unterliegen kann, aber auch in urspr. Form, wie die häufige Verbindung von Märkten mit religiösen F. zeigt, bereits profane Elemente an sich zog. Anlaß *religiöser F.* sind zunächst die großen Einschnitte des menschl. Lebens: die Geburt, die mit Übergangsriten (Rites de passage) verbundene Pubertät, die Hochzeit und der Tod. In *Jägerkulturen* veranlassen Beginn und Abschluß der Jagd große F.; bekannt ist v.a. das arkt. Bärenfest. Die Haupt-F. *bäuerl. Kulturen* richten sich nach dem Vegetationsrhythmus und haben damit als Termine Aussaat und Ernte. Diejenigen Religionen, die der Geschichte eine religiöse Wertung beimessen, sehen den Sinn des F. in einem meist jährlich wiederholten Gedenken an ein Datum ihrer Heilsgeschichte. Das *höfische F.,* v.a. im Barock, war eine Staatsaktion und Demonstration der Größe des Veranstalters.

Feste (Veste), 1. befestigte Burg, Festung; 2. Befestigung.

feste Funkdienste, über ortsfeste Funkstellen betriebene Funkdienste, z.B. Überseefunkdienst.

feste Lösungen, kristalline oder amorphe, homogene feste Körper, die aus zwei oder mehr Elementen oder Verbindungen bestehen, z.B. die meisten Legierungen und Mischkristalle.

Festgeld (feste Gelder), Einlagen, die den Kreditinstituten von ihren Kunden für einen von vornherein bestimmten Zeitraum (mindestens für 1 Monat) überlassen werden.

Festigkeit, in der Mechanik Widerstandsfähigkeit eines Werkstoffs oder Bauteils gegen Bruch; ist vom Werkstoff, von der Form des beanspruchten Körpers, von der Beanspruchungsart (Zug, Druck, Schub, Biegung, Verdrehung) sowie von Temperatur und Verlauf der Beanspruchung abhängig. Die **Bruchfestigkeit** ist die Spannung, die den Bruch bewirkt; Angabe in N/mm^2.

Festigkeitslehre, Teilgebiet der techn. Mechanik, das sich mit der Aufgabe befaßt, für Körper gegebener Gestalt die bei Belastung auftretenden Verformungen und inneren elast. Spannungen zu bestimmen; dies erfolgt entweder rechnerisch, durch Messungen am fertigen Bauteil oder am Modell.

Festigungsgewebe (Stützgewebe), Dauergewebe der Sproßpflanzen aus Zellen mit verdickten Wänden zur Erhaltung der Form, Tragfähigkeit und Elastizität. – ↑ Kollenchym, ↑ Sklerenchym.

Festival ['fɛstival, engl. 'fɛstɪvəl; zu lat. festivus „festlich"], kulturelle Großveranstaltung (Filmfestspiele, Jazz-, Pop-, Musik-, Sportveranstaltung). – ↑ Festspiel.

Festival Strings Lucerne [engl. 'fɛstɪvəl 'strɪŋz luː'sɜːn], 1955 von R. Baumgartner und W. Schneiderhan in Luzern gegr. Kammermusikensemble, das barocke und klass., aber auch zeitgenöss. Musik pflegt.

Festkommadarstellung, bei Computern z. T. verwendete Zahlendarstellung, bei der die Position des Kommas unveränderlich ist.

Festkonto ↑ Währungsreform.

Festkörper, Stoff im kondensierten Zustand mit fester Gestalt und festem Volumen. *Kristalline F.* haben ein Kristallgitter, in *amorphen F.* sind die Bausteine unregelmäßig angeordnet. Viele Eigenschaften der kristallinen F. werden durch Art, Anzahl und Wechselwirkung von Gitterfehlern bestimmt. – ↑ Aggregatzustand.

Festkörperphysik, Teilgebiet der Physik, das sich mit den physikal. Eigenschaften der Festkörper, insbes. der Kristalle, sowie mit der theoret. Deutung dieser Eigenschaften beschäftigt. Wichtige Themen der F. sind Halbleiter-, Metall-, Oberflächenphysik, Supraleitung sowie die Wechselwirkungen zw. Licht und Materie, die bei der Entwicklung optoelektron. Bauelemente techn. Anwendung finden.

Festkörperschaltkreis, in der Mikroelektronik die eine vollständige Schaltung darstellende integrierte Anordnung gemeinsam gefertigter aktiver und passiver Bauelemente auf oder/und in einem Halbleitersubstrat.

Festlandsockel ↑ Schelf.

Festmeter, Einheitenzeichen fm, Raummaß für Holz: 1 m^3 feste Holzmasse (ohne Schichtungszwischenräume), im Ggs. zu Raummeter.

Festnahme ↑ vorläufige Festnahme.

Feston [fɛs'tõː; italien.-frz.], Schmuckmotiv von bogenförmig durchhängenden Gewinden aus Früchten, Blättern oder Blumen.

Festplattenspeicher, magnetomotor. Speicher mit einem fest montierten Stapel rotierender Magnetplatten und positionierbaren Lese-Schreib-Köpfen in einem hermetisch abgeschlossenen Gehäuse. Speicher mit nur einer Festplatte werden in Verbindung mit Diskettenspeichern v. a. bei Personalcomputern eingesetzt.

Festpreis, staatl. oder vertragl. festgelegter Preis, der über oder unter dem sich bei funktionierendem Wettbewerb ergebenden Marktpreis liegen **(echte Taxe)** bzw. diesem entsprechen kann **(Ordnungstaxe).** Ist ein F. vereinbart, so geht das Risiko von Kostenerhöhungen zu Lasten des Unternehmers.

Festpunkt, markierter Bezugspunkt für Messungen im Gelände.
◆ Bezugspunkt für eine Temperaturskala (z. B. Siedepunkt und Gefrierpunkt des Wassers).

Festrechnung ↑ Zeitrechnung.

Festschrift, Schrift mit Beiträgen verschiedener Autoren zu einem Jubiläum.

Festspeicher ↑ Halbleiterspeicher.

Festspiel, meist period. wiederkehrende Veranstaltung von festl. Tagen oder Wochen zur Pflege von Musik, Oper, Tanz, Theater, Film u. a. (auch **Festival** genannt). Durch Verpflichtung bed. Interpreten („Starbesetzungen") wird versucht, exemplar. Aufführungen von hoher künstler. Qualität darzubieten und das Interesse eines internat. Publikums zu wecken.
◆ ein eigens für eine F.aufführung verfaßtes Bühnenwerk.

Feststellungsbescheid, Bescheid des Finanzamtes, durch den bestimmte Besteuerungsgrundlagen, nicht aber die Steuerschuld festgelegt werden.

Feststellungsklage, eine der Klagearten. 1. Im *Zivil-* und *Arbeitsgerichtsverfahren* kann der Kläger mit der F. die Feststellung begehren, daß ein Rechtsverhältnis (z. B. eine Ehe) besteht **(positive Feststellungsklage)** oder nicht besteht **(negative Feststellungsklage)** oder daß eine Urkunde echt oder unecht ist. Bei Zulässigkeit einer Leistungsklage ist die F. i. d. R. unzulässig. 2. Im *Verwaltungs-* und *Finanzgerichtsverfahren* kann sich die F. außer auf Bestehen oder Nichtbestehen eines Rechtsverhältnisses auch auf die Nichtigkeit eines Verwaltungsaktes richten. Die Entscheidung ergeht durch Feststellungsurteil. – Im *östr.* und *schweizer. Recht* gilt für den Bereich des Zivilprozeßrechts eine entsprechende Regelung.

Feststellungsurteil, ein Urteil, das eine Feststellungsklage bescheidet; i. w. S. auch solche Urteile, die eine Klage abweisen.

Feststoffraketen ↑ Raketen.

Festung, sehr starke, früher aus Erde, Steinen, Ziegeln, im 20. Jh. aus Beton oder Panzerplatten o. ä. errichtete Ortsbefestigung an strategisch wichtiger Stelle; aus den befestigten Städten und Burgen des Altertums und des MA entstanden. An die Stelle der senkrechten Mauer trat bald der gebösche Wall; mit der zunehmenden Reichweite und Sprengwirkung der Belagerungsartillerie wurde der Böschungswinkel der Wälle immer flacher, die F.anlage tiefer in den Boden gebaut. A. Dürer entwickelte ein F.system mit polygonalem Hauptwall, flankiert durch kasemattierte Bastionen. Die „niederl. Manier" begnügte sich mit Wällen, die aus Erde aufgeschüttet und mit zusammengeschnürten Reisigbündeln (Faschinen) befestigt wurden. Breite, tiefe Wassergräben zw. vorgelagerter Erdaufschüttung (Glacis) und Hauptwall erschwerten den Angriff. Mit dem Franzosen Vauban, dem ersten Ingenieuroffizier, erreichte die F.baukunst in Europa ihren Höhepunkt: Neubreisach bietet heute noch den unverfälschten Eindruck einer barocken Festungsanlage. In Preußen wurden seit 1748 von Oberst Wallrawe Werke mit flankierten Gräben, Reversgalerien und Wohnkasematten angelegt. Friedrich d. Gr. ließ beim Ausbau vor Neisse, Glatz und Graudenz detachierte (vorgeschobene) Forts, kasemattierte Batterien im Vorfeld und ebensolche Grabenflankierungen anlegen. Unter dem Glacis wurde ein Minensystem als Annäherungshindernis vorbereitet. Die Fortschritte der Kriegstechnik im 19. Jh. führten zu einer bes. stürm. Entwicklung im F.bau (Außenforts, Drehtürme mit Panzerkuppeln sowie betonierte, stahlarmierte Kasematten). Die **Festungskämpfe** in der 2. Hälfte des 19. Jh. (1855 Sewastopol, 1864 Düppel, 1870/71 Metz und Paris), bes. aber im 1. Weltkrieg (Antwerpen 1914) zeigten, daß selbst stark armierte moderne F. der gesteigerten Feuerkraft der Artillerie nicht standhalten konnten. Im 2. Weltkrieg wurden durch massierte Luftangriffe, panzerbrechende Artillerie und neuartige Pionierkampfmittel stärkste F.anlagen (Maginotlinie 1940, Sewastopol 1942, Atlantikwall 1944) in kurzer Zeit niedergerungen. Wenn F. erfolgreich verteidigt wurden (u. a. Verdun 1916, Stalingrad 1942/43), war dies mehr der Stärke der Deckungstruppen zu verdanken. Auf den Neubau von F. herkömml. Art wird beim heutigen Stand der Militärtechnik allg. verzichtet. – Abb. S. 58/59.

Glossarium artis, hg. v. R. Huber u. a., Bd. 7: Festungen. Mchn. u. a. ²1990. – Neumann, H.: F.baukunst u. F.bautechnik. Wehrbauarchitektur in Deutschland vom 15. bis 20. Jh. Koblenz 1987. – Zastrow, A. v.: Gesch. der beständigen Befestigung ... Lpz. 1854. Nachdr. Osnabrück 1983. – Dt. Burgen, Schlösser u. F. Hg. v. Werner Meyer. Ffm. 1979.

Festungshaft (Festungsarrest), früher nicht entehrende Freiheitsstrafe; 1953 durch die Einschließung ersetzt.

Festwertspeicher ↑ Halbleiterspeicher.

Festzahl ↑ Zeitrechnung.

Fet, Afanassi Afanassjewitsch [russ. fjet], eigtl. A. A. Schenschin, * Nowossjolki bei Mzensk (Gouv. Orel) Okt. oder Nov. 1820, † Moskau 3. Dez. 1892, russ. Lyriker. – Musikal. impressionist. und symbolist. Lyrik; auch Übersetzer (u. a. Goethe).

FET, Abk. für: Feldeffekttransistor (↑ Transistor).

fetal [lat.], zum Fetus gehörend, den Fetus betreffend.

Fete [frz. 'fɛːt; zu lat. festivus „festlich"], fröhl. Feier in kleinerem Rahmen.

Feti, Domenico ↑ Fetti, Domenico.

Fétis, François-Joseph [frz. fe'tis], * Mons 25. März 1784, † Brüssel 26. März 1871, belg. Musikforscher und Komponist. – Einer der Begründer der modernen histor. Musikwiss.; veröffentlichte „Biographie universelle des musiciens et bibliographie de la musique" (8 Bde., 1837–44; Nachdr. 1963).

Fetisch [portugies.-frz.; zu lat. facticius „nachgemacht"], beliebiger Gegenstand, der, im Ggs. zum Amulett, nicht aus sich heraus, sondern erst durch einen Zauber schützend oder helfend wirken soll.

Fetischismus, von ↑ Fetisch abgeleiteter, von den Portugiesen gebrauchter Ausdruck zunächst speziell für westafrikan. Götterbilder, dann generell zur abwertenden Kennzeichnung der nichtchristl. Religionen, die künstl. hergestellte Dinge verehrt hätten. Der frz. Historiker und Geograph Charles de Brosses (* 1709, † 1777), der im F. die Urform aller Religion zu erkennen glaubte, führte den Begriff in den wiss. Sprachgebrauch ein und verlieh ihm zugleich eine bis heute gültige Bed.; danach ist der F., dessen klass. Verbreitungsgebiete sich in Westafrika finden, der Glaube an einen machtgeladenen Gegenstand, der als Fetisch bezeichnet wird.

Marquardsen, K.: Fetische als Negation der Wirklichkeit. Prolegomena zu einer Theorie des F. Ffm. 1984.

♦ in der *klin. Psychologie* sexuelle Perversion, bei der Gegenstände (z. B. Schuhe, Taschen, Wäschestücke, Haare) als einzige oder bevorzugte Objekte sexueller Erregung und schließlich Befriedigung dienen.

Fetopathie [lat./griech.], Schädigung der Leibesfrucht nach Abschluß der Organentwicklung, d. h. nach dem 3. Schwangerschaftsmonat; verursacht durch Infektionen, Blutgruppenunverträglichkeit zw. Mutter und Kind sowie Stoffwechselstörungen.

Fetscher, Iring, * Marbach am Neckar 4. März 1922, dt. Politikwissenschaftler. – Seit 1963 Prof. in Frankfurt am Main; befaßt sich v. a. mit der Gesch. der polit. Theorien, bes. des Marxismus.

Fettalkohole, von höheren Fettsäuren abgeleitete, einwertige Alkohole, mit 8 bis 20 Kohlenstoffatomen; v. a. die Schwefelsäureester (**Fettalkoholsulfate**) haben große Bedeutung als biologisch abbaubare Tenside.

Fette, Ester des Glycerins mit ein bis drei Molekülen Fettsäure; Kettenlänge von 16 oder 18 C-Atomen. In der tier. F. überwiegen *Palmitin-, Stearin-* und *Ölsäure,* pflanzl. F.

enthalten zudem noch mehrfach ungesättigte und damit leichter verdaul. Fettsäuren, die die tier. Zelle nicht zu synthetisieren vermag. Ein hoher Anteil an ungesättigten Fettsäuren erniedrigt den Schmelzpunkt; bei Zimmertemperatur flüssige F. bezeichnet man als **fette Öle**. Die verschiedenen F. haben eine Dichte zw. 0,90 und 0,97 g/cm³, lösen sich nicht in Wasser, aber gut in organ. Lösungsmitteln. Beim Kochen mit Lauge tritt ↑ Verseifung ein. Fette als kalorienreichste Grundnahrungsstoffe sind von großer Bed. für die menschl. ↑ Ernährung. Sie sind in jeder Pflanzen- und Tierzelle als ideales Nähr- und Reservematerial vorhanden.

📖 *Singer, M.: Gewinnung u. Verarbeitung pflanzl. F. u. Öle. Augsburg 1990.*

fette Gase ↑ Brenngase.

Fettembolie, durch Fetttröpfchen in der Blutbahn verursachte ↑ Embolie.

fette Öle ↑ Fette.

Fettflosse (Adipose), zw. Rückenflosse und Schwanzflosse gelegene, fleischige Flosse, v. a. bei Lachsfischen sowie bei vielen Salmlern.

Fettgeschwulst, svw. ↑ Lipom.

Fettgewebe, lockeres, an verschiedenen Stellen des Wirbeltierkörpers auftretendes umgewandeltes Bindegewebe, das aus **Fettzellen** besteht, die z. T. von großen Fettkugeln erfüllt sind. In der Unterhaut und an den Eingeweiden dient das F. v. a. der Bereitstellung energiereicher Reserven, an Gelenken, Gesäß und Füßen als mechan. Schutz in Form eines druckelast. Polsters (Fettpolster).

Fetthärtung, Herstellung von Fetten mit höherem Schmelzpunkt (d. h. festerer Konsistenz) durch Wasserstoffanlagerung an ungesättigte Fettsäuren.

Fetthenne (Sedum), Gatt. der Dickblattgewächse mit etwa 500 Arten auf der Nordhalbkugel, von diesen etwa 25 Arten in M-Europa; meist ausdauernde Stauden oder Halbsträucher mit fleischigen Blättern. Bekannte einheim. Arten sind u. a. die bis 80 cm hohe, breitblättrige **Große Fetthenne** (Sedum maximum) mit gelblichgrünen Blüten; ferner die niedrigen, z. T. polsterwüchsigen Arten, wie z. B. **Weiße Fetthenne** (Sedum album) mit weißen Blüten, auf Felsen, Mauern und steinigen Böden, **Rosenwurz** (Sedum rosea) mit gelbl., rot überlaufenen Blüten, auf Wiesen und im Gebüsch und **Mauerpfeffer** (Scharfe F., Sedum acre) mit goldgelben Blüten, an trockenen, sonnigen Standorten.

Fettherz, ungenaue Bez. für die v. a. bei Fettleibigkeit auftretende funktionelle Störung und Leistungsminderung des Herzens durch Mehrbelastung, auch die Veränderung des Herzmuskels durch Fettauflagerung oder fettige Degeneration der Muskelfasern (**Herzverfettung** oder **Adipositas cordis**).

Fętti (Feti), Domenico, * Rom um 1589, † Venedig 16. April 1623, italien. Maler. – Einer der Hauptmeister des venezian. Hochbarock. Schuf neben großformatigen Figurenbildern v. a. kleine mytholog. und bibl. Bilder (u. a. acht bibl. „Gleichnisse", Dresden, Gemäldegalerie).

Fętting, Rainer, * Wilhelmshaven 31. Dez. 1949, dt. Maler. – Vertreter der ↑ Neuen Wilden; lebt in New York. Neben männl. Aktdarstellungen entstehen seit 1986 auch Bronzeplastiken und Combinepaintings.

Fettkohle ↑ Steinkohle.

Fettkraut (Pinguicula), Gatt. der Wasserschlauchgewächse mit etwa 35 Arten auf der nördlichen Erdhalbkugel; insektenfressende Pflanzen auf moorigen Stellen. – In M-Europa 4 Arten, darunter das **Gemeine Fettkraut** (Pinguicula vulgaris) mit blauvioletten Blüten.

Fettleber (Leberverfettung, Hepar adiposum), krankhaft erhöhter Fettgehalt des Lebergewebes infolge vermehrten Fettangebotes bei Überernährung oder Beeinträchtigung der Fettverwertung durch Stoffwechselstörungen (Diabetes, chron. Infektionskrankheiten u. a.) und bei chron. Alkoholismus.

Fettmännchen, geringhaltige niederrhein. Silbermünze des 16.–18. Jahrhunderts.

Fettmark, svw. gelbes ↑ Knochenmark.

Fettsäuren, einbasische Carbonsäuren, die in der Natur hauptsächlich an Glycerin gebunden in Form tier. und pflanzl. Fette vorkommen. Wichtige *gesättigte F.* sind z. B. die Palmitinsäure und die Stearinsäure. Zu den ungesättigten F. gehören z. B. die Ölsäure sowie einige höher *ungesättigte F.,* die für den tier. Organismus bes. Bed. haben, z. B. Linol-, Linolen- und Arachidonsäure (**essentielle,** d. h. für den Organismus unentbehrl. F.). Die techn. Herstellung von F. erfolgt hauptsächlich durch Fettspaltung (↑ Verseifung) natürlich vorkommender Fette und Öle; techn. sind sie wichtig für die Herstellung von Kunststoffen, Seifen, Lacken u. a.

Fettschwalm ↑ Nachtschwalben.

Fettspaltung, die Aufspaltung (Verseifung) der Fette und fetten Öle in Fettsäuren und Glycerin, z. B. im menschl. und tier. Stoffwechsel (bewirkt durch Lipasen). Bei der techn. F. unterscheidet man Autoklaven-, Säure-, Reaktiv-, Enzymspaltung und Verseifung mit Alkalilaugen.

Fettsteiß (Steatopygie), verstärkte Fettablagerung im Bereich des Steißbeins; bei den Hottentottenfrauen gilt der F. als Schönheitsmerkmal (**Hottentottensteiß**).

Fettstoffwechsel ↑ Stoffwechsel.

Fettsucht (Fettleibigkeit, Adipositas, Obesitas), [krankhafte] Neigung zur übermäßigen Fettanhäufung im Körper, erkennbar

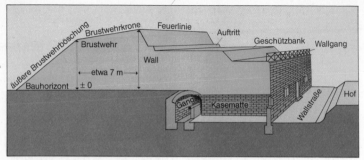

Festung. Querschnitt des Hauptwalls einer
Festungsanlage

an Übergewicht. F. entsteht durch zuviel aufgenommene Nahrung oder allzu geringen Energieverbrauch bei normaler Ernährung. Für 90 % der F.fälle fehlen faßbare körperl. Ursachen; es liegt die Annahme leiblich-seel. Entstehungsbedingungen nahe (so beim sog. „Kummerspeck"). Die F. ist ein Risikofaktor für eine Reihe von Erkrankungen, z. B. Bluthochdruck, Gicht, Nierensteinleiden und die damit verbundenen Gefäßerkrankungen, bes. Arteriosklerose. Die Behandlung Fettsüchtiger besteht v. a. in einer deutl. Reduzierung der Nahrungsmenge.

Fettwiese ↑ Wiese.

Fettzellen, das ↑ Fettgewebe bildende Zellen.

Fetus (Fötus) [lat.], mit der Geburt abschließendes Entwicklungsstadium; beim Menschen etwa vom 5. Schwangerschaftsmonat an.

Fetzenfische (Phyllopteryx), Gatt. meeresbewohnender Seenadeln mit zwei Arten in Australien. Die Art **Großer Fetzenfisch** (Phyllopteryx eques) ist bis 22 cm lang, meist rotbraun, mit verzweigten, lappigen Anhängen.

Feuchtböden, Böden des humiden Klimabereichs, bei denen die im Boden vorhandenen Mineralsalze durch Sickerwässer ausgewaschen werden, so daß oft Bleicherden entstehen.

feuchter Brand ↑ Brand.

Feuchtersleben, Ernst Freiherr von, * Wien 29. April 1806, † ebd. 3. Sept. 1849, östr. Schriftsteller. – Ab 1844 Dozent für Psychiatrie; verfaßte populärphilosoph. Schriften.

Feuchtgebiete, unter Natur- bzw. Landschaftsschutz stehende Landschaftsteile, deren pflanzl. und tier. Lebensgemeinschaften an das Vorhandensein von Wasser gebunden sind; z. B. natürl. Gewässer, Moore, Feuchtwiesen, Küsten, Wattflächen. Großflächige F. in Deutschland sind u. a.

Dümmer, Steinhuder Meer, Ammersee, Spreewald.

Feuchtigkeit (Feuchte), Gehalt an Wasserdampf in einem Gas, z. B. in Luft (↑ Luftfeuchtigkeit). *Absolute F.:* Wasserdampf (in Gramm) in 1 m³ Gas. *Relative F.:* Prozentsatz des bei der herrschenden Temperatur maximal mögl. Wasserdampfgehalts (100 % entspricht Sättigung).

Feuchtmayer (Feichtmair), Künstlerfamilie aus Wessobrunn (Oberbayern), deren Mgl. im 17. und 18. Jh. in Süddeutschland, Tirol und der Schweiz arbeiteten.

F., Johann Michael, * Haid bei Wessobrunn, ≈ 5. Aug. 1709 oder 25. Sept. 1710, † Augsburg 4. Juni 1772. – Rokokostukkaturen, u. a. für die ehem. Abteikirchen Amorbach (1744–47) und Zwiefalten (1747–58), die Wallfahrtskirche Vierzehnheiligen (1760er Jahre) und die Klosterkirche in Ottobeuren (um 1760 ff.).

F., Joseph Anton, * Linz 1696, † Mimmenhausen bei Überlingen 2. Jan. 1770, Schnitzer und Stukkator. – Schüler von D. F. Carlone. Bewegter Rokokostil. Sein Meisterwerk ist die Gesamtausstattung der Wallfahrtskirche Birnau (1748 ff.); letztes Werk sind Chorgestühl und Beichtstühle der Stiftskirche in Sankt Gallen (v. a. 1762/63 und 1768/69).

Feuchtsavanne, Vegetationstyp der Savannen in Gebieten mit nahezu einfacher Regenzeit. Der geschlossene Graswuchs erreicht 2–4 m Höhe, die Bäume werden bis 10 m hoch. V. a. in Afrika südlich und nördlich des trop. Regenwaldes anzutreffen.

Feuchtwald, Bez. für einen Wald, der eine Zwischenstellung zw. dem trop. Regenwald und dem Trockenwald einnimmt.

Feuchtwangen, Stadt in Bayern, 23 km sw. von Ansbach, 449 m ü. d. M., 10 600 E. Kunststoffherstellung und -verarbeitung, Textil- und Papierindustrie. – Das wahrscheinl. im 8. Jh. gegr. Benediktinerkloster F. wird 817 erstmals erwähnt, wurde zur Reichsabtei und erscheint seit 1197 nur noch als ein Kollegiatstift (1563 aufgelöst). Der um 1000 entstandene Ort F. wurde 1285 Reichsstadt, kam aber 1376 mit dem Stift durch Verpfändung an die Burggrafen von Nürnberg. – Got. ehem. Stiftskirche mit spätroman. Kreuzgang (13.Jh., nur z.T. erhalten), spätgot. Johanniskirche; Marktplatz mit Fachwerkhäusern und Röhrenbrunnen (1727).

Feuchtwanger, Lion, Pseud. J.L. Wetcheek, * München 7. Juli 1884, † Los Angeles 21. Dez. 1958, dt. Schriftsteller. – Nahm 1918/19 an der Revolution teil; 1933 Ausbürgerung, lebte 1933–40 in S-Frankreich, 1940 interniert, im gleichen Jahr Flucht über Spanien und Portugal in die USA. – Schuf ein umfangreiches Prosawerk, bevorzugte den histor. Roman, in dem er Geschichte in bezug auf die zeitgenöss. polit. Verhältnisse darstellt.

Werke: Jud Süß (R., 1925), Erfolg (1930), Die Brüder Lautensack (R., 1944), Goya (R., 1951), Josephus-Trilogie (drei Romane, 1932, 1935, 1945), Jefta und seine Tochter (R., 1957), Die Jüdin von Toledo (1955).

feudal [althochdt.-mittellat.], den Feudalismus, das Lehnswesen betreffend.
◆ vornehm, herrschaftl.; prunkvoll, reich ausgestattet.

Feudalismus [mittellat.], im 17.Jh. in Frankreich entstandener Begriff (frz. féodalité), der zunächst den Gesamtkomplex lehnsrechtl. Normen bezeichnete, Ende des 18.Jh. krit. als die dem Staat des Ancien régime ent-

sprechende Gesellschaft aufgefaßt wurde, die durch adligen Grundbesitz und damit verbundene Herrschaftsrechte und Standesprivilegien gekennzeichnet war. Im 19.Jh. wurde F. – als Gegenbegriff zu Kapitalismus – zum Typenbegriff erweitert und so auch auf außereurop. Gebiete (Asien, Altamerika) anwendbar. In ähnl. Weise wird im Marxismus-Leninismus F. als histor. notwendige sozioökonom. Formation zw. Sklavenhaltergesellschaft und Kapitalismus gesetzt. Die nichtmarxist. Sozialgeschichte schränkt F. auf die durch das Lehnswesen strukturierten Gemeinwesen im fränkisch-abendländ. Raum ein (10.–13.Jh.). Grundlage des F. war die Ausstattung des Adels als herrschender Schicht mit nichterbl., dem Herrscher zu Dienst und Treue verpflichtendem Landbesitz (neben präfeudalem Allodialbesitz) und Ämtern und damit verbundenen polit., militär. und gerichtshoheitl. Vorrechten.

📖 *Kaschuba, W.: Volkskultur zw. feudaler u. bürgerl. Gesellschaft. Ffm. 1988. – Anderson, P.: Von der Antike zum F. Dt. Übers. Ffm. 1978. – Sweezy, P., u.a.: Der Übergang vom F. zum Kapitalismus. Dt. Übers. Ffm. 1978. – F. Hg. v. L. Kuchenbuch. Bln. 1977.*

Feudel, niederdt. für Scheuerlappen.

Feudum [althochdt.-mittellat.], Bez. für Lehngut (↑ Lehnswesen).

Feuer, Verbrennung (Brennstoffoxidation) mit Flammen- und/oder Glutbildung. Das F. kam erst spät in der stammesgeschichtl. Entwicklung des Menschen (Pekingmensch) in Gebrauch. Die kontrollierte Verwendung und Erzeugung des F. (urspr. aus Bränden als Folge von Blitzeinschlägen) bil-

Festung. Deal Castle (bei Deal, Grafschaft Kent, SO-England) mit zwei Bastionenkränzen, die die Form der Tudorrose bilden; 1539/40

dete einen der entscheidendsten Schritte der kulturellen Entwicklung des Menschen. In der *antiken Wiss.* wurde das F. als materiell gedacht; Empedokles, Aristoteles u. a. zählten es zu den vier Elementen. – Im *religiösen Verständnis* wird F. vielfach als eine göttl. Macht angesehen, die, wie in der griech. Sage von Prometheus, nur durch Raub zu den Menschen gelangen kann. Das F. besitzt ambivalenten Charakter: es ist eine zerstörende, aber auch eine reinigende Größe. Beide Aspekte treten in Vorstellungen zutage, die einen Weltbrand am Ende der Zeiten erwarten. Der *Kult des F.* als wärmender und erhaltender Kraft wird mit dem häusl. Herd-F. wie mit dem Stammes- und Staats-F. gepflegt.

♦ *militär.:* Hauptelement des bewaffneten Kampfes neben der Bewegung; die Einwirkung durch konventionelle Waffen, Kernwaffen oder chem. Kampfstoffe auf den Gegner, um dessen Material und Personal zu bekämpfen, zu stören oder zu vernichten.

♦ das Farbenspiel bei manchen Kristallen (insbes. bei Schmucksteinen).

Feuerameisen, zwei Arten 3–4 mm langer ↑ Knotenameisen aus der Gatt. **Solenopsis** (Solenopsis geminata, Solenopsis saevissima), hauptsächlich in S-Amerika; ihr Stich ist für den Menschen brennend und sehr schmerzhaft.

Feuerbach, Anselm, * Speyer 12. Sept. 1829, † Venedig 4. Jan. 1880, dt. Maler. – Enkel von Paul Johann Anselm Ritter von F.; orientierte sich an einem idealisierten Bild der Antike. Seine bedeutendsten Werke entstanden in Rom, 1863 die „Pieta" (München, Schack-Galerie), 1862 und 1871 die Iphigenienbilder (Darmstadt, Hess. Landesmuseum; Stuttgart, Staatsgalerie), 1869 und 1873 „Das Gastmahl des Plato" in zwei Fassungen (Karlsruhe, Kunsthalle; Berlin, Museumsinsel). – *Weitere Arbeiten:* Fassungen der „Medea", Nana-Porträts, Selbstbildnisse, Porträt seiner Stiefmutter Henriette F. (1878). – Abb. S. 62.

F., Ludwig, * Landshut 28. Juli 1804, † auf dem Rechenberg bei Nürnberg 13. Sept. 1872, dt. Philosoph. – Sohn von Paul Johann Anselm Ritter von F.; 1828 Privatdozent in Erlangen; seine Theologie- und Religionskritik verhinderte eine akadem. Laufbahn; lebte seit 1836 als Privatgelehrter auf Schloß Bruckberg bei Ansbach, seit 1860 auf dem Rechenberg in ärmsten Verhältnissen. Der Beginn seiner Theologie- und Religionskritik steht in engem Zusammenhang mit der Kritik an Hegels Philosophie, insbes. an dessen Konzeption vom „absoluten Geist", in der F. eine verkappte Form tradierter Theologie erkennt. Das sinnl. Einzelwesen sei die wahre Wirklichkeit; die Wahrheit werde nicht durch Denken erkannt, sondern durch sinnl. Erfah-

rung, Anschauung und v. a. durch Liebe. F. will Religion und Theologie nicht negieren, sondern in Anthropologie auflösen, um die Zerrissenheit des Menschen in seinem Verhalten zur Welt und seinen Wünschen zu überwinden. F. Anthropologie wirkte auf K. Marx und F. Engels, den dt. Realismus, M. Buber und K. Löwith. – *Werke:* Das Wesen des Christentums (1841), Grundsätze der Philosophie der Zukunft (1843), Das Wesen der Religion (1845).

📖 *Thies, E.: L. F. Hdbg. 1990. – Winiger, J.: F. Weg zum Humanismus. Mchn. 1979. – Braun, H.-J.: Die Religionsphilosophie L. F. Stg. 1972.*

F., Paul Johann Anselm Ritter von (seit 1808), * Hainichen bei Jena 14. Nov. 1775, † Frankfurt am Main 29. Mai 1833, dt. Jurist. – Großvater von Anselm F. und Vater von Ludwig F.; Prof. in Jena (1801), Kiel (1802) und Landshut (1804); trat 1805 in das bayer. Justizdepartement in München ein; seit 1817 Präs. des Appellationsgerichts Ansbach. Unter dem Einfluß der Philosophie I. Kants begründete er die Straftheorie des psycholog. Zwanges: Nicht erst die Strafvollstreckung, sondern bereits die Strafdrohung des Gesetzes soll die Bürger von der Begehung von Verbrechen abschrecken (Präventionswirkung). Daraus folgt, daß die Gesetze allg. bekannt, die Tatbestände klar sein und die Unrechtsfolgen von vornherein feststehen müssen, also nicht im Ermessen des Richters stehen dürfen: „Nulla poena sine lege" (Keine Strafe ohne Gesetz). F. formulierte damit einen der wichtigsten rechtsstaatl. Grundsätze (in: „Lehrbuch des gemeinen in Deutschland gültigen Rechts", 1801). Das bayr. Strafgesetzbuch von 1813 wurde von ihm verfaßt. – *Weitere Werke:* Kritik des natürl. Rechts ... (1796), Actenmäßige Darstellung neuer merkwürdige Criminal-Rechtsfälle (1827), Kaspar Hauser. Beispiel eines Verbrechens am Seelenleben des Menschen (1832).

Feuerbeschau ↑ Brandschau.

Feuerbestattung ↑ Bestattung.

Feuerbeton, aus feuerfesten Zuschlagstoffen (Schamotte u. a.) hergestellter Beton zum Bau von Öfen für hohe Temperaturen.

Feuerbock (Feuerhund, Feuerroß), Gestell, das vor einem Kamin zum Auflegen v. a. von Holz und Feuerzangen dient, bereits aus dem Neolithikum bekannt, aber in M-Europa erst in der Urnenfelder- und Hallstattzeit geläufig; ben. nach den oft als plast. Tierköpfe gestalteten Enden.

Feuerbohne (Türkenbohne, Prunkbohne, Phaseolus coccineus), wohl aus M-Amerika stammende Bohnenart; mit windenden Sprossen, scharlachroten oder weißen Blüten in Trauben und langen Fruchthülsen.

Feuerdorn (Pyracantha), Gatt. der Rosengewächse mit etwa 8 Arten in Eurasien.

Ein beliebter Zierstrauch aus S-Europa ist die Art **Pyracantha coccinea**, ein 1 bis 2 m hoher Strauch, der im Herbst und Winter leuchtend hell- bis scharlachrote Früchte trägt.

Feuerfalter, Gattungsgruppe der ↑ Bläulinge mit 7 Arten, v. a. aus den Gatt. Heodes und Lycaena in Europa, Assien und N-Afrika.

feuerfeste Stoffe, Materialien aus schwer schmelzbaren Oxiden, Carbiden, Siliciden, Boriden oder Nitriden, sind bis 1 500 °C beständig; v. a. zur Auskleidung von [Industrie]öfen (z. B. Schamottesteine).

Feuerflunder, volkstüml. Bez. für den Gewöhnl. Stechrochen (↑ Rochen).

Feuerfuchs, svw. Kamtschatkafuchs (↑ Füchse).

feuerhemmend, Eigenschaft von Stoffen, die bei Normbrandversuchen von 30 min Dauer nicht entflammen und Feuerdurchgang verhindern.

Feuerhund, svw. ↑ Feuerbock.

Feuerkäfer (Pyrochroidae), etwa 150 Arten umfassende Fam. 1–2 cm großer, schwarzer Käfer mit meist blut- bis orangeroten Flügeldecken.

Feuerkraut (Chamaenerion), Gatt. der Nachtkerzengewächse mit 4 Arten, z. B. das **Schmalblättrige Feuerkraut** (Chamaenerion angustifolium), eine bis über 1,2 m hohe Staude auf Kahlschlägen und Lichtungen in Wäldern, mit purpurfarbenen Blütentrauben.

Feuerkreuzler, Bez. für die Mgl. des ↑ Croix de feu.

Feuerland, 47 000 km² große, stark vergletscherte Insel vor dem S-Ende des südamerikan. Kontinents, von diesem durch die Magalhäesstraße getrennt; bildet mit zahlr. kleineren Inseln den **Feuerlandarchipel** (73 746 km²). Der argentin. Anteil ist im Nationalterritorium Tierra del Fuego zusammengefaßt, der chilen. gehört zur Region Magallanes. – Im N Fortsetzung des ostpatagon. Tafellandes, im W und S erstreckt sich die stark vergletschte Hauptkordillere (im Cerro Yogan 2 469 m ü. d. M.). Das Klima ist ozean., kühl-gemäßigt, reich an Niederschlägen. Wirtsch. bed. ist v. a. Schafzucht sowie Erdöl- und Erdgasförderung. – 1520 erstmals von Magalhães gesichtet und nach den immer brennenden Feuern der indian. Bev. (Alakaluf, Ona, Yahgan) benannt. Um Territorien am Beaglekanal kam es 1978/79 zu größeren Differenzen. Argentinien und Chile (da im Festlandsockel um Kap Hoorn Erdöl vermutet wird). Unter vatikan. Vermittlung (seit 1979) schlossen beide Staaten ein Grenzabkommen (seit dem 2. Mai 1985 in Kraft), nach dem Chile die Souveränität über die drei Inseln Lennox, Picton und La Nueva, nicht aber über die zugehörigen Territorialgewässer, erhielt.

Feuerleiter, außen an einem Haus fest montierte eiserne Leiter als Fluchtweg oder „Angriffsweg" für die Feuerwehr.

Feuerlilie ↑ Lilie.

Feuerlöschanlagen, ortsfeste Einrichtungen zur Feuerbekämpfung. Man unterscheidet Wasserlöschanlagen (Wandhydranten, Regenwand-, Sprinkleranlagen u. a.) und Sonderlöschanlagen (Schaum-, Kohlendioxid- und Pulverlöschanlagen). – ↑ Alarmanlagen.

Feuerlöschboot, Boot mit Wasserwerfern, Schaumrohren u. a. zur Bekämpfung von Bränden im Hafengebiet und auf Schiffen.

Feuerlöscher (Handfeuerlöscher), tragbares Feuerlöschgerät, das seinen Inhalt durch gespeicherten und beim Einsatz freigesetzten oder auch erst erzeugten [Gas]druck selbsttätig ausstößt. Die Art des verwendeten Löschmittels richtet sich nach der wahrscheinlichsten ↑ Brandklasse, zu deren Bekämpfung der F. herangezogen wird.

Feuerlöschgeräte ↑ Feuerwehr.

Feuerlöschmittel, Sammelbez. für alle festen, flüssigen oder gasförmigen Stoffe, die zum Löschen von Bränden geeignet sind. Sie werden nach ↑ Brandklassen eingesetzt. Das wichtigste F. ist **Wasser** (Kühleffekt). Es ist v. a. für die Brandklasse A geeignet. Durch Zusatz von **Schaummitteln** wird die weitere Sauerstoffzufuhr zum Brandobjekt wirksamer und schneller verhindert. Für die Brandklassen B, C, E, z. T. auch für A und D, werden **Pulverlöschmittel** (Trockenlöschmittel) verwendet. Sie enthalten v. a. Kaliumsulfat, Natriumhydrogencarbonat oder Ammoniumphosphate. Sie werden mit einer Treibgasanlage als Pulverstrahl gezielt auf den Brandherd geblasen und löschen durch den Stickeffekt. Ebenfalls für die Brandklassen B, C, E wurden bis 1994 (seitdem untersagt) **Halogenkohlenwasserstoffe** (z. B. Tetrachlorkohlenstoff) benutzt. Die sich bei der Verdampfung bildenden unbrennbaren Dämpfe verhindern die weitere Luftzufuhr. – **Kohlendioxid** wird, da es rückstandslos verdampft, v. a. zur Bekämpfung von Bränden in elektr. u. a. Anlagen verwendet. Es ist in Gasform etwa 1½ mal schwerer als Luft, verdrängt diese und kann so den Verbrennungsprozeß beenden, sobald etwa ¼ der Luft verdrängt ist.

Feuermal ↑ Hämangiom.

Feuermelder (Feuermeldeanlagen) ↑ Alarmanlagen.

Feuermohn, svw. Klatschmohn (↑ Mohn).

Feuerprobe (Feuerordal) ↑ Gottesurteil.

Feuerroß, svw. ↑ Feuerbock.

Feuersalamander (Salamandra salamandra), bis 20 cm lange, zieml. plumpe Salamanderart mit zahlr., in Färbung und Le-

Anselm Feuerbach. Medea; 1870
(München, Neue Pinakothek)

bensweise z. T. stark voneinander abweichenden Unterarten, v. a. in feuchten Wäldern Europas (mit Ausnahme des N), des westl. N-Afrikas und des westl. Kleinasiens; Oberseite glänzend schwarz mit sehr variabler, zitronen- bis orangegelber, unregelmäßiger oder in Längsreihen angeordneter Fleckenzeichnung; steht in der BR Deutschland unter Naturschutz.

Feuerschiff, mit Leucht- und Funkfeuer, Nebelsignalanlagen u. a. naut. Einrichtungen ausgerüstetes Schiff, das an Seewasserstraßen in Küstennähe ankert und der Schifffahrt zur Standortbestimmung dient; heute weitgehend durch Leuchttürme oder Baken ersetzt.

Feuerschutz, Vorkehrungen zum Schutz von Gebäuden oder Bauteilen gegen Feuer: Stahl wird mit Mörtel, Beton oder gebrannten Steinen verkleidet, Holz mit Putz versehen oder mit Flammschutzmittel imprägniert. – *Recht:* Beinhaltet die Gesamtheit aller staatl. Maßnahmen zur Verhütung von Gefahren für Leben, Gesundheit, Eigentum oder Besitz durch Brand; geregelt durch Landesrecht, durch bau- und gewerberechtl. Vorschriften.

Feuerschwamm (Phellinus igniarius), zur Fam. der Porlinge gehörender Ständerpilz mit hartem, holzigem, huf- bis konsolenförmigem Fruchtkörper; gefährl. Parasit an Pappeln und Weiden, Erreger der ↑ Weißfäule.

Feuerstein (Flint), Abart des Jaspis: in der Steinzeit v. a. zur Herstellung von Steinwerkzeugen und Steinwaffen sowie zum Feuerschlagen verwendet.

Feuerstellung, nach takt. Gesichtspunkten für einzelne Geschütze, Geschützstaffeln oder Teile davon ausgewählter und vermessener Geländeraum, aus dem heraus der Feuerkampf geführt wird.

Feuertaufe, verharmlosende Bez. für die erste Teilnahme des Soldaten an einem Gefecht.

Feuerton, keram. Werkstoff zur Herstellung sanitärer Erzeugnisse.

Feuerüberfall, schlagartig beginnender, den Feind überraschender Beschuß aus Gewehren, Geschützen u. a.

Feuerung (Feuerungsanlage), Verbrennungsanlage für feste, flüssige oder gasförmige Brennstoffe zur Energiegewinnung.

Feuervergoldung, [histor.] Verfahren zur Veredelung von Metallgegenständen (↑ Amalgame).

Feuerversicherung, Schadenversicherung, die der Vorsorge des Versicherungsnehmers gegen Brand-, Explosions- und Blitzschlagschäden, aber auch der Sicherung des Realkredits (bes. der Absicherung von Hypotheken) dient. Der Umfang der F. ergibt sich aus den Allg. F.bedingungen (AFB) und dem Gesetz über den Versicherungsvertrag (VVG). Brand im Sinne des Gesetzes ist ein Feuer, das ohne einen bestimmungsmäßigen Herd entstanden ist und sich aus eigener Kraft auszubreiten vermag (Schadenfeuer). Der Versicherer hat Ersatz für den Schaden zu leisten, der durch Zerstörung oder Beschädigung der versicherten Gegenstände verursacht wurde, aber nur, wenn der Schaden eine unvermeidl. Folge eines der genannten Ereignisse ist. Der Versicherer hat außerdem Ersatz für den durch Löschen, Niederreißen, Ausräumen oder durch das Abhandenkommen versicherter Sachen entstandenen Schaden zu leisten. Die Entschädigungssumme wird im allg. nach dem Zeitwert (= Neuwert abzüglich Abnutzung) berechnet. Die Höhe der Versicherungsprämie hängt von der Schadenswahrscheinlichkeit und dem Wert des Versicherungsgegenstandes ab. Sonderformen der F.: Waldbrandversicherung, Rohbauversicherung, Versicherung von Gebäuden gegen Schäden durch Hausbockkäfer und Hausschwamm. – In Deutschland entwickelten sich speziell in Schl.-H. seit dem 16. Jh. als Einrichtungen zur Deckung der Feuergefahr die **Brandgilden,** welche nach dem Gegenseitigkeitsprinzip auf genossenschaftlicher Basis organisiert waren. In einzelnen Bundesländern der BR Deutschland kann eine F. für Gebäude nur bei öffentlichrechtl. Pflicht- und Monopolanstalten abgeschlossen werden.

Feuerwaffen, Sammelbez. für alle Waffen, die die chem. Energie des Schießpulvers und andere Treibmittel zum Verschießen von Geschossen ausnutzen.

Feuerwalzen (Pyrosomatida), mit 10 Arten weltweit verbreitete Ordnung der ↑ Salpen; die farblosen F. (in Kolonien) enthalten Leuchtbakterien, die ein intensives, meist gelbl. bis blaugrünes Leuchten („Meeresleuchten") erzeugen können.

Feuerwanzen (Pyrrhocoridae), etwa 400 Arten umfassende, weltweit verbreitete Fam. der ↑ Wanzen; in Deutschland am häufigsten die schwarzrote, 9–11 mm große **Flügellose Feuerwanze** (Pyrrhocoris apterus).

Feuerwehr, Einrichtung zur Abwehr von Gefahren durch Schadenfeuer und zur Hilfeleistung bei anderen öffentl. Notständen bzw. bei Unfällen. Die F. gliedern sich in Berufs-, freiwillige, Pflicht-, Werks- und Betriebs-F., von denen die drei ersten Einrichtungen der Gemeinden sind. Gemeinden über 1 000 000 E müssen, Gemeinden unter 100 000 E und Landkreise können **Berufsfeuerwehren** aufstellen. Die Angehörigen der Berufs-F. sind Beamte im staatsrechtl. Sinne oder Angestellte. Gemeinden ohne Berufs-F. müssen eine **freiwillige Feuerwehr** aufstellen. Die Mitgliedschaft in ihr ist freiwillig, der Dienst ehrenamtlich. Eine **Pflichtfeuerwehr** ist aufzustellen, wenn in einer Gemeinde eine freiwillige F. nicht zustande kommt oder nicht die erforderl. Mindeststärke erreicht. Zum Dienst in der Pflicht-F. sind die männl.

Gemeindeeinwohner im Alter von 18 bis 60 Jahren verpflichtet. Größere Betriebe können oder müssen zur Sicherstellung ihres Feuerschutzes haupt- oder nebenberufl. **Werksfeuerwehren** aufstellen (von staatl. Seite nicht geforderte private F. werden als **Betriebsfeuerwehren** bezeichnet).

In *Österreich* ist das F.recht landesgesetzl. geregelt. Die einzelnen Landesgesetze unterscheiden dabei zw. öffentl. und freiwilligen F.; die Organisation der F. obliegt meist der Gemeinde. In der *Schweiz* bestehen dem dt. Recht weitgehend entsprechende Regelungen.

Geschichte: Im antiken Rom gab es auf kaiserl. Anordnung seit Augustus eine Nacht- und Feuerpolizei („cohortes vigilum"). Die frühesten ma. F.ordnungen sind aus Meran (1086) und London (1189) erhalten. – Erste Berufs-F. wurden in Wien (1689), London (1698) und Paris (1701) aufgestellt.

Feuerwehrausrüstung: Die dem Schutz des F.mannes dienende p e r s ö n l. Ausrüstung besteht aus einheitl. Schutzkleidung, Helm mit Nackenschutz, F.gurt und Beil, Fangleine, Atemschutzgerät mit Filtereinsatz und Signalpfeife. Die t e c h n. A u s r ü s t u n g besteht aus den Angriffs- oder Löschgeräten, das sind [Groß]geräte für die Brandbekämpfung (Feuerlöschgeräte, Kübelspritze), den Rettungsgeräten (tragbare Leitern, Fangleinen, Sprungtuch oder -kissen) und Geräten zur Ersten Hilfe (Wiederbelebungsgeräte, Sanitätskästen, Krankentragen), den Geräten für techn. Hilfeleistungen (Hebezeuge, Winden u. a.) und Hilfsgeräten (Beleuchtungsgeräte, Werkzeuge). Außerdem gehören dazu die verschiedenen F.fahrzeuge und techn. Einsatzmitteln: 1. Löschfahrzeuge, darunter v. a. das Löschgruppenfahrzeug mit Kreiselpumpe (Wasserförderung 1 600 bis 2 400 l/min.); außerdem Tragkraftspritzen (200 bis 800 l/min), Tanklöschfahrzeuge und Trockenlöschfahrzeuge mit Pulverwerfern; 2. fahrba-

Feuerwehr.
Tanklöschfahrzeug

re Drehleitern, die mit Seilzügen oder hydraulisch aufgerichtet werden (maximal 60 m); 3. zahlr. Spezialfahrzeuge für bes. Schadensfälle und Unfälle (z. B. ausgelaufene Mineralöle), Unfallrettungswagen, Seuchenwagen, Strahlenschutzfahrzeuge, Kommandowagen. Die von Berufs-, Werks-, Flughafen- u. a. F. verwendeten Löschfahrzeuge sind in steigendem Maße Großlöschfahrzeuge zum kombinierten Einsatz von Löschpulvern und Luftschaum (bis 12 t Pulver, 20 000 l Wasser und Schaumextrakt). In Häfen kommen die Feuerlöschboote zum Einsatz. *Löschzüge* der Berufs-F. bestehen heute meist aus einem Löschgruppenfahrzeug (Wassertank 1 600 l; Besatzung: 9 Mann), einem Tanklöschfahrzeug (Wassertank 2 400 l; besetzt mit 6 Mann) sowie einer Drehleiter. Wichtiger Bestandteil der F.ausrüstung sind *F.schläuche* und wasserführende Armaturen. Bei den F.schläuchen unterscheidet man *Saugschläuche* (zur Wasserentnahme aus offenen Gewässern) und *Druckschläuche* zur Beförderung des Wassers zur Brandstelle; normierte Durchmesser 110, 75, 52 (bzw. 42) und 25 mm (A-, B-, C-, D-Schlauch). ⊞ *Begriffe, Kurzzeichen u. graph. Symbole des dt. F.wesens. Hg. v. K. W. Seidel u. a. Stg. ²1989. – Hornung, W.: F.gesch. Stg. ²1985. – Schütz, J.: F.fahrzeuge. Stg. ⁹1984/85. 2 Tle.*

Feuerwerk, das Abbrennen von ↑ Feuerwerkskörpern bei bes. festl. Veranstaltungen. – In Europa entwickelte sich die Sitte bei höf. Spielen im späten MA. Die Briten lernten 1757 in Ostindien die weißen und bunten F. kennen, die zu Signalzwecken abgebrannt wurden (sog. bengal. Feuer).

Feuerwerkskörper, pyrotechn. Körper; Grundbestandteil aller F. ist meist Schwarzpulver mit Zusätzen für Leucht-, Knall- und Raucheffekte; intensive, karminrote Färbung durch Strontiumsalze, Grünfärbung durch Bariumsalze, Gelbfärbung durch Natriumsalze.

Feuerwerkstechnik, svw. ↑ Pyrotechnik.

Feuerzangenbowle, alkohol. Heißgetränk, das mit dem Abbrennen (Abschmelzen) eines mit Alkohol (Rum, Arrak) getränkten Zuckerhutes bereitet wird, der sich auf einer Feuerzange über dem Bowlengefäß befindet.

Feuerzeug, Vorrichtung zur Erzeugung einer Flamme, v. a. in Form des handl. *Taschen-F.* Das heute übl. *Gas-F.* enthält einen Tank mit Flüssiggas (Butan- oder Propangas), aus dem Gas durch eine feine, regulierbare Düse ausströmen kann. Der Zündfunke entsteht durch Reiben eines geriffelten Stahlrädchens an einem Zündstein oder auf elektr. Weg unter Ausnutzung des piezoelektr. Effekts.

Feuillade, Louis [frz. fœ'jad], * Lunel (Hérault) 19. Febr. 1873, † Paris 26. Febr. 1925, frz. Regisseur. – F., der zu den Filmpionieren zählt, drehte mehr als 800 Filme; Serienfilme „La vie telle qu'elle est" (kurze, realist. Szenen aus dem Kleinbürgermilieu, 1911–13), „Fantomas" (5 Episoden, 1913/14) und „Les vampires" (12 Episoden, 1915).

Feuillants [frz. fœ'jã], nach dem Versammlungsort im Kloster der **Feuillanten** (reformierte Zisterzienser) in Paris ben. revolutionärer frz. Klub; 1791 durch die Mehrheit der Jakobiner gegr.; Sammelpunkt des liberalen früheren Adels und des Großbürgertums; wollten die Frz. Revolution mit der Verfassung von 1791 beenden.

Feuilleton [fœj(ə)'tõ:; frz., eigtl. „Beiblättchen" (einer Zeitung), zu feuille (vulgärlat. folia) „Blatt"], kultureller Teil einer Zeitung; enthält Kritiken über kulturelle Ereignisse (Theater, Filme, Konzerte, Ausstellungen, Bücher usw.), Betrachtungen, Kurzgeschichten, Auszüge aus literar. Werken, Gedichte und häufig einen Fortsetzungsroman. ◆ kleine literar. Form; der einzelne kulturelle u. a. Fragen behandelnde, anregend geschriebene Beitrag des F.teils der Zeitung.

feuilletonistisch [fœj(ə)...; frz.], das ↑ Feuilleton betreffend; im Stil eines Feuilletons, im Plauderton geschrieben (auch im Sinne von: oberflächlich).

Feulgen, Robert, * Werden (= Essen) 2. Sept. 1884, † Gießen 24. Okt. 1955, dt. Chemiker und Physiologe. – Prof. für physiolog. Chemie in Gießen; arbeitete v. a. über die Chemie und Physiologie der Zelle; entwickelte ein Verfahren zum Nachweis von Zellkernen in Gewebsschnitten **(Feulgen-Färbung).**

Feure, Georges de [frz. fœ:r], * Paris 6. Sept. 1868, † ebd. 1928, frz. Kunstgewerbler und Illustrator. – Das sehr umfangreiche kunstgewerbl. Schaffen von F.s (u. a. Möbel, Schmuck, Illustrationen, Plakate) zeigt einen reinen, ornamentalen Jugendstil.

Fey, Emil, * Wien 23. März 1886, † ebd. 16. März 1938 (Selbstmord), östr. Politiker. – Bed. Heimwehroffizier; 1933 Sicherheitsmin., 1933/34 Vizekanzler, danach wieder Sicherheitsmin., an der Niederwerfung der Februarunruhen (1934) beteiligt; 1934/35 Innenmin.; ungeklärt ist seine Rolle beim Juliputsch gegen Dollfuß (1934).

Feydeau, Georges [frz. fɛ'do], * Paris 8. Dez. 1862, † Rueil (= Rueil-Malmaison, Hauts-de-Seine) 5. Juni 1921, frz. Schriftsteller. – Brillanter Vertreter des Boulevardstükkes („comédie légère"), u. a. „Le tailleur pour dames" (1887), „La dame de chez Maxim" (1899), „On purge bébé" (1910).

Feyder, Jacques [frz. fɛ'dɛ:r], eigtl. J. Frédérix, * Ixelles (Brabant) 21. Juli 1888,

† Rives-de-Prangins (Schweiz) 25. Mai 1948, belg. Filmregisseur. – Hauptvertreter der „realist. frz. Schule". Drehte in Berlin „Thérèse Raquin" (1928), in Hollywood „Der Kuß" (1929), in Frankreich „Das große Spiel" (1934), „Spiel in Monte Carlo" (1935).

Feyerabend, Paul Karl, * Wien 13. Jan. 1924, † Genf 11. Febr. 1994, östr. Philosoph. – 1958–79 Prof. in Berkeley (Calif.), seitdem in Zürich; für F. ist wiss. Denken nur ein Weg unter vielen anderen zur Erkenntnis. Dem Rationalismus seines einstigen Lehrers K. R. Popper setzt er einen Methodenpluralismus entgegen, wonach alle mögl. Denkmuster zugelassen und miteinander konfrontiert werden müssen. Verfaßte u. a. „Wissenschaft als Kunst" (1984), „Wider den Methodenzwang" (revidierte Fassung 1985).

F., Sig[is]mund (Feierabendt), * Heidelberg 1528, † Frankfurt am Main 22. April 1590, dt. Verleger. – Seit 1559 in Frankfurt am Main; einer der bedeutendsten Verleger des 16. Jh. V. Solis, J. Amman u. a. Künstler arbeiteten für seine hervorragenden Holzschnittwerke.

Sigmund Feyerabend. Signet seines Verlages mit der Figur der Fama

Feynman, Richard Phillips [engl. 'fɛɪnmən], * New York 11. Mai 1918, † Los Angeles 15. Febr. 1988, amerikan. Physiker. – Leistete grundlegende Beiträge zur Quantenelektrodynamik; weitere Arbeiten zur Theorie der Suprafluidität und des flüssigen Heliums II sowie des Betazerfalls; Nobelpreis für Physik 1965 (gemeinsam mit Tomonaga Shin'ichirō und J. Schwinger).

Fez [frz. fɛːz] † Fès.

Fez [vermutl. zu lat.-frz. fête „Fest"], svw. lustiger Streich, Unfug.

ff, Abk. für: fortissimo († forte).

◆ Handelsbez. für „beste Qualität", svw. „sehr fein", „hochfein".

ff., Abk. für: folgende, z. B. Buchseiten (beim Buch).

fff, Abk. für: forte fortissimo († forte).

FFFF, Zeichen für den Wahlspruch der Dt. Turnerschaft (1860–1934) und des Dt. Turner-Bundes (seit 1950): Frisch – Fromm – Fröhlich – Frei.

FGG, Abk. für: Gesetz über die Angelegenheiten der freiwilligen Gerichtsbarkeit.

FI, Abk. für: † Färbeindex.

FIAF [frz. ɛfiɑ'ɛf, fjaf], Abk. für: Fédération Internationale des Archives du Film; internat. Vereinigung der Filmarchive; Sitz Paris, 1939 gegründet.

Fiaker [frz.], bes. in Österreich Bez. für eine [zweispännige] Pferdedroschke, auch für ihren Kutscher.

Fiale [griech.-italien.], Ziertürmchen der got. Baukunst mit meist 4 Giebeln und einem mit einer Kreuzblume abgeschlossenen Helm (Riese).

Fialho de Almeida, José Valentim [portugies. 'fiaʎu ðə al'mɐiðɐ], * Vila-de-Frades (Alentejo) 7. Mai 1857, † Cuba bei Vila-de-Frades 4. März 1911, portugies. Schriftsteller. – Schrieb v. a. sozialkrit. Erzählungen; seine satir. Pamphlete trugen maßgeblich zum Sturz der portugies. Monarchie bei.

Fianarantsoa [madagass. fianaran'tsuə], Prov.hauptstadt im Z-Hochland von Madagaskar, 1 200 m ü. d. M., 111 000 E. Kath. Erzbischofssitz; Textil-, Nahrungsmittelind.; Bahnlinie zum Hafen Manakara; ✈.

Fianna Fáil [engl. 'fiənə 'fɔɪl; ir. „Schicksalskämpfer"], ir. polit. Partei; seit 1926 Name der Partei E. de Valeras, die sich 1922 im Kampf gegen den britisch-ir. Vertrag von der republikan. Mehrheit der † Sinn Féin bildete; bis 1932 größte Oppositionspartei; stellte seitdem meist den Premiermin.; Parteiführer ist seit 1992 A. Reynolds.

Fiasko [italien.], Reinfall, Mißerfolg, Zusammenbruch.

Fiat SpA [italien. 'fi:at ɛssepi'a], italien. Konzern der Metall-, insbes. der Automobilind., Sitz Turin, gegr. 1899 als F. I. A. T. (Abk. für: Fabbrica Italiana Automobili Torino). Produktionsprogramm: alle Stufen vom Erzbergbau bis zur Fertigproduktion (Kraftwagen, Schiffs- und Eisenbahntriebwerke, Lokomotiven, Schienenfahrzeuge, Flugzeuge, Kernkraftwerke); zahlr. Beteiligungen und Auslandsgesellschaften.

Fibel [zu lat. fibula (mit gleicher Bed.), verkürzt aus figibula (zu figere „heften")], vor- und frühgeschichtl. metallene Nadelkonstruktion (Nadel, Bügel und Feder) zum Zusammenheften der Kleidung; wegen ihrer Zuordnung zur Tracht und ihres Formenreichtums eines der wichtigsten Hilfsmittel zur Unterscheidung chronolog. Stufen und regionaler Gruppen. Die F.typen werden häufig nach ihrer Form (z.B. Adlerfibel, Armbrustfibel, Augenfibel, Bogenfibel, Brillenfibel, Bügelfibel), ihrem Verbreitungsgebiet oder einem Fundort benannt. Als älteste F. gilt die zweigliedrige goldene Platten-F. aus dem anatol. Fürstengrab von Alaca Hüyük (Ende des 3.Jt. v.Chr.). In Europa kommen gegen Ende der älteren Bronzezeit (etwa 14./13.Jh.) eingliedrige (S- und SO-Europa) und zweigliedrige F. in Gebrauch (N-Deutschland, Skandinavien). Letzter künstler. Höhepunkt im Frühmittelalter.

Fibel. Adlerfibel; 10. Jh. (Mainz, Mittelrheinisches Landesmuseum)

◆ [kindersprachl. entstellt aus ↑Bibel (da der Inhalt der F. früher der Bibel entnommen war)], das Lesebuch für den Anfangsunterricht in der Schule (Abc-Buch, Abecedarium), dann auch Lehrbuch, das in die Anfangsgründe eines Fachgebiets einführt. Die heutige F. ist auf die Lautiermethode oder Ganzheitsmethoden eingestellt, ihre Inhalte entstammen der Alltagswelt des Kindes.

Fiber [lat.], allg. svw. Faser.

Fiberoptik, svw. ↑Glasfaseroptik.

Fibich, Zdeněk, * Všebořice bei Čáslav 21. Dez. 1850, † Prag 15. Okt. 1900, tschech. Komponist. – Einer der bed. tschech. Komponisten des 19.Jh.; von Wagner beeinflußt, komponierte Opern, Orchester-, Kammer- und Klaviermusik, Lieder.

Fibiger, Johannes, * Silkeborg (Jütland) 23. April 1867, † Kopenhagen 30. Jan. 1928, dän. Pathologe. – Prof. in Kopenhagen; war hauptsächl. in der Krebsforschung tätig. 1912 gelang ihm die erste experimentelle Krebserzeugung aus gesunden Zellen (sog. Spiroptrerakrebs). Hierfür erhielt er 1926 den Nobelpreis für Physiologie oder Medizin.

Fibonacci, Leonardo [italian. fibo'nattʃi] (Leonardo von Pisa, Leonardo Pisano), * Pisa um 1170, † ebd. nach 1240, italien. Mathematiker. – Erster bedeutender Mathematiker des Abendlandes, dem er seine im Orient gesammelten mathemat. Kenntnisse vermittelte.

Fibrille [lat.], feine, v.a. aus Eiweißen oder Polysacchariden bestehende, nur mikroskopisch erkennbare, langgestreckte Struktur in pflanzl. und tier. Zellen; wesentl. Bestandteile der pflanzl. Zellwände sowie der Muskeln und der Grundsubstanz des Bindegewebes.

Fibrin [lat.] (Blutfaserstoff, Plasmafaserstoff), Eiweißkörper, der bei der ↑Blutgerinnung (durch die Einwirkung von Thrombin aus dem Globulin **Fibrinogen** entsteht.

Fibrinkleber, in der Chirurgie zur Blutstillung, Verklebung von Organrissen (z.B. Milzruptur) oder Verödung von Hohlräumen verwendeter Gewebekleber aus menschl. Fibrinogenkonzentrat.

Fibrinolysin [lat./griech.] (Plasmin), im Blut vorkommendes Enzym, das Fibrin, bei krankhaften Zuständen auch dessen Vorstufen, zu lösl. bzw. gerinnungsunwirksamen Bruchstücken abbaut (**Fibrinolyse**). F. wird therapeutisch zur Auflösung von frischen Blutgerinnseln (↑Fibrinolytika) angewandt.

Fibrinolytika [lat./griech.] (Thrombolytika), Arzneimittel, die direkt oder indirekt fibrinauflösend wirken und deswegen zur Auflösung von v.a. frischen, höchstens vier Stunden alten Blutgerinnseln (z.B. beim Herzinfarkt, bei Thrombose oder Embolie) verwendet werden.

fibrinös [lat.], fibrinhaltig, fibrinreich.

Fibroin [lat.] ↑Seide.

Fibrom [lat.] (Fasergeschwulst), gutartige, gewöhnlich nur sehr langsam wachsende Geschwulst aus gefäßreichem Bindegewebe. F. kommen an den verschiedensten Stellen des Körpers vor und sind von unterschiedl. Größe; operative Entfernung ist nur bei Beschwerden erforderlich. Die seltene, bösartige Form wird als **Fibrosarkom** bezeichnet.

Fibromyom [lat./griech.], gutartige Geschwulst aus Binde- und Muskelgewebe.

fibrös [lat.], aus derbem Bindegewebe bestehend.

Fibrosarkom [lat./griech.] ↑Fibrom.

Fibrose [lat.], meist entzündlich bedingte Vermehrung des Bindegewebes in einem Organ, z.B. in der Lunge (↑Lungenfibrose).

Fibroskop [lat./griech.] ↑ Endoskope.

Fibula [lat.], svw. Wadenbein (↑ Bein).

FICE [frz. εfise'ə, fi'se], Abk. für: Fédération Internationale des Communautés d'Enfants (Internat. Verband der Kinder- und Jugenddörfer), eine der UNESCO angeschlossene Organisation; gegr. 1948 in Paris.

Fiche [fi:ʃ; lat.-frz.], Spielmarke.

Fichte, Hubert, * Perleberg 21. Mai 1935, † Hamburg 8. März 1986, dt. Schriftsteller. – Schrieb bevorzugt aus der Sicht von Menschen, die am Rand der Gesellschaft stehen; u. a. „Der Aufbruch nach Turku" (En., 1963), „Das Waisenhaus" (R., 1965), „Detlevs Imitationen ‚Grünspan'" (R., 1971), „Versuch über die Pubertät" (R., 1974), „Xango" (1976), „Lazarus und die Waschmaschine" (1985), „Schwarze Stadt. Glossen" (1991).

F., Immanuel Hartmann von (seit 1867), * Jena 18. Juli 1796, † Stuttgart 8. Aug. 1879, dt. Philosoph. – Sohn von Johann Gottlieb F.; 1836 Prof. in Bonn, 1842–63 in Tübingen; vertrat einen „spekulativen" bzw. „ethn. Theismus". In Auseinandersetzung mit Hegel entwarf F. eine Erkenntnislehre ausgehend von Bewußtsein als dem „allein schlechthin Gewissen" und „Nichtabstrahierbaren". Auch seine Ethik, Anthropologie und sog. Seelenlehre sind durch seine spekulative Theologie bestimmt. – *Werke:* Grundzüge zum System der Philosophie (1833–46), System der Ethik (1850–53), Psychologie (1864–73).

F., Johann Gottlieb, * Rammenau (Oberlausitz) 19. Mai 1762, † Berlin 29. Jan. 1814, dt. Philosoph. – Sohn eines Bandwirkers; studierte seit 1780 Theologie in Jena; 1791 Bekanntschaft mit der Philosophie Kants. 1792 erschien anonym sein „Versuch einer Kritik aller Offenbarung", der zunächst für die allg. erwartete (1793 u. d. T. „Die Religion innerhalb der Grenzen der bloßen Vernunft" erschienene) Religionskritik Kants gehalten wurde und F. seinen ersten literar. Ruhm brachte. 1794 Prof. in Jena, das er v. a. im Zusammenhang mit dem ↑ Atheismusstreit verlassen mußte; 1805 in Erlangen, 1806/07 in Königsberg. In seinen „Reden an die dt. Nation" im Winter 1807/08 forderte F. die geistige Erneuerung durch eine allg. Nationalerziehung. 1811/12 Rektor der neu gegr. Universität Berlin. Bedeutendster Vertr. des dt. Idealismus neben Schelling und Hegel. Seine als „Wissenschaftslehre" bezeichnete Philosophie soll als „pragmat. Geschichte des menschl. Geistes", das „allg. und absolute Wissen" in seiner Entstehung aufzeigen; im Mittelpunkt steht dabei der Gedanke von der zentralen Bed. des Ichs, das schöpfer. sich selbst setzt und zur Vervollkommnung durch Pflichterfüllung fähig ist. F. erhob als erster den dialekt. Dreischritt (These – Antithese –

Synthese) zur grundlegenden Methode philosoph. Denkens. In seiner Sitten- und Rechtslehre forderte er die Festlegung von Recht, um die Freiheit des einzelnen und der Gesellschaft zu ermöglichen. Eine eigene Konzeption von einem sozialist. Staat legte F. zudem in seiner Schrift „Der geschlossene Handelsstaat" (1800) vor. Auch seine religions- und geschichtsphilosoph. Schriften haben Auslegungen der Vernunftautonomie zum Gegenstand. Die Geschichte teilte F. in fünf „Grundepochen" ein, in denen die Vernunft sich immer mehr zunächst von dem sie beherrschenden Naturinstinkt löst und sich dann von den verschiedenen Formen der Autorität befreit.

Werke: Über den Begriff der Wissenschaftslehre (1794), Grundlage der gesamten Wissenschaftslehre (1794), Grundriß des Eigentüml. der Wissenschaftslehre (1795), Grundlage des Naturrechts nach Prinzipien der Wissenschaftslehre (1796), Die Grundzüge des gegenwärtigen Zeitalters (1800), Rechtslehre (1812).

📖 *Hochenbleicher-Schwarz, A.: Das Existenzproblem bei J. G. F. und S. Kierkegaard.* Königstein i. Ts. 1984. – *Wundt, M.: J. G. F. Stg.* ²1976. – *Schulte, G.: Die Wiss.lehre des späten F. Ffm.* 1971. – *Radermacher, H.: Fichtes Begriff des Absoluten. Ffm.* 1970.

Fichte (Picea), Gatt. der Kieferngewächse mit über 40 Arten auf der nördl. Erdhalbkugel; immergrüne Nadelhölzer mit einzelnstehenden, spiralig um den Zweig gestellten Nadeln und hängenden Zapfen. Die F. i. e. S. ist die **Rottanne** (Picea abies), der wichtigste Waldbaum N- und M-Europas; wird bis 60 m hoch und 1000 Jahre alt; mit spitzer Krone und flacher, weitreichender Bewurzelung; Borke des bis 1,50 m starken Stammes rötlich bis graubraun; Nadeln vierkantig, glänzend grün, stachelspitzig; reife Zapfen braun, hängend. Im nw. N-Amerika heimisch ist die **Sitkafichte** (Picea sitchensis), ein raschwüchsiger, starkstämmiger anspruchsloser Baum mit 1–2 cm langen, etwa 1 mm breiten Nadeln mit bläulichweißen Längsstreifen auf der Oberseite; Zapfen 6–10 cm lang, mattbis ockergelb. Die bis 40 m hohe, zypressenähnlich aussehende **Omorikafichte** (Picea omorika) wächst in Bosnien und Serbien; Nadeln flach, lang und breit mit einem weißen Streifen auf der Oberseite. Hellgraugrüne, v. a. auf der Oberseite der Zweige stehende Nadeln hat die bis 20 m hohe, im nördl. N-Amerika heim. **Weißfichte** (Picea glauca); Zapfen rötlich und zylindrisch. – ↑ Hölzer (Übersicht).

Fichtelberg, mit 1214 m ü. d. M. nach dem Keilberg zweithöchste Erhebung des Erzgebirges, in Sa.; Wintersportgebiet, Wetterwarte, Schwebebahn.

Fichtelgebirge, Mittelgebirge in Bayern, im Schneeberg 1 051 m hoch; zentraler Gebirgsknoten der mitteldt. Gebirgsschwelle, von dem Frankenwald, Oberpfälzer Wald und Erzgebirge ausgehen; nach SW fällt das F. entlang einer Bruchzone am 300 m tiefer gelegenen obermain. Hügel- und Schollenland ab. Hufeisenförmig umschließen Granitzüge die durchschnittlich 600 m hohe Selb-Wunsiedler Hochfläche mit charakterist. Teichwirtschaft. Eger, Weißer Main, Fichtelnaab und Saale entspringen im F. – Rauhes Gebirgsklima, nur 4–5 Monate sind frostfrei. Der Anbau, v. a. von Futterpflanzen, Roggen, Hafer und Kartoffeln, reicht bis etwa 700 m ü. d. M.; darüber geschlossene Wälder (v. a. Fichte) und Hochmoorgebiete. – Der seit dem 11. Jh. betriebene Bergbau auf Gold, Silber und Zinn ist im 17. Jh. erloschen; vom 14.–18. Jh. Eisenerzabbau und -verarbeitung. Glaserzeugung, Textilgewerbe, Naturstein (Granit, Basalt) und Holzverarbeitung sowie die Porzellanind. (Zentrum Selb) sind frühe, heute zu hochspezialisierten Ind.zweigen entwickelte, z. T. auf ausländ. Rohstoffe angewiesene Nachfolgegewerbe des Bergbaus; der Abbau reicher Uranerzvorkommen wird vorbereitet; ganzjähriger Fremdenverkehr.

Fichtel & Sachs AG, Hersteller von Fahrradteilen (bes. Freilaufnaben), Automobilteilen und Motoren, Sitz Schweinfurt, gegr. 1895.

Fichtengespinstblattwespe (Cephaleia abietis), 11–14 mm große Art der ↑Gespinstblattwespen; Kopf und Brust schwarz mit gelben Flecken; Hinterleib hauptsächlich rotgelb; die grünl. Larven fressen v. a. an älteren Nadeln.

Fichtenkreuzschnabel (Loxia curvirostra), etwa 15 cm großer Finkenvogel mit gekreuztem Schnabel in den gemäßigten und kalten Gebieten der Nordhalbkugel; ♀ olivfarben, Unterseite und Bürzel gelblich; ♂ ziegelrot, Schwanz und Flügel dunkel.

Fichtenmarder (Amerikan. Marder, Martes americana), Marderart im nördl. und westl. N-Amerika; Körperlänge etwa 35 (♀)– 45 cm (♂), Schwanz buschig, von etwa halber Körperlänge: Fell sehr dicht und weich, gelblich bis dunkelbraun, mit blaß ockergelbem Brustlatz; liefert geschätztes Pelzwerk **(amerikanischer Zobel),** daher durch übermäßige Bejagung gebietsweise selten geworden.

Fichtennadelextrakt, aus jungen Trieben von Fichten (auch von anderen Nadelbäumen) gewonnener, eingedickter, wäßriger Extrakt, der wegen seines würzigen Geruchs als Badezusatz verwendet wird.

Fichtennadelöl, Sammelname für die durch Destillation aus den Nadeln, Zweigspitzen und Fruchtzapfen von Nadelhölzern gewonnenen äther. Öle, die als Badezusätze,

zur Inhalation und als Seifenöle verwendet werden.

Fichtenspargel (Monotropa), Gatt. der Wintergrüngewächse mit vier Arten, davon zwei in M-Europa: der mehr oder weniger behaarte **Echte Fichtenspargel** (Monotropa hypopitys) in Nadelwäldern und der kahle **Buchenspargel** (Monotropa hypophegea) in Laubwäldern; bleiche, blattgrünlose, spargelähnl. Schmarotzerpflanzen.

Fichu [fi'ʃy:; lat.-frz], großes dreieckiges Tuch, dessen Enden über der Brust gekreuzt und im Rücken verknotet werden.

Ficino, Marsilio [italien. fi'tʃi:no], * Figline Valdarno (Toskana) 19. Okt. 1433, † Careggi (= Fiesole-Careggi) 1. Okt. 1499, italien. Arzt und Philosoph. – Lehrte in der von Cosimo de' Medici gegr. Platon. Akademie in Florenz; bemühte sich um die Harmonisierung von christl. Theologie und antiker Philosophie.

Fick, Adolf, * Kassel 3. Nov. 1829, † Blankenberge (Belgien) 21. Aug. 1901, dt. Physiologe. – Prof. in Zürich und Würzburg; schuf 1872 die als **Ficksches Prinzip** bezeichnete erste exakte Methode der Herzminutenvolumenbestimmung durch Messung des Sauerstoffverbrauchs des Organismus und der arteriovenösen Sauerstoffdifferenz.

Ficker, Julius von (seit 1885), * Paderborn 30. April 1826, † Innsbruck 10. Juli 1902, dt. Historiker. – 1852–79 Prof. in Innsbruck; Arbeiten v. a. zum Verfassungsleben des MA und zur Urkundenlehre; beurteilte die ma. Kaiserpolitik vom großdt. Standpunkt.

Fiction [engl. 'fikʃən; lat.], engl. Sammelbez. für fiktive Erzähllliteratur; Ggs.: Nonfiction; im dt. Sprachraum eingebürgert ↑Science-fiction. – ↑Fiktion.

Ficus [lat.], svw. ↑Feige.

Fidanza, Johannes ↑Bonaventura.

Fideikommiß [fide-i...; zu lat. fidei comissum „zu treuen Händen überlassen"], Vermögen, bestehend aus einem einzelnen Gegenstand oder einer Mehrzahl von Sachen und/oder Rechten, das einer Familie dauernd erhalten bleiben soll und daher ungeteilt einer (i. d. R. männl.) Person zugewandt wird (selten zur gesamten Hand mehrerer), die Nutzungsrechte, aber keine Verfügungsrechte (Veräußerung, Belastung) hat. Die Rechtsfigur des F. entstand im Hoch-MA, als zunächst der Adel durch Familienverträge bzw. Hausgesetze Erbteilungen ausschloß. Die Weimarer Reichsverfassung bestimmte die Auflösung der Fideikommisse.

fidel [lat.], lustig, heiter, gutgelaunt.

Fidel (Fiedel), wichtigste Gruppe bogengestrichener Saiteninstrumente des MA, nachweisbar seit Ende des 8. Jh. Die nach Größe, Form (Spaten-, Flaschen-, Birnenform) und Saitenzahl verschiedenen Arten

wurden im 13. Jh. abgelöst durch einen 5saiti-
gen Typus mit ovalem, oft eingebuchtetem
Körper, Zargen, geradem, abgesetztem Hals,
scheibenförmigem Wirbelkasten und zwei
Schallschlitzen. Vorläufer der Violine.

Fidenza, italien. Stadt in der Emilia-
Romagna, nw. von Parma, 75 m ü. d. M.,
23 400 E. Bischofssitz; Ind.- und Handelszentrum. – F. liegt etwa an der Stelle des antiken
Fidentia Julia, das seit dem 1. Jh. v. Chr. röm.
Munizipium war; hieß vom Früh-MA bis
1927 **Borgo San Donnino;** gehörte 1545–1859
zum Hzgt. Parma. – Lombardisch-roman.
Kathedrale San Donnino (12. Jh.).

Fides [lat. „Treue, Glaube"], im alten
Rom Treueverhältnis zw. Patron und Klient;
personifiziert im röm. Staatskult als Göttin
des Eides.

Fidibus, Holzspan oder gefalteter Papier-
streifen zum Feuer- oder Pfeifeanzünden.

Fidschi

(amtl. Fiji; Viti), Republik im sw. Pazifik zw.
15° und 22° s. Br. sowie 177° w. L. und 174°
ö. L. **Staatsgebiet:** Umfaßt die östlich von Australien gelegenen, zu Polynesien gehörenden
Fidschiinseln sowie als Außengebiet die Insel
Rotuma (47 km²); insgesamt 332 Inseln, davon etwa 110 bewohnt. **Fläche:** 18 272 km².
Bevölkerung: 739 000 E (1992), 40 E/km².
Hauptstadt: Suva (auf Viti Levu). **Verwal-**
tungsgliederung: 14 Prov. **Amtssprache:** Fid-
schianisch (Verkehrssprachen Hindi und
Bauan). **Nationalfeiertag:** 10. Okt. (Unabhängigkeitstag). **Währung:** Fidschi-Dollar ($F) =
100 Cents (c). **Internat. Mitgliedschaften:**
UN, SPF, Colomboplan. **Zeitzone:** MEZ +
11 Stunden.

Landesnatur: Die größeren Inseln (↑ Fidschiinseln) sind vulkan. Ursprungs und gebirgig,
im Mount Victoria auf Viti Levu bis 1 323 m
ü. d. M., die übrigen sind Koralleninseln.
Klima: Das Klima ist tropisch-maritim.
Vegetation: Die Luvseiten sind mit trop. Regenwald bestanden, an den Leeseiten finden
sich Savannen, an den Küsten Mangroven.
Bevölkerung: Die urspr. Bev. sind Fidschianer, die zu den Melanesiern gehören und
46 % der Bewohner ausmachen. Die zahlenmäßig größte Gruppe ist die der Inder (49 %),
die großen Einfluß auf das Wirtschaftsleben
ausüben. Unter den Christen (53 % der Bev.)
sind Methodisten (rd. 38 %) und Katholiken
(9 %) die stärksten Gruppen; 38 % sind Hindus, rd. 8 % Muslime. Die Grundschulzeit beträgt 8 Jahre (keine allg. Schulpflicht). F. verfügt über die University of the South Pacific
(gegr. 1968) in Suva.
Wirtschaft: Wichtigster Zweig ist die Landw.
Für den Export werden Zuckerrohr, Kokos-

palmen, Bananen, Zitrusfrüchte, Ingwer, für
den Eigenverbrauch v. a. Maniok, Reis, Taro
und Jams angebaut. Die Ind. verarbeitet bes.
landw. Produkte und Holz (umfangreicher
Sandelholzeinschlag). Gefördert werden
Gold, Silber und Manganerze. Fischfang und
Fremdenverkehr gewinnen an Bedeutung.
Außenhandel: Ausgeführt werden v. a. Rohr-
zucker u. a. Agrarerzeugnisse, Gold, Fisch-
konserven, eingeführt Erdölprodukte, Lebensmittel, Maschinen, Geräte und Transportmittel. Die wichtigsten Handelspartner
sind Australien, Großbritannien, Japan und
Neuseeland.
Verkehr: Die Zuckergesellschaft auf Viti
Levu und Vanua Levu verfügt über 595 km
Eisenbahn (Schmalspur). Das Straßennetz
hat eine Gesamtlänge von 2 996 km. Wichtigster Verkehrsträger ist die Schiffahrt. Internat. ⚓ sind Nadi und Nausori.
Geschichte: 1643 von A. J. Tasman entdeckt;
seit 1874 brit. Kronkolonie; seit 1879 Ein-
wanderung ind. Kontraktarbeiter. F. erhielt 1966 die Selbstverwaltung, wurde 1970
unabhängiges Mgl. des Commonwealth.
Überlegungen der Reg., polit. Vorrechte der
melanes. Ureinwohner abzubauen, führten
im Mai 1987 zu einem Militärputsch. Im Okt.
1987 wurde F. aus dem Commonwealth ausgeschlossen, nachdem die Militärreg. die Republik ausgerufen und die Verfassung sus-
pendiert hatte. Im Jan. 1990 zog sich das Militär aus der Reg. zurück. Die im Juli 1990
verabschiedete Verfassung erklärte den Insel-
staat zur „Souveränen Demokrat. Republik
Fidschi". Staatspräs. (seit 1994) ist Ratu Sir
Kamisese Mara.
Politisches System: Nach der Verfassung vom
25. Juli 1990 ist F. eine souveräne demokrat.
Republik. *Staatsoberhaupt* ist der Präs., vorher der brit. Monarch. Die *Exekutive* liegt bei
der Reg. unter Führung des Premierministers,
die *Legislative* beim Zweikammerparlament.
Die Verfassung garantiert den Melanesiern
37 der insges. 69 im Repräsentantenhaus und
24 der insges. 34 Sitze im Oberhaus. Die
wichtigsten Parteien sind die melanes. Alli-
ance Party und die ind. National Federation
Party. Das *Gerichtswesen* ist vierstufig.
📖 *Glatthaar, D./Liedtke, H.: F.-Studien zu
einem Entwicklungsland.* Bochum 1990. –
Stanley, D.: F.-Hdb. Bremen ²1988.

Fidschianer, Bewohner der Fidschiinseln; Melanesier nach Rasse und Sprache,
jedoch mit polynes. Kultur; zählen ca. 330 000
Angehörige.

Fidschiinseln, zum Staat ↑ Fidschi gehörende Inselgruppe im sw. Pazifik. Hauptinseln sind **Viti Levu** (10 388 km²), **Vanua Levu**
(5 535 km²), **Taveuni** (435 km²) und **Kandavu**
(407 km²). – Karte S. 70.

fiduziarisch [lat.], treuhänderisch.

15° 180° 15°

Thikombia
Vatauua
Vanya Levu
Yasqwa Gr.
Koro
Exploring I!
Viti Levu
Lewuka
Ngau
Lau-
Lakemba
Moala
Gruppe
Kandavu
Totoya
Matuku
Ongea Levu
20° Vatoa 20°

Ono i Lau

FIDSCHIINSELN

0   100   200   300 km

180°

Fieber [von lat. febris (in gleicher Bed.)] (Febris, Pyrexie), erhöhte Körpertemperatur (beim Menschen über 37,5 °C, im After [rektal] gemessen), meist als Abwehrreaktion des Organismus gegen Krankheitserreger ausgelöst.

Ursachen des F. sind (in der Reihenfolge der Häufigkeit): allg. oder örtl. Infektionen (v. a. Infektionskrankheiten), bei denen die Bakterien, ihre Toxine oder Zerfallsprodukte als fiebererzeugende (pyrogene) Stoffe wirken, immunbiolog. oder allerg. Reaktionen auf artfremdes Eiweiß *(Nessel-F.)*, körpereigene Abbaustoffe *(asept. oder Resorptions-F.)*, z. B. bei Eiweißzerfall nach großen Blutergüssen, Verbrennungen (auch Sonnenbrand), Knochenbrüchen u. a. Verletzungen, Infarkten, Tumorzerfall; seltener ist die Auslösung durch Krankheitsprozesse (Tumoren), Blutungen, Verletzungen, die das Zwischenhirn (Hypothalamus) betreffen *(zentrales F.)*, des weiteren durch Austrocknung des Körpers *(Durst-F.)*, übermäßige Salzzufuhr oder -rückhaltung im Körper *(Salz-F.)*, auch toxus. Reizung des Wärmeregulationszentrums durch Gifte (z. B. *Arzneimittelfieber*).

Verlauf: Infektionskrankheiten gehen häufig mit einem typ. Verlauf der Fieberkurve einher, z. B.: gleichbleibendes F. (Febris continua) bei Typhus, intervallartig schwankendes, nachlassendes F. (remittierendes F.) bei Tuberkulose, aussetzendes F. (intermittierendes F.) mit normalen Morgentemperaturen bei Nierenbeckenentzündung, unregelmäßig wellenförmiges, „undulierendes" F. (Febris undulans) bei Brucellose, regelmäßige period. Temperatursteigerungen bei Malaria, Fünftage-F. und Rückfall-F. – Plötzl. F. beginnt mit Schüttelfrost; in der Folge kommt es je nach der Höhe des F. zu Schwächegefühl, Hinfälligkeit und Schwere mit Benommenheit, Kopfdruck und Kopfschmerzen. Der Schlaf ist meist unruhig und von lebhaften Träumen unterbrochen **(Fieberphantasien, Fieberdelirien).**

Behandlung: Da das F. keine Krankheit, sondern ein Symptom ist, wird zuerst die Ursache des F. behandelt. Eine medikamentöse Senkung ist mit fiebersenkenden Mitteln möglich.

ꑕ *Schmidt, K. L.: Hyperthermie u. F.* Stg. [2]1987.

Fieberklee (Menyanthes), Gatt. der Fieberkleegewächse (Menyanthaceae, 5 Gatt. und etwa 40 Arten) auf der nördl. Erdhalbgel mit der einzigen Art Menyanthes trifoliata; auf Sumpfwiesen und an Ufersäumen wachsende, kriechende Staude mit dreizählig gefiederten Blättern und hellrosa bis weißen Blüten in aufrechten Trauben.

Fieberkraut, volkstüml. Bez. für verschiedene Heilpflanzen gegen Fieber.

Fiebermücken, svw. ↑ Malariamücken.

Fieberrinde, svw. ↑ Chinarinde.

Fieberrindenbaum, svw. ↑ Chinarindenbaum.

fiebersenkende Mittel (Fiebermittel, antifebrile Mittel, Antipyretika), Arzneimittel (z. B. Pyrazolon und -derivate, Salicylsäure und -derivate, Phenacetin), die die erhöhte Körpertemperatur herabsetzen.

Fieberthermometer, geeichtes Maximummthermometer zur Messung der Körpertemperatur (Meßbereich 35–42 °C). Neben der traditionellen Form des Quecksilber-Glas-F. gibt es inzw. Instrumente mit elektron. Temperatursensoren und digitaler Anzeige sowie stark verkürzter Meßzeit (unter einer Minute).

Fiebig, Eberhard, * Bad Harzburg 1. März 1930, dt. Bildhauer. – Seit 1974 Lehrtätigkeit in Kassel. Schuf Metallskulpturen aus vorgefertigten Stahlteilen, entwarf auch Möbel und Spielplatzelemente; trat u. a. als Photograph und Publizist hervor.

Fiedel ↑ Fidel.

Fiederblatt, Laubblatt, dessen Blattfläche aus mehreren voneinander getrennten Fiedern (Fiederblättchen) besteht.

Fiederkiemen ↑ Kiemen.

Fiedler, Conrad, * Oederan 23. Sept. 1841, † München 3. Juni 1895, dt. Kunsttheoretiker. – Vertreter des ästhet. Idealismus; betonte in seinen Schriften den autonomen Charakter des Kunstwerks und legte die Grundlage für die formale Kunstbetrachtung.

Field [engl. fi:ld], John, * Dublin 26. Juli 1782, † Moskau 23. Jan. 1837, ir. Pianist und Komponist. – Schüler M. Clementis; seine Nocturnes beeinflußten Chopin.

F., Rachel, * New York 19. Sept. 1894, † Beverly Hills (Calif.) 15. März 1942, amerikan. Schriftstellerin. – Schrieb vielgelesene Unterhaltungsromane („Hölle, wo ist dein Sieg", 1938), Einakter und Kinderbücher.

Fielding, Henry [engl. 'fi:ldıŋ], * Sharpham Park bei Glastonbury (Somerset) 22. April 1707, † Lissabon 8. Okt. 1754, engl. Schriftsteller. – Unbegüterter Adliger; erfolgloser Theaterleiter, dann Richter. Schrieb nach Cervantes Vorbild seinen ersten Roman „Geschichte der Abenteuer Joseph Andrews" (1742) als Parodie auf den empfindsamen Roman von S. Richardson. Gestaltet in der Struktur des Schelmen- und Reiseromans, trägt das Werk auch Züge des Entwicklungsromans und ist der erste große humorist. Roman der engl. Literatur. Weiterbildung der stilist. und formalen Elemente in seinem Hauptwerk „Tom Jones oder die Geschichte eines Findelkindes" (1749). – *Weitere Werke:* Die Lebensgeschichte des Jonathan Wild, des Großen (satir. Biogr., 1743), Amelia (R., 1752), Tagebuch einer Reise nach Lissabon (1755).

Field-Research [engl. 'fi:ld-rı,səːtʃ], svw. † Feldforschung.

Fields, W. C. [engl. fi:ldz], eigtl. Claude William Dukenfield, * Philadelphia 29. Jan. 1880, † Pasadena 25. Dez. 1946, amerikan. Filmschauspieler. – Beliebter Komiker des amerikan. Films. – *Filme:* Alice im Wunderland (1934), David Copperfield (1934), Der Bankdetektiv (1940).

Field-Work [engl. 'fi:ldwəːk], svw. † Feldforschung.

Fieravanti, Aristotele (A. Fioravanti), gen. Aristotele da Bologna, * Bologna um 1415, † Moskau 1485/86, italien. Baumeister. – Seit 1474 in Moskau, wo F. den Kreml umbaute und die Uspenski-Kathedrale errichtete.

Fieren [niederl.], das Herablassen eines Segels, eines Boots u. a. mit einem Tau.

Fierlinger, Zdeněk, * Olmütz 11. Juli 1891, † Prag 2. Mai 1976, tschechoslowak. Politiker. – Seit 1918 enger Mitarbeiter von Beneš; 1945/46 Vors. der Sozialdemokrat. Partei und Min.präs., 1946/47 stellv. Min.präs.; beteiligte sich aktiv am Prager Umsturz 1948 und betrieb die Fusion der Sozialdemokrat. mit der Kommunist. Partei; danach in weiteren hohen Staats- und Parteifunktionen.

Fiescher Gletscher, mit einer Länge von 16 km zweitlängster schweizer. Gletscher, in den Berner Alpen.

Fieschi [italien. 'fjeski], altes genues. Adelsgeschlecht; als entschiedene Guelfen waren die F. führende Vertreter der frz. orientierten Partei. **Giovanni Luigi de Fieschi,** Graf von Lavagna, gen. **Fiesco** (* 1522, † 1547) leitete eine Verschwörung gegen die kaisertreuen Doria, die scheiterte und bei der er umkam; Trauerspiel von Schiller: „Die Verschwörung des Fiesko zu Genua" (1783).

Fieseler, Gerhard, * Glesch bei Köln 15. April 1896, † Kassel 1. Sept. 1987, dt. Flugzeugkonstrukteur. – 1934 Weltmeister im Kunstflug; 1930 gründete er in Kassel die spätere F.-Flugzeugbau-GmbH, die 1937 unter seiner Leitung das erste Kurzstart- und Langsamflugzeug der Welt, den **Fieseler-Storch** (Fi 156, Landegeschwindigkeit 38 km/h), baute, später das Tragflügel-Ferngeschoß Fi 103 mit Pulsostrahltriebwerk, das als V 1 bekannt wurde.

Fieser, Louis [Frederick] [engl. 'fi:zə], * Columbus (Ohio) 7. April 1899, † Cambridge (Mass.) 25. Juli 1977, amerikan. Chemiker. – Prof. an der Harvard University; synthetisierte das Vitamin K_1 und erfand den Kampfstoff Napalm.

Fiesole, italien. Stadt. Stadt in der Toskana, 5 km nö. von Florenz, 295 m ü. d. M., 15 000 E. Kath. Bischofssitz; Priesterseminar, europ. Univ. (gegr. 1976), Museum. – F., das antike **Faesulae,** war bereits in voretrusk. Zeit eine städt. Siedlung; unter Sulla Militärkolonie. 405 schlug hier Stilicho das Heer der Goten unter Radagais; seit dem 5. Jh. Bischofssitz. In langobard. Zeit begann F. zu verfallen. – Z. T. erhaltene etrusk. Stadtmauer, Reste des

Gerhard Fieseler.
Fieseler-Storch

röm. Theaters (80 v. Chr.), der Thermen und eines Tempels, roman. Dom (1028–32, im 13. Jh. erweitert), got. Kirche San Francesco (15. Jahrhundert).

Fiesta [lat.-span.], Fest, Feiertag.

Fiesta de la Raza [span. 'fjɛsta ðɛla 'rra-θa „Fest der Rasse"] (Día de la Hispanidad), Jahrestag der Entdeckung Amerikas durch Kolumbus (12. Okt. 1492); seit 1911 in den lateinamerikan. Republiken sowie in Spanien und Portugal nat. Feiertag.

Fietz, Gerhard, * Breslau 25. Juli 1910, dt. Maler. – Ausbildung u. a. bei O. Schlemmer; seit 1947 Hinwendung zur Abstraktion; Gründungs-Mgl. der Gruppe ↑ Zen.

FIFA, Abk. für: Fédération Internationale de Football Association, Internat. Fußballverband, gegr. 1904 in Paris, Sitz Zürich.

FIFO-Speicher [Abk. für engl.: first in first out], Speicher, aus dem Daten in genau der Reihenfolge ausgelesen werden, in der sie eingegeben wurden.

fifty-fifty [engl. faɪt], umgangssprachl. für: halbe-halbe (halbpart).

Figaro, Dienerfigur in Komödien von P. A. Caron de Beaumarchais, auf die sich die Libretti für Mozarts Oper „Figaros Hochzeit" und Rossinis „Barbier von Sevilla" stützen. Danach auch scherzhafte Bez. für den Herrenfriseur.

Figaro, Le, frz. Zeitung, ↑ Zeitungen (Übersicht).

Fight [engl. faɪt], verbissen geführter Kampf (in einem sportl. Wettbewerb).

Figl, Leopold, * Rust 2. Okt. 1902, † Wien 9. Mai 1965, östr. Politiker. – Als Gegner des Anschlusses Österreichs an das Dt. Reich zw. 1938 und 1945 in verschiedenen KZ; 1945 Mitbegr. der ÖVP, 1945–51 deren Obmann; 1945 Vizekanzler und Landeshauptmann von Niederösterreich (erneut 1962 bis 1965); 1945–53 Bundeskanzler; unterzeichnete als Außenmin. (1953–59) 1955 den östr. Staatsvertrag; 1959–62 Präs. des östr. Nationalrats.

Figner, Wera Nikolajewna, * Kristoforowka (Gouv. Kasan) 7. Juli 1852, † Moskau 15. Juni 1942, russ. Revolutionärin. – 1881 an der Ermordung Zar Alexanders II. beteiligt; 1883 zum Tode, dann zu lebenslängl. Haft verurteilt, 1904 amnestiert.

Figueres Ferrer, José (Pepe) [span. fi-'yeres fɛ'rrɛr], * San Ramón (Prov. Alajuela) 25. Sept. 1906, † San Rosé 8. Juni 1990, costa-rican. Politiker. – Führte 1948/49 die Regierungsgeschäfte mit umfassendem Reformprogramm; 1953–55 und 1970–74 Präs. der Republik.

Figueroa, Francisco de [span. fiɣe'roa], gen. „El Divino", * Alcalá de Henares 1536, † ebd. um 1620, span. Dichter. – Schrieb v. a. sprachlich meisterhafte (span. und italien.) petrarkist. Lyrik.

Figur [lat., zu fingere „formen, bilden"], die äußere Gestalt eines Körpers oder einer Fläche, z. B. die Erscheinung eines Menschen in Hinblick auf ihre Proportioniertheit, die einzelne Person in ihrer Wirkung auf die Umgebung, die handelnde Person in einem Werke der Dichtung, auch die künstler. Darstellung eines Körpers; in der Musik ist F. eine melodisch oder rhythmisch zusammengehörende Notengruppe, in der Stilistik eine von der normalen Sprechweise abweichende sprachl. Form, die als Stilmittel eingesetzt wird (rhetor., grammat. F.); auch geschlossene Bewegungsabläufe (z. B. beim Tanz, Eiskunstlauf) und geometr. Gebilde werden als F. bezeichnet.

Figura etymologica [lat.] (Akkusativ des Inhalts), Redefigur, bei der sich ein intransitives Verb mit einem Substantiv gleichen Stammes oder verwandter Bedeutung als Objekt verbindet, z. B. einen Schlaf schlafen.

Figuralmusik [lat./griech.], svw. Cantus figuratus (↑ Cantus).

Figuration [lat.], die Auflösung einer Melodie oder eines Akkords in rhythmisch, meist auch melodisch untereinander gleichartige Notengruppen.

◆ im Ggs. zu Abstraktion Gegenständlichkeit (Malerei, Graphik, auch Plastik).

figurativ [lat.], in Malerei und Graphik im Ggs. zu abstrakt gegenständlich; meist, aber nicht unbedingt, ist Menschendarstellung gemeint.

Figurengedicht (Bildgedicht), Gedicht, das durch entsprechende metr. Anlage im Schrift- oder Druckbild einen Gegenstand im Umriß nachbildet, der zum Inhalt (meist) in direkter oder symbol. Beziehung steht. Früheste Ausbildung als Kunstform im Hellenismus (3. Jh. v. Chr.), Blüte in karoling. Zeit, erneut im span. und dt. Barock verbreitet, auch in der Moderne („visuelle Dichtung").

Figur-Grund-Verhältnis, grundlegendes Prinzip der Wahrnehmungsorganisation, nach dem im Verlauf eines jeden Wahrnehmungsprozesses eine räuml. Gliederung des Wahrnehmungsfeldes derart stattfindet, daß sich ein Teil des Feldes als „Figur" von dem restl. Teil des Feldes als „Grund" abhebt. Das F.-G.-V. ist von entscheidender Bed. dafür, daß der Mensch keine chaot. Anhäufung einzelner unzusammenhängender Reizelemente (z. B. Farbflecke, Helligkeitsabstufungen) wahrnimmt, sondern strukturierte und sinnvolle, sich räumlich voneinander abhebende Formen (visuelle Objekte, Melodien usw.). Die Unterscheidung im F.-G.-V. scheint schon in den ersten Lebenstagen möglich zu sein.

Figurine [lat.-frz.], kleine Statue; Staffagefigur auf Gemälden (v. a. bei Landschaften); Kostümzeichnung oder Modellbild für Theateraufführungen.

Fiji [engl. 'fi:dʒi:] ↑ Fidschi.

Fikh [arab. „Kenntnis, Gelehrsamkeit"], die Rechtswiss. des Islams, bestehend aus der Lehre von der Methodik der Gesetzesfindung und von den gesetzl. Einzelbestimmungen.

Fiktion [lat., zu fingere „formen, bilden"], allg. eine Annahme, für die (im Ggs. zur Hypothese) kein Wahrheits- oder Wahrscheinlichkeitsbeweis angetreten wird, oder bei der (noch) nicht gesagt werden kann, ob die sie darstellende Aussage wahr oder falsch ist.
In der *Literatur* das Grundelement der mimet. (erzählenden und dramat.) Dichtungsarten, die reale oder nichtreale (erfundene) Sachverhalte als wirklich darstellen, aber keine feste Beziehung zw. dieser Darstellung und einer verifizierbaren Wirklichkeit behaupten.
Im *Recht* versteht man unter F. die gesetzlich festgelegte Annahme eines Sachverhalts als wahr, der in Wirklichkeit nicht gegeben ist, um daraus sonst nicht mögl. Rechtsfolgen ableiten zu können (z. B. gilt der beim Erbfall Erzeugte als bereits geboren, so daß er gegebenenfalls Erbe sein kann). Von der F. zu unterscheiden ist die Vermutung.

fiktiv [lat.], angenommen, erdichtet, nur in der Phantasie existierend.

Filament (Filamentum) [lat.], in der *Botanik* svw. Staubfaden (↑ Staubblatt).
◆ *morpholog. Bez.* für dünne, fadenförmige Organteile oder Zellstrukturen, z. B. Muskelfilamente.

Filaret, eigtl. Fjodor Nikititsch Romanow, * um 1553, † 11. Okt. 1633, Patriarch von Moskau (seit 1619). – Wurde als Romanow 1601 von Zar Boris Godunow gezwungen, Mönch zu werden. 1605 zum Metropoliten von Rostow ernannt, unterstützte F. den 1. und 2. falschen Demetrius (↑ Dmitri Iwanowitsch); übte als Patriarch von Moskau für seinen 1613 zum Zaren gewählten Sohn Michael auch die Selbstherrschaft über den Staat aus.

F., eigtl. Kyrill Warfolomejewitsch Wachromejew, * Moskau 21. März 1935, Geistlicher der Russisch-Orthodoxen Kirche. – Studierte Theologie, wurde 1961 Priester; 1968–71 Patriarch von Moskau; seit 1981 Mgl. des Hl. Synod der Russisch-Orthodoxen Kirche und Leiter seines Außenamtes.

Filarete, eigtl. Antonio di Pietro Averlino (Averulino), * Florenz um 1400, † Rom 1469, italien. Bildhauer, Baumeister und Kunsttheoretiker. – Schuf die Bronzetür von Sankt Peter in Rom (1433–45) und das Ospedale Maggiore (1457–65) in Mailand. Sein berühmter „Trattato d'architettura" (1464 vollendet) enthält Pläne einer Idealstadt „Sforzinda" über sternförmigem Grundriß.

Filarien (Filariidae) [lat.], Fam. der Fadenwürmer, die v. a. im Bindegewebe und Lymphsystem von Säugetieren (einschließlich Mensch) schmarotzen, wo sie verschiedene Krankheiten (Filariosen) hervorrufen können.

Filariosen [lat.] (Filarienkrankheiten), auf das Gebiet der Tropen und Subtropen beschränkte, durch Filarien hervorgerufene Bindegewebs- oder Lymphgefäßsystemerkrankungen des Menschen; u. a. die ↑ Drakunkulose, Elephantiasis, ↑ Kalabarbeule.

Filbinger, Hans, * Mannheim 15. Sept. 1913, dt. Politiker (CDU). – Jurist; 1960–66 Innenmin., seit 1966 Min.präs. in Bad.-Württ.; Rücktritt 1978 v. a. wegen seiner umstrittenen Tätigkeit als Marinerichter in der NS-Zeit; 1971–79 Landesvors. der CDU in Baden-Württemberg.

Filchner, Wilhelm, * München 13. Sept. 1877, † Zürich 7. Mai 1957, dt. Forschungsreisender. – Geodät; 1903–06 mit A. Tafel (* 1877, † 1935) Forschungsreise nach NO-Tibet und China; leitete 1911/12 die Zweite Dt. Südpolarexpedition; drei Expeditionen dienten erdmagnet. Messungen: China und Tibet 1926–28, Tibet 1934–38, Nepal 1939/40; Veröffentlichungen, darunter zahlr. populär gewordene Erlebnisberichte.

Filchner-Ronne-Schelfeis, Schelfeistafel mit eingeschlossenen Inseln, im S des Weddellmeeres, Antarktis, mit Filchner-

Filarete. Idealstadt „Sforzinda" (1464):
1 zentraler Platz, 2 Radialstraßen,
3 innere Ringstraße,
4 Straßenkreuzungen mit kleinen
Plätzen und Kirchen, 5 Stadttore,
6 befestigte Stadtmauer

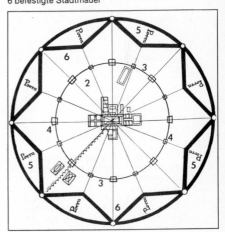

schelfeis im O und Ronneschelfeis im W, etwa 500 000 km². Mobile Forschungsstation der BR Deutschland.

Filder, südl. von Stuttgart gelegene, im O und SO vom Neckartal begrenzte und im W durch den Schönbuch abgeschlossene, reliefschwache, größtenteils lößbedeckte Schichtstufenfläche (Lias). Überwiegend Ackerbau; im nördl. Teil Verstädterung und Industrialisierung (Großraum Stuttgart).

Filderkraut, Weißkohlsorte mit spitz zulaufendem, längl. Kopf.

Filderstadt, Stadt auf den Fildern, Bad.-Württ., 357–472 m ü. d. M., 36 300 E. Maschinenbau, elektron. und Nahrungsmittelind., Wohngebiet im Großraum Stuttgart. – 1975 aus 5 Gemeinden gebildet, seit 1976 Stadt.

file [engl. faɪl], svw. ↑ Datei.

Filet [fi'le:; lat.-frz., eigtl. „kleiner Faden"], zartes, mageres, saftiges Fleisch aus dem Rücken oberhalb der Nieren von Schlachttieren oder Wild; wird geschmort oder als **Filetsteak** zubereitet. **Fischfilet:** von der Hauptgräte abgetrennte [enthäutete] Fischschnitte; **Geflügelfilet:** entbeintes Bruststück vom Geflügel.

Filetarbeit [fi'le:], Handarbeit, die aus dem Knüpfen eines Filetgrundes (die Technik des Knüpfens von Netzen) und dem Besticken desselben Grundes besteht.

Filethäkelei [fi'le:], Handarbeit, mit der Filetarbeit nachzuahmen versucht wird. In nur einem Arbeitsgang werden die offene Gittergrund und die gefüllten Kästchen, die die Muster bilden, gehäkelt.

Filetspitze [fi'le:], ungenaue Bez. für Filetarbeit.

Fil-fil [afrikan.], Wuchsform des Kopfhaares bei Khoisaniden: Die kurzen, stark gewundenen Haare wachsen in kleinen Büscheln und lassen Teile der Kopfhaut frei.

Filialbetrieb [zu kirchenlat. filialis „kindlich (abhängig)"] (Zweigniederlassung), im Einzelhandel eines aus einer Gruppe gleichartiger Geschäfte, die zentral geführt und zwecks Absatzvergrößerung an verschiedenen Orten betrieben werden. F. beschränken sich auf festumrissene Warengruppen.

Filialgeneration [lat.] (Tochtergeneration), Abk. F (bzw. F₁, F₂, F₃ usw.), in der Genetik Bez. für die direkten Nachkommen (F_1) eines Elternpaars (Elterngeneration) und für die weiteren, auf diese folgenden Generationen (F_2 usw.).

Filiation [lat.], in der Genealogie die Abstammung einer Person von den beiden Eltern (doppelte F.), wobei legitime und illegitime unterschieden werden.

Filibuster [engl. ˈfɪlɪbʌstə; engl.-amerikan.], Art der Verschleppungstaktik im Senat der USA: Eine Minderheit versucht die Mehrheit daran zu hindern, ihren Willen durch Gesetze auszudrücken, v. a. durch lange Debatten und langatmige Reden.
◆ ↑ Flibustier.

filieren [lat.-frz.], Karten beim Kartenspiel unterschlagen.

filiform [lat.], fadenförmig.

Filigran [italien., eigtl. „Faden" (lat. filum) und „Korn" (lat. granum)], eine Goldschmiedearbeit, die aus gezwirnten Metallfäden (Gold, Silber) besteht oder aus Metalldraht mit aufgelöteten Körnern. Bezeugt in Troja, Mykene, in der Völkerwanderungszeit (Spangen, Fibeln), in der byzantin. wie in der roman. Kunst (Bucheinbände; Arbeiten des Roger von Helmarshausen). Eine eigene Entwicklung und Technik hat das F. im Orient genommen (bes. in Indien und China).

Filioque [lat. „und vom Sohn"], durch die Theologie des Kirchenvaters Augustinus angeregter Zusatz der abendländ. Kirche zum christl. Glaubensbekenntnis, wonach der Hl. Geist vom Vater „und vom Sohn" ausgeht. Von der Ostkirche abgelehnt, war das F. seit 589 in der span., seit 767 in der fränk. Kirche in Geltung; Karl d. Gr. ließ es 809 auf einer Synode in Aachen anerkennen. In Rom wurde es 1014 offiziell eingeführt.

Filip, Ota, * Ostrau 9. März 1930, tschech. Schriftsteller. – Emigrierte 1974 in die BR Deutschland. Gesellschaftskrit., oft burleskes Erzählwerk. – *Romane:* Das Café an der Straße zum Friedhof (1968), Ein Narr für jede Stadt (1969), Maiandacht (1977), Wallenstein und Lukretia (1978), Café Slavia (1985); Judäa, Jahr Eins bis Null (Dr., 1987).

Filipino, nach der philippin. Verfassung von 1973 Name der aus den etwa 180 einheim. Regionalsprachen neu zu schaffenden Nationalsprache auf den Philippinen. – ↑ Tagalog.

Filipinos [span.], die eingeborene Bev. der Philippinen; ca. 50 Millionen.

Filipowicz, Kornel [poln. fili'povitʃ], * Tarnopol 27. Okt. 1913, † Krakau 28. Febr. 1990, poln. Schriftsteller. – 1944/45 im KZ; schrieb v. a. Romane, Erzählungen, Impressionen u. a. über die Kriegs- und Okkupationszeit; dt. erschienen „Tagebuch eines Antihelden" (Kurzroman, 1961), „Männer sind wie Kinder" (3 Kurzromane, 1960–66), „Der Garten des Herrn Nietzsche" (R., 1965), „Meine geliebte stolze Provinz" (En., 1976).

Filius [lat.], Sohn (umgangssprachl. und scherzhaft gebraucht).

Filla, Emil, * Chropyně 4. April 1882, † Prag 7. Okt. 1953, tschech. Maler. – Lebte 1907–14 vorwiegend in Paris. Unter dem Eindruck der Werke P. Picassos schuf er kubist. Stilleben, später malte er v. a. realist. Landschaftsbilder und Kriegsszenen.

Fil+ ér [ungar. ˈfilleːr], die ungar. Bez. für Heller; 1 F = ¹/₁₀₀ Forint.

Fillmore, Millard [engl. 'fɪlmɔ:], * bei
Locke (N. Y.) 7. Jan. 1800, † Buffalo (N. Y.) 8.
März 1874, 13. Präs. der USA (1850–53). –
Anwalt; 1847/48 Gouverneur des Staates
New York, 1848 zum Vizepräs. gewählt; trat
nach Taylors Tod die Präsidentschaft an.

Film [engl., von altengl. filmen „Häut-
chen" (verwandt mit neuhochdt. Fell)], allg.
svw. dünne Schicht (z. B. Ölfilm auf Wasser).
Im heutigen Sprachgebrauch hat F. die über-
wiegende Bedeutung von lichtempfindl. Auf-
nahmematerial (in der *Photographie*) bzw.
von Aufnahme- und Wiedergabematerial (in
der *Filmtechnik*) in allen Bearbeitungssta-
dien, d. h. projizierbare, teils vertonte, farbige
bzw. schwarzweiße Bilder von Bewegungsab-
läufen; auch Bez. für eine Gattung der Massenmedien.

Filmtechnik: Der Eindruck einer Bewegung
beruht einerseits auf der *stroboskop. Bewe-
gungstäuschung,* andererseits auf der *Nachbildwirkung* infolge der Trägheit des Auges;
während für den stroboskop. Effekt ein Bild-
wechsel innerhalb von $^1/_{16}$–$^1/_{18}$ s hinreichend
kurz ist, erfordert eine flimmerfreie Bildver-
schmelzung infolge der Nachbildwirkung eine Bildfrequenz von mindestens 48 Bildern/s
(Flimmerverschmelzungsfrequenz). Aufnahme
und Wiedergabe erfolgen zwar mit der niedrigeren Frequenz, bei der Projektion unter-
bricht jedoch die *Flügelblende* des Filmpro-
jektors das stehende Bild so oft, daß die Flimmerverschmelzungsfrequenz erreicht wird.

Aufnahmeformate und Filmarten: *Normalfilm*
(35 mm breit, beidseitig perforiert, Bildgröße
17 × 22 mm; v. a. für Spielfilme), *16-mm-Film*
(ein- oder beidseitig perforiert, Bildgröße
7,5 × 10,3 mm; für Fernsehfilme, Lehrfilme),
für den Amateurgebrauch *8-mm-Film* (*Super-
8-Film* bzw. *Single-eight-Film,* einseitig perforiert 4,22 × 5,69 mm; der *Normal-8-Film,*
3,6 × 4,9 mm, ist veraltet); für verschiedene
Breitbildverfahren wird *65-* oder *70-mm-Film*
verwendet. Während Amateure und Fernsehanstalten den nach der Umkehrentwicklung
sofort vorführbereiten *Umkehrfilm* bevorzugen, verwenden Filmgesellschaften *Negativ-
film,* der die Herstellung (Ziehen) von *Mas-
senkopien* gestattet, wobei die Arbeitsgänge
im Kopierwerk nicht an den Originalnegati-
ven, sondern an Arbeitskopien erfolgen, die
bei Schwarzweißfilmen von einem *„Master"*
oder *„Lavendel"* (wegen der blauen Anfär-
bung) genannten *Dup-Positiv,* bei Farbfilmen
vom sog. *Zwischenpositiv* gezogen werden.
Nach der vom *Cutter* am Schneidetisch fer-
tiggeschnittenen Arbeitskopie werden im Kopierwerk die Dup-Negative für die zur Kino-
vorführung bestimmten *Theaterkopien* hergestellt: Titel, Blenden, Überblendungen u. ä.
werden an den vorgesehenen Stellen in den F.
eingefügt.

Emil Filla. Stilleben; 1913 (Prag,
Národní Galerie)

Prinzip des Tonfilms: Der Begleitton wird in
(für Breitwandfilm mehrkanaligen) opt. oder
magnet. Randspuraufzeichnungen festgehalten, die wegen des nicht kontinuierl., ruck-
haften Filmtransports am Bildfenster dem
Bild voraus- (Lichtton) oder nachlaufen (Magnetton) müssen. Während das *Magnetton-
verfahren* (Spurbreiten 5 und 2 mm, bei Su-
per-8-Film 0,7–0,8 mm) mit dem des normalen Tonbandgeräts ident. ist, beruhen die
Lichttonverfahren auf der Umwandlung der
Tonfrequenzen in period. photograph.
Schwärzungen auf einer Filmrandspur, die
von einer lichtempfindl. Zelle abgegriffen
und elektroakust. in Tonschwingungen rück-
verwandelt werden. Die heute veraltete
Sprossenschrift (Intensitätsschrift) zeigt unterschiedlich geschwärzte Zonen, die von einer Lampe erzeugt werden, deren Helligkeit
sich im Rhythmus der Tonfrequenzen ändert.
Bei der *Zackenschrift* (Transversal-, Amplitu-
denschrift) werden der Randspur zackenför-
mige Schwärzungen gleicher Dichte, aber unterschiedl. Größe mit einem Lichtspalt und
einer im Rhythmus der Tonfrequenzen
schwingenden Zackenblende aufbelichtet.
Lichtton kopiert bei der Herstellung der
Theaterkopien auf einfache Weise mit und
muß nicht, wie Magnetton, eigens auf die
Randspur überspielt werden.
Der Ton wird vom Tonaufnahmegerät (im
Studio die sog. Tonkamera) zunächst auf per-

Film. „Die Reise zum Mond" (1902;
Georges Méliès)

forierten Magnetfilm aufgenommen; die Magnetfilme werden am Schneidetisch parallel zum Bild bearbeitet; der *Tonmeister* stellt sowohl ein Geräusch- und Musikband ohne Sprache (*IT-Band* für Fremdsprachensynchronisierungen) als auch ein Sprachband her und überspielt beide auf das Lichttonnegativ oder die Magnetrandspur der Theaterkopien. Vielfach werden Außenaufnahmen im Studio nachsynchronisiert. V. a. bei Musikaufnahmen wird der Ton ohne Bild im Studio aufgenommen und während des Filmens der Handlung als „Playback" hörbar gemacht; bei Orchesteraufnahmen o. ä. sind auch mehrere Filmkameras im Einsatz, die mit Fernseheinrichtungen gekoppelt sind und deren Einstellungswechsel von einem Monitorraum aus geschaltet wird; diese *Electronic-Cam-Aufnahmegeräte* laufen während der Musikaufführung. **Spezielle Aufnahmeverfahren: Animation:** Zeichentrickfilme werden auf dem Tricktisch im *Einergang* (Einzelbildschaltung) aufgenommen, wobei für jede Bewegungsphase z. B. eine Einzelzeichnung auf transparentem Grund vorhanden sein muß. **Rückprojektion:** Ausblicke aus fahrenden Fahrzeugen u. ä. werden von einem zweiten Filmstreifen bildsynchron von hinten auf einen hinter der Fahrzeugattrappe befindl. großen Bildschirm projiziert. **Begleitfahraufnahmen:** Kamerakräne, -wagen *(Dollys)* werden auf Betonfahrbahnen oder Schienen längs des zu filmenden Bewegungsvorgangs bewegt; einen eingeschränkten Fahreffekt ergibt die kontinuierl. Brennweitenverstellung des Zoomobjektivs. **Zeitraffer, Zeitlupe:** durch Verminderung oder Erhöhung der Aufnahmefrequenz bei normaler Wiedergabefrequenz ergibt sich

eine zeitl. Verkürzung bzw. eine Verlängerung von Bewegungen; zu geringe Bildfrequenzen mit zu großen Differenzen zw. den Einzelbildern stören allerdings den stroboskop. Bewegungseindruck *(Shutter-Effekt).* **Breitbildverfahren:** Breitwandfilme mit [pseudo]stereoskop. Bild- und Raumtoneffekt haben an Bedeutung verloren, soweit sie aufwendige Aufnahme- und Wiedergabesysteme erfordern (mehrere Kameras bzw. Projektoren für das breite Bild); geblieben sind die mit nur einer Wiedergabeeinheit arbeitenden *Cinemascope* (anamorphotische Optik) und *Todd-AO* (überbreiter Film). Das Seitenverhältnis beträgt 1:2,55 gegenüber 1:1,37 beim Normalfilm (1:1,33 beim Fernsehbild). **Amateurtechnik:** Die dt. Amateurfilmtechnik bediente sich anfangs fast ausschließlich des Doppel-8-Formats (Normal-8-Format), wobei ein 16 mm breiter Film zweimal durch die Kamera lief, jeweils halbseitig belichtet und nach dem Entwickeln auseinandergeschnitten wurde. Ihm folgte der Super-8-Film mit einer erhöhten Normfrequenz von 18 Bildern/s (gegenüber 16 im Doppel-8-System). Heute ist Filmmaterial bei Amateueren von untergeordneter Bed. und weitgehend durch ↑ Video ersetzt.

Tonaufnahme: Neben dem Einbandverfahren (Bild und Ton auf demselben Träger) ist auch die Originaltonaufnahme mit separatem Tonbandgerät oder Kassettenrecorder (Zweibandverfahren) gebräuchlich (Synchronität durch elektron. Impulse der Kamera; z. B. *Casy-System, Einheitstonsystem).* Bei der Nachvertonung über den Tonprojektor kann der Film mit einer zweiten Randspur (für Stereoton) versehen werden.

Geschichte der Filmtechnik: Um 1645 verbesserte der Jesuit A. Kircher die Laterna magica und erfand einen Guckkasten mit rotierenden Bildern. 1829–32 entstanden gleichzeitig das „Phaenakistiskop" des Belgiers J. Plateau und das „Stroboskop" des östr. Physikers S. Stampfer: eine Scheibe mit Bewegungsdarstellungen, die durch Sehschlitze in der Scheibe in einem Spiegel sichtbar werden **(Lebensrad).** Um 1845 kombinierte der östr. Ingenieur F. von Uchatius die Laterna magica mit dem verbesserten Stampferschen Lebensrad. Der brit. Ingenieur Beale entwickelte 1866 mit dem „Choreutoskop" ein an jede Laterna magica ansetzbares Gerät, das Bilder auf Glasscheiben und -streifen ruckhaft transportierte. Der amerikan. Photograph E. Muybridge machte 1878 erstmals echte Serienphotos, die er 1879 im „Zoopraxiskop" (eine Art Projektor) vorführte. 1889 legte T. A. Edison die Maße des „Normalfilms" fest; er baute eine 35-mm-Aufnahmekamera („Kinetograph") und führte 1892 ein Wiedergabegerät („Kinetoskop") nach dem Guckkastenprinzip vor. 1893 kombinierte er das Kinetoskop mit dem Phonographen zum „Kinetophon". M. Skladanowsky baute 1892–94 eine schrittweise transportierende Kamera für Rollfilm, kopierte die Aufnahmen auf Zelloidinpapier und führte sie mit seinem Projektor „Bioskop" (8 Bilder/s) vor (1. Nov. 1895 im Berliner „Wintergarten"). 1895 stellten A. und L. J. Lumière den „Cinématographe" vor. Das Gerät war Kamera, Kopiereinrichtung und Projektor in einem; es vereinigte erstmals alle kinematograph. Forderungen: Bildfrequenz 16 Bilder/s, ruckhafter Filmlauf mit Stillstand während der Projektion und verdunkelter Transportphase, Transport des Edison-Films durch Greifer. Dieses Gerät bauten O. Meßter und T. Pätzold weiter aus. 1898 ließ sich A. Baron ein Tonfilmaufnahmegerät patentieren, gleichzeitig setzte sich – bis zum Aufkommen des Stummfilms mit Musikbegleitung – die bildsynchrone Schallplattenwiedergabe durch.

Am Beginn der Farbfilmepoche stehen „Gaumontcolor", ein additives Dreifarbenverfahren, und „Cinemacolor" von Kodak (Zweifarbenfilm, 1915). 1921 erscheint der 9,5-mm-Amateurfilm (Pathé Baby); 1922 kam ein ausgereiftes Lichttonverfahren („Triergon", V. H. Vogt, J. Masolle und J. Engl) auf den Markt. Der doppelt perforierte 16-mm-Film setzte sich 1923, der 8-mm-Amateurfilm (Doppel-8-Film) seit 1932 durch. Das erste neuzeitl., bis in die jüngste Zeit angewandte Farbverfahren war das *Technicolor-Verfahren* von H. Kalmus, D. F. Comstock und W. B. Westcott (1922 Zweifarbenfilm, 1932 Dreifarbenfilm), ein subtraktives Verfahren, bei dem getrennt aufgenommene (später vom Dreischichtennegativfarbfilm gewonnene) Teilfarbauszüge auf Gelatine umgedruckt wurden. Daneben erlangten die Entwicklungsfarbfilme „Kodachrome" (1935) und „Agfacolor" (1936) Weltgeltung. Seit 1952 wurden Breitbildverfahren verwendet. Die Amateurfilmformate sind seit 1965 Super-8 und Single-eight.

Das **Filmrecht** ist bisher bundesgesetzlich nicht geregelt, außer der ↑ Filmförderung. – ↑ Urheberrecht.

Die **Filmwirtschaft** (als um 1900 entstandener Wirtschaftszweig) gliedert sich in die Bereiche filmtechn. Betriebe, Filmproduktion, Verleih und Lichtspieltheater. Der Verleih schließt mit Produktions- oder Vertriebsfirmen Lizenzverträge, mit den F.theatern Mietverträge ab, nach denen meist etwa 40% der Nettoeinnahmen an den Verleih bezahlt werden. 1987 gab es in der BR Deutschland 3 252 ortsfeste Filmtheater. Die 108,1 Mill. F.besucher (1980: 143,8 Mill.) bedeuten einen Durchschnitt von 1,8 Filmbesuchen je E im Jahr.

Film. „Der blaue Engel" mit Marlene Dietrich (1930; J. v. Sternberg)

Die Interessen der einzelnen Sparten der Filmwirtschaft werden von Verbänden wahrgenommen, die sich in der Spitzenorganisation der Filmwirtschaft (Abk. SPIO, mit der Freiwilligen Selbstkontrolle der Filmwirtschaft, Abk. FSK, als einer Abteilung; Sitz Wiesbaden) zusammengeschlossen haben. Auf Antrag von der Filmbewertungsstelle Wiesbaden (Abk. FBW) begutachtete und mit Prädikat versehene Filme (Prädikate: „wert-

Film. „King Kong" (1933; Ernest B. Schoedsack und Merian B. Cooper)

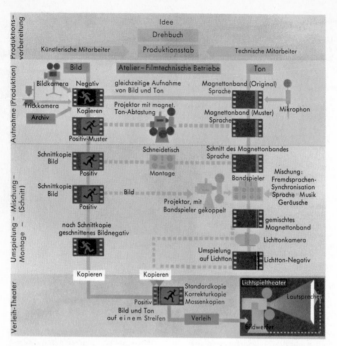

Film. Künstlerische und technische Arbeiten bis zur Vorführung eines Spielfilms (schematisch)

voll" und „bes. wertvoll") haben Ansprüche auf Steuervergünstigungen und Vorteile bei der Inanspruchnahme von finanziellen Hilfen nach dem Filmförderungsgesetz, neben dem es allerdings weitere Maßnahmen der Filmförderung gibt.

Filmgattungen: Der Begriff *Spielfilm* bezeichnet eine Filmgattung von unterschiedl. Länge, bei der das Geschehen vor der Kamera mit dem Ziel der Gestaltung einer vorher im ↑Drehbuch festgelegten Handlung in Szene gesetzt wird, wobei Darsteller bestimmte Rollen spielen. Der *Dokumentarfilm* gibt im Unterschied zum Spiel-F. mit dokumentar. Material die Realität unmittelbar berichtend wieder; häufig wird er durch gesprochenen Text kommentiert. Ein *Kurzfilm* ist im allg. kürzer als eine Stunde. Die *Wochenschau* als period. aktuelle Filmberichterstattung enthält neben dokumentar. auch unterhaltende Beiträge. Arten des *Trickfilms (Animationsfilm)* sind der Zeichentrickfilm und der Puppentrickfilm. Inhaltlich-thematisch untergliedert man v. a. die Spielfilme u. a. in Aben-

euer-, Ausstattungs-, Heimat-, Horror-, Kriminal-, Kriegs-, Liebes-, Märchen-, Musik- und Revue-, Sex- und Pornofilme, Western (Italowestern); nach der Funktion z. B. in Unterhaltungs-, Werbe-, Wirtschafts-, wiss. Filme; nach dem angestrebten Publikum in Frauen-, Kinder- und Jugendfilme. Bis zur Erfindung des Tonfilmverfahrens und dessen prakt. Durchsetzung (erste *Tonfilme, 1926–29*) wurden alle F. stumm vorgeführt *(Stummfilm),* meist begleitet von Klavier-, Orgel- oder Orchestermusik. In den 1930er Jahren kam zuerst in den USA, dann in Europa der Farbfilm auf, zunächst in „Technicolor", später auch in anderen Farbverfahren.

Herstellung: Die Filmhandlung wird zunächst meist in einem *Exposé* dargestellt, nächste Stufe ist das *Treatment,* in dem Schauplätze und Charaktere umrissen sind. Das *Rohdrehbuch* enthält die für die Filmaufnahmen wesentl. Angaben; der Regisseur arbeitet mit den Autoren danach das *Drehbuch* aus. Die Produktionsfirma engagiert den Stab (für Kamera, Filmarchitektur [Bauten] und Ausstattung, Schnitt, Musik) und die Besetzung der Haupt- und Nebenrollen. Im *Drehplan* sind die numerierten Kameraeinstellungen und die an den einzelnen Dreh-

tagen aufzunehmenden Szenen enthalten.
Die Filmaufnahmen erfolgen im Freien oder
im Filmatelier (Studio). Mit Hilfe der *Film-
montage (Filmschnitt)* werden die einzelnen
Szenen nach künstler. Gesichtspunkten zusammengesetzt. Der zumeist vom Bild getrennt aufgenommene Ton (Dialog, Musik,
Geräuschkulisse) ist im fertigen F. auf einem
Filmstreifen mit dem Bild vereinigt.
In der kommerziellen Filmproduktion äußert
sich vielfach die Ästhetik von Massenmedien. Im Gegensatz dazu wird der *Kunstfilm*
als selbständiges künstler. Medium anerkannt. Die spezifischen film. Ausdrucksmöglichkeiten entdeckte der Stummfilm: Mimik
und Gestik als Ersatz für Wort und Dialog,
Licht und Schatten als raum- und stimmungs-
schaffende Faktoren, Bildkomposition und
-montage als Symbol der auch inneren Vorgänge, die Großaufnahme, Perspektive und
Kamerabewegungen (sogenannte „Fahrten"
oder „Schwenks") als Ausdrucksmittel zur
Spannungs- und Bewegungssteigerung sowie
zur Hinlenkung auf bestimmte Details. Die
Erkenntnis des vorwiegend erzählenden (ep.)

Film. „Die Faust im Nacken"
(1954; Elia Kazan)

Charakters des F. setzte sich durch: Anders
als im Schauspiel wird das Interesse des Zuschauers durch ständigen, raschen Szenen-
wechsel wachgehalten; der F. kann mit Ort
und Zeit relativ freizügig verfahren; beliebt
sind Rück- und Einblendungen oder Rah-
menhandlungen.
Geschichte (Anfänge 1895–1929): 1895 gilt
offiziell als Beginn der Kinematographie. Im
Nov. 1895 zeigten die Brüder M. und E. Skladanowsky im Berliner „Wintergarten" mit
dem „Bioscop" ein Programm kurzer F., im
Dez. folgten die Brüder L. und A. Lumière
mit Filmvorführungen im Pariser „Grand Café" und setzten eine Produktion meist dokumentar. Streifen in Gang, mit denen sie den
Dokumentarfilm begründeten; als Urvater
des **Fiktionfilms** gilt G. Méliès („Die Reise
zum Mond", 1902). – Zw. 1899 und 1903 ex-
perimentierte in Großbritannien die
„Schule von Brighton" mit Einstellungsfor-
men, Kamerafahrten und Montage. Nach
1905 entwickelte sich eine florierende Filmindustrie. Das ep. Prinzip einer durchgehenden
Erzählung prägte seit 1915 die Produktion
der Filmländer. Vorherrschende Genres waren Melodramen, sozialkrit. F. und Komödien. – Das führende Filmland der Anfangs-
jahre war Frankreich, das bes. mit **Krimi-
nalfilmen** („Fantomas"-Serie von L. Feuillade, 1913ff.) und **Filmburlesken** (G. Durand,
M. Linder) Weltgeltung erlangte. – Bed. erlangte Italien mit monumentalen histor.
Ausstattungsfilmen wie „Die letzten Tage von
Pompeji" (L. Maggi, 1908). Zur Generation
nach 1920 gehörten A. Gance („Napoleon",
1927) sowie J. Epstein. R. Clair drehte die ex-

perimentellen Spielfilme „Der Florentiner
Hut" (1927) und „Die Million" (1931), L. Buñuel (mit S. Dalí) den surrealist. Film „Der
andalusische Hund" (1928). – In Dänemark arbeitete die Produktionsfirma Nor-
disk schon vor dem 1. Weltkrieg. Mit „Afgrun-
den" (von U. Gad, 1911) wurde A. Nielsen
zum Star des dän. F. Bedeutendster dän. Regisseur war C. T. Dreyer („La passion de
Jeanne d'Arc", 1928). – In Schweden drehte V. Sjöström myth. **Landschaftsfilme** („Terje
Vigen", 1916; „Körkarlen", 1920) und **Histo-
rienfilme** („Gösta Berling", 1924). M. Stiller
spezialisierte sich auf **Gesellschaftskomödien**
(„Erotikon", 1920) und begründete (1924) die
Karriere von G. Garbo. – Ab 1914 wurden die

Film. „Wenn die Kraniche ziehn"
(1957; Michail Konstantinowitsch
Kalatosow)

Film. „Das Schweigen" (1962;
Ingmar Bergman)

USA marktbeherrschende Filmnation. E. S.
Porter schuf mit „Der große Zugraub" (1903)
das Urbild des **Western.** Pionier des amerikan. Stummfilms war D. W. Griffith („Geburt
einer Nation", 1915), der den amerikan. **Ge-
schichtsfilm** und das **lyr. Film-Melodrama**
(„Gebrochene Blüten", 1919) begründete.
Von ihm sind die amerikan. Regisseure der
ersten Generation beeinflußt: C. B. De Mille,
E. von Stroheim, R. Flaherty, J. von Sternberg, F. Copra, H. Hawks, J. Ford, K. Vidor.
1912 entwickelte M. Sennett die spezif. amerikan. Schule der **Slapstick-Comedy.** Dieser
Schule entstammte auch C. Chaplin, der
1915–17 zunächst mit Kurzfilmen, später mit
Spielfilmen („Goldrausch", 1925, und „Der
Zirkus", 1928) hervortrat. Andere Vertreter
der Komikerschule waren B. Keaton,
H. Lloyd sowie S. Laurel und O. Hardy (Dick
und Doof). In den 20er Jahren exponierte
sich auch E. Lubitsch. 1926–28 begann die
Umstellung auf das Tonfilmverfahren (ab
1929 auch in Europa). – Nach dem Krieg
wurde Deutschland zum künstlerisch bed.
Filmland. 1917 begründete E. Ludendorf den
Film-Großkonzern Universum-Film AG
(Ufa). Der F. nach dem 1. Weltkrieg zeigte eine Vorliebe für irreale Sujets, u. a. „Das Kabinett des Dr. Caligari" (1920) von R. Wiene
und „Dr. Mabuse der Spieler" (1922) von
F. Lang. Insgesamt übte der Expressionismus
eine starke Anziehungskraft auf die Regisseure und Schauspieler aus. Zur Avantgarde
des dt. F. der 20er Jahre gehörte L. Reiniger
mit **Silhouettenfilmen.** Die zumeist im kleinbürgerl. Milieu spielenden **Kammerspielfilme**
(„Die Hintertreppe" von L. Jessner, 1921)
strebten die Psychologisierung der Figuren
an. Eine Tendenzwende kündigte sich in den
Filmen F. W. Murnaus an (z. B. „Nosferatu...", 1922). Dem Realismus waren bes. „Die

freudlose Gasse" (1925) von C. W. Pabst,
„Menschen am Sonntag" (1928) von B. Wilder (mit E. Ulmer und R. Siodmak) sowie
„Mutter Krausens Fahrt ins Glück" (1929)
von P. Jutzi verpflichtet. – Sowjetunion:
Eine eigenständige Filmproduktion entwik-
kelte sich schon in zarist. Zeit. 1919 wurde
das Filmwesen verstaatlicht. Zunächst wurden nur Agitationsfilme und Wochenschauen
produziert, u. a. die „Kinoprawdas" des Do-
kumentarfilmpioniers D. Wertow. S. M. Ei-
senstein drehte 1924 „Streik" und 1925 „Panzerkreuzer Potemkin", der durch den mei-
sterhaften Gebrauch der Montage Filmge-
schichte gemacht hat. Die Entstehung der
letzten Werke Eisensteins war z. T. mit polit.
Schwierigkeiten verbunden („Iwan der
Schreckliche", 2 Teile, 1944–46). Bed. Exponenten des Stummfilms waren auch W. I. Pu-
dowkin („Die Mutter", 1926) sowie A. P.
Dowschenko („Erde", 1930), auch G. Kosin-
zew, J. Trauberg.
Die Zeit von 1930 bis 1945: Der Tonfilm beendete seit 1927 die Weiterentwicklung der
stummen Filmkunst, man konnte nun im
Tonfilm Sprache, Geräusche und Musik au-
thentisch wiedergeben. Das gesteigerte Mas-
senbedürfnis nach ablenkender Unterhaltung
führte zur Massenproduktion von Musikfil-
men („Broadway Melody", 1929). – In den
USA bewirkte die neue Ästhetik des Tonfilms tiefgreifende Veränderungen. Kennzeichnend war ihre Ausprägung fester Genres:
Die **Gangsterfilme** mit ihrem Pessimismus
(„Scarface" von H. Hawks, 1932; „Der kleine
Caesar", 1930, von M. LeRoy) waren der Versuch einer Antwort auf die Krisenhaftigkeit
der sozialen Verhältnisse. E. Lubitsch („Ni-
notschka", 1939) und R. Mamoulian brillier-
ten mit Komödien. J. Ford spezialisierte sich
auf den Western („Höllenfahrt nach Santa
Fé", 1939; „Rio Grande", 1950). C. Chaplin
setzte die Linie seiner gesellschaftskrit. Ko-
mik mit „Lichter der Großstadt" (1931) und
„Moderne Zeiten" (1936) fort, in „Der große
Diktator" (1940) attackierte er Hitler und den
Nationalsozialismus. Mit „Jesse James"
(H. King, 1939) und „Vom Winde verweht"
(V. Fleming, 1939) setzte sich der Farbfilm
durch. W. Disney begründete in den 30er Jahren eine umfangreiche Produktion von Zei-
chentrickfilmen, v. a. mit Mickey Mouse und
Donald Duck. Vertreter des **Horrorfilms** war
J. Whale mit „Frankenstein" (1931). Während der Kriegsjahre entstanden zahlr. Dokumentarfilme (die Serie „Why we fight" von
F. Capra). – Der *poet. Realismus* der 30er
Jahre in Frankreich verband impressionist.
und naturalist. Strömungen mit romant. Ironie und Skepsis zu poesievollen Milieuschil-
derungen. R. Clair drehte „Unter den Dä-
chern von Paris" (1930) und „Es lebe die

Freiheit" (1931), M. Carné „Hafen im Nebel"
(1938). J. Renoir ließ Literaturverfilmungen
wirken („Die große Illusion", 1937; „Bestie
Mensch", 1938; „Die Spielregel", 1939). Unter illegalen Bedingungen der dt. Okkupation
drehte M. Carné (mit J. Prévert) 1943–45 den
legendären F. „Kinder des Olymp". – Auch
in Deutschland führte die Entwicklung
des Tonfilms zur Produktion zahlr. Musikfil-
me, z. B. „Der blaue Engel" (J. von Sternberg,
1930). Bis 1933 konnten sich gesellschaftskrit.
F. durchsetzen, u. a. von G. W. Pabst („West-
front 1918", 1930; „Die Dreigroschenoper",
1931), P. Jutzi („Berlin – Alexanderplatz",
1931) und S. Dudow („Kuhle Wampe",
1932). – Nach 1933 kehrte Goebbels den dt.
Film auf den Kurs angebl. unpolit. Unterhaltung, indirekt dienten jedoch die meisten F.
der faschist. Ideologie. Die Machtübernahme
Hitlers hatte über 500 führende Regisseure
und Schauspieler zur Emigration gezwungen:
P. Czinner und Elisabeth Bergner, W. Dieter-
le, F. Kortner, F. Lang, M. Ophüls, O. Premin-
ger, Detlev Sierck (Douglas Sirck), R. Wiene,
B. Wilder, F. Zinnemann u. a. Die nat.-soz.
Propaganda gipfelte in monumentalen Doku-
mentarfilmen („Triumph des Willens",
L. Riefenstahl, 1934) und tendenziös-dramat.
Spielfilmen („Hitlerjunge Quex", H. Stein-
hoff, 1933). V. Harlan unterstützte den Anti-
semitismus („Jud Süß", 1940) und drehte den
„Durchhalte-Film" „Kohlberg" (1945). – In
Großbritannien entwickelte sich am
30er Jahren die „Brit. Dokumentarfilmschu-
le" v. a. mit L. Grierson. Vertreter des Kriegs-
dokumentarfilms war H. Jennings („Listen to
Britain", 1941; „A diary for Timothy" [„Ausgestoßen", 1947]), es entstanden die Komödien „Adel verpflichtet" (1949, von R. Ha-
mer) und „Ladykillers" (1955, von A. Mac-
Kendrick).
Die Zeit von 1945 bis 1960: In Italien zeichnete sich gegen Kriegsende die neue Stilrichtung des *Neorealismus* ab, die von L. Viscon-
tis Erstlingsfilm „Von Liebe besessen" (1942)
eingeleitet wird, ihm folgten R. Rossellini
(„Rom, offene Stadt", 1945; „Paisà", 1946)
und V. de Sica („Fahrraddiebe", 1948; „Um-
berto D.", 1952). Typisch für diese F. ist die
sozialkrit. Darstellung menschl. Leidens und
proletar. Elends. – Bed. Filmautoren nach
1950 waren u. a. F. Fellini („La Strada", 1954;
„La dolce vita", 1959) und M. Antonioni
(„Der Schrei", 1957). C. Zavattini hat bes.
Anteil auch als Theoretiker und Drehbuchautor. – Der Nachkriegsfilm in Deutschland,
dessen Filmindustrie zunächst darniederlag,
behandelte Schicksale im nat.-soz. Deutschland und in „Trümmer-Filmen" die dt. Rui-
nenlandschaft. Es entstanden weitere unver-
bindl. Unterhaltungsfilme. W. Staudte („Die
Mörder sind unter uns", 1946), der zunächst

für die DEFA arbeitete, und H. Käutner („In
jenen Tagen", 1947) versuchten sich an zeitkrit. Reflexionen. Der F. in der BR
Deutschland wandte sich bis auf wenige
Ausnahmen („Des Teufels General", 1955,
von H. Käutner; „Wir Wunderkinder", 1958,
von K. Hoffmann; „Die Brücke", 1959, von
B. Wicki) der Unterhaltung zu. – Die durch
Stalins Tod ausgelöste „Tauwetter"-Periode
ermöglichte in Osteuropa neue Ansätze
realist. Gestaltung: „Die Kraniche ziehen"
(1959) von M. Kalatosow (UdSSR), „Asche
und Diamant" (1959) von A. Wajda (Polen). – In Frankreich trat eine Vielzahl von
Regisseuren mit F. verschiedener Stilrichtungen hervor: romantisch-surrealist. F. wie
„Orphée" (1945; J. Cocteau) auf der einen
Seite oder die Serie der *„schwarzen F."* (z. B.
„Lohn der Angst", 1952; H.-G. Clouzot).
Einzelgänger waren der Komiker Tati („Die
Ferien des Herrn Hulot", 1953) und R. Bresson. Bed. Regisseure waren Y. Allégret,
M. Carné, R. Clair. Die Ende der 50er Jahre
entstandene *„Neue Welle" („nouvelle vague")*
strebte den unkonventionellen Autorenfilm
an; wichtige Vertreter sind F. Truffaut,
C. Chabrol, J.-L. Godard und E. Rohmer. –
Um 1960 erregte in Großbritannien für

Film. „Das Gespenst der Freiheit"
(1974; Luis Buñuel)

Film. „Die verlorene Ehre der
Katharina Blum" (1975; Volker
Schlöndorff und Margarethe von
Trotta)

kurze Zeit das „*Free cinema*", u. a. um die Regisseure K. Reisz („Samstagnacht bis Sonntagmorgen", 1960) und T. Richardson („Bit-
terer Honig", 1962), Aufsehen. Sie gingen jedoch bald zum kommerziellen F. über, der
Ende der 50er/Anfang der 60er Jahre mit dem
Horrorfilm und dem **Spionagethriller** („James
Bond"-Serie) große Erfolge hatte. L. Olivier
verfilmte Shakespearesche Werke. – Prägend
für den F. in Schweden waren nach 1940
A. Sjöberg („Fräulein Julie", 1950) und
I. Bergman („Abend der Gaukler", 1953;

„Wilde Erdbeeren", 1957; „Das Schweigen",
1962). – Im amerikan. F. entstanden Paral-
lelen zum Neorealismus („Sunset Boule-
vard", B. Wilder, 1950); das neue Medium
Fernsehen führte zu einem stärker reportage-
haften Stil, der sich u. a. den Problemen der
„großen Masse" widmete („Die Faust im
Nacken", E. Kazan, 1957). Daneben konsoli-
dierte sich das „Showbusineß"; der **Western**
(„High Noon", F. Zinnemann, 1952) und das
Musical (S. Donon, V. Minelli) fanden neue
Formen. In der Komödie spezialisierte sich
J. Lewis auf die Kritik der Konsummentalität.
Die Zeit nach 1960: In den USA drehte
A. Hitchcock einige seiner besten F. („Psy-
cho", 1960; „Die Vögel", 1962). Von S. Kubrick kam 1968 der **Science-fiction-Film**
„2001 – Odyssee im Weltraum" heraus;
J. Lewis, W. Allen und M. Brooks etablierten
in den 60er und 70er Jahren eine Komödien-
schule. Nach 1960 formierte sich das „*New
American Cinema*" als eine dem Hollywood-
Kommerzialismus entgegengesetzte Richtung, die sich dem Dokumentarfilm und dem
Experimentalfilm verbunden fühlte. Ende
der 60er Jahre entstand die „New-Holly-
wood"-Bewegung, die größere gestalter. Freiheiten beanspruchte. Wichtige Regisseure
des „New Cinema" sind D. Hopper („Easy
rider", 1969), J. Cassavetes („Schatten",
1960; „Rosemaries Baby", 1967), A. Penn
(„Bonnie und Clyde", 1967), R. Altman
(„Nashville", 1975), F. F. Coppola („Der Pa-
te", 1972; „Apocalypse now", 1979), P. Bog-
danovich („Die letzte Vorstellung", 1971;
„Paper Moon", 1972), M. Scorsese („Taxi
Driver", 1975; „Die letzte Versuchung Christi", 1988), M. Forman („Einer flog übers
Kuckucksnest", 1975; „Amadeus", 1984),
S. Pollack („Tootsie", 1982), W. Allen („Der
Stadtneurotiker", 1977; „Zelig", 1983; „Han-
nah und ihre Schwestern", 1985), W. Beatty
(„Dick Tracy", 1990). – Italien: Die we-
sentl. F. schufen neben L. Visconti („Rocco

Film. „Die Ehe der Maria
Braun" (1978; Rainer Werner
Fassbinder)

Film. „Apocalypse now" (1979;
Francis F. Coppola)

und seine Brüder", 1960; „Der Leopard",
1962; „Tod in Venedig", 1970), F. Fellini
(„8½", 1963; „Roma", 1972; „Amarcord",
1973) und M. Antonioni („Die rote Wüste",
1964; „Blow up", 1966), P. P. Pasolini („Ac-
catone", 1961; „Das 1. Evangelium – Mat-
thäus", 1964; „Die 120 Tage von Sodom",
1975), B. Bertolucci („Der letzte Tango in Paris", 1972; „1900", 1974/75; „Der letzte Kaiser", 1987; „Himmel über der Wüste", 1990),
F. Rosi („Wer erschoß Salvatore Giuliano",
1962; „Christus kam nur bis Eboli", 1979) die
Brüder P. und V. Taviani („Good morning –
Babilonia", 1986), E. Scola („Le Bal", 1983)
und Lina Wertmüller („Liebe und Anarchie",
1973). – Mit dem **Italowestern** sind die Namen S. Leone („Spiel mir das Lied vom Tod",
1968) und S. Corbucci verknüpft. – F r a n k -
r e i c h : Abgesehen von R. Bresson („Zum
Beispiel Balthasar", 1966; „Das Geld", 1984)
und L. Buñuel („Viridiana", 1961; „Der dis-
krete Charme der Bourgeoisie", 1972) prägen
die Regisseure, die 1959 mit der sog. **Neuen
Welle** (Nouvelle vague) angetreten sind, bis
heute den frz. F.: F. Truffaut („Sie küßten
und sie schlugen ihn", 1959; „Die letzte Me-
tro", 1980), C. Chabrol („Schrei, wenn du
kannst", 1959; „Die Fantome des Hutma-
chers", 1982; „Dr. M.", 1990), J.-L. Godard
(„Außer Atem", 1959; „King Lear", 1987),
A. Resnais („Hiroshima mon amour", 1959;
„Letztes Jahr in Marienbad", 1961; „Mélo",
1986), L. Malle („Zazie", 1960; „Viva Maria",
1965; „Auf Wiedersehen Kinder", 1987). Wesentlich sind auch: E. Rohmer („Die Marquise von O.", 1975; „Das grüne Leuchten",
1985), C. Lelouch („Voyou – Der Gauner",
1970), A. Mnouchkine („Molière", 1978),

A. Varda („Vogelfrei", 1985). C. Costa-Gav-
ras drehte die weltbekannten Kriminal- und
Politthriller „Mord im Fahrpreis inbegriffen"
(1965), „Z" (1968), „Vermißt" (1982). – F.
von internat. Bedeutung drehten in G r o ß -
b r i t a n n i e n u. a. J. Losey („Accident", 1967),
S. Kubrick („Uhrwerk Orange", 1971),
K. Russell („Lisztomania", 1975), R. Attenbo-
rough („Gandhi", 1982; „Schrei nach Freiheit", 1987), J. Ivory („Zimmer mit Aussicht",
1986), P. Greenaway („Der Kontrakt des
Zeichners", 1982). – Überragende Gestalt in
S c h w e d e n ist weiterhin I. Bergman, von be-
sonderer Bed. auch Mai Zetterling („Amoro-
sa", 1986), daneben sind B. Widerberg und
Jan Troell („Das Märchenland", 1988) getreten. – In der S o w j e t u n i o n sind nach langer
Zeit der Unterdrückung der Filmkunst seit etwa 1986 F. von Weltrang wieder zugelassen;
zahlr. Filmemacher werden rehabilitiert, die
Zahl der in den letzten Jahrzehnten beschlag-
nahmten F., die heute nach und nach die Ar-
chive verlassen, ist noch unüberschaubar. Als
Exponenten des russ. F. sind v. a. A. Tar-

Film. „Amadeus" (1984; Milos Forman)

kowski (1984 Emigration: „Der Stalker",
1979; „Nostalghia", 1983; „Opfer", 1985),
E. Klimow („Agonia – Rasputin", 1981 veröf-
fentlicht; „Abschied von Matjora", 1983),
T. Abuladse („Reue", 1984) sowie A. Askol-
dow („Die Kommissarin", 1987 freigegeben)
internat. bekannt geworden. – Bes. Aufschwung nahm in den 1970er Jahren der
schweizer. F. durch A. Tanner („Der Sala-
mander", 1971; „Jonas", 1976), M. Soutter
(„James ou pas", 1970), C. Goretta („Die
Spitzenklöpplerin", 1977; „Die Verweigerung", 1981) und D. Schmid („Jenatsch",
1987). – In Spanien haben v. a. C. Saura
(„Carmen", 1983) und M. Camus („Der
Bienenkorb", 1982) internat. Ruf. – BR
Deutschland: Unter dem Motto „Papas
Kino ist tot" präsentierte die Oberhausener
Gruppe (1966, u. a. A. Kluge, „Abschied von
gestern"; V. Schlöndorff, „Der Junge Tör-
less"; U. Schamoni, „Es") den „Jungen dt.
Film". Internat. Anerkennung fanden außer
V. Schlöndorff („Die Blechtrommel", 1978/
1979), A. Kluge („Die Macht der Gefühle",
1983), R. W. Fassbinder, W. Herzog („Nosfe-
ratu", 1979; „Fitzcarraldo", 1982; „Cobra
Verde", 1987), H. J. Syberberg („Hitler – Ein
Film aus Deutschland", 1978), M. von Trotta,
R. von Praunheim, H. Achternbusch, R. van
Ackeren („Die flambierte Frau", 1983),
W. Wenders („Paris, Texas", 1984; „Der
Himmel über Berlin", 1987), E. Reitz („Hei-
mat", 1984, „Die Zweite Heimat", 1993),
D. Dörrie („Männer", 1985), D. Graf („Die
Katze", 1987), P. Adlon („Out of Rosen-
heim", 1987), H. Bohm („Yasemin", 1988),
M. Verhoeven („Das schreckliche Mädchen",
1990). – Die Filmkunst in der DDR war eng
mit der Geschichte der 1946 gegr. DEFA ver-
bunden, deren erste F. „Die Mörder sind
unter uns" (1946, W. Staudte) und „Ehe im
Schatten" (1947, K. Maetzig) internat. Bedeutung erlangten. In den 1950er Jahren entstanden F. wie „Der Rat der Götter" (1950,
K. Maetzig), „Das kalte Herz" (1950, P. Verhoeven), „Der Untertan" (1951, W. Staudte),
„Berlin – Ecke Schönhauser" (1957,
G. Klein), „Sterne" (1959, K. Wolf) und die
Filmkomödie „Karbid und Sauerampfer"
(1964, F. Beyer). Die Wirklichkeitssuche der
F. ab Mitte der 1960er Jahre führte zum offiziellen Vorwurf der ungenügenden positiven
Würdigung des „sozialist. Menschen". Ergebnis der Konfrontationen war das Verbot
von 12 DEFA-Spielfilmen der Jahre 1965/66,
u. a. „Spur der Steine" (F. Beyer), „Das Ka-
ninchen bin ich" (K. Maetzig). Nach der polit. Zäsur 1971 entstanden F. mit dem formu-
lierten Recht auf Verwirklichung individueller Lebensansprüche, u. a. „Paul und Paula"
(1973, H. Carow), „Der Dritte" (1973,
E. Günther). Zunehmende künstler. und

polit. Restriktionen und die Ausbürgerung
W. Biermanns waren die Ursachen für den
Weggang vieler Schauspieler, Regisseure und
Autoren, u. a. M. Krug, A. Domröse, H. Thate,
E. Günther, A. Mueller-Stahl, M. Bieler,
J. Becker. Trotzdem entstanden wichtige F.,
auch F. nach literar. Vorlagen, z. B. „Levins
Mühle" (1980, H. Seemann), „Der Aufent-
halt" (1982, F. Beyer), „Die Verlobte" (1980,
G. Rücker und G. Reisch), Kinder- und Jugendfilme (u. a. „Sieben Sommersprossen",
1978, H. Zschoche). F. der 1980er Jahre wi-
derspiegeln zunehmendes „Unbehagen am
Alltag" und krit. Suche nach bewußter Reflexion gesellschaftl. Realität, zugleich aber
auch die Aufgabe des Anspruchs: F. als geistige und menschl. Utopie. Es entstanden
„Solo Sunny" (1979, K. Wolf), „Jardup und
Boel" (1987, R. Simon), „Insel der Schwäne
(1982, H. Zschoche). Filme der letzten Jahre
tendierten symptomatisch zu Endzeitstim-
mung, u. a. „Abschiedsrisiko" (1989, R. Lo-
sansky), „Letztes aus der DaDaeR" (1989,
J. Foth). Kriminalfilm, Komödie oder Musik-
film waren als Genre kaum vertreten. Wichtige Beiträge leistete der Dokumentarfilm
(„Winter ade", 1988, H. Misselwitz). Die Jahre 1989/90 waren geprägt von der Wieder-
und Erstaufführung sog. „Kellerfilme", es
entstand die Kriminalkomödie „Der Bruch"
(1989, F. Beyer), 1990 „Der Tangospieler"
(R. Gräf) und 1991 „Stein" von E. Günther. –
In Polen vollzieht sich eine ähnl. Entwicklung. R. Polanski arbeitet seit dem F. „Das
Messer im Wasser" (1962) im Ausland. Internat. gegenwärtig sind A. Wajda („Der Mann
aus Eisen"; 1981; „Dantons Tod", 1983;
„Die Dämonen", 1987), K. Zanussi („Illumi-
nation", 1973; „Blaubart", 1984) und
K. Kieślowski („Ein kurzer Film über das
Töten", 1987). – In Ungarn stehen neben
Z. Fábri („Zwanzig Stunden", 1965) v. a.
I. Szabó („Vater", 1966; „Mephisto", 1980;
„Oberst Redl", 1985; „Hanussen", 1988) und
Márta Mészáros („Tagebuch für meine Lieben", 1986) für den internat. F. – In Latein-
amerika setzte 1968 der F. „Die Stunde der
Hochöfen" des Argentiniers F. E. Solanas ein
Fanal des polit. Kampfes. Das brasilian. „Cinema nóvo" der 1960er Jahre war vertreten
durch G. Rocha („Gott und Teufel im Land
der Sonne", 1964); in den 1970er Jahren
erschien als wichtigster F. „Sao Bernardo"
(1972) von L. Hirszman. – Die großen Regisseure Japans sind Yasujirō Ozu („Spät-
herbst", 1960), Akira Kurosawa („Rasho-
mon", 1950; „Sieben Samurai", 1954; „Kage-
musha", 1980) und Kenji Mizoguchi („Uget-
su – Erzählungen unter dem Regenmond",
1953).

📖 *The international dictionary of films and
filmmakers. Hg. v. C. Lyon u. a. Chicago*

1984–87. 4 Bde. – Reichow, J./Hanisch, M.: F.schauspieler A–Z, Bln. [6]*1987. – Larousse, Dictionnaire du Cinema, Paris 1986. – Fischer F.-Almanach 1980ff. Hg. v. W. Schobert u. W. Schäfer. Ffm. 1986. – Kurowski, U.: Sachlex. F. Ffm. 1985. – Rabenalt, A. M.: Goebbels und der „Grossdt." F. Mchn. 1985. – Cinegraph. Lex. zum dt.sprachigen F. Hg. v. H.-M. Bock. Mchn. 1984ff. – Buchers Enzyklop. des F. Hg. v. L. Bawden u. a. Mchn. u. Luzern* [2]*1983. 2 Bde. – Ney, U.: Schmalfilmen. Niedernhausen. Neuaufl. 1982. – Faulstich, W.: Einf. in die F.analyse. Tüb.* [2]*1980. – Arnheim, R.: F. als Kunst. Ffm.* [2]*1979. – Richter, H.: Der Kampf um den F. Ffm. 1979. – Rehbinder, M.: Internat. Bibliogr. des F.- u. Fernsehrechts. Bern 1979. – rororo F.lex. Rbk. 1978. 6 Bde. – Lotmann, J. M.: Probleme der Kinoästhetik. Einf. in die Semiotik des F. Dt. Übers. Ffm. 1977. – Toeplitz, J.: Gesch. des F. Mchn.* [1–4]*1977–83. 4 Bde.*

Filmarchiv, geordnete Sammlung von Filmen sowie filmhistorisch bed. Dokumenten: insbes. Cinémathèque Française (Paris), British Film Institute (London), Museum of Modern Art (New York), Film Library (New York), Gosfilmofond (Moskau), Dt. Institut für Filmkunde (Wiesbaden), Dt. Kinemathek (Berlin), Bundesarchiv (Koblenz; 1990 wurde das ehem. Staatsarchiv der DDR in Berlin übernommen), Institut für den Wissenschaftl. Film (Göttingen).

Filmbewertungsstelle Wiesbaden, Abk. FBW, 1951 in Wiesbaden gegr. Länderbehörde zur Beurteilung der von Verleih und Herstellung eingereichten Kurz- und Spielfilme. Der Bewertungsausschuß vergibt die Prädikate „wertvoll" und „bes. wertvoll", die steuerl. Vergünstigungen und Subventionen nach dem Filmförderungsgesetz zur Folge haben.

Filmdosimeter (Filmplakette) ↑ Dosimeter.

Filmdruck, andere Bez. für Siebdruck (↑ Drucken).

Filmemacher, jemand, der zugleich als Regisseur und Drehbuchautor Filme in eigener Verantwortung macht; die Bez. betont einerseits mehr den Warencharakter des Films, andererseits das Engagement (Autorenfilme).

Filmessay, mit den Möglichkeiten des Mediums Fernsehen aufbereitete filmische Betrachtung zu bestimmten Themen des Zeitgeschehens, zu Personen oder histor. Themen, in die Dokumentationen, Kommentare und z.T. auch Spielszenen einbezogen werden. – ↑ Fernsehspiel.

Filmfestspiele, i. d. R. jährlich abgehaltene internat. Wettbewerbe mit Preisverleihung für die besten Filme, Regisseure, Darsteller u. a. Die Regeln der großen F. werden kontrolliert von der „Fédération Internatio-

nale des Associations de Producteurs de Films" (FIAPF). Die wichtigsten F. sind in Cannes (gegr. 1946, Hauptpreis „Goldene Palme"), Berlin (gegr. 1951, Hauptpreis „Goldener Bär"), Venedig (gegr. 1932), Locarno (gegr. 1946), Karlsbad (gegr. 1946), San Sebastián (gegr. 1954), Moskau (gegr. 1959); F. für Kurz- und Experimentalfilme werden veranstaltet in Oberhausen (seit 1955), Mannheim (seit 1952), Leipzig (seit 1957). Daneben gibt es zahlr. F., die auf einzelne Gattungen spezialisiert sind.

Filmförderung, Förderung der Filmwirtschaft durch staatliche Subventionen, Schutzbestimmungen sowie durch Selbsthilfemaßnahmen. Rechtl. Grundlage ist das FilmförderungsG i. d. F. vom 18. 11. 1986. Die Förderungsaufgaben (Steigerung der Qualität des dt. Films, Verbesserung der Struktur der Filmwirtschaft, Unterstützung dt.-ausländ. Gemeinschaftsproduktionen und der Zusammenarbeit zw. Film und Fernsehen, Gewährung von Förderungshilfen) wurden der Filmförderungsanstalt in Berlin übertragen. Die Anstalt wird aus Haushaltsmitteln sowie über die sog. Filmabgabe, die von Veranstaltern entgeltl. Filmvorführungen erhoben wird, finanziert. – 1988 wurde in Paris von 13 Staaten ein multinat. Filmfonds „Eurimag" gegründet.

Filmkamera, photograph. Kamera zur Aufnahme kinematograph. Bilder von bewegten Objekten. Von der Stehbildkamera unterscheidet sie sich konstruktiv in der Verschluß-, der Filmtransport- und der Filmspuleneinrichtung, die es ermöglichen, eine bestimmte Anzahl Bilder in einer Sekunde zu belichten und weiterzuschalten. Erforderl. ist, daß das einzelne Bild bei der Belichtung stillsteht; der Filmtransport muß also ruckweise geschehen, oder das vom Objektiv erzeugte Bild muß bei kontinuierl. Filmlauf (z. B. in der Hochgeschwindigkeitskinematographie für extreme Zeitlupeneffekte) durch ein Drehspiegel- oder Prismensystem dem Film nachgeführt werden. Ruckweiser Filmtransport *(Bildschrittschaltung)* i. d. R. durch Greifergetriebe, dessen Klaue in die Perforation des Films eingreift und diesen nach jeder Belichtung um eine Bildhöhe weiterschaltet. Der *Verschluß* ist eine synchron mit der Greiferbewegung umlaufende Sektorenscheibe *(Umlaufblende, Sektorenblende).* Die Belichtungszeit wird einerseits durch die Bildfrequenz, andererseits durch die Breite des (veränderl.) Hellsektors bestimmt, der zum Ausblenden des Bildes (vor Szenenübergängen) ganz geschlossen werden kann. Schmalfilmkameras haben häufig eine unveränderl. Sektorenblende mit auf ca. 230° vergrößertem Hellsektor für Aufnahmen unter ungünstigem Licht (sog. **XL-Kameras;** engl. existing

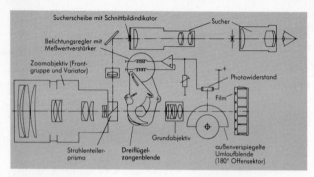

Sucherscheibe mit Schnittbildindikator

Sucher

Belichtungsregler mit
Meßwertverstärker

Zoomobjektiv (Front-
gruppe und Variator)

Photowiderstand

Film

Grundobjektiv

Strahlenteiler-
prisma

Dreiflügel-
zangenblende

außenverspiegelte
Umlaufblende
(180° Offensektor)

Filmkamera. Prinzip des
Strahlengangs bei einer
Super-8-Kamera

light). Bei einem Hellsektor von 180° ist die Belichtungszeit dadurch gegeben, daß man das Doppelte der Gangzahl als Sekundenbruchteil nimmt, d. h., sie beträgt bei einer Frequenz von 16 Bildern $\frac{1}{32}$ s. Durch Erniedrigen oder Erhöhen der Bildfrequenz bei beibehaltener Wiedergabefrequenz ergeben sich *Zeitraffer-* und *Zeitlupeneffekte.* Extreme Zeitraffereffekte sind mit der Einzelbildschaltung möglich. Filmkameras haben heute überwiegend elektromotor. Antrieb. Da der Greifer den Filmtransport ruckweise vornimmt, die Filmspulen den Film aber kontinuierl. ab- bzw. aufwickeln, müssen zwei zw. den beiden Bewegungsarten vermittelnde Filmschleifen vor und hinter der Bildbühne gebildet und der Film über kontinuierl. umlaufende Zahntrommeln geführt werden. Auch die Aufwickelspule muß angetrieben werden, und zwar, da ihre Drehzahl mit wachsender Zahl der Filmwindungen immer geringer werden muß, über eine Friktionskupplung. Auf Filmschleifen und Transportrolle[n] können 8-mm-Schmalfilmkameras (Super-8, Single-eight) mit ihrer geringen Bildschritthöhe von etwa 4 mm verzichten. Bes. bei Fernsehfilm- und Schmalfilmkameras ist das Zoomobjektiv an die Stelle der Wechselobjektive getreten. Für Außenaufnahmen werden bes. in der Fernsehproduktion 16-mm-Kameras eingesetzt, die Film in Tageslichtspulen oder -kassetten (60–365 m) verwenden. Einige Systeme lassen sich durch Platinenwechsel für Magnettonaufnahmen auf vorbespurten Film umrüsten. Studiokameras benötigen für Tonfilmaufnahmen ein Schallschutzgehäuse *(Blimp).* Schmalfilmkameras sind meist **automat. Kameras** mit Blendenautomatik, wobei die photoelektr. Belichtungsmessung durch das Objektiv erfolgt.
⊞ *Lange, H.: Schmalfilm mit allen Schikanen.*

Bln. [5]1984. – Unbehaun, K.: Filmen. Derendingen/Solothurn [3]1981.

Filmlet [engl.], kurzer Werbefilm von etwa 10–30 m Länge.

Filmmusik, von Beginn der Stummfilmzeit an wurde versucht, die Wirkung der stummen Bilder durch Musik zu erhöhen. Zunächst blieb es Klavierspielern, kleinen Ensembles oder Salonorchestern überlassen, die Vorführung mit Arrangements bekannter Melodien und realist. Geräuscheffekten zu begleiten. Originale F. schufen später z. B. C. Saint-Saëns („L'assassinat du Duc de Guise", 1908), D. Milhaud („Le bœuf sur le toit", 1913), A. Honegger („La roue", 1922), E. Meisel („Panzerkreuzer Potemkin", 1925). – Der erste dt. Tonfilm mit Musik war „Melodie der Welt" (1929, Musik W. Zeller). Wertvolle Tonfilmmusik, die Handlung und Dialog untermalt, akzentuiert und psycholog. vertieft, wurde vereinzelt von namhaften Komponisten geschrieben, so von G. Auric, A. I. Chatschaturjan, A. Copland, P. Dessau, W. Egk, H. Eisler, W. Fortner, H. W. Henze, J. Ibert, S. S. Prokofjew, D. D. Schostakowitsch, M. Theodorakis, W. Zillig. Zur Werbung und Finanzierung der Filmprojekte wird F. seit 1950 auch auf Schallplatten, als sog. „Soundtracks" verkauft, insbes. die Titelmelodien.

Filmographie [engl./griech.], chronolog. Verzeichnis von Filmen eines Regisseurs bzw. Schauspielers mit genauen Titel- und Jahresangaben.

Filmothek [engl./griech.] ↑ Kinemathek.

Filmplakette ↑ Dosimeter.

Filmprojektor ↑ Projektionsapparate.

Filmtechnik ↑ Film.

Filmwerbung, Werbung mit Mitteln des Films, v. a. in Filmtheatern; Vorteile dieser Form der Werbung liegen in der erzwungenen Aufmerksamkeit und in der Verteilung der Filmtheater. Der Gedanke der Verwendung von Filmen für Werbezwecke wurde schon 1910 patentamtlich geschützt. 1912 wurde in Berlin die erste Filmwerbegesellschaft gegründet.

Filmwirtschaft ↑ Film.

Filopodien [lat./griech.] ↑ Scheinfüßchen.

Filou [fi'lu:; frz.], raffinierte oder leichtfertige Person, Spitzbube.

Filow, Bogdan Dimitrov [bulgar. 'filɔf], * Stara Sagora 10. April 1883, † Sofia 1. Febr. 1945, bulgar. Archäologe und Politiker. – Prof. in Sofia; 1940–43 Min.präs., 1943 Mgl. des Regentschaftsrats; steuerte einen deutschfreundl. Kurs; nach dem Einmarsch der Roten Armee hingerichtet.

Fils, rechter Nebenfluß des Neckars, Bad.-Württ., entspringt in der Schwäb. Alb, mündet bei Plochingen, 63 km lang.

Fils [arab., zu lat. follis „Geldbeutel"] (arab. Fals; Mrz. Fulus; Fels), 1. arab. Bez. für Kupfermünzen; 2. arab. Bez. für Geld; 3. verschiedentlich auch arab. Münzeinheit wechselnder Wertstellung, heute noch in mehreren arab. Staaten.

Filter [mittellat., eigtl. „Durchseihgerät aus Filz"], poröses Material (z. B. Papier, Ton, Bimsstein, Sand- oder Kiesschichten) zum Ausscheiden bestimmter Gemischanteile, zum Abtrennen fester, ungelöster Teilchen von Gasen oder Flüssigkeiten; durch **Filtrieren** erhält man feste (Stäube, Schwebstoffe) oder ungelöste Teilchen (Niederschläge, Schwebstoffe), getrennt vom Gas oder der nun wieder klaren Flüssigkeit **(Filtrat).**

◆ elektron. Schaltung mit stark frequenzabhängigen Eigenschaften; F. bestehen aus *Induktivitäten* (Spulen; induktiver Widerstand steigt mit der Frequenz) und *Kapazitäten* (Kondensatoren; kapazitiver Widerstand nimmt ab mit wachsender Frequenz). Der **Tiefpaß** läßt alle Frequenzen unterhalb einer Grenzfrequenz durch und dämpft alle höheren Frequenzen. Der **Hochpaß** läßt alle Frequenzen oberhalb einer Grenzfrequenz durch und dämpft alle niedrigeren Frequenzen. Der **Bandpaß** hat einen Durchlaßbereich für das Frequenzband zw. zwei Grenzfrequenzen. Die **Bandsperre** sperrt einen Frequenzbereich und läßt tiefere oder höhere Frequenzen passieren. Der **Allpaß** überträgt alle Frequenzen, dreht jedoch den Phasenwinkel zw. Eingangs- und Ausgangsspannung in Abhängigkeit von der Frequenz.

◆ (akust. F.) Vorrichtung zur Schallanalyse oder zum Aussieben bestimmter Schallfrequenzbereiche.

◆ in der *Photographie* werden in der Masse gefärbte, planparallel geschliffene und vergütete Glasscheiben oder [zw. Glasplatten gekittete] Gelatinefolien verwendet, die vor der Frontlinse des Objektivs, bei Fernbildlinsen auch innerhalb des Objektivs angebracht werden **(Aufnahmefilter).** Bei Schwarzweißaufnahmen verwendet man **Kontrastfilter** (Gelb-, Grün-, Orange-, Blaufilter) dazu, Helligkeitskontraste zw. Farben zu erzielen, die mit demselben oder ähnl. Grauwert wiedergegeben würden. Bei Farbaufnahmen auf Umkehrfilm sind **Farbtemperatur-Korrekturfilter (Colorfilter)** erforderlich, um die Farbtemperatur der Beleuchtung an die Abstimmung des Films anzupassen (z. B. **Skylightfilter** zur Erniedrigung der hohen Farbtemperaturen um die sommerl. Mittagszeit, **Konversionsfilter** zur Anpassung von Tageslicht an Kunstlichtfilm oder Kunstlicht an Tageslichtfilm). **Sperrfilter** schließen bestimmte Wellenlängenbereiche (und die mit ihnen gegebenen Sichthindernisse) aus, z. B. **Ultraviolett-Sperrfilter** *(UVa-Filter, Hazefilter)* die bes. im Hochgebirge herrschende UV-Strahlung, **Dunkelrot-** bzw. **Schwarzfilter** das sichtbare Licht bei Infrarotaufnahmen (beide Typen wirken auch gegen Dunst und atmosphär. Trübungen). **Graufilter (Neutralfilter)** verringern allg. die Beleuchtungsstärke bei der Aufnahme (z. B. für Aufnahmen mit geringer Schärfentiefe bei offener Blende). **Graufilter** mit Zonen abgestufter Dichte *(Verlauffilter)* beeinflussen dabei nur bestimmte Bildpartien (z. B. den Himmel). **Polarisationsfilter** *(Polfilter)* lassen nur polarisiertes Licht hindurch; sie löschen Reflexe auf glänzenden Oberflächen (nicht Metall), Fensterscheiben u. a. Für die Herstellung von Farbkopien bzw. -vergrößerungen sind **Kopierfilter** mit sehr engem Durchlaßbereich in den additive oder subtraktiven Grundfarben notwendig, die häufig als *dichroit.* F. mit mehreren dünnen aufgedampften Schichten versehen sind, die bestimmte Farbbereiche durch Interferenz ausfiltern *(Interferenzfilter).*

Kontrastfilter	gibt heller wieder	gibt dunkler wieder
Gelb	Gelb, Rot	Blau
Orange	Rot	Blau, Grün
Rot	Rot, Gelb	Blau, Grün, Violett
Gelbgrün	Gelbgrün, Gelb	Blau, Rot
Grün	Grün, Gelb	Blau, Rot
Blau	Blau	Gelb, Rot

Filterentstaubung ↑ Entstaubung.

Filterpapier (Filtrierpapier), weißes, meist ungeleimtes Papier mit geringem Aschegehalt; „aschefreies" F. für quantitative chem. Analysen; für Spezialzwecke werden F. auch präpariert oder beschichtet.

Filterzigaretten ↑ Zigaretten.

Filtrationsenzyme, Enzympräparate aus Schimmelpilzen, die Pektine zu lösl. Verbindungen abbauen; erleichtern das Abpressen von Obst- bzw. Beerenmaischen.

Filum [lat.], in der Anatomie Bez. für fadenförmige Strukturen.

Filz [eigtl. „gestampfte Masse"], Faserverbundstoff aus losen, nicht gesponnenen [Tier]haaren **(Haarfilz)** oder Wollen **(Wollfilz)**, die zusammengepreßt, gewalkt, gewebt oder genadelt werden.
♦ umgangssprachlich für grober, geiziger Bauer.

filzen, umgangssprachlich für: jemanden [auf Ungeziefer oder versteckte Gegenstände] durchsuchen, untersuchen.

Filzen, Fähigkeit der Wollhaare, sich unter der Einwirkung von Druck, Feuchtigkeit, Wärme oder beim Reiben zu einer unentwirrbaren Fasermasse formen zu lassen. Dies wird beim *Walken* von Wollstoffen ausgenutzt, wodurch diese höhere Reißfestigkeit, Scheuerfestigkeit und Wärmedämmvermögen erlangen.

Filzkraut (Fadenkraut, Filago), Gatt. der Korbblütler mit etwa 20 Arten; kleine Kräuter mit filzig behaarten Stengeln und Blättern und sehr kleinen, wenigblütigen Köpfchen in Knäueln; in M-Europa 7 Arten, meist Ackerunkräuter, u. a. **Zwergfilzkraut** (Filago minima), gelbblühend, auf Sandböden.

Filzlaus (Schamlaus, Phthirius pubis), etwa 1–3 mm lange Art der Läuse, v. a. in der Schambehaarung des Menschen; wird bes. durch Geschlechtsverkehr übertragen.

Filzokratie, verfilzte, ineinander auf nicht durchschaubare Weise verflochtene Machtverhältnisse, die durch Begünstigung (z. B. von Parteifreunden) bei der Ämterverteilung o. ä. zustande kommen.

Filzpappe, textilfaserhaltige Pappe mit lockerem und weichem Gefüge; v. a. als Unterlage von Bodenbelägen, zur Wärme- und Schalldämmung.

Filzschreiber, Schreibgerät, das aus einem Speicher mit Schreibflüssigkeit und einer Schreibspitze aus einem relativ breiten, hartgepreßten Filzdocht besteht; der **Faserschreiber** enthält eine Schreibspitze aus Glasfasern.

Fimbrien [lat.], fransenförmige Gewebsbildungen, z. B. am Eileiter.
♦ bei Bakterien svw. ↑ Pili.

FINA [frz. fi'na], Abk. für: Fédération Internationale de Natation Amateur, Internationaler Schwimm-Verband; gegr. 1908 in London; Sitz Barcelona.

final [lat.], die Absicht, den Zweck angebend; **finale Konjunktion,** eine Konjunktion (Bindewort), die die Absicht, den Zweck angibt, im Dt. z. B. damit, daß.

Finale [italien., zu lat. finalis „das Ende betreffend"], der Schlußsatz mehrsätziger Kompositionen wie Sinfonien, Sonaten und Konzerte; in der Oper die einen Akt abschließende Szene.

♦ abschließender Durchgang eines Wettkampfes.

Finale Ligure, italien. Seebad in Ligurien, an der Riviera di Ponente, 13 600 E. Flugzeugind. – Im MA Reichslehen, seit 1598 spanisch; 1713 an Genua verkauft. – In der Umgebung zahlr. Höhlen (prähistor. Funde).

Finalismus [lat.], naturphilosoph. Lehre, nach der alles von Zwecken bestimmt ist bzw. zielstrebig verläuft.

Finalität [lat.], im Ggs. zur Kausalität die Bestimmung eines Geschehens und einer Handlung nicht durch ihre Ursachen, sondern ihre Zwecke.

Finalsatz, Nebensatz, der angibt, zu welchem Zweck heraus sich das Geschehen im übergeordneten Satz vollzieht, z. B.: Gib acht, *daß du dich nicht verletzt.*

Financial Times [engl. faɪ'nænʃəl 'taɪmz], brit. Zeitung, ↑ Zeitungen (Übersicht).

Finanzamt, unterste Behörde der Finanzverwaltung, zuständig für die Verwaltung der Steuern mit Ausnahme der Zölle und der bundesgesetzlich geregelten Verbrauchsteuern, soweit die Verwaltung nicht den Gemeinden übertragen worden ist.
In *Österreich* sind F. in den Bundesländern eingerichtete erstinstanzl. Bundesbehörden, die mit der Bemessung und Erhebung bundesgesetzl. Abgaben und Gebühren betraut sind.

Finanzausgleich, i. w. S. die Regelungen der Finanzausstattung bzw. mehreren Gemeinwesen; i. e. S. die Verteilung der gesamten öffentl. Einnahmen auf verschiedene Gebietskörperschaften. Dabei wird die *Aufgabenverteilung* auf die verschiedenen Gebietskörperschaften als passiver, die Verteilung der Einnahmen als aktiver F. bezeichnet. Die *Ausgleichszuweisungen* können grundsätzlich sowohl von übergeordneten zu nachgeordneten als auch von nachgeordneten zu übergeordneten Körperschaften fließen. Erfolgt der F. zw. gleichgeordneten Körperschaften, so spricht man von *horizontalem F.;* erfolgt der F. zw. über- und untergeordneten Körperschaften, so spricht man von *vertikalem F.* Beim vertikalen F. zw. Land und Gemeinden fließen rd. 97 % der F.masse als Schlüsselzuweisungen an die Gemeinden, rd. 3 % werden für einen *Ausgleichsstock* reserviert, aus dem Bedarfszuweisungen in Härtefällen gegeben werden. Entsprechend dem Grad der Finanzautonomie der untergeordneten Körperschaft ergeben sich verschiedene Systeme des F.: Beim *freien Trennsystem* ist jede Körperschaft frei in der Wahl ihren Steuerquellen und in der Art der Ausgestaltung der Steuern. Beim *gebundenen Trennsystem* werden jeder Körperschaft nur bestimmte Steuerquellen zugewiesen, auf deren Ausnutzung sie beschränkt ist. Beim *totalen*

Finanzausgleich Anteile der ausgleichspflichtigen (−) und ausgleichsberechtigten (+) Bundesländer zwischen 1970 und 1992 (in Mill. DM)				
	1970	1980	1985	1990	1992[1]
Baden-Württemberg	−314,4	−1504,1	−1444,1	−2471,6	−1555,2
Bayern	+148,2	+402,6	+27,5	+35,9	−
Bremen	+89,5	+178,2	+332,7	+639,6	+530,0
Hamburg	−294,0	−313,2	−406,7	−7,9	−
Hessen	−290,0	−297,7	−724,6	−1445,6	−1992,8
Niedersachsen	+407,3	+753,5	+826,8	+1926,6	+1463,1
Nordrhein-Westfalen	−316,9	−76,3	+90,7	−62,9	−
Rheinland-Pfalz	+228,4	+246,7	+374,3	+489,9	+704,1
Saarland	+142,8	+287,3	+359,2	+366,2	+411,1
Schleswig-Holstein	+199,1	+323,0	+564,1	+601,6	+439,7

[1] vorläufige Zahlen

Verbundsystem fließen alle Einnahmen einer Körperschaft zu, wovon dann ein bestimmter Anteil den anderen Körperschaften zugewiesen wird. In der Praxis werden v. a. Mischsysteme verwendet. Den verschiedenen Körperschaften werden teils eigene Quellen überlassen, teils Finanzierungsmittel zugewiesen. In der BR Deutschland wird ein solches Mischsystem praktiziert. Bund, Ländern und Gemeinden sind bestimmte Steuern ganz zur eigenen Verwaltung überlassen, andere werden von Bund und von den Ländern gemeinsam verwaltet. Das Aufkommen aus der Lohn- und der veranlagten Einkommensteuer wird auf Bund, Länder und Gemeinden verteilt, das Aufkommen aus der Körperschaftsteuer und Kapitalertragsteuer auf Bund und Länder. Der horizontale F. zw. den Ländern wird nach dem Verhältnis zw. der Steuerkraftmeßzahl und der Ausgleichsmeßzahl geregelt. Die *Steuerkraftmeßzahl* eines Landes ergibt sich aus der Summe seiner Steuereinnahmen, die *Ausgleichsmeßzahl* aus der Multiplikation der Anzahl der E des Landes mit dem Verhältnis von Steuereinnahmen zu E im Bundesdurchschnitt. Ausgleichszahlungen müssen solche Länder leisten, deren Steuerkraftmeßzahl größer ist als die Ausgleichsmeßzahl. Durch das Föderale Konsolidierungsprogramm wird der Länder-F. unter Einbeziehung der neuen Länder zum 1. Jan. 1995 neu geordnet. Bis dahin erhalten diese Mittel aus dem Fond „Dt. Einheit" und alte und neue Länder führen getrennte F. durch.

Finanzdienstleistungen, alle Dienstleistungen, die auf die Vermögens- und Liquiditätslage der Kunden von Banken u. ä. zielen.

Finanzen [frz., zu mittellat. finantia „fällige Zahlung", eigtl. „was zu Termin steht"], Geldangelegenheiten, Vermögenslage; i. e. S. Einnahmen und Ausgaben (der öff. Hand).

Finanzgerichtsbarkeit, Gerichtsbarkeit zur Entscheidung von Streitigkeiten über Abgaben-, insbes. Steuer- und verwandte Angelegenheiten; Rechtsgrundlagen sind die Finanzgerichtsordnung (FGO) vom 6. 10. 1965 und (vorerst bis Ende 1992 befristet) das Gesetz über die Entlastung der Gerichte in der Verwaltungs- und F. vom 31. 3. 1978. Die F. ist zweistufig, in den Ländern bestehen Finanzgerichte, im Bund der Bundesfinanzhof. Die **Finanzgerichte** entscheiden durch Senate in der Besetzung mit 3 Berufs- und 2 ehrenamtl. Richtern. Der **Bundesfinanzhof** (BFH) entscheidet durch Senate in der Besetzung mit 5 Berufsrichtern, bei Beschlüssen außerhalb der mündl. Verhandlung mit 3 Berufsrichtern. Grundsätzl. Fragen können dem Großen Senat zur Entscheidung über die Rechtsfrage vorgelegt werden.

Finanzgerichtsverfahren, Verfahren der Gerichte in Streitigkeiten, für die der Finanzrechtsweg gegeben ist (bes. öff.-rechtl. Streitigkeiten über Abgabenangelegenheiten, berufsrechtl. Streitigkeiten). Dem F. muß ein Beschwerdeverfahren vorhergehen. Zuständig ist i. d. R. das Finanzgericht, in dessen Bezirk die Behörde ihren Sitz hat, gegen die die Klage gerichtet ist. Das Gericht entscheidet im Rahmen der von den Beteiligten gestellten Anträge i. d. R. auf Grund mündl. Verhandlung durch Urteil. Die Revision ist i. d. R. nur möglich, wenn sie vom Finanzgericht oder Bundesfinanzhof zugelassen wird.

Finanzierung [mittellat.-frz.], Bereitstellung oder Beschaffung von Finanzierungsmitteln zur Deckung des Finanzbedarfs eines Unternehmens oder Haushalts. Nach der Herkunft der Mittel unterscheidet man Außen- und Innenfinanzierung.

Finanzkapital, nach R. Hilferding Bez. für das bei wenigen Großbanken angesammelte Geldkapital, das seinen Besitzern auf Grund ihrer ökonom. Macht auch großen polit. Einfluß verleiht.

Finanzmonopol, das Recht des Staates auf alleinige Herstellung und Vertrieb bestimmter Güter unter Ausschluß des Wettbewerbs. In *Deutschland* gibt es das Branntweinmonopol, in *Österreich* das Branntwein-, Glücksspiel-, Salz- und Tabakmonopol, in der *Schweiz* sowohl F. des Bundes (Alkohol u. a.) als auch der Kantone (Salz u. a.).

Finanzplan, 1. *ordentl. F.:* die Gegenüberstellung der zu erwartenden Einnahmen und Ausgaben sowie deren zeitl. Abstimmung untereinander; 2. *außerordentl. F.:* umfaßt die in einer bestimmten Periode beabsichtigten Investitionen und die Mittel zu deren Finanzierung.

Finanzplanung, Planung der Größen, die eine Haushaltswirtschaft ausmachen, für einen bestimmten Zeitraum in der Zukunft. In der BR Deutschland wurde die F. 1967 durch das Stabilitätsgesetz für die Haushaltswirtschaft des Bundes vorgeschrieben.

Finanzplanungsrat, 1968 eingerichtetes, aus dem Bundesmin. der Finanzen sowie Vertretern der Länder und Gemeinden bestehendes Gremium zur Koordinierung der Finanzplanung von Bund, Ländern und Gemeinden.

Finanzpolitik (öffentl. F.), Gesamtheit aller staatl. Maßnahmen, die gewollt und direkt auf die Finanzwirtschaft einwirken. Ziele der F. sind neben der Beschaffung öffentl. Einnahmen auch die [nichtfiskal.] Ziele des Wohlstands, der Gerechtigkeit und der sozialen Sicherheit. Die staatl. Interventionen richten sich dabei auf die Höhe des Volkseinkommens, auf seine Verteilung und auf die Stabilität des Einkommens, der Preise und der Beschäftigung. Die Mittel der Finanzpolitik sind die öffentl. Einnahmen und Ausgaben sowie deren Kombination im öffentl. Haushalt.

Bei der F. als Mittel der Stabilisierung des Volkseinkommens, der Beschäftigung und des Preisniveaus (↑ Konjunkturpolitik) sollte der Staat nach der klass. Lehre nur einen Haushaltsausgleich anstreben; die moderne Haushaltspolitik nimmt Defizite und Überschüsse bewußt in Kauf, um durch **antizykl. Finanzpolitik** die Konjunkturausschläge zu verringern.

Bei einer antizykl. F. kommt in einer Phase der Depression, die durch Unterbeschäftigung und zu geringe Gesamtnachfrage gekennzeichnet ist, die entscheidende Rolle den staatl. Ausgaben zur Konjunkturbelebung zu. Gleichzeitig sollte der Staat durch eine Steuersenkung die private Wirt-

schaftstätigkeit anzuregen versuchen. In einer Phase der Prosperität, die durch hohe Beschäftigung und steigendes Preisniveau gekennzeichnet ist, fällt den Steuern und öffentl. Ausgaben gemeinsam die Rolle zu, die Gesamtnachfrage zu reduzieren. Dabei steht die Steuer als Instrument der Stabilisierung den öffentl. Ausgaben nicht nach. Erzielte Einnahmenüberschüsse des Staates müssen bei der Zentralbank stillgelegt und dem wirtschaftl. Kreislauf entzogen werden. Unumgänglich für den Erfolg der F. ist weiterhin eine Koordination mit den Entscheidungsträgern der Geldpolitik, wo diese, wie in der BR Deutschland die Dt. Bundesbank, bei der Ausübung ihrer Befugnisse von Weisungen der Regierung unabhängig sind.

📖 *Michaelis, J.: Optimale F. im Modell überlappender Generationen.* Ffm. 1989. – *Lachmann, W.: Fiskalpolitik.* Bln. 1987.

Finanzreform, Bestrebungen, durch eine Umgestaltung der Finanzverfassung ein einheitl. und übersichtl. Steuersystem zu erreichen sowie eine Neuverteilung der Steuereinnahmen zw. den Gebietskörperschaften zu schaffen (↑ Steuerreform).

Finanzreformgesetz, Kurzbez. für das 21. Gesetz zur Änderung des GG vom 12. 5. 1969. Es führte das Institut der ↑ Gemeinschaftsaufgaben ein (Art. 91 a, 91 b GG) und änderte durchgreifend die Finanzverfassung, v. a. bezüglich der Verteilung des Steueraufkommens.

Finanzsoziologie ↑ Finanzwissenschaft.

Finanzstatistik ↑ Finanzwissenschaft.

Finanztheorie ↑ Finanzwissenschaft.

Finanzverfassung, die Gesamtheit der Bestimmungen, die das öffentl. Finanzwesen in einem Staate regeln, insbes. das Recht, Steuern zu erheben (**Finanzhoheit**), die Verteilung der Einnahmen und die Haushaltswirtschaft. In der BR Deutschland ist die Finanzhoheit zw. Bund, Ländern und Gemeinden aufgeteilt. Der *Bund* hat die Gesetzgebungskompetenz über die Zölle, Finanzmonopole und die meisten Steuern, die *Länder* über die örtl. Verbrauchsteuern und Aufwandsteuern, solange und soweit sie nicht bundesgesetzl. geregelten Steuern gleichartig sind. Dem Bund steht der Ertrag der Finanzmonopole, der Zölle, gewisser Verbrauchsteuern, der Kapitalverkehrsteuern und anderer Steuern und Abgaben zu. Den Ländern steht der Ertrag zu aus Vermögensteuer, Erbschaftsteuer, Kraftfahrzeugsteuer und gewissen Verkehrsteuern. Das Aufkommen der Einkommensteuer, der Körperschaftsteuer und der Umsatzsteuer steht Bund, Ländern und Gemeinden gemeinsam zu (sog. **Gemeinschaftsteuern**). Den *Gemeinden* steht darüber hinaus das Aufkommen der Realsteuern und der örtl. Verbrauch- und Aufwandsteuern zu.

Die unterschiedl. Finanzkraft der Länder wird durch den Finanzausgleich ausgeglichen.

Nach *östr. Verfassungsrecht* ist zu unterscheiden zw. Finanzausgleich und der Einteilung der Abgaben in ausschließl. Bundesabgaben, zw. Bund und Ländern geteilte Abgaben, ausschließl. Landesabgaben, zw. Ländern und Gemeinden geteilte Abgaben und ausschließl. Gemeindeabgaben. Im *schweizer. Recht* ist die Finanzhoheit zw. Bund, Kantonen und Gemeinden aufgeteilt.

Finanzvermögen, Vermögen im Eigentum öffentl. Planträger. Zum F. gehören u. a.: die Domänen und Staatsforsten, das Erwerbsvermögen und Beteiligungen.

Finanzverwaltung, der Teil der öffentl. Verwaltung, der sich insbes. mit der Festsetzung und Erhebung von Steuern **(Steuerverwaltung),** der Vermögensverwaltung der öffentl. Hand und der Einziehung von Strafen, Beiträgen und Gebühren befaßt. Die Steuerverwaltung ist zw. Bund und Ländern aufgeteilt. Bundesfinanzbehörden sind das Bundesministerium der Finanzen, die Bundesschuldenverwaltung, die Bundesmonopolverwaltung für Branntwein, das Bundesamt für Finanzen und die Bundesbaudirektion. Landesfinanzbehörden sind das Landesfinanzministerium, die Oberfinanzdirektionen als Mittelbehörden und die Finanzämter als örtl. Behörden.

Für *Österreich* gilt bezüglich der Organisation der F. das Abgabenorganisationsgesetz von 1974, wonach in erster Instanz Finanz- und Zollämter, in zweiter Instanz die Finanzlandesdirektionen tätig werden. In der *Schweiz* ist die Steuerverwaltung zw. Bund, Kantonen und Gemeinden aufgeteilt.

Finanzwechsel ↑ Wechsel.

Finanzwirtschaft, die Wirtschaft der öffentl. Körperschaften: alle Einrichtungen und Tätigkeiten, die auf die Beschaffung und Verwendung von Mitteln für öffentl. Zwecke gerichtet sind. Träger sind Gebietskörperschaften sowie Hilfs- oder Nebenfisken wie die Sozialversicherungen und Landschaftsverbände. Die F. ist eine Bedarfsdeckungswirtschaft: sie verfolgt nicht den Zweck, einen Gewinn zu erzielen; alle Maßnahmen unterliegen aber dem ökonom. Prinzip, den gegebenen Bedarf mit dem kleinsten Aufwand zu befriedigen, über dessen Einhaltung Bundesrechnungshof, Landesrechnungshöfe und Parlamente als Organe der **Finanzkontrolle** zu wachen haben.

Finanzwissenschaft, Gebiet der Wirtschaftswissenschaften, dessen Gegenstand die Wirtschaft der öffentl. Körperschaften und deren Beziehungen zu den anderen Bereichen der Volkswirtschaft ist. Die F. analysiert v. a. die Wirkungen der finanzpolit.

Maßnahmen auf das Einkommen, die Beschäftigung, die Preise und die Einkommensverteilung. Teilgebiete der F.: Die **Finanzgeschichte** befaßt sich mit der Sammlung und systemat. Darstellung des finanzwirtschaftl. Geschehens der verschiedenen Zeiten, Völker und Länder. Die **Finanzstatistik** besorgt die zahlenmäßige Darstellung der Ausgaben, Einnahmen und Schulden der öffentl. Körperschaften. Die **Finanzsoziologie** untersucht die Einflüsse der Gesellschaft auf die öffentl. Finanzwirtschaft und umgekehrt. Die **Finanzpsychologie** sammelt die finanzpolit. Erfahrungen verschiedener Völker, Länder und Zeiten, ordnet sie systematisch unter psycholog. Gesichtspunkten und untersucht die typ. Einstellungen und Verhaltensmotive der Bürger zur öffentl. Finanzwirtschaft, so daß die Finanzpolitik die zu erwartenden Verhaltensweisen und Reaktionen auf finanzwirtschaftl. Maßnahmen berücksichtigen kann. Die **Finanztheorie** behandelt die Arten und ökonom. Wirkungen finanzwirtschaftl. Maßnahmen, der öffentl. Einnahmen und Ausgaben und des öffentl. Haushalts. Die **Finanzpolitik** befaßt sich mit der Frage, welche Maßnahmen der Staat einsetzen soll, wenn er unter gewissen Voraussetzungen bestimmte Ziele erreichen will.

Finca, span. für Grundstück, Landhaus mit Garten; in Mittelamerika kleiner Pflanzungsbetrieb.

Finch, Peter (eigtl. Peter Ingle-F.) [engl. 'fɪntʃ], * London 28. Sept. 1916, † Los Angeles 14. Jan. 1977, austral. Schauspieler. – Bühnendebüt 1949 in London; Darsteller erfolgreicher Persönlichkeiten mit widersprüchl. Gefühlsleben wie in „Das Mädchen mit den grünen Augen" (1963), „Sunday, bloody Sunday" (1971), „Network" (1976).

Finck, Werner [Walter], * Görlitz 2. Mai 1902, † München 31. Juli 1978, dt. Schauspieler und Kabarettist. – Leitete 1929–35 das Berliner Kabarett „Die Katakombe" (dann zeitweilig inhaftiert), 1948–51 in Stuttgart „Die Mausefalle"; schrieb u. a. „Das Kautschkbrevier" (1938) Fin(c)kenschläge" (1963), „Alter Narr, was nun?" (1972).

Finckh, Ludwig, * Reutlingen 21. März 1876, † Gaienhofen bei Radolfzell 8. März 1964, dt. Schriftsteller. – Gestaltete in volkstüml. Erzählwerken Themen aus schwäb. Landschaft und Geschichte.

Findelkind, meist als Säugling ausgesetztes Kind, dessen Angehörige unbekannt sind.

Finderlohn ↑ Fund.

Fin de siècle [frz. fɛ̃d'sjɛkl „Ende des Jh."], Epochenbegriff nach einem Lustspieltitel von F. de Jouvenot und H. Micard (1888), in dem sich das Selbstgefühl der Décadence des ausgehenden 19. Jh. ausgedrückt fand. – ↑ Dekadenz.

Findlinge ↑ Geschiebe.

Fine [italien.], Ende eines Musikstückes; steht bes. bei Sätzen mit Da-capo-Form, wenn die Wiederholung des ersten Teiles nicht ausgeschrieben ist.

Fine Champagne [frz. finʃã'paɲ], echter Cognac.

Fine Gael [engl. 'fin 'gɛil; ir. „Stamm der Gälen"] (engl. United Ireland Party), ir. polit. Partei, die sich aus den Befürwortern des anglo-ir. Vertrags von 1922 innerhalb der ↑ Sinn Féin bildete; konstituierte sich 1923 unter W. T. Cosgrave als eigene Partei **(Cumann na nGaedheal),** fusionierte 1933 mit der National Guard und der Centre Party zur F. G.; konservativ-demokrat. Grundorientierung.

Finesse [lat.-frz.], Feinheit, Kunstgriff.

Fingalshöhle [engl. 'fiŋgəl], Basaltgrotte in Meereshöhe an der SW-Küste der unbewohnten schott. Insel Staffa, 70 m lang, bei Ebbe bis 36 m hoch.

Finger (Digitus), der urspr. in Fünfzahl ausgebildete, häufig zahlenmäßig reduzierte, bewegl., distale Teil der Vordergliedmaße bzw. der Hand v. a. bei Affen und beim Menschen; wird durch ein Skelett, die **Fingerknochen** (Phalangen), gestützt. Jeder F. besteht mit Ausnahme des Daumens (zwei) urspr. aus drei F.gliedern. Beim Menschen sind die Gelenke zw. den einzelnen F.knochen Scharniergelenke, zw. den F.knochen und den Mittelhandknochen (mit Ausnahme des Daumens) Kugelgelenke. Das letzte F.glied trägt auf der Oberseite den F.nagel, auf der Unterseite die **Fingerbeere** (Fingerballen), deren Hautleistennetz in Form von Schlaufen, Wellen und Wirbeln bei jedem Menschen charakterist. angeordnet ist und zahlr. Tastkörperchen enthält („Fingerspitzengefühl").

Fingerabdruck (Daktylogramm), der Abdruck der Fingerbeere (↑ Finger) auf Gegenständen. Im Bereich der Kriminalistik ist die ↑ Daktyloskopie ein wichtiges Hilfsmittel zur Personenfeststellung und zur Aufklärung von Straftaten. Da in den Hautleisten der Fingerbeere ständig Schweiß abgesondert wird, können die auf den berührten Flächen zurückbleibenden Schweißspuren durch verschiedene Methoden sichtbar gemacht werden und mit den F. von Straftätern oder Verdächtigen, die in den Sammlungen der Kriminalämter gespeichert sind, verglichen werden; mit Hilfe des Computers ist eine schnelle Auswertung möglich.

Fingerhakeln, Wettkampf (v. a. in Alpenländern), bei dem sich zwei Männer mit eingehaktem Mittelfinger über einen zw. ihnen stehenden Tisch zu ziehen versuchen; Dt. Meisterschaften seit 1959.

Fingerhirse (Digitaria), Gatt. der Süßgräser mit etwa 90 Arten in den Tropen und Subtropen, davon zwei in M-Europa.

Fingerhut (Digitalis), Gatt. der Rachenblütler mit etwa 25 Arten in Eurasien und im Mittelmeergebiet; oft hohe Stauden mit zweilippigen, langröhrigen, meist nickenden, roten, weißen oder gelben Blüten in langen Trauben. In M-Europa kommen 3 Arten (alle giftig und geschützt) vor: **Großblütiger Fingerhut** (Digitalis grandiflora), bis 1 m hoch, Blüten groß, gelb, innen netzförmig braun geadert, außen behaart; **Gelber Fingerhut** (Digitalis lutea), Blüten bis 2 cm groß, gelb, auf der Innenseite purpurfarben geadert; **Roter Fingerhut** (Digitalis purpurea), filzig-behaarte Pflanze mit bis 6 cm langen, meist purpurroten, auf der Innenseite behaarten Blüten. Als Zierpflanze kultiviert wird der **Wollige Fingerhut** (Digitalis lanata), Stengel im oberen Teil filzig behaart, Blüten bräunlich, innen braun oder violett geadert. Aus den beiden letzten Arten werden die Digitalisglykoside gewonnen.

Fingerkraut (Potentilla), Gatt. der Rosengewächse mit über 300 Arten, hauptsächlich auf der nördl. Erdhalbkugel; meist Kräuter mit fingerförmig gefiederten Blättern und gelben oder weißen Blüten; in M-Europa etwa 30 Arten, u. a.: ↑ Blutwurz; **Kriechendes Fingerkraut** (Potentilla reptans), mit bis zu 1 m langen Ausläufern und gelben, einzelnstehenden Blüten; **Goldfingerkraut** (Potentilla aurea), Blüten goldgelb mit silbrig behaarten Kelchblättern; **Frühlingsfingerkraut** (Potentilla tabernaemontani), mit bis 1,5 cm breiten, gelben Blüten im Blütenstand; **Silberfingerkraut** (Potentilla argentea), mit weißfilzigen Stengeln, unterseits weißfilzigen Blättern und gelben Blüten.

Fingerlutschen, Angewohnheit von Kleinkindern, an den Fingern, bes. am Daumen **(Daumenlutschen),** zu saugen; wird häufig über das Kleinkindalter hinaus beibehalten. Psychoanalytisch wird F. als ein Symptom der Fixierung oder auch Regression auf die ↑ orale Phase frühkindl. Entwicklung gedeutet.

Fingernagel ↑ Nagel.

Fingersatz (Applikatur), durch Zahlen meist über den Noten angegebene Anweisung zum zweckmäßigen Einsatz der einzelnen Finger beim Spielen eines Streich- oder Tasteninstrumentes.

Fingersprache ↑ Zeichensprache.

Fingertang ↑ Laminaria.

Fingertier (Aye-Aye, Daubentonia madagascariensis), etwa 45 cm körperlanger, schlanker Halbaffe in den Küstenwäldern O-Madagaskars; mit etwa 0,5 m langem, stark buschigem Schwanz, langhaarigem, überwiegend schwarzem, rötlich schimmerndem Fell, blaßgelb. Gesicht und ebensolcher Brust; Finger und Zehen stark verlängert (bes. der extrem dünne Mittelfinger).

Fingervereiterung (Umlauf, Panaritium), im Anschluß an meist geringfügige Fingerverletzungen entstehende, v. a. durch Staphylokokken hervorgerufene eitrige Entzündung. Die **oberflächl. Fingervereiterung** hat ihren Sitz in Haut oder Unterhautfettgewebe der Beugeseiten der Finger, auch unter dem Nagel oder im Nagelfalz; sie geht mit Rötung, Schwellung und starken Schmerzen einher und hat große Tendenz zum tieferen Fortschreiten (**tiefe Fingervereiterung**). – Die Behandlung erfolgt durch Ruhigstellung, Anwendung von Antibiotika, operative Eröffnung des Eiterherdes und Einlegen einer Drainage.

Fingerzittern (Fingertremor), rhythm., unwillkürl. Hin- und Herbewegen der Finger, u. a. durch Einwirkung zentralerregender Substanzen (Koffein, Nikotin), bei Schilddrüsenüberfunktion, bei Gehirnsklerose.

fingieren [lat.], erdichten, ersinnen, vortäuschen.

Finis [lat.], Ende, Schluß; früher Schlußvermerk in Büchern.
♦ in der *scholast. Philosophie* und *Theologie* der Zweck, das Ziel.

Finish ['fɪnɪʃ; engl., zu lat. finire „enden"], Endkampf, Endspurt (Sport).
♦ letzter Arbeitsvorgang, der einem Produkt die endgültige Form gibt; auch svw. letzter Schliff, Vollendung.

Finistère [frz. finis'tɛːr], Dep. in Frankreich.

Finisterre, Kap, Landspitze an der span. NW-Küste, sw. von La Coruña.

Finite-Elemente-Methode, computerorientiertes Verfahren bes. zur Ermittlung von Spannungen und Verformungen an analytisch nicht berechenbaren belasteten Bauteilen, wobei diese durch eine Anzahl von Teilstücken (Elementen) endlicher (finiter) Größe idealisiert werden.

finite Form [lat.], Verbform, die Person und Numerus angibt und die grammat. Merkmale von Person, Numerus, Tempus und Modus trägt, z. B. ich *lebe,* du *lebst,* er *lebt.*

Fink, Ulf, * Freiberg/Sachsen 6. Okt. 1942, dt. Politiker (CDU). – Übersiedelte 1950 in die BR Deutschland; 1979–81 CDU-Bundesgeschäftsführer; 1981–89 Senator in Berlin; seit Okt. 1987 Vors. der Christlich-Demokrat. Arbeitnehmerschaft und der CDU-Sozialausschüsse, seit Mai 1990 stellv. DGB-Vors.; seit Nov. 1991 CDU-Vors. in Brandenburg.

Finke, Heinrich, * Krechting bei Borken 13. Juni 1855, † Freiburg im Breisgau 19. Dez. 1938, dt. Historiker. – 1891 Prof. in Münster, 1899–1928 in Freiburg im Breisgau; änderte auf Grund neu aufgefundener Quellen in Edition und Darstellung das Bild des 14. und 15. Jh. entscheidend; überwand die konfessionelle Geschichtsschreibung.

Finken, svw. ↑ Finkenvögel.

Finkenvögel (Finken, Fringillidae), mit Ausnahme der australischen Region und Madagaskars weltweit verbreitete, etwa 440 Arten umfassende Fam. 9–23 cm lange Singvögel, davon etwa 30 Arten in Mitteleuropa; vorwiegend Körnerfresser mit kurzem, kräftigem, kegelförmigem Schnabel und Kropf. Zu den F. gehören u. a. Ammern, Buchfink, Bergfink, Grünfink, Stieglitz, Dompfaff, Zeisige, Girlitz, Hänfling, Kreuzschnäbel, Kirschkernbeißer, Darwin-Finken. F. sind z. T. sehr beliebte Stubenvögel, v. a. der Kanarienvogel.

Finkenwerder Prinzenapfel ↑ Äpfel (Übersicht).

Finkler, seit dem 12. Jh. Beiname des Röm. Königs Heinrich I., beruhend auf der Sage, daß die Fürsten, die Heinrich die Reichsinsignien brachten, ihn beim Vogelfang antrafen.

Finn, zentrale Figur des südir. Sagenzyklus (F.zyklus oder nach seinem Sohn Oisin [Ossian] Ossian. Zyklus genannt), Anführer einer Schar von Männern („fianna"; Fenier), die nach ihren eigenen Gesetzen lebten.

Finnbogadóttir, Vigdis, * Reykjavik 15. April 1930, isländische Philologin und Politikerin. – Seit 1980 Staatspräsidentin (erstes gewähltes weibliches Staatsoberhaupt in Europa).

Finn-Dingi (Finn-Dinghi) [„finn. Dingi"], Einheitsjolle für den Rennsegelsport; mit einem Mann Besatzung, Länge 4,50 m, Breite 1,51 m, Tiefgang 0,85 m (mit herabgelassenem Schwert); Segelfläche 10 m², Kennzeichen: zwei übereinanderliegende Wellenlinien im Segel.

Finne [zu mittelhochdt. vinne „fauler Geruch"], Bez. für meist mikroskopisch kleine, seltener kindskopfgroße, häufig kapsel- oder blasenförmige Larven von Bandwürmern; fast stets in Wirbeltieren. Häufig gelangt die F. durch Genuß rohen (oder nicht durchgebratenen) Fleisches in einen Endwirt, bevor sie zum fertigen Bandwurm heranwächst.
♦ [niederdt.] (Rücken-F.) Bez. für die Rückenflossen der Haie und analoge Bildungen der Wale.
♦ die keilförmige Seite eines Hammers.

Finnen (Selbstbez. Suomalaiset), das finn. Staatsvolk.

Finnenausschlag, svw. ↑ Akne.

Finnenschweinswal ↑ Schweinswale.

Finnenspitz, kleiner (bis 48 cm Schulterhöhe), fuchsroter, dicht behaarter Spitz mit kleinen Stehohren und seitl. über den Rücken gerolltem Schwanz.

Finney, Albert [engl. 'fɪnɪ], * Salford (Lancashire) 9. Mai 1936, engl. Schauspieler und Regisseur. – Spielte u. a. in der Royal Shakespeare Company und am Londoner National-

Finnische Kunst. Burg Olavinlinna
in Savonlinna; 1474 ff.

Theatre. Bed. Filmrollen in „Samstagnacht
bis Sonntagmorgen" (1960) und „Tom
Jones" (1963), „Mord im Orient-Express"
(1974), „Unter dem Vulkan" (1984).

finnische Kunst, Finnland hat seine
künstler. Einflüsse aus N- und M-Europa erhalten. Die frühesten Kirchen wurden im
12. Jh. auf den Alandinseln erbaut. Ende des
13. Jh. wurden die im Kern spätroman. Domkirche in Turku, die als Backsteinbau auf
norddt. oder balt. Einfluß verweist, die Burgen von Turku (Umbau 17. Jh.), Häme und
Viipuri (heute Wyborg) errichtet, im 15. Jh.
die Burg Olavinlinna in Savonlinna. Altäre
(z. B. der Barbaraaltar des Meisters Francke)
und Plastik kamen aus Deutschland, Volks-
kunstcharakter hat die kirchl. Wandmalerei.
Zur Zeit Gustavs I. Wasa wurden zahlr. Burgen erneuert. Wichtig wurde der Renaissan-
cehof des Herzogs Johann am Turkuer
Schloß, wo sich u. a. eine reiche Textilkunst
entfaltete. Im 17. Jh. entstanden v. a. Guts-
höfe und prot. Predigerkirchen; neben die
Langkirche aus Holz tritt die Kreuzkirche.
Beachtlich sind die Grabdenkmäler in Holz-
ornamentik. In der 2. Hälfte des 18. Jh. begann man die Städte auszubauen, ab 1778
wurde die Helsinkier Hafenfestung Suomen-
linna errichtet. Die Malerei blühte im 18. Jh.,
bes. die Kirchenmalerei mit M. Toppelius
(* 1734, † 1821) sowie das Porträt. Der Ausbau Helsinkis erfolgte 1816 ff. nach klassizist.
Plänen von C. L. Engel. Die Malerei blieb im
19. Jh. zunächst an Schweden orientiert, Mitte die Düsseldorf und schließl. Paris für die finn. Landschaftsmalerei wichtig,
wo A. Edelfelt (* 1854, † 1905) studierte (Freilichtmalerei), sowie der bekannteste Maler
des finn. Jugendstils und Symbolismus bzw.
der finn. Nationalromantik, A. Gallen-Kalle-

la. Neben ihm arbeitete v. a. H. Simberg
(* 1873, † 1917). Um 1910 entstanden einflußreiche impressionist. und expressionist. (T. K.
Sallinen, * 1879, † 1955) Gruppen. Die Ju-
gendstilarchitektur ist durch den Hauptbahnhof in Helsinki von Eliel Saarinen repräsentiert, der internat. Stil fand u. a. in E.
Bryggman (* 1891, † 1955) einen wichtigen
Vertreter. Weltruhm erlangte die finn. Architektur durch A. Aalto. Als Nestor der finn.
Bildhauerei dieses Jh. gilt W. Aaltonen
(* 1894, † 1966). Den Anschluß an die internat. moderne bildhauer. Entwicklung fanden
in den 60er Jahren A. Tukiainen (* 1917), E.
Hiltunen (* 1922), M. Hartman (* 1930) oder
K. Tappar (* 1930). Bereits seit den 50er Jahren übernahm Finnland internat. eine führende Rolle auf dem Gebiet des Industriede-
signs, u. a. mit Entwürfen für Möbel (Aalto;
Yrjö Kukkapuro, * 1933), Kunstglas und Porzellan (T. Wirkkala, * 1915, † 1985; T. Sarpa-
neva, * 1926), Keramik (B. Kaipiainen,
* 1915; R. Bryk, * 1916) und Textilien (u. a. D.
Jung, * 1906; U. Simberg, * 1914; K. Ilvessa-
lo, * 1920). Die Malerei öffnete sich den
60er Jahren der abstrakten Kunst (u. a. A. La-
vonen, * 1928, K. Kaivanto, * 1932).
🕮 *Reclams Kunstführer Finnland. Dietzingen*
1985. – Boulton-Smith, J.: Finn. Malerei. Dt.
Übers. Ffm. u. a. 1970. – Salokorpi, A.: Finn.
Architektur. Dt. Übers. Ffm. u. a. 1970.

finnische Literatur, bed. Anteil an der
f. L. (d. h. hier der finnischsprachigen Literatur) hat die Literatur der mündl. Überlieferung (Lieder, Balladen, Zaubersprüche, Legenden, Sagen, Märchen), die z. T. bis ins
20. Jh. lebendig geblieben ist. Weltliterar.
Geltung erringt das Epos ↑„Kalevala". Die
schriftlich fixierte finnischsprachige Literatur spielt bis zum 20. Jh. eine geringe Rolle.
Noch die sog. Turkuer und Helsinkier Romantik (1810 bis etwa 1860) artikuliert sich
schwedisch, bis A. Kivi mit seinem bed. dra-

mat., lyr. und erzähler. Werk hervortritt. Mit der Wende zum 20. Jh. wird der Anschluß an die gesamteurop. Bewegungen gewonnen, wobei die f. L. v. a. in der Lyrik bed. Namen aufzuweisen hat: M. Lassila (* 1868, † 1918), der erst spät in seiner Bedeutung erkannt wird, O. Manninen (* 1872, † 1950), V. A. Koskenniemi (* 1885, † 1962), E. Leino (* 1878, † 1926). In der Erzählliteratur ragt das Werk von F. E. Sillanpää hervor. Eine internat. Leserschaft fand auch M. Waltari (* 1908, † 1979) mit seinen histor. Romanen. Eine starke autodidakt. Erzählerbegabung ist V. Linna (* 1920). Als bedeutendster moderner finn. Prosaist gilt V. Meri mit seiner grotesk-absurden Darstellung des Krieges. Lyriker sind u. a. V. Kirstinä (* 1936), L. Numi (* 1928), P. Saarikeski (* 1937), P. Haavikko (* 1931). – ↑ schwedische Literatur.

    ὖ Kunze, E.: F. L. in dt. Übers. 1675–1975. *Helsinki 1982. – Laitinen, K.: Die f. L. In: Moderne Weltlit. Hg. v. G. v. Wilpert u. I. Ivask. Stg. 1978.*

    finnische Musik, früheste Zeugnisse hielten sich in mündl. Überlieferung bis in das 20. Jh. lebendig, v. a. in den Runenliedern, die u. a. im ↑ „Kalevala" gesammelt sind, vielfach mit pentaton. Melodik und tetrachord. Gliederung. Allg. verbreitetes Nationalinstrument ist die früher 5-, heute bis 30saitige Kantele. Im 16. Jh. entwickelte sich das finn. Kirchenlied. Seit dem 19. Jh. begann sich eine eigenständige Kunstmusik herauszubilden. 1882 wurden in Helsinki ein Musikinstitut (heute die Sibelius-Akademie) und ein Städt. Orchester gegründet. Die finn. Kunstmusik stand in ihren Anfängen unter starkem Einfluß aus Schweden und Norddeutschland. Eigene Strömungen verstärkten sich nach der Trennung Finnlands von Schweden (1809), aber noch in der Jh.mitte beherrschte ein Deutscher, F. Pacius (* 1809,

Finnische Kunst. Tyko Konstantin Sallinen, Waschfrauen; 1911 (Ausschitt; Helsinki, Konstmuseet i Ateneum)

† 1891), das Musikleben in Helsinki. Nach ihm traten bes. hervor: A. G. Ingelius, M. Wegelius (* 1846, † 1906) und R. Kajanus (* 1856, † 1933). Der größte Vertreter der f. M., J. Sibelius, beeinflußte mit seinem auf nationalen Grundlagen entwickelten eigenen Stil die gesamte Musik seines Landes, u. a. auch I. Krohn (* 1867, † 1960), O. Merikanto (* 1868, † 1924), A. Järnefelt, E. Melartin (* 1875, † 1937), S. Palmgren, T. Kuula (* 1883, † 1918), L. Madetoja (* 1887, † 1947),

Finnische Kunst. Eila Hiltunen, Sibeliusdenkmal in Helsinki; 1961–67

Y. Kilpinen und A. Merikanto (* 1893, † 1958). Von der nachfolgenden Generation traten J. Kokkonen (* 1922), A. Sallinen (* 1935) und P. Heininen (* 1938) v. a. als Opernkomponisten hervor. E. Bergman (* 1911) nahm als erster finnischer Komponist kontinentale Anregungen der Neuen Musik und bes. der Reihentechnik auf. Weitere bed. Komponisten sind E. J. Rautavaara (* 1928), E. Salmenhaara und M. Lindberg (* 1958).
📖 *The music of Finland*, hg. v. I. Aarnio u. a. Helsinki 1983.

finnische Religion † finnisch-ugrische Religionen.

Finnischer Meerbusen, östl. Seitenarm der Ostsee zw. Finnland und Estland bzw. Rußland, etwa 430 km lang, zw. 60 und 120 km breit, im Winter Festeis.

finnisches Bad, svw. † Sauna.

finnische Sprache, sie gehört zur Familie der finno-ugrischen Sprachen und letztlich zu den ural. Sprachen. Heute wird sie von etwa 5 Mill. Menschen gesprochen, außer in Finnland (etwa 4,6 Mill.) von Minderheiten in Schweden, Estland und Rußland. Die schriftl. Überlieferung beginnt mit dem 16. Jh. (altes Schriftfinnisch 1540–1820). Die Entwicklung bis zum 19. Jh. ist gekennzeichnet durch den Ausbau zur Schriftsprache. Für das 20. Jh. sind kennzeichnend die Entlehnung internat. Verkehrswörter und die Anreicherung des abstrakten Wortgutes. Die f. S. gehört zur Gruppe der agglutinierenden Sprachen, hat aber starke Merkmale des flektierenden Sprachtypus. Das lautl. System zeigt weit entwickelte Quantitätsopposition, Vokalreichtum (18 verschiedene Diphthonge), Vokalharmonie und Stufenwechsel; die Formenlehre zeigt Kasusreichtum (15 Kasus).
📖 *Groenke, U.: Grundzüge der Struktur des Finn.* Hamb. ²1983.

Finnisch-Sowjetischer Winterkrieg, Verteidigungskrieg Finnlands gegen die Sowjetunion (1939/40) als Folge der Zuerkennung Finnlands zur sowjet. Interessensphäre im Dt.-Sowjet. Nichtangriffspakt 1939; begann, nachdem sich Finnland ultimativen Gebietsforderungen Moskaus widersetzt hatte. Im **Frieden von Moskau** (1940) mußte Finnland u. a. die Karel. Landenge und das Gebiet an der N-Bucht des Ladogasees an die Sowjetunion abtreten sowie in der Ostsee und im Nördl. Eismeer militär. Sicherheitsgarantien für Leningrad und Murmansk erfüllen; von Finnland im Juni 1941 annulliert.
📖 *Doepfner, A.: Finnlands Winterkrieg 1939/40.* Zürich 1989.

finnisch-ugrische Religionen, die alten Religionen der finnisch-ugrischen Völker sind gekennzeichnet durch die Verehrung eines Hochgottes, der als Herr des Himmels galt. Er hieß bei den Finnen Ukko („der alte Mann"); die Wotjaken verehrten ihn unter dem Namen Inmar („der Himmlische"). Die Mordwinen nannten ihren Himmelsgott Schkaj („Schöpfer"). Im estn. Bereich fanden sich verschiedene Bez., u. a. Pikne („Blitz"). Nach ungar. Vorstellung trieb Magyar Isten („Gott der Ungarn") mittels der Flügelschläge großer Adler sein Volk an, die Karpaten zu überschreiten, um ihre heutigen Wohngebiete zu erreichen. – Über die vorchristl. Religion der Finnen orientiert am ausführlichsten das 1551 veröffentlichte Götterverzeichnis des Missionars Finnlands, M. Agricola (* um 1509, † 1557). Als Gattin des Hochgottes Ukko galt Rauni, eine Göttin des Donners, die zugleich als Erdmutter verehrt wurde. Ilmarinen war Herr des Windes und Beschützer der Reisenden. Väinämöinen, eine Zentralgestalt des finn. Nationalepos „Kalevala", trug Züge eines Kulturheros. Im Kult dominierte die Feier des Bärenfestes (Bärenkult). Geisterglaube war weit verbreitet. Die Jenseitsvorstellungen waren uneinheitlich. Neben dem Glauben an ein Fortleben im Grabe stand die Vorstellung von einem unterird. Totenreich.

Finnland

(amtl. Vollform: Suomen Tasavalta, Republiken Finland), parlamentar. Republik in N-Europa, zw. 59° 48′ und 70° 05′ n. Br. sowie 20° 33′ und 31° 35′ ö. L. **Staatsgebiet:** F. besitzt gemeinsame Landgrenzen mit Rußland im O sowie mit Norwegen und Schweden im NW; im W grenzt es an den Bottn. Meerbusen und im S an den Finn. Meerbusen der Ostsee. Zum Staatsgebiet gehören die Åland-inseln. **Fläche:** 338 145 km², davon Wasserfläche: 33 522 km². **Bevölkerung:** 5 Mill. E (1992), 15 E/km². **Hauptstadt:** Helsinki. **Verwaltungsgliederung:** 12 Prov. **Amtssprachen:** Finnisch und Schwedisch. **Staatskirche:** Ev.-luth. Staatskirche. **Nationalfeiertag:** 6. Dez. **Währung:** Finnmark (Fmk) = 100 Penniä (p). **Internationale Mitgliedschaften:** UN, OECD, Nord. Rat, Europarat, WTO, EU. **Zeitzone:** Osteuropäische Zeit, d. i. MEZ + 1 Stunde.

Landesnatur: F., das mit seiner Fläche zu einem Viertel nördl. des Polarkreises liegt, erstreckt sich über fast 1 200 km in N–S- und über 500 km in W–O-Richtung. Das Landschaftsbild ist von der Eiszeit und ihren Rückzugsstadien geprägt. Den Küsten sind rd. 30 000 Inseln und Schären vorgelagert. Der für die Besiedlung wichtigste Teil ist die finn.-karel. Seenplatte in M- und S-F. mit rd. 55 000 Seen. Das durchweg niedrige Land (um 150 m durchschnittl. Höhe) steigt im N bis 700 m Höhe an; die größte Höhe wird im äußersten NW am Haltiantunturi mit 1 324 m Höhe erreicht.

Das **Klima** ist kontinental mit subpolaren Zügen, die sich in der Mitternachtssonne des Sommers, in der langen Dunkelheit des Winters, in seiner Verlängerung durch Polarlufteinfälle bis in den nur kurzen Frühling, in sommerl. Schadenfrösten und in der bes. im N geringen Niederschlagsergiebigkeit zeigen. Die gegen Jahresende beginnende Vereisung der Küstengewässer schreitet im Hochwinter meist rasch fort, so daß von Ende Jan.–Mitte März eine Festeisbrücke die Ålandinseln mit SW-F. verbindet.

Vegetation: F. gehört dem borealen Nadelwaldgürtel an mit Ausnahme des über die Waldgrenze ab 300–400 m Höhe hinausragenden Berglandes in Lappland, wo die Wälder von Zwergstrauchheide mit Vertretern des arktoalpinen Florenelementes abgelöst werden. 68,7% des Landes sind bewaldet, große Landstrecken sind versumpft.

Die **Tierwelt** ist relativ artenarm. Es finden sich u. a. Elch, Halsbandlemming, Polarfuchs und Schneehase. Selten sind Wolf, Braunbär, Luchs und Vielfraß.

Bevölkerung: Neben Finnen leben Schweden und Lappen im Land. Am dichtesten besiedelt sind die Ebenen im SW, hier leben 110 E/km², dagegen in Lappland nur 1–3 E/10 km². Fast 90% der Bev. gehören der Staatskirche an. Schulpflicht besteht von 7–16 Jahren. F. verfügt über 20 Univ. und Hochschulen.

Wirtschaft: Ackerbaul. genutzt werden 8,1% der Landfläche; Kleinbetriebe überwiegen. Wichtigster Zweig der Landw. ist die Milchwirtschaft; im N wird Rentierzucht betrieben. Bei Fleisch, Eiern, Molkereiprodukten und Futtergetreide deckt F. den Eigenbedarf. Forstwirtschaftl. genutzt werden die ausgedehnten Wälder. Abgebaut werden Eisen-, Kupfer-. Nickel-, Zink-, Chrom-, Titan-, Blei-, Vanadium-, Kobalterze sowie Pyrit, Selen, Asbest und Torf. Führend ist die holzverarbeitende Ind. (Papierherstellung), gefolgt von Metall-, chem., Textilind. u. a. Auch der Fremdenverkehr spielt wirtsch. eine Rolle.

Außenhandel: Ausgeführt werden Papier und Pappe, Schnittholz und Hobelware, Schiffe und Boote, Maschinen, Zellstoff, Holzwaren, Kupfer, Zink und Nickel; eingeführt Erdöl und -produkte, Kohle, Maschinen, Fahrzeuge, Nahrungsmittel, Eisen und Stahl. Die wichtigsten Handelspartner sind die EU- und EFTA-Länder, gefolgt von Rußland und anderen Staaten der GUS sowie den USA.

Verkehr: Das Schienennetz (russ. Breitspur) hat eine Länge von 5 863 km, das Straßennetz von 78 141 km, rd. 47 560 km mit fester Dek-

ke. Größte Luftfahrtgesellschaft ist Finnair; internat. ✈ in Helsinki.

Geschichte: Zur *Vor-* und *Frühgeschichte* † Europa (Vorgeschichte).

Seit dem 11. Jh. christl. Missionierung von Schweden aus. 1238–49 erklärte Birger Jarl Tavastland (das heutige Häme) zum Teil des schwed. Reiches. 1323 wurde Karelien zw. Schweden und Nowgorod aufgeteilt und erstmals die finn. O-Grenze festgelegt; schwed. Kolonisten schoben sie jedoch immer weiter nach O und N vor. Unter König Gustav I. (✉ 1523–60) führte M. Agricola die Reformation in F. ein. 1713–21 war F. von Rußland besetzt, das 1721 das sw. Karelien mit Viborg (= Wyborg) erhielt. 1808 eroberten russ. Truppen erneut das Land. Im Frieden von Fredrikshamn (1809) mußte Schweden auf F. verzichten, das vom russ. Zaren Alexander I. als Groß-F. einen autonomen Status im Russ. Reich erhielt. 1812 wurde die Hauptstadt von Turku nach Helsinki verlegt. Ende des 19. Jh. wurde F. von der inzwischen allg. Russifizierungspolitik gegenüber der nichtruss. Bev. im Zarenreich erfaßt; 1899 beseitigte das Februarmanifest Nikolaus' II. die Autonomie des Großfürstentums. Als die Revolution von 1905 auch auf F. übergriff, gestand Nikolaus II. diese jedoch wieder zu. 1906 wurde der Vierständelandtag durch ein Einkammerparlament abgelöst, zugleich das allg. und gleiche Wahlrecht festgesetzt. Nach der russ. Oktoberrevolution 1917 übernahm der finn. Landtag am 15. Nov. 1917 die Regierungsgewalt (Souveränitätserklärung am 6. Dez. 1917). Zur Vertreibung der russ. Truppen und zur Niederwerfung der sie unterstützenden Roten Garde wurde ein bürgerl. Schutzkorps, die Weiße Garde, organisiert und Frhr. von Mannerheim unterstellt. Im Jan. 1918 brach der finn. Bürgerkrieg aus. Nach dem Sieg der „Weißen“, die durch ein dt. Expeditionskorps unter General R. Graf von der Goltz Unterstützung erhielten, wurde am 21. Juni 1919 eine republikan. Verfassung angenommen. Sowjetrußland erkannte 1920 (Frieden von Dorpat) die Selbständigkeit F. an und gestand ihm einen schmalen Korridor zum Eismeer mit Petsamo (= Petschenga) als eisfreiem Hafen zu. Im Dez. 1920 trat F. in den Völkerbund ein, der F. 1921 die Ålandinseln zusprach.

Die Bürgerkriegssituation bzw. ihre Nachwirkungen wie der Gegensatz zw. der finn. und schwed. Volksgruppe prägten die finn. Innenpolitik (23 Kabinette 1917–39). Durch den Finn.-Sowjet. Winterkrieg 1939/40 verlor F. etwa ein Zehntel seiner Ind., seines Acker- und Waldareals. Nach dem dt. Überfall auf die UdSSR 1941 nahm F. bis zum Ende d. Seite am 2. Weltkrieg teil. Danach hatte es außer den 1940 verlorenen Gebieten den Korridor

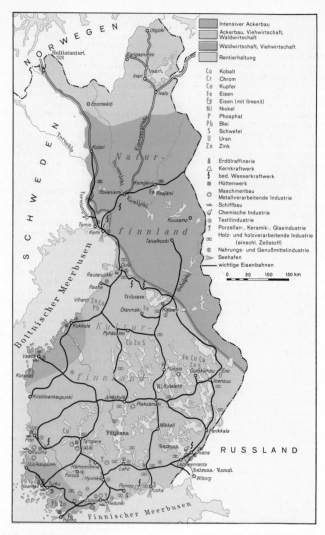

Finnland. Wirtschaftskarte

zur Eismeerküste mit Petschenga an die UdSSR abzutreten, ihr die Halbinsel Porkkala auf 50 Jahre als Flottenstützpunkt zu überlassen (die F. jedoch schon 1956 zurückerhielt) und innerhalb von 6 Jahren Reparationen in Höhe von 300 Mill. Dollar zu leisten. F. hielt nach dem 2. Weltkrieg zwar unnach-

giebig an seiner Selbständigkeit fest, gestaltete die auswärtigen Beziehungen aber so, daß sich in erster Linie ein gutnachbarl. Verhältnis zur UdSSR entwickelte. Diese sog. Paasikivi-Linie (nach Staatspräs. Paasikivi) wurde 1948 untermauert durch einen Freundschafts- und Beistandspakt mit der UdSSR auf 10 Jahre (1955, 1970 und 1983 verlängert) und war maßgebend für die Politik des langjährigen Staatspräs. U. Kekkonen (1956–81), die auch von dessen Nachfolger M. Koivisto (1982–84) fortgeführt wurde. 1955 wurde F. Mgl. der UN. 1955 Beitritt zum Nord. Rat, 1961 Anschluß an die EFTA. Im Mai 1989 wurde F. in den Europarat aufgenommen. Die 1991 freiwillig vorgenommene Koppelung der finn. Währung an das Europ. Währungssystem gab die seit 1991 amtierende Reg. unter Min.-Präs. E. Aho (* 1954) zur Bekämpfung der Wirtschaftskrise Anfang Sept. 1992 auf, F. schloß sich aber dem EWR an und stellte noch im gleichen Jahr ein Beitrittsgesuch zur EU, deren Vollmitglied es am 1. Jan. 1995 wurde. Aus den ersten direkten Präsidentschaftswahlen ging im Jan./Febr. 1994 M. Ahtisaari (* 1937) nach einer Stichwahl siegreich hervor.

Politisches System: Nach der Verfassung vom 17. Juli 1919 (Teilrevision 1991) ist F. eine parlamentarisch-demokratische Republik mit starker Stellung des Präs. Der Präs. wird auf die Dauer von 6 Jahren direkt gewählt (falls kein Kandidat die absolute Mehrheit erhält, ist ein 2. Wahlgang erforderlich); er kann nur in 2 aufeinanderfolgenden Amtsperioden regieren. Der Präs. ist oberster Träger der *Exekutive,* er ist Oberbefehlshaber der Streitkräfte, ernennt den Staatsrat (Reg.) unter Führung des Min.präs. und bestimmt die Richtlinien der Außenpolitik. Die Auflösung des Reichstags und die Anordnung von Neuwahlen durch den Präs. ist nur auf Antrag des Min.präs. und nach Anhörung des Parlamentsvors. und aller im Reichstag vertretenen Parteien möglich. Die *Legislative* liegt beim Präs. und dem Reichstag (Eduskunta, Riksdag), dessen 200 Abg. alle 4 Jahre nach dem Verhältniswahlrecht gewählt werden.

Parteien: Im Reichstag sind drei Parteigruppierungen vertreten. Zur konservativen gehören die Nat. Sammlungspartei, die Schwed. Volkspartei, die Christl. Union, zur Mitte die Liberale Volkspartei, die Zentrumspartei (bis 1965: Agrarunion) und die Finn. Landwirtepartei; zum „linken" Flügel zählen die Sozialdemokrat. Partei, der Verband der Linksparteien und die Grüne Partei; die Kommunist. Partei existiert seit 1990 nicht mehr.

Zu den einflußreichsten *Interessenorganisationen* in F. zählt die Zentralorganisation der finn. Gewerkschaften e. V. (SAK) mit über 1 Mill. Mitgliedern.

Verwaltung: An der Spitze der 12 Prov. steht jeweils ein vom Präs. ernannter Landeshauptmann. Die Ålandinseln haben einen weitgehend autonomen Status mit eigenem Landtag und Schwedisch als Amtssprache.

Recht: Die finn. Rechtsordnung ist nach schwed. Vorbild aufgebaut. Die Gerichtsbarkeit wird in Stadt- und Dorfgerichten, Berufungsgerichten und dem Obersten Gerichts-

hof sowie dem Obersten Verwaltungsgericht ausgeübt. Der Justizkanzler ist oberstes Aufsichtsorgan über Behörden und Beamte, ihm obliegt die Prüfung von Regierungsvorlagen auf ihre Vereinbarkeit mit der Verfassung; der vom Reichstag ernannte Ombudsmann sorgt für die Gesetzmäßigkeit der Rechtsprechung und der Behördenaktivitäten.

📖 *Patitz, A.: F. Mchn. 1990. – Paloposki, T. J.: Quellenkunde zur Gesch. F. Dt. Übers. Wsb. 1988. – Klinge, M.: A brief history of Finland. Helsinki 1984. – Jutikkala, E.: Gesch. F. Stg. ²1976.*

Finnlandisierung, polit. Schlagwort, kennzeichnete die Entspannungsdiplomatie der Sowjetunion als Versuch – analog ihrer Politik gegenüber Finnland –, bes. die europ. NATO-Staaten zu einer Politik des Wohlverhaltens ihr gegenüber zu verpflichten.

Finnmark, Prov. im N Norwegens, 48 649 km², 74 000 E, Hauptstadt Vadsø. Von der Steilküste binnenwärts abfallende felsige Hochfläche (Finnmarksvidda) zw. 1 100 und 300 m; Tundrenklima; Waldtundra; Eisenerzabbau auf der Halbinsel Sør-Varanger; Fischfang, Rentierhaltung.

Finnmark, Abk.: Fmk, Währungseinheit in Finnland; 1 Fmk = 100 Penniä (p).

finno-ugrische Sprachen, Sprachfamilie mit etwa 25 Mill. Sprechern, heute weit gestreut auf Gebieten zw. der finn. Halbinsel im W, dem nordwestl. Sibirien im O und der ungar. Steppe im S. Mit den samojed. Sprachen bilden die f.-u. S. die Gruppe der ural. Sprachen. Die weitere Verwandtschaft mit dem Jukagirischen und den altaischen Sprachen ist wahrscheinlich, ein Verwandtschaftsverhältnis mit dem Indogerman. ist unbewiesen. Nach überwiegender Meinung entwickelten sich die mundartlich stark untergliederten f.-u. S. aus einer finno-ugr. Grundsprache.

Am frühesten gliederten sich die ugr. Sprachen aus (die obugr. Sprachen Ostjakisch und Wogulisch sowie, später, Ungarisch), danach das Permische (dazu heute Syrjänisch und Wotjakisch) und das wolgafinn. Sprachen (Tscheremissisch und Mordwinisch), schließlich das sog. Frühurfinn. (dazu das heutige Lappische) und das Ostseefinn. (dazu das Finnische, Estnische, Wotische, Livische, Wepsische und Karelische).

Zu den spezif. Merkmalen der f.-u. S. gehören Vorherrschen eines zweisilbigen Grundwort-typus mit fester Betonung auf der ersten Silbe, nominales Prädikat (im Nominalsatz), Artikellosigkeit und kein nominales Genus, gegenüber den indogerman. Sprachen zentralere Stellung der lokalen Kasus im System, Bez. possessiver Verhältnisse durch Suffixe. Die f.-u. S. gehören typologisch zu den agglutinierenden Sprachen.

⚏ *Hajdú, P./Domokos, P.: Die ural. Sprachen u. Literaturen. Dt. Übers. Hamb. 1987. – Rédei, K.: Zu den indogermanisch-ural. Sprachkontakten. Wien 1986.*

Finnougristik [...o-u...], die Wiss. von der Erforschung der finno-ugrischen Sprachen, Altertumskunde und Volksüberlieferung. Im 19. Jh., als die Wiss. im strengen Sinne sich konstituierte, wurde die Indogermanistik das method. Vorbild.

Finnwal ↑ Furchenwale.

Finow ['fi:no] ↑ Eberswalde-Finow.

Finsch, Otto, * Bad Warmbrunn 8. Aug. 1839, † Braunschweig 31. Jan. 1917, dt. Völkerkundler und Vogelforscher. – Bereiste u. a. mit A. Brehm Westsibirien (1876); zwei Forschungsfahrten in die Südsee (1879–82 und 1884/85) führten zur Gründung der dt. Kolonie Kaiser-Wilhelms-Land; gründete 1885 **Finschhafen** (Papua-Neuguinea; bis 1918 Sitz der dortigen dt. Verwaltung).

Finsen, Niels Ryberg [dän. 'fɛn'sən], * Tórshavn (Faröer) 15. Dez. 1860, † Kopenhagen 24. Sept. 1904, dän. Mediziner. – Entwickelte Methoden der Lichtbehandlung bei Hauttuberkulose sowie bei Pocken; 1903 Nobelpreis für Physiologie oder Medizin.

FINSIDER, Kurzwort für italien. Società **Fin**anziaria **Sider**urgica per Azioni; Holdinggesellschaft, die große Teile der italien. Eisen- und Stahlind. umfaßt; Sitz Rom, gegr. 1937.

Finsteraarhorngruppe, Gebirgsstock in den zentralen Berner Alpen, im Finsteraarhorn 4274 m hoch, bildet die Wasserscheide zw. Aare und Rhone; stark vergletschert, u. a. Großer Aletschgletscher.

Finsternis, in der *Astronomie* die Erscheinung, bei der für einen Beobachter ein Himmelskörper zeitweilig von einem anderen ganz *(totale F.)* oder teilweise *(partielle F.)* abgedunkelt wird, entweder durch Eintritt in den Schatten des anderen (z. B. bei einer **Mondfinsternis** der Mond in den Schatten der Erde) oder durch das Dazwischenbewegen des anderen, z. B. des Mondes vor die Sonne **(Sonnenfinsternis).** – Abb. S. 102.

Finsterwalde, Stadt in Brandenburg, in der westl. Niederlausitz, 106 m ü. d. M., 23 000 E. Maschinenbau, elektrotechn., Textil-, Glas- sowie Holzind. – Entstand vor 1282 und erhielt noch im 13. Jh. Stadtrecht. – Spätgot. Dreifaltigkeitskirche (1578 ff.); Renaissanceschloß (Hauptbauzeit 1553–97), spätgot. Dreifaltigkeitskirche 1578–1617) und Kurtsburg (Mitte 16. Jh.).

Finte [italien., zu lat. fingere „ersinnen"], Ausflucht, Vorwand.

♦ im *Sport* allg. eine vorgetäuschte Bewegung; beim *Fechten* und *Boxen* vorgetäuschter Stoß oder Hieb, bei dem die Reaktion des Gegners erwartet und für eigene Zwecke aus

genutzt wird; beim *Ringen* ein angedeuteter Griff.

Fioravanti, Valentino, * Rom 11. Sept. 1764, † Capua 16. Juni 1837, italien. Komponist. – Einer der führenden Meister der neapolitan. Opera buffa; u. a. „Le cantatrici villane" (Die Dorfsängerinnen; 1799).

Fiore, Joachim von ↑ Joachim von Fiore.

Fioretten ↑ Fiorituren.

Fiorino [lat.-italien.], italien. Bez. des Guldens; hieß urspr. (auch *F. d'oro;* Goldgulden) Floren; *F. d'argento* (Silbergulden), zuerst 1296 in Florenz als Groschenmünze geprägt, hieß ab 1305 Popolino.

Fiorituren (Fioretten) [lat.-italien.], Bez. für Gesangsverzierungen, die v. a. in den Opernarien des 18. Jh. beliebt waren.

Firdausi ↑ Ferdausi.

Firenze ↑ Florenz.

Firenzuola, Agnolo, eigtl. Michelangelo Girolamo Giovannini, * Florenz 28. Sept. 1493, † Prato 27. Juni 1548, italien. Dichter. – Schönheit und Lebensgenuß verherrlichend, schrieb er in volkstüml. und lebendiger Sprache Lustspiele, Gedichte, von Boccaccio beeinflußte Novellen.

Firestone Tire & Rubber Co. [engl. 'faɪəstoʊn 'taɪə ənd 'rʌbə 'kʌmpənɪ], zweitgrößter Reifenhersteller der Welt, Sitz Akron (Ohio), gegr. 1900. Produktionsprogramm: Reifen, Gummi-, Plastik-, Textil- und Metallprodukte, Chemikalien; zahlr. Tochtergesellschaften.

Firlefanz [zu mittelhochdt. firli-fanz (Bez. für einen lustigen Springtanz)], Flitterkram; Torheit, Possen.

firm [lat.], sicher, geübt, erfahren.

Firma [italien., urspr. „bindende, rechtskräftige Unterschrift" (eines Geschäftsinhabers); zu lat.-italien. firmare „befestigen, bekräftigen"], 1. allg. svw. kaufmänn. Betrieb; 2. der Handelsname des Vollkaufmanns, unter dem er seine Handelsgeschäfte betreibt sowie klagen und verklagt werden kann (§ 17 HGB). Die F. kann sein: **Personalfirma** (in der ein Familienname enthalten ist), **Sachfirma** (die auf den Gegenstand des Unternehmens hinweist), **gemischte Firma** (die sowohl einen Familiennamen als auch einen Hinweis auf den Gegenstand des Unternehmens enthält). Die F. bezeichnet eine [natürl. oder jurist.] Person, nämlich den Inhaber des Handelsunternehmens, der Träger der unter der F. erworbenen Rechte und Pflichten ist. Die F. entsteht mit der Kaufmannseigenschaft, kann mit dem Handelsunternehmen übertragen werden und erlischt, wenn der Handelsbetrieb eingestellt wird. Jeder Vollkaufmann ist verpflichtet, eine F. nach folgenden Grundsätzen zu führen: **Firmenwahrheit:** Die F. muß bezeichnen: bei einem Einzelkaufmann den Familiennamen mit mindestens einem ausgeschriebenen Vornamen, bei einer OHG den Namen wenigstens eines Gesellschafters mit einem das Gesellschaftsverhältnis andeutenden Zusatz, bei einer KG den Namen wenigstens eines persönlich haftenden Gesellschafters mit einem das Gesellschaftsverhältnis andeutenden Zusatz, bei einer Kapitalgesellschaft i. d. R. den Gegenstand des Unternehmens und die Gesellschaftsform. Lediglich die mit einem Handelsunternehmen übernommene (abgeleitete) F. braucht – im Interesse der **Firmenbeständigkeit** – diesen Regeln nicht zu entsprechen. Ebenso kann bei einer Namensänderung des Geschäftsinhabers oder bei einem teilweisen Inhaberwechsel die bisherige F. unverändert fortgeführt werden. **Firmeneinheit:** Für dasselbe Unternehmen darf nur eine F. geführt werden, auch wenn mehrere Niederlassungen bestehen. **Firmenausschließlichkeit:** Jede neue F. muß sich von am selben Ort bereits bestehenden Firmen eindeutig unterscheiden. **Firmenöffentlichkeit:** Die F. und ihre Änderungen sind beim zuständigen Amtsgericht (Registergericht) zur Eintragung in das Handelsregister anzumelden. Im *östr.* und im *schweizer. Recht* gilt eine dem dt. Recht im wesentlichen entsprechende Regelung.

Firmamẹnt [lat.] ↑ Himmel.

Fịrmenwert, svw. ↑ Goodwill.

firmieren, unter einem bestimmten Namen bestehen (Firmen, Unternehmen).

Firmin-Didot & Cie [frz. fir'mɛ̃ di'do e kõpa'ɲi] ↑ Didot.

Firmung [zu lat. (con)firmare „festmachen, bestätigen"], mit Aussagen aus dem N.T. (Apg. 8, 14–17) begr. Sakrament der kath. Kirche, das Jugendlichen im Alter von 7–12 Jahren in der Regel vom Bischof durch Handauflegung, Salbung, Gebet und einem leichten Backenstreich gespendet wird.

Firmware [ˈfɔːmwɛə; zu engl. firm „fest"], über einen längeren Zeitraum in allg. festbleibende Programmabläufe eines Computers oder Teile davon, die in Form von Festwertspeichern in den Computer eingebaut werden.

Firn [zu althochdt. firni „alt"], alter, mehrjähriger Schnee des Hochgebirges, der durch vielfaches Auftauen und Wiedergefrieren körnig geworden ist; wird zu wasserundurchlässigem Firneis, das unter zunehmendem Druck in **Gletschereis** übergeht.

Fịrnberg, Hertha, * Wien 18. Sept. 1909, † ebd. 14. Febr. 1994, östr. Politikerin (SPÖ). – Mgl. des Bundesrats 1959–62, des Nationalrats seit 1963; 1966–83 stellv. Vors. der SPÖ; führte als Min. für Wiss. und Forschung (1970–84) die östr. Hochschulreform durch.

Firne [↑ Firn], Altersstadium des Weins, bei dem eine Dunkelfärbung (Hochfarbig-

keit) eintritt, später auch eine Beeinträchtigung des Geschmacks.

Fịrnis [frz.], nicht pigmentiertes, rasch trocknendes, dauerhaftes Anstrichmittel; Gemisch aus trocknenden Ölen (Leinöl) und Sikkativen.

Fịrnisbaum (Melanorrhoea usitata), Anakardiengewächs in Hinterindien; Baum mit verkehrt eiförmigen Blättern und großen Blüten; aus dem Rindensaft wird Firnis gewonnen.

Firnlinie, die Schneegrenze auf dem Gletscher, sie trennt dessen Nährgebiet vom Zehrgebiet.

First, svw. ↑ Dachfirst.

First-day-Cover [engl. ˈfəːst ˈdeɪ ˈkʌvə], Abk. FDC, svw. ↑ Ersttagsbrief.

First Lady [ˈfəːst ˈleɪdɪ; engl. „erste Dame"], die Frau eines Staatsoberhauptes.

First National City Bank [engl. ˈfəːst ˈnæʃənəl ˈsɪtɪ ˈbæŋk] ↑ Citicorp.

Firstpfette, Teil des Dachstuhls; trägt die Sparren am Dachfirst.

Firstziegel ↑ Dachziegel.

Firth [engl. fəːθ (vgl. Fjord)], engl. Bez. für ↑ Fjord; ↑ entsprechende Eigennamen.

Firusabād, Ort in S-Iran, im Sagrosgebirge, 90 km südl. von Schiras, 19 300 E. Nw. von F. die Ruinen einer von Ardaschir I. (✉ 224–241) gegr. kreisförmig angelegten Stadt, in deren Zentrum ein Feuertempel stand, sowie eines Palastes mit riesigen, überwölbten Empfangsräumen. Nahebei Felsrelief mit der Darstellung des Sieges Ardaschirs über den Partherkönig Artabanos V.

FIS, Abk. für: Fédération Internationale de Ski, Internat. Skiverband; gegr. 1924 in Chamonix-Mont-Blanc; Sitz Gümlingen.

Fisch ↑ Fische.

Fischadler (Pandion haliaetus), fast weltweit verbreiteter, v. a. an Seen, Flüssen und Meeresküsten vorkommender, etwa bussardgroßer Greifvogel; die Oberseite ist schwärzlich, die Bauchseite schneeweiß mit dunklem Brustband; Flügelspannweite etwa 1,10 m. Ernährt sich hauptsächlich von Fischen.

Fịschart, Johann, eigtl. J. Fischer, genannt Mentzer (Mainzer), * Straßburg um 1546, † Forbach bei Saarbrücken um 1590, dt. Satiriker und Publizist. – Moralsatiriker, derbhumorvoller Volksschriftsteller aus humanist. Geist, der im Sittenverfall und Modetorheiten, das Papsttum und die Jesuiten bekämpfte, u. a. „Das Glückhafft Schiff von Zürich" (1576), „Floeh Haz, Weiber Traz" (1573); sein Hauptwerk, „Affentheurlich Ungeheurlich Geschichtsschrift ..." (1575, 1582 u. d. T. „Affentheurlich Naupengeheurlich Geschichtklitterung ...") ist eine freie Bearbeitung von Rabelais' „Gargantua".

Fịschau, Bad ↑ Bad Fischau-Brunn.

Fischbacher Alpen, Teil der östr. Zentralalpen zw. Bruck an der Mur und Semmering; Mittelgebirgscharakter, im Stuhleck 1782 m hoch.

Fischbandwurm (Breiter Bandwurm, Grubenkopf, Diphyllobothrium latum), mit 10–15 m Länge größte im Menschen (nach dem Genuß von rohem, finnigem Fisch) vorkommende Bandwurmart; hat bis über 4000 Glieder, die sich in Gruppen ablösen.

Fischbeck (Weser), Ortsteil von Hessisch Oldendorf, Nds. – Ehem. Kanonissenstift (gegr. 955) mit roman. Kirche (12. Jh.), Stiftsgebäude (13.–18. Jh.).

Fischbein, hornartige, sehr elast., leichte, widerstandsfähige Substanz aus den Barten der Bartenwale; diente früher zur Herstellung von Schirmgestellen, Korsettstäben.

Fischblase, Schwimmblase der Fische.
♦ (Schneuß), spätgot. Ornament mit meist fischblasenartigem Umriß.

Fischchen (Lepismatidae), mit etwa 250 Arten fast weltweit verbreitete Fam. bis 2 cm langer Borstenschwänze mit flachem, meist blaß gefärbtem, von silbrigen Schuppen bedecktem Körper; z. B. ↑Silberfischchen.

Fische ↑Sternbilder (Übersicht).

Fische (Pisces), mit etwa 25000 Arten in Süß- und Meeresgewässern weltweit verbreitete Überklasse 0,01 bis 15 m langer Wirbeltiere; wechselwarme, fast stets durch (innere) Kiemen atmende Tiere mit meist langgestrecktem Körper, dessen Oberfläche im allg. von Schuppen oder Knochenplatten bedeckt ist; [flossenförmige] Extremitäten sind die paarigen Flossen (Brustflossen, Bauchflossen), daneben kommen unpaarige Flossen ohne Extremitätennatur vor (Rückenflossen, Afterflosse, Fettflosse, Schwanzflosse); Körperfärbung bisweilen (bes. bei ♂♂) sehr bunt, Farbwechsel oft stark ausgeprägt; Silberglanz wird durch Reflexion des in den Schuppen abgelagerten ↑Guanins hervorgerufen. Mit Ausnahme aller Knorpel- und Plattfische haben die meisten F. eine Schwimmblase, durch deren verschieden starke Gasfüllung das spezif. Gewicht verändert werden kann, wodurch ein Schweben in verschiedenen Wassertiefen ohne Energieaufwand ermög-

licht wird. F. besitzen einen Strömungs- und Erschütterungssinn durch die Seitenlinienorgane. – Die meisten F. sind eierlegend, selten lebendgebärend. Die Entwicklung der F. erfolgt meist direkt, manchmal über vom Erwachsenenstadium stark abweichende Larvenformen (z. B. Aale, Plattfische) mit anschließender Metamorphose. – Die F. gliedern sich in die beiden Klassen ↑Knorpelfische und ↑Knochenfische.

In vielen alten *Religionen* waren F. Symbole sowohl des Todes als auch der Fruchtbarkeit. Als Glückszeichen sind F. in Indien im 5. Jh. v. Chr. nachweisbar. Aufgrund der Symbolik des Menschenfischens im N. T. (Matth. 4, 19) ist der Fisch ein altchristl. Symbol; außerdem ist er Symbol für Christus, dessen griech. Bez. mit Iēsoūs Christós Theoū Hyiòs Sotḗr (Jesus Christus, Gottes Sohn, Erlöser) das aus den Anfangsbuchstaben gebildete Wort ICHTHYS (griech. „Fisch") ergibt.

📖 *Sterba, G.: Süßwasserfische der Welt. Lpz. u. a.* [2]*1990. –* Terofal*, F.: F. Mchn.* [3]*1984.*

Fischechsen (Fischsaurier, Ichthyosaurier), weltweit verbreitete Ordnung ausgestorbener, langschwänziger Meeresreptilien mit paddelförmigen Flossen, bis 15 m lang; lebten in der Trias und Kreidezeit.

Fischegel (Piscicola geometra), bis etwa 5 cm langer Blutegel v. a. in Süß-, aber auch in Brack- und Meeresgewässern Europas und N-Amerikas; schmarotzt an Fischen.

Fischer, Aloys, * Furth im Wald 10. April 1880, † München 23. Nov. 1937, dt. Pädagoge. – Prof. in München. Zog die Husserlsche Phänomenologie ebenso wie die Webersche Soziologie und die empir. Psychologie zur Lösung erziehungswiss. Probleme heran.
Werke: Deskriptive Pädagogik (1914), Theorie der emotionalen Bildung (1923), Pädagog. Soziologie (1933).

F., Edmond Henri, * Schanghai 6. April 1920, amerikan. Biochemiker. – Prof. an der Washington University in Seattle; erhielt 1992 mit E. G. Krebs den Nobelpreis für Physiologie oder Medizin für die Entdeckung der reversiblen Proteinphosphorylierung als biochem. Regulationsmechanismus.

F., Edwin, * Basel 6. Okt. 1886, † Zürich 24. Jan. 1960, schweizer. Pianist und Dirigent. – Feinsinniger, werkgetreuer Interpret der Klavierwerke Bachs, Mozarts und Beethovens; Hg. von Bachs Klavierwerken.

F., Emil, * Euskirchen 9. Okt. 1852, † Berlin 15. Juli 1919, dt. Chemiker. – Prof. in München, Erlangen, Würzburg und Berlin; gehört zu den bedeutenden Naturstoffchemikern des 19./20. Jh. F. ermittelte Konstitution und Konfiguration der wichtigsten Zucker und erforschte und synthetisierte zahlr. Verbindungen der Puringruppe; erhielt 1902 den Nobelpreis für Chemie.

Finsternis. Schematische Darstellung von Sonnen- und Mondfinsternis (nicht maßstäblich)

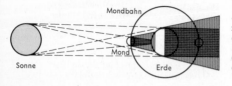

Mondbahn

Mond

Sonne

Erde

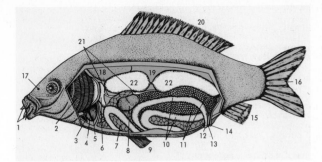

Fische. Anatomie eines Knochenfisches;
1 Barteln, 2 Kiemen, 3 Bulbus arterio-
sus, 4 Herzkammer, 5 Herzvorkammer,
6 Schlund, 7 Leber, 8 Milz, 9 Bauchflosse,
10 Darm, 11 Eierstock, 12 After,
13 Eileiter, 14 Harnleiter,
15 Afterflosse, 16 Schwanzflosse,
17 Nasenöffnung, 18 Kopfniere,
19 Niere, 20 Rückenflosse, 21 Schwimm-
blasengang, 22 Schwimmblase

F., Ernst Otto, * München 10. Nov. 1918, dt.
Chemiker. – arbeitete
hauptsächlich über metallorgan. Verbindungen; entwickelte bei Untersuchungen über
Ferrocen die – von G. Wilkinson unabhängig
bestätigte – Vorstellung, daß bestimmte Verbindungen zw. Metallen und organ. Stoffen
„sandwichartigen" Molekülaufbau besitzen;
erhielt 1973 (mit Wilkinson) den Nobelpreis
für Chemie.
F., Eugen, * Karlsruhe 5. Juni 1874, † Freiburg im Breisgau 9. Juli 1967, dt. Anthropologe. – Prof. in Würzburg, Freiburg im Breisgau
und Berlin; begr. mit H. Muckermann das
Kaiser-Wilhelm-Institut für Anthropologie,
menschl. Erblehre und Eugenik in Berlin.
F., Franz, * Freiburg im Breisgau 19. März
1877, † München 1. Dez. 1947, dt. Chemiker. – Prof. in Berlin, Direktor des Kaiser-
Wilhelm-Instituts für Kohleforschung in
Mülheim a. d. Ruhr; entwickelte die ↑Fi-
scher-Tropsch-Synthese (gemeinsam mit H.
Tropsch, 1926).
F., Fritz, * Ludwigsstadt 5. März 1908, dt. Historiker. – Seit 1942 Prof. in Hamburg; gab
durch seine Publikationen zur Geschichte des
1. Weltkrieges den Diskussionen um das Problem von Kontinuität und Diskontinuität
preuß.-dt. Politik wesentl. Impulse.
F., Hans, * Höchst (= Frankfurt am Main)
27. Juli 1881, † München 31. März 1945, dt.
Chemiker. – Prof. in Innsbruck, Wien und
München. F. erhielt für Konstitutionsaufklä-
rung und Synthese der Porphinfarbstoffe Hä-

min und Chlorophyll 1930 den Nobelpreis
für Chemie.
F., Johann Caspar Ferdinand, * bei Ostrov
(Westböhm. Bez.) um 1665, † Rastatt 27.
Aug. 1746, dt. Komponist. – Mit seinen Or-
chester- und Cembalowerken bed. Vermittler
frz. Musik in Deutschland; Einfluß auf J. S.
Bach.
F., Johann Martin, * Bebele bei Hopfen (All-
gäu) 2. Nov. 1740, † Wien 27. April 1820, östr.
Bildhauer. – 1815 Direktor der Wiener Akad.
der bildenden Künste; Schüler von G. R.
Donner, leitete den östr. Klassizismus ein.
F., Johann Michael, * Burglengenfeld (Ober-
pfalz) 18. Febr. 1692, † München 6. Mai 1766,
dt. Barockbaumeister. – Verband bei seinen
Kirchenbauten Langhaus- und Zentralbauge-
danken: axial gereihte Einzelräume mit einem beherrschenden Mittelraum; u. a. ehem.
Stiftskirche in Dießen am Ammersee
(1732 ff.), Hofkirche in Berg am Laim, München (1737 ff.), ehem. Abteikirche in Zwiefalten (1744 ff.), Abteikirche in Ottobeuren
(1748 ff.), ehem. Benediktinerkirche in Rott
am Inn (1759 ff.; vollständiger Neubau).
F., Joseph („Joschka"), * Langenburg 12.
April 1948, dt. Politiker. – Schloß sich der
Partei der Grünen an, März 1983–März 1985
MdB. In der Koalitionsreg. von SPD und
Grünen in Hessen 1985–87 und 1991–94
Min. für Umwelt und Energie, 1991–94 auch
stellv. Min.präsident.
F., Kuno, * Sandewalde bei Guhrau 23. Juli
1824, † Heidelberg 5. Juli 1907, dt. Philosoph. – 1856 Prof. in Jena, 1872 in Heidelberg. Bed. Philosophiehistoriker („Geschichte der neueren Philosophie", 8 Bde.,
1852–93); versuchte in seiner Schrift „System
der Logik und Metaphysik oder Wissenschaftslehre" (1852) eine Verbindung der
Dialektik Hegels mit Elementen des modernen Evolutionismus.
F., Oskar, * Asch (tschech. Aš) 19. März
1923, dt. Politiker. – Mgl. des ZK der SED
1971–89. F. war 1965–73 stellv. und 1974 am-

tierender Außenmin., 1975–89 Außenmin. der DDR.

F., O[tto] W[ilhelm], * Klosterneuburg bei Wien 1. April 1915, östr. Theater- und Film-schauspieler. – Bekannt durch Filme aus den 50er Jahren, u. a. „Ein Herz spielt falsch" (1953), „Ludwig II." (1955), „Herrscher ohne Krone" (1957), „Peter Voß, der Millionen-dieb" (1958).

F., Robert James, gen. „Bobby", * Chicago 9. März 1943, amerikan. Schachspieler. – Wur-de 1958 jüngster Internat. Großmeister der Schachgeschichte, 1972–75 Weltmeister.

F., Ruth, eigtl. Elfriede Golke, geb. Eisler, * Leipzig 11. Dez. 1895, † Paris 13. März 1961, dt. Politikerin und Publizistin. – Schwester von Gerhart und Hanns Eisler; 1918 Mitbegr. der KPÖ; übersiedelte 1919 nach Berlin; führte die KPD seit 1924 auf ultralinken Kurs; 1925 von Thälmann abgelöst, 1926 aus der KPD ausgeschlossen; 1924–28 MdR; flüchtete 1933 nach Paris, 1940 in die USA; lebte nach 1945 als polit. Publizistin in Paris.

F., Samuel, * Liptovský Mikuláš 24. Dez. 1859, † Berlin 15. Okt. 1934, dt. Verleger. – Gründete 1886 den S. Fischer Verlag in Ber-lin, förderte den Naturalismus (H. Ibsen, E. Zola, G. Hauptmann u. a.), H. von Hof-mannsthal, A. Schnitzler, T. Mann, H. Hesse, G. B. Shaw, O. Wilde. Verlegte (als Nachfol-gerin der „Freien Bühne") seit 1894 die „Neue Dt. Rundschau" (seit 1903 „Die Neue Rundschau"). – † Verlage (Übersicht).

F., Theodor, * Schweinfurt 28. Mai 1862, † München 25. Dez. 1938, dt. Architekt. – Schuf Monumentalbauten, deren Raumglie-derung klar im Außenbau erscheint (z. B. Eli-sabethschule in München, 1901–03; Pfullin-ger Hallen, 1904–05; Garnisonkirche in Ulm, 1906–12; Universität Jena, 1905–08).

Fischer-Dieskau, Dietrich, * Berlin 28. Mai 1925, dt. Sänger (Bariton). – Wurde 1948 Mgl. der Städt. Oper Berlin, gastierte an fast allen großen Opernhäusern der Welt sowie bei Festspielen. Berühmtheit erlangte er als Lieder- (bes. Schubert, H. Wolf) und Orato-riensänger; auch Dirigent; 1981 als Prof. an die Hochschule der Künste Berlin (West) be-rufen.

Fischerei, der gewerbsmäßige Fang von Fischen u. a. Wassertieren. Man unterschei-det die küstenferne große Hochsee-F., die mehr oder weniger weit von der Küste ent-fernt (bis in die Flußmündungen hinein) aus-geübte kleine Hochsee- F. und Küsten-F. so-wie die Binnenfischerei.

Die **große Hochseefischerei** verwendet Logger und Trawler sowie Fischfabrikschiffe. *Logger* sind meist Seitenfänger (speziell zum He-ringsfang mit Schleppnetz). *Trawler* arbeiten stets mit Grundschleppnetz *(Trawl)* oder Schwimmschleppnetz. Durch die Verlage-

O. W. Fischer (1962)

rung der Fangzonen in entferntere Gebiete ergab sich der Zwang zu hochwertigeren Konservierungsverfahren; daher wuchs die Bed. des Tiefgefrierens von vorverarbeitetem Fang. Die erforderl. Fabrikationseinrichtun-gen eines solchen *Gefriertrawlers* ließen sich nur in einem Zweideckschiff unterbringen, was zur Einführung der Heckaufschleppe und des Heck-Fischgalgens führte. Der so entstandene *Hecktrawler* ist also stets ein Fang- und Verarbeitungsschiff *(Fabriktraw-ler).* – Die UdSSR und andere Länder haben in größerem Umfang *Fangflotten* eingesetzt, deren Fabrikschiffe **(Fischfabrikschiffe)** gleichzeitig Mutterschiff für 8–16 Fangboote sind.

In der **kleinen Hochseefischerei** (Nord- und Ostsee) und der **Küstenfischerei** werden Kut-ter verwendet. Gebräuchlichste Arbeitsgeräte der Kutter sind *Scherbrettnetze* und *Schwimmschleppnetze,* die meistens im Ge-spann gezogen werden. Fanggeräte sind Stell-und Treibnetze, Strand- und Bootswaden, Körbe, Garnelen- und Aalreusen, Fischzäu-ne, Angeln sowie Fangleinen. Der Ertrag der Küsten-F. sind v. a. Krabben, Krebse, Aale, Garnelen, Heringe und Schollen.

Die **Binnenfischerei** deckt den Bedarf an Edelfischen (Aal, Hecht, Zander, Karpfen, Schlei, verschiedene Salmoniden- und Fel-chenarten sowie Weißfischarten). Die Fang-geräte sind dieselben wie bei der Küsten-F., dazu kommen Elektrofanggeräte. V. a. Karp-fen und Forellen werden auch in künstl. an-gelegten Teichen gezüchtet.

Geschichte: F.geräte sind bereits aus dem Pa-läolithikum bekannt. Angelhaken, Speere und Harpunen waren aus Knochen, Horn, Holz, später aus Metall gefertigt; Angeln mit Widerhaken und Dreizack zum Stechen der Fische kamen in Europa in der Bronzezeit (etwa ab 1900 v. Chr.) auf. Die ältesten erhal-tenen Reusen sind 8 000 bis 9 000 Jahre alt, kon. geflochtene Weidenkörbe (etwa 4 m lang, 90 cm Durchmesser). In Ägypten wie in Griechenland war im Altertum neben der Reuse auch das Netz in Gebrauch.

📖 *Das große ABC des Fischens. Hg. v. C. Willock. Hamb. u. Bln.* [5]*1982. – Tesch, F.-W.: Die Pflege der Fischbestände u. Fischgewässer. Hamb. u. Bln.* [2]*1982. – Moderne Fischwirtschaft. Hg. v. W. Steffens. Melsungen 1981.*

Fischereigrenze, im Völkerrecht jene im Meer verlaufende Grenzlinie, die die hohe See und den Teil des Küstenmeeres (Fischerei- und Wirtschaftszone) voneinander trennt, in dem u. a. die Ausübung des Fischereirechts den Staatsangehörigen des Uferstaates vorbehalten ist (Küstenfischerei). In neuester Zeit wurde die F. von einigen Staaten in Richtung hohe See erheblich (z. T. bis zu 200 sm) verschoben, u. a. um den Fischbestand zu schützen.

Fischereirecht, als *nationales F.* 1. im subjektiven Sinn (privatrechtlich) das absolute Recht, in einem Gewässer Fische und andere nutzbare Wassertiere (soweit sie nicht dem Jagdrecht unterliegen) zu hegen und sich anzueignen. Das F. steht dem Eigentümer (Staat oder Anlieger) zu, kann aber je nach Landesrecht auch ein selbständiges Recht eines Dritten an einem fremden Gewässer sein und übertragen werden. 2. im objektiven Sinn die Gesamtheit der öffentl.-rechtl. Normen, die Umfang und Ausübung der Fischerei regeln. Die Hochsee- und die Küstenfischerei sind bundesgesetzlich im SeefischereiG vom 12. 7. 1984 und in der VO zur Durchsetzung gemeinschaftsrechtl. F. vom 17. 1. 1989 geregelt. Beides sind Vorschriften zur Durchsetzung des F. der Europ. Gemeinschaften im Inland. Die Binnenfischerei ist landesrechtlich geregelt.

Das *östr.* (Binnen-)*F.* ist in Gesetzgebung und Vollziehung Landessache. Nach den einschlägigen Landesgesetzen steht das F. gewöhnlich dem Grundeigentümer zu. – In der *Schweiz* gilt das BG über die Fischerei vom 14. 12. 1973. Die Kantone können bundesrechtl. Bestimmungen zum F. bei Notwendigkeit erlassen. Im *Völkerrecht* steht auf der hohen See die Ausübung des F. jedem zu. Im Küstenmeer (Fischerei- und Wirtschaftszone) regelt der Uferstaat die Ausübung des F. (Küstenfischerei).

Fischereischein, behördl. Erlaubnis zur Ausübung der Binnenfischerei.

Fischerhalbinsel, in die Barentsee vorspringende Halbinsel an der Murmanküste, Rußland, bis 299 m ü. d. M.; Tundrenvegetation.

Fischerring, Amtsring des Papstes, im 13. Jh. erstmals erwähnt, seit dem 15. Jh. regelmäßig getragen. Der F. trägt das Bild des Apostels Petrus (mit Fischernetz) und den Namen des jeweiligen Papstes.

Fischerstechen (Schifferstechen), Geschicklichkeitsübung in Form eines Zweikampfes zw. Fischern, bei der von einem leichten Boot aus mit langen Stangen gegen das Ziel gestochen und versucht wird, sich gegenseitig ins Wasser zu stoßen.

Fischer-Tropsch-Synthese, ein von Franz Fischer und H. Tropsch 1923–25 entwickeltes großtechn. Verfahren zur Synthese von Kohlenwasserstoffen aus Kohlenmonoxid und Wasserstoff; v. a. für die Benzin-, Paraffin- und Motorenölherstellung bedeutsam.

Fischer-Verlag, S. (S. F. V. GmbH) ↑ Verlage (Übersicht).

Fischer von Erlach, Johann Bernhard (geadelt 1696), * Graz 20. Juli 1656, † Wien 5. April 1723, östr. Baumeister. – Begründer der spätbarocken dt. Baukunst, des sog. Reichsstils, der von Wien ausging. 1693 ff. Architekt des Erzbischofs von Salzburg; 1705 Oberaufsicht über alle kaiserl. Bauten. Die Salzburger Kollegienkirche (1696 bis 1707) zeigt den für F. von E. charakterist. raumhaften Baukörper auf ovalem Grundriß. In Wien entstanden Schloß Schönbrunn (1695/96 ff.), Palais Trautson (um 1710–12), Karlskirche (1716 ff.) und Hofbibliothek (1723 ff.).

Fischfabrikschiff ↑ Fischerei.

Johann Bernhard Fischer von Erlach. Kollegienkirche in Salzburg (1696–1707)

Fischinger, Oskar, * Gelnhausen 22. Juli 1900, † Hollywood (Calif.) 31. Jan. 1967, amerikan. Filmregisseur dt. Herkunft. – Bedeutendster Vertreter des abstrakten Zeichentrickfilms. Seine Filme, u. a. „Komposition in Blau" (1933) und „Motion painting No. 1" (1947), sind Versuche, Musik durch Bilder zu interpretieren.

Fischkutter ↑ Kutter.

Fischl, Eric, * New York 9. März 1948, amerikan. Maler. – Sein Hauptmotiv sind Menschen in Einsamkeit und Lethargie.

Fischland ↑ Darß.

Fischleder, Bez. für die von der Lederwarenind. verarbeiteten Häute v. a. von Rochen und Haien.

Fischlupe ↑ Echolot.

Fischmehl, Handelsbez. für eiweißreiche Futtermittel aus getrockneten, zermahlenen Fischabfällen; enthält etwa 8 % Stickstoff und 12–14 % Phosphorsäure; dient bes. zur Schweine- und Geflügelfütterung.

Fischmilch ↑ Milch.

Fischotter ↑ Otter.

Fischpaß (Fischtreppe), künstl. angelegter Fischweg zur Erhaltung der natürl. Fischwanderungen; an Schleusen, Wehren und Kraftwerken wird ein kleiner Wasserlauf mit kleinen Staubecken vorbeigeleitet, in dem die Fische das Hindernis überwinden können.

Fischreiher ↑ Reiher.

Fischrogen ↑ Rogen.

Fischsaurier, svw. ↑ Fischechsen.

Fischschuppenkrankheit, svw. ↑ Ichthyose.

Fischsterben, Massensterben von Fischen in Gewässern, verursacht v. a. durch Sauerstoffmangel infolge starker Wasserverschmutzung, Vergiftung des Wassers durch eingeleitete oder eingeschwemmte Chemikalien (z. B. Schädlingsbekämpfungsmittel) oder durch Infektionskrankheiten.

Fischteich, für die Vermehrung und Haltung von bestimmten Speisefischen (v. a. Karpfen, Forellen) meist künstlich angelegte oder ausgebaute Teiche.

Fischtreppe, svw. ↑ Fischpaß.

Fischvergiftung (Ichthyismus), meist schwere, akute Erkrankung nach dem Genuß verdorbener, infizierter oder giftiger Fische (↑ Botulismus).

Fischwanderungen, meist in großen Schwärmen erfolgende, ausgedehnte Wanderungen von Fischen (z. B. Heringe, Sardinen, Thunfische) bes. zum Aufsuchen der Laichplätze *(Laichwanderungen),* vielfach auch als *Nahrungswanderungen.*

Fischwilderei, das Fischen unter Verletzung fremden Fischereirechts oder die Zueignung, Beschädigung oder Zerstörung einer Sache, die dem Fischereirecht unterliegt; wird mit Geld- oder Freiheitsstrafe bis zu zwei, in bes. schweren Fällen bis zu fünf Jahren bestraft. Verbotenes Fischen in Teichen ist Diebstahl.

Fischwirtschaft, Wirtschaftszweig, der den Fang und die Verarbeitung von Fisch und anderen Wassertieren betreibt; eingeteilt in Seefischerei (Hochsee- und Küstenfischerei), Binnenfischerei und Fischverarbeitung.

Fischzucht, die vom Menschen gelenkte kommerzielle Erzeugung von Fischbrut, Setzlingen und Speisefischen. Durch Abstreichen (d. h., die Hand wird unter leichtem Druck von vorn nach hinten über den Bauch der Laichfische geführt) werden Eier (Rogen) und Samen (Milch) gewonnen und anschließend miteinander vermischt. Die auf diese Weise „künstlich" befruchteten Eier werden in schwach durchströmten Kästen oder Gläsern erbrütet. Die Brut wird entweder zur Bestandsvermehrung in offenen Gewässern ausgesetzt oder in Becken, Teichen (Brutteichen) oder Anlagen der Aquakultur zu Setzlingen und weiter zu marktfähigen Speisefischen herangezogen.

Fisettholz, svw. ↑ Gelbholz.

Fisher [engl. 'fiʃə], Irving, * Saugerties (N. Y.) 27. Febr. 1867, † New York 29. April 1947, amerikan. Nationalökonom. – 1898 bis 1935 Prof. an der Yale University; F., Vertreter der mathemat. Richtung der Nationalökonomie, lieferte wichtige Beiträge zur Preis- und Zinstheorie (mit grundlegender Bedeutung für die moderne Investitionstheorie) sowie zur Geldtheorie; schrieb u. a. „Die Zinstheorie" (1907), „Die Kaufkraft des Geldes" (1911).

F., John, hl., * Beverley (York) um 1459, † London 22. Juni 1535, engl. Humanist. – Bischof von Rochester, Kanzler der Cambridge University, einer der schärfsten Gegner Luthers in England; widersprach der Ehescheidung Heinrichs VIII. von Katharina von Aragonien und wurde nach Verweigerung des Suprematseides 1535 hingerichtet. 1935 heiliggesprochen. – Fest: 22. Juni.

F., John Arbuthnot, Baron F. of Kilverstone (seit 1909), * Rambodde (Ceylon) 25. Jan. 1841, † London 10. Juli 1920, brit. Admiral. – 1904–10 und 1914/15 Erster Seelord; prägte die brit. Flottenpolitik vor dem 1. Weltkrieg (u. a. Bau der Dreadnoughts).

F., Sir (seit 1952) Ronald Aylmer, * East Finchley (Middlesex) 17. Febr. 1890, † Adelaide 29. Juli 1962, brit. Statistiker und Genetiker. – Prof. in London und Cambridge; gilt als Begr. der modernen, mathematisch orientierten Statistik.

Fishta, Gjergj [alban. 'fiʃta], * Fishta bei Skutari 23. Okt. 1871, † Skutari 30. Dez. 1940, alban. Dichter. – Steht am Beginn der alban. Schriftsprache und gilt als bedeutendster alban. Dichter; Hauptwerk ist das Versepos

„Die Laute des Hochlandes" (3 Tle., 1905–30) über den alban. Befreiungskampf.

Fisimatenten [Herkunft unsicher], leere Flausen, Ausflüchte, Winkelzüge.

Fiskal [lat.], Amtsträger, der vor Gerichten die (vermögenswerten) Rechte des Kaisers oder eines Landesherrn zu vertreten hatte (13./14.–19. Jh.).

Fiskalismus [lat.], urspr. eine einseitig auf die Beschaffung finanzieller Mittel zur Deckung des Staatsbedarfs ausgerichtete Finanzpolitik; heute Bez. für den Keynesianismus im Ggs. zum modernen Monetarismus.

Fisker, Kay [dän. 'fisgər], * Kopenhagen 14. Febr. 1893, † ebd. 21. Juni 1965, dän. Architekt. – Führte die dän. Architektur aus dem internat. Stil in ihre spezif. dän. Eigenart zurück (v. a. Backsteinbauten); u. a. Univ. in Århus (1932 ff.).

Fiskus [zu lat. fiscus, eigtl. „Geldkorb, Kasse"], nach verbreiteter Anschauung: der Staat als Privatrechtssubjekt (Ggs.: der Staat als Träger hoheitl. Gewalt); nach W. Jellinek: der Staat als Vermögenssubjekt (der u. U. auch hoheitl. Wesenszüge zeigt, z. B. als sog. Steuer-F., Zoll-F.).

Fisole [roman.], svw. ↑ Gartenbohne.

Fissur [lat.], in der *Medizin:* 1. Einriß, Schrunde, bes. der unelast. gewordenen, spröden Haut oder Schleimhaut, z. B. am After. 2. Knochenriß, Spaltbruch eines Knochens.

Fistel [lat.], angeborener, durch entzündl. Prozesse oder Verletzungen entstandener oder operativ angelegter (z. B. bei Harnleiter- oder Darmverschluß) röhrenförmiger Gang, der Körperorgane oder -hohlräume entweder untereinander *(innere F.)* oder mit der äußeren Körperoberfläche *(äußere F.)* verbindet.
♦ ↑ Fistelstimme.

Fistelstimme (Fistel), die männl. hauchige Kopfstimme, im Ggs. zum ↑ Falsett.

fit [engl.-amerikan.], in guter körperl. Verfassung, leistungsfähig, sportl. durchtrainiert.

Fitch, Val Logsdon [engl. fitʃ], * Merriman (Nebr.) 10. März 1923, amerikan. Physiker. – Entdeckte 1964 mit J. W. Cronin die Verletzung einer grundlegenden Symmetrie (*CP*-Invarianz) beim Zerfall neutraler K-Mesonen, wofür beide 1980 den Nobelpreis für Physik erhielten.

Fitis ↑ Laubsänger.

Fitness (Fitneß) ['fitnɛs], durch planmäßiges sportl. Training erreichte gute körperl. Verfassung bzw. Leistungsfähigkeit. Im **Fitnesscenter** kann die F. verbessert werden.

Fittig, Rudolf, * Hamburg 6. Dez. 1835, † Straßburg 19. Nov. 1910, dt. Chemiker. – Prof. in Göttingen, Tübingen und Straßburg; entdeckte das Penanthren; 1864 wandte er die Wurtzsche Synthese zur Synthese aromat. Kohlenwasserstoffe an **(Fittigsche Synthese).**

Fittings [engl.], Sammelbez. für Verbindungsstücke zum Verschrauben oder Verlöten z. B. von Wasserleitungsrohren (Muffen, T-Stücke, 90°-Bögen u. a.).

Fitzgerald [engl. fits'dʒɛrəld], Ella, * Newport News (Va.) 25. April 1918, amerikan. Jazzsängerin. – Begann ihre Laufbahn 1934 im Orchester Chick Webb; herausragende Sängerin des Swing („the first lady of Jazz"). Ihr Repertoire umfaßt sowohl Blues-Balladen als auch die rhythm.-prägnanten „scat-vocals" des Bebop, in denen ihre Musikalität, Gesangstechnik und Improvisationskunst bes. zum Ausdruck kommen.

F., F[rancis] Scott [Key], * Saint Paul (Minn.) 24. Sept. 1896, † Los Angeles 21. Dez. 1940, amerikan. Schriftsteller. – Einer der Hauptvertreter der „verlorenen Generation", gibt F. in Romanen (u. a. „Der große Gatsby", 1925; „Zärtlich ist die Nacht", 1934) und Short stories (in dt. Übers.: „Die besten Stories", 1954) eine Darstellung des hekt. Lebens der 20er Jahre.

FitzGerald, Garret [engl. fits'dʒɛrəld], * Dublin 9. Febr. 1926, ir. Politiker (Fine Gael). – Seit 1969 Unterhausabg. und einer der Führer seiner Fraktion und Partei; 1973–77 Außenmin., danach Oppositionsführer; Premiermin. 1981/82 und 1982–87.

Fiume ↑ Rijeka.

Five o'clock tea [engl. 'faivə'klɔkti:], Fünfuhrtee, Nachmittagstee.

fix [lat.], fest, feststehend; z. B. fixe Kosten.
♦ umgangssprachl. für: schnell, gewandt.

Fixage [fi'ksa:ʒə; lat.-frz.] (Fixierprozeß), abschließender Arbeitsgang bei der Entwicklung photograph. Materialien, bei dem das Bild im Fixierbad durch Herauslösen des unbelichteten und nicht entwickelten Silberhalogenids aus der Schicht lichtbeständig gemacht wird. Als **Fixierbad** dient die wäßrige Lösung eines **Fixiersalzes,** oft Natriumthiosulfat, $Na_2S_2O_3$.

Fixativ [lat.], Lösung, mit der man Bleistift-, Kohle-, Kreide- und Pastellzeichnungen besprüht, damit sie wischfest werden (z. B. Schellack, Zaponlack).

fixe Idee (überwertige Idee), Vorstellung oder Meinung, die das Bewußtsein und Verhalten einer Person beherrscht und durch rationale Argumente kaum zu beeinflussen ist. Die f. I. tritt als *Zwangsvorstellung* (z. B. Waschzwang) oder als *Wahnidee* (z. B. Eifersuchtswahn) auf.

fixe Kosten (feste Kosten) ↑ Kosten.

fixen [lat.], im *Börsenwesen:* Leerverkäufe tätigen; der **Fixer** verkauft Wertpapiere, die er erst zu einem späteren Termin kaufen will, in der Erwartung, sich bis zum Erfüllungstag billiger als abgeschlossen eindecken zu können.

◆ umgangssprachl. für: dem Körper Rauschmittel, insbes. Heroin, durch Injektion zuführen; **Fixer,** Drogenabhängiger, der sich Rauschmittel einspritzt.

Fixfokusobjektiv, photograph. Objektiv mit unveränderl. Entfernungseinstellung.

Fixgeschäft, 1. das *absolute Fixgeschäft,* ein schuldrechtl. Rechtsgeschäft, bei dem die Nichteinhaltung der vereinbarten Leistungszeit zur Unmöglichkeit der Leistung führt, so z.B., wenn der für den Umzug bestellte Packer den Umzug versäumt; 2. beim *relativen (einfachen) Fixgeschäft* ist die nicht rechtzeitig erbrachte Leistung zwar nachholbar, jedoch soll das Geschäft nach dem Willen der Vertragschließenden mit der Einhaltung der Leistungszeit stehen oder fallen. Versäumung der Leistungszeit begründet deshalb im Zweifel – auch ohne [verschuldeten] Verzug des Schuldners – ein Recht des Gläubigers zum Rücktritt vom Vertrag. – Für das *östr.* und *schweizer. Recht* gilt Entsprechendes.

Fixierbad ↑Fixage.

fixieren [lat.], widerstandsfähig, beständig, unveränderlich machen; festlegen.

Fixiersalz ↑Fixage.

Fixierung [lat.], (Fixation) in der *biolog. Technik* die Haltbarmachung von tier. oder pflanzl. Material (ganze Organismen, Körper- oder Gewebeteile u.a.) durch Behandlung mit *F.mitteln* (z.B. Alkohol, Formalin) für spätere mikroskop. Untersuchungen. ◆ in der *Medizin* die Ruhigstellung der Bruchenden eines gebrochenen Knochens auf mechan. Weise (durch Gipsverband, Schienen, Schrauben).
◆ in der *Psychologie* das mit einem Verlust an Flexibilität des Denkens, Fühlens und Handelns verbundene Festhalten an bestimmten Einstellungen, Denkstilen und Verhaltensweisen; in der *Psychoanalyse* nach S. Freud das Stehenbleiben auf bestimmten frühkindl. psych. Entwicklungsstufen (Phasen).
◆ in der *Sinnesphysiologie* die Einstellung des Auges auf ein bestimmtes Wahrnehmungsobjekt (F.punkt) derart, daß dieses an der Stelle des schärfsten Sehens (dem gelben Fleck) auf der Netzhaut abgebildet wird.

Fixing [zu engl. to fix „festmachen, bestimmen"], die an der Börse (dreimal tägl.) erfolgende Feststellung der Devisenkurse.

Fixpunkt (thermometrischer F.), fester Bezugspunkt bei Messungen der Temperatur.

Fixsterne [zu lat. fixa stella „feststehender Stern"], Bez. für die von den Astronomen des Altertums als an der Himmelskugel befestigt (als fixiert) angenommenen Sterne im Ggs. zu den Wandelsternen (Planeten).

Fixum [lat.], festes Entgelt im Ggs. zum variablen, nach Leistung oder Arbeitszeit bemessenen Entgelt; auch Bez. für ein garantiertes Mindesteinkommen.

Fixzeit, bei gleitender Arbeitszeit die Zeitspanne im Verlauf eines Arbeitstages, während der die Arbeitnehmer anwesend sein müssen.

Fizeau, Hippolyte [frz. fi'zo], *Paris 23. Sept. 1819, †Venteuil 18. Sept. 1896, frz. Physiker. – Führte 1849 die erste terrestr. Messung der Lichtgeschwindigkeit durch; fand 1850, daß die Lichtgeschwindigkeit in Wasser kleiner ist als in Luft.

Fizz [fis, engl. fiz; zu to fizz „zischen, sprühen"], Drink aus Spirituosen, Fruchtsirup, Soda oder Sekt, z.B. Gin Fizz.

Fjärd [schwed.], Bez. für einen meist schmalen, weit in das Land eingreifenden, aber nicht sehr tiefen Meeresarm.

Fjell (Fjäll) [skand.], die Region oberhalb des borealen Nadelwaldgürtels auf der skand. Halbinsel, etwa 300–700 m ü.d.M., bestimmt durch eine Vegetationsformation aus Moosen, Flechten, Stauden und Zwergsträuchern.

Fjodor, Name von Herrschern:
Rußland:
F.I. Iwanowitsch, *Moskau 31. Mai 1557, †ebd. 17. Jan. 1598, Zar (seit 1584). – Folgte seinem Vater Iwan IV., dem Schrecklichen; zu selbständiger Regierung unfähig; sein Schwager Boris Godunow übte die Macht aus.

F.III. Alexejewitsch, *Moskau 9. Juni 1661, †ebd. 7. Mai 1682, Zar (seit 1676). – Beendete 1681 ergebnislos den ersten russisch-türk. Krieg; schaffte 1682 die komplizierte Rangordnung des Dienstadels ab und förderte eine Modernisierung des Heerwesens.

Fjord [skand.] (engl. Firth), infolge Meeresspiegelanstieges überflutetes, glazial überformtes Trogtal, mit übersteilen Hängen und typ. Schwelle vor der Mündung.

FK, Abk. für: Flugkörper.

FKK, Abk. für: ↑Freikörperkultur.

Fl. (fl.), Abk. für: ↑Floren und ↑Florin.

Fla, Abk. für: Flugabwehr.

Flaccus, Gajus Valerius ↑Valerius Flaccus, Gajus.

Flachbauweise, Bez. für die Bebauung eines Gebietes mit ein- bis zweistöckigen Häusern im Ggs. zur mehrgeschossigen Hochbauweise.

Flachdach, Dach mit Neigung unter 25°.

Flachdruck ↑Drucken.

Fläche, allg. ebenes Gebiet; in der *Elementargeometrie* ein beliebig gekrümmtes oder ebenes Gebilde im Raum, insbes. jede Begrenzung (Oberfläche) einer räuml. Figur.

Flächeninhalt, die Größe eines von einem geschlossenen Linienzug begrenzten Teiles einer ebenen oder gekrümmten Fläche. SI-Einheit des F. ist Quadratmeter (m²). Die rechner. Bestimmung des F. einfacher Flächenstücke (z.B. Dreieck, Kreis) erfolgt aus einzelnen Bestimmungsstücken dieser Figuren (z. B. Seiten, Höhen beim Dreieck) mit Hilfe bekannter Formeln oder durch Zerlegung der Flächenstücke in derart berechenbare Flächenstücke. Den F. beliebig begrenzter Flächenstücke berechnet man mit Methoden der Integralrechnung.

Flächennutzungsplan, sog. vorbereitender Bauleitplan nach dem Baugesetzbuch. Im F. ist für das ganze Gemeindegebiet die beabsichtigte Art der Bodennutzung nach den voraussehbaren Bedürfnissen der Gemeinde in den Grundzügen darzustellen, insbes. die für die Bebauung vorgesehenen Flächen. Aus dem F. ist der Bebauungsplan zu entwickeln.

Flächenprämie, Ausgleichszahlung für Landwirte, die ungünstige landw. Flächen bewirtschaften (z. B. in großen Höhenlagen); 1975 vom EG-Ministerrat beschlossen. Die F. soll eine umwelterhaltende Bewirtschaftung fördern.

Flächensatz ↑ Keplersche Gesetze.

Flachglas, durch Gießen, Walzen oder Ziehen erzeugtes plattenförmiges Glas.

Flachland, ausgedehnte Landoberfläche mit geringen, jedoch größeren Höhenunterschieden als bei der Ebene. Nach der Lage über dem Meeresspiegel unterscheidet man **Tiefland** (bis etwa 200 m ü. d. M.) und **Hochland.**

Flachrelief (Basrelief) ↑ Relief.

Flachrennen, Pferderennen (Galopprennen) auf Rundbahnen ohne Hindernisse.

Flachs, (Echter Lein, Linum usitatissimum) vorwiegend in der nördl. gemäßigten Zone verbreitete Leinart; einjähriges, 30–120 cm hohes Kraut mit lanzenförmigen Blättern und himmelblauen oder weißen, selten rosafarbenen Blüten in Wickeln; fünffächerige Kapselfrüchte mit 5–10 öl- und eiweißhaltigen Samen mit quellbarer, brauner Schale. Nach Wuchs und Verwendung unterscheidet man zw. **Gespinstlein** (Faserlein) und **Öllein.** Ersterer wird v. a. in O- und W-Europa angebaut; mit 60–120 cm langen, nicht oder kaum verzweigten Stengeln, die zur Gewinnung von F.fasern verwendet werden. Der Öllein wird 40–80 cm hoch, ist stark verzweigt und hat große Samen, aus denen Leinöl gewonnen wird.
♦ (Flachsfasern, Lein[en]fasern) Bastfasern aus dem Stengel von Gespinstlein. Gewinnung: Durch Riffeln werden die Blätter und Samenkapseln von den Stengeln entfernt. Durch ↑ Rotten wird der Bast von Rinde und Holzkern gelöst; der getrocknete Röststrohflachs wird gebrochen oder geknickt, die Holzteile des Stengels werden dabei zerstört und fallen als Schäben heraus. Das gewonnene Fasermaterial heißt Brech-F. Durch das Schwingen werden die restl. Schäben ent-

fernt, es bleibt der Schwingflachs. Beim Hecheln werden die groben Fasern in Längsrichtung aufgeteilt und ergeben die technisch verwendbare Langfaser, den Hechelflachs, der zu Flachsgarnen (Leinengarnen) versponnen wird. Kurzes Fasermaterial wird als Werg bezeichnet. Eigenschaften: Länge der Langfaser 40 bis 70 cm; Farbe grau bis gelblich; F. können rein weiß gebleicht werden; Reißfestigkeit und Wasseraufnahmefähigkeit sind hoch.

Flachsee, Meeresbereich bis zu 200 m Tiefe. – ↑ Schelf.

Flachslilie (Phormium), Gatt. der Liliengewächse; ausdauernde Rosettenpflanzen mit langen, harten, schwertförmigen Blättern und großen, glockigen Blüten in einer Rispe; bekannteste Art **Neuseeländer Flachs** (Phormium tenax) mit rotem bis gelbem Blütenstand.

Flachsproß (Platykladium), Bez. für eine abgeflachte bis blattähnl. Sproßachse, z. B. beim Feigenkaktus und Mäusedornarten.

Flachstanzen ↑ Blechverarbeitung.

Flacius, Matthias, eigtl. Matija Vlačić (auch M. Franković), gen. Illyricus, * Labin (Istrien) 3. März 1520, † Frankfurt am Main 11. März 1575, dt. ev. Theologe kroat. Herkunft. – 1544 Prof. für Hebräisch in Wittenberg; seine Kompromißlosigkeit brachte dem Luthertum schwere innere Kämpfe und ihm selbst Verfolgung. 1561 verlor er seine 1557 übernommene Professur in Jena; auch bed. Kirchenhistoriker (Quellenforschungen, Planung und Organisation der ↑ Magdeburger Zenturien) und Bibelwissenschaftler („Clavis scripturae sacrae", 1567).

Flacourtie [fla'kʊrtsia; nach dem frz. Kolonisator E. de Flacourt, * 1607, † 1660] (Flacourtia), Gatt. der Fam. **Flacourtiengewächse** (Flacourtiaceae), 86 Gatt. mit über 1 300 Arten in den Tropen und Subtropen; Sträucher oder Bäume mit kleinen Blüten und gelben bis purpurroten, kirschenartigen, eßbaren Steinfrüchten; mehrere Arten werden kultiviert.

Fladen [zu althochdt. flado „Opferkuchen"], flaches, brotartiges Gebäck aus Gersten- oder Hafermehl ohne Treibmittel.

Fladerung, svw. ↑ Maserung.

Flagellanten [lat.] (Flegler, Geißler, Kreuzbrüder), Angehörige schwärmer.-frommer Laienbewegungen des 13.–15. Jh., die morgens und abends zur Buße Selbstgeißelung (↑ Flagellation) übten. Die Bewegung entstand im Herbst 1260 in Mittelitalien, hervorgerufen v. a. durch chiliast. Endzeiterwartung (↑ Chiliasmus) und breitete sich in ganz West- und Mitteleuropa aus (bes. in den Niederlanden). Im Zusammenhang mit dem Ausbruch der Pest kam es 1348/49 zu neuen Geißlerzügen bis nach England. Klemens VI.

Flaggen I

Afghanistan	Ägypten	Albanien	Algerien
Andorra	Angola	Antigua und Barbuda	Äquatorialguinea
Argentinien	Äthiopien	Australien	Bahamas
Bahrain	Bangladesch	Barbados	Belgien
Belize	Benin	Bhutan	Birma
Bolivien	Botswana	Brasilien	Brunei
Bulgarien	Burkina Faso	Burundi	Chile
China	Costa Rica	Dänemark	Deutschland
Dominica	Dominikanische Republik	Dschibuti	Ecuador
Elfenbeinküste	Eritrea	Estland	Fidschi
Finnland	Frankreich	Gabun	Gambia

Flaggen II

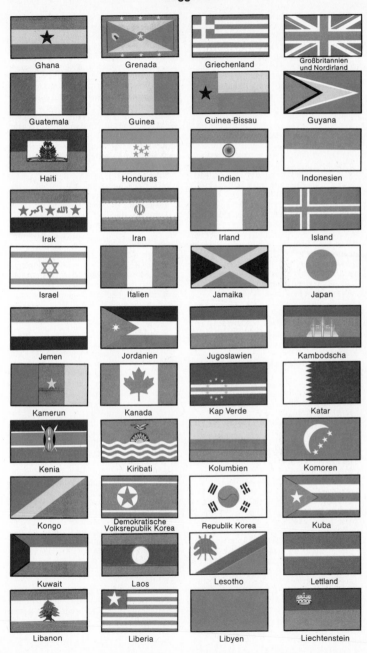

Ghana	Grenada	Griechenland	Großbritannien und Nordirland
Guatemala	Guinea	Guinea-Bissau	Guyana
Haiti	Honduras	Indien	Indonesien
Irak	Iran	Irland	Island
Israel	Italien	Jamaika	Japan
Jemen	Jordanien	Jugoslawien	Kambodscha
Kamerun	Kanada	Kap Verde	Katar
Kenia	Kiribati	Kolumbien	Komoren
Kongo	Demokratische Volksrepublik Korea	Republik Korea	Kuba
Kuwait	Laos	Lesotho	Lettland
Libanon	Liberia	Libyen	Liechtenstein

versuchte, die F. zu unterdrücken; endgültig verschwanden sie nach dem Verbot durch das Konstanzer Konzil (1417).

Flagellaten [lat.] (Geißelträger, Geißelinfusorien, Flagellata, Mastigophora), Sammelbez. für eine nicht systematische Gruppe von Einzellern, rd. 10 Ordnungen, von denen die Hälfte auf Grund des Vorkommens von Plastiden und der dadurch bedingten Fähigkeit zur Assimilation als *pflanzl. F.* (Phytoflagellaten, Geißelalgen), die andere Hälfte wegen des Fehlens von Plastiden und der heterotrophen Ernährung als *tier. F.* (Zooflagellaten, Geißeltierchen) zusammengefaßt werden. Der Zellkörper der F. ist langgestreckt bis rundlich, mit einer Geißel oder mehreren als Fortbewegungsorganelle. F. besiedeln Gewässer, feuchte Orte, auch Schnee. Einige befallen als Parasiten Mensch und Tier und rufen gefährl. Erkrankungen hervor.

Flagellation [lat.], Selbstgeißelung oder Auspeitschung des menschl. Körpers. Im MA war die F. eine weitverbreitete Form der religiösen Buße, die sich in Europa vom 13. bis 15.Jh. bis zur psych. Epidemie, dem **Flagellantismus,** steigerte (↑Flagellanten). In ihrer masochist. Ausprägung (**Flagellomanie**) zählt F. zu den sexuellen Perversionen.

Flagellum [lat.], svw. ↑Geißel.

Flageolett [flaʒo'lɛt; frz., zu lat. flare „blasen"], kleine Blockflöte mit schmalem Schnabel, 4 (später 6) vorderständigen Grifflöchern und 2 Daumenlöchern (später 1), auch mit Klappen.
◆ ein hohes, engmensuriertes Flötenregister der Orgel im Zweifuß oder Einfuß.
◆ flötenähnl. Ton bei Saiten-, bes. Streichinstrumenten, der durch leichtes Aufsetzen des Fingers (auf die vom Bogen gestrichene Saite) an den ganzzahligen Teilungspunkten der Saitenlänge erzeugt wird.

Flageolett-Clusters [flaʒo'lɛt 'klʌstəz] ↑Cluster.

Flaggen [engl.-niederdt.], drei- oder viereckige, im allg. mit herald. Farben bzw. Bildern bedruckte Tücher; können im Unterschied zu Fahnen mit einer Leine an F.masten oder -stöcken gehißt werden und sind Erkennungszeichen. **Nationalflaggen** bzw. **Staatsflaggen** sind Hoheits- und Ehrenzeichen eines Staates; ihre Beschreibung ist meist durch Gesetz oder in der Verfassung festgelegt; teils ist der Handels- oder der Kriegsflagge eines Staates identisch. Das F.wesen wurde als F.recht internat. 1958 im Genfer Übereinkommen über die hohe See geregelt. Zur Führung einer F. (Ausweis für die Nationalität) ist jedes Schiff verpflichtet, das die hohe See befährt (nicht jedoch zum ständigen Zeigen). – ↑Hoheitszeichen. Das allg. anerkannte internat. Protokoll beim Hissen von National- bzw. Staats-F. regelt

u.a.: F. werden bei Sonnenaufgang gehißt, bei Sonnenuntergang niedergeholt, rasch aufgezogen, aber langsam eingeholt; beim gleichzeitigen Hissen der F. mehrerer Staaten müssen Maße und Höhe der F. gleich sein, sie werden meist nach dem Alphabet plaziert; die F. werden bei Trauer auf halbmast gesetzt. – Abb. S. 110/111 und 114/115.

Flaggenalphabet ↑Signalflaggen.

Flaggensignale ↑Signalflaggen.

Flaggschiff, Kriegsschiff, von dem aus ein Admiral (**Flaggoffizier**) einen Verband bzw. die Flotte befehligt; gekennzeichnet durch eine Flagge als Kommandozeichen; auch Bez. für das größte Schiff einer Reederei.

flagrant [frz., zu lat. flagrans „brennend"], offenkundig, ins Auge fallend; **in flagranti,** auf frischer Tat [ertappen].

Flagstad, Kirsten [norweg. 'flagsta], *Hamar 12. Juli 1895, †Oslo 7. Dez. 1962, norweg. Sängerin (hochdramat. Sopran). – V.a. Wagner-Interpretin (auch in Bayreuth).

Flaherty, Robert [engl. 'flɛətɪ], *Iron Mountain (Mich.) 16. Febr. 1884, †Dummerston (Vt.) 23. Juli 1951, amerikan. Filmregisseur. – Schöpfer des künstler. Dokumentarfilms; drehte seinen ersten Film „Nanuk, der Eskimo" (1922) auf einer seiner zahlr. Expeditionen. Es folgten u.a. „Moana" (1926), „Die Männer von Aran" (1934), „Louisiana-Legende" (1948).

Flair [flɛːr; lat.-frz.], Fluidum, Atmosphäre, gewisses Etwas; selten für: feiner Instinkt.

Flaischlen, Cäsar, *Stuttgart 12. Mai 1864, †Gundelsheim 16. Okt. 1920, dt. Schriftsteller. – 1895–1900 Redakteur der Kunstzeitschrift „Pan"; anfangs vom Naturalismus beeinflußt, später Hinwendung zum Impressionismus. – *Werke:* Martin Lehnhardt (Dr., 1895), Von Alltag und Sonne (Ged., 1898), Jost Seyfried (R., 1905).

Flak, Abk. für: Flugabwehrkanone.

Flake, Otto, Pseud. Leo F. Kotta, *Metz 29. Okt. 1880, †Baden-Baden 10. Nov. 1963, dt. Schriftsteller. – Zunächst vom Impressionismus und Expressionismus beeinflußt; schrieb neben den großen Bildungsromanen „Fortunat" (1946; Fortsetzung „Ein Mann von Welt", 1947), „Die Sanduhr" (1950) und „Die Monthivermädchen" (urspr. 2 Romane, 1934/35, zusammengefaßt 1952) auch Essays, Biographien, Märchen und Dramen. Bed. als Vermittler zw. Deutschland und Frankreich. – *Weitere Werke:* Die Romane um Ruland (5 Bde., 1926–28), Ulrich von Hutten (1929), Hortense (R., 1933), Schloß Ortenau (R., 1955).

Flakon [fla'kõː; frz.], [Parfüm]fläschchen.

Flamberg [frz.], beidhändig geführtes Landsknechtschwert mit welliger (flammenförmiger) Klinge.

flambieren [lat.-frz.], Speisen mit Spirituosen übergießen und anzünden, um den Geschmack zu verfeinern.

Flamboyant [flamboa'jä:; lat.-frz. „flammend"] (Delonix regia), bis 12 m hohes Caesalpiniengewächs auf Madagaskar mit scharlachroten, gelb gestreiften Blüten in Blütenständen; als prächtig blühender Zierbaum in den Tropen und Subtropen häufig angepflanzt (z. B. in Spanien).

Flamboyantstil [flãboa'jä:] (flammender Stil), Stilform der engl. und frz. Spätgotik zw. 1350 und 1500, ben. nach dem flammenartigen Maßwerk, dessen Grundform die ↑ Fischblase bildet.

Flamen (Mz. Flamines) [lat. „Anbläser"], Titel röm. Opferpriester bestimmter Götter.

Flamen, Name des niederl. Mundarten sprechenden Bev.teils in Belgien, rd. 5,90 Mill.; ansässig v. a. in den Prov. Antwerpen, Brabant, Limburg, O- und W-Flandern.

Flamenco [span., eigtl. „flämisch; (andalus.) Zigeuner" (zu niederl. vlaminc „Flame")] (span. cante flamenco), Gattung volkstüml. andalus. Tanzlieder eleg. Inhalts, gesungen mit oder ohne Gitarrenbegleitung zu einem Solo- oder Paartanz, dessen schnell wechselnder Rhythmus durch Stampfen, Klatschen oder auch Kastagnetten akzentuiert wird.

Flamines ↑ Flamen.

Fläming, Landrücken nördlich und östlich der mittleren Elbe, Sa.-Anhalt, und Brandenburg, erstreckt sich über 100 km lang von SO nach NW, im Hagelberg 201 m hoch; eiszeitlich geformt. Überwiegend mit Kiefernwald bestanden, Anbau von Roggen und Kartoffeln.

Flamingoblume (Anthurium), Gatt. der Aronstabgewächse mit über 500 Arten im trop. Amerika; mehrjährige, stammlose oder stammbildende Pflanzen mit kolbenförmigen, von einer offenen, oft lebhaft gefärbten Blütenhülle umhüllten Blütenständen und langgestielten, herzförmigen Blättern.

Flamingos [span.] (Phoenicopteridae), seit dem Oligozän bekannt, nur 5 Arten umfassende Fam. stelzbeiniger, bis 1,4 m hoher Wasservögel, v. a. an Salzseen und Brackgewässern S-Europas, S-Asiens, Afrikas sowie M- und S-Amerikas; grazile, gesellig lebende, im wesentl. (bei ♂ und ♀) weiß, rot oder rosafarben befiederte Vögel mit langen Beinen, sehr langem Hals und vorn abgebogenem Schnabel, mit dem sie Krebschen, Algen, Protozoen aus dem Wasser filtern.

Flamininus, Titus Quinctius, * um 228, † 174, röm. Feldherr und Politiker aus patriz. Geschlecht. – Vor 199 Quästor, 198 Konsul, 197–194 Prokonsul in Griechenland, 189 Zensor; besiegte Philipp V. von Makedonien 197 bei Kynoskephalai und erklärte 196 alle

griech. Städte, die unter makedon. Oberhoheit gestanden hatten, für frei.

Flaminische Straße ↑ Römerstraßen.

Flaminius, Gajus, ✕ am Trasimen. See (Toskana) 217 v. Chr., röm. Politiker plebej. Herkunft. – Volkstribun 232, Konsul 223 und 217, Zensor 220. Setzte 232 in Ggs. zur Nobilität ein Gesetz zur Aufteilung des eroberten gall. und picen. Landes an röm. Bürger durch; besiegte 223 die kelt. Insubrer; legte als Zensor die Via Flaminia an und erbaute den Circus Flaminius auf dem Marsfeld.

Flämische Bewegung, nach der belg. Staatsgründung 1830 und in Reaktion auf das (auch wirtsch.) Übergewicht der frz. sprechenden Wallonen entstandene Bestrebungen, die sprachl.-kulturelle, wirtsch.-soziale und polit. Position der Flamen zu sichern bzw. auszubauen. Nach romantisch-literar. Anfängen erkämpfte die F. B. bis 1900 die Anerkennung des Niederl. als Amtssprache, setzte 1930 die Flamisierung der Univ. Gent und 1932 ein Sprachengesetz durch. Ein Teil der F. B. vertrat auch im 2. Weltkrieg eine großniederl. Zielsetzung, ein anderer Teil den Anschluß an das Dt. Reich. 1962/63 wurden in Belgien zwei homogene Sprachgebiete festgelegt (bei Zweisprachigkeit Brüssels). Radikale Vertreterin der F. B. ist gegenwärtig die „Volksunie". Eine Lösung des wallon.-fläm. Gegensatzes (sog. Sprachenstreit) wurde durch die Regionalisierung (1970) und Föderalisierung (1980–91) Belgiens angestrebt.

flämische Kunst ↑ niederländische Kunst.

flämische Literatur ↑ niederländische Literatur.

flämische Musik ↑ niederländische Musik.

flämische Sprache ↑ niederländische Sprache.

Flamme [lat.], unter Leuchterscheinungen und Hitzeentwicklung brennendes Gas; entsteht oft durch Hitzezersetzung fester Stoffe (z. B. Holz, Kohle, Papier u. a.) in Kohlenmonoxid, Kohlenwasserstoffe und Wasserstoff, die dann mit Luftsauerstoff zu Kohlendioxid und Wasser verbrennen. Die auftretenden Temperaturen hängen von der Verbrennungswärme und den verschiedenen spezif. Wärmen der Reaktionsprodukte ab. Das Leuchten einer F. ist auf glühende Stoffteilchen oder auf die ↑ Flammenfärbung zurückzuführen.

Flammenblume, svw. ↑ Phlox.

Flammendes Herz ↑ Tränendes Herz.

Flammenfärbung, durch charakterist. Emissionslinien bestimmter Elemente beim Hineinhalten einer Substanz in die Flamme [eines Bunsenbrenners] sich ergebende Färbung; liefert bei der **Flammenspektroskopie** Hinweise auf die qualitative Zusammenset-

Flaggen III

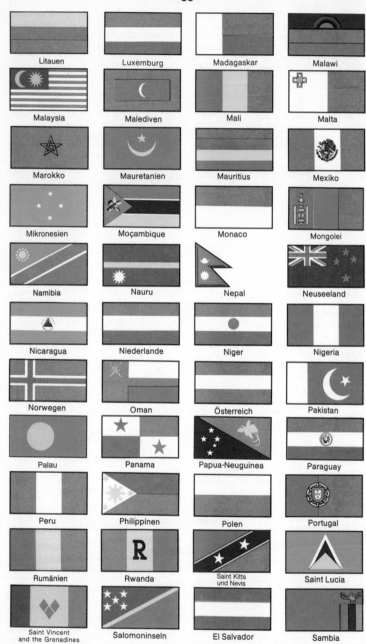

Litauen

Luxemburg

Madagaskar

Malawi

Malaysia

Malediven

Mali

Malta

Marokko

Mauretanien

Mauritius

Mexiko

Mikronesien

Moçambique

Monaco

Mongolei

Namibia

Nauru

Nepal

Neuseeland

Nicaragua

Niederlande

Niger

Nigeria

Norwegen

Oman

Österreich

Pakistan

Palau

Panama

Papua-Neuguinea

Paraguay

Peru

Philippinen

Polen

Portugal

Rumänien

Rwanda

Saint Kitts
und Nevis

Saint Lucia

Saint Vincent
and the Grenadines

Salomoninseln

El Salvador

Sambia

Flaggen IV

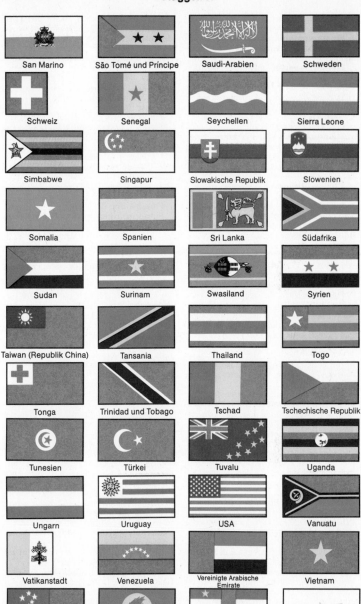

San Marino

São Tomé und Príncipe

Saudi-Arabien

Schweden

Schweiz

Senegal

Seychellen

Sierra Leone

Simbabwe

Singapur

Slowakische Republik

Slowenien

Somalia

Spanien

Sri Lanka

Südafrika

Sudan

Surinam

Swasiland

Syrien

Taiwan (Republik China)

Tansania

Thailand

Togo

Tonga

Trinidad und Tobago

Tschad

Tschechische Republik

Tunesien

Türkei

Tuvalu

Uganda

Ungarn

Uruguay

USA

Vanuatu

Vatikanstadt

Venezuela

Vereinigte Arabische Emirate

Vietnam

Westsamoa

Zaire

Zentralafrikanische Republik

Zypern

zung der betreffenden Substanz (so z. B. Natrium: gelb, Lithium: rot, Barium: grün).
Flammenmelder ↑ Alarmanlagen.
Flammenspektroskopie ↑ Flammenfärbung.
Flammenwerfer, militär. Einsatzmittel zum Versprühen (bis 70 m) bzw. Verschleudern (bis 200 m) von brennenden Stoffen (z. B. Napalm; Verbrennungstemperatur über 2 000 °C). Verwendung von F. seit dem 1. Weltkrieg.
Flammeri [engl.] ↑ Pudding.
Flammpunkt, Abk. FP, Entzündungstemperatur von Dämpfen brennbarer Flüssigkeiten durch eine herangeführte Flamme; Maß für die Feuergefährlichkeit eines Stoffes.
Flammrohrkessel ↑ Dampfkessel.
Flammspritzen, das Aufbringen von metall. (Spritzmetallisieren) oder nichtmetall. Spritzgut in geschmolzenem oder plast. Zustand auf Metalloberflächen mittels einer druckluftbetriebenen Spritzpistole.
Flamsteed, John [engl. 'flæmsti:d], * Denby (Derbyshire) 19. Aug. 1646, † Greenwich 31. Dez. 1719, engl. Astronom. – Gründer der Sternwarte von Greenwich; erstellte einen Sternenkatalog **(Flamsteed-Nummern).**
Flanagan [engl. 'flænəgən], Barry, * Prestatyn (Wales) 11. Jan. 1941, brit. Bildhauer. – Nach Versuchen mit instabilen Materialien (Leinwand, Sand) wandte er sich der Stein- und Bronzeplastik zu.
F., Edward Joseph, * Roscommon (Irland) 13. Juli 1886, † Berlin 15. Mai 1948, amerikan. kath. Priester und Sozialpädagoge. – Gründete die Jungenstadt ↑ Boys Town; verfaßte pädagog. Schriften.
Flandern (niederl. Vlaanderen, frz. Flandre), histor. Landschaft in den sw. Niederlanden, NW-Belgien und N-Frankreich; erstreckt sich von der Küste bis etwa zur Schelde bzw. den Ardennenvorbergen, im Kemmelberg (sw. von Ypern) 156 m ü. d. M. – Bed. Viehwirtschaft, Anbau von Getreide, Kartoffeln und Gemüse. An der Dünenküste zahlr. Seebäder und Hafenstädte. Die heutige Textilind. entwickelte sich aus der traditionellen fläm. Tuchmacherei.
Geschichte: Vom 9. Jh. an Bez. für eine Gft. zw. Schelde, Canche und Nordseeküste (frz. Lehen, daher „Kron-F."), zu der zeitweise auch das Artois, der Hennegau und die Gft. Aalst (Reichslehen, daher „Reichs-F.") gehörten. Das einheim. Grafenhaus der Balduine regierte (mit Unterbrechung 1119–91) vom 9. Jh. bis 1280; seit dem Früh-MA blühende Tuchherstellung; durch den Export nach England ein Zentrum der europ. Wirtschaft. Die flandr. Städte verteidigten 1302 in der „Sporenschlacht" von Kortrijk (= Courtrai) durch die Vernichtung eines frz. Ritter-

heers ihre ständ. Rechte. 1384/85 fiel F. an Burgund, 1477 an die Habsburger, 1556 an deren span. Linie. Der N („Staats-F.") kam 1648 als Teil der Prov. Seeland an die Generalstaaten, die südl. Grenzgebiete wurden 1659–79 frz., der Hauptteil wurde 1714 östr., 1794 frz., 1814/15 niederl.; 1830/31 zu Belgien. Im 1. Weltkrieg Schauplatz schwerer Kämpfe (Schlacht um F., 1917).
📖 *Domke, H.: F. Mchn* ²*1972.*
Flandes, Juan de ↑ Juan de Flandes.
Flandin, Pierre Étienne [frz. flã'dɛ̃], * Paris 12. April 1889, † Saint-Jean-Cap-Ferrat (Alpes-Maritimes) 13. Juni 1958, frz. Politiker. – Einer der Führer der Demokrat. Allianz; 1924–36 mehrmals Min., 1934/35 Min.-präs.; Vizepräs. und Außenmin. der Vichy-Regierung 1940/41; 1945 wegen Kollaboration verurteilt, jedoch 1948 rehabilitiert.
Flandre [frz. flã:dr], frz. für ↑ Flandern.
Flandrin, Hippolyte [frz. flã'drɛ̃], * Lyon 23. März 1809, † Rom 21. März 1864, frz. Maler. – Schuf zahlr. Wandgemälde, u. a. in Saint-Vincent-de-Paul, Paris (1849–53), sowie Porträts.
flandrische Transgression ↑ Holozän (Übersicht).
Flanell [engl.-frz., zu kelt. gwlan „Wolle"], leinwand- oder köperbindige Gewebe aus Baumwolle, Viskosefasern oder Wolle, z. B. für Hemden, Blusen und Anzüge.
flanieren [frz.], müßig umherschlendern; **Flaneur,** Müßiggänger.
Flanke [german.-frz.], Bez. für die seitl. Teile des Tierkörpers, bes. bei Säugetieren.
◆ im Geräteturnen ein Übersprung des Gerätes mit gestrecktem Körper, bei dem eine Körperseite dem Gerät zugekehrt ist.
◆ bei *Ballspielen* Ballabgabe aus Seitenliniennähe vor das gegner. Tor.
◆ *militär.:* von der Front her gesehen die seitl.-räuml. Ausdehnung hinter dem linken oder rechten Flügel einer Formation.
flankieren [frz.], von der Seite her decken bzw. schützen, seitlich begleiten bzw. stützen; wird im militär., auch wirtschaftspolit., insbes. im finanzpolit. Bereich **(flankierende Maßnahmen)** verwendet.
Flansch [eigtl. „Zipfel"], runde oder ovale Ringscheibe am Ende von Rohren zum Verbinden **(Anflanschen)** ebenfalls mit F. versehener Rohre, Absperrventile u. a. Frei endende Rohre werden mit **Blindflansch** verschlossen.
Fla-Raketen, Flugkörper (Raketen) zur Bekämpfung feindl. Luftziele.
Flasche [eigtl. „umflochtenes Gefäß"], Gefäß mit enger Öffnung zur Aufnahme von Flüssigkeiten, Gasen oder pulverförmigen Materialien. Die häufigste Form ist die *Glas-F.;* urspr. mundgeblasen, heute meist vollautomatisch hergestellt.

Flaschenbaum, Bez. für einen Baum mit flaschenförmigem, wasserspeicherndem Stamm; ist typ. für die Gatt. Flaschenbaum (Brachychiton) mit 11 Arten in Australien.

Flaschenbovist (Lycoperdon gemmatum), Art der Bauchpilze auf Wiesen, Weiden und in lichten Baumbeständen; Fruchtkörper etwa 6 cm hoch und 3–7 cm dick, in der Jugend weiß, im Alter gelblich bis gelbbraun, dicht besetzt mit Stacheln und Warzen; jung ein wertvoller Speisepilz.

Flaschenfrucht, Gatt. der Kürbisgewächse mit der einzigen Art Flaschenkürbis.

Flaschengärung ↑Schaumwein.

Flaschenkürbis (Kalebasse, Calabasse, Lagenaria vulgaris), Kürbisgewächs der Tropen Afrikas und Asiens; einjährige, krautige Windepflanze mit weißen Blüten; Früchte bis kopfgroß und flaschenförmig, mit holziger Schale und schwammigem Fruchtfleisch; werden zur Anfertigung von Gefäßen (↑Kalebasse) verwendet.

Flaschenpost, Nachricht in wasserfest verschlossener Flasche, die in der Hoffnung auf späteres Auffinden in Gewässer geworfen wird. 1802 erstmals auch zur Erforschung von Meeresströmungen (Golfstrom) verwendet.

Flaschenzug, manuell oder elektrisch betriebenes Lastenhebegerät, bei dem ein Seil oder eine Kette über Rollengruppen (zu „Flaschen" vereinigt) geführt wird. Der Weg der Kraft ist entsprechend größer als der der Last: Kraft × Kraftweg = Last × Lastweg. Die aufzuwendende Kraft ist gleich dem n-ten Teil der Last, wobei n die Anzahl der Rollen ist, wenn die obere Flasche fest, die untere bewegl. ist; der häufig verwendete **Differentialflaschenzug** besteht aus zwei festen oberen Rollen mit verschiedenem Durchmesser, einer bewegl. unteren Rolle und endlosem Seil. – Abb. S. 118.

Flaserschichtung, für Ablagerungen im Watt bes. typische, unstetige Schichtung zw. Ton und Sand.

Flash [flæʃ; engl. „Blitz"], im Film svw. kurze Einblendung in eine Szene; Rückblende. In der Drogenszene Bez. für die Empfindung in dem Moment, in dem das [gespritzte] Rauschgift zu wirken beginnt.

Flashbar [engl. flæʃ] ↑Blitzlicht.

Flatterbinse (Juncus effusus), in allen gemäßigten Zonen der Erde verbreitete 30–80 cm hohe Binsenart mit langen, grundständigen Rundblättern und kleinen, trockenhäutigen Blüten in einer Rispe.

Flattergras (Milium effusum), in Laubwäldern verbreitetes, mit kurzen Ausläufern kriechendes, etwa 1 m hohes Süßgras; Ährchen 1 mm lang, meist hellgrün, in großen Rispen; zeigt guten Bodenzustand an.

Flattermarke, eine auf dem Rücken des gefalzten Druckbogens (Falzbogen) angebrachte kurze Linie, deren Lage sich von Bogen zu Bogen verschiebt, so daß sich vor dem Binden Vollständigkeit und richtige Reihenfolge der Bogen prüfen läßt.

Flattersatz, meist linksbündiger Schriftsatz mit ungleichmäßig langen Zeilen.

Flattertiere (Fledertiere, Handflügler, Chiroptera), mit rd. 900 Arten weltweit (bes. in den Tropen und Subtropen) verbreitete Ordnung der Säugetiere; Körperlänge etwa 3–40 cm, Schwanz meist kurz, Flügelspannweite etwa 18–150 cm; Ober- und Unterarm sowie bes. Mittelhandknochen und Finger (mit Ausnahme des bekrallten Daumens) sehr stark verlängert. Eine dünne, wenig behaarte Flughaut (Patagium) spannt sich von den Halsseiten bis zur Spitze des zweiten Fingers, von dort über die Hinterextremität bis meist zur Schwanzspitze. Die F. werden in die beiden Unterordnungen ↑Flederhunde und ↑Fledermäuse unterteilt.

Flatterulme ↑Ulme.

Flatulenz [lat.], svw. ↑Blähungen.

Flaubert, Gustave [frz. floˈbɛːr], * Rouen 12. Dez. 1821, † Croisset bei Rouen 8. Mai 1880, frz. Schriftsteller. – Sohn eines Chirurgen, studierte 1840–43 Rechtswiss. in Paris. Seit 1846 lebte er – an einem Nervenleiden erkrankt – zurückgezogen in Croisset und widmete sich (abgesehen von Reisen, u.a. nach Ägypten, Griechenland, Italien und in den Vorderen Orient, 1948–51, sowie nach Tunis, 1858) ganz der Schriftstellerei. – F. gehört zu den großen Romanciers der Weltliteratur; gilt als Begründer des frz. Realismus („Madame Bovary", 1857; „Lehrjahre des Gefühls", 1869, auch u.d.T. „Die Schule der Empfindsamkeit" sowie „Die Erziehung des Herzens"). Der Roman wird bei F. zu einem wiss. Methoden angenäherten Instrument beobachtender Genauigkeit, das, bei distanzierter, nicht bewertender Erzählhaltung, höchste ästhet. Formansprüche einlöst. – *Weitere Werke:* Erinnerungen eines Verrückten (E., entstanden 1838, hg. 1901), November (E., entstanden 1840–42, hg. 1910), Salambo (1862), Die Versuchung des heiligen Antonius (1874), Der Kandidat (Kom., 1874), Drei Erzählungen (1877, darin „Die Legende vom Heiligen Julian dem Gastfreien", „Hérodias" und „Ein schlichtes Herz"). Wesentl. zum Verständnis von F.s Kunstauffassung sind seine Briefe und Tagebücher.

Flaumfedern, svw. ↑Dunen.

Flauto [italien.], bis ins 18.Jh. gebräuchl. italien. Name für die ↑Blockflöte (auch *flauto dolce*); *flauto traverso* ↑Querflöte; *flauto piccolo* ↑Pikkoloflöte.

Flavier, röm. Kaiserdynastie, ↑Flavius.

Flavin, Dan [engl. ˈfleɪvɪn], * New York 1. April 1933, amerikan. Licht- und Environmentkünstler. – Schafft mittels Leuchtröhren

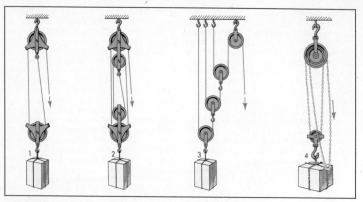

Flaschenzug. 1 Einfacher Flaschenzug (die Kraft beträgt ½ der Last);
2 vierrolliger Flaschenzug (die Kraft beträgt ¼ der Last);
3 Potenzflaschenzug (die Kraft beträgt ⅛ der Last); 4 Differentialflaschenzug
(die Kraft beträgt ½ der Last, multipliziert mit dem Verhältnis der
Differenz der Radien der beiden oberen Rollen zum Radius der größeren
dieser Rollen)

durch farbiges Licht akzentuierte Raumkonstellationen (Environments).

Flavinadenindinukleotid [fla'vi:nade-'ni:ndi.nukleo'ti:d; lat./griech./lat.], Abk. FAD, ein Koenzym der Flavoproteide.

Flavinmononukleotid (Riboflavinphosphorsäure), Abk. FMN, ein Koenzym der Flavoproteide.

Flavius, plebej. röm. Geschlechtername; Name kaiserl. Dynastien: der *1. flav. Dyn.* 69–96 (Flavier; zu ihr gehörten Vespasian, Titus und Domitian) und der *2. flav. Dyn.* 293–363 (Konstantin d. Gr., Konstantin II., Konstans I., Konstantius II., Julian).

Flavius Josephus, jüd. Geschichtsschreiber, ↑Josephus Flavius.

Flavone [zu lat. flavus „gelb"] (Flavonfarbstoffe), in höheren Pflanzen vorkommende farblose oder gelb gefärbte chem. Verbindungen, die sich vom farblosen *Flavon* (2-Phenylchromon, $C_{15}H_{10}O_2$) ableiten. Die F. sind strukturell den ↑Anthozyanen verwandt. Einige F. dienten bis zur Einführung künstl. Farbstoffe als wichtige Färbemittel, z. B. Fisetin, Luteolin und Quercetin.

Flavoproteide [lat./griech.] (Flavoproteine, Flavinenzyme, gelbe Fermente), Gruppe natürl. Enzyme, die bei der biolog. Oxidation als Wasserstoffüberträger wirksam werden.

Flavour-Ladung [engl. 'fleivə] ↑Quarks.

Flaxman, John [engl. 'flæksmən], * York 6. Juli 1755, † London 7. Dez. 1826, engl. Zeichner und Bildhauer des Klassizismus. – 1788–94 in Rom. Neben Bildwerken (v. a.

Grabmäler in der Londoner Saint Paul's Cathedral und der Westminster Abbey) schuf er bed. Illustrationsfolgen, u. a. zur „Ilias" und „Odyssee" (1793) und zu Dantes „Göttl. Komödie" (1802).

Flechsig, Paul, * Zwickau 29. Juni 1847, † Leipzig 22. Juli 1929, dt. Psychiater und Neurologe. – Prof. in Leipzig; arbeitete über Gehirn und Rückenmark, teilte die Gehirnoberfläche in Sinnes- und Assoziationsfelder ein und versuchte, geistige Vorgänge zu lokalisieren.

Flechtband, Ornament aus verschlungenen Bändern (Schlangen ?), das bereits in der sumer. Kunst des 3. Jt. v. Chr., in Vorderasien und seit der Eisenzeit in S- und M-Europa belegt ist. Das griech. F. (Gefäßdekoration) wirkte über das röm., kopt., byzantin. und german. F. bis in die Romanik.

Flechte, volkstüml. Bez. für verschiedene chron., v. a. schuppende oder krustenbildende Hautkrankheiten (↑Schuppenflechte, ↑Ekzem).

flechten, dünne und biegsame Materialien von Hand oder maschinell durch regelmäßiges Verkreuzen oder Verschlingen zu einem *Geflecht (Flechtwerk)* verbinden; Herstellung von Matten, Hüten, Gürteln, Korbwaren u. a. aus Bast, Stroh, Schilfrohr, Weidenruten, Lederstreifen und Metalldrähten.

Flechten (Lichenes), Abteilung der Pflanzen mit über 20 000 Arten in etwa 400 Gattungen. Sie stellen einen aus Grün- oder Blaualgen und Schlauchpilzen bestehenden Verband (↑Symbiose) dar, der eine morpholog. und physiolog. Einheit bildet. Die Alge versorgt den Pilz mit organ. Nährstoffen (Kohlenhydrate), während das Pilzgeflecht der Alge als Wasser- und Mineralstoffspeicher dient. – Die Vermehrung der F. erfolgt meist ungeschlechtlich. – Nach der Gestalt unterscheidet man **Krustenflechten** (haften flach auf der Unterlage), **Laubflechten** (großflächige, blattartige Ausbildung) und **Strauchflechten** (ähneln den höheren Pflanzen). – Da fast alle F.arten zum Leben saubere Luft benötigen, werden sie heute als Indikatorpflanzen für die Beurteilung der Luftqualität in Ballungsräumen benutzt. Bekannte F. sind ↑Mannaflechte, ↑Rentierflechte und ↑Isländisch Moos.

Flechtheim, Ossip Kurt, * Nikolajew bei Odessa 5. März 1909, dt. Politikwissenschaftler. – Emigrierte 1935 in die Schweiz, 1939 in die USA, dort 1940–51 Dozent und Prof.; 1952 als Prof. an die Hochschule für Politik in Berlin (West) berufen; Forschungsschwerpunkte: Geschichte des Parlamentarismus und polit. Parteien sowie Futurologie.

Flechtlinge, svw. ↑Rindenläuse.

Fleck, Konrad, mittelhochdt. Epiker der 1. Hälfte des 13.Jh. – Wohl aus der Gegend um Basel. Schrieb um 1220 nach dem frz. Vorbild ↑Floire et Blancheflor einen Versroman.

Fleck (Flecke), svw. ↑Kaldaunen.

Flecken, histor., in Nds. heute noch übl. Bez. für eine ländl. Siedlung mit gewissen städt. Rechten, wie z. B. das Marktrecht (Marktflecken).

Fleckenfalter, svw. ↑Edelfalter.

Fleckentfernungsmittel, zum Entfernen von Flecken v. a. auf Textilien dienende Chemikalien, die je nach Fleckenart (Fett, Farben, Gras, Rost, Tinte u. a.) und Stoffmaterial (Wolle, Seide, Baumwolle, Kunststoffe) zu wählen sind; meist Gemische von flüssigen Lösungsmitteln für Fette und Mineralöle, z. B. Aceton, Äther, Chloroform, Tetrachlorkohlenstoff.

Fleckfieber (Flecktyphus, Läusetyphus, Typhus exanthematicus), sehr ansteckende Infektionskrankheit des Menschen (Erreger Rickettsia prowazeki), die v. a. durch Kleiderläuse bzw. Läusekot vom Darm der Parasiten aus in Hautwunden übertragen wird. Inkubationszeit 10–14 Tage; Symptome sind hohes Fieber, **Fleckfieberausschlag** (dichter, kleinfleckiger Hautausschlag), Bewußtseinsstörungen und Lähmungen. Unbehandelt sterben mehr als 50 % der Befallenen; Behandlung mit Antibiotika; zur Vorbeugung Schutzimpfung.

Fleckvieh ↑Höhenvieh.

Flederhunde (Großfledertiere, Großfledermäuse, Megachiroptera), Unterordnung der ↑Flattertiere mit etwa 150 Arten;

Schwanz fast stets kurz oder rückgebildet; Kopfform häufig hundeähnlich; Augen groß, hoch lichtempfindlich, ermöglichen die Orientierung bei Nacht; überwiegend Früchtefresser. Im Ggs. zu den Fledermäusen ist am 2. Finger eine kleine Kralle ausgebildet. – Die bekannteste Fam. sind die **Flughunde** (Pteropidae) mit etwa 130 Arten in den altweltl. Tropen und Subtropen; Flügelspannweite rd. 25–150 cm; Körperlänge 6–40 cm. In Afrika, S-Arabien und auf Madagaskar kommt der **Palmenflughund** (Eidolon helvum) vor; Körperlänge rd. 20 cm, Flügelspannweite bis 75 cm; Färbung gelblichbraun bis braun. Der graubraune **Hammerkopfflughund** (Hypsignathus monstrosus) ist rd. 20 cm lang und hat eine Spannweite von etwa 90 cm; Kopf durch mächtig aufgetriebene Schnauze hammerkopfartig, in W- und Z-Afrika. Bekannte Arten der Gatt. **Flugfüchse** (Fliegende Hunde, Pteropus), Kopf mit fuchsähnlich langgestreckter Schnauze, sind: **Flugfuchs** (Pteropus giganteus), vom Himalaja über Indien bis Ceylon vorkommend; Flügelspannweite bis 1,2 m, Körperlänge etwa 30 cm, Fell schwarzbraun; **Kalong** (Pteropus vampyrus), größtes (40 cm lang) Flattertier, auf den Philippinen, den Sundainseln und auf Malakka; Flügelspannweite bis 1,5 m; Fell schwarzbraun mit orangebraunen Schultern.

Fledermäuse.
Mausohr im Fluge

Fledermäuse [zu althochdt. fledarmus, eigtl. „Flattermaus"] (Kleinfledermäuse, Kleinfledertiere, Microchiroptera), weltweit verbreitete Unterordnung der ↑Flattertiere mit etwa 750 Arten; Körperlänge etwa 3–16 cm, Flügelspannweite rd. 18–70 cm; Kopf stark verkürzt bis extrem lang ausgezogen; Nase oft mit bizarr geformten, häutigen Aufsätzen (z. B. bei ↑Blattnasen); Ohren mittelgroß bis sehr groß, manchmal über dem Kopf verwachsen, häufig mit Ohrdeckel (Tragus); Augen klein; Orientierung erfolgt durch Ul-

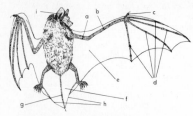

Fledermäuse. Anatomie einer
Fledermaus; a Oberarm, b Unterarm,
c übrige Finger, d Daumen mit Kralle,
e Flughaut, f Schwanzflughaut,
g Schwanzwirbelsäule, h Fersensporn,
i Ohrdeckel

traschallortung (Laute werden durch Nase
oder Mund ausgestoßen). Die einheim. F.
halten sich tagsüber und während des Win-
terschlafs u. a. in Baum- und Felshöhlen,
Mauerspalten, Boden- und Kellerräumen
und hinter Fensterläden auf. – Von den 50
Arten der Fam. **Hufeisennasen** (Rhinolophi-
dae) kommen in M-Europa vor: **Großhufei-
sennase** (Rhinolophus ferrumequinum), bis
7 cm (mit Schwanz bis 11 cm) lang, oberseits
fahlbraun, unterseits bräunlichweiß, Flügelspannweite bis über 35 cm; **Kleinhufeisennase**
(Rhinolophus hipposideros), bis 4,5 cm (mit
Schwanz bis 7 cm) lang. Die Fam. **Glattnasen**
(Vespertilionidae) hat rd. 300 Arten; überwiegend Insektenfresser. In M-Europa kommen
19 Arten vor, u. a. ↑ Abendsegler; **Spätfliegen-
de Fledermaus** (Breitflügelfledermaus, Ves-
pertilio serotinus), bis 8 cm (mit Schwanz
10–13 cm) lang, Oberseite dunkelbraun,
Bauchseite gelblichgrau, Flügel breit, Spannweite bis knapp 40 cm; **Mausohr** (Myotis
myotis), 7–8 cm lang, Flügelspannweite rd.
35 cm, oberseits graubraun, unterseits heller,
großohrig; **Braune Langohrfledermaus** (Plecotus auritus), 4–5 cm lang, Ohren bis 4 cm
lang; **Graue Langohrfledermaus** (Plecotus
austriacus), ähnlich der ersteren, erst 1960
entdeckt; **Mopsfledermaus** (Barbastella bar-
bastellus), 4–6 cm lang, bis 27 cm spannend,
Ohren breit, am Grunde verwachsen,
Schnauze breit und kurz, Oberseite schwarzbraun, Unterseite etwas heller. Die in der BR
Deutschland vorkommenden Arten sind
nach der Roten Liste sämtlich von Aussterben bedroht oder stark gefährdet. – Zu den F.
gehören auch die ↑ Vampire.
🕮 *Schober, W./Grimmberger, E.: Die F. Europas. Stg. 1987.*
Fledertiere, svw. ↑ Flattertiere.
Fleet [niederdt.], Graben, Kanal, Zweig-
kanal, v. a. innerhalb einer Stadt.
◆ ein beim Heringsfang senkrecht im Wasser

stehendes und von Korken getragenes großes
Treibnetz.
Fleet Street [engl. ˈfliːt ˈstriːt], Straße in
London; Sitz großer brit. Zeitungsverlage
und Nachrichtenagenturen.
Fleetwood [engl. ˈfliːtwʊd], engl. Hafen-
stadt 13 km nördlich von Blackpool, Gft.
Lancashire, 28 500 E. Navigationsschule; Fischereihafen, petrochem. Ind.; Fischmarkt
und -verarbeitung; Schiffsreparaturen.
Flegel Georg, * Olmütz (Mähren) 1566,
☐ Frankfurt am Main 23. März 1638, dt. Maler. – Wandte sich unter niederl. Einfluß als
erster dt. Künstler dem Stilleben zu.
Flegler ↑ Flagellanten.
Fleiner, Fritz, * Aarau 24. Jan. 1867, † As-
cona 26. Okt. 1937, schweizer. Jurist. – Prof.
in Zürich, Basel, Tübingen und Heidelberg;
erarbeitete die erste moderne Darstellung des
schweizer. Staatsrechts.
Fleisch, allg. Bez. für die Weichteile von
Tieren (auch bei Pflanzen, z. B. Frucht-F.);
insbes. die warmblütiger Tiere, die zur
menschl. Ernährung geeignet sind, nämlich
Muskelgewebe mit Fett- und Bindegewebe
und Sehnen sowie innere Organe (Herz, Lunge, Milz, Leber, Niere, Gehirn u. a.). F. hat einen hohen Nährwert auf Grund seines Gehaltes an leicht verdaul. und biologisch hoch-
wertigem Eiweiß. Es enthält neben Muskelei-
weiß leimgebende Bindegewebssubstanzen
(Kollagen), Fett, Mineralsalze, Extraktivstof-
fe, Enzyme, Vitamine (u. a. B_1, B_2, B_6, B_{12}, D,
E) und wenig Kohlenhydrate. – Das Muskel-
F. von Säugetieren ist je nach Myoglobingehalt dunkelrot bis weißlich (beim Wild-F. beruht die Rot- bis Braunfärbung auf dem Blut-
gehalt infolge geringer Ausblutung). Das F.
von Geflügel, Fischen, Krebsen, Muscheln
und Schnecken ist meist weiß (niedriger
Myoglobingehalt). – Der süßl. Geschmack
von Pferde-F. beruht auf dessen relativ hohem Glykogengehalt. Fisch-F. entspricht in
seinem biolog. Wert dem Warmblüter-F.; da
es jedoch schneller verdaut wird, ist sein Sät-
tigungsgrad geringer. – Verdorbenes F. kann
zu schweren F.vergiftungen führen. – Abb.
S. 122.
Fleischbeschau (Fleischuntersuchung),
vor und nach der Schlachtung durchgeführte
amtl. Untersuchung warmblütiger Tiere, die
für den menschl. Verzehr bestimmt sind. Die
wichtigste Rechtsgrundlage ist das Fleischhy-
gienegesetz i. d. F. vom 24. 2. 1987 **(Schlacht-
tier- und Fleischbeschau).** Die F. erfaßt v. a.
den Befall durch Trichinen **(Trichinenschau),**
die Finnen des Schweinebandwurms und des
Rinderbandwurms.
Fleischextrakt, eingedickter Auszug
aus frischem Fleisch. Herstellung: Mageres
Fleisch wird zerkleinert und mit 90 °C heißem Wasser in Extrahierungskolonnen aus-

gelaugt. Das durch Extraktstoffe angereicherte Wasser (Brühe) wird von Fett, Albumin und Fibrin gereinigt und bis zu einem Wassergehalt von 20% eingedickt. 100 kg Fleisch ergeben 4 kg Extrakt. Zusammensetzung: bis 23% Wasser, bis 62,5% organ. Stoffe, bis 23% Mineralstoffe.

Fleischfäulnis, Zersetzung von Fleisch unter Geruchs- und Geschmacksänderung durch aerobe und anaerobe Bakterien. Angefaultes Fleisch braucht nicht ungenießbar zu sein (z.B. beruht der typ. Wildgeschmack [„Hautgout"] auf F.), doch können Fäulnisgifte auftreten. Die schnellere Zersetzung von Fischfleisch (**Fischfäulnis**) beruht v.a. auf dessen relativ hohem Wassergehalt und seiner lockeren Struktur (Bakterien dringen schneller ein).

Fleischfliegen (Sarcophagidae), etwa 600 Arten umfassende, weltweit verbreitete Fam. der Fliegen; Hinterleib oft mit Schachbrettmuster; die Larven entwickeln sich häufig in Fleisch, Aas und Exkrementen.

fleischfressende Pflanzen (tierfangende Pflanzen, Karnivoren), auf nährstoffarmen, v.a. stickstoffarmen Böden wachsende Pflanzen, die Vorrichtungen wie Tentakel (↑Sonnentau), Fallenblätter (↑Venusfliegenfalle) oder Fangblasen (↑Wasserschlauch) besitzen, mit deren Hilfe sie v.a. Insekten fangen, festhalten und verdauen, um sie als zusätzl. Stickstoffquelle auszunutzen.

Fleischreifung, durch autolyt. Eiweißabbauprozesse, die die Muskelfasern an bestimmten Stellen auflockern, sowie durch die Tätigkeit von Bakterien bewirkte Vorgänge, die das zähe Fleisch frisch geschlachteter Tiere zart und saftig machen.

Fleischuntersuchung, svw. ↑Fleischbeschau.

Fleischvergiftung, Erkrankung durch den Genuß von verdorbenem Fleisch und -erzeugnissen (↑Botulismus).

Fleißer, Marieluise, * Ingolstadt 23. Nov. 1901, †ebd. 2. Febr. 1974, dt. Schriftstellerin. – Lebte vorübergehend in Berlin, ab 1932 wieder in Ingolstadt (ab 1935 Schreibverbot). Bekanntschaft mit L. Feuchtwanger und v.a. B. Brecht; ihre Theaterstücke (u.a. „Fegefeuer", UA 1926 in Berlin, Neufassung 1971 u.d.T. „Fegefeuer in Ingolstadt"; „Pioniere in Ingolstadt", UA 1929 in Berlin) stehen in der Tradition des krit. Volksstücks; sie waren von Einfluß auf R. W. Fassbinder, M. Sperr und F. X. Kroetz, die zu ihrer Wiederentdeckung in den 1960er Jahren beitrugen. – *Weitere Werke:* Ein Pfund Orangen (En., 1929), Mehlreisende Frieda Geier (R., 1931, umgearbeitet 1971 u.d.T. „Eine Zierde für den Verein"), Avantgarde (En., 1963), Abenteuer aus dem engl. Garten (En., 1969), Der Tiefseefisch (Dr., hg. 1980).

Fleißiges Lieschen, volkstüml. Bez. für verschiedene Zierpflanzen, bes. für Impatiens walleriana (↑Springkraut) und bestimmte Begonien.

flektieren [lat.], beugen (↑Flexion).

flektierende Sprachen, Sprachen, in denen die grammat. Kategorien und syntakt. Beziehungen durch Veränderung der Wurzel oder des Stammes oder durch ↑Flexion angezeigt werden, z.B. indogerman. Sprachen. Ggs.: ↑agglutinierende Sprachen, ↑isolierende Sprachen.

Flémalle, Meister von ↑Meister von Flémalle.

Fleming, Sir (seit 1944) Alexander, * Lochfield Darvel 6. Aug. 1881, †London 11. März 1955, brit. Bakteriologe. – Prof. in London; wurde berühmt durch die Entdeckung und Erforschung des Penicillins; dafür zus. mit H. W. Florey und E. B. Chain 1945 Nobelpreis für Physiologie oder Medizin.

F., Ian [Lancaster], * London 28. Mai 1908, †Canterbury 12. Aug. 1964, engl. Schriftsteller. – Während des 2. Weltkrieges im brit. Geheimdienst tätig; Verf. erfolgreicher, durch Übersetzungen und Verfilmungen bekannter Spionageromane um die Gestalt des Super-Geheimagenten James Bond (Nr. 007).

F. (Flemming), Paul, * Hartenstein (Erzgebirge) 5. Okt. 1609, †Hamburg 2. April 1640, dt. Dichter. – Der persönlichste unter den Barocklyrikern und der bedeutendste Opitz-Schüler. Sein Werk umfaßt v.a. Sonette, Liebes-, Trink-, Festgedichte und geistl. Gesänge; auch lat. Gedichte.

F., Victor, * Pasadena (Calif.) 23. Febr. 1883, †Cottonwood (Ariz.) 6. Jan. 1949, amerikanischer Regisseur. – Nach zahlr. Stummfilmen, u.a. „Der Weg allen Fleisches" (1927), brachte ihm „Vom Winde verweht" (1939) Weltruhm.

Flemming, Paul ↑Fleming, Paul.

F., Walther, * auf dem Sachsenberg bei Schwerin 21. April 1843, †Kiel 4. Aug. 1905, dt. Anatom und Zellforscher. – Prof. in Prag und Kiel; klärte die Vorgänge bei der Zellteilung; prägte die Begriffe Mitose und Chromatin und verbesserte die histolog. Färbe- und Konservierungstechnik.

Flensburg, Hafenstadt an der dt.-dän. Grenze, Schl.-H., zu beiden Seiten der etwa 50 km langen **Flensburger Förde,** einer Bucht der westl. Ostsee, 86 500 E. Marinestützpunkt; Nord. Univ. (private Univ., seit 1986), PH, Fachhochschule für Technik, Marineschule, Seemaschinistenschule, Werkkunstschule; Städt. Museum, naturwiss. Heimatmuseum, Städt. Bühnen, Dän. Zentralbibliothek, Kraftfahrt-Bundesamt; Messe; Schiffbau, Spirituosenind., Maschinenbau, Papierind. – Gründungsjahr vermutlich 1169; 1284 Stadtrecht; bis 1435 als erbl. Le-

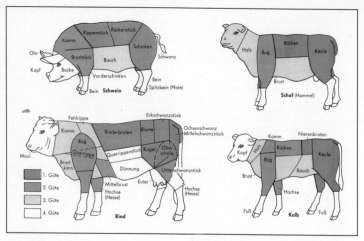

Fleisch. Fleischeinteilung nach
Güteklassen

hen bei Holstein, 1460 wurde der dän. König
Oberherr. Handelsprivilegien verhalfen der
Stadt im 16. Jh. zur führenden Stellung im
Handel des Kgr. Dänemark; 1867 preu-
ßisch. – Got. Marienkirche aus Backstein mit
bed. Altar (1598; Spätrenaissance); spätgot.
Nikolaikirche (14./15. Jh.) mit berühmtem
Orgelprospekt (1604–09). Reste der Stadtbefestigung, u. a. Nordertor (1595), zahlr. Bürgerhäuser (15. Jh.–19. Jh.); in der Altstadt
sind zahlr. typ. Kaufmannshöfe erhalten.

Flesch, Carl, * Moson (= Mosonmagyar-
óvár) 9. Okt. 1873, † Luzern 15. Nov. 1944,
ungar. Violinist. – Einer der bedeutendsten
Violinvirtuosen seiner Zeit, spielte oft im Trio
mit H. Becker und A. Schnabel (später
C. Friedberg); schrieb u. a. „Die Kunst des
Violinspiels" (2 Bde., 1923–28).

Fletcher [engl. 'flɛtʃə], John, ≈ Rye (East
Sussex) 20. (?) Dez. 1579, † London 28. Aug.
1625, engl. Dramatiker. – 1609–16 vorwiegend Zusammenarbeit mit Francis Beaumont
(* 1584, † 1616), später mit P. Massinger u. a.,
vielleicht mit Shakespeare in „The two noble
kinsmen" (1634).

F., John Gould, * Little Rock (Ark.) 3. Jan.
1886, † ebd. 10. Mai 1950 (Selbstmord), amerikan. Dichter. – Einer der Begründer des
Imagismus in England (wo er 1908–22 lebte);
später Gedichte über amerikan. Landschaft
und Geschichte.

Flettner, Anton, * Eddersheim (Main-
Taunus-Kreis) 1. Nov. 1885, † New York 29.
Dez. 1961, dt. Ingenieur und Erfinder. – Kon-
struierte den nach ihm benannten **Flettner-**

Rotor zum Antrieb von Schiffen. An einem
im Wind um eine senkrechte Achse rotierenden Zylinder tritt auf Grund des *Magnus-Ef-
fekts* eine Kraft senkrecht zur Achse und
Windrichtung auf, die das Schiff antreibt;
bisher ohne prakt. Bedeutung.

Fleuron, Svend [dän. flø'rɔŋ], * Gut Ka-
trinedal (auf Møn) 4. Jan. 1874, † Humlebæk
5. April 1966, dän. Schriftsteller. – Schöpfer
des modernen (beobachtenden) Tierromans,
u. a. „Schnipp Fidelius Adelzahn" (1917).

Fleuron [flø'rõ:; lat.-frz.], Ornamentform
in Baukunst und Buchdruck, urspr. Blumen-
korb oder -bukett.

Fleurop GmbH, durch Abk. von: flores
Europae („Blumen Europas") gebildeter Name einer Organisation von Blumenhändlern
zur überregionalen Vermittlung von Blumen-
präsenten in der BR Deutschland, Sitz Berlin; gegr. 1908. Internat. verbunden mit:
F.-Interflora (Europa) und *Interflora Inc.*
(Welt).

Fleury, André Hercule de [frz. flœ'ri],
* Lodève (Languedoc) 22. Juni 1653, † Issy
bei Paris 29. Jan. 1743, frz. Kardinal und
Staatsmann. – Seit 1698 Bischof von Fréjus;
seit 1715 Erzieher Ludwigs XV., der ihn 1726
zum leitenden Min. ernannte. Bekämpfte religiöse Unruhen und ließ das Zivilrecht kodifi-
zieren; konnte die Verwicklung Frankreichs
in den Östr. Erbfolgekrieg nicht verhindern.

Fleury [frz. flœ'ri], Benediktinerabtei im
Dep. Loiret (zeitweise: **Saint-Benoît-sur-
Loire),** 651 gegr.; berühmter Wallfahrtsort
wegen der dort angeblich liegenden Gebeine
des hl. Benedikt. Von der Klosteranlage blieb
nur die im 11./12. Jh. erbaute Kirche (roman.-
frühgot.) erhalten.

Flevoland, Prov. in den Niederlanden, 1 412 km² (Landfläche), 211 500 E (1990), Verwaltungssitz Lelystad. F. wurde am 1. 1. 1986 aus den IJsselmeerpoldern Ost- und Südflevoland sowie aus den vorher zur Prov. Overijssel gehörenden Gem. Nordostpolder und Urk gebildet.

Flex, Walter, * Eisenach 6. Juli 1887, ✕ auf Ösel 15. (16. ?) Okt. 1917, dt. Schriftsteller. – Sein Kriegserlebnisbuch „Der Wanderer zw. beiden Welten" (1917) wurde zum Kultbuch der nationalist., später auch der nationalsozialist. Jugend.

Flexa [mittellat.] (Clivis), mittelalterl. Notenzeichen, ↑ Neumen.

flexibel [lat.], biegsam; wendig, anpassungsfähig.

flexible Altersgrenze ↑ Rentenversicherung.

Flexible response [engl. 'flɛksəbl rɪs-'pɔns „flexible Reaktion"] ↑ nukleare Strategie.

Flexion [lat.], in der *Medizin* aktive oder passive Beugung des Körpers oder eines Körperteils; auch die Abknickung eines Organs, z. B. der Gebärmutter **(Flexio uteri),** bei der zw. Ante-F. (nach vorn) und Retro-F. (nach hinten) unterschieden wird.

◆ in der *Sprachwissenschaft* Formveränderung **(„Beugung")** der flektierbaren, d. h. konjugierbaren, deklinierbaren und steigerungsfähigen Wortarten (Verb, Substantiv, Artikel, Adjektiv, Pronomen, Numerale); dient zur Kennzeichnung der grammat. Kategorien (Genus, Numerus, Kasus, Tempus usw.) und der syntakt. Beziehungen.

Flexner, Simon [engl. 'flɛksnə], * Louisville (Ky.) 25. März 1863, † New York 2. Mai 1946, amerikan. Pathologe und Bakteriologe. – Prof. in Baltimore und Philadelphia; der von ihm entdeckte Ruhrbazillus wird als **Flexner-Bakterium,** die entsprechende Krankheit als **Flexner-Dysenterie** bezeichnet.

Flexodruck [lat./dt.] (Flexographie) ↑ Drucken.

Flexoren [lat.], svw. ↑ Beugemuskeln.

Flexur [lat.], S-förmige Verbiegung von Gesteinsschichten.

◆ (Flexura) in der *Anatomie* Biegung, Krümmung, gebogener Abschnitt (eines Organs).

Flibustier [fli'bʊstiɐ; engl.-niederl.], Freibeuter und Seeräuber an den Küsten der Westind. Inseln und Mittelamerikas 17.–19.Jh.: 1. **(Bukanier)** urspr. Jäger und Häutehändler, v. a. frz., engl. und niederl. Herkunft, im 18.Jh. unterdrückt; 2. **(Filibuster)** gesetzlose Abenteurer aus den USA, die zw. 1850 und 1860 auf Kuba und in Nicaragua einfielen.

Flic [frz. flɪk], volkstüml. frz. Bez. für Polizist.

Flick, Friedrich, * Ernsdorf (= Kreuztal) 10. Juli 1883, † Konstanz 20. Juli 1972, dt. Industrieller. – Baute nach der Weltwirtschaftskrise den Montankonzern Mitteldt. Stahlwerke auf. Während der nationalsozialist. Herrschaft erlangte er als bed. Rüstungsindustrieller Kontrolle über die Montanind. in den besetzten europ. Ländern. 1947 wurde er in Nürnberg zu 7 Jahren Gefängnis verurteilt; 1950 vorzeitig entlassen; baute danach einen Mischkonzern auf (↑ Flick-Gruppe).

Flickenschildt, Elisabeth, * Hamburg 16. März 1905, † Stade 26. Okt. 1977, dt. Schauspielerin. – Charakterdarstellerin, ab 1939 und ab 1947 meist unter Regie von G. Gründgens; auch zahlr. Filmrollen. Memoiren: „Kind mit roten Haaren" (1972).

Flickflack [frz.], in der Sprungakrobatik und beim Bodenturnen Handstandüberschlag rückwärts.

Flick-Gruppe, bed. dt. Unternehmensgruppe, gegr. von F. Flick. Geführt wurde die F.-G. von der „Friedrich Flick KG", Düsseldorf, und der Holdinggesellschaft „VG-Verwaltungsgesellschaft für industrielle Unternehmungen Friedrich Flick GmbH", ab 1978 „Friedrich Flick Industrieverwaltung KGaA", Düsseldorf; zahlreiche Beteiligungen. Die F.-G. wurde 1985 verkauft und 1986 umgewandelt in die **Feldmühle Nobel AG.**

Flieder, (Syringa) Gatt. der Ölbaumgewächse mit etwa 30 Arten in SO-Europa und Asien; Sträucher oder kleine Bäume mit vierzähligen, duftenden Röhrenblüten in Rispen und mit länglichen, ledrigen Kapselfrüchten. Die bekannteste Art ist der **Gemeine Flieder** (Syringa vulgaris) aus SO-Europa, der heute in mehr als 500 Sorten (weiß, lila, bläulich oder rot, auch mit gefüllten Blüten) kultiviert wird.

◆ (Deutscher F.) volkstüml. Bez. für Schwarzer Holunder (↑ Holunder).

Fliedertee ↑ Holunder.

Fliedner, Theodor, * Eppstein 21. Jan. 1800, † Kaiserswerth (= Düsseldorf) 4. Okt. 1864, dt. ev. Theologe. – Gründete 1836 ein Krankenhaus und ein Diakonissenmutterhaus, das zum Vorbild für zahlr. diakon. Einrichtungen in Deutschland und im Ausland wurden.

Fliege ↑ Sternbilder (Übersicht).

Fliege, als Querschleife gebundene Krawatte.

◆ schmales, gestutztes Bärtchen über der Oberlippe oder am Kinn.

◆ in der *Schneiderei* gesticktes Dreieck zur Befestigung z. B. einer Falte.

fliegen, sich frei im Luftraum bewegen. Das Fliegen (der Flug) wird durch Ausnutzung verschiedener physikal. Erscheinungen möglich: 1. stat. Auftrieb, z. B. beim Ballon und Luftschiff; 2. dynam. Auftrieb (Tragfläche, Rotor), z. B. beim Flug der Vögel und beim Flugzeug; 3. hohe Anfangsgeschwindigkeit, z. B. bei Geschossen. Hierbei wird die Schwerkraft kurzzeitig überwunden.

Fliegen, volkstüml. für ↑ Zweiflügler.

♦ (Brachycera) weltweit verbreitete Unterordnung kleiner bis großer Zweiflügler mit über 50 000 bekannten, mehr oder weniger gedrungen gebauten Arten; Fühler kurz; Larven (Maden) ohne Beine, Kopfkapsel reduziert oder fehlend. – Die erwachsenen F. leben teils von pflanzl. (v. a. Pflanzensäfte), teils von tier. Nahrung (als Außen- oder Innenschmarotzer oder räuberisch).

fliegende Blätter, svw. Flugblätter und Flugschriften.

Fliegende Blätter, illustrierte humorist. Zeitschrift des Verlags Braun & Schneider, München. Erschien 1844–1944, karikierte zeittyp. Verhaltensformen des dt. Bürgertums. Graphiken und Texte lieferten bed. Mitarbeiter, u. a. W. Busch, A. Oberländer, M. von Schwindt, C. Spitzweg, F. Dahn, F. Freiligrath, E. Geibel, V. von Scheffel.

Fliegende Fische (Flugfische, Exocoetidae), Fam. heringsähnl., oberseits stahlblauer, unterseits silbriger Knochenfische mit rund 40, etwa 20–45 cm langen Arten, v. a. in trop. und subtrop. Meeren; Brustflossen stark bis extrem tragflächenartig vergrößert; Schwanzflosse deutlich asymmetrisch mit verlängerter unterer Hälfte. – Die F. F. schnellen nach sehr raschem Schwimmen oft mehrmals hintereinander aus dem Wasser, um bis 50 m weite Gleitflüge auszuführen. Die Brustflossen dienen dabei als Gleitfläche; Antriebsorgan ist bis zum Verlassen des Wassers der untere, verlängerte Teil der Schwanzflosse.

fliegende Hitze, svw. ↑ Hitzewallung.

Fliegende Hunde, svw. Flugfüchse (↑ Flederhunde).

Fliegender Fisch ↑ Sternbilder (Übersicht).

Fliegender Holländer, der Sage nach ein frevelhafter Kapitän, der dazu verdammt ist, ewig auf seinem Geisterschiff das Meer zu durchkreuzen. Literar. Gestaltungen u. a. von S. T. Coleridge, W. Hauff, H. Heine, F. Marryat; romant. Oper von R. Wagner.

fliegender Start ↑ Start.

fliegendes Personal, Beschäftigte an Bord eines Flugzeuges, insbes. Pilot, Flugingenieur, Stewardessen. – Ggs.: Bodenpersonal.

fliegende Untertasse ↑ UFO.

Fliegengewicht ↑ Sport (Gewichtsklassen, Übersicht).

Fliegengott (hebr. Baal Sebub [„Herr der Fliegen"]), Spottname für Baal Sebul („erhabener Herr"), ↑ Beelzebub.

Fliegenpilz (Narrenschwamm, Fliegentod, Amanita muscaria), häufiger, sehr giftiger Lamellenpilz; Hut etwa 6–20 cm

breit, halbkugelig bis ausgebreitet, scharlachrot, orangerot oder feuerfarben (im Alter verblassend), mit weißen, losen Hautschuppen; Lamellen weiß; Stiel weiß, bis 25 cm lang. Der F. enthält die Gifte Muskarin und Muskaridin.

Fliegenragwurz ↑ Ragwurz.

Fliegenschnäpper (Schnäpper, Muscicapidae), mit über 300 Arten fast weltweit verbreitete Fam. 9–55 cm langer Singvögel, v. a. in Wäldern, Gärten und Parkanlagen. – Die F. fangen fliegende Insekten mit hörbarem Schnappen. In M-Europa kommen vier Arten vor: **Trauerschnäpper** (Ficedula hypoleuca), etwa 13 cm groß, ♂ oberseits (mit Ausnahme eines weißen Stirnflecks und eines großen weißen Flügelflecks) tiefschwarz bis graubraun, ♀ oberseits olivbraun mit weißem Flügelfleck, unterseits rahmfarben; **Grauschnäpper** (Muscicapa striata), etwa 14 cm groß, Gefieder bräunlichgrau mit gefleckten Scheitel und weißl. Brust; **Halsbandschnäpper** (Ficedula albicollis), etwa 13 cm groß; **Zwergschnäpper** (Ficedula parva), etwa 12 cm groß.

Flieger, militär.: der niedrigste Mannschaftsdienstgrad in der dt. Luftwaffe (seit 1935).

♦ im *Pferderennsport* Bez. für Pferde, die über eine kurze Distanz ihre Höchstleistung erbringen.

♦ im *Radrennsport* Bahnfahrer über die Sprintstrecken (Malfahren).

Fliegerhorst, Bez. für einen Militärflugplatz mit allen Anlagen für Start und Landung sowie Wartung und Instandsetzung von Flugzeugen und zur Betreuung der Besatzungen.

Fliegerkarten, svw. ↑ Luftfahrtkarten.

Fliegerkrankheit, svw. ↑ Höhenkrankheit.

Fliehburgen (Fluchtburgen, Refugien), vor- und frühgeschichtl. Befestigungsanlagen, die i. d. R. nur in Notzeiten von der Bev. zum Schutz aufgesucht wurden.

Fliehkraft ↑ Zentrifugalkraft.

Fliehkraftkupplung ↑ Kupplung.

Fliehkraftregler, mechan. Drehzahlregler z. B. an Dampfmaschinen. Unter dem Einfluß von Fliehkräften *(Zentrifugalkraft)* entfernen sich rotierende, z. B. von Federn gehaltene Fliehgewichte radial von der Drehachse und steuern so über ein Hebelsystem ein Regelorgan (z. B. Drosselklappe).

Fliesen [niederdt.], Wand- und Bodenplatten u. a. aus Steingut bzw. Steinzeug (keram. F.), aus Glas, Stein, Kunststoff. – *Keram. Wand-F.* (Steingutplatten, Wandplatten, -kacheln) weisen einen feinkörnigen, kristallinen, porösen Scherben auf und sind mit einer meist farbigen Glasur versehen. Für *keram. Boden-F.* (Steinzeug-, Boden-, Mosaik-

platten) ist der feinkörnige, gesinterte Scherben kennzeichnend; meist unglasiert, äußerst hart, frost- und säurebeständig, mit ebener oder profilierter Oberfläche.
Kunstgeschichte: Um 2600 v. Chr. kamen glasierte keram. Plättchen erstmals als Wandschmuck in der Pyramide des Djoser in Ägypten vor, seit der Mitte des 2. Jt. v. Chr. auch in der altiran., assyr. und babylon. Baukunst. Bei den Römern wurden bemalte F. als Bodenmosaike verwendet. Seit dem 9. Jh. n. Chr. neue Blüte der Wand-F. im islam. Bereich, Einflüsse bis auf die Iber. Halbinsel. Im übrigen Europa wurden keram. F. seit dem 16. Jh. hergestellt, berühmt sind die Kacheln der niederl. Fayencemanufakturen des 17. und 18. Jh. in Delft.

Fließarbeit, örtlich fortschreitende, zeitlich bestimmte, lückenlose Folge von Arbeitsvorgängen; in Fertigungsbetrieben spricht man von **Fließfertigung** (↑ Fließbandfertigung). Eine Weiterentwicklung der Fließfertigung ist die vollständige Automatisierung der Arbeitsgänge bei Transferstraßen und flexiblen Fertigungssystemen.

Fließband, bei der Fließarbeit verwendeter Bandförderer oder eine ähnl. Anlage, auf die die zu bearbeitenden oder zu montierenden Teile (Montageband) von Arbeitsplatz zu Arbeitsplatz transportiert werden.

Fließbandfertigung, Form der industriellen Fließfertigung, bei der der Transport der Werkstücke durch Fließbänder erfolgt. *Vorteile:* Zwischenlager vermeidende, kontinuierl. Produktion mit vorgegebenem, also kalkulierbarem Takt. *Nachteile:* hohe organisator. Aufwand bei der Planung und Durchführung sowie Störanfälligkeit, Monotonie und rasche Taktfolge führen zu Arbeitsunlust und nicht selten auch zu psych. Schäden und phys. Erschöpfung. Neuerdings versuchen insbes. einige Automobilfabriken, die F. in einigen Bereichen durch Gruppenfertigung zu ersetzen. Dabei werden mehrere Arbeitsvorgänge zusammengefaßt und von einer Arbeitsgruppe gemeinsam verrichtet.

Fließbild, schemat. Darstellung aufeinanderfolgender verfahrenstechn. Vorgänge und Anlagen; zeigt die Grundzüge eines Verfahrens.

Fließen, Wasserbewegung in rinnenden Gewässern. Man unterscheidet: laminares F. (Gleiten), turbulentes F. mit Wasserwalzen und Fließwirbeln, das Stürzen bei Stromschnellen und Wasserfällen.
♦ plast. Verformung unter Schub- oder Zugspannung, stark temperaturabhängig. In der Technik bezeichnet man als **Fließgrenze** die Spannung, bei der ein Körper eine *bleibende Dehnung* von 0,2 % seiner Ausgangslänge erleidet.

Fließerde ↑ Solifluktion.

Fließgefüge (Fluidaltextur), Einregelung von früh ausgeschiedenen Kristallen, Schlieren und Einschlüssen in magmat. Gesteinen in Fließrichtung der urspr. Schmelze.

Fließgleichgewicht, Bez. für das trotz dauernder Stoff-, Energie- und Entropiezufuhr und -abfuhr bestehende Gleichgewicht in offenen physikal. Systemen; von großer Bed. für die Erhaltung lebender Organismen.

Fließgrenze ↑ Fließen.

Fließpapier (Löschpapier), ungeleimtes Papier mit hoher Saugfähigkeit.

Fließpressen, Verfahren der Massivumformung zur Herstellung von Voll- oder Hohlkörpern und Profilen, bei dem Werkstoff durch einen Stempel aus einer Matrize verdrängt wird und dabei seinen Querschnitt ändert. Je nach Richtung des Werkstoffflusses in bezug auf die Stempelbewegung unterscheidet man *Vorwärts-, Rückwärts-, kombiniertes* und *Quer-F.* Es wird bei Raumtemperatur *(Kalt-F.),* zw. Raum- und Warmformtemperatur *(Halbwarm-F.)* oder bei Warmformtemperatur *(Warm-F.)* durchgeführt.

Fließpunkt, svw. Schmelzpunkt (↑ Schmelzen).

Fließzone (Asthenosphäre), im Schalenbau der Erde der Bereich zw. rd. 100 und 250 km Tiefe, auf dem die Lithosphäre „schwimmt".

Flimmerepithel ↑ Epithel.

Flimmern, durch Überhitzung der bodennahen Luftschicht infolge starker Sonneneinstrahlung hervorgerufene Erscheinung; beruht auf aufsteigender Warmluft, die sich von ihrer Umgebung durch Dichte und Brechzahl unterscheidet.

Flimmern, svw. ↑ Zilien.

Flimmerskotom, anfallsweise auftretende Sehstörung mit Augenflimmern und zentraler Teilverdunklung des Gesichtsfeldes infolge zerebraler Durchblutungsstörungen, v. a. bei Migräne.

Flims (rätoroman. Flem), schweizer. Gemeinde im Vorderrheintal, Kt. Graubünden, am Rande eines in vorgeschichtl. Zeit niedergegangenen Bergsturzes, 1 080 m ü. d. M., 2 400 E. Luftkurort, Wintersportplatz.

Flinders, Matthew [engl. 'flɪndəz], * Donington (Lincolnshire) 16. März 1774, † London 19. Juli 1814, brit. Seefahrer und Hydrograph. – Erforschte 1795–1803 die Küsten Australiens; schlug für das bisher Neuholland gen. Kontinent den Namen Australien vor.

Flinders Island [engl. 'flɪndəz 'aɪlənd] ↑ Furneauxgruppe.

Flinders Ranges [engl. 'flɪndəz 'reɪndʒɪz], Gebirgsketten im östl. Südaustralien, etwa 800 km lang, im Saint Mary Peak 1 165 m hoch; Abbau von Kupfer- und Uranerz.

Flindt, Flemming [dän. flen'd], * Kopenhagen 30. Sept. 1936, dän. Tänzer und Choreograph. – 1965–78 Ballettdirektor in Kopenhagen; seit 1981 in Dallas; eigene Choreographien, v. a. nach E. Ionesco: „Die Unterrichtsstunde" (1963), „Triumph des Todes" (1971), ferner „Salome" (1978), „Aschenbrödel" (1985).

Flint, Stadt im sö. Michigan, USA, 90 km nw. von Detroit, 149 000 E. College für Ingenieure; Automobilproduktion. ♨.

Flint [niederl., urspr. „Steinsplitter"], svw. ↑ Feuerstein.

Flinte, urspr. Bez. für langläufige Handfeuerwaffe, bei der ein *Flint* (Feuerstein) den Zündfunken lieferte; heute Bez. für ein Jagdgewehr mit glattem Lauf, das für den Schrotschuß bestimmt ist. **Doppelflinten** mit zwei nebeneinanderliegenden Läufen bezeichnet man als **Querflinten;** liegen die Läufe übereinander, spricht man von **Bockflinten.**

Flintgläser, sehr reine, für opt. Zwecke verwendete bleioxidhaltige Gläser mit hoher Brechzahl.

Flip [engl.], alkohol. Mischgetränk mit Ei.
◆ im *Eis-* und *Rollkunstlauf* nach einem Anlauf rückwärts einwärts ausgeführter Sprung mit einer vollen Drehung und Landung rückwärts auswärts auf dem Bein, mit dem abgesprungen wurde.

Flipflop [engl.], elektron. Schaltung mit zwei stabilen Zuständen, entweder stromführend oder gesperrt (bistabile Kippschaltung); ein einzelner Steuerimpuls ändert den Zustand, der folgende stellt den urspr. Zustand wieder her. Verwendung als Frequenzuntersetzer, Impulszähler, bes. in der Datenverarbeitung als Speicherelement für binär dargestellte Zeichen.

Flipper [engl.], Spielautomat, bei dem eine Kugel durch geschicktes, zeitlich genau abgestimmtes Zurückschlagen möglichst lange auf einem abschüssigen Spielfeld gehalten werden muß.

Flirt [engl. flə:t], spieler. Form der erot. Werbung.

Flissigkeit, svw. ↑ Weißährigkeit.

Flitner, Andreas, * Jena 28. Sept. 1922, dt. Pädagoge. – Sohn von Wilhelm August F.; Prof. in Tübingen; beschäftigt sich u. a. mit Problemen der pädag. Anthropologie, der Sozialpädagogik und der Bildungspolitik, u. a. „Brennpunkte gegenwärtiger Pädagogik" (1967), „Spielen – Lernen. Praxis und Bedeutung des Kinderspiels" (1972).
F., Wilhelm August, * Berka (= Bad Berka) 20. Aug. 1889, † Tübingen 21. Jan. 1990, dt. Philosoph und Pädagoge. – Prof. u. a. in Hamburg; Vertreter der von W. Dilthey angeregten geisteswiss. Pädagogik. – *Werke:* Theorie des pädag. Wegs und der Methode (1950), Allg. Pädagogik (1950), Die Geschich-

te der abendländ. Lebensformen (1967; 1961 u. d. T. Europ. Gesittung).

Flitter, dünne gelochte Metallscheibchen zum Aufnähen auf Kleidungsstücke; auch: wertloser Schmuck.

Flittergold, svw. ↑ Rauschgold.

Flitterwochen [zu mittelhochdt. vlittern „flüstern, liebkosen"], erstmals im 16. Jh. bezeugte Bez. für die erste Zeit nach der Eheschließung.

Fljorow, Georgi Nikolajewitsch, * Rostow am Don 2. März 1913, † Moskau 19. Nov. 1990, sowjet. Physiker. – Entdeckte 1941 die spontane Kernspaltung von Uran, 1963 die Protonenradioaktivität und erzeugte erstmals mehrere Transactinoide (Elemente 104 bis 107).

FLN, Abk. für: Front de Libération Nationale („Nat. Befreiungsfront" [Algeriens]), gegr. 1954 in Kairo als Sammlungsbewegung aller für die Unabhängigkeit Algeriens von Frankreich arbeitenden Gruppen; bildete 1958 in Tunis die provisor. Reg. der alger. Republik; nach Erlangung der Unabhängigkeit 1962 zur Einheits- und Kaderpartei mit sozial. und arabisch-nationalist. Programm umgeformt.

Floatglas [engl. 'flout] ↑ Glas.

Floating [engl. 'floutɪŋ „schwimmend, schwebend"], durch Wechselkursfreigabe eingeleitete Schwankungsmöglichkeit des Außenwertes einer Währung in einem System fester Wechselkurse durch das freie Spiel von Angebot und Nachfrage am Devisenmarkt. *Block-F.* oder *Gruppen-F.* bedeutet, daß Währungen mehrerer Länder, die in einem festen Wechselkursverhältnis zueinander stehen, frei schwankende Kurse gegenüber Drittwährungen haben.

Flobert (Flobert-Gewehr) [nach dem frz. Waffentechniker N. Flobert, * 1819, † 1894], leichte Handfeuerwaffe mit glattgebohrtem oder gezogenem Lauf.

F-Löcher, Schallöcher in f-Form (ʃ) bei Streichinstrumenten, neben dem Steg in die Decke eingelassen.

Flocke, kleine Zusammenballung faden- oder faserartiger Stoffe (Woll-F., Staub-F.), von Kolloidteilchen (beim Koagulieren) oder kleinen Kristallen (Schnee-F.); auch Bez. für blättchenartige Gebilde, v. a. bei Nahrungs- und Futtermitteln (Hafer-, Kartoffelflocken).

Flockenbast ↑ Bast.

Flockenblume (Centaurea), Gatt. der Korbblütler mit über 500 Arten, v. a. in den gemäßigten Zonen; meist flockig behaarte Kräuter mit in Köpfchen stehenden, großen Röhrenblüten; bekannte mitteleurop. Arten sind u. a. ↑ Alpenscharte, ↑ Bergflockenblume; **Kornblume** (Centaurea cyanus), bis 60 cm hoch, mit einzelnstehenden Blütenköpfchen; Randblüten leuchtend blau, Scheibenblüten purpurfarben; auf Getreideäckern, an Feldrainen; **Wiesenflockenblume** (Gemeine F., Centaurea jacea), 10–80 cm hohe Staude mit rötl. Blütenköpfchen; auf Wiesen und Trockenrasen.

Flockung, Abscheidung von in einer Flüssigkeit schwebenden Stoffen als Flocken durch Zugabe von F.(hilfs)mitteln, z. B. Eisensalze, Polyacrylamid. Anwendung z. B. bei der Trinkwasseraufbereitung.

Flodoard von Reims, * Épernay (?) 894 † Reims (wohl 28. März) 966, fränk. Domkleriker und Geschichtsschreiber. – Hauptwerk sind seine sehr ausführl. Annalen (919–966).

Flöha, Krst. in Sa., am Rande des Erzgebirges, 280 m ü. d. M., 13 000 E. Textilind., Dampfkesselbau. – Im 12. Jh. entstanden, seit 1933 Stadt. – Stadtkirche Sankt Georg (15. Jh.).

F., Landkr. in Sachsen.

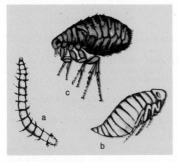

Flöhe. Menschenfloh: a Larve, b Puppe, c Vollinsekt

Flöhe (Siphonaptera, Aphaniptera), weltweit verbreitete Ordnung 1–7 mm großer, flügelloser Insekten, von den 1 100 Arten etwa 80 in M-Europa; Körper seitlich stark zusammengedrückt, braun bis gelblich, mit breit am Brustabschnitt ansitzendem Kopf, kurzen Fühlern und reduzierten Augen; Mundteile zu Stechborsten ausgebildet; Hinterbeine lang, dienen als Sprungbeine. – F. leben als blutsaugende Parasiten auf Säugetieren (einschließl. Mensch) und Vögeln. Sie sind z. T. Überträger gefährl. Krankheiten wie Fleckfieber und Pest. Bekannte Arten sind: **Menschenfloh** (Pulex irritans), etwa 2 mm (♂) bis 4 mm (♀) groß, dunkelbraun glänzend; kann bis 40 cm weit und bis 20 cm hoch springen; blutsaugend am Menschen (auch an anderen Säugern); an der Saugstelle bildet sich ein juckender, dunkelroter Punkt mit hellrotem Hof. **Hundefloh** (Ctenocephalides canis), 1,5–3 mm lang, saugt v. a. an Haushunden. **Katzenfloh** (Ctenocephalides felis), 1,5–3

mm lang, saugt an Haus- und Wildkatzen. **Hühnerfloh** (Ceratophyllus gallinae), 1,2–3 mm lang, dunkelbraun bis schwarz; parasitiert auf Vögeln; geht gelegentlich auch auf den Menschen. **Sandfloh** (Jigger, Tunga penetrans), etwa 1 mm lang, hellgelb; urspr. in Z-Amerika, von dort ins trop. Afrika verschleppt; Weibchen bohrt sich in die Haut von Säugetieren und von Menschen (v. a. zw. Zehen und Fingern) ein.

Flohkäfer (Erdflöhe, Erdflohkäfer, Halticinae), über 5 000 1–6 mm große Arten umfassende Unterfam. der ↑ Blattkäfer mit stark verdickten Hinterschenkeln, die den Tieren das Springen ermöglichen; Färbung meist schwarz, blau oder braun, häufig mit metall. Schimmer oder hellen Längsstreifen. Viele Arten sind Schädlinge, v. a. an Gemüsepflanzen. In Deutschland kommen rd. 230 Arten vor, u. a. die Gatt. **Kohlerdflöhe** (Phyllotreta); fressen v. a. an Kohlarten.

Flohkraut (Pulicaria), Gatt. der Korbblütler mit etwa 45 Arten, v. a. im Mittelmeergebiet; behaarte Kräuter mit gelben Zungen- und Röhrenblüten. – In M-Europa an feuchten Stellen das **Große Flohkraut** (Ruhrwurz, Pulicaria dysenterica) mit zahlr., 15–30 mm breiten Blütenköpfchen, ferner das **Kleine Flohkraut** (Pulicaria vulgaris) mit wenigen, etwa 10 mm breiten Köpfchen.

Flohkrebse (Amphipoda), Ordnung der höheren Krebse (Malacostraca) mit rund 2 700 meist um 2 cm großen, fast stets seitlich zusammengedrückten Arten ohne Chitinpanzer; gekennzeichnet durch 6 Beinpaare am Hinterleib, von denen die 3 vorderen als Schwimmbeine, die 3 hinteren als Sprungbeine dienen; leben im Meer und in Süßwasser; bekannt sind ↑ Brunnenkrebse, ↑ Strandflöhe, ↑ Bachflohkrebs.

Flohzirkus, zirkusähnl. Vorführungen mit Flöhen. Dabei handelt es sich um die geschickte Ausnutzung von Verhaltensweisen der Flöhe, die (damit sie nicht wegspringen können) mit einem hauchdünnen Silber- oder Golddraht „gefesselt" sind.

Floire et Blancheflor [frz. flwareblāʃˈfloːr], altfrz. Liebesroman, älteste erhaltene Fassung um 1160; schildert Trennung und Wiedervereinigung eines heidn. Königssohns und der Tochter einer christl. Sklavin.

Flomen [niederdt.] (Flom, Liesen, Schmer), das Bauchwandfett vom Schwein, aus dem Schmalz gewonnen wird.

Flop [engl. „das Hinplumpsen"], salopp für Mißerfolg; Niete.

Floppy disk [engl.], svw. ↑ Diskette.

Flor [niederl.], 1. feines, durchscheinendes Gewebe, meist Seide; 2. schwarzes Band (**Trauerflor**) am Ärmel oder Jackenaufschlag; 3. aufrechtstehende Faserenden bei Samt oder Plüsch.

Flora [zu lat. flos „Blume"], röm., urspr. altital. Göttin der Blüte und des Frühlings.

Flora, Paul, * Glurns (Südtirol) 29. Juni 1922, östr. Graphiker und Karikaturist. – Von der Linienstruktur bestimmter Zeichenstil; schuf u. a. „Floras Fauna" (1953), „Trauerflora" (1958), „Die verwurzelten Tiroler und ihre bösen Feinde" (1970), „Penthouse" (1977), „Die Raben von San Marco"(1985). Auch Karikaturen zur Tagespolitik (v. a. in „Die Zeit").

Flora [nach dem Namen der röm. Göttin], die systematisch erfaßte Pflanzenwelt eines bestimmten Gebietes.

◆ Bakterienwelt eines Körperorgans (z. B. Darmflora).

Floréal (Floreal) [frz. „Blütenmonat"], 8. Monat des Kalenders der Frz. Revolution (20. bzw. 21. April bis 19. bzw. 20. Mai).

Floreat! [lat.], möge er (sie, es) blühen, gedeihen! mögen seine (ihre) Unternehmungen gedeihen!

Floren (mittellat. Florenus, italien. Fiorino d'oro), Abk. Fl., fl. älteste Bez. des florentin. Goldguldens, später auch anderer Sorten des Guldens. – ↑ Florin.

Florenreich [lat./dt.], in der Geobotanik Bez. für die höchste Einheit einer räuml. Gliederung der Pflanzendecke der Erde auf der Grundlage botan.-systemat. Einheiten (u. a. Fam.). Diese werden zu Gruppen etwa gleicher geograph. Verbreitung zusammengefaßt. Das sich aus der ungleichen Verteilung der verschiedenen Florenelemente ergebende mosaikartige Bild der Vegetation der Erde ist die Folge verschiedener geolog.-tekton. Veränderungen und unterschiedl. Klimabedingungen. Im allg. unterscheidet man ↑ holarktisches Florenreich, ↑ paläotropisches Florenreich, ↑ neotropisches Florenreich, ↑ australisches Florenreich, ↑ kapländisches Florenreich und das artenarme, die Antarktis und die S-Spitze Amerikas umfassende **antarktische Florenreich.**

Florentiner, (Florentiner Hut) Damenstrohhut mit breiter, schwingender Krempe.

◆ Feingebäck mit Mandeln, Zitronat, Ingwer; auf der Rückseite überzogen mit Kuvertüre.

Florenz (italien. Firenze), Hauptstadt der mittelitalien. Region Toskana, am Arno, 49 m ü. d. M., 421 300 E. Kath. Erzbischofssitz; Univ. (gegr. 1321), militärgeograph. Inst.; Kunst- und Musikakad., Inst. für Etrusk. Studien, Dt. Kunsthistor. Inst., bed. Museen (u. a. archäolog. Museum, Nationalmuseum Bargello, Uffizien, Galleria dell'Accademia, Palazzo Pitti); Nationalbibliothek, Biblioteca Medicea Laurenziana; Sternwarte. – Bed. traditionelles Kunsthandwerk und graph. Gewerbe; Fremdenverkehr; Handel; Mode-, Pelz-, Antiquitäten- und Buchmessen.

Geschichte: Seit prähistor. Zeit besiedelt; röm. Neugründung (**Florentia**) etwa 2. Jh. v. Chr. Im 4. Jh. Bischofssitz; Sitz eines langobard. Hzgt., einer otton. Gft., im 11. Jh. der Markgrafen von Tuszien. Städt. Autonomie um 1100, im 13./14. Jh. Aufstieg zur führenden Macht in M-Italien (bed. Tuchind., Handel, Geldverkehr). Neben der Rivalität zw. Guelfen und Ghibellinen (F. wurde führende guelf. Macht) standen die sozialen Auseinandersetzungen zw. Adel, „popolo grasso" (städtisch-zünftische Oberschicht) und „popolo minuto" (niedere Zünfte) sowie Kämpfe gegen auswärtige Feinde. 1282 ging die Reg.-gewalt auf die oberen Zünfte („arti maggiori") über. 1378–82 Erhebung des niederen Volkes (Aufstand der „Ciompi" [Wollkämmer]). 1434 Machtantritt der Medici. Unter Lorenzo (I) il Magnifico (✉ 1469–92), unter dem die Stadt ihre Glanzzeit erlebte, wurde F. faktisch eine Monarchie. Nach zweimaliger Vertreibung (1494–1512, 1527–30) wurden die Medici 1531 erbl. Herzöge von F., 1569 Großherzöge von Toskana. 1737–1859 (mit Ausnahme der Napoleon. Zeit 1801–14; Hauptstadt des Kgr. Etrurien 1801–08) stand F. unter habsburg. Herrschaft und kam dann an das neue Kgr. Italien (1865–71 dessen Hauptstadt).

Bauten: Dom Santa Maria del Fiore (1296–1436) mit Kampanile (1334 ff.), Kuppel von Brunelleschi (1421 ff.), Fassade 1875–87, Baptisterium (11.–13. Jh.) mit Bronzetür des Paradieses von Ghiberti (1425–52); Piazza della Signoria mit dem Palazzo Vecchio (1298 ff.) und der Loggia dei Lanzi (1376–81); Platz der Uffizien. Zahlr. bed. Kirchen, fast alle, abgesehen von San Miniato al Monte (1018–63), teilweise oder ganz von der Frührenaissance geprägt, u. a. Santa Maria Novella (13.–15. Jh.), Santa Croce (14. Jh.; Fassade von 1875) mit dem Verkündigungstabernakel von Donatello (um 1435) sowie Fresken des Giotto (um 1317), Pazzikapelle von Brunelleschi (1430–46), Or San Michele (1337–1404), San Lorenzo (seit 1420/21 erbaut; Neue Sakristei Michelangelos, 1520–33), Santo Spirito (1436 ff.), Santa Maria del Carmine mit Fresken Masaccios (1427/28) in der Brancaccikapelle. Renaissancepaläste mit typ. Fassaden aus Rustikaquadern: Palazzo Strozzi, Palazzo Pitti, Palazzo Medici Riccardi, Palazzo Rucellai (alle v. a. 15. Jh.). Älteste Brücke ist der Ponte Vecchio (erstmals 1080 in Stein), beiderseits flankiert von Goldschmiedeläden. – Die Altstadt von F. wurde von der UNESCO zum Weltkulturerbe erklärt. – Abb. S. 130.

📖 *Brucker, G.:* F. in der Renaissance. Rbk. 1990. – *Heilmann, M.:* F. u. die Medici. Köln 1985. – *Grote, A.:* F. Gestalt u. Gesch. eines Gemeinwesens. Mchn. ⁵1980.

Florẹnz, Konzịl von (Konzil Basel-Ferrara-Florenz) ↑ Basler Konzil.

Flọres, Juan José, * Puerto Cabello 19. Juli 1800, † auf See bei Santa Rosa 1. Okt. 1864, ecuadorian. Politiker. – Waffengefährte von S. Bolívar; erklärte 1830 die Unabhängigkeit Ecuadors; 1831–35 erster Präs. der neuen Republik. 1839–45 erneut Präsident.

Flọres, Insel der Azoren, 143 km², bis 941 m hoch; Hauptort Santa Cruz das Flores.

F., zweitgrößte der Kleinen Sundainseln, Indonesien, zw. Sumbawa und Sumba im W und den Solorinseln im O, etwa 360 km lang (W–O), bis 60 km breit, bis 2400 m hoch; im S aktive Vulkane (1987 Ausbruch des Mandosawa). Hauptort ist Endeh (Hafen an der S-Küste). – Gehörte im 13. Jh. zum Reich von Madjapahit, seit dem 14. Jh. zum Ft. Makassar; um 1570 ließen sich die Portugiesen nieder; seit 1667 unter niederländ. Oberhoheit; 1942–45 von Japan besetzt.

Flọressee, Teil des Australasiat. Mittelmeeres, im S des Malaiischen Archipels.

Florẹttfechten [lat.-frz./dt.] ↑ Fechten.

Florey, Sir (seit 1965) Howard Walter [engl. 'flɔ:rɪ], * Adelaide 24. Sept. 1898, † Oxford 21. Febr. 1968, brit. Pathologe. – Prof. in Sheffield und Oxford; entwickelte mit E. B. Chain das Penicillin zur Therapiereife und wandte es erstmals erfolgreich gegen verschiedene Infektionskrankheiten beim Menschen an; erhielt 1945 mit A. Fleming und E. B. Chain den Nobelpreis für Physiologie oder Medizin.

Flọrfliegen (Goldaugen, Perlaugen, Chrysopidae), mit 800 Arten weltweit verbreitete Fam. 1–2 cm langer Netzflügler, davon 22 Arten in Deutschland; sehr zarte, meist grüne oder gelbe Insekten mit großen, durchsichtigen, dachförmig über dem Körper zusammengelegten Flügeln, goldgrünen Augen und langen, dünnen Fühlern; Larven **(Blattauslöwen)** und Imagines sehr nützlich, da sie sich vorwiegend von Blattläusen ernähren. In M-Europa ist am häufigsten das **Goldauge** (Gemeines Goldauge, Gemeine F., Chrysopa carnea), etwa 1,5 cm lang.

Flọrian (Florianus), hl., röm. Offizier und Staatsbeamter in Noricum. – Soll unter Diokletian (um 304) in Lorch bei Enns (Oberösterreich) das Martyrium erlitten haben. Patron gegen Feuersbrunst. – Fest: 4. Mai.

Florianópolis, Hauptstadt des brasilian. Bundesstaates Santa Catarina, auf einer Nehrung am Atlantik, 188000 E. Kath. Erzbischofsitz; 2 Univ. (gegr. 1960 bzw. 1966); Akad. der Geisteswissenschaften; Straßenbrücke zum Festland, ⚓. – 1542 gegründet.

Floribụnda-Rosen [lat.] ↑ Rose.

Flọrida, Bundesstaat im SO der USA, 151939 km², 13,49 Mill. E (1992), Hauptstadt Tallahassee; 67 Counties.

Landesnatur: F. umfaßt die gleichnamige, rd. 650 km lange Halbinsel zw. Atlantik und Golf von Mexiko und einen Teil der im NW anschließenden Golfküstenebene. Im N erreicht ein seenreiches, verkarstetes Hügelland 100 m ü. d. M. Die Golfküste ist reich an Buchten und Haffs; an die Sandstrände und Nehrungen der Atlantikküste schließt sich nach S das Sumpfgebiet der Everglades an. Die S-Spitze F. setzt sich in der Koralleninselkette F. Keys fort.

Klima: Subtrop.; die Randlage zu den Tropen bedingt die Gefahr von Hurrikans.

Vegetation: Im nördl. und zentralen Teil herrschen weite, lichte Kiefernwälder vor, im S Sumpfgebiete und Mangroven.

Bevölkerung: 84 % der Bev. leben in Städten. Mit 13,9 % liegt der Anteil der Schwarzen unter dem Prozentsatz in anderen Südstaaten der USA. Neben indian. und asiat. Minderheiten leben zahlr. kuban. Emigranten in F. Univ. u. a. in Gainesville (gegr. 1853) und Tallahassee (gegr. 1857).

Wirtschaft: Begünstigt durch das Klima entwickelte sich der Fremdenverkehr (Vergnügungspark „Walt Disney World" bei Orlando, Everglades National Park, Miami) zu einem wichtigen Wirtschaftszweig. Seit Ende der 70er Jahre profiliert sich F. zunehmend mit chem., elektrotechn., Raumfahrt- (Kap Canaveral an der O-Küste) und Papierind.; Sitz zahlr. Banken. Wichtigste Anbauprodukte sind Zitrusfrüchte, Gemüse, Tabak, Zuckerrohr u. a.; in Zentral-F. intensive Viehzucht. Bed. haben auch Forstwirtschaft und Fischerei. Das im Tagebau geförderte Phosphat deckt 80 % des Bedarfs der USA.

Verkehr: F. verfügt über ein gut ausgebautes Eisenbahn- und Straßennetz. Jacksonville ist der wichtigste Hafen; internat. ✈ u. a. in Miami und Tampa.

Geschichte: 1513 von J. Ponce de León entdeckt (O-Küste); im 17. und 18. Jh. zw. Spaniern, Briten und Franzosen umstritten; wurde 1763 brit., kam aber schon 1783 infolge des amerikan. Unabhängigkeitskrieges wieder in span. Besitz. 1819 verkaufte Spanien F. an die USA; seit 1822 Territorium, 1845 als 27. Staat in die Union aufgenommen; gehörte 1861 zu den Gründungsstaaten der Konföderierten Staaten von Amerika; 1868 wieder in die Union eingegliedert.

📖 Obst, M. P.: F. Köln ⁸1988. – Krum, W.: F. – mit Bahamas, Puerto Rico u. Jungferninseln. Mchn. 1985. – Tebeau, C. W.: A history of F. Coral Gableos (Fla.) 1971.

Florida Keys [engl. 'flɔrɪdə 'ki:z], Inselkette vor der S-Küste Floridas, USA, erstreckt sich etwa 240 km in sw. Richtung. – Abb. S. 131.

Flọridastraße, Meeresstraße zw. Florida im N, Kuba im S und den Bahamainseln im SO; verbindet den Golf von Mexiko mit dem Atlantik, vom **Floridastrom** durchflossen.

florieren [lat.], blühen, gedeihen.

Florigen [lat./griech.] (Blühhormon), physiolog. nachgewiesener, chem. jedoch noch unbekannter Wirkstoff (oder Stoffgruppe), der in den Laubblättern gebildet und in die Sproßknospe transportiert wird, und der diese dann zur Blütenbildung anregt.

Florin [flo'ri:n, frz. flo'rɛ̃; engl. 'flɔrɪn; mittellat.] (Florin d'or), 1. frz. Name des Florens und später des Guldens; 2. Name der nur 1343 geprägten, ältesten engl. Goldmünze; 3. 1848–1936 offizielle Bez. der brit. Silbermünze zu 2 Schilling.

Florina, griech. Stadt 130 km westlich von Saloniki, 12 600 E. Hauptort des Verw.-Geb. F.; orth. Bischofssitz. – Die Anfänge von F. (im MA **Chloros**) liegen in vorchristl. Zeit. – Fundamente eines Häuserviertels aus dem 3. Jh. v. Chr.; Reste byzantin. Befestigungsanlagen.

Floris, seit Ende des 15. Jh. nachweisbare fläm. Familie bildender Künstler:
F., Cornelis, * Antwerpen 1514, † ebd. 20. Okt. 1575, Baumeister, Bildhauer, Ornamentstecher. – Bruder von Frans F.; verschmolz italien. und nord. Elemente zum fläm. Renaissancestil, u. a. im Rathaus von Antwerpen, seinem architekton. Hauptwerk (1561–65). Schulebildender Dekorationsstil (↑ Florisstil). U. a. Grabmäler und Lettner der Kathedrale von Tournai (1570–73).
F., Frans, * Antwerpen zw. 1516 und 1520, † ebd. 1. Okt. 1570, Maler. – Leiter einer großen Werkstatt in Antwerpen. Vertreter des Romanismus mit großen manierist. Kompositionen, u. a. „Engelssturz" (1554; Antwerpen, Königl. Museum), auch Porträts („Der Falkenjäger", 1558; Braunschweig, Herzog-Anton-Ulrich-Museum).

Floris, Joachim von ↑ Joachim von Fiore.

Florisstil, von C. Floris geschaffener Ornamentstil: Grotesken sind mit Knorpel- und Rollwerk u. a. in phantast. Verschlingungen verbunden.

Flörsheim am Main, Stadt in Hessen, 20 km sw. von Frankfurt am Main, 94 m ü. d. M., 16 500 E. Papier-, pharmazeut. Ind., Tanklager; Mainhafen. – Seit dem 5. Jh. n. Chr. belegt; 1270 vom Mainzer Domkapitel gekauft und befestigt; 1803 fiel F. an Nassau und ist seit 1953 Stadt. – Kath. Pfarrkirche (17./18. Jh.) mit Barockorgel.

Flory, Paul John [engl. 'flɔːrɪ], * Sterling (Ill.) 19. Juni 1910, † Big Sur (Calif.) 9. Sept. 1985, amerikan. Chemiker. – Prof. an der Cornell University in New York, danach an der Stanford University in Kalifornien. Grundlegende Arbeiten auf dem Gebiet der Polymerchemie und der physikal. Chemie

Florenz. Palazzo Vecchio; 1298–1314

der Makromoleküle. Hierfür erhielt er 1974 den Nobelpreis für Chemie.

Flos (Mrz.: Flores) [lat.], Blüte, Blume.

Floskel [zu lat. flosculus, eigtl. „Blümchen"], höfl., aber nichtssagende formelhafte Redewendung.

Floß, flaches Wasserfahrzeug aus zusammengebundenen Schwimmkörpern (z. B. Baumstämmen, Binsen, Papyrus, Bambus oder Schilf); wird noch bei Naturvölkern zur Beförderung von Personen und Waren benutzt. – ↑ Flößerei.

Flosse, feststehender Teil des Leitwerks an Flugzeugen, Luftschiffen und [Unter]wasserfahrzeugen.
◆ im *Tauchsport* ↑ Schwimmflosse.
◆ ↑ Flossen.

Flössel, Bez. für hintereinandergereihte kleine Rückenflossen bei Fischen.

Flösselaale (Calamoichthys), Gatt. der Flösselhechte mit der einzigen, bis etwa 90 cm langen Art **Calamoichthys calabaricus** in schlammigen Süß- und Brackgewässern W-Afrikas; aalförmiger Raubfisch mit einer aus 7–13 Flösseln bestehenden Rückenflosse, Bauchflossen fehlen; Färbung oberseits graugrün bis gelblichbraun, unterseits gelblich.

Flösselhechte (Polypteriformes), primitive, seit der Kreidezeit bekannte Ordnung bis 1,2 m langer, hecht- bis aalförmiger Knochenfische mit 10 Arten in Süß- und Brackgewässern des westl. und mittleren Afrikas; Raubfische, die zusätzlich atmosphär. Luft aufnehmen (ihre Schwimmblase fungiert als Lunge), auch können sie kurze Trockenperioden im Schlamm überdauern; z. T. Warmwasseraquarienfische.

Flossen (Pinnae), der Fortbewegung dienende Organe oder Hautsäume im Wasser lebender Chordatiere und mancher Weichtiere. Als F. i. e. S. bezeichnet man die fast stets durch F.strahlen gestützten Fortbewegungsorgane der Fische, bei denen paarige F. (Brust- und Bauch-F.), die Extremitäten darstellen, und unpaare F. (Rücken-, Fett-, Schwanz- und After-F.), die keine Extremitätennatur haben, unterschieden werden.

Flossenfüßer, svw. ↑ Robben.

Flossenstrahlen (Radien), Stützelemente der Flossen der Fische, die von knorpeligen oder knöchernen durch Muskeln bewegl. Skelettstücken (**Flossenträger**) abgehen. Bei den Knorpelfischen treten **Hornstrahlen** auf, bei den Knochenfischen **knöcherne Strahlen.**

Flößerei (Holzflößerei, Flöße), Transport von zusammengebundenen Baumstämmen auf Wasserläufen. – Als **Trift** (Wildflöße, Schwemme) werden zunächst einzelne lose Hölzer – meist auf [Wild]bächen, seltener auf künstl. Triftstraßen – abgeschwemmt, an Dämmen oder Wasserläufen gesammelt und zu **Gestören** (**Flügeln** oder **Tafeln**) verbunden, von der Strömung fortbewegt oder mit Hilfe von **Flößerstangen** (**Staken**) abgestoßen und gelenkt oder von Schleppschiffen gezogen. Die F. wird heute noch in Skandinavien, der UdSSR und Kanada betrieben; in M-Europa, wo sie früher große Bedeutung hatte, ging sie stark zurück.

Flotation [engl.] ↑ Aufbereitung.

Flöte [altprovenzal.] (italien. flauto), wahrscheinlich eines der ältesten Blasinstrumente, das bereits im Jungpaläolithikum bezeugt ist. Der Ton wird durch Anregung von Eigenschwingungen einer in einem zylindr. oder kon. Rohr schwingenden Luftsäule beim Anblasen erzeugt. Man unterscheidet die F. nach der Spielhaltung in Längs- (↑ Panflöte) und Quer-F., nach der Bauart in Block- oder Schnabel-, Kerb- und Gefäß-F. (↑ Okarina). Bis zur Mitte des 18. Jh. verstand man unter F. (ohne Zusatz) die Blockflöte, seither allg. die Querflöte. – Bei der *Orgel* ist F. der gemeinsame Name für alle Labialpfeifen.

Flötenwerk, kleine Orgel, die im Gegensatz zum ↑ Regal ausschließl. Flötenstimmen hat; auch Bez. für die Gesamtheit der Flötenstimmen einer großen Orgel.

Flötner, Peter, * im Thurgau zw. 1486/95, † Nürnberg 23. Okt. 1546, dt. Bildschnitzer, Holzschneider und Zeichner schweizer. Herkunft. – Mit seinen Entwürfen für Möbel, für Goldschmiedearbeiten, Brunnen, Bauornamentik verhalf er der Renaissance in Deutschland zum Durchbruch. Führend auch als Medailleur. Erhalten u. a. einige

Holzbildwerke und Modelle sowie Handzeichnungen und Holzschnitte (Musterbuch, hg. 1549).

Flotow, Friedrich von [...to], * Gut Teutendorf (Mecklenburg) 27. April 1812, † Darmstadt 24. Jan. 1883, dt. Komponist. – Komponierte zahlr. Opern, die der Tradition der frz. Opéra comique nahestehen, u. a. „Alessandro Stradella" (1844), „Martha" (1847).

Flotte, Gesamtheit der Schiffe eines Staates (Handels-, Kriegs-, Fischerei-F.); i. e. S. größerer Schiffsverband.

Flotte [niederdt.], Flüssigkeit, in der Textilien gewaschen, gebleicht, gefärbt oder imprägniert werden.

Flottenabkommen ↑ Deutsch-Britisches Flottenabkommen 1935, ↑ Washingtoner Flottenabkommen.

Flottenverein ↑ Deutscher Flottenverein.

Flottille [flɔ'tɪl(j)ə; span.], früher Bez. für einen takt. Verband kleinerer Kriegsschiffe; in der dt. Bundesmarine ein fast ausschließl. administrativer Verband von Schiffen bzw. Booten der gleichen Kriegsschiffgattung.

flottmachen, ein auf Grund gelaufenes Schiff wieder zum freien Schwimmen bringen.

Flotzmaul, die durch Drüsenabsonderungen stets schleimig feuchte Hautpartie zw. den Nasenlöchern und der Oberlippe des Rindes.

Flower-power [engl. 'flauəpauə „Blumengewalt"], Ende der 60er Jahre Schlagwort der Hippies, die in der Konfrontation mit der bürgerl. Gesellschaft Blumen als Symbol für ihr Ideal einer humanisierten Gesellschaft verwendeten.

Florida Keys. Blick über die Florida Keys bei Key West

Flöz [urspr. „geebneter Boden" (zu althochdt. flaz „flach, breit")], bergmänn. Bez. für eine Schicht nutzbarer Gesteine oder Minerale (z. B. Kohle, Kalisalze).

Fluate [Kw.] (Fluorosilicate), Salze der ↑ Kieselfluorwasserstoffsäure; $H_2[SiF_6]$; dienen v. a. zum Wasserdichtmachen von Zement **(fluatieren)**, wobei unlösl. Calciumfluorid (CaF_2) und Siliciumdioxid (SiO_2) entsteht.

Fluch, in der Religionsgeschichte gegen Menschen, auch gegen Tiere oder Sachen gerichteter Unheilswunsch, Gegenteil des Segens; oft unterstützt durch symbol. Gesten. Häufig wird auch die Erfüllung des Unheilswunsches von einer richtenden Gottheit erfleht.

Flucht, (heiml.) Enteilen. Zum *Recht* ↑ Haftbefehl, ↑ vorläufige Festnahme.

Flucht [niederdt.], vertikale Ebene, entlang der Gebäude (↑ Baulinie) oder Innenräume oder Bauteile aneinandergereiht werden.

Fluchtbewegung, im Selbsterhaltungstrieb verankerte Reaktion eines Lebewesens zum Verlassen des Bereichs unangenehmer Reize.

Fluchtburgen ↑ Fliehburgen.

Fluchtdistanz, der Abstand, von dem ab ein Tier keine weitere Annäherung eines mögl. Feindes mehr duldet, sondern die Flucht ergreift.

Fluchtgeschwindigkeit, svw. ↑ Entweichgeschwindigkeit.

Flüchtigkeit, allg. die Eigenschaft flüssiger und fester Stoffe, mehr oder weniger stark durch Verdunstung in den Dampfzustand überzugehen.

Flugabwehr. Fla-Raketenpanzer „Roland" des Heeres der Bundeswehr

Flüchtlinge, Personen, die v. a. aus polit., religiösen oder rass. Gründen, durch polit. Maßnahmen, Krieg oder andere existenzgefährdende Notlagen ihren Heimatstaat vorübergehend oder auf Dauer verlassen haben. Die Staatenpraxis wurde mit dem Problem der F. erstmals nach dem 1. Weltkrieg befaßt. Nach dem 2. Weltkrieg wurde innerhalb der UN die Internat. Flüchtlingsorganisation gegr. Seit 1951 erfolgt eine Betreuung der F. durch den Flüchtlingskommissar der UN (UNHCR). Das Genfer Abkommen über die Rechtsstellung der F. vom 28. 7. 1951 enthält u. a. eine Definition des Begriffs (polit.) F. (Art. 1) und regelt deren Status. Danach richtet sich der Personalstatus eines F. in erster Linie nach dem Recht des Landes seines Wohnsitzes (Art. 12). Bezüglich des Erwerbs von bewegl. und unbewegl. Vermögen und in der Ausübung einer nichtselbständigen Erwerbstätigkeit sind die F. den am günstigsten behandelten Ausländern gleichgestellt (Art. 13, 17). Der Zugang zu den Gerichten des Aufenthaltsstaates ist gewährleistet (Art. 16). F. haben Anspruch auf Ausstellung eines Reise- bzw. Personalausweises durch den Aufenthaltsstaat. Eine Ausweisung oder Zurückweisung über die Grenzen eines Staates, in dem ihr Leben oder ihre Freiheit wegen Rasse, Religion, Staatsangehörigkeit, Zugehörigkeit zu einer bestimmten sozialen Gruppe oder polit. Überzeugung gefährdet wäre, ist untersagt. Die Zahl der F. betrug nach UNHCR-Angaben 1993 rd. 19 Mill. Sie ist weltweit im Steigen begriffen. Dabei wächst neben der Zahl der polit. F. auch die Zahl derer, die vor wirtsch. und sozialen Notzuständen fliehen (Wirtschafts-F.).

Fluchtpunkt ↑ Perspektive.

Fludd (Flud), Robert [engl. flʌd], latinisiert Robertus de Fluctibus, *Milgate Park (= Bearsted, Kent) 1574, † London 8. Sept. 1637, engl. Arzt. – Neben Paracelsus bekanntester Arzt und Okkultist; gilt als geistiger Vater der Freimaurerei. Schrieb u. a. eine Kosmologie und eine Krankheitslehre; verteidigte die Rosenkreuzer.

Flüe, Nikolaus von ↑ Nikolaus von Flüe.

Flüelapaß ↑ Alpenpässe (Übersicht).

Flüelen, Gemeinde im schweizer. Kt. Uri, am S-Ende des Vierwaldstätter Sees, 1 700 E. Fremdenverkehr; Tellskapelle (1879) mit vier Fresken aus der Tellsage (1878–82).

Flug, in der *Biologie* ↑ Fortbewegung.

◆ in der *Physik* ↑ fliegen.

Flugabwehr, Abk. Fla, Bestandteil der Luftverteidigung; Aufgabe der Flugabwehr-Raketenverbände der Luftwaffe und der Heeresflugabwehrtruppe.

Flugalarmdienst ↑ Flugsicherung.

Flugangelei ↑ Angelfischerei.

Flugball, beim Tennis ein Ball, der vor der Bodenberührung zurückgeschlagen wird.

Flugbenzin ↑ Flugkraftstoffe.

Flugbetankung, svw. ↑ Luftbetankung.

Flugbeutler, Beuteltiere (Fam. Kletterbeutler), die durch eine zw. Vorder- und Hinterbeinen ausspannbare Flughaut zum Gleitflug befähigt sind; z. B. Gleithörnchenbeutler, Riesenflugbeutler.

Flugbild, charakterist. Erscheinungsbild eines fliegenden Vogels.

Flugblatt, ein- oder zweiseitig bedrucktes Blatt, das aus aktuellem Anlaß verbreitet wird. Inhalt: polit. Propaganda, kommerzielle Werbung, Ankündigungen, Aufrufe u. a. – ↑ Einblattdrucke, ↑ Flugschrift.

Flugboot, ein Wasserflugzeug, dessen Rumpf als Schwimmkörper ausgebildet ist, meist mit zusätzl. Stützschwimmern unter den Tragflächen; heute v. a. verwendet als U-Boot-Jäger und Seenotflugzeug.

Flugbrand (Staubbrand, Ustilago), durch verschiedene Brandpilzarten hervorgerufene Getreidekrankheiten; z. B. der *F. des Hafers,* bei dem der Keimling von Ustilago avenae befallen wird. Der Pilz wächst mit der Pflanze empor und entwickelt in den Blütenständen eine Fülle dunkelbrauner Sporen, die durch den Wind auf gesunde Blütenstände übertragen werden; Bekämpfung erfolgt durch Saatgutbeizung.

Flugdatenschreiber (Flugschreiber), automat. Registriergerät, mit dem fortlaufend Flugdaten (z. B. Fluglage, -höhe, -geschwindigkeit) auf Metallmagnetband festgehalten werden. F. werden v. a. von Verkehrsflugzeugen zur nachträgl. Kontrolle mitgeführt und dienen als sog. **Unfallschreiber** in einem bruch- und feuersicheren Gehäuse zur Rekonstruktion eines Unfallhergangs.

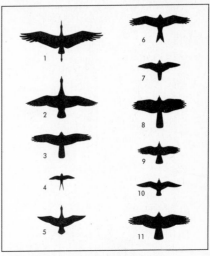

Flugbild. 1 Weißer Storch, 2 Graugans, 3 Kornweihe, 4 Rauchschwalbe, 5 Stockente, 6 Roter Milan, 7 Wanderfalke, 8 Habicht, 9 Rabenkrähe, 10 Lachmöve, 11 Mäusebussard

Flugdrachen (Draco), Gatt. 20–27 cm langer Agamen mit etwa 15 Arten in den Regenwäldern SO-Asiens und des Malaiischen Archipels; an den Seiten des schlanken Rumpfs beiderseits ein großer, flügelartiger Hautlappen, der mit Hilfe der stark verlängerten letzten 5–7 Rippen gespreizt werden kann, wodurch die F. zu (bis über 100 m weiten) Gleitflügen befähigt werden.

Flugechsen, svw. ↑ Flugsaurier.

Flügel, (Alae) dem Fliegen dienende Gliedmaße verschiedener Tiere. F. sind Umbildungen der Vorderextremitäten (wie bei den Flugsauriern, Vögeln und Flattertieren) oder Ausstülpungen der Körperoberfläche (z. B. bei den Insekten).

◆ (Alae) in der *Botanik* Bez. für die beiden kleineren seitl. Blütenblätter bei Schmetterlingsblütlern.

◆ in der *Luftfahrt* svw. Tragflügel (↑ Flugzeug).

◆ in der *Architektur* Baukörper, der [im Winkel] an den Hauptbau anschließt.

◆ *militär.:* der äußerste rechte oder linke Teil einer im Gefecht aufmarschierten Truppe; nicht zu verwechseln mit dem Begriff Flanke.

◆ Bez. für Klavierinstrumente (in der Form einem Vogelflügel ähnl.), bei denen die Saiten in Richtung der Tasten verlaufen (↑ Klavier).

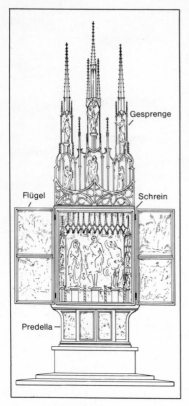

Gesprenge

Flügel

Schrein

Predella

Flügelaltar

Flügeladern, versteifte, röhrenförmige Längs- und Querfalten der Insektenflügel.

Flügeladjutant, urspr. Offizier zur Befehlsübermittlung an die Flügel des Heeres, später Offizier „im persönl. Dienst" regierender Fürsten.

Flügelaltar (Wandelaltar), spätgot. Altarform (15./16. Jh.) nördlich der Alpen, mit feststehendem Mittelteil (gemalter Tafel oder geschnitztem Schrein) und zwei oder mehr bewegl. Flügeln; als Untersatz eine ↑ Predella (Staffel); als Aufbau oft ein ↑ Gesprenge.

Flügeldecken, svw. ↑ Deckflügel.

Flügelfell (Pterygium), Wucherung der Augapfelbindehaut; auf die Hornhaut übergreifend.

Flügelhorn, das Sopraninstrument der Bügelhornfamilie, dem Kornett verwandt, meist in B-Stimmung.

Flügelnuß, Bez. für eine Nußfrucht mit einem oder mehreren flügelartigen Auswüchsen oder Anhängseln, z. B. die der Esche.

Flügelschnecken (Stromboidea), Überfam. meerbewohnender Vorderkiemer mit bis 30 cm langem Gehäuse, dessen Mündungsrand bei erwachsenen Tieren oft flügelartig verbreitert ist; Schale schwer, außen meist weißlich, innen porzellanartig glänzend, oft rosa- bis orangefarben. Bekannteste Arten sind: **Pelikanfuß** (Aporrhais pespelecani), bis 5 cm lang, auf Schlamm- und Sandböden der europ. Küsten; Schale außen gelblich bis braun. **Fechterschnecke** (Riesen-F., Strombus gigas), etwa 20–30 cm groß, in der Karib. See; Gehäuse dickwandig, bräunlich gemustert, innen rosafarben, porzellanartig glänzend. Größeren Arten sind bei Sammlern begehrt und in ihrem Bestand bedroht.

Flugenten, wm. Bez. für eben flügge gewordene Wildenten.

Flugfrösche, svw. ↑ Ruderfrösche.

Flugfuchs ↑ Flederhunde.

flügge [niederdt.], flugfähig (von jungen Vögeln gesagt).

Flughaare, Haarbildungen an Früchten oder Samen, die eine Verbreitung durch den Wind begünstigen, z. B. bei Löwenzahnarten.

Flughafen (engl. Airport), größerer Flugplatz für den zivilen, insbes. für den Linien- und Charterflugverkehr **(Verkehrsflughafen).** Der militär. Flugbetrieb wird auf den **Militärflughäfen** (Luftbasis, engl. Airbase) abgewikkelt. **Landeplätze** (ohne Einrichtungen zur Personen- oder Güterabfertigung) dienen Sport-, Segel- und häufig auch Geschäftsflugzeugen. Mit Rücksicht auf eine möglichst häufige Benutzbarkeit werden auf den F. eine oder mehrere betonierte Hauptpisten **(Start-Lande-Bahnen)** in der im Jahresdurchschnitt vorherrschenden Windrichtung angelegt und gegebenenfalls durch zusätzl. [Querwind]pisten zu einem Parallel-, Triangular- oder Tangentialsystem ergänzt. Die im internat. Luftverkehr angeflogenen F. werden nach der Pistenlänge klassifiziert. Üblich sind Längen von 2 000–4 000 m und Pistenbreiten von 45–60 m. Die Pisten sind durch betonierte **Rollwege** mit dem Vorfeld des F. verbunden, an dem das Abfertigungsgebäude liegt. Auf dem **Vorfeld** befinden sich die Abfertigungsposition und Abstellplätze für die Flugzeuge. Der Bodenverkehr auf dem Vorfeld (rollende oder durch Flugzeugschlepper bewegte Flugzeuge, Borddienstfahrzeuge, Tankwagen und Fluggastomnibusse) wird von der Verkehrsleitung des F. überwacht. Die Betankung der Flugzeuge wird entweder durch Tankfahrzeuge oder durch ein unterird. Hydrantensystem (Unterflurbetankungssystem) vorgenommen. – Der Komplex des **Abfertigungsgebäudes** enthält neben den Räumen und

Einrichtungen, die direkt der Abfertigung der Passagiere (Flugscheinkontrolle) und ihres Gepäcks dienen, noch Dienststellen des Zolls, der Grenzpolizei, der Gesundheitsbehörde, Geschäftsräume von Dienstleistungsbetrieben, Flugleitungsbüros der Luftverkehrsgesellschaften, die Verkehrsleitung, die Flugwetterwarte und die F.verwaltung. Die Dienststellen der Flugsicherung sind in einem bes. Teil des Gebäudes, dem **Tower**, untergebracht, von dem aus sich das gesamte Vorfeld und die Pisten gut beobachten lassen. Die Abfertigungsgebäude sind als Zentralgebäude mit offenem Vorfeld bzw. als Zentralgebäude mit in den Vorfeldbereich hineinragenden „Fingern", Flugsteigköpfen oder Satellitengebäuden angelegt; die Verkehrsführung innerhalb der Gebäude erfolgt getrennt für ankommenden und abfliegenden Verkehr, damit ein schneller, überschneidungsfreier Passagier-, Gepäck- und Frachtfluß von und zu den Flugzeugen gewährleistet werden kann. F. brauchen wegen Art und Umfang des vorgesehenen Flugbetriebs eine Sicherung durch einen *Bauschutzbereich* (Bereich, in dem bestimmte Baubeschränkungen, z. B. Beschränkung der Bauhöhen, gelten). Landeplätze brauchen diesen Schutzbereich nicht. Weitere Einzelheiten über die Errichtung von Flugplätzen regelt die Luftverkehrszulassungsordnung. In *Österreich* und in der

Flughafen. Terminal des Rhein-Main-Flughafens bei Frankfurt am Main

Schweiz bestehen dem dt. Recht entsprechende Regelungen.

📖 *Abfertigungsgebäude u. Terminals für den Flugverkehr. Bearb. v. U. Stark. Stg. ²1988. – Startbahnen für den Flugverkehr. Bearb. v. U. Stark. Stg. ²1988. – Kratz, B.: Möglichkeiten der Gestaltung des Materialflusses auf Verkehrsflughäfen. Pfaffenweiler 1985. – F.projekte als Politikum. Hg. v. D. Rucht. Ffm. 1984.*

Flughähne (Dactylopteridae), artenarme Knochenfischfam. in trop. und subtrop. Meeren; in der Gestalt den Knurrhähnen ähnelnd, Körper länglich mit plumpem, gepanzertem Kopf; hinterer Abschnitt der Brustflossen extrem flügelartig vergrößert. F. können mit Hilfe der ausgebreiteten Brustflossen (nach schnellen Schlägen der Schwanzflosse) ohne weiteren Antrieb durch das Wasser gleiten.

Flughaut (Patagium), ausspannbare, durch das Extremitätenskelett oder bes. Skelettbildungen gestützte Hautfalte bei Wirbeltieren, die zum Gleitflug oder (bei den Flattertieren) zum aktiven Flug befähigt und bei Vögeln das Flugprofil verbessert.

Flughörnchen (Gleithörnchen, Pteromyinae), Unterfam. 7–60 cm langer Hörnchen mit etwa 40 Arten in den Wäldern NO-Europas, Asiens und des Malaiischen Archipels, zwei Arten in N- und M-Amerika; Schwanz meist körperlang und buschig, dient als Steuerorgan; mit großer Flughaut (ermöglicht über 50 m weite Gleitflüge); Augen groß, vorstehend; Pflanzenfresser. – Bekannte Ar-

ten sind: **Ljutaga** (Eurasiat. F., *Pteromys volans*), etwa 15 cm (mit Schwanz bis 30 cm) lang, oberseits silbrig graubraun, unterseits weiß; **Nordamerikan. Flughörnchen** (*Glaucomys volans*), etwa 13–15 cm (mit Schwanz bis 25 cm) lang, oberseits grau, unterseits weißlich bis cremefarben; **Taguan** (Riesen-F., *Petaurista petaurista*), etwa 60 cm lang, kastanienbraun mit grauschwarzem Rücken.

Flughühner (Pteroclididae), seit dem Oligozän bekannte Fam. amsel- bis krähengroßer Vögel mit 16 Arten, v. a. in den Steppen und wüstenartigen Trockenlandschaften der Alten Welt; meist sandfarben braune Bodenvögel mit kurzem Schnabel, kurzen Füßen, spitzen, langen Flügeln und spitzem Schwanz. In den Steppen zw. Kasp. Meer und Z-Asien kommt das bis 40 cm lange **Steppenhuhn** (*Syrrhaptes paradoxus*) vor. Das über 30 cm lange **Spießflughuhn** (Pterocles alchata) ist in S-Europa, Vorder- und M-Asien verbreitet. Rd. 35 cm lang ist das v. a. in Steppen und wüstenartigen Landschaften S-Spaniens, N-Afrikas und SW-Asiens vorkommende **Sandflughuhn** (Pterocles orientalis).

Flughunde ↑Flederhunde.

Fluginformationsdienst ↑Flugsicherung.

Fluginsekten (Pterygota), mit etwa 750 000 Arten weltweit verbreitete Unterklasse der Insekten; mit urspr. je 1 Flügelpaar am mittleren und hinteren Brustsegment, sekundär mitunter flügellos (bes. bei extrem parasit. lebenden Arten, wie Federlingen, Läusen, Flöhen); zwei Flügelpaare haben z. B. Libellen, Schmetterlinge, Hautflügler, Käfer.

Flugkörper (engl. missiles), militär. Sammelbez. für unbemannte Geräte, die sich mit oder ohne Eigenantrieb auf einer Flugbahn bewegen (Rohrwaffengeschosse und frei fallende Bomben zählen nicht zu den F.); Einteilung nach Lenkbarkeit, Antrieb oder Verwendungszweck (Boden-Luft-, Luft-Luft-, Luft-Boden-F. usw.).

Flugkraftstoffe, Destillationsprodukte des Erdöls, die sich zum Betrieb von Flugtriebwerken eignen; für Flugmotoren Benzine der Oktanzahl 100 bis 130 (**Flugbenzin**), für Turboluftstrahl- und Staustrahltriebwerke Kerosin oder ein Mischkraftstoff aus 65 % Benzinanteilen und 35 % Kerosin.

Flugleistungen, alle charakterist. Eigenschaften (meßbare Größen) eines Flugzeugs, z. B. Flug- und Steiggeschwindigkeit in Abhängigkeit von Flughöhe und Belastung, Gipfelhöhe, Reichweite, Startstrecke.

Fluglotse, allgemeinsprachl. für Flugleiter bzw. ↑Flugsicherungsbeamter.

Flugmechanik, die Wiss. von den Bewegungen, Flugeigenschaften und -leistungen von Luftfahrzeugen bzw. Flugkörpern unter der Einwirkung von Antriebs-, Luft-, Massen- und Steuerkräften sowie den von ihnen herrührenden Drehmomenten.

Flugmotor, zum Antrieb eines Luftfahrzeugs verwendete Verbrennungskraftmaschine, die den bes. Erfordernissen des Flugbetriebs entspricht. Die Vortriebserzeugung erfolgt dabei durch eine vom F. direkt oder über ein Getriebe angetriebene Luftschraube (Propeller). F. werden heute nur noch für Sport-, Landwirtschafts- und kleine Reiseflugzeuge verwendet; sie werden als Viertakt-Ottomotoren ausgeführt, meist als luftgekühlte Reihenmotoren mit vier bis sechs Zylindern. Für größeren Leistungsbedarf sind Strahltriebwerke erforderlich.

Flugnavigationsdienst ↑Flugsicherung.

Flugplatz, für Start und Landung von Luftfahrzeugen bestimmte und behördlich zugelassene Land- oder Wasserfläche; unterschieden werden Flughäfen, Landeplätze, Hubschrauberlandeplätze und Segelfluggelände. In der BR Deutschland dürfen nach dem LuftverkehrsG i. d. F. vom 14. 1. 1981 Flugplätze nur mit Genehmigung angelegt oder betrieben werden. Die Genehmigung wird von der Luftfahrtbehörde desjenigen Landes erteilt, in dem das Gelände liegt; insbes. ist zu prüfen, ob die geplante Maßnahme die Erfordernisse der Raumordnung, der Landesplanung und des Städtebaus sowie den Schutz vor Fluglärm angemessen berücksichtigt.

Flugregler, Systemteil (Datenverarbeitungsanlage) einer automat. Flugzeugsteuerung, das die von Meßgebern ermittelten Ist-Werte der Flugbewegung mit vorgewählten oder von Navigationsanlagen, Landeführungssystemen, Fernlenkanlagen oder Flugprogrammen vorgegebenen Soll-Werten vergleicht und daraus Korrektursignale bestimmt, die über eine Servosteuerung die Ist-Bewegung in die Soll-Bewegung überführen.

Flugsand, vom Wind transportierter Sand, bei dessen Ablagerung eine Sortierung nach Korngrößen erfolgt; je weiter vom Ausgangsort entfernt, desto feinkörniger.

Flugsaurier (Flugechsen, Pterosauria), ausgestorbene, von der Oberen Trias bis zur Oberen Kreide weltweit verbreitete Kriechtierordnung; von etwa Sperlingsgröße bis 8 m Flügelspannweite, Körper entfernt fledermausähnlich, Rumpf dicht behaart; vierter Finger extrem verlängert, zw. diesem und den Hinterextremitäten je eine große, ausspannbare Flughaut; Skelettknochen lufthaltig, Schädel meist sehr stark schnabelartig verlängert. F. werden in langschwänzige (z. B. *Rhamphorhynchus*) und kurzschwänzige (z. B. *Pterodactylus*) Gatt. unterschieden. *Pteranodon* war mit über 8 m Spannweite das größte Flugtier.

Flugschein (Luftfahrerschein), vorgeschriebenes Dokument zum Führen eines
Luftfahrzeugs; Voraussetzungen: Mindestal-
ter, Flugtauglichkeit, charakterl. Zuverlässig-
keit, Bestehen einer Prüfung.

Flugschrauber ↑ Hubschrauber.

Flugschreiber, svw. ↑ Flugdatenschreiber.

Flugschriften, publizist. Erzeugnisse
meist polit., auch konfessionellen u. a. Inhalts, umfassen etwa 3–40 Seiten meist kleineren Formats, sind ungebunden und werden
wie ↑ Flugblätter unter Umgehung von Verlag
oder Buchhandlung (und Zensur) verbreitet.
Bes. während der Reformation und im Dreißigjährigen Krieg häufig verwendet (u. a.
M. Luther, T. Müntzer, J. Cochläus). F. und
Flugblätter wurden erneut in der Frz. Revolution, in den Befreiungskriegen und der Revolution von 1848 weit verbreitet. Im 20. Jh.
wurden F. und Flugblätter zu einem der
wichtigsten Werbe- und Propagandamittel
polit. Parteien und Gruppierungen unterschiedl. Charakters.

Flugsicherung, Organisation (*F.dienst*)
und Maßnahmen zur Gewährleistung der Sicherheit im Luftverkehr, im Rahmen der Vereinbarungen des Weltverbandes des Luftver-
kehrs (IATA) internat. geregelt. In der BR
Deutschland obliegt die F. der Deutschen
Flugsicherung GmbH, Sitz Offenbach am
Main. Die Aufgaben der F. erstrecken sich
v. a. auf den **Flugverkehrskontrolldienst** (u. a.
Flugplatzkontrolle, Anflugkontrolle, Bezirks-
kontrolle), den **Fluginformationsdienst** (u. a.
Wettermeldungen und -vorhersagen), den
Flugverkehrsberatungsdienst (u. a. Höhenstaf-
felung der Flugzeuge im oberen Luftraum
[rund 8 000 bis 15 000 m]), den **Flugalarmdienst** (u. a. Such- und Rettungsaktionen) und
den **Flugnavigationsdienst** (Einrichtung, Betrieb und Überwachung der Bodenanlagen
zur Navigation [Funkfeuer, Radar]). Der
Luftraum über dem größten Teil der Erdoberfläche und über den Weltmeeren ist in
Fluginformationsgebiete eingeteilt, in denen
F.kontrollbezirke (und die Luftstra-
ßen und Nahverkehrsbereiche umfassen. Alle von Verkehrsflugzeugen regelmäßig angeflogenen Flughäfen haben *F.stellen.* Auf dem
jeweils größten Flughafen eines Staates befindet sich eine *Flugsicherungszentrale.*
📖 *Mensen, H.: Moderne F. Bln. 1989.*

Flugsicherungsbeamter (Fluglotse),
Beruf bei der Bundesanstalt für Flugsicherung im techn. und nichttechn. Dienst (Überwachen und Lenken des Flugverkehrs).

Flugsimulator, Gerät, das einen Teil
oder alle bei einem Flug auftretenden Bedingungen zur Pilotenschulung nachbilden (si-
mulieren) kann (insbes. Gefahrenzustände,
wie Triebwerksausfall).

Flugschrift über den Kriegszug Kaiser
Karls V. nach Algier (1541)

Flugsport, svw. ↑ Luftsport.

Flugtriebwerke (Flugzeugtriebwerke),
zum Antrieb von Luftfahrzeugen verwendete
↑ Triebwerke.

Flugüberwachungsinstrumente,
Bordinstrumente zur Überwachung der Flug-
lage und des Flugzustands: Neigungsmesser,
Wendezeiger, Kreiselkompaß, Höhenmesser,
Fahrtmesser.

Flugverkehrsberatungsdienst
↑ Flugsicherung.

Flugverkehrskontrolldienst ↑ Flugsicherung.

Flugwetterdienst, Teil des prakt. Wet-
terdienstes; im Vordergrund steht die *meteorolog. Flugberatung* durch die Flugwetterwar-
ten der Verkehrsflughäfen.

Flugwild (Federwild), wm. Bez. für alle
jagdbaren Vögel.

Flugzeug, Luftfahrzeug, das während
des Fluges durch den aerodynam. Auftrieb
feststehender bzw. umlaufender Flügel getragen wird; der Übergang vom Boden in die
Luft wird bei den meisten F.typen durch eine
beschleunigte Rollbewegung bis zum Erreichen der zum Fliegen erforderl. Abhebege-
schwindigkeit bewirkt. Zur Überwindung des
durch die Bewegung des F. und die Auf-

Flugzeug. Doppeldecker-Gleitflugzeug
von Otto Lilienthal; 1894

triebserzeugung hervorgerufenen Luftwiderstands ist Antriebsenergie erforderlich, die von Flugtriebwerken geliefert wird bzw. bei triebwerkslosen F. (Segelflugzeug) aus der Verminderung potentieller Energie (Flughöhe, Gleitflug) oder der Energie aufsteigender Luft (Aufwind, Thermik) gewonnen wird.
Flugzeugkunde: Die Vielzahl der F.typen läßt sich nach verschiedenen Gesichtspunkten ordnen. Entsprechend dem *Verwendungszweck* unterscheidet man Sport-F., Schul-F., Geschäftsreise-F., Verkehrs- und Fracht-F., Militär-F. sowie Versuchsflugzeuge. Nach der *Start-* und *Landetechnik* sind zunächst Land-, Wasser- und Amphibien-F. zu unterscheiden. Gemeinsam gehören die genannten Arten zu den *Flachstartern* (HTOL, Abk. für engl.: horizontal take-off and landing). Werden Start- und Landestrecke durch bes. Einrichtungen zur Schubsteigerung und/oder Auftriebserhöhung verkürzt, so handelt es sich um STOL-F. (Abk. für engl.: short take-off and landing). VTOL-F. (Abk. für engl.: vertical take-off and landing) können senkrecht aufsteigen und in den horizontalen Reiseflug übergehen (Transition) bzw. aus diesem heraus zur senkrechten Landung ansetzen. In diese Gruppe gehören Hubschrauber, Heckstarter, Kippflügel-F. und F. mit Hubtriebwerken und/oder Schwenktriebwerken. Die *Auftriebserzeugung* kann gleichfalls als Gruppierungsmerkmal dienen. Danach gibt es Starrflügel-F., bei denen der fest mit dem Rumpf verbundene Flügel infolge seiner geometr. Gestaltung und Anstellung aerodynamisch vorwiegend als Quertriebkörper wirkt, und Drehflügel-F. (Hubschrauber), bei denen die umlaufenden Flügel von Rotoren den Auftrieb erzeugen. Nach der *Vortriebserzeugung* unterscheidet man F. mit Propeller-, F. mit Strahl- und F. mit Raketenantrieb. Entsprechend der *Flügel-Rumpf-Zuordnung* unterscheidet man Eindecker und Mehrdecker. Die Konstruktion des **Leitwerks** ist ein weiteres Unterscheidungsmerkmal. Das Leitwerk sorgt für stat. und dynam. Stabilität um Quer- und Hochachse; normalerweise ist das Leitwerk (Höhenleitwerk, Seitenleitwerk) am Rumpfende oder an einem Leitwerksträger hinter dem Tragflügel angeordnet. Ein V-Leitwerk, das den vergleichsweise geringsten Luftwiderstand ergibt, hat nur zwei in einem Winkel von etwa 90° zueinander angeordnete Teilflügel, die die Aufgaben von Höhen- und Seitenleitwerk übernehmen. Bei T-Leitwerken ist das Höhenleitwerk oben auf das Seitenleitwerk aufgesetzt; es wird vorwiegend bei F. mit Heck angebrachten Luftstrahltriebwerken angewendet. – *Delta-F.* haben kein separates Höhenleitwerk; zur Höhensteuerung werden Flügelruder benutzt, die zugleich als Querruder dienen (Elevons).
Tragflügel: Nach der Art der Tragflügel unterscheidet man **Geradflügel-** und **Ringflügel-F.** Der oder die Tragflügel können durch Verstrebung oder Spannkabel zum Rumpf abgestützt oder freitragend sein. Das **Tandemflügel-F.** besitzt zwei hintereinanderliegende Flügel, während F. ohne Rumpf und Leitwerk **Nurflügel-F.** genannt werden. – Als Grundrißformen werden **Rechteck-** und bes. **Trapezflügel** bevorzugt. Durch große Flügelstreckung (das Verhältnis von Spannweite zur mittleren Flügeltiefe) kann im Unterschallbereich der auftriebsabhängige Widerstandsanteil (der induzierte Widerstand) klein gehalten werden; im Überschallbereich hingegen sind kleine Flügelstreckungen günstiger. Durch **Pfeilflügel**, d. h. Zurückverlegung (positive Pfeilung) oder Vorverlegung (negative Pfeilung) der Flügelspitzen gegenüber der Flügelwurzel (Rumpfanschlußstelle) kann die krit. Geschwindigkeit, bei der eine starke Widerstandszunahme infolge des Auftretens von Verdichtungsstößen beginnt, zu höheren Werten verschoben werden. Starke Pfeilung der Flügelvorderkante und kleine Flügelstreckung führen schließlich zum dreieckför-

Flugzeug. Doppeldecker der Brüder
Gabriel und Charles Voisin; 1907/08

migen **Deltaflügel** (oder dem mit gewinkelter Vorderkante versehenen **Doppeldeltaflügel**), der neben günstigem Widerstandsverhalten im Schallgrenz- und Überschallbereich auch baul. Vorteile (große Steifigkeit bei geringer Baumasse) bietet und derzeit als bestgeeigneter Flügel für den Überschallflug gilt.

Werkstoffe und Bauweisen: Unter den Werkstoffen des konventionellen F.baus stehen Aluminiumlegierungen an erster Stelle; ihre hohen Festigkeiten und die Tatsache, daß sie bei tiefen Temperaturen weder an Zähfestigkeit noch an Kerbschlagzähigkeit einbüßen, machen sie zu idealen Leichtbauwerkstoffen. Die vorhandene natürl. Passivierung gegen Korrosionseinflüsse wird durch anod. Oxidation, oft zusammen mit bes. Imprägnierung, oder durch Plattieren verbessert. – In zunehmendem Maße werden kohlefaserverstärkte Kunststoffe (CFK) verwendet, die Gewichtseinsparungen von 30 % ermöglichen.

Für Geschwindigkeiten über Mach 2,5 ist wegen der dann verstärkten kinet. Erwärmung die Warmfestigkeit der Aluminiumlegierungen nicht mehr ausreichend; in diesem Fall werden Titan- und Stahl-Nickel-Legierungen verwendet. – Im Leichtflugzeugbau (Sport- und Segel-F.) werden bes. glasfaserverstärkte Kunststoffe und Holz bevorzugt; Rumpfgerüste werden aus Stahlrohren hergestellt. Für Frontscheiben, Fenster und Kabinenhauben werden v. a. Acrylgläser (mit Zwischenschichten aus speziellen Kunststoffen) verwendet.

Rumpf, Tragwerks- und Leitwerksflügel sind röhrenartige Gebilde von großer Biege- und Verdrehsteifigkeit, die alle durch die Belastungen des F. hervorgerufenen Kräfte aufnehmen müssen; sie sind meist aus Spanten (Rippen), Stringern (Gurten) und mittragender Außenbeplankung aufgebaut *(Schalenbauweise)*. Die Verbindung der einzelnen

Flugzeug. Verkehrsflugzeug Junkers
Ju 52; 1931

Bauteile miteinander erfolgt durch Nieten und Verschrauben, durch Kleben und Schweißen. Werden die Versteifungen (Stringer) der Außenbeplankung zus. mit dieser in einem Stück durch Pressen oder Fräsen aus dem Vollen hergestellt, so spricht man von *Integralbauweise*. In *Sandwichbauweise* hergestellte Bauteile (z. B. Bodenplatten, Flügeldeckbleche und ganze Ruder) zeichnen sich durch hohe Belastbarkeit bei niedrigem Eigengewicht aus (bes. für den militär. Bereich).

Baugruppen: Ein F. besteht aus verschiedenen Baugruppen. Tragwerk, Leitwerk und Rumpf ergeben die tragende Konstruktion, die **Flugzeugzelle.** Am Tragwerk sind die zur Steuerung um die Längsachse erforderl. Querruder, die Vorflügel und Klappen zur Auftriebserhöhung sowie bes. Klappen zur Auftriebsverringerung (Spoiler, Lift-dumpers) und zur Begrenzung der Endgeschwindigkeit im Sturzflug angebracht. – Die **Leitwerke** bestehen aus Flosse und Ruder; das Höhenleitwerk dient zur Stabilisierung, Dämpfung und Steuerung der Bewegungen um die F.querachse, das Seitenleitwerk übernimmt diese Aufgabe für die Hochachse. – Der **Rumpf,** meist mit rundem oder ovalem

Flugzeug.
BAC-Aerospatiale
„Concorde",
Langstreckenüberschall-
verkehrsflugzeug

Flugzeug. Bomber
Boeing B 17 G,
US-Air Force; 1941

Querschnitt, nimmt außer der Besatzung die Ausrüstung und die Nutzlast (Passagiere, Gepäck, Fracht, Waffen) auf. Bei F., die regelmäßig in Höhen über 3 000 m eingesetzt werden, wird der Rumpf insgesamt oder teilweise als Druckkabine gestaltet. Bei Fracht-F. können vielfach zum Laden sperriger Güter die Rumpfnase bzw. das -heck mit dem Leitwerk aufgeklappt werden, so daß der gesamte Rumpfquerschnitt freigegeben wird, oder es sind in der Rumpfseitenwand bzw. im -heck große Ladeluken vorhanden. Das **Fahrwerk** ist eine mit luftbereiften Rädern ausgestattete Vorrichtung, die das F. am Boden tragen, Bodenbewegungen ermöglichen und die insbes. beim Aufsetzen auftretenden Kräfte aufnehmen und das F. abbremsen soll. Das früher viel verwendete **Spornradfahrwerk**, mit zwei Radsätzen kurz vor dem Schwerpunkt und einem schwenkbaren Spornrad am Heck, ist nur noch bei Leicht-F. zu finden. Das heute überwiegend verwendete **Bugradfahrwerk** ist mit einem lenkbaren Radsatz am F.bug und zwei Radsätzen kurz hinter dem F.schwerpunkt ausgestattet. – Beim seltenen **Tandemfahrwerk** sind zwei Radsätze hintereinander unter dem Rumpf und leichte Stützräder unter den Tragflächen angeordnet. Das Fahrwerk kann starr am Trag- oder Rumpfwerk angeschlossen sein, oder es wird zur Minderung des Luftwiderstandes im Flug in Flügel oder Rumpf oder in besondere Fahrwerksgondeln eingezogen **(Einziehfahrwerk).** Hubschrauber haben teilweise nur ein starres **Kufenfahrwerk.**
Unebenheiten der Rollbahnen und bes. der

Flugzeug. Jagdflugzeug Messerschmitt
Bf 109 G (Me 109); Erstflug 1934

Landestoß werden von der Federung abgefangen. Zum Abbremsen des F. nach dem Aufsetzen ist das Fahrwerk heute fast ausschließlich mit Scheibenbremsen versehen. Häufig werden bes. Einrichtungen zum *Blokkierschutz (Bremskraftregler)* eingebaut, die volle Bremsleistung ohne Gefahr des Radblockierens und damit kürzesten Bremsweg ermöglichen.
Geschichte: Dem F.bau liegt die Idee der Imitation des Vogelflugs zugrunde, die schon in der antiken Sage (Dädalus, Ikarus) auftaucht. Um 1500 entwarf Leonardo da Vinci Flugapparate, deren Flügel durch Muskelkraft bewegt werden sollten. In Großbritannien begann 1792 G. Cayley mit Modellen starrflügeliger Flugapparate zu experimentieren. Er entwickelte die noch heute übl. F.form und erprobte 1852/53 das erste Gleit-F., das einen Menschen trug. Unter den Pionieren des Gleitflugs ragt O. Lilienthal heraus, dessen bis 300 m weiten Versuchsflüge (1891–96) die Grundlage für den erfolgreichen Segelflug legten. In Amerika setzten O. Chanute und A. M. Herring die Gleitflugversuche fort. Chanutes Werk „Progress in flying machines" (1894) diente den Gebrüdern Wright als Lehrbuch. Nachdem ihnen die Beherrschung des Segelflugs gelungen war, führten sie 1903 mit dem von einem 12-PS-Benzinmotor angetriebenen Doppeldecker die ersten Motorflüge durch. 1905 nahmen die Gebrüder Voisin in Paris den F.bau auf. Im August 1909 wurde in Reims bereits der erste Weltflugtag abgehalten, nachdem schon im Juli L. Blériot den Ärmelkanal überflogen hatte. Die durch den 1. Weltkrieg beschleunigte Weiterentwicklung leitete die Spezialisierung in der F.konstruktion ein. H. Junkers stellte 1915 das erste Ganzmetall-F. (F-13) her. Damit war im wesentlichen die zukünftige F.form vorgezeichnet: der mit einem Leichtmetallrumpf ausgestattete, freitragende Eindecker mit vorn angebrachten Luftschrauben und am Ende des Rumpfs befindl. Leitwerk. – Nach dem 1. Weltkrieg gelang erstmals die Atlantiküberquerung mit F. (1919 J. W. Alcock und A. W. Brown, Strecke Neufundland-Irland; 1927 Nonstopflug C. A. Lindberghs von New York nach Paris). Mit der zunehmenden Erkenntnis der wirtsch. Bedeutung des F. wurde der

F.bau immer stärker auf wiss. Grundlagen gestellt. Die Propeller der F. wurden anfangs mit wassergekühlten, bald aber mit luftgekühlten Motoren angetrieben. Das erste mit einem Turboluftstrahltriebwerk ausgerüstete F. (Heinkel He-178) führte 1939 seinen Jungfernflug durch. In den 50er Jahren fanden Strahl-F. auch Eingang in den zivilen Luftverkehr, 1968/69 wurden erstmals Überschallflugzeuge im Passagierliniendienst eingesetzt (die brit.-frz. „Concorde" und die sowjet. „Tupolew Tu-144"), die sich aber wegen großer Lärmbelastung v. a. im Flughafenbereich nicht durchsetzen konnten. – ↑ Hubschrauber.

🛇 *Neue Technologien im F.bau. Hg. v. R. Grube u. A. Evers. Alsbach* ²*1989. – Götsch, E.: Einf. in die Luftfahrzeugtechnik. Alsbach* ⁵*1989. – Das große F.-Typenbuch. Stg.* ⁴*1987. – Lange, B.: Typenhandb. der dt. Luftfahrttechnik. Koblenz 1986. – Gersdorff, K. v./Grasmann, K.: Flugmotoren u. Strahltriebwerke. Koblenz* ²*1984. – Kutter, R.: F.-Aerodynamik. Stg. 1983. – Weltenzyklop. der Flugzeuge. Hg. v. E. Angelucci u. G. Apostolo. Dt. Übers. Mchn. 1981–85. 3 Bde.*

Flugzeugbewaffnung, Gesamtheit der Angriffs- und Verteidigungswaffen eines Flugzeugs (in der Zelle oder außerhalb in Behältern untergebrachte Rohrwaffen, gelenkte und ungelenkte Raketen, Bomben).

Flugzeugentführung ↑ Luftpiraterie.

Flugzeugführer ↑ Pilot.

Flugzeugträger, Kriegsschiff mit Flugdeck (erstreckt sich über die gesamte Schiffslänge) und Flugzeughalle unter dem Flugdeck. Die modernen F. sind mit Dampfkatapulten, Fangseilen und Winkeldeck ausgestattet, um Start- und Landebetrieb gleichzeitig zu ermöglichen.

Flugzeugvereisung, Eisansatz an einem Luftfahrzeug; entsteht als *Klareis* und *Rauheis.* Wird durch ↑ Enteisungsanlagen beseitigt.

Fluh, schweizer. Bez. für Felswand.

fluid [lat.], flüssig, fließend.

fluidal [lat.], Fließstrukturen aufweisend.

Fluidaltextur, svw. ↑ Fließgefüge.

Fluidics [lat.-engl.] ↑ Pneumatik.

Fluidik [zu lat. fluidus „fließend"], Wiss., die sich mit der Signalerfassung und -verarbeitung mittels flüssiger oder gasförmiger Medien (anstelle elektron. Bauelemente) befaßt.

Fluidum [lat. „das Fließende"], naturwiss. Begriff des 17./18.Jh. zur Bez. hypothetisch angenommener flüchtiger Stoffe, denen die Fähigkeit zugeschrieben wurde, Eigenschaften oder Wirkungen zu übertragen. Im allg. Sprachgebrauch die bes., von einer Person oder Sache ausgehende Wirkung oder Ausstrahlung.

Fluktuation [lat.], allg. Schwankung, Schwanken, Wechsel.
◆ in der *Medizin* beim Abtasten von Flüssigkeitsansammlungen entstehende wellenförmige Flüssigkeitsbewegung.
◆ in der *Biologie* svw. ↑ Massenwechsel.
◆ in der *Wirtschaft* die Gesamtheit aller Arbeitsplatzwechsel in einer Volkswirtschaft oder in einem Betrieb.

fluktuieren [lat.], schnell wechseln, schwanken.

Flums, Gem. im schweizer. Kt. Sankt Gallen, 454 m ü. d. M., 4 400 E. Baumwollspinnerei, Maschinen- und elektrochem. Ind. Westlich von F. das Kur- und Wintersportgebiet der *Flumserberge.* – F. gehörte seit dem frühen MA den Bischöfen von Chur. – Justuskirche (um 1654) mit spätgot. Chor.

Flunder ↑ Schollen.

Fluor [lat.], chem. Symbol F; Element aus der VII. Hauptgruppe des Periodensystems der chem. Elemente, Ordnungszahl 9; relative Atommasse 18,998403, Halogen; F. ist ein grünlichgelbes, giftiges Gas, das in Form dimerer Moleküle vorliegt (F_2). Schmelzpunkt $-219,62\,°C$, Siedepunkt $-188,14\,°C$, Dichte 1,696 g/l; Vorkommen als Flußspat, Kryolith und F.-Apatit, aus denen es nur durch Elektrolyse gewonnen werden kann. Als reaktionsfähigstes Element bildet F. mit fast allen Elementen (sogar Platin) Verbindungen, die ↑ Fluoride. F. wird als Raketentreibstoff (im Gemisch mit Wasserstoff, Sauerstoff oder Hydrazin), unter Wärmeabgabe (Temperaturen bis 5 000 °C) und zur Fluoridierung des Trinkwassers zum Schutz gegen ↑ Karies verwendet (wiss. umstritten).

Fluorchlorkohlenwasserstoffe, Abk. FCKW, auch als *Chlorfluorkohlenwasserstoffe* (Abk. CFKW), *Chlorfluorkohlenstoffe* (Abk. CFK), *Fluorchlorkohlenstoffe* (Abk. FCK) bezeichnete niedere Kohlenwasserstoffe, in denen die H-Atome durch Cl- und F-Atome ersetzt sind; unter Druck verflüssigbare Gase oder niedrig siedende Flüssigkeiten von hoher chem. und therm. Beständigkeit; dienen als Treibmittel für Spraydosen, als Kältemittel und zum Schäumen von Kunststoffen. – In die Stratosphäre gelangende F. können durch die kurzwellige solare UV-Strahlung zerlegt werden und Chlorradikale freisetzen, die mit dem Ozon weiter reagieren und die Ozonschicht schädigen. Als Folge davon kann die kurzwellige UV-Strahlung bis zur Erdoberfläche gelangen, wodurch sich die Gefahr von Hautkrebs erhöht. 1986 wurde deshalb von 31 Nationen beschlossen, den Verbrauch bestimmter F. ab 1990 auf den Stand von 1986 einzufrieren und ab 1992 um 20 % zu verringern. In Deutschland werden F. als Treibgas ab 1995 verboten.

Fluorescein [...rεstse...; lat.], Farbstoff, dient wegen seiner kräftigen, gelbgrünen Fluoreszenz u. a. zum Nachweis unterird. Wasserläufe und als Indikator.

Fluoreszenz [lat., nach dem Fluorit, an dem sie zuerst festgestellt wurde], charakterist. Leuchterscheinung von festen Körpern, Flüssigkeiten oder Gasen während der Bestrahlung mit Licht, Röntgen- oder Korpuskularstrahlung; eine Art der Lumineszenz. Im Ggs. zur ↑ Phosphoreszenz spricht man von F. bei den Stoffen, die kein Nachleuchten zeigen, d. h., das F.licht erlischt gleichzeitig mit der Bestrahlung oder ganz kurze Zeit (z. B. 10^{-8} s) danach. Gewöhnlich ist die emittierte Strahlung langwelliger, d. h. energieärmer als die absorbierte. Man spricht von **Resonanzfluoreszenz**, wenn aus dem einfallenden Spektrum gerade die Wellenlänge absorbiert wird, die anschließend als F.licht emittiert wird.

Fluoreszenzangiographie, Methode zur speziellen Darstellung kleinster Gefäße im Augeninnern durch Einspritzung einer Natriumfluoresceinlösung; beruht auf der Eigenschaft des Fluoresceins, Fluoreszenzlicht auszustrahlen.

Fluoreszenzmikroskop ↑ Mikroskop.

Fluor genitalis [lat.] ↑ Ausfluß.

Fluoride [lat.], Salze der Fluorwasserstoffsäure (↑ Flußsäure); die meist leicht flüchtigen Nichtmetall-F. sind starke Ätzgifte.

fluorieren [lat.], Fluor in organ. Verbindungen einführen (Ersatz von Chlor, Wasserstoff u. a. durch Fluor).

Fluorit [lat.], svw. ↑ Flußspat.

Fluorkohlenwasserstoffe, organ. Verbindungen, die sich aus Kohlenwasserstoffen durch Ersatz der Wasserstoffatome durch Fluor ableiten (Perfluorierung). Wird das Chlor nicht vollständig gegen Fluor ausgetauscht, entstehen ↑ Fluorchlorkohlenwasserstoffe. F. dienen als Kältemittel, Aerosoltreibgas, hydraul. Flüssigkeiten, Schmiermittel und zur Herstellung hochbeständiger Kunststoffe.

Fluorochrome [...'kro...; lat./griech.], [Farb]stoffe, die ein an sich nicht fluoreszierendes Objekt fluoreszieren lassen.

Fluorose [lat.], chron., durch Fluor oder Fluorverbindungen hervorgerufene entschädigungspflichtige Berufskrankheit, etwa durch langjähriges Einatmen von Fluoridstäubchen oder Fluorwasserstoff; zeigt sich in Kurzatmigkeit, Gelenksteifigkeit und weißfleckigen Zahnverfärbungen **(Dentalfluorose)** u. a. Letztere können auch durch Überdosierung von Fluorverbindungen bei der Kariesprophylaxe auftreten.

Fluorwasserstoffsäure, svw. ↑ Flußsäure.

Flur, 1. (die) im allg. Sprachgebrauch das offene Kulturland einer Siedlung im Ggs. zum Wald; 2. (der), langgestreckter Raum innerhalb einer Wohnung oder eines Hauses mit Türen zu den angrenzenden Räumen. ◆ agrar- und siedlungsgeographisch die parzellierte landw. Nutzfläche eines Siedlungs- und Wirtschaftsverbandes.

Flurbereinigung, die Zusammenlegung und wirtschaftl. Gestaltung von zersplittertem oder unwirtschaftlich geformtem ländl. Grundbesitz nach neuzeitl. betriebswirtschaftl. Gesichtspunkten zur Förderung der landw. und forstwirtschaftl. Erzeugung und der allg. Landeskultur; geregelt im FlurbereinigungsG vom 14. 7. 1953 (i. d. F. vom 16. 3. 1976) und in den Ausführungsgesetzen der Länder. Dabei sind Wege, Gräben u. a. gemeinschaftl. Anlagen zu schaffen, Bodenverbesserungen vorzunehmen, die Ortslagen aufzulockern und alle sonstigen Maßnahmen zu treffen, durch die eine Bewirtschaftung erleichtert wird. Alle Grundeigentümer im F.gebiet haben den zu den *gemeinschaftl.* und zu den *öffentl.* Anlagen erforderl. Grund nach dem Verhältnis des Wertes ihrer alten Grundstücke zu dem Wert aller Grundstücke des Gebietes aufzubringen. Nach Abzug dieser Flächen ist jeder Grundeigentümer mit Land von gleichem Wert abzufinden. Maßnahmen der F. führen nicht selten zur Zerstörung der alten Kulturlandschaft und zu Veränderungen im biolog. Gleichgewicht.

Flurbereinigungsverfahren, behördl. geleitetes Verfahren zur Durchführung der Flurbereinigung innerhalb eines bestimmten Gebietes **(Flurbereinigungsgebiet)** unter Mitwirkung der Gesamtheit der beteiligten Grundeigentümer und der landw. Berufsvertretung. Zuständig sind die Flurbereinigungsbehörden **(Flurbereinigungsämter, Kulturämter, Siedlungsämter)** und die oberen Flurbereinigungsbehörden der Länder. Die sog. **Teilnehmer** (die Grundeigentümer und Erbbauberechtigten) am F. bilden der die **Teilnehmergemeinschaft,** eine Körperschaft des öffentl. Rechts, die die gemeinschaftl. Angelegenheiten wahrzunehmen hat. Im Flurbereinigungsplan wird der Wege- und Gewässerplan aufgenommen, die gemeinschaftl. und öffentl. Anlagen sowie die alten Grundstücke und Berechtigungen der Beteiligten und ihre Abfindungen nachgewiesen und die sonstigen Rechtsverhältnisse geregelt. Über die Anfechtung von Verwaltungsakten, die im Laufe des F. ergehen, entscheidet der **Flurbereinigungssenat** beim Oberverwaltungsgericht.

Flurformen, man unterscheidet den Grundriß der Flur nach Form der Parzellen (Streifen, Blöcke), nach Größe (kurz, lang, breit, schmal) und nach Anordnung (gleich- oder kreuzlaufend, gereiht, radial). **Streifen-**

fluren bestehen aus Kurz- bzw. Langstreifenverbänden. Dazu gehört die Hufenflur *(Breitstreifenflur),* d. h. gereihte Streifen mit Hofanschluß; bei der **Einödflur** kommen die Besitzparzellen jedes einzelnen landw. Betriebes in geschlossener (arrondierter) Lage vor; der inmitten seines Besitzes liegende Einzelhof wird als *Einödhof* bezeichnet. Bei **Gemengelage** wird für einen Verband gleichlaufender Streifen der Begriff Gewann verwendet. Eine **Gewannflur** besteht ganz oder überwiegend aus Gewannen; ist sie planmäßig angelegt, z. B. bei der dt. Ostsiedlung, spricht man von **Plangewannflur.** Bei den **Blockfluren** herrscht Gemengelage vor, oft mit einem Nebeneinander von Groß- und Kleinblöcken. Reine Großblockfluren sind charakteristisch für Güter, Kolchosen, Plantagen und Kibbuzim.

Flurkarten, svw. Katasterkarten, ↑ Karte.

Flurnamen, Namen für einzelne Teile der Landschaft. Die F.forschung unterstützt die Namenforschung und Sprachwissenschaft, die Volkskunde sowie die Erforschung der Siedlungs- und Sozialgeschichte.

Flurprozession ↑ Flurumgang.

Flurstück (veraltet Katasterparzelle), Buchungseinheit des Katasters; ein zus.hängender Teil der Erdoberfläche, der vermessungstechnisch abgegrenzt und in Flurkarten und Katasterbüchern gesondert nachgewiesen wird.

Flurumgang, rituelles Umgehen der Felder, symbol. Erneuerung der Besitzergreifung und mag. Brauch zum Schutz der Fruchtbarkeit des Bodens. Durch die kirchl. **Flurprozession** soll der Segen Gottes auf Flur und Feldfrüchte herabgefleht werden.

Flurverfassung, die Regelung der Besitz- und Bodennutzungsverhältnisse in der bäuerl. Feldflur. In Deutschland ist im Alpenraum, im Schwarzwald und im Odenwald sowie im gesamten NW die Siedlung in Einzelhöfen und Höfegruppen vorherrschend, die i. d. R. mit Blockfluren verbunden ist. Diese im früheren MA noch weiter verbreitete weilerartige Siedlungsweise wurde im übrigen Deutschland seit dem 13./14.Jh. mehr und mehr von größeren Dörfern abgelöst. Eine F. erübrigte sich hier bei den Marsch- und Waldhufendörfern, bei denen die Grundstükke in ihrer Gesamtheit unmittelbar ans Gehöft angrenzten. Eine feste Regelung mußte dagegen bei Gemengelage eintreten, d. h., wenn die Feldflur in Gewanne aufgeteilt war.

Flurwüstung ↑ Wüstung.

Flush [engl. flʌʃ „das Erröten, Aufwallung"], anfallweise auftretende Hautrötung im Bereich des Gesichtes (auch an Hals, Brust und Oberarmen), u. a. hervorgerufen durch übermäßige Ausschüttung von ↑ Serotonin als Teilerscheinung des ↑ Karzinoidsyndroms.

Fluß, in der *Geographie* i. w. S. Bez. für jedes fließende Gewässer des Festlandes. I. e. S. unterscheidet man, ohne strenge Grenzen, nach der Größe Bäche, Flüsse und Ströme. Bäche und Flüsse, die in einem Strom zusammenfließen, bilden ein *F.-* oder *Stromsystem.* Das von einem F. oder Strom mit allen seinen Nebenflüssen oberird. und unterird. entwässerte Gebiet nennt man **Einzugsgebiet;** es wird von Wasserscheiden begrenzt. In ebenen Gegenden sind diese häufig sehr wenig ausgeprägt, so daß das Wasser nach zwei verschiedenen Gebieten abfließen kann **(Bifurkation).** Vom Haupt-F. aus werden die Zuflüsse als **Nebenflüsse** bezeichnet. Das Verhältnis der Gesamtlänge aller fließenden Gewässer eines bestimmten Gebietes zu seiner Fläche wird durch die **Flußdichte** ausgedrückt. Sie ist abhängig vom Untergrund und Klima. Je feuchter das Klima, desto größer die F.dichte; aber auch in feuchten Gebieten kann sie den Wert Null erreichen, wenn durch Karsterscheinungen kein Abfluß an der Oberfläche mehr mögl. ist. Versickert ein F. im durchlässigen Gestein, so spricht man von *Versinkung* oder *Versickerung,* die Versikkerungsstelle ist die sog. **Flußschwinde (Ponor).** In feuchten Gebieten führen fast alle Flüsse ständig Wasser, wenn auch mit jahreszeitl. Schwankungen **(Dauerflüsse, permanente Flüsse).** In Gebieten mit scharf ausgeprägten Trockenzeiten führen viele Flüsse nur zur Regenzeit Wasser **(period. Flüsse).** Flüsse, die in großen Zeitabständen für kurze Zeit einmal Wasser führen, werden als **episod. Flüsse** bezeichnet; **Fremdlingsflüsse** durchqueren ein trockenes Gebiet. Das **Flußgefälle** nimmt im allg. von der Quelle zur F.mündung ab. Das aus dem **Flußbett** (der von Ufern begrenzten Wasserrinne) gerissene Gesteinsmaterial wird flußabwärts transportiert und bei nachlassendem Gefälle bzw. an der Mündung des F. abgelagert (so entstehen Deltas und Mündungsbarren). – Tabelle S. 144. – Zur *Religionsgeschichte* ↑ Wasser, ↑ Flußgottheiten.

   Dyck, S./Peschke, G.: Grundll. der Hydrologie. Bln. ²1989. – *Maniak, U.:* Hydrologie u. *Wasserwirtschaft.* Bln. 1988. – *Czaya, E.:* Ströme der Erde. Lpz. 1980.

Flußaal ↑ Aale.

Flußbarbe, svw. ↑ Barbe.

Flußbarsch (Barsch, Kretzer, Schratzen, Perca fluviatilis), meist 15–30 cm lange Barschart in fließenden und stehenden Süßgewässern Eurasiens; Grundfärbung des relativ hohen Körpers oberseits meist dunkelgrau bis olivgrün, an den helleren Körperseiten dunkle Querbinden oder gegabelte Streifen; Bauchflossen und Afterflosse rot; Speisefisch.

Flußblindheit ↑ Onchozerkose.

			Flüsse (Auswahl)			
Name	Länge (in km)	Einmündungs- gewässer		Name	Länge (in km)	Einmündungs- gewässer

Europa

Wolga .... 3 530 ... Kaspisches Meer
Donau .... 2 850 ... Schwarzes Meer
Dnjepr .... 2 200 ... Schwarzes Meer
Don .... 1 870 ... Asowsches Meer
Petschora ..... 1 809 ... Barentssee
Rhein (mit
  Vorderrhein) 1 320 ... Nordsee
Elbe .... 1 165 ... Nordsee
Weichsel ...... 1 047 ... Ostsee
Donez .... 1 053 ... Don
Loire .... 1 020 ... Atlantik
Tajo (Tejo) .... 1 007 ... Atlantik
Theiß .... 970 ... Donau
Save .... 940 ... Donau
Maas .... 925 ... Nordsee
Ebro........... 910 ... Mittelmeer
Oder .... 866 ... Ostsee
Rhone .... 812 ... Mittelmeer
Seine .... 776 ... Kanal
Po............. 652 ... Adriatisches Meer
Garonne ...... 647 ... Golf von Biskaya
Mosel .... 545 ... Rhein
Maritza .... 525 ... Ägäisches Meer
Main .... 524 ... Rhein
Inn........... 510 ... Donau
Weser .... 440 ... Nordsee
Tiber .... 405 ... Tyrrhenisches
                          Meer
Themse .... 338 ... Nordsee

Afrika

Nil
  (mit Kagera) 6 671 ... Mittelmeer
Kongo .... 4 320 ... Golf von Guinea
Niger .... 4 160 ... Golf von Guinea
Sambesi....... 2 660 ... Indischer Ozean
Oranje .... 1 860 ... Atlantik
Limpopo ...... 1 600 ... Indischer Ozean
Senegal
  (mit Bafing).. 1 430 ... Atlantik

Nordamerika

Mississippi (mit
  Missouri).... 6 021 ... Golf von Mexiko
Yukon River ... 3 185 ... Beringmeer
Rio Grande .... 3 034 ... Golf von Mexiko
Colorado....... 2 334 ... Golf von Kalifornien
Ohio (mit
  Allegheny
  River) ...... 2 102 ... Mississippi
Columbia River 1 953 ... Atlantik
St.-Lorenz-Strom 1 290 ... Atlantik

Südamerika

Amazonas ..... 6 400 ... Atlantik
Paraná........ 3 700 ... Río de la Plata
Paraguay ...... 2 200 ... Paraná
Orinoko....... 2 140 ... Atlantik
Uruguay ...... 1 600 ... Río de la Plata
Río Magdalena 1 550 ... Karibisches Meer

Asien

Jangtsekiang ... 6 300 ... Ostchin. Meer
Hwangho ..... 5 464 ... Gelbes Meer
Ob (mit Irtysch) 5 410 ... Karasee
Mekong....... 4 500 ... Südchin. Meer
Lena .... 4 400 ... Laptewsee
Jenissei (mit Klei-
  nem Jenissei) 4 102 ... Karasee
Euphrat
  (mit Murat) .. 3 380 ... Persischer Golf
Indus......... 3 200 ... Arabisches Meer
Brahmaputra .. 3 000 ... Golf von Bengalen
Amur .... 2 824 ... Ochotskisches Meer
Ganges .... 2 700 ... Golf von Bengalen
Ural.......... 2 428 ... Kaspisches Meer
Irawadi .... 2 000 ... Indischer Ozean
Tigris .... 1 900 ... Persischer Golf
Jordan .... 330 ... Totes Meer

Australien

Darling .... 2 720 ... Murray
Murray .... 2 589 ... Indischer Ozean

Flußdelphine (Süßwasserdelphine, Platanistidae), Fam. 1,5–3 m langer Zahnwale in den Süßgewässern Asiens und S-Amerikas; im Küstenbereich der Río-de-la-Plata-Mündung kommt der schmutzigweiße **La-Plata-Delphin** (Stenodelphis blainvillei) vor. In kleinen Gruppen im Indus, Ganges und Brahmaputra lebt der **Gangesdelphin** (Susu, Platanista gangetica); blei- bis schwarzgrau; Schnauze stark verlängert, schnabelartig. Im Stromgebiet des Amazonas und Orinoko lebt der oberseits graue, unterseits rosafarbene **Inia** (Amazonasdelphin, Inia geoffrensis).

Flußdelta ↑ Delta.
Flußdiagramm, in der *Mathematik* allg. die graph. Darstellung der Ablaufstruktur eines Algorithmus, die die zweckmäßige Aufeinanderfolge log. und arithmet. Operationen sichtbar macht. F. speziell in der *Datenverarbeitung* sind Datenflußplan und Programmablaufplan.
Flußdichte (geograph. F.) ↑ Fluß.
◆ (magnet. F.), svw. ↑ magnet. Induktion.
Fluß Eridanus ↑ Sternbilder (Übersicht).
Flußgottheiten, Gottheiten und Geistwesen (z. B. Nymphen), deren Sitz in Flüssen

gedacht wird. Der Glaube an F. war bes. in der kelt. Religion verbreitet. Die Ägypter verehrten Hapi als Gott des Nils, die Griechen kannten den Flußgott Acheloos.

Flußgründling ↑ Karpfen.

flüssige Kristalle, svw. ↑ Flüssigkristalle.

flüssige Luft, auf Temperaturen unter ihrem Siedepunkt (− 194,5 °C) gebrachte und dadurch verflüssigte Luft, z. B. nach dem ↑ Linde-Verfahren.

Flüssiggas, Gas, das bei bestimmten Drücken und Temperaturen verflüssigt worden ist; Lagerung und Transport in Druckflaschen oder Drucktanks.

Flüssigkeit, ein Stoff im flüssigen ↑ Aggregatzustand. Eine F. unterscheidet sich von Gasen dadurch, daß ihr Volumen (weitgehend) vom Druck unabhängig ist, von festen Körpern dadurch, daß ihre Form veränderl. ist und sich der Form des jeweiligen Gefäßes anpaßt. Eine *ideale F.* ist eine inkompressible F. ohne merkl. Viskosität.

Flüssigkeitsgetriebe ↑ Strömungswandler.

Flüssigkristalle (flüssige Kristalle, kristalline Flüssigkeiten), organ. Substanzen, bestehend aus langgestreckten Molekülen; F. stellen Flüssigkeiten mit kristallinen Strukturen dar. Man unterscheidet: 1. *smekt. Strukturen:* gegeneinander verschiebbare Schichten aus Molekülen (Längsachse senkrecht zur Schichtebene); 2. *nemat. Strukturen:* alle Moleküle sind in einer Richtung orientiert, jedoch nicht in Schichten angeordnet; 3. *cholesterin. Strukturen:* monomolekulare Schichten, in denen die Moleküle ausgerichtet liegen; Schichten gegeneinander gedreht. *Eigenschaften* der F.: 1. Änderung der Farbe bei Temperaturänderung; 2. Änderung der Molekülorientierung und damit der Transparenz im magnet. oder elektr. Feld. *Verwendung* von F. insbes. in **Flüssigkristallanzeigen** (LCD, liquid crystal display; z. B. in Digi-

Flüssigkristalle. Verschiedene Texturen der Moleküle (von links): nematische, smektische und cholesterinische Phase

tal[armband]uhren). Dazu wird eine dünne Zelle aus planparallelen Platten mit einem elektrisch leitenden, lichtdurchlässigen Raster versehen. Beim Anlegen einer Spannung an ein Paar gegenüberliegender Rasterpunkte ändert sich im damit verbundenen elektr. Feld die Transparenz des F. in der Zelle, d. h. er trübt ein. Für die Digital- bzw. Ziffernanzeige bei Uhren, Taschenrechnern u. a. sind die Elektroden so gestaltet, daß sich Gruppen von je sieben balkenartigen Segmenten ergeben, die jeweils in Form einer stilisierten Acht angeordnet sind **(Siebensegmentanzeige).**

Flüssigmetalle, als Wärmeübertragungsmittel verwendete Metalle, deren Schmelzpunkt unter 350 °C liegt, z. B. Natrium.

Flußjungfern (Gomphidae), mit etwa 350 Arten weltweit verbreitete Fam. der Großlibellen; v. a. an fließenden Gewässern und klaren Seen, darunter fünf Arten in Deutschland; Körper schlank, meist schwarz mit gelber bis grüner Zeichnung; Komplexaugen am Scheitel breit voneinander getrennt; Hinterleib meist 3–4 cm lang, ohne gekantete Seitenränder; Eiablage im Fluge.

Flußkarten, überwiegend großmaßstäbige Spezialkarten für Binnenschiffahrt und Wassersport mit bes. Schleusen, Staustufen, Untiefen, Brücken.

Flußkrebse (Astacidae), Fam. bis 25 cm großer Zehnfußkrebse mit etwa 100 Arten, v. a. in Süßgewässern der Nordhalbkugel. In M-Europa kommen u. a. vor: ↑ Edelkrebs, ↑ Steinkrebs, ↑ Sumpfkrebs. Eine wichtige Art ist ferner der **Nordamerikan.** Flußkrebs (Oronectes limosus), bis 12 cm lang, meist hell- bis dunkelbraun, jedes Hinterleibssegment mit zwei Flecken.

Flußmarschen ↑ Marschen.

Flußmittel, Gemischzusatz bei Schmelzprozessen zur Erniedrigung des Schmelzpunktes sowie zur Erzielung dünnflüssiger Schlacken.

Flußmuscheln (Unio), Gatt. überwiegend im fließenden Süßwasser lebender Muscheln mit außen gelbl., grünl. oder dunkelbraunen bis schwärzl. Schalen; bekannt v. a.

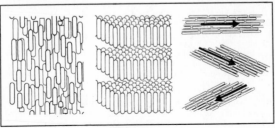

die in Seen und ruhig strömendem Wasser lebende **Malermuschel** (Unio pictorum), etwa 7–10 cm lang und 3–4 cm hoch, mit zungenförmiger Schale.

Flußnapfschnecke ↑Ancylus.

Flußneunauge ↑Neunaugen.

Flußoase ↑Oase.

Flußperlmuschel (Margaritifera margaritifera), etwa 10–15 cm lange Muschel, v. a. in kühlen, schnellfließenden, kalkarmen Süßgewässern M- und N-Europas, Sibiriens und N-Amerikas; Schalen schwer, außen schwarz, nierenförmig, dickwandig. – Die 60–80 Jahre alt werdende F. erzeugt Perlen, die alle 5–7 Jahre geerntet werden können.

Flußpferde (Hippopotamidae), Fam. nicht wiederkäuender Paarhufer mit zwei Arten, v. a. in stehenden und langsam fließenden Gewässern Afrikas, südl. der Sahara; Körper plump, walzenförmig, etwa 1,5–4,5 m lang, bis über 3 t schwer; mit kurzen Beinen, deren vier Zehen durch kleine Schwimmhäute verbunden sind; Kopf sehr groß und breit, mit großem Maul; Haut dick; Pflanzenfresser. – In W-Afrika kommt das 1,5–1,7 m lange **Zwergflußpferd** (Choeropsis liberiensis) vor, überwiegend dunkelbraun, Bestand bedroht. In oder an Gewässern großer Teile Afrikas (im Nil bereits zu Beginn des 19.Jh. ausgerottet) kommt das **Nilpferd** (Großflußpferd, Hippopotamus amphibius) vor, über 4 m lang, oberseits schwärzlichbraun, an den Seiten kupferfarben, unterseits heller.

Flußregenpfeifer ↑Regenpfeifer.

Flußsäure (Fluorwasserstoffsäure), sehr stechend riechende, giftige, farblose Lösung von Fluorwasserstoff (HF) in Wasser; aggressive Säure, die nahezu alle Metalle (außer Gold, Silber, Platin und Blei) unter Bildung von Fluoriden auflöst; wird verwendet zum Glasätzen, Entkieseln von Rohren und zur Herstellung von Fluorkohlenwasserstoffen.

Flußschwein (Potamochoerus porcus), etwa 1–1,5 m körperlanges, rund 60–90 cm schulterhohes Schwein, v. a. in Wäldern und buschigen Landschaften (bes. an Flußufern) Afrikas südl. der Sahara; Kopf groß, mit (bes. bei alten ♂♂) starken Auftreibungen am Nasenbein; Fell schwarz bis fuchsrot, mit weißer und dunkler Zeichnung.

Flußschwinde (Ponor) ↑Fluß.

Flußseeschwalbe ↑Seeschwalben.

Flußspat (Fluorit), meist auf Erzgängen vorkommendes kub. Mineral, CaF_2; Dichte 3,1 bis 3,2 g/cm^3; Mohshärte 4. Kristalle vielfach bunt (fast alle Farben); Würfel, Oktaeder oder Kombinationen. Verwendung bei der Herstellung von Flußsäure, Email und Glas.

Flußtrübe (Schweb), vom fließenden Wasser mitgeführtes, zerriebenes Gesteinsmaterial sowie organ. Schwebstoffe.

Flußuferläufer ↑Uferläufer.

Flußzeder (Libocedrus), Gatt. der Zypressengewächse mit 9 Arten, hauptsächl. in Amerika; bis 50 m hohe, immergrüne Bäume mit schuppenförmigen Blättern und runden bis längl. Zapfen. Die winterharte Art **Kaliforn. Flußzeder** (Libocedrus decurrens) wird als Zierbaum angepflanzt.

Flüstergewölbe (Flüstergalerie), Bez. für einen mit einem Gewölbe versehenen Raum, in dem an bestimmten Stellen geflüsterte Worte (durch Reflexion des Schalls am Gewölbe) an entfernten Stellen deutl. wahrgenommen werden können, während sie im übrigen Raum nicht zu hören sind.

Flüsterwitz, Form des polit. Wortwitzes; entsteht meist unter den Bedingungen totalitärer Herrschaft (v. a. bei Unterdrückung der anderen Formen der Meinungsäußerung); ben. nach der vertraul. Weitergabe („hinter der vorgehaltenen Hand geflüstert").

Flut ↑Gezeiten.

fluten, spezielle Schiffsräume oder Fluttanks zum Verändern des Tiefgangs oder bei Tauchmanövern mit Wasser füllen.

Flutkraftwerk, svw. Gezeitenkraftwerk (↑Kraftwerke).

Flutlichtanlage, Beleuchtungsanlage aus mehreren breit abstrahlenden Einzelscheinwerfern oder Scheinwerfergruppen, meist auf Masten, z. B. von Sportanlagen.

Flutsagen ↑Sintflut.

Flutwelle, sprunghafter Anstieg des Wasserspiegels als Auswirkung der Flut, v. a. im Mündungsbereich von Flüssen; mit verheerenden Wirkungen auch bei Seebeben, untermeer. Vulkanausbrüchen und Wirbelstürmen auftretend.

fluvial (fluviatil) [lat.], zum Fluß gehörend, von ihm geschaffen, abgelagert.

fluvioglazial [lat.], durch das Zusammenwirken von fließendem Wasser und Gletschereis entstanden.

Fluxistor [Kw.], svw. ↑Feldplatte.

Fluxus [lat. „das Fließen"], Begriff in der zeitgenöss. Kunst für eine Form der Aktionskunst; v. a. um 1960 große Veranstaltungen mit akust. und visuellen Arrangements.

Flying Dutchman [engl. 'flaɪŋ 'dʌtʃmən „fliegender Holländer"], internat. Einheitsjolle für den Rennsegelsport, mit zwei Mann Besatzung. Länge 6,05 m, Breite 1,85 m, Tiefgang 1,20 m, Segelfläche 15 m^2, Zeichen im Segel FD.

Flynn, Errol [engl. flɪn], * Antrim (Nordirland) oder nach eigener Angabe * Hobart (Tasmanien) 20. Juni 1909, † Los Angeles-Hollywood 14. Okt. 1959, amerikan. Filmschauspieler. – Helden- und Liebhaberrollen in zahlr. Hollywoodfilmen, u. a. „Unter Piratenflagge" (1935), „Robin Hood, der König der Vagabunden" (1938).

Fly River [engl. 'flaɪ 'rɪvə], Fluß auf Neuguinea, entspringt im Zentralgebirge, mündet mit langem Ästuar in den Papuagolf, 1 120 km lang; etwa 800 km schiffbar.

fm, Einheitenzeichen für: ↑ Festmeter.

Fm, chem. Symbol für: ↑ Fermium.

FM, Abk. für: ↑ Frequenzmodulation (UKW).

FMN, Abk. für: ↑ Flavinmononukleotid.

Fo, Dario, * Sangiano (Varese) 24. März 1926, italien. Dramatiker, Schauspieler, Regisseur und Theaterleiter. – Begann 1952 mit satir. Filmszenarien; schrieb ab 1958 zus. mit seiner Frau Franca Rame (* 1929) volkstüml. Farcen; ab 1970 polit. Volkstheater, realisiert von einem Theaterkollektiv, das v. a. in Betrieben, auf Plätzen und Straßen in Arbeitervierteln auftritt. – *Werke:* Mistero buffo (1969), Bezahlt wird nicht (1974), Einer für alle, alle für einen (dt. Erstaufführung 1977), Der zufällige Tod eines Anarchisten (dt. Erstaufführung 1978), Offene Zweierbeziehung (1983), Zufällig eine Frau: Elisabeth (1984), Der Papst und die Hexe (1990).

Fo, chin. Name für ↑ Buddha.

Fobkalkulation [Abk. für engl.: free on board „frei an Bord"], Berechnung des Ausfuhrpreises nach den Fobrichtlinien (↑ Handelsklauseln). Die auf Grund der F. entstandenen Preise dienen der Außenhandelsstatistik als sog. Basiswerte.

Foch, Ferdinand [frz. fɔʃ], * Tarbes 2. Okt. 1851, † Paris 20. März 1929, frz. Marschall. – Führte zu Beginn des 1. Weltkriegs in der Marneschlacht die 9. Armee, leitete 1916 die frz. Angriffe in der Sommeschlacht; 1917 als Nachfolger P. Pétains Chef des Armeegeneralstabs; 1918 Oberkommandierender aller Truppen der Entente einschließlich des amerikan. Expeditionskorps; befehligte im Juli 1918 die entscheidende Offensive an der W-Front, die zum militär. Zusammenbruch Deutschlands führte; forderte erfolglos auf der Pariser Friedenskonferenz, die frz. Militärgrenze bis zum Rhein vorzuschieben.

Fock, Gorch, eigtl. Hans Kinau, * Finkenwerder (= Hamburg) 22. Aug. 1880, ✕ im Skagerrak 31. Mai 1916, dt. Schriftsteller. – Schrieb (z. T. niederdt.) Seemannserzählungen, u. a. „Seefahrt ist not!" (1913).

Fock [niederdt.], das unterste Rahsegel am Fockmast (vorderster Mast) eines rahgetakelten Segelschiffes; bei Segelbooten das Segel unmittelbar vor dem (vordersten) Mast.

Focke, Henrich, * Bremen 8. Okt. 1890, † ebd. 25. Febr. 1979, dt. Flugzeugkonstrukteur. – F. konstruierte zahlr. Flugzeuge und wirkte in den dreißiger Jahren als Pionier des Hubschrauberbaus.

Focşani [rumän. fok'ʃanj], Hauptstadt des rumän. Verw.-Geb. Vrancea, am Rande

der Ostkarpaten, 86 400 E. Museen; Nahrungs- und Genußmittelindustrie.

Focus, seit Jan. 1991 unter Leitung von Helmut Markwort (* 1936) wöchentlich erscheinendes Nachrichtenmagazin mit Sitz in München; Auflage (1993): 485 000 Exemplare. F. gehört der Burda GmbH.

Föderalismus [lat.-frz., zu ↑ Foedus], ein Gestaltungsprinzip sozialer Gebilde, v. a. von Staaten; soll der Sicherung von Eigenständigkeit und Selbstverantwortung gesellschaftl. Teilbereiche dienen in dem Sinne, daß der übergeordneten Gewalt jeweils nicht mehr Regelungsbefugnisse gegenüber nachgeordneten Gewalten (z. B. dem Gesamtstaat gegenüber den Gliedstaaten) eingeräumt werden, als im Interesse des Ganzen geboten ist. Älteste Form ist der **Stammesföderalismus,** der auf dem Prinzip ethn. Zusammengehörigkeit aufbaut (z. B. die bibl. Organisation der 12 Stämme Israels). Der **dynastische Föderalismus** beruht auf einem Zusammenschluß von Fürsten (z. B. Dt. Reich 1871–1914). Typen des F. auf völkerrechtl. Grundlage (völkerrechtl. Staatenverbindungen) sind v. a. der **Staatenbund,** aber auch Personal- und Realunion (z. B. USA 1778–87, Dt. Bund 1815–66); die Souveränität der Mgl. bleibt unangetastet (keine gemeinsame Staatsgewalt), aber die Verbindung stellt ein völkerrechtl. Subjekt dar. Als dauerhafteste polit. Gestaltung des F. hat sich der F. auf staatsrechtl. Grundlage im **Bundesstaat** erwiesen, der aus Gliedstaaten zusammengesetzt ist, die teilweise Staatsgewalt behalten (z. B. USA, Schweiz, Deutschland, Kanada, Österreich, Australien). Gesetzgebungs-, Regierungs- und Rechtsprechungsorgane sind im Gesamtstaat und in den Gliedstaaten vorhanden. Die gesamtstaatl. Vertretung nach außen liegt stets bei der Zentralgewalt. Den Institutionen der europ. Integration, völkerrechtlich als supranat. Gemeinschaften bezeichnet, haben nur Elemente eines staatsrechtl. Föderalismus. Der **korporative Föderalismus** geht vom Genossenschaftsgedanken aus und findet in Real-, Personal- und Gebietskörperschaften mit Selbstverwaltung seinen Ausdruck (z. B. kommunale Körperschaften einschließlich der übergemeindl. Zweckverbände). Ihr Wirkungskreis steht in der BR Deutschland unter der ausdrückl. Garantie des Grundgesetzes (Art. 28, Abs. 2).

📖 *Schodder, T. F.: Föderative Gewaltenteilung in der BR Deutschland.* Ffm. 1988.

Föderaltheologie ↑ Coccejus, Johannes.

Föderaten ↑ Foederati.

Föderation [zu lat. foederatio „Vereinigung"], ein Staatenbündnis, dessen Partner unabhängig bleiben und sich nur zu einem sachlich oder zeitlich begrenzten Zweck verbinden. – ↑ Konföderation.

Föderation Arabischer Republiken, 1971 beschlossener Staatenbund zw. Ägypten, Libyen und Syrien; blieb ohne polit. Wirkung.

Föderation der liberalen und demokratischen Parteien der Europäischen Gemeinschaften (Europ. Liberale Demokraten, Abk. ELD), 1976 gegr. Organisation zur Zusammenführung der liberalen Parteien der EG.

Föderierte Staaten von Mikronesien ↑ Mikronesien.

Foe, Daniel [De] [engl. foʊ] ↑ Defoe, Daniel.

Foederati (Föderaten) [fø...; lat.], im antiken Rom auswärtige Gemeinden oder Volksstämme, die durch einen Vertrag (Foedus) mit Rom i. d. R. auf Ewigkeit verbunden sowie zur Waffenhilfe auf eigene Kosten und unter eigenem Kommando verpflichtet waren; urspr. Name: **Socii** (Bundesgenossen).

Foerster [fœrstər], Friedrich Wilhelm, * Berlin 2. Juni 1869, † Kilchberg (ZH) 9. Jan. 1966, dt. Erziehungswissenschaftler und Politiker. – Ab 1912 Prof. in Wien, 1914 Prof. in München; legte 1920 sein Amt nieder, lebte dann u. a. in der Schweiz und in Frankreich, 1942–64 in den USA; nahm in seinem ethisch fundierten Werk entschieden Stellung gegen die Trennung von Recht und Macht; zahlr. pädagog. und polit. Schriften.
F., Karl, * Berlin 9. März 1874, † Potsdam 27. Nov. 1970, dt. Gärtner. – Blumenzüchter, der sich durch zahlr. Neuzüchtungen verdient machte und populärwiss. Werke über Gartenbau und -gestaltung schrieb.

Foertsch, Friedrich [fœrtʃ], * Drahnow bei Deutsch Krone 19. Mai 1900, † Goslar 14. Dez. 1976, dt. General. – Im 2. Weltkrieg zuletzt Chef des Generalstabs der Heeresgruppe Kurland; 1945–55 in sowjet. Gefangenschaft; seit 1956 in der Bundeswehr; 1961–63 Generalinspekteur der Bundeswehr.

Foetor ↑ Fötor.

Fogarasch ↑ Făgăraş.

Fogarascher Gebirge, Gebirgsgruppe der Südkarpaten, Rumänien; im Moldoveanu mit 2 544 m höchste Erhebung des Landes.

Fogazzaro, Antonio [italien. fogat-'tsa:ro], * Vicenza 25. März 1842, † ebd. 7. März 1911, italien. Schriftsteller. – Humor und treffende Charakterisierung kennzeichnen sein umfangreiches Romanwerk. – *Werke:* Miranda (Epos, 1874), Die Kleinwelt unserer Väter (R., 1895), Die Kleinwelt unserer Zeit (R., 1900), Der Heilige (R., 1905).

Fogel, Robert William [foʊgl], * New York 1. Juli 1926, amerikan. Volkswirtschaftler und Wirtschaftshistoriker. – Mitbegr. der neuen Wirtschaftsgeschichte („New Economic History"), relativierte durch die Anwendung mathematisch-statist. Methoden auf

Fragen der Wirtschaftsgeschichte die Bedeutung techn. Innovationen für das wirtschaftl. Wachstum. Erhielt für seinen Beitrag zur Erneuerung der wirtschaftsgeschichtl. Forschung gemeinsam mit D. C. North den Nobelpreis für Wirtschaftswissenschaften 1993.

Foggara [arab.] (pers. Kares, arab. Kanat), unterird., bis zu 20 km langer Kanal, über den in Trockengebieten, heute v. a. in N-Afrika und Vorderasien, Grundwasser vom Gebirgsfuß oder vom Wadis in die zu bewässernde Oase geleitet wird.

Foggia [italien. 'fɔddʒa], italien. Stadt in Apulien, 70 m ü. d. M., 159 200 E. Hauptstadt der Prov. F., kath. Bischofssitz; Dieselmotorenwerk, Nahrungsmittel-, Textilind.; Handel mit Agrarprodukten, Landw.messe. – Erstmals zu Beginn des 11. Jh. erwähnt, wichtige Residenz der Staufer. – Ein Erdbeben zerstörte 1731 fast alle ma. Bauwerke. Die Kathedrale (12. Jh.) wurde nach 1731 im Barockstil neu errichtet.

Fogo, eine der Kapverdischen Inseln, 476 km²; im noch tätigen Vulkan Pico de Cano 2 829 m hoch.

Fohlen (Füllen), Bez. für ein junges Pferd von der Geburt bis zum Alter von 2 Jahren.

Fohlenlähme, Bez. für zwei Infektionskrankheiten bei neugeborenen Fohlen: 1. **Frühlähme:** durch Bacterium pyosepticum hervorgerufene Erkrankung, die unter Bildung zahlr. Abszesse in den Nieren meist innerhalb der ersten vier Lebenstage zum Tod führt; 2. **Spätlähme:** eine meist vom Nabel aus erfolgende Streptokokkeninfektion, die sich nach dem 8. Lebenstag v. a. in eitrigen Entzündungen der Gelenke äußert.

Föhn [zu lat. favonius „lauer Westwind"], Luftströmungen, die auf der Luvseite von Gebirgen Feuchtigkeit abgeben und sich im Lee (Fallwind) beim Absteigen stärker erwärmen, als sie sich beim Aufstieg abgekühlt haben. Voraussetzung: ausreichende Gebirgshöhe; föhnartige Strömungen auch an niedrigeren Gebirgen; **Föhnmauer,** die von der Leeseite her sichtbaren oberen Teile der bis über den Gebirgskamm reichenden Staubewölkung der Luvseite; **Föhnwolken,** linsenförmige, mittelhohe Wolken (Altocumulus lenticularis).

Föhnkrankheit, Beeinträchtigungen des körperl. Wohlbefindens wetterfühliger Menschen bei Föhn (z.B. in den Alpen und im Alpenvorland, in den dt. Mittelgebirgen); neben Schlaflosigkeit, Kopfschmerzen, Schwindelgefühl, Ohrensausen, Erbrechen, Einschränkungen der körperl. und geistigen Leistungsfähigkeit, Reizbarkeit, Angst, Unlust und Depressionen kann es vermutlich auch zu einer Verschlimmerung bestehender Krankheiten und zu einem gehäuften Auftreten von Herz- und Kreislaufattacken kommen.

Fohnsdorf, Gemeinde in der Steiermark, Österreich, 60 km wnw. von Graz, 736 m ü. d. M., 10 300 E. Tiefstes Braunkohlenbergwerk Europas (bis 1 200 m); 1979 stillgelegt; Elektroind., Maschinenbau.

Fohr, Carl Philipp, * Heidelberg 26. Nov. 1795, † Rom 29. Juni 1818, dt. Maler und Zeichner. – Vertreter der Heidelberger Romantik. Schloß sich 1816 den Nazarenern an; hinterließ neben Landschaftsgemälden v. a. bed. Landschafts- und Porträtzeichnungen.

Föhr, eine der Nordfries. Inseln, vor der W-Küste Schl.-H. im Wattenmeer gelegen, 82 km², 9 800 E. Hauptort ist Wyk auf F.; Landw. (Grünlandnutzung), Fremdenverkehr; Fährverbindung zum Festland und nach Wittdün auf Amrum. – In *Boldixum,* einem Stadtteil von Wyk auf F., steht die Nikolaikirche, eine got. Backsteinkirche. Die Johanniskirche in *Nieblum* ist ein einschiffiger got. Backsteinbau, die Laurentiuskirche in *Süderende* eine romanische Kirche (Ende 12. Jh.).

Föhre, svw. Waldkiefer (↑ Kiefer).

Foide, svw. ↑ Feldspatvertreter.

Foix [frz. fwa], frz. Stadt in den Pyrenäen, an der Ariège, 10 100 E. Verwaltungssitz des Dep. Ariège; Fremdenverkehr; eisenverarbeitende Industrie. – Stadt seit 1244. – Burg (11.–15. Jh.; heute Museum).

F., ehem. frz. Gft., etwa dem Dep. Ariège entsprechend; Besitz einer Seitenlinie der Grafen von Carcassonne Mitte 11. Jh.; erhielt 1290 die Gft. Béarn, fiel 1398 an das Haus Grailly, 1484 an das Haus Albret; durch König Heinrich IV. 1607 mit der Krone von Frankreich vereinigt.

fokal [lat.], in der *Optik* und *Teilchenoptik* den Fokus (Brennpunkt) betreffend.
◆ in der *Medizin* auf einen Krankheitsherd bezogen, von ihm ausgehend.

Fokalinfektion, svw. ↑ Herdinfektion.

Fokin, Michail Michailowitsch (frz. Michel Fokine [fɔ'kin]), * Petersburg 25. April 1880, † New York 22. Aug. 1942, russ. Tänzer und Choreograph. – 1909–14 Chefchoreograph bei Diaghilews „Ballets Russes", wo seine wichtigsten Choreographien entstanden, u. a. Uraufführung von Strawinskis „Feuervogel" (1910) und „Petruschka" (1911) sowie Ravels „Daphnis und Chloe" (1912). Danach war er in Rußland, W-Europa und Amerika tätig.

Fokker, Anthony [Herman Gerard], * Kediri (Java) 6. April 1890, † New York 23. Dez. 1939, niederl. Flugzeugkonstrukteur. – F. gründete 1912 eine Flugzeugfabrik und baute während des 1. Weltkriegs Jagdeinsitzer, die er mit durch den Propellerkreis schießenden Maschinengewehren ausstattete. Ging 1922 in die USA und errichtete dort mehrere Flugzeugwerke.

Fokometer [lat./griech.], Meßeinrichtung zur Bestimmung der Brennweite von opt. Systemen.

Fokus [lat. „Feuerstätte, Herd"], in der *Optik* und *Teilchenoptik* svw. ↑ Brennpunkt.
◆ in der *Medizin* svw. Krankheitsherd (↑ Herd).

Fokussierung [lat.], allg. das Zusammenführen von divergierenden oder parallelen Strahlen in einem Punkt, v. a. bei photograph. Objektiven (Scharfeinstellung); in der *Teilchenoptik* das Sammeln von Strahlen geladener Teilchen durch geeignete elektr. und magnet. Felder.

fol., Abk. für: ↑ Folio (Buchformat).

Földes, Andor, eigtl. A. Földes, * Budapest 21. Dez. 1913, † Zürich 9. Febr. 1992, amerikan. Pianist und Dirigent ungar. Herkunft. – Bekannt v. a. als Bartók- und Beethoven-Interpret.

Folengo, Teofilo, Pseud. Merlin Cocai, * Mantua 8. Nov. 1491 (1496 ?), † Campese (= Bassano del Grappa) 9. Dez. 1544, italien. Schriftsteller. – Benediktiner; in seinem Hauptwerk, dem burlesken Epos „Baldus" (erstmals erschienen 1517) verspottet er die literar. Modeströmungen seiner Zeit.

Folge, in der *Mathematik* eine ↑ Abbildung, deren Definitionsbereich die Menge der natürl. Zahlen ist, z. B. Zahlen-, Funktionen- und Punktfolgen.
◆ ↑ Lehnswesen.

Folgerecht, Anspruch des bildenden Künstlers (§ 26 UrheberrechtsG) gegen den Weiterveräußerer eines seiner Werke auf einen Erlösanteil von 5 %, wenn an der Veräußerung ein Kunsthändler oder Versteigerer beteiligt war und der Erlös mindestens 100 DM betragen hat.

Folgerung, 1. die aus bestimmten Hypothesen (Gründen, Prämissen) gefolgerte These (auch Folge, Konklusion); 2. die Beziehung zw. den Hypothesen und der These, wenn mit der Wahrheit der Hypothesen auch die Wahrheit der These verbürgt ist; 3. die Schlußregel, kraft derer von der Hypothese zu der These übergegangen werden darf; 4. ein log. Schluß.

Folgesatz, svw. ↑ Konsekutivsatz.

Folgeschaden, mittelbarer ↑ Schaden.

Foliant [lat.], großes Buch (Folioformat).

Folie [zu lat. folium „Blatt"], dünnes Metall- oder Kunststoffblatt; Herstellung im allg. durch Auswalzen oder Kalandrieren.

Folies-Bergère [frz. fɔlibɛr'ʒɛːr], Revuetheater in Paris. Unter der Direktion von E. Marchand (1886–1901) weltbekannt.

Foligno [italien. fo'liɲɲo], italien. Stadt in Umbrien, Prov. Perugia, 53 300 E. Bischofssitz; archäolog. Museum; Maschinenbau, Papier- und Lederind.; Bahnknotenpunkt. – F. geht zurück auf das antike **Fulginiae (Fulgi-**

nium). 1439–1860 gehörte es zum Kirchenstaat. – An der Piazza della Repubblica liegen der Palazzo Comunale (13.–17. Jh.), der roman. Dom (1133–1201) und der Palazzo Trinci (1389–1407).

Folinsäure [lat./dt.] ↑ Folsäure.

Folio [zu lat. in folio „in einem Blatt"], Abk. fol., Format eines nur einmal gefalzten Bogens (= 2 Blatt). – ↑ Buchformat.

Folkestone [engl. 'foʊkstən], engl. Hafenstadt und Seebad an der Kanalküste, Gft. Kent, 10 km wsw. von Dover, 43 700 E., Fährverkehr nach Boulogne-sur-Mer.

Folketing [dän.], das dän. Parlament.

Folklore ['folklo:r, folk'lo:rə; zu engl. folk „Volk" und lore „(überliefertes) Wissen"], zunächst die mündl. Volksüberlieferung (z. B. Märchen, Sage, Sprichwort), bes. Volksmusik, -tanz und Gesang; i. w. S. die gesamte volkstüml. Überlieferung; im angelsächs. Bereich Bez. für Volkskunde.

Folkloristik [engl.], Bez. für die Wissenschaft von den Volksüberlieferungen, insbes. von den sprachlich vermittelten Traditionen.

Folksong [engl. 'foʊksoŋ], zunächst engl. Bez. für Volkslied; später das aus der amerikan. F.bewegung hervorgegangene sozialkritische Lied.

Folkunger, schwed. Königsgeschlecht, das 1250–1363 in Schweden, 1319–87 in Norwegen und 1375–87 in Dänemark regierte; starb 1387 aus.

Folkwangmuseum ↑ Museen (Übersicht).

Follen, Karl Theodor Christian, * Romrod (Vogelsbergkreis) 4. Sept. 1796, † bei Schiffsunglück im Long Island Sound (USA) 13. Jan. 1840, dt. Politiker und Schriftsteller. – Einer der Führer des radikalen burschenschaftl. Flügels; nach Anklage wegen demagog. Umtriebe Flucht bis in die USA (1824), wo er als Prof. an der Harvard University und später als unitar. Prediger wirkte.

Folliculitis barbae [lat. + griech.] ↑ Bartflechte.

Follikel [lat.], in der *Anatomie* bläschen- oder balgförmige Gebilde.

Follikelhormone, ältere Bez. für die u. a. in den Follikeln des Eierstocks gebildeten Östrogene.

Follikelpersistenz, Ausbleiben des Follikelsprungs bei einem reifen Follikel. Die F. ist oft Ursache für das Entstehen von Zysten im Eierstock sowie unregelmäßige Blutungen und Dauerblutungen.

Follikelreifungshormon ↑ Geschlechtshormone.

Follikelsprung, svw. ↑ Ovulation.

follikelstimulierendes Hormon ↑ Geschlechtshormone.

follikulär (follikulär) [lat.], bläschenartig; von einem Follikel ausgehend.

Fölling-Krankheit [nach dem norweg. Physiologen A. F. Fölling, * 1888, † 1964], svw. ↑ Phenylketonurie.

Follis [lat. „Beutel"], 1. mit Kupfergeld gefüllter Beutel, dessen Inhalt ein Siegel garantierte; seit Diokletian als Großgeld verwendet; nach dessen Münzreform 294–346 geprägte, leicht versilberte Kupfermünze. 2. byzantin. Kupfermünze, eingeführt durch die Münzreform Anastasios' I. (✉ 491–518).

Folsäure [lat./dt.] (Pteroylglutaminsäure), wie ihr Derivat **Folinsäure** Substanz mit Vitamincharakter, von großer Bed. im Zellstoffwechsel, v. a. in Leber, Niere, Muskeln, Hefe und Milch vorkommend; ihr Fehlen im Körper bewirkt Verzögerung der Zellteilung und v. a. eine Störung der Blutbildung.

Folsomspitzen [engl. 'foʊlsəm], altindian. vorkeram. Pfeilspitzen in den USA, ben. nach dem ersten Fundort Folsom im nö. New Mexico, USA, 250 km nö. von Santa Fe. Die steinernen Geschoßspitzen mit beidseitiger langer Auskehlung entwickelten sich aus den Clovisspitzen (↑ Cloviskomplex) und sind etwa zw. 9000 und 8000 v. Chr. zu datieren.

Folter (Tortur, peinl. Befragung), die Generalversammlung der UNO definierte den Begriff der F. in der 1975 verabschiedeten Erklärung gegen die F. (Art. 1) wie folgt: „Unter F. ist jede Handlung zu verstehen, durch die einer Person von einem Träger staatl. Gewalt oder auf dessen Veranlassung hin vorsätzlich starke körperl. oder geistig-seel. Schmerzen oder Leiden zugefügt werden, um von ihr oder einem Dritten eine Aussage oder ein Geständnis zu erzwingen, sie für eine tatsächl. oder mutmaßlich von ihr begangene Tat zu bestrafen oder sie oder andere Personen einzuschüchtern". – Die F. ist eine weltweit festzustellende Form polit. Verfolgung und Unterdrückung. In den Diktaturen und totalitären Staaten des 20. Jh. diente und dient die F. dazu, ideologisch oder politisch abweichende Denkweisen und ihre innerstaatl. Verbreitung mit allen Mitteln der Gewalt zu unterbinden. Nach Angaben von Amnesty International werden heute in etwa 70 Ländern jährlich etwa 500 000 Menschen gefoltert. Internat. Ächtung erfuhr die F. in der „Allgemeinen Erklärung der Menschenrechte" von 1948. Die im geltenden Recht präziseste Regelung des F.verbots findet sich in den vier Genfer Konventionen des Internat. Roten Kreuzes (1949); 1987 trat die „Antifolterkonvention" der UNO in Kraft; im gleichen Jahr verabschiedete der Europarat die „Europ. Antifolterkonvention", die nichtangekündigte Gefängnisbesuche ermöglicht.

Geschichte: Im Altertum diente die F. den Völkern oder Staaten als legales Mittel zur Beschaffung von Informationen oder Geständnissen. Im Gerichtswesen Athens und

Roms galt die Zeugenaussage eines Sklaven nur dann als vertrauenswürdig, wenn sie unter F. gemacht worden war. Im Hoch-MA erreichte die F. in den Prozessen gegen „Hexen" und „Ketzer" einen Höhepunkt. In einer von der mittelalterl. Kirche († Inquisition) wesentlich mitzuverantwortenden Rechtsfindungspraxis galt die F. als „Beweis aller Beweise" (lat. „Probatio probatissimi").
Im 18. Jh. gab Schweden (1734) als erster Staat die F. auf. Nach Beseitigung der F.anwendung aus den staatl. Rechtsordnungen im 19. Jh. setzte sich um die Wende zum 20. Jh. auch die Tendenz durch, die F. als Mittel des Krieges zu ächten († Haager Landkriegsordnung).

Keller, G.: Die Psychologie der F. Ffm. ³1988. – Bericht über die F. Hg. v. Amnesty International. Ffm. 1983. – Helbing, F.: Die Tortur. Gesch. der F. im Kriminalverfahren aller Zeiten u. Völker. Neu bearb. v. M. Bauer. Bln. 1926. Nachdr. Aalen 1983.

Folz (Foltz), Hans, gen. „der Barbierer", * Worms um 1450, † Nürnberg um 1515, dt. Meistersinger. – Zu den Tönen der „12 alten Meister" forderte er die Aufnahme neuer Weisen und erfand selbst 27. Neben vorwiegend religiösen Liedern und Sprüchen derbe Schwänke und Fastnachtspiele.

Fön ⓦ [zu † Föhn] (Haartrockner), Heißluftgebläse zum Trocknen des Haars.

Fond [fõ; lat.-frz.], Rücksitze eines Pkw.
◆ Hintergrund eines Gemäldes oder einer Bühne.
◆ beim Braten, Dünsten oder Schmoren von Fleisch sich in der Pfanne bildender Satz, Grundlage für Soßen oder Suppen.

Henry Fonda

Fonda [engl. ˈfɔndə], Henry, * Grand Island (Nebr.) 16. Mai 1905, † Los Angeles 12. Aug. 1982, amerikan. Filmschauspieler. – Verkörperte klass. Westernrollen in „Jesse James – Mann ohne Gesetz" (1940), „Rache für Jesse James" (1941), „Der Ritt zum Ox-

Bow" (1943), „Faustrecht der Prärie" (1946), „Mordbrenner von Arkansas" (1967). Seine schauspieler. Wandelbarkeit zeigte sich in „Die Früchte des Zorns" (1940), „Krieg und Frieden" (1956), „Die 12 Geschworenen" (1957), „Spiel mir das Lied vom Tod" (1968).

Jane Fonda

F., Jane [Seymour], * New York 21. Dez. 1937, amerikan. Filmschauspielerin. – Tochter von Henry F.; 1964–73 ∞ mit R. Vadim, Regisseur ihrer Filme „Der Reigen" (1964), „Die Beute" (1966), „Barbarella" (1968). Bes. Leistungen in der Darstellung von Frauen in Außenseiterrollen, v. a. in „Klute" (1971), „Tout va bien" (1972), „Nora" (1973, nach H. Ibsen), „Julia" (1977), „Agnes – Engel im Feuer" (1985), „Old Gringo" (1989).

F., Peter, * 23. Febr. 1939, amerikan. Filmschauspieler. – Sohn von Henry F.; weltbekannt durch den von ihm selbst produzierten Film „Easy Rider" (1969), in dem er zus. mit D. Hopper dem Lebensgefühl eines Teils der jungen amerikan. Generation adäquaten Ausdruck gab. – *Weitere Filme:* „Open season – Jagdzeit" (1974), „92 Grad im Schatten" (1975), „Mach' ein Kreuz und fahr' zur Hölle" (1976), „Peppermint Frieden" (1982).

Fondaco [arab.-italien.], alte Bez. für die Kaufhäuser in den Mittelmeerländern und im Alten Orient, v. a. für die Niederlassungen auswärtiger Kaufleute; bes. bekannt ist der *F. dei Tedeschi*, das Kauf- und Lagerhaus der Deutschen in Venedig (um 1200 bis 1806).

Fondant [fõˈdã; frz. „schmelzend"], unter Zugabe von Farb- und Geschmacksstoffen hergestellte sirupartige Zuckermasse, häufig als Bonbon- und Pralinenfüllung.

Fonds [fõ; lat.-frz.], für einen bestimmten Zweck gebildete und verwaltete Geldmittel oder Vermögenswerte (z. B. † Investmentfonds, † Immobilienfonds).

Fonds „Deutsche Einheit", nach dem Gesetz vom 25. 6. 1990 aus Mitteln des Bundes und der alten Bundesländer gebilde-

Fondue

ter Sonderfonds von 115 Mrd. DM, die den neuen Bundesländern von 1990 bis 1994 als Finanzhilfe zum Aufbau zur Verfügung gestellt werden. Der größte Teil des Sonderfonds wird als Kredit auf dem Kapitalmarkt aufgenommen.

Fondue [fõ'dy; frz., eigtl. „geschmolzen"], urspr. geschmolzene Käsemasse, in die Weißbrotwürfel getaucht werden, dann auch für Fleischgerichte **(Fleischfondue)**, bei denen Fleischwürfel am Eßtisch in einem Fonduegerät in Öl oder [Hühner]brühe gegart, in verschiedene Tunken getaucht und mit Beilagen (Brot) verzehrt werden.

Fons (Fontus), röm. Quellgottheit.

Fonseca, Manuel Deodoro da, * Alagoas (= Marechal Deodoro) 5. Aug. 1827, † Rio de Janeiro 23. Aug. 1892, brasilian. Politiker. – Führend an der Revolution von 1889 beteiligt; 1890/91 erster Präs. von Brasilien.

Fontaine, Pierre François Léonard [frz. fõ'tɛn], * Pontoise 20. Sept. 1762, † Paris 10. Okt. 1853, frz. Baumeister. – F. war Hofarchitekt Napoleons I. und begr. in Zusammenarbeit (1794–1814) mit C. Percier den Empirestil; u. a. Restaurierung von Schloß Malmaison (1802 ff.); Arc de Triomphe du Carrousel (1806–08) und die Fassadenfront des Louvre an der Rue de Rivoli (1806).

Fontainebleau [frz. fõtɛn'blo], frz. Stadt im Dep. Seine-et-Marne, 18 800 E. Europ. Inst. für Unternehmensführung; Militärsportschule, nat. Reitschule, Militärmuseum; Naherholungsgebiet (17 000 ha großer *Wald von F.).* – Das Schloß F. (16. Jh.), eine um 5 Höfe gruppierte Anlage, wurde von der UNESCO zum Weltkulturerbe erklärt. – Abb. S. 154.

Fontainebleau, Schule von [frz. fõtɛn'blo], eine Künstlergruppe, die im 16. Jh. an der Innenausstattung von Schloß Fontainebleau arbeitete und dabei den italien. Manierismus nach Frankreich verpflanzte (Rosso Fiorentino, F. Primaticcio, Nicolò dell'Abate). Die *2. S. v. F.* Anfang des 17. Jh. unterlag eher fläm. Einflüssen (T. Du Breuil, M. Fréminet, A. Dubois).

Fontana, Carlo, * Bruciate (Tessin) 1634, † Rom 5. Febr. 1714, italien. Baumeister schweizer. Herkunft. – Schüler von Bernini; prägte den strengen, nüchternen Stil des röm. Spätbarock. Entwarf u. a. die Fassade von San Marcello (1682/83) und den Palazzo Montecitorio (Obergeschoß, 1694 ff.).

F., Domenico, * Melide (Tessin) 1543, † Neapel 1607, italien. Baumeister schweizer. Her-

kunft. – Hauptmeister des röm. Frühbarock; für Papst Sixtus V. tätig (u. a. Lateranspalast, 1586 ff.; Flügel des Papstpalastes und Vatikan. Bibliothek, 1587 ff.), führte städtebaul. Neuerungen ein, vollendete (mit G. della Porta) 1588–90 Michelangelos Kuppel der Peterskirche. Seit 1592 in Neapel.

F., Lucio, * Rosario di Santa Fe (Argentinien) 19. Febr. 1899, † Comabbio (Prov. Varese) 7. Sept. 1968, italien. Maler. – Seine eigtl. Leistung liegt in meist monochromen Bildern, die er mit Durchlöcherungen oder Einschnitten versah; er verstand sie als „Raumkonzepte".

Fontane, Theodor, * Neuruppin 30. Dez. 1819, † Berlin 20. Sept. 1898, dt. Schriftsteller. – Stammte aus einer Hugenottenfamilie; 1864, 1866 und 1870 Kriegsberichterstatter; 1870–89 Theaterkritiker bei der „Voss. Zeitung" in Berlin. Begann mit Balladen im Stil des Spätrealismus; im Alter schrieb er in der Berliner Gesellschaft oder im märk. Adel spielende realist. Gesellschaftsromane, in denen er das Leben innerlich brüchiger Zeit entwarf, z. B. „Irrungen, Wirrungen" (1888) über die Fragwürdigkeit der Standeshierarchie, „Effi Briest" (1895) über die lebenszerstörenden Folgen des Ehren- und Sittenkodexes seiner Zeit, „Der Stechlin" (hg. 1899) mit starker sozialer Kritik. F. hat den dt. Roman auf die Höhe des europ. krit. Gesellschaftsromanes geführt. Im Zurückdrängen der Handlung zugunsten des Dialogs und in der Ausbildung eines formbewußten Erzählens, für das leise Skepsis und Ironie typisch sind, wirkte er entscheidend auf die Entwicklung des Romans.

Weitere Werke: Wanderungen durch die Mark Brandenburg (4 Bde., 1862–82), Grete Minde (R., 1880), L'Adultera (Nov., 1882), Schach von Wuthenow (E., 1883), Cécile (R., 1887), Stine (R., 1890), Frau Jenny Treibel (R., 1892), Die Poggenpuhls (R., 1896).

📖 *Ahrens, H.: Das Leben des Romanautors, Dichters u. Journalisten T. F. Düss. 1985. – Nürnberger, H.: T. F. Rbk. 1985. – Verchau, E.: T. F. Bln. 1983. – Werke, Schriften u. Briefe. Hg. v. W. Keitel/H. Nürnberger. Mchn. 1–31970–88. 20 Bde.*

Fontäne [frz., zu lat. fons „Quelle"], Wassersäule, vorwiegend bei Springbrunnen.

Fontanellen [lat.-frz., eigtl. „kleine Quellen"], von Bindegewebe erfüllte Lücken im knöchernen Schädel neugeborener Wirbeltiere und des Menschen. Beim Säugling befinden sich die F. zw. den Stirnbeinhälften und den Scheitelbeinen **(große Fontanelle)** sowie zw. den Scheitelbeinen und dem Hinterhauptbein **(kleine Fontanelle).** Im Laufe des Wachstums schließen sich die F. und werden durch Knochen ersetzt (kleine F. nach etwa zwei Monaten, große F. im 2. Lebensjahr).

Fontange [fõ'tã:ʒə; frz.] ↑ Haube.

Fontenay [frz. fõt'nɛ], ehem. Zisterzienserabtei in Burgund, nw. von Dijon, Frankreich; 1119 von Clairvaux aus gegr., bestand bis 1791. Die 1147 geweihte Kirche ist ein Prototyp der frühen Kirchenbaukunst der Zisterzienser (heute Museum). Die UNESCO erklärte die Abtei zum Weltkulturerbe.

Fontenelle, Bernard Le Bovier de [frz. fõt'nɛl], * Rouen 11. Febr. 1657, † Paris 9. Jan. 1757, frz. Schriftsteller und Philosoph. – Neffe von P. Corneille, 1699–1740 Sekretär der Académie des sciences. Bed. Vorläufer der Aufklärung. Schrieb Dramen, Gedichte und v. a. schulemachende populärwiss. Dialoge. – *Werke:* Gespräche von mehr als einer Welt (1686), Gespräche in der Unterwelt (1683).

Fontevrault [frz. fõtə'vro], ehem. frz. Benediktinerabtei sö. von Saumur; 1101 von Robert von Arbrissel als Doppelkloster gegr. Die ehem. Klosterkirche ist eine bed. roman. Kuppelkirche (12. Jh.), Grablege der Plantagenets aus dem 12. und 13.Jh. (u. a. Heinrich II. von England, seine Gemahlin Eleonore von Aquitanien und Richard Löwenherz).

Fonteyn de Arias, Dame (seit 1956) Margot [engl. fɔn'tɛɪn], eigtl. Margaret Hookham, * Reigate 18. Mai 1919, † in Panama 21. Febr. 1991, engl. Tänzerin. – Tanzte die großen Rollen des klass. Repertoires und v. a. die der zahlr. Ballette von F. Ashton. Primaballerina des Royal Ballet, seit 1962 häufig mit R. Nurejew als Partner. Memoiren „Die zertanzten Schuhe" (1975).

Fonwisin, Denis Iwanowitsch, * Moskau 14. April 1745, † Petersburg 12. Dez. 1792, russ. Dramatiker. – Legte in von Molière und Holberg formal beeinflußten satir. Komödien Korruption, Sittenlosigkeit, Unbildung und Arroganz der Beamten und des Landadels bloß; u. a. „Der Landjunker" (Kom., 1783).

Food and Agriculture Organization of the United Nations [engl. 'fu:d ənd ægrɪ'kʌltʃə ɔ:gənar'zeɪʃən ɔf ðə ju'naɪtid 'neɪʃənz], Abk. FAO, zwischenstaatl. Fachorganisation (UN-Sonderorganisation) für Ernährung, Landw., Forsten und Fischerei; gegr. 1945 in Quebec. 27 gewählte Mgl. aus den Vertretern der Mgl.staaten bilden den **Welternährungsrat.** Die FAO tritt v. a. für eine Steigerung der landw. Produktion in Entwicklungsländern ein.

Foot, Michael [engl. fʊt], * Plymouth 23. Juli 1913, brit. Politiker (Labour Party). – Journalist; 1945–55 und seit 1960 Mgl. des Unterhauses, gehört zum linken Parteiflügel; Arbeitsmin. 1974–76. 1976–79 Lordpräs. des Geheimen Staatsrats und Führer des Unterhauses, 1980–83 Führer der Labour Party.

Foot [fu:t, engl. fʊt „Fuß"] (Mrz.: feet [engl. fi:t]), Einheitszeichen ft, in Großbritannien und in den USA verwendete Längeneinheit: 1 ft = 12 inches = 0,3048 m.

Football [engl. 'fʊtbɔ:l] (American Football), rugbyähnl., 1874 zum ersten Mal gespieltes (erste Regeln 1880) amerikan. Ballspiel zw. 2 Mannschaften (je 11 Spieler, bis 34 Auswechselspieler) auf einem 109,75 m langen und 48,80 m breiten Feld, das durch 4,57 m voneinander entfernte Linien (sog. Yardlinien) in 20 gleich große Abschnitte eingeteilt ist. Ein eiförmiger Lederball (Längsachse 28,58 cm, Masse 396–424 g) muß über die gegner. Grundlinie getragen oder mit dem Fuß über die Torlatte befördert werden. Die Tore (Male) bestehen aus zwei Torstangen mit einer Querlatte in 3,05 m Höhe; effektive Spielzeit: 4 × 12 Minuten; Punktwertung.

Foppa, Vincenzo, * Brescia zw. 1427/30, † ebd. 1515 oder 1516, italien. Maler. – Begründer der lombard. Schule. Der Reiz seiner Bilder liegt in der Lichtführung. U. a. „Maria mit dem Buch" (1464–68, Mailand, Castello Sforcesco), Marien-Polyptychon (1476, Mailand, Brera).

Foramen [lat.], in der *Anatomie* Loch bzw. Öffnung in einem Knochen, Knorpel oder Organ; z. B. *F. magnum,* svw. Hinterhauptsloch.

Foraminiferen [lat.] (Kammerlinge, Foraminifera), seit dem Kambrium bekannte Ordnung mariner Urtierchen mit etwa 20 μm bis über 10 cm großer, vielgestaltiger Schale aus organ. Grundsubstanz, der Kalk und Fremdkörper (v. a. Sandkörnchen) auf- oder eingelagert sein können; meist von Poren durchbrochen. Die meisten F. leben am Grund, einige leben schwebend in großer Tiefe der Meere. F. finden sich in rezenten marinen Ablagerungen oft in sehr großer Zahl (**Foraminiferensand;** bis zu 50 000 Gehäuse in 1 g Sand), daneben sind sie z. T. wichtige Leitfossilien (z. B. Globigerinen, Fusulinen, Nummuliten) und Gesteinsbildner, bes. im Karbon und in der Kreide (**Foraminiferenkalke).**

Force ['fɔrs(ə); lat.-frz.], Kraft, Stärke, Zwang, Gewalt.

Force de frappe [frz. fɔrsdə'frap „Schlagkraft"] (Force de dissuasion [„Abschreckungsmacht"]), veraltete Bez. für die seit den 50er Jahren aufgebaute frz. strateg. Atomstreitmacht (Forces nucléaires stratégiques, Abk. FNS).

Forchheim, Krst. in Bayern, an der Mündung der Wiesent in die Regnitz, 260 m ü. d. M., 28 600 E. Pfalzmuseum, Metall-, Textil- und Papierind. – 805 als Königshof erwähnt, seit dem 9.Jh. als Pfalz belegt. Die Königswahlen von 900 (Ludwig das Kind), 911 (Konrad I.) und 1077 (Gegenkönig Rudolf von Rheinfelden) fanden in F. statt; seit 1007 zum Bistum Bamberg, vor 1300 Stadt,

Fontainebleau. Schloß

1802 an Bayern. – Ma. Stadtbild mit zahlr. Fachwerkhäusern, u. a. Rathaus (1491 und 1535); Pfarrkirche Sankt Martin (14. Jh.). Die Pfalz ist eine Wasserburg mit spätgot. Hauptbau (14. Jahrhundert).

F., Landkr. in Bayern.

forcieren [frz., zu lat. fortis „stark"], etwas mit Nachdruck betreiben, vorantreiben, beschleunigen.

Forck, Gottfried, * Ilmenau 6. Okt. 1923, dt. ev. Theologe. – 1947–51 Ausbildung in Bethel und Heidelberg; 1989–91 Bischof von Berlin-Brandenburg (Ostregion). Bemühte sich bis zur Wende in der DDR v. a. um eine ausgewogene Kirchenpolitik im Interesse menschl. Lösungen, seitdem bes. um eine betont soziale Demokratie. 1989/90 Mitarbeit in einer Kommission zur Auflösung der Stasi.

Ford, Aleksander [poln. fɔrt], * Łódź 24. Nov. 1908, † Los Angeles (Calif.) 29. April 1980, poln. Filmregisseur. – Drehte zunächst Dokumentarfilme wie „Im Morgengrauen" (1929), floh 1939 in die UdSSR, wo er eine Gruppe von Filmberichterstattern gründete. 1946/47 bis zu seiner Emigration nach Israel 1968 Leiter der staatl. Film- und Theaterakademie in Łódź. Drehte 1948 den Film über den Aufstand im Warschauer Ghetto „Die Grenzstraße". – *Weitere Filme:* „Chopins Jugend" (1952), „Der achte Wochentag" (1957), „Der erste Tag der Freiheit" (1964), „Der erste Kreis der Hölle" (1972, nach A. Solschenizyn).

F., Ford Madox [engl. fɔːd], eigtl. F. Hermann Hueffer, * Merton (= London) 17. Dez. 1873, † Deauville (Calvados) 26. Juni 1939, engl. Kritiker und Schriftsteller. – U. a. 1924 Gründer der Zeitschrift „Transatlantic Review"; Beziehungen u. a. zu J. Conrad,

D. H. Lawrence, H. James, H. G. Wells, J. Galsworthy, E. Pound, G. Stein, J. Joyce, E. Hemingway; krit. Essayist; auch Romane.

F., Gerald Rudolph [engl. fɔːd], * Omaha (Nebr.) 14. Juli 1913, 38. Präs. der USA (1974–77). – Seit Jan. 1949 Abg. der Republikan. Partei im Repräsentantenhaus; seit 1965 deren Fraktionsführer; 1973 Nachfolger des zurückgetretenen Vizepräs. S. T. Agnew; wurde im Aug. nach dem Rücktritt R. M. Nixons Präs. der USA; erließ eine Amnestie für Vietnamdeserteure; unterlag bei den Präsidentschaftswahlen im Nov. 1976 knapp dem demokrat. Kandidaten J. E. Carter.

F., Glenn [engl. fɔːd], eigtl. Gwyllyn F., * Quebec 1. Mai 1916, amerikan. Filmschauspieler. – Populärer Westernheld, u. a. in „Himmel hinter Stacheldraht" (1939). – *Weitere Filme:* „Die Saat der Gewalt" (1955), „Das kleine Teehaus" (1956), „Die unteren Zehntausend" (1961), „Santee" (1972).

F., Henry [engl. fɔːd], * Dearborn (Mich.) 30. Juli 1863, † Detroit 7. April 1947, amerikan. Automobilindustrieller. – Konstruierte 1892 seinen ersten Motorwagen, gründete 1903 die Ford Motor Co. Er war bis 1919 und von 1943–45 Präs. der Gesellschaft. F. verwirklichte den Gedanken, durch rationalisierte Massenfertigung bei günstigen Arbeitsbedingungen die Herstellung hochwertiger Produkte zu verbilligen, um den Absatz zu steigern **(Fordismus).** Er errichtete bed. Stiftungen **(Ford Foundation).** Schrieb u. a. „Mein Leben und Werk" (1922).

F., Henry II [engl. fɔːd], * Detroit 4. Sept. 1917, † ebd. 29. Sept. 1987, amerikan. Automobilindustrieller. – Enkel von Henry F., 1945–60 Präs., dann Verwaltungsratsvorsitzender der Ford Motor Co.

F., John [engl. fɔːd], ≈ Ilsington (Devonshire) 17. April 1586, † 1640 (?), engl. Schriftsteller. – Verf. von Elegien und Dramen, gekennzeichnet durch melanchol. und makabre Elemente. – *Dramen:* Die Hexe von Edmonton (1621), Giovanni und Arabella (1633, auch u. d. T. Schade ... sie war eine Dirne), Das gebrochene Herz (1633), Die Chronik des Perkin Warbeck (1634).

F., John [engl. fɔːd], eigtl. Sean Aloysius O'Fearna, * Cape Elizabeth (Maine) 1. Febr. 1895, † Palm Springs (Calif.) 31. Aug. 1973, amerikan. Filmregisseur ir. Herkunft. – Gab der Gattung des Western als erster künstler. Niveau, z. B. in „Stagecoach" (1939, dt. u. d. T. „Höllenfahrt nach Santa Fe" und „Ringo"), „My darling Clementine" (1946, dt. u. d. T. „Faustrecht der Prärie"), „Der Mann, der Liberty Valance erschoß" (1962), „Cheyenne autumn" (1964). – 1939 entstand „Der junge Mr. Lincoln", F. subtilster Film. Nach John Steinbeck drehte F. „Früchte des Zorns" (1940) sowie „Tobacco Road" (1941). – *Weitere Filme:* „Bis zum letzten Mann" (1948), „Rio Grande" (1950), „Das letzte Hurrah" (1956).

Ford AG ↑ Ford Motor Co.

Förde [niederdt.], weit ins Flachland eindringende, langgestreckte Meeresbucht; charakterist. für die O-Küste von Jütland und Schleswig-Holstein.

Förderband (Bandförderer) ↑ Fördermittel.

Fördergebläse ↑ Fördermittel.

Fördergerüst, im *Bergwesen* Gerüst aus Stahl oder Stahlbeton über Förderschächten zur Aufnahme der Seilscheiben, die der Umlenkung des Förderseiles aus dem Schacht zur neben dem Schacht stehenden Fördermaschine dienen.

Fördermittel, allg. Bez. für Maschinen oder Geräte zum kontinuierl. (Stetigförderung) oder diskontinuierl. (Pendelförderung) Transport von flüssigem oder festem Material sowie von Personen auf einem [festgelegten] Förderweg.
Für den Transport von Massengütern verwendet man *Stetig-, Dauer-* bzw. *Fließförderer.* Hierzu gehören als *Schwerkraftförderer* z. B. **Fallrohre** und **Rutschen,** bei denen die Schwerkraft die Förderung von Getreide, Säcken, Kohle, Salz usw. übernimmt. **Rollenbahnen** fördern auf hintereinanderliegenden Rollen Güter mit ebener Bodenfläche schon bei dem geringen Gefälle von 3° von selbst, bei waagerechten oder ansteigenden Bahnen durch Verschieben von Hand oder durch Mitnehmerkette. **Schneckenförderer** besitzen eine angetriebene Schneckenwelle als Schubmittel für alle Arten von Schüttgütern. **Bandförderer** unterscheidet man nach der Ausbildung der Förderbänder in Gummigurt-, Textilgurt-, Drahtgurt- und Stahlbandförderer. **Kettenförderer** besitzen als Zugorgan eine

oder mehrere Ketten, an die Trag- bzw. Mitnehmerorgane angehängt sind. **Fahrsteige** (Rollsteige) zum Transport von Personen zählen zu den Band- bzw. Kettenförderern. *Doppelkettenförderer* dienen zur Förderung unter Tage, bes. als *Kohlenhobel* oder *Schrämmaschine.* **Kreisförderer** tragen das Stückgut an einer endlosen und angetriebenen Kette in Haken, Gabeln, Klammern, Mulden. **Schaukelförderer** sind an Kettensträngen aufgehängte Tragschalen. **Warenpaternoster** transportieren Stückgut in senkrechter Richtung. **Becherwerke** besitzen zum Transport von Schüttgut Becher als Tragorgane. Stetigförderer sind auch die *pneumat.* und *hydraul. Förderanlagen.* Bei den **Fördergebläsen** nimmt der Luftstrom, bei den hydraul. Förderanlagen die Flüssigkeitsströmung das Fördergut mit. **Druckluftförderer** verteilen das Fördergut auf mehrere Orte, **Saugluftförderer** fördern von mehreren Stellen nach einem Sammelpunkt. Ebenfalls pneumatisch werden in **Rohrpostanlagen** z. B. Schriftstücke oder kleinere Waren befördert. Zu den **Flurförderern** rechnet man Fahrzeuge für Transportaufgaben im Betrieb. Hierzu gehören z. B. Elektrokarren und Gabelstapler zum Auf- und Übereinandersetzen von Paletten (Stapelplatten). **Aufzüge** dienen der Personen- und Lastenförderung in vorwiegend senkrechter Richtung. **Personenumlaufaufzüge** bzw. **Paternoster[aufzüge]** weisen zwei dauernd umlaufende Gelenkketten auf, an denen mehrere Fahrkörbe für je zwei Personen aufgehängt sind (Fördergeschwindigkeit unter 0,3 m/s; dürfen in Deutschland seit 1. 1. 1974 nicht mehr neu errichtet werden). **Fahrtreppen** bzw. **Rolltreppen** dienen dem Massenverkehr in Bahnhöfen, Warenhäusern usw.
📖 *Pfeifer, H.: Grundll. der Fördertechnik. Wsb.* ⁵*1989. – Scheffler, M./Kurth, F.: Fördertechnik. Bln.* ⁷*1987.*

Förderstufe ↑ Orientierungsstufe.

Förderturm, turmartiges Bauwerk aus Stahl oder Beton, das unmittelbar über einem Schacht errichtet ist und die Fördermaschine aufnimmt.

Forderung ↑ Anspruch, ↑ Forderungen.

Förderung, in der *Technik* allg. die Bewegung von Lasten oder Gütern (seltener von Personen) mit Hilfe von Fördermitteln oder Hebezeugen.
♦ im *Bergbau* der Abtransport der unter oder über Tage gewonnenen mineral. Rohstoffe.

Forderungen (Außenstände), hauptsächlich aus Warenlieferungen und Leistungen resultierende Ansprüche an Geschäftspartner, die in der Kontokorrentbuchhaltung als Debitoren bezeichnet werden.

Ford Foundation [engl. ˈfɔːd faunˈdeɪʃən], 1936 von H. und E. B. Ford gegr. Stiftung, größte Stiftung der USA. Die F. F. will die Lebensqualität („human welfare") v.a. durch Förderung des Erziehungs- und Ausbildungswesens und durch Unterstützung geeigneter Forschungsprojekte verbessern. Die F. F. besitzt rd. 13 % des Kapitals der Ford Motor Co.

Ford Motor Co. [engl. 'fɔːd 'moʊtə 'kʌmpənɪ], zweitgrößter Automobilhersteller der Welt, gegr. 1903 in Dearborn (Mich.), seit 1919 Sitz Wilmington (Del.). Das Produktionsprogramm umfaßt v.a. Pkw, daneben u.a. Lkw, Traktoren, Ausrüstungen für Raumfahrt sowie Rüstung und Datenverarbeitungsanlagen. Unter den zahlr. Tochtergesellschaften befindet sich die **Ford AG**, Köln, gegr. 1925.

Forechecking [engl. 'fɔːtʃɛkɪŋ], im Eishockey das Stören des gegner. Angriffes bereits im gegner. Verteidigungsdrittel.

Foreign Office [engl. 'fɒrɪn 'ɒfɪs], das brit. Außenministerium in London; entstand 1782. Chef ist als Min. mit Kabinettsrang der Secretary of State for Foreign Affairs. Neuer Name seit Angliederung des Commonwealth Office: **Foreign and Commonwealth Office.**

Forel, Auguste [frz. fɔ'rɛl], * La Gracieuse (= Morges) 1. Sept. 1848, † Yvorne 27. Juli 1931, schweizer. Psychiater. – Prof. in Zürich; betrieb u.a. Arbeiten über Gehirnanatomie, Hypnotismus, Alkoholismus, Sozialethik und Gerichtsmedizin. F. setzte sich nachdrücklich für die Alkoholabstinenz ein und führte in diesem Zusammenhang den Guttemplerorden in der Schweiz ein.

Forellen [zu althochdt. forhana, eigtl. „die Gesprenkelte"], zusammenfassende Bez. für 1. **Europ. Forelle** (Salmo trutta), bis 1 m langer Lachsfisch in den Süß- und Meeresgewässern Europas; die bekanntesten Unterarten sind ↑ Bachforelle, **Seeforelle** (Salmo trutta f. lacustris), meist 40–80 cm lang, in Seen N- und O-Europas sowie im Bodensee und in Alpenseen; Rücken dunkelgrau, Seiten heller, mit kleinen, schwarzen und rötl. Flecken; **Meerforelle** (Lachs-F., Salmo trutta trutta), bis 1 m lang, in küstennahen Meeres- und Süßgewässern N- und W-Europas; erwachsen meist mit dunklem Rücken und schwarzen Flecken an den silbrigen Seiten; 2. **Regenbogenforelle** (Salmo gairdneri), 25–50 cm langer Lachsfisch in stehenden und fließenden Süßgewässern des westl. N-Amerika; seit 1880 in M-Europa eingeführt, hier v.a. in Zuchtanlagen; Rücken dunkelgrün bis braunoliv, Seiten heller, meist mit breitem, rosa schillerndem Längsband und zahlr. kleinen schwarzen Flecken. Beide Arten sowie die Unterarten sind geschätzte Speisefische.

Forellenbarsch, eine Art der Schwarzbarsche (↑ Sonnenbarsche).

Forellenregion, oberste Flußregion zw. Quelle und ↑ Äschenregion; gekennzeichnet

durch starke Strömung, klares, sauerstoffreiches, konstant kaltes Wasser; Charakterfische sind v.a. Bachforelle, Groppe, Bachsaibling, Regenbogenforelle.

forensisch [lat.], gerichtlich.

forensische Medizin, svw. ↑ Rechtsmedizin.

Forester, Cecil Scott [engl. 'fɒrɪstə], * Kairu 27. Aug. 1899, † Fullerton (Calif.) 2. April 1966, engl. Schriftsteller. – Schrieb spannende Soldaten-, Marine- und Abenteuerromane, humorvolle Reisebeschreibungen und Biographien (z.B. über Nelson, 1944); u.a. Romanzyklus (11 Bände, 1937–64) um die Gestalt des brit. Seeoffiziers Horatio Hornblower.

Forez, Monts du [frz. mõdyfɔ'rɛ], kristallines Bergland im frz. Zentralmassiv, im Pierre-sur-Haute 1634 m hoch.

Forggensee ↑ Stauseen (Übersicht).

Forint, Abk. Ft., ungar. Bez. für den Gulden; Währungseinheit in Ungarn; 1 Ft. = 100 Filler (f.).

Forkel, Johann Nikolaus, * Meeder bei Coburg 22. Febr. 1749, † Göttingen 20. März 1818, dt. Musikforscher. – Erster Vertreter der aus dem prot. Musikschrifttum des 18.Jh. herauswachsenden Musikwiss.; schrieb u.a. „Musikalisch-krit. Bibliothek" (3 Bde., 1772/ 1779), „Ueber J. S. Bachs Leben, Kunst und Kunstwerke" (1803).

Forlana [italien.] (Furlana, Friauler), schneller Werbetanz aus Friaul, im ⁶/₈-, später auch im ⁶/₄-Takt, der ↑ Tarantella ähnlich.

Forlani, Arnaldo, * Pesaro 8. Dez. 1925, italien. Politiker (Democrazia Cristiana). – 1969–73 und seit 1989 Parteisekretär der DC; u.a. 1976–79 Außenmin., 1980/81 Min.präs., 1983–87 stellv. Min.präsident.

Forlì, italien. Prov.hauptstadt in der Emilia-Romagna, 110300 E. Bischofssitz, Museen, Gemäldegalerie, Bibliothek; Ind.- und Handelszentrum der Romagna, Messen. – In der Antike **Forum Livii;** gehörte im MA zum Exarchat von Ravenna, 1504–1860 zum Kirchenstaat. – Zahlr. Kirchen und Paläste in der Altstadt, u.a. Dom (12.Jh.ff.), roman. Kirche San Mercuriale (12.Jh.), Palazzo del Podestà (1459/60) und die Festungsanlage der Rocca di Ravaldino (1472–82).

Form [lat.], in der *Gießereitechnik* Hohlkörper, dessen Gestalt der des herzustellenden Gußstückes entspricht.
◆ in der *Philosophie* eine im Zusammenhang mit dem Problem von Werden, Bewegung, Veränderung von Aristoteles eingeführte Bez. für den Zustand, den das sich Verändernde annimmt; neben *Materie* als dem, das dem Sich-Verändernden „zugrundeliegt", und *Steresis,* dem Zustand vor oder zu Beginn des Werdens, eines der drei Grundprinzipien des Werdens.

◆ in der *kath. Sakramentenlehre* das sinngebende Wort, das eine bestimmte Handlung des Priesters zum Sakrament werden läßt.

◆ in der *Literaturwiss.* unterschiedlich verwendeter Begriff, insbes. Gegenüberstellung des Gegensatzpaares *F. und Gehalt.* Die neuere Literaturwiss. vermeidet die Unterscheidung von vorgegebener F. und primär gegebenem Inhalt; das literar. Kunstwerk ersteht als Gestalt. F. wird gelegentlich auch in diesem Sinne verwendet.

◆ in der *bildenden Kunst* bzw. *Kunstwiss.* von A. Riegl und H. Wölfflin eingeführter Begriff. Danach werden die F. betreffende Faktoren isoliert von bedeutungsmäßigen Elementen registriert und in ihrem Stellenwert für die Gesamtkonzeption analysiert.

◆ in der *Sprachwiss.* die akustisch oder graphisch wahrnehmbare Seite der Sprache, die der Struktur der Sprache gemäße äußere Gestalt.

◆ in der *Musik* ist F. einerseits das mit Tönen Gestaltete (Thema, Motiv, Affekt, Stimmung), andererseits das als Ganzes überschaubare einzelne Werk (Lied, Arie usw.).

◆ (Forma, in fachsprachl. Fügungen: forma) Abk. f., in *biolog. Systematik* die niedere Einheit, die der Art untergeordnet ist.

◆ im *Rechtswesen* bei Willenserklärungen das Mittel zur wirksamen Äußerung *(Erklärung)* des Geschäftswillens. – I. d. R. kann der Geschäftswille auf beliebige Art und Weise (formlos) erklärt werden, z. B. durch Worte, u. U. auch durch Schweigen (Grundsatz der F.freiheit). Gewisse Geschäfte von bes. Bed. (v. a. solche des Familien- und Erbrechts) sind jedoch kraft Gesetzes formgebunden, d. h., die zum Zustandekommen des Geschäfts erforderl. Willenserklärungen müssen in einer bestimmten F. abgegeben werden. Außer durch Gesetz kann eine F.bindung auch durch Rechtsgeschäft (meist Parteivereinbarung) angeordnet werden *(gewillkürte F.).* Gesetzlich vorgeschriebene F.: **Schriftform:** Sie erfordert eine Urkunde, welche die wesentl. Teile der Erklärung enthält und von dem Erklärenden eigenhändig unterzeichnet sein muß. Die Unterschrift muß die Urkunde i. d. R. räumlich abschließen. Bei einem Vertrag muß die Urkunde die Unterschrift sämtl. Parteien tragen. **Öff. Beglaubigung:** Bei ihr sind nötig: eine schriftl. Erklärung sowie die Beglaubigung der Unterschrift, die ein amtl. Zeugnis über die Echtheit der Unterschrift oder des Namenszeichens darstellt. Zuständig für die Beglaubigung ist i. d. R. der Notar. **Notarielle Beurkundung:** Sie erfordert die Aufnahme einer *Niederschrift (Protokoll),* welche die Namen der Beteiligten und des Notars sowie die Erklärungen der Beteiligten enthalten und in Gegenwart des Notars und der Beteiligten vorgelesen, von ihnen genehmigt und eigenhändig unterschrieben werden muß. Ort und Tag der Verhandlung sollen angegeben werden. Die notarielle Beurkundung ersetzt jede andere F., sie selbst kann durch den gerichtl. Vergleich ersetzt werden.

Mangel der Form: Die Nichtbeachtung gesetzl. F.vorschriften hat die Nichtigkeit des Rechtsgeschäfts zur Folge, desgleichen im Zweifel der Mangel der gewillkürten Form. Formlos getroffene Nebenabreden eines formgebundenen Geschäfts sind grundsätzlich ungültig und führen zur Nichtigkeit des ganzen Geschäfts.

Für das *östr.* Recht ist die F.freiheit der Verträge die Regel. Verträge, für die das Gesetz Schriftlichkeit vorsieht, kommen durch Fertigung der Urkunde zustande. F. sind: einfache Schriftlichkeit, Notariatsakt. In der *Schweiz* gilt eine dem dt. Recht im wesentlichen entsprechende Regelung.

formal [lat.], auf die Form, nicht auf den Inhalt bezogen. In der *Logik* Terminus u. a. zur Charakterisierung der Geltung von Aussagen allein auf Grund der Form ihrer Zusammensetzung mit log. Partikeln; von daher die Bez. *formale Logik.* In der *Sprachwiss.:* gesagt von linguist. Aussagen, die auf einem angegebenen Regelsystem fußen, wohl definiert und daher nachprüfbar sind.

Formalbeleidigung ↑Beleidigung.

Formaldehyd [form-al...; Kw. aus Acidum formicicum („Ameisensäure") und **Aldehyd**] (Methanal), H—CHO, einfachster, sehr reaktionsfähiger Aldehyd; ein stechend riechendes farbloses Gas, dessen wäßrige Lösung, das **Formalin** ⓦ (35–40 %ig) in der Medizin als Desinfektionsmittel und zur Konservierung histolog. Präparate dient. F. bildet leicht Polymerisationsprodukte; techn. dient er v. a. als Rohstoff für viele Kunststoffe, z. B. Phenolharze, Aminoplast. – F. wirkt stark reizend auf die Schleimhäute und verursacht Entzündungen der Atemwege; Verdacht auf mutagene und karzinogene Wirkung.

Formaldienst (früher Exerzierausbildung), Unterweisung des einzelnen Soldaten und geschlossener Abteilungen im militär. Dienstkanon (Gruß, Kommandos u. a.).

formale Logik ↑Logik.

Formalien [lat.], Förmlichkeiten, Äußerlichkeiten, Formvorschriften.

Formalin ⓦ [Kw.] ↑Formaldehyd.

formalisierte Sprache (formale Sprache), ein semantisch interpretierter Kalkül. Eine f. S. besteht aus einem *Alphabet* von Grundzeichen, *Formregeln* zum Aufbau von Ausdrücken, *Ableitungsregeln* für den Übergang von Ausdrücken zu anderen Ausdrükken und *Interpretationsregeln,* die den Ausdrücken Bedeutungen verleihen und den Wahrheitsbegriff festlegen.

Formalismus [lat.], im allg. Sprachgebrauch die ausschließl. Berücksichtigung, Überbetonung der Form, des Formalen.

♦ in *Logik* und *Mathematik* eine Theorie, deren Sätze durch einen Kalkül aus Axiomen erzeugt werden.

♦ russ. *literaturwiss.* und *literaturkrit. Schule,* entwickelt zw. 1915 und 1928. Sie lehnte biograph., psycholog., soziolog. Methoden, „religiöse und philosoph. Tendenzen" ab. Das literar. Werk wurde als „die Summe aller darin angewandten stilist. Mittel" („Kunstgriffe") aufgefaßt. Diese wurden beschrieben und ihre jeweilige Funktion erklärt (Untersuchungen von Prosa, Metrik, literar. Evolution, Gattungsproblematik und Filmtheorie). In der UdSSR 1930 unterdrückt, wurde das Gedankengut des F. aber im sog. Prager Strukturalismus, in der poln. „integralen Literaturbetrachtung" und im New criticism der USA weiterentwickelt und ist wesentl. theoret. Fundament für den frz. Strukturalismus und die Vertreter der Nouvelle critique.

♦ im *marxist.-leninist. Sprachgebrauch* polit.-polem. Bez. zur Kennzeichnung „sinnentleerter Spielerei" der Künstler mit Formenelementen und Gestaltungsmitteln (Abweichung vom sozialist. Realismus) sowie einseitig begründeter Verwaltungsmethoden (Bürokratismus).

Formamid [form-a...; Kw. aus Acidum formicicum („Ameisensäure") und **Amid**], als Lösungsmittel, auch zur Darstellung von Ameisensäure, Vitaminen u. a. verwendete farblose Flüssigkeit, CH₃NO.

Forman, Miloš, * Čáslav 18. Febr. 1932, tschechoslowak. Filmregisseur. – Fand internat. Beachtung mit seinen satir. Filmkomödien „Der schwarze Peter" (1964), „Die Liebe einer Blondine" (1965). In der polit. Parabel „Einer flog über das Kuckucksnest" (1975) versuchte er, gesellschaftl. Verhaltensmuster in den USA, wo F. seit 1968 lebt, mit den Zuständen in einer Nervenheilanstalt gleichzusetzen. – *Weitere Filme:* „Hair" (1979), „Ragtime" (1981), „Amadeus" (1984), „Valmont" (1989).

Formant (Formans, Formativ) [lat.], in der *Sprachwissenschaft* gebundenes, d. h. nicht freistehend vorkommendes Morphem als grammat. Bildungselement, z. B. trag-*bar*.

Format [zu lat. formatum „das Geformte"], Seiten- und Größenverhältnisse einer Fläche bzw. eines Gegenstands, auch deren Anordnung (Hoch-, Querformat).

♦ das hohe Niveau der Fähigkeiten einer stark ausgeprägten Persönlichkeit.

formatieren [lat.-frz.], Daten nach bestimmten Vorschriften zusammenstellen bzw. anordnen; bei plattenförmigen Datenspeichern (z. B. Disketten) durch Einteilung der Platte in Spuren und Sektoren, auf die (nach

der Formatierung) als Speicherbereiche möglichst rasch zurückgegriffen werden kann.

Formation [lat.], *militär.:* für einen bestimmten Zweck oder Auftrag bestehende oder zu bildende Gliederung oder Aufstellung von Truppen, Schiffsverbänden u. a.

♦ (Pflanzenformation) in der *Botanik* höhere Einheit bei Pflanzengesellschaften; wird durch das Vorherrschen einer bestimmten Wuchs- oder Lebensform (z. B. immergrüne Hartlaubgehölze) gekennzeichnet.

♦ in der *Geologie* Bez. für eine Gesteinsschichtenfolge, die sich in einem größeren erdgeschichtl. Zeitraum gebildet hat; veraltete Bez. für den heute **System** genannten erdgeschichtl. Zeitraum (↑ Geologie, Übersicht).

Formationsregel, in der ↑ generativen Grammatik Regel zur Erzeugung von Sätzen, ausgedrückt durch formalisierte Zeichenfolgen, dargestellt in Stammbäumen, Klammerausdrücken oder Formeln.

Formativ [lat.], in der ↑ generativen Grammatik die bedeutungstragenden Elemente der Tiefenstruktur.

Formel [zu lat. formula „kleine Form, Gestalt"], *allg.* feststehender Ausdruck, feste Redewendung für einen bestimmten Begriff oder Gedanken (z. B. „Tag und Nacht" = immer); auch Gruß-, Segens-, Gebets-, Brief-, Eingangs-, Schluß-, Demutsformeln.

♦ eine Aussage bzw. Aussageform, die meist unter Verwendung bestimmter Zeichen **(Formelzeichen)** wiedergegeben wird. Physikal. und techn. F. haben oft die Form einer Gleichung, in der die F.zeichen für physikal. Größen (z. B. *c* für Lichtgeschwindigkeit) durch mathemat. Zeichen verknüpft sind. – ↑ chemische Formeln.

♦ ↑ Motorsport.

Formelbücher (Formelsammlungen, Formularbücher), Zusammenstellung von Mustern rechtl. Schriftstücke (v. a. Klageschriften, Urteile, Verträge, Privilegien; zur jurist. Ausbildung, bes. zur Erleichterung der Tätigkeit von Anwälten, Richtern, Notaren seit alters angelegt. F. i. w. S. heißen auch die zur Erlernung schulgerechten Briefstils angelegten Briefsammlungen des Mittelalters.

formelfreie Rennwagen ↑ Motorsport.

formell [lat.-frz.], förmlich, die Formen streng beachtend; ausdrücklich.

formelle Beschwer ↑ Beschwer.

formelle Rechtskraft ↑ Rechtskraft.

Formelsammlungen, svw. ↑ Formelbücher.

♦ Zusammenstellung von Formeln aus einem bestimmten Bereich (z. B. Mathematik).

Formelzeichen ↑ Formel.

Formenkreis (Rassenkreis, Collectio formarum), Abk. cf., in der biolog. Systematik erweiterter Artbegriff, der nahe miteinan-

159

der verwandte Arten und Unterarten (geograph. Rassen) umfaßt.

Formenlehre, in der *Biologie* svw. ↑ Morphologie.

◆ in der *Grammatik* Teilgebiet der Morphologie, das sich mit der Formenbildung der Wörter (Deklinations-, Konjugations- und Komparationsformen) befaßt.

◆ in der *Musik* die Beschreibung formaler Schemata (z. B. Fuge, Sonatensatz). Die F. entstand im 18. Jh. aus der theoret. Betrachtung der Instrumentalmusik und wird seit dem 19. Jh. an den Konservatorien als Teil der Kompositionslehre neben Harmonielehre und Kontrapunkt gelehrt; die Vielfalt der Gestaltungsmöglichkeiten in der neueren Musik drängte jedoch die Bedeutung der F. für die Kompositionstechnik zurück.

Forment, Damián, * Valencia (?) um 1480, † Santo Domingo de la Calzada (Prov. Logroño) 1541, span. Bildhauer. – Verhalf der italien. Renaissance in Spanien (plateresker Stil) zum Durchbruch. 1509 ff. entstand u. a. der Hochaltar für Nuestra Señora del Pilar in Zaragoza.

Formentera, Insel der Balearen, Spanien, südl. von Ibiza, 115 km², im La Mola 192 m hoch; Hauptort San Francisco Javier.

Formgeschichte (formgeschichtliche Methode), eine Methode der Untersuchung und Interpretation bibl. Texte, die davon ausgeht, daß die Texte aus bestimmten erzähler. Einheiten bestehen, die ihrer Form nach unterschieden und als Gattungen typisiert werden können. Diese Formen sind abhängig von bestimmten typ. Situationen (dem sog. „Sitz im Leben"), in denen die Texte hervorgebracht und verwendet wurden.

Formholz (Biegeholz), durch Dämpfen oder Kochen bleibend verformbares Massivholz (z. B. für Bugholzmöbel).

Formia, italien. Hafenstadt und Seebad in Latium, 110 km sö. von Rom, 31 900 E. Fremdenverkehr, Fischerei. – Das antike **Formiae** an der Via Appia erhielt 188 v. Chr. das Vollbürgerrecht. Seit dem Ende der Republik beliebter Erholungsort vornehmer Römer; seit dem 9. Jh. **Mola di Gaeta** nahm die Stadt 1862 den Namen F. an. – Ruinen eines röm. Theaters (4. Jh.), Kastell der Caetani (1377), Kastell Mola (14. Jh.).

formidabel [lat.-frz.], außergewöhnlich, erstaunlich, großartig; (veraltet) furchtbar.

formieren [lat.], bilden, gestalten, aufstellen.

Formosa, Hauptstadt der argentin. Prov. F., am Paraguay, 95 000 E. Kath. Bischofssitz; Hafen. – Seit 1874 argentinisch.

F., argentin. Prov. im zentralen Gran Chaco, 72 066 km², 354 500 E (1989), Hauptstadt F.; Rinderzucht, Anbau von u. a. Baumwolle.

Formosa ↑ Taiwan.

Formosastraße, rd. 350 km lange Meeresstraße zw. der Insel Taiwan und dem chin. Festland; engste Stelle 135 km breit.

Formschneider, Kunsthandwerker, der die zur Wiedergabe durch Holzschnitt bestimmte Zeichnung in den Holzstock schneidet.

Formstanzen ↑ Blechverarbeitung.

Formula [lat.], im antiken röm. Prozeßrecht gesetzlich oder gewohnheitsrechtlich vorgeschriebenes Schema (bestimmte Worte), dessen sich die Parteien für prozessuale Handlungen bedienen mußten (v. a. im sog. Formularprozeß).

Formularbücher ↑ Formelbücher.

Formularverträge [lat./dt.], Verträge, deren Inhalt formularmäßig typisiert ist (z. B. Mietverträge). Die im Schuldrecht geltende Gestaltungsfreiheit wird dadurch reduziert.

Formulierung [lat.], die richtige sprachl. Form gebrachte, einen Sachverhalt angemessen ausdrückende Aussage.

Formyl- [lat./griech.], Bez. der chem. Nomenklatur für die Atomgruppierung −CHO; Strukturformel:

$$-C\diagup^{O}_{\diagdown H}$$

Formylierung [lat./griech.], Einführung der Formylgruppe −CHO in organ. Verbindungen; führt zur Bildung von Aldehyden (z. B. ↑ Oxosynthese).

Formzylinder, zylindr. Druckformträger in der Druckmaschine.

Fornax [lat.] ↑ Sternbilder (Übersicht).

Forschung, Summe systemat. Bemühungen um Erkenntnisse in allen Bereichen der Wiss. Seit der industriellen Revolution wird F. als Grundlagen- wie als angewandte F. bes. in Naturwiss. und Technik vorangetrieben, ihre Ergebnisse sind heute von zentraler Bedeutung für Wirtschaft und Gesellschaft. F. und F.ergebnisse können heute nicht mehr schlechthin als positiv gewertet werden, ihre mögl. (umwelt-)zerstörer. Aspekte müssen in die Überlegungen einbezogen werden.

Organisation der Forschung in der BR Deutschland:

Zuständigkeiten: Die F. wird, abgesehen von der F. durch Einzelpersonen, in staatl., halbstaatl. und privaten F.einrichtungen betrieben. Auch dem GG sind die staatl. Zuständigkeiten im Bereich der Wissenschaftspolitik zw. Bund und Ländern aufgeteilt. Der Bund verfügt nach Art. 74 Nr. 13 GG über weitgehende Befugnisse bei der Gesetzgebung, die beispielsweise auf das Gebiet der Erzeugung und Nutzung der Kernenergie (Art. 74 Nr. 11a GG) ausgedehnt wurden. Im Hinblick auf eine gemeinsame F.politik von Bund und Ländern wurden Verwaltungsabkommen getroffen, durch die gemeinsame Organe bestellt worden sind: die Ständige Kommission von Bund und Ländern, ein Verwaltungsausschuß zur Prüfung und Festsetzung des jährl. von Bund und Ländern gemeinsam aufzubringenden Zuschußbedarfs der Dt. Forschungsgemeinschaft und der Max-Planck-Gesellschaft sowie der Wissenschaftsrat. Die ministerielle Verantwortung für Wissenschafts- und F.politik liegt auf Bundesebene (seit 1973) bei dem Bundesmin. für Bildung und Wissenschaft (Hochschul-F., Dt. Forschungsgemeinschaft) und bei dem Bundesmin. für F. und Technologie (übrige F.förderung). Daneben ist noch insbes. das Verteidigungsministerium mit F.förderung befaßt.

Forschungseinrichtungen des Bundes: Der Bund verfügt – wie auch in geringerem Umfang die Länder – über eine Reihe eigener F.einrichtungen, die den jeweiligen Fachmin. zwecks Ressort-F. unterstehen (Bundesanstalten bzw. Bundesforschungsanstalten). Als selbständige, vom Staat geförderte Organisationen wurden überwiegend vom Bund 16 Großforschungseinrichtungen für naturwiss. und techn. F. und Entwicklung geschaffen (u. a. das Hahn-Meitner-Institut für Kernforschung GmbH in Berlin [HMI], das Dt. Elektronen-Synchrotron in Hamburg [DESY], die Gesellschaft für Schwerionenforschung mbH in Darmstadt [GSI], die Gesellschaft für Kernforschung mbH in Karlsruhe [GFK], das Forschungszentrum Jülich GmbH [KFA], das Max-Planck-Institut für Plasmaphysik in Garching [IPP], Stiftung Deutsches Krebsforschungszentrum [DKFZ] in Heidelberg), zusammengeschlossen in der Arbeitsgemeinschaft der Großforschungseinrichtungen (AFG).

Die ↑ Max-Planck-Gesellschaft zur Förderung der Wissenschaften e. V. betreibt in eigenen, z. T. sehr großen und speziellen Instituten selektiv Forschung, die ↑ Deutsche Forschungsgemeinschaft e. V. unterstützt in erster Linie F.vorhaben in den Hochschulen, die ↑ Fraunhofer-Gesellschaft zur Förderung der angewandten Forschung e. V. fördert in eigenen Instituten die angewandte und anwendungsorientierte F., auch als Vertragsforschung. Wiss. Akademien führen neben interdisziplinären Kolloquien längerfristige F.vorhaben durch.

Schließl. ist zu erwähnen, daß der Bund an einer Reihe von internat. Organisationen im Bereich von F. und Entwicklung beteiligt ist. Zu unterscheiden sind Organisationen mit eigener F.kapazität (EURATOM, CERN, ESA u. a.), Organisationen mit Förderungs- und Koordinierungsaufgaben (z. B. OECD) und internat. Einzelprojekte.

Nichtstaatl. Forschung: Hier handelt es sich um Industrie-F., die sinngemäß als produktschaffende F. bezeichnet werden muß und der Erhaltung der Wettbewerbsfähigkeit der einzelnen Unternehmen dient. Man unterscheidet: 1. die unternehmenseigene F. (bes. Stahl-, Maschinen- und Fahrzeugind., Elektrotechnik, chem. und pharmazeut. Industrie); 2. Lizenzvergabe und Spezialisierungsabkommen, die den beteiligten Firmen eine Art von Arbeitsteilung ermöglichen; 3. industrielle Gemeinschafts-F. durch F.vereinigungen von Branchen. In der Arbeitsgemeinschaft industrieller F.vereinigungen (AIF) in Köln sind 70 derartige Vereinigungen (v. a. weniger forschungsintensiver Wirtschaftsgruppen) zusammengeschlossen; sie unterhalten eigene F.stätten oder vergeben F.aufträge; 4. Vertrags-F. ist der Begriff für die Vergabe von F.aufträgen; sie hat zur Errichtung des Battelle-Instituts in Frankfurt am Main und zum Ausbau der Fraunhofer-Gesellschaft als Trägergesellschaft geführt.´

Finanzierung: Im Rahmen der finanziellen Förderung wurden in den alten Bundesländern der BR Deutschland 1990 insgesamt rd. 53 Mrd. DM für F. und Entwicklung aufgewendet, der Anteil der Wirtschaft lag etwa in gleicher Höhe; dazu kommen Wissenschaftsspenden und Aufwendungen von Wissenschaftsstiftungen (Stifterverband für die Dt. Wiss., Stiftung Volkswagenwerk, Fritz Thyssen Stiftung, Bosch-Stiftung, Krupp-Stiftung u. a.).

Mayntz, R.: F.management. Wsb. 1985. Ratgeber F. u. Technologie. Hg. v. Bundesmin. f. F. u. Technologie. Köln 1985. – F. in der BR Deutschland. Hg. v. C. Schneider. Weinheim 1983.

Forschungsanstalt für Meeresgeologie und Meeresbiologie „Senckenberg" ↑ biologische Stationen.

Forschungsreaktor, ein Kernreaktor, der v. a. Forschungszwecken in Physik, Chemie, Nuklearmedizin, Biologie u. a. dient.

Forschungssatelliten, Sammelbez. für Raumflugsysteme für ausschließlich wiss. Aufgabenstellungen.

Forschungsschiff, hochseetüchtiges Schiff mit Einrichtungen zur Erforschung u. a. des Meerwassers, der wassernahen Luftschichten, des Meeresbodens, der Lebewesen des Meeres, der Meeresströmungen.

Forschungs- und Entdeckungsreisen, Reisen, die der Erforschung und Entdeckung eines im Kulturkreis des Entdeckers bzw. Erforschers nicht bekannten Teils der Erde dienen oder dazu führen. Die älteste schriftlich überlieferte Reise ist die von der ägypt. Königin Hatschepsut veranlaßte Expedition nach Punt Anfang des 15. Jh. v. Chr. Die Griechen, Phöniker, Karthager und später die Römer erweiterten durch Entdek-

kungsfahrten das Weltbild. Um 100 n. Chr. hatten die Römer Kenntnis von Britannien und von der norweg. Küste, der S-Küste der Ostsee bis Ostpreußen, der Iber. Halbinsel und dem W des Atlant. Ozeans bis zu den Kanar. Inseln, N-Afrika, Arabien, Indien und China. Seit dem 7. Jh. sind neue Entdekkungsreisen von China aus (u. a. Indien, Japan), vom 10. bis 14. Jh. arab. Händler und Reisende am nördl. Eismeer bezeugt. Auch die Sahara, der Sudan und Teile Innerafrikas waren den Arabern bekannt. Im 9./10. Jh. entdeckten die Normannen Island, Grönland und (um 1000) Nordamerika. Doch erweiterte erst der Bericht von Marco Polo über seine Reisen (1271–95) nach China und bis zum Pazif. Ozean die abendländ. Weltkenntnis. Ähnl. Bed. hatten die Reisen Ibn Battutas 1325–49 für Arabien. Das 15./16. Jh. war das eigtl. Zeitalter der Entdeckungen, nun verbunden mit der weltweiten europ. Expansion. Die Verträge von Tordesillas und Zaragoza (1494/1529) bestätigten mit der Teilung der Welt in eine östl., portugies. und eine westl., span. Interessensphäre die geograph. Orientierung der großen Entdeckungsfahrten: 1487–92 kam P. da Covilhã über Aden nach Indien, von dort nach Moçambique und Abessinien. B. Diaz entdeckte 1487/88 das Kap der Guten Hoffnung und damit den Seeweg nach Indien; 1497/98 reiste V. da Gama nach Indien. 1492 entdeckte Kolumbus in span. Diensten die Westind. Inseln, 1498 Südamerika und 1502 Mittelamerika; 1497–1504 bereiste A. Vespucci die mittel- und südamerikan. Küstengebiete. P. A. Cabral entdeckte 1500 Brasilien, G. Caboto 1497/98 das nordamerikan. Festland. Span. Konquistadoren (u. a. H. Cortez, F. Pizarro) eroberten 1519–43 die indian. Reiche in Mexiko, Kolumbien und Peru. 1513 hatte V. Núñez de Balboa den Pazif. Ozean entdeckt, 1519–22 F. de Magalhães die Erde umsegelt.
Der Fortschritt der Kartographie förderte F.-u. E. in den neuentdeckten Gebieten der Erde, nun in stärkerem Umfang getragen von den aufstrebenden Seemächten England und Niederlande, deren Ostind. Kompanien (gegr. 1600/02) in Indien und auf dem Malaiischen Archipel Kolonialreiche errichteten. Australien wurde wohl schon im 16. Jh. von Portugiesen besucht, namentlich bekannt ist als erster G. de Eredia (1601), dem 1605 der Niederländer W. Janszoon folgte. Die Ostküste fand 1770 der Engländer J. Cook. Der neue Erdteil wurde – wie schon vor das in seiner allg. Struktur bis 1804 bekannte N-Amerika – zunehmend von Siedlern (zunächst jedoch meist Sträflingskolonien) erschlossen. Die wiss. Erforschung der Erde i. e. S. begann mit A. von Humboldts Süd-

und Mittelamerikareise (1799–1804). Im 19./ 20. Jh. wurden die letzten großen unbekannten Gebiete der Erde erforscht: bis etwa 1880 Innerafrika (v. a. durch R. A. Caillié, H. Barth, G. Rohlfs, D. Livingstone, Sir H. M. Stanley, G. Nachtigal, G. Schweinfurth, Emin Pascha), Ende 19./Anfang 20. Jh. Z-Asien (v. a. durch N. M. Prschewalski, S. Hedin, A. Tafel und W. Filchner). Den Nordpol erreichte 1908 (nach eigenen Angaben) F. A. Cook, 1909 R. E. Peary, den Südpol im Dez. 1911 R. Amundsen vor R. F. Scott im Jan. 1912. Die heutigen Forschungsexpeditionen, die mit modernsten techn. Mitteln durchgeführt werden, dienen neben wiss. Zwecken insbes. der Erschließung von Rohstoffen in unzugängl. Gebieten (auch im Meer; z. B. internat. Transantarktis-Expedition 1990). Daneben trat die Raumfahrt. – ↑ die einzelnen Kontinente (Entdeckungsgeschichte).
📖 *Entdeckungsgesch. aus erster Hand*. Hg. v. H. Pleticha. *Würzburg 1990.* – Embacher, F.: *Lex. der Reisen u. Entdeckungen. Lpz. 1882. Nachdr. Pforzheim 1988.* – Reinhard, W.: *Gesch. der europ. Expansion. Stg. 1983–88. 4 Bde.* – *Dokumente zur Gesch. der europ. Expansion. Hg. v. E. Schmitt. Mchn. 1984–88. Bd. 1–4 (auf 7 Bde. berechnet).*

Fǫrseti (Forsite, fries. Fosite), in der german. Mythologie als Sohn Baldrs und Nannas einer der Asen, der als Gerichtsgott Rechtsuchende schützt und Fehden beilegt. Sein Heiligtum soll auf **Fositesland** (Helgoland) gestanden haben.

Fǫrßmann, Werner, *Berlin 29. Aug. 1904, †Schopfheim 1. Juni 1979, dt. Chirurg und Urologe. – Prof. in Mainz und Düsseldorf; führte 1929 im Selbstversuch erstmals den ↑Herzkatheterismus durch. 1956 erhielt F. für diese wiss. Pionierleistung den Nobelpreis für Physiologie oder Medizin (mit A. Cournand und D. W. Richards).

Fǫrst, Willi, eigtl. Wilhelm Froß, *Wien 7. April 1903, †ebd. 11. Aug. 1980, östr. Schauspieler und Filmregisseur. – Zahlr. Filmrollen, u. a. in „Zwei Herzen im Dreivierteltakt" (1930); als Regisseur v. a. in den 1930/40er Jahren mit Operettenfilmen erfolgreich.

Fǫrst, Landkr. in Brandenburg.

Forst, heute ein nach forstwirtschaftl. Grundsätzen bewirtschafteter und abgegrenzter Wald (im Ggs. zum Urwald). Früher war der F. königl. Wald (Herrenwald, Bannforsten), im Unterschied zum Märkerwald, wo zumindest das Nutzungsrecht den Dorfgenossen gemeinsam zustand.

Forstamt, unterste Verwaltungs- und Organisationseinheit zur hoheitl. und wirtschaftl. (**Forstbetrieb**) Durchführung der Forstverwaltung. Die vorwiegend staatlichen

Forstämter sind für Wälder aller Besitzarten zuständig; in 5–15 **Forstreviere** (Reviere) unterteilt.

Forstbeamter (Forstbetriebsbeamter), fachl. ausgebildeter Angehöriger der Forstverwaltung; höherer Dienst *(Forstverwaltungsbeamter):* nach dem Studium der Forstwissenschaft und Erlangung des Titels Diplomforstwirt *Forstmeister (Forstrat);* gehobener Dienst: nach Realschulabschluß Ausbildung an einer Forstschule der Bundesländer zum *Revierförster;* mittlerer Dienst: Ausbildung an einer Forstschule zum *Forstwart,* häufig aus dem Waldfacharbeiter oder Haumeister hervorgehend; einfacher Dienst: *Forsthüter* (Waldhüter), *Revierjäger, Jagdaufseher.*

Forstbehörden, Behörden, die die staatl. Hoheitsgewalt über Forsten (**Forstaufsicht,** und forstl. Betreuung) ausüben. Aufbau und Zuständigkeiten sind landesrechtlich unterschiedlich geregelt. ·

Forster, Albert ['– –], * Fürth 26. Juli 1902, † in Polen 28. April 1948 (hingerichtet), dt. Bankkaufmann und Politiker. – Trat 1923 der NSDAP bei, 1930–45 MdR; 1930 Gauleiter von Danzig, 1939 von Danzig-Westpreußen und Reichsstatthalter von Danzig, 1940 Reichsverteidigungskommissar, 1943 SS-Obergruppenführer; 1947 in Warschau zum Tode verurteilt.

F., Edward Morgan [engl. 'fɔːstə], * London 1. Jan. 1879, † Coventry 7. Juni 1970, engl. Schriftsteller. – Bed. Romancier; gründete sein Werk auf Liberalismus, individualist. Humanismus und moralist. Tendenzen. Stellte mit Ironie und Skepsis Schwierigkeiten menschl. Zusammenlebens dar. – *Werke:* Howards End (R., 1910), Auf der Suche nach Indien (R., 1924), Ansichten des Romans (1927).

F., Friedrich ['– –], eigtl. Waldfried Burggraf, * Bremen 11. Aug. 1895, † ebd. 1. März 1958, dt. Dramatiker. – Begann als Schauspieler, schrieb bühnenwirksame Schauspiele mit teils histor., teils zeitkrit. Stoffen, u. a. „Robinson soll nicht sterben" (1932).

F., Georg ['– –], * Amberg um 1510, † Nürnberg 12. Nov. 1568, dt. Komponist. – Hg. einer u. d. T. „Frische teutsche Liedlein" (5 Tle., 1539–56) bekannten Sammlung mit hauptsächlich weltl., 4- und 5stimmigen Liedsätzen von ihm selbst und etwa 50 anderen zeitgenöss. Komponisten.

F., [Johann] Georg ['– –], * Nassenhuben bei Danzig 27. Nov. 1754, † Paris 10. Jan. 1794, dt. Reiseschriftsteller. – Begleitete seinen Vater Johann Reinhold F. (* 1729, † 1798; einer der Begr. der vergleichenden Völker- und Länderkunde) und J. Cook auf Forschungsreisen, 1790 A. von Humboldt; 1792/93 Mgl. des jakobin. Mainzer Klubs; trat für den An-

schluß des linksrhein. Deutschlands an Frankreich ein. Begründer der künstler. Reisebeschreibung und der vergleichenden Länder- und Völkerkunde. – *Werke:* Reise um die Welt (engl. 1777, dt. 2 Bde., 1778/80; mit Johann Reinhold F.), Ansichten vom Niederrhein (3 Bde., 1791–94).

F., Rudolf ['– –], * Gröbming (Steiermark) 30. Okt. 1884, † Bad Aussee 26. Okt. 1968, östr. Schauspieler. – Ab 1914 an der Wiener Volksbühne. In Berlin (1920–32) bed. Erfolge in der Rolle des aristokrat. Lebemannes und als Mackie Messer in G. W. Pabsts Verfilmung der „Dreigroschenoper" (1931).

Förster, Ludwig Christian Ritter von, * Bayreuth 8. Okt. 1797, † Bad Gleichenberg 16. Juni 1863, östr. Architekt. – Seit 1839 an der Ausarbeitung des neuen Bebauungsplans für Wien beteiligt. In seinen Bauten bevorzugte er italien. Renaissanceformen.

F., Wieland, * Dresden 12. Febr. 1930, dt. Bildhauer und Graphiker. – F. sucht in der Darstellung der menschl. Gestalt wesentl. sinnl. und geistige Prozesse zu verdichten (Große Neeberger Figur, 1971–74); auch Radierungen und Zeichnungen sowie Bühnen- und Kostümausstattungen.

Forsterit † Olivin.

Förster-Nietzsche, Elisabeth, * Röcken bei Leipzig 10. Juli 1846, † Weimar 8. Nov. 1935, Schwester von F. Nietzsche. – War verheiratet mit dem antisemit. Schriftsteller Bernhard Förster (* 1843, † 1889); gründete in Weimar das Nietzsche-Archiv; trug durch die Fälschung v. a. der nachgelassenen Schriften Nietzsches (hg. u. d. T. „Der Wille war Macht", 1901) und die Vernichtung wichtiger Briefe zur Entstellung der Philosophie Nietzsches bei, was u. a. zur Umdeutung seines Werks durch die Nationalsozialisten führte.

Förster-Sonde [nach dem dt. Physiker F. Förster, * 1908], 1938 entwickeltes Gerät zur Messung magnet. Felder (bis zu ein Millionstel der Stärke des Magnetfeldes der Erde). Anwendung z. B. zum Messen schwacher magnet. Felder und in der Werkstoffprüfung.

Forsthoff, Ernst, * Laar (= Duisburg) 13. Sept. 1902, † Heidelberg 13. Aug. 1974, dt. Staats- und Verwaltungsrechtslehrer. – Prof. in Frankfurt am Main (1933), Hamburg, Königsberg (Pr), Wien und Heidelberg (ab 1943). 1960–63 Präs. des Obersten Verfassungsgerichts der Republik Zypern. Seine Schriften aus der Zeit des NS sind z. T. umstritten. – *Werke:* Dt. Verfassungsgeschichte der Neuzeit (1940, 4.1972), Lehrb. des Verwaltungsrechts (1950, 10.1973), Der Staat in der Industriegesellschaft (1971).

Forst/Lausitz, Krst. in Brandenburg, am Westufer der Lausitzer Neiße, 78 m ü. d. M.,

25 000 E. Tuchind. – Im 12.Jh. gegr., Stadtrecht 1428. Der östl. Stadtteil Zasieki gehört
seit 1945 zur Woiwodschaft Grünberg, Polen.

Forstrecht, die öff.-rechtl. Normen, die
das Privateigentum am Wald wegen des All-
gemeininteresses an der Erhaltung ausreichend großer und gesunder Wälder bes. Bindungen unterwerfen und die dem Schutz, der
Überwachung und Förderung der Forstwirtschaft dienen. Das F. ist bundeseinheitlich
durch das BundeswaldG vom 2. 5. 1975 geregelt, das Maßnahmen zur Sicherung der
Nutz-, Schutz- und Erholungsfunktion des
Waldes vorsieht (Rahmenvorschriften für die
landesrechtl. Waldgesetze). Für eine sinnvolle Bewirtschaftung des Waldes schreibt das
Gesetz die Bildung von privatrechtl. Forstbe-
triebsgemeinschaften und forstwirtschaftl.
Vereinigungen und von öff.-rechtl. Forstbe-
triebsverbänden vor. Zum F. gehören auch
Forstschutzvorschriften der Länder.
In *Österreich* wurde mit dem ForstG vom 3. 7.
1975 erstmals eine umfassende Kodifikation
des F. erlassen. Das *schweizer.* F. wurde
durch das BG betreffend die eidgenöss.
Oberaufsicht über die Forstpolizei vom
11. 10. 1902 und in der darauf gestützten VO
vom 11. 10. 1965 geregelt.

Forstrevier †Forstamt.

Forstschädlinge, pflanzl. und tier. Organismen, die das biolog. Gleichgewicht des
Waldes empfindlich stören und großen wirtschaftl. Schaden verursachen können.
Unter den *tier.* F. unterscheidet man Wurzel-,
Stamm- und Blattschädlinge. Zu den ersteren
gehören die Larven des Schwarzen Rüsselkä-
fers, die Erdmaus und die Rötelmaus, die
speziell in jungen Baumbeständen Schäden
hervorrufen. Stammschädlinge, die im Rin-
dengewebe oder im Holzteil leben, sind v.a.
Arten der Borkenkäfer (Buchdrucker), der
Rüsselkäfer (Kieferrüßler, Fichtenrüsselkä-
fer), Raupen der Gespinstmotten, der Wick-
ler und Larven der Holzwespen. Blätter und
Triebe (v.a. in Reinbeständen von Nadelbäumen) können durch Fraß von Raupen verschiedener Schmetterlingsarten (Kiefern-
spinner, Kiefernneule) und von Larven verschiedener Blattwespen (Fichtenblattwespe,
Lärchenblattwespe) restlos zerstört werden.
Pflanzl. F. sind v.a. Pilze (Zunderschwamm,
Hallimasch, Eichenwirrling), die die Korro-
sionsfäule hervorrufen.

░ *Die F. Europas. Ein Hdb. in 5 Bdn. Hg. v. W.
Schwenke. Hamb. 1972–86.*

Forstverwaltung, jede Tätigkeit privater oder öffentlich-rechtl. Körperschaften zur
Erhaltung und Pflege des Waldes sowie zur
wirtschaftl. Vermarktung des Holzes. Die F.
wird v.a. durch die staatl. Forstbehörden ausgeübt. Der große Privatwaldbesitz hat seine
eigene Forstverwaltung.

Forstwirtschaft, Zweig der Landw.,
der sich mit der wirtschaftl. Nutzung und
Pflege sowie dem Anbau des Waldes beschäftigt. Je nach den Eigentumsverhältnissen unterscheidet man öffentl. (Domäne) und private F. Die F. in der BR Deutschland hat v.a.
wirtschaftl., aber auch soziale (Erholungs-,
Schutzwald) sowie angesichts zunehmender
Umweltverschmutzung auch verstärkte Bed.
für die Erhaltung des ökolog. Gleichgewichts.

Forstwissenschaft, Wiss. und Lehre
von den biolog. Gesetzmäßigkeiten im
Wachstum von Bäumen und Wäldern, der
planmäßigen und nachhaltigen Nutzung von
Holzerträgen, der Anwendung von Technik
und Mechanisierung in der Forstwirtschaft
sowie von der Abgrenzung und Auslotung aller rechtl. und gesetzl. Probleme zw. Mensch
und Wald. Die forstl. Fachwissenschaften
gliedern sich in die Bereiche forstl. Betriebs-
lehre, forstl. Produktionslehre sowie Forst-
und Holzwirtschaftspolitik.

Forsyth, Frederick [engl. fɔːˈsaɪθ],
* Ashford (Kent) Aug. 1938, engl. Schriftsteller. – War Pilot, Nachrichtenkorrespondent,
Fernsehreporter. Schrieb die Bestsellerroma-
ne „Der Schakal" (1971), „Die Akte Odessa"
(1972), „Die Hunde des Krieges" (1974)
sowie „Der Lotse" (E., 1975), „Das vierte
Protokoll" (R., 1984), „Der Unterhändler"
(R., 1989).

Forsythe, William [engl. fɔːˈsaɪθ], * New
York 30. Dez. 1949, amerikan. Tänzer und
Choreograph. – Ab 1973 Tänzer und ab 1976
Choreograph beim Stuttgarter Ballett, 1980
freischaffend, seit 1984 Künstler. Direktor
des Balletts Frankfurt am Main. F. schuf ei-
genwillige Choreographien modernen Tanz-
theaters, u.a. „Steptext" (1985), „Die Befragung des Robert Scott" (1986), „New Sleep"
(1987), „Impressing the Czar" (1988).

Forsythie [...i-ε; nach dem brit. Botaniker W. Forsyth, * 1737,† 1804] (Goldflieder,
Forsythia), Gatt. der Ölbaumgewächse mit
nur wenigen Arten in O-Asien und einer Art
in SO-Europa; frühblühende, sommergrüne
Sträucher mit leuchtend gelben, vor den Blättern erscheinenden, achselständigen Blüten;
als Ziergehölze kultiviert.

Fort, Gertrud von Le †Le Fort, Gertrud
von.

Fort [fo:r; frz., zu lat. fortis „stark"], Befe-
stigungsanlage; selbständiges Einzelwerk
(Sperr-F.) zur Verteidigung strateg. wichtiger
Geländepunkte, oder relativ selbständiges
Außenwerk *(detachiertes oder vorgeschobenes
F.)* im System ausgedehnter Festungen.

Fortaleza, Hauptstadt des brasilian.
Bundesstaates Ceará, Hafen an der brasilian.
NO-Küste, 1,59 Mill. E. Kath. Erzbischofs-
sitz; 2 Univ. (gegr. 1955 bzw. 1973), histor.,

ethnolog. Museum; Textilind., Langustenfischerei; Eisenbahnendpunkt, ⚓. – Gegr. 1609 als portugies. Fort gegen indian. Angriffe.

Fort Bayard [frz. fɔrba'ja:r] ↑ Zhangjiang.

Fortbewegung (Lokomotion), aktiver oder passiver Ortswechsel von Lebewesen.

Fortbewegung ohne Gliedmaßen: Hierbei sind unterschiedl. mechan. Prinzipien wirksam. Weit verbreitet beim Schwimmen, vielfach aber auch an Land ist die **Schlängelbewegung** des Körpers (z. B. bei Aalen, Schwanzlurchen, Schlangen, Ottern, Robben, Delphinen). Wechselseitige Kontraktion von Längsmuskeln erzeugt eine Verbiegung des Körpers nach den Seiten oder nach oben und unten, die wellenförmig nach hinten läuft. Die Verbiegung erzeugt eine nach hinten gerichtete Kraft. Bei der **peristalt.** Bewegung des Regenwurms läuft zunächst durch Zusammenziehen der Ringmuskulatur eine Verdünnungswelle nach rückwärts über den Körper, die die Segmente streckt. Ihr folgt eine Verdickungswelle durch Kontraktion der Längsmuskeln. Das **Kriechen** der Landschnecken erfolgt durch querliegende, von vorn nach hinten verlaufende Kontraktionswellen über die Fußunterseite. Dabei gleitet die Sohle auf einem Schleimfilm, der aus einer Fußdrüse abgesondert wird. Bei Amöben fließt das Zellplasma in sog. Scheinfüßchen in die gewünschte Richtung.

Fortbewegung über Gliedmaßen: Diese Form der F. funktioniert nach dem Hebelprinzip. Das **Schwimmen** erfolgt nach dem Ruderprinzip, d. h., im Wasser schlagen die Gliedmaßen mit großer Kraft nach hinten, wodurch der Körper gegen den Wasserwiderstand nach vorn bewegt wird. – Das **Gehen** und **Laufen** ist auf dem Land die am weitesten verbreitete F. Das primitivste Bewegungsmuster bei Vierbeinern ist der *Diagonal-* oder *Kreuzgang.* Dabei werden die Beine in der Reihenfolge links vorn, rechts hinten, rechts vorn, links hinten bewegt. Bei *schnellem Lauf* fallen die Schritte von Vorder- und gegenüberliegendem Hinterbein zeitlich zusammen (z. B. Trab beim Pferd). Daneben gibt es noch den *Paßgang* (z. B. bei Kamelen), bei dem Vorder- und Hinterbein derselben Seite gleichzeitig eingesetzt werden, und den *Galopp,* der durch abwechselnden Einsatz beider Vorder- und Hinterbeine erfolgt. Die Bewegungskoordination wird bei Wirbeltieren hauptsächlich durch nervöse Zentren im Rückenmark gesteuert.

Laufen beim Menschen: Durch Strecken im Fersengelenk und Vorneigen des Oberkörpers verlagert sich der Schwerpunkt nach vorn, und der Körper verharrt in dieser Stellung. Um den vermeintl. Fall aufzufangen, wird ein Bein vorgestellt. Beim Verlagern des Schwerpunktes werden die Arme im Rhyth-

mus der Beinbewegungen mitgeschwungen. – ↑ Körperhaltung.

Beim **passiven Flug** von Tieren wird aus dem Fallen ein Gleiten. Als Gleitflächen dienen Flughäute, Flossen und Flügel. Der **aktive Flug** verläuft nach denselben aerodynam. Prinzipien wie der Gleitflug. Die Flügel sind zugleich Tragflächen und Antriebsorgane. Am häufigsten ist der **Ruderflug** (Schlagflug). Dabei wird beim Abschlag der Armteil von vorn angeblasen, der Handteil von unten. Beim Übergang zum Aufschlag ändern sich die Anstellwinkel der Hand und des Arms; der der Hand wird annähernd null, der des Arms wird etwas stumpfer, so daß der Arm von unten angeströmt wird (starker Auftrieb, leichter Rücktrieb). Beim Abschlag ist somit nur der Handteil belastet, der allein den Vortrieb erzeugt. Beim **Rüttelflug** werden auch im Aufschlag durch Anströmung der Flügeloberseiten Vortriebskräfte erzeugt. – Beim **Insektenflug** entstehen die tragenden und vorwärtstreibenden Kräfte prinzipiell in gleicher Weise wie beim Vogelflug. Die Kleinheit der Insekten und ihrer Flügel erfordert eine wesentlich höhere Schlagfrequenz zur Erzeugung ausreichenden Vor- und Auftriebs (z. B. Stechmücken 300 Schläge in der Sekunde). – Schließlich können sich einige Tiere durch **Rückstoß** fortbewegen. Tintenfische nehmen dabei Wasser in die Mantelhöhle auf, das sie dann stoßweise durch die Atemhöhle nach außen abgeben.

📖 *Scheiba, B.: Fliegen, Schwimmen, Schweben.* Lpz. u. a. 1990.

Fortbildungsschulen, Vorläufer der heutigen ↑ Berufsschulen.

Fort Collins [engl. 'fɔːt 'kɔlɪnz], Stadt in Colorado, USA, 90 km nördl. von Denver, 1 520 m ü. d. M., 81 700 E. Univ. (gegr. 1870); Metall- und Baustoffindustrie.

Fort-Dauphin [frz. fɔrdo'fɛ̃], früherer Name der madegass. Hafenstadt ↑ Taolanaro.

Fort-de-France [frz. fɔrdə'frã:s], Hauptstadt der Insel Martinique, an der W-Küste, 100 700 E. Erzbischofssitz; mehrere Forschungsinstitute, Museen; Handelszentrum und Exporthafen für die Hauptprodukte der Insel; internat. ✈.

Fortdruck, der eigtl. Produktionsvorgang (im Ggs. zum Andruck) in der Druckmaschine (Herstellung der Auflage).

forte [italien.], Abk. f, musikal. Vortragsbez.: laut, stark, kräftig (Ggs. ↑ piano); **fortissimo**, Abk. ff, sehr stark; **forte fortissimo**, Abk. fff, mit allerhöchster Lautstärke; **mezzoforte**, Abk. mf, mittelstark; **fortepiano**, Abk. fp, laut und sofort wieder leise.

Fortescue [engl. 'fɔːtɪskjuː], alte engl. Familie, der 1789 der Titel eines Earl of F. verliehen wurde; bed.: der Jurist Sir **John Fortescue** (* 1394, † 1476), der als Richter durch seine wegweisende Interpretation der Rechte des engl. Parlaments als Teil der „legal monarchy" (1472) histor. Bed. erlangte.

Fortezza ↑ Franzensfeste.

fortgesetzte Handlung (fortgesetztes Delikt), von der Rechtsprechung aus prakt. Bedürfnissen entwickelte Form der rechtl. Handlungseinheit. Von einer solchen spricht man, wenn mehrere Geschehensabläufe, die jeder für sich einen Straftatbestand erfüllen, rechtlich als eine Handlung betrachtet werden. Eine f. H. liegt unter folgenden Voraussetzungen vor: 1. Verletzung desselben rechtl. Verbots; 2. gleichartige Begehungsweise; 3. zeitlich-räuml. Zusammenhang; 4. Gesamtvorsatz des Täters, d. h., dieser muß von vornherein mehrere Einzelakte zur Erreichung eines Gesamterfolges planen. Strafrechtl. Konsequenz: Es ist keine Gesamtstrafe zu bilden, sondern nur wegen einer einzigen Tat zu verurteilen. – Im *östr.* und *schweizer. Recht* gilt im wesentl. das zum dt. Recht Gesagte.

Forth [engl. fɔ:θ], Fluß in Schottland, entspringt (zwei Quellflüsse) am Ben Lomond, strömt bei Alloa (bis hier 105 km lang) in den **Firth of Forth**, seine 83 km lange, 2–31 km breite, von einer Straßenbrücke und zwei Eisenbahnbrücken überspannte Mündungsbucht an der Nordsee. Schiffbar bis Stirling.

FORTH [engl. fɔ:θ], Programmiersprache v. a. für Gerätesteuerungen, bes. durch Maschinennähe und die Möglichkeit zur Entwicklung komplexer Befehle gekennzeichnet; F.-Programme laufen sehr schnell ab.

Fortifikation [lat.-frz.], veraltet für Befestigungs-, Festungswerk.

Fort Knox [engl. 'fɔ:t 'nɔks], Militärlager in N-Kentucky, USA, 50 km sw. von Louisville; hier lagern die Goldreserven der USA.

Fort-Lamy [frz. fɔrla'mi] ↑ N'Djamena.

Fort-Laperrine [frz. fɔrlapɛ'rin] ↑ Tamanrasset.

Fort Lauderdale [engl. 'fɔ:t 'lɔ:dədɛɪl], Stadt und Seebad in Florida, USA, am Atlantik, 150 100 E. – Die Stadt entwickelte sich seit 1895 um ein 1838 errichtetes Fort.

fortlaufende Notierung (variable Notierung), Art der Kursfestsetzung im amtl. Börsenverkehr, bei der mehrmalig je Börsentag die tatsächl. Kurse aller zustandegekommenen Geschäfte notiert werden.

Fort Matanzas [engl. 'fɔ:t mə'tænzəs] ↑ Saint Augustine.

Fort McMurray [engl. 'fɔ:t mək'mʌrɪ], kanad. Bergbaustadt in Alberta, am Athabasca River, 33 700 E. Seit 1967 bzw. 1978 Abbau und Aufbereitung von Ölsanden; Pipeline nach Edmonton.

Fort Nelson [engl. 'fɔ:t 'nɛlsn], kanad. Ort in British Columbia, am Alaska Highway, 2 300 E. Holzind.; ♨. Südl. von F. N. Erdgasgewinnung; Pipeline nach Vancouver.

Fortner, Wolfgang, * Leipzig 12. Okt. 1907, † Heidelberg 5. Sept. 1987, dt. Komponist. – Gehört zu den Exponenten der zeitgenöss. Musik; bed. Vertreter und Lehrer (u. a. von H. W. Henze) v. a. zwölftöniger, später auch postserieller Komposition; sein umfangreiches Werk umfaßt Orchester-, Kammer-, Vokalmusik sowie geistl. Musik und Opern, u. a. (nach F. García Lorca) „Bluthochzeit" (1957, Neufassung 1963) und „In seinem Garten liebt Don Perlimplin Belisa" (1962) sowie (nach S. Beckett) „That time" (1977).

Fort Peck Dam [engl. 'fɔːt 'pɛk 'dæm], 76 m hoher Staudamm in Montana, USA, mit 6 400 m Kronenlänge; staut den Missouri zu dem etwa 300 km langen **Fort Peck Reservoir;** 1933–40 erbaut.

Fortpflanzung (Reproduktion), die Erzeugung von Nachkommen durch Eltern bzw. durch eine Mutterpflanze. Durch F. wird i. d. R. die Zahl der Individuen erhöht (Vermehrung) und die Art erhalten. Die **ungeschlechtl. Fortpflanzung** (asexuelle F., vegetative F., Monogonie) geht von Körperzellen aus; Organismus (bei Einzellern von deren einziger Körperzelle) aus und vollzieht sich über mitot. Zellteilungen, wobei die Tochterzellen den gleichen Chromosomensatz und somit dasselbe Erbgut wie der elterl. Organismus bzw. die Mutterzelle haben. Bei der **geschlechtl. Fortpflanzung** entsteht aus zwei geschlechtlich unterschiedl. Keimzellen durch deren Verschmelzung (↑ Befruchtung) und anschließender mitot. Teilung ein neues Individuum. Die geschlechtl. F. bedingt eine Neukombination der Erbanlagen. Eine sog. eingeschlechtige F. ist die **Jungfernzeugung** (Parthenogenese), bei welcher aus unbefruchteten Eizellen Nachkommen hervorgehen (z. B. bei Blattläusen; Nachtkerze).

Fortpflanzungsorgane, svw. ↑ Geschlechtsorgane.

Fortpflanzungszellen, svw. ↑ Geschlechtszellen.

FORTRAN [Kw. aus engl. Formula translator „Formelübersetzer"], im wesentl. von der Firma IBM entwickelte problemorientierte Programmiersprache zur Formulierung wiss. und techn. Rechenprogramme.

Fort Ross [engl. 'fɔ:t 'rɔs], wiederaufgebaute, ehem. russ. Handelsstation an der W-Küste Kaliforniens, 140 km nw. von San Francisco. – Original erhalten u. a. die orth. Kapelle (1812).

Fortschreibung, in der amtl. Statistik i. w. S. die Weiterführung eines statist. Verzeichnisses, insbes. von Bestandsmassen; i. e. S. die Berechnung der Größe einer Bestandsmasse für einen Zeitpunkt, für den keine Zählung vorliegt, durch Saldierung des letzten Erhebungsergebnisses mit inzwischen erfaßten Zu- oder Abgangsmassen.

Fortschritt, i. w. S. jede Entwicklung von niederen zu höheren Zuständen als gradliniger, zielgerichteter, nicht umkehrbarer Prozeß; i. e. S. insbes. der **evolutionäre Fortschritt:** die stetig wachsende Fähigkeit der Menschheit, die Natur zu beherrschen und von ihr möglichst unabhängig zu werden; der **evolutionär-soziale Fortschritt:** die stetig wachsende Anpassungsfähigkeit gesellschaftl. Systeme an die sich wandelnde Umwelt; der **wiss.-techn.** Fortschritt: das stetige, in ständig kürzeren Zeiträumen erfolgende Anwachsen eines theoret. Wissens (v. a. in den Naturwiss.) und seiner eventuellen techn. Nutzung; der **soziale Fortschritt:** der durch die Aufklärung (mit ihren Zielen allg. Vernunftbestimmtheit und Naturbeherrschung durch Vernunft) in Gang gebrachte Prozeß sozialen Wandels, der zur Humanisierung der Gesellschaft, zur Befreiung des Individuums von Fremdbestimmung, zum Abbau sozialer Ungerechtigkeiten und Ungleichheiten führen soll.
⊔ *Habermas, J.: Technik u. Wiss. als Ideologie. Ffm.* ¹³*1986. – Bäumer, F. J.: F. u. Theologie. Ffm. 1985. – Reif, P.: Entwicklung u. F. Ffm. 1984. – Krise des F. Hg. v. G. Klingenstein. Wien 1984. – Marcuse, H.: Der eindimensionierte Mensch. Neuwied* ¹⁹*1984. – Gimpel, J.: Die industrielle Revolution des MA. Dt. Übers. Mchn. 1980. – Frolov, I. T.: Wiss. F. u. Zukunft des Menschen. Ffm. 1978.*

Fortschrittliche Volkspartei, dt. polit. Partei, entstand 1910 aus der Freisinnigen Volkspartei, der Freisinnigen Vereinigung und der v. a. in SW-Deutschland vertretenen Dt. Volkspartei (1868–1910); bildete 1918 mit dem linken Flügel der Nationalliberalen Partei die Dt. Demokrat. Partei.

Fortschrittspartei ↑ Deutsche Fortschrittspartei.

Fortsetzungsroman, Roman, der regelmäßig abschnittsweise in Zeitungen und Zeitschriften abgedruckt wird, oft eigens für diese Publikationsform sukzessive verfaßt.

Fortuna, röm. Schicksals- und Glücksgöttin, der griech. Tyche entsprechend. Mit Glücksrad, Füllhorn, Steuerrad und Flügeln dargestellt; Symbol der Willkür und Wechselhaftigkeit des Lebens.

Fortunatus, Gestalt des gleichnamigen dt. Volksbuchs, das anonym in einem Augsburger Druck von 1509 überliefert ist. F. weiß sein unerschöpfl. Geldsäckchen und Wunschhütchen (im Unterschied zu seinen Söhnen) mit Glück zu gebrauchen; alte Schwank- und Zaubermotive sind mit einer Fülle von Abenteuern verwoben.

Fort Victoria [engl. 'fɔːt vɪk'tɔːrɪə], früher Name von ↑ Masvingo, Simbabwe.

Fort Wayne [engl. 'fɔːt wɛɪn], Stadt in Indiana, USA, 179 800 E. Kath. Bischofssitz; Indiana Institute of Technology; Elektroind., Fahrzeugbau; ⅍. – Gegr. um 1680 als frz. Pelzhandelsstation, wurde 1760 brit., seit 1840 Stadt.

Fort Worth [engl. 'fɔːt 'wəːθ], Stadt in Texas, USA, westl. von Dallas, 414 600 E. Kath. Bischofssitz, Univ. (gegr. 1873), Museen; bedeutendster Viehhandelsplatz in den Südstaaten, größtes Getreidehandelszentrum in Texas; Erdölraffinerie; Luftfahrtind., ⅍. – Mit der Errichtung von Camp Worth 1849 begann die Besiedlung des Gebietes.

Forum [lat. „Markt, Marktplatz"], in der Antike der Mittelpunkt jeder von den Römern gegr. Stadt; Zentrum für alle städt. Behörden und Regierungsorgane wie des Geschäftsverkehrs; Magistratsgebäude, Wandelgänge sowie zahlr. Tempel und z. T. Markthallen umgaben den Platz, auf dem Altäre, Statuen, Siegessäulen und Triumphbögen errichtet wurden. – Im heutigen Sprachgebrauch svw. Plattform, geeigneter Ort (z. B. Zeitschrift) oder Personenkreis, der eine sachverständige Erörterung von Problemen oder Fragen garantiert.

Das **Forum Romanum** (der Stadt Rom) entstand im 6. Jh. v. Chr. durch Entwässerung einer urspr. sumpfigen Senke. Ausgrabungen (1803 ff.) legten v. a. Reste des kaiserzeitl. Baubestands frei sowie auch ältere Fundamente. Seit dem frühen 5. Jh. erfolgten Tempelgründungen: Tempel des Saturn (497; neu erbaut 42 v. Chr.), des Castor und Pollux (484; zuletzt erneuert im 2. Jh. n. Chr.), der Concordia (367; mehrmals erneuert). In die Frühzeit gehören auch die Regia, Sitz des Pontifex Maximus, und der Rundtempel der Vesta (zuerst Holzbauten, Steinbau 200 v. Chr., mehrmals erneuert), der das ewige Feuer auf dem hl. Staatsaltar barg. Zentrum des polit. Lebens war im NW das Comitium (Volksversammlungsplatz) mit der Curia (Tagungsort des Senats) und der Rednerbühne (Rostra).

Aus dem 1. Jh. v. Chr. stammt die Basilica Julia (Gericht, Börse), aus dem 1. Jh. n. Chr. der Tempel für Antoninus Pius und Faustina, Triumphbogen des Titus 81 n. Chr., des Septimus Severus 203 n. Chr. Nördl. schließen die ehem. reich ausgestatteten *Kaiserforen* an.
⊔ *Das F. Romanum in Rom. Herrsching 1989. – Imlau, I.: Das F. Romanum. Ludwigsburg 1982. – Ruoff-Väänänen, E.: Studies on the Italien Fora. Wsb. 1979. – Zanker, P.: F. Romanum. Tüb. 1972.*

Forum Iulii ↑ Cividale del Friuli.

Forum Stadtpark (Grazer Forum), Grazer Künstlergruppe, die sich 1958 zusammenschloß und 1960 das verfallene Grazer Stadtpark-Café in ein modernes Kulturzentrum

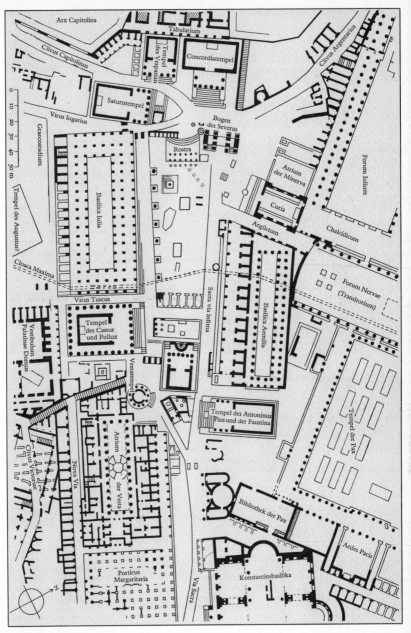

Forum. Forum Romanum (Lageplan)

umwandelte; es entstand ein Zentrum der zeitgenöss. östr. Literatur (u. a. P. Handke, B. Frischmuth, M. Scharang), deren Publikationsorgan seit 1960 die Zeitschrift „manuskripte" ist; im F. S. finden Dichterlesungen, Kunstausstellungen u. a. kulturelle Veranstaltungen statt.

Forum Verlag Leipzig Buch-Gesellschaft mbH ↑ Verlage (Übersicht).

forzato (forzando) [italien.], Abk. fz, svw. ↑ sforzato.

Forzeps [lat.], svw. ↑ Geburtszange.

Fos, Golf von [frz. fo:s, fɔs], Bucht im Golfe du Lion, unmittelbar östl. der Rhonemündung, durch einen Nehrungshaken teilweise verschlossen. – ↑ Fos-sur-Mer.

Fosbury-Flop [engl. 'fɔzbərɪˌflɔp], nach dem Amerikaner Richard Fosbury (* 1947) ben. Hochsprungtechnik (engl. flop bedeutet eigtl. „Hinplumpsen"): der Springer überquert die Latte nach schnellem, eine Kurve beschreibenden Anlauf und Drehung mit Kopf und Rücken voraus; er landet auf Schultern und Rücken.

Foscari, Francesco, * 1373, † Venedig 1. Nov. 1457, Doge von Venedig (ab 1423). – Konnte den Machtbereich Venedigs weit nach W (Brescia, Bergamo) und S (Crema, Ravenna) verschieben.

Foscolo, Ugo, eigtl. Niccolò F., * auf Sakinthos 6. Febr. 1778, † Turnham Green bei London 10. Sept. 1827, italien. Dichter. – Durch polit. Verhältnisse bedingtes wechselvolles Schicksal, zuletzt Exil in England; Vorläufer des Risorgimento, schrieb Tragödien nach V. Graf Alfieris Vorbild („Tieste", 1797; „Aiace", 1802, „Ricciarda", 1813), den lyrisch-philosoph. Hymnus „Gedicht von den Gräbern" (1807), 1802 einen Briefroman nach dem Vorbild von Goethes „Werther" („Die letzten Briefe des Jacopo Ortis"), Sonette und Oden.

Foshan [chin. fɔʃan], chin. Stadt in der Prov. Guangdong, wsw. an Kanton grenzend, 285 000 E. Traditionelles Zentrum der Seiden- und Porzellanfabrikation, chem. Ind. – In der Mingzeit (1368–1644) durch Seidenmanufaktur und Eisenwarenherstellung bed. Handelsplatz, in der Qing(Ch'ing)-Zeit eines der „Vier größten Dörfer des Reiches".

Foss, Lukas, eigtl. L. Fuchs, * Berlin 15. Aug. 1922, amerikan. Komponist, Pianist und Dirigent dt. Herkunft. – Emigrierte mit seinen Eltern 1933; stilistisch von Hindemith und Strawinsky ausgehend, seit 1960 Einbeziehung serieller Techniken, u. a. Kantate „Song of songs" (1946), Märchenoper „Griffelkin" (1955); „Echoi" (1963), „Paradigm" (1968), „Tashi" (1986) für Kammerensemble; Orchesterwerke, Konzerte.

Fossa Carolina [lat.] (Karlsgraben), auf Veranlassung Karls d. Gr. 793 unternomme-

ner Kanalbau zur Verbindung von Main und Donau, der unvollendet blieb; erhaltene Baustrecke (1 230 m lang) zw. Altmühl und Schwäb. Rezat beim Dorf Graben (heute zu Treuchtlingen).

Fossa Magna [lat.] ↑ Honshū.

Fossano, Ambrogio da, italien. Maler, ↑ Bergognone.

Fossanova, zur italien. Gemeinde Priverno (Latium) gehörende ehem. Zisterzienserabtei (1135–1812). 1274 starb in F. Thomas von Aquin. Die 1208 geweihte got. Kirche ist eine der bedeutendsten Zisterzienserkirchen Italiens.

fossil [lat.], aus der erdgeschichtl. Vergangenheit stammend. – Ggs.: rezent.

fossile Böden ↑ Reliktböden.

Fossilien [zu lat. fossilis „ausgegraben"], Überreste von Tieren oder Pflanzen, auch von deren Lebensspuren, durch ↑ Fossilisation erhalten. Neben Abdrücken und Steinkernen sind organ. Reste auch als Einschlüsse in Harz (Bernstein) und im Dauerfrostboden des arkt. Bereichs (Mammutleichen) erhalten. F. von geologisch kurzer Lebensdauer sind für die stratigraph. Bestimmung von Sedimentgesteinen von großer Bed. (**Leitfossilien**), gleichgültig, ob es sich um Makro- oder Mikro-F. handelt. V. a. in der Erdölind. spielt die Bestimmung von Mikro-F. wie Foraminiferen u. a. eine große Rolle.

Als **lebende Fossilien** werden oft (fälschlich) rezente Tiere und Pflanzen bezeichnet, die bekannten fossilen Formen aus weit zurückliegenden erdgeschichtl. Perioden weitgehend gleichen, z. B. Ginkgobaum, Mammutbaum. – Abb. S. 170/171.

Fossilisation [lat.], Vorgang der Bildung von Fossilien. Voraussetzung ist die schnelle Einbettung abgestorbener Pflanzen und Tiere in Schlamm, Sand u. a., so daß es zu keiner [vollständigen] Verwesung kommen kann. Erhalten bleiben v. a. Hartteile wie Zähne, Knochen und Schalen. Sie können bei der ↑ Diagenese eine Umkristallisation erfahren. Werden Hohlräume abgestorbener Lebewesen (z. B. von Muscheln) mit Sediment ausgefüllt, so entstehen **Steinkerne,** bei denen der innere Abdruck der Schale zu sehen ist. Kriech- und Laufspuren können als **Abdruck** im Sediment erhalten sein.

Fos-sur-Mer [frz. fossyr'mɛːr, fɔs...], frz. Ort am Golf von Fos, Dep. Bouches-du-Rhône, 9 000 E. Erdölhafen für Großtanker, Erdölraffinerie, Produktenpipeline nach Genf, Hüttenwerk und Kokerei. – Wehrkirche (1213 erstmals genannt), roman. Friedhofskapelle, Reste einer Burg (14. Jh.).

Foster [engl. 'fɔstə], George Murphy („Pops"), * McCall (La.) 19. Mai 1892, † San Francisco 6. Nov. 1969, amerikan. Jazzmusiker (Bassist). – Wurde bes. durch seine „Slapping-Bass"-Technik bekannt (Wechsel zw. Zupfen der Saiten und Schlag mit der Hand auf das Griffbrett); einer der wichtigsten Bassisten des New-Orleans-Jazz.

F., Jodie, eigtl. Alicia Christian F., * Los Angeles 19. Nov. 1962, amerikan. Filmschauspielerin. – Charakterdarstellerin von außergewöhnl. Vielseitigkeit, Hauptrollen u. a. in „Taxi-Driver" (1975), „Angeklagt" (1988), „Das Schweigen der Lämmer" (1989), „Sommersby" (1992); Regiedebüt mit „Das Wunderkind Tate" (1990).

F., Norman Robert, * Manchester 1. Juni 1935, brit. Architekt. – Seine Bauten demonstrieren unter Anwendung moderner Technologien die ästhet. Dimension der Technik; u. a. Verwaltungsgebäude der Hongkong and Shanghai Banking Corp. (1980–86).

F., Stephen [Collins], * Pittsburgh 4. Juli 1826, † New York 13. Jan. 1864, amerikan. Liederdichter und Komponist. – Schrieb etwa 175 volkstüml. amerikan. Lieder („My old Kentucky home", „Oh, Susanna").

fötal ↑ fetal.

foto..., Foto... ↑ photo..., ↑ Photo...

Fötor (Foetor) [lat.], in der Medizin: übler Geruch, v. a. Foetor ex ore (↑ Mundgeruch).

Fötus ↑ Fetus.

Foucauld, Charles Eugène Vicomte de [frz. fu'ko], * Straßburg 15. Sept. 1858, † Tamanrasset (Algerien) 1. Dez. 1916, frz. kath. Missionar. – Offizier; seit 1890 Trappist, seit 1901 Priester; lebte als Missionar unter den Tuareg. Seine Missionsmethode (vorbildl. christl. Leben statt direkter Beeinflussung) regte missionar. Gemeinschaften an (u. a. Kleine Brüder Jesu, Kleine Schwestern Jesu). – Erforschte die Sprache der Tuareg („Dictionnaire abrégé touareg-français de noms propres", 2 Bde., hg. 1918–20).

Foucault [frz. fu'ko], [Jean Bernard] Léon, * Paris 18. Sept. 1819, † ebd. 11. Febr. 1868, frz. Physiker. – Bestimmte die Lichtgeschwindigkeit mit einem Drehspiegel. – ↑ Foucaultscher Pendelversuch.

F., Michel, * Poitiers 15. Okt. 1926, † Paris 25. Juni 1984, frz. Philosoph. – 1960 Prof. in Clermont-Ferrand, 1968 in Paris-Vincennes, ab 1970 am Collège de France in Paris. Versuchte mit Methoden des Strukturalismus die Geschichte („Archäologie") der Zivilisation zu schreiben, wobei Bewußtsein, Ideologien, gesellschaftl. Einrichtungen und Einstellungen als sprachähnl. Systeme und in Wechselwirkung mit Sprache dargestellt werden. – *Werke:* Die Geburt der Klinik (1963), Die Ordnung der Dinge (1966), Die Ordnung des Diskurses (1971), Überwachen und Strafen (1975), Die Geschichte der Sexualität (3 Bde., 1976–1984).

Foucaultscher Pendelversuch [frz. fu'ko], erstmals im Jahre 1661 von V. Viviani, dann von L. Foucault 1850 in der Pariser Sternwarte und 1851 im Pariser Panthéon durchgeführter Pendelversuch, mit dem sich die Erdrotation auf Grund der Tatsache nachweisen läßt, daß sich die Schwingungsebene des Pendels infolge der Coriolis-Kraft relativ zur Erdoberfläche dreht.

Fouché, Joseph [frz. fu'ʃe], Herzog von Otranto (seit 1809), * Le Pellerin (bei Nantes) 21. Mai 1759, † Triest 26. Dez. 1820, frz. Politiker. – Urspr. Lehrer des Oratorianerordens; während der Frz. Revolution Mgl. des Konvents (Bergpartei); machte sich 1793 v. a. durch blutige Säuberungsaktionen in der Prov. (1600 Todesurteile in Lyon) einen berüchtigten Namen; 1794 am Sturz Robespierres beteiligt; bereitete den 18. Brumaire vor. Als Polizeimin. Napoleons (1799–1802, 1804–10 und 1815) baute er eine gut organisierte Geheimpolizei und ein feingeknüpftes Spitzelsystem auf, mit deren Hilfe er große Macht erlangte; 1813 Gouverneur der illyr. Prov.; nahm Verbindung mit den Bourbonen und Metternich auf; bereitete 1815 die Rückkehr Ludwigs XVIII. vor und trat für kurze Zeit an die Spitze der provisor. Regierung; 1816 als „Königsmörder" verbannt.

Fouchet, Christian [frz. fu'ʃe], * Saint-Germain-en-Laye 17. Nov. 1911, † Genf 11. Aug. 1974, frz. Diplomat und Politiker. – 1951–55 und seit 1968 gaullist. Abg.; 1954/55 Min. für Marokko und Tunesien, 1962 letzter frz. Hochkommissar in Algerien, 1962–67 Erziehungs-, 1967/68 Innenmin.; setzte sich für die europ. Einigung ein (F.-Pläne).

Fougères [frz. fu'ʒɛːr], frz. Stadt 45 km nö. von Rennes, Dep. Ille-et-Vilaine, 24400 E. Zentrum der frz. Schuhind. – Zerstörungen im 2. Weltkrieg, erhalten die Kirchen Saint-Sulpice (13.–16. Jh.) und Saint-Léonard (15./16. Jh.) sowie Teile der Stadtmauerung (13./14. Jahrhundert).

foul [engl. faʊl, eigtl. „schmutzig, häßlich"], im Sport regelwidrig, gegen die Spielregeln verstoßend.

Foulard [fu'laːr; frz.], feines Seidengewebe, meist in Atlas- oder Köperbindung.

Foumban [frz. fum'baŋ], Dep.hauptstadt in Kamerun, im südl. Adamaua, 1070 m ü. d. M., 60000 E. Sitz des Sultans der Bamum (Palast mit ethnolog. Museum); Handelszentrum für Arabica-Kaffee; Kunsthandwerk.

Fountains Abbey [engl. 'faʊntɪnz 'æbɪ] ↑ Ripon.

Fouqué, Friedrich [Heinrich Karl] Baron de la Motte [dəlamɔtfu'keː], * Brandenburg/Havel 12. Febr. 1777, † Berlin 23. Jan. 1843, dt. Dichter. – Romantiker; von seinem umfangreichen Werk blieb nur „Undine" (E., 1811) im literar. Bewußtsein.

Fouquet, Jean [frz. fu'kɛ], * Tours zw. 1415/20, † ebd. (?) zw. 1477/81, frz. Maler. –

Fossilien. Urpferd; Alter etwa
40 Millionen Jahre, gefunden in der
Grube Messel

In seinen Miniaturen (u. a. „Stundenbuch des Estienne Chevalier", etwa 1453; Chantilly, Paris und London) zeigt er sich als hervorragender Landschaftsmaler aus der Schule van Eycks; auch beeinflußt von der italien. Frührenaissance. Bed. Porträts: E. Chevalier mit dem hl. Stephan (Berlin-Dahlem), Teil eines Diptychons für die Kathedrale von Melun, dessen andere Hälfte, die berühmte „Madonna mit Engeln", ein Porträt der Agnes Sorel sein soll (zw. 1450/53; Antwerpen, Königl. Kunstmuseum).

Fouquier-Tinville, Antoine [Quentin] [frz. fukjetē'vil], * Hérouel (Aisne) 1746, † Paris 7. Mai 1795, frz. Revolutionär. – Seit 1793 öffentl. Ankläger des Revolutionstribunals, das er zu einem Hauptinstrument der Revolution machte (rd. 2 400 Hinrichtungen); nach Robespierres Sturz selbst angeklagt und guillotiniert.

FOURATAF [engl. 'fɔ:'ræ'tæf], Abk. für: Fourth Allied Tactical Air Force Central Europe, Alliierte Taktische Luftflotte; ↑ NATO (Tafel).

Four-Freedoms [engl. 'fɔ:'fri:dəmz] ↑ Vier Freiheiten.

Fourier [frz. fu'rje], Charles, * Besançon 7. April 1772, † Paris 10. Okt. 1837, frz. Sozialphilosoph. – Vertreter des utop. Sozialismus; entwickelte in seiner Sozialutopie eine Neuordnung der Gesellschaft auf der Basis und mit dem Ziel des Glücks, der Einheit und Harmonie; forderte zu ihrer Realisierung autarke Lebensgemeinschaften („familistères") von je 300 Familien und Aufteilung des Staatsgebiets in autonome, agrar. orientierte Genossenschaftsgebiete („phalanstères"); wirkte auf Marx und Engels und beeinflußte stark die spätere Genossenschaftsbewegung.
F., [Jean-Baptiste] Joseph Baron de (seit 1808), * Auxerre 21. März 1768, † Paris 16. Mai 1830, frz. Mathematiker und Physiker. –

Mgl. der Académie des sciences. Die von F. im Rahmen seiner Arbeiten über die Theorie der Wärmeausbreitung systemat. angewandte Methode der Entwicklung von Funktionen in Fourier-Reihen erwies sich als außerordentlich fruchtbar.

Fourier-Analyse [frz. fu'rje; nach J. Baron de Fourier] ↑ harmonische Analyse.

Fourier-Reihe [frz. fu'rje; nach J. Baron de Fourier] (trigonometr. Reihe), eine unendl. Funktionenreihe der Form

$$S(x) = \frac{a_0}{2} + \sum_{n=1}^{\infty} (a_n \cos nx + b_n \sin nx)$$

mit konstanten Koeffizienten a_0, a_n, b_n. Unter gewissen Voraussetzungen läßt sich eine period. Funktion in eine F. entwickeln, d. h. durch eine F. darstellen.

Four-letter-word [engl. 'fɔ:lɛtəwɔ:d] „Vierbuchstabenwort" nach engl. (to) fuck „ficken"], vulgäres (Schimpf)wort.

Fournier [frz. fur'nje], Pierre [Léon Marie], * Paris 24. Juni 1906, † Genf 8. Jan. 1986, frz. Cellist. – Galt als einer der hervorragendsten Cellisten seiner Zeit.
F., Pierre Simon, * Paris 15. Sept. 1712, † ebd. 8. Okt. 1768, frz. Schriftschöpfer. – Legte seinen Schriften die „Romain du roi" des P. Grandjean zugrunde.

Fourquet, Jean [frz. fur'kɛ], * Dole (Jura) 23. Juni 1899, frz. Germanist. – Seit 1957 Prof. an der Sorbonne in Paris; Direktor des elsäss. Sprachatlasses; Dudenpreisträger 1974; Verfasser wichtiger Arbeiten zur strukturellen Grammatik des Deutschen.

Fouta Djalon [frz. futadʒa'lõ], Tafelgebirgsland in Guinea; im S bis 1 425 m hoch.

Foveauxstraße [engl. 'fovvov], Meeresstraße zw. der Südinsel von Neuseeland und Stewart Island, 38 km breit.

Fowler [engl. 'favlə], Sir (seit 1890) John, * Wadsley Hall bei Sheffield 15. Juli 1817, † Bournemouth 20. Nov. 1898, brit. Ingenieur. – F. plante und erbaute (1860–63) die unterird. Dampfeisenbahn in London; zus. mit Sir B. Baker errichtete er 1882–90 die Eisenbahnbrücke über den Firth of Forth.
F., Sir (seit 1942) Ralph Howard, * Fedsden bei Royden (Essex) 17. Jan. 1889, † Cambridge 28. Juli 1944, brit. Physiker. – Prof. in Cambridge; bed. Arbeiten zur statist. Mechanik, zur Quantenmechanik und zur Theorie der elektrolyt. Lösungen.
F., William Alfred, * Pittsburgh (Pa.) 9. Aug. 1911, amerikan. Physiker. – Prof. am California Institute of Technology in Pasadena. Arbeiten zur Kernphysik und ihrer Anwendung in der Astrophysik (Sternentwicklung, Entstehung der schweren chem. Elemente, Energieerzeugung in den Sternen). Erhielt 1983 (zus. mit S. Chandrasekhar) den Nobelpreis für Physik.

Fowles, John [engl. 'faʊlz], *Leight-on-Sea (Essex) 31. März 1926, engl. Schriftsteller. – Von Erkenntnissen der Tiefenpsychologie C. G. Jungs, von Mythen und Werken der bildenden Kunst inspirierte Romane und Novellen; verbindet traditionelle Erzählweisen mit experimentellen Formen; schrieb auch Texte für Photobücher. – *Werke:* Der Magus (R., 1965; überarbeitet 1978), Dies Herz für Liebe nicht gezähmt (R., 1969; dt. 1974 u. d. T. „Die Geliebte des frz. Leutnants"; verfilmt 1981), Der Ebenholzturm (Novellen, 1974), Die Grille (R., 1985).

Fox, Charles James, *London 24. Jan. 1749, †Chiswick (= London) 13. Sept. 1806, brit. Politiker. – 1770 Lord der Admiralität, 1772–74 Schatzkanzler; wechselte 1774 von den Tories zu den Whigs über; setzte sich als Anhänger E. Burkes für die Rechte der amerikan. Kolonien, Abschaffung des Sklavenhandels und eine Verfassungsreform ein; 1782/83 und 1806 Außenmin.; führte seit 1784 neben Burke die Opposition der Whigs; büßte durch sein Bekenntnis zu den Idealen der Frz. Revolution 1791 dessen Freundschaft ein.

F., George, *Drayton (Leicestershire) im Juli 1624, †London 13. Jan. 1691, engl. Laienprediger, Begründer der Quäker. – Urspr. Schuhmacher; verkündete auf Grund von Visionen, daß allein das „innere Licht", die innerlich wahrgenommene „Stimme Gottes", zum Heil führe. Seit 1652 sammelten sich Anhänger um ihn, die bald den Spottnamen Quäker („Zitterer") erhielten.

Fox, zu den Algonkin zählender Indianerstamm am Lake Winnebago (Wis.) und Fox River (Mich.); nur noch etwa 650 Menschen.

Foxe Channel [engl. 'fɔks 'tʃænl] †Hudsonbai.

Foxterrier [engl.], kleiner, hochläufiger Haus- und Jagdhund mit keilförmigem, flachem Schädel, kleinen, nach vorn fallenden Hängeohren und hoch angesetzter, kupierter Rute; Behaarung beim *Kurzhaar-F.* dicht, glatt und flach anliegend, beim *Rauhhaar-F.* hart drahtig.

Foxtrott [engl., eigtl. „Fuchsgang"], Gesellschaftstanz im ⁴/₄-Takt; langsam **(Slowfox)** oder rasch **(Quickstep)** getanzt, einer der Standardtänze.

Foyer [foa'je:; frz., eigtl. „Herd" (zu lat. focus „Brennpunkt")], Wandelhalle, Wandelgang (im Theater), Vorhalle.

fp, Abk. für: fortepiano (†forte).

Fp, Abk. für: Fließpunkt (†Schmelzen).

FP, Abk. für: †Flammpunkt.

FPÖ, Abk. für: †Freiheitliche Partei Österreichs.

FPOLISARIO, Abk. für span.: Frente Popular para la Liberación de Saguia el Hamra y Río de Oro, 1973 gegr. Befreiungsbewegung

für (span.) Westsahara; stellte sich, nachdem Marokko und Mauretanien Einigung über die Aufteilung der Westsahara erzielt hatten, auf die Seite Algeriens und rief nach einem Guerillakrieg im Febr. 1976 eine unabhängige Demokrat. Arab. Republik Sahara in Algerien aus; schloß 1979 einen Friedensvertrag mit Mauretanien.

Fr, chem. Symbol für †Francium.

Fra [italien., Kw. für Frate (von lat. frater „Bruder")], Anrede und Bez. für Klosterbrüder in Italien.

Fra Angelico [italien. fra an'dʒɛːliko] (auch Beato Angelico), als Mönch Fra Giovanni da Fiesole, eigtl. Guido di Pietro, *Vicchio (Prov. Florenz) um 1400, †Rom 18. Febr. 1455, italien. Maler. – Dominikanermönch (Fiesole, ab 1436 San Marco in Florenz). V. a. unter dem Einfluß Masaccios entwickelte sich Fra A. zu einem bed. Vertreter der Frührenaissance (zarte, gewählte Farbgebung, fließende Linienführung). Altar der Leinweber (Madonna dei linaioli) von 1433 (Florenz, Museo di San Marco), Verkündigung (Diözesanmuseum in Cortona), Fresken für den Konvent von San Marco (1436–43, mit Gehilfen), Kreuzabnahme (1437–40) sowie Szenen aus dem Leben Jesu, u. a. Beweinung Christi (um 1448; Museo di San Marco), Fresken im Vatikan (Cappella Niccolina; mit B. Gozzoli, 1448–50). – 1984 seliggesprochen. – Fest: 18. Februar.

Fra Bartolomeo, eigtl. Bartolomeo (Baccio) della Porta, *Florenz 28. März 1472,

Fossilien. Samenfarn; Alter etwa 200 Millionen Jahre, gefunden in Lebach

† Pian di Mugnone 6. Okt. 1517, italien. Maler. – Trat 1500 in den Dominikanerorden ein und leitete eine Malerwerkstatt im Kloster San Marco in Florenz (bis 1512, mit M. Albertinelli); 1508 in Venedig, 1514 in Rom (Einfluß Michelangelos und Raffaels). – *Werke:* Vision des hl. Bernhard (Florenz, Galleria dell'Accademia), Gottvater erscheint der hl. Maria Magdalena und der hl. Katharina (1509; Lucca, Pinakothek), Verlobung der hl. Katharina (1511; Paris, Louvre), Pietà (1516; Florenz, Palazzo Pitti).

Fracastoro, Girolamo, *Verona um 1483 (1478?), † Incaffi (= Affi, Prov. Verona) 8. Aug. 1553, italien. Humanist und Arzt. – Sein Lehrgedicht „Syphilis sive de morbo gallico" (gedruckt 1530), das in mytholog. Einkleidung Symptome und Therapie der Syphilis beschreibt, wurde für diese Krankheit namengebend. In seinem bed. Werk „De contagione" (1546) gelang F. die erste zusammenfassende Darstellung der Infektionskrankheiten.

Fracht [niederdt.], 1. Preis für den gewerbl. Transport einer Ware, 2. allg. svw. ↑ Frachtgut.

Frachtbrief, die vom Absender eines Transportgutes ausgestellte Beweisurkunde über Abschluß und Inhalt eines Frachtvertrages (§ 426 HGB). Der F. unterrichtet den Frachtführer über Gut und Empfänger und wird dem Empfänger ausgehändigt. Auch bei der Güterbeförderung mit der Eisenbahn ist der F. vorgeschrieben. Für das *östr.* und *schweizer. Recht* gilt Entsprechendes.

Frachtenausschuß, Ausschuß, der paritätisch mit Vertretern der Schiffahrt und der verladenden Wirtschaft besetzt ist und die Aufgabe hat, Entgelte für Verkehrsleistungen auf dt. Wasserstraßen festzusetzen.

Frachtenbörse, Dienstleistungsbörse, an der Schiffs- und Luftfrachtverträge sowie Schiffsschleppverträge abgeschlossen werden. In der BR Deutschland besteht die **Schifferbörse** in Duisburg-Ruhrort sowie eine F. in Hamburg (See- und Luftfracht).

Frachter, svw. Frachtschiff (↑ Schiff).

frachtfrei ↑ franko.

Frachtführer, Kaufmann, der gewerbsmäßig Güter (transportfähige Sachen) zu Lande oder auf Binnengewässern befördert.

Frachtgeschäft (Frachtvertrag), der Werkvertrag über die Beförderung von Gütern durch einen Frachtführer (§§ 328 BGB, 425–452 HGB). Er verpflichtet den Frachtführer, das Gut innerhalb der vereinbarten, übl. oder angemessenen Frist zum Bestimmungsort zu befördern und es dem Empfänger auszuliefern. Für Verlust oder Beschädigung des Gutes sowie für Schäden infolge Versäumung der Lieferzeit hat der Frachtführer vertraglich einzustehen. Der Absender hat auf Verlangen des Frachtführers einen Frachtbrief zu erteilen. Der Empfänger wird durch Annahme des Gutes und des Frachtbriefs (soweit darin nichts anderes bestimmt ist) zur Zahlung verpflichtet. Hinsichtlich seiner Forderungen aus dem F. steht dem Frachtführer ein gesetzl. Pfandrecht am Frachtgut zu.

Für das *östr. Recht* gilt Entsprechendes. In der *Schweiz* ist das F. allg. im Obligationenrecht geregelt.

Frachtkosten, die durch Inanspruchnahme von Frachtführern und Spediteuren entstandenen Eingangs- und Ausgangsfrachten. Die F. sind Bestandteil der Beförderungskosten.

Frachtschiff (Frachter) ↑ Schiff.

Frachtvertrag ↑ Frachtgeschäft.

Frack [zu engl. frock „Rock" (von altfrz. froc „Mönchsgewand")], abendl. Festanzug, mit steigenden Revers (mit Seide belegt), hinten mit langem F.schoß; Weste und Schleife weiß (beim Kellneranzug schwarz).

Fra Diavolo (Bruder Teufel), eigtl. Michele Pezza, *Itri 7. April 1771, † Neapel 11. Nov. 1806, neapolitan. Freischärler. – Urspr. Straßenräuber, kämpfte in der von Kardinal Ruffo geleiteten „Banda della Santa Fede" im Dienst Ferdinands IV. von Neapel gegen die frz. Herrschaft; 1806 von den Franzosen gefangengenommen und hingerichtet. Die kom. Oper von D. F. E. Auber hat mit ihm wenig mehr als den Namen gemein.

Fraenger, Wilhelm, *Erlangen 5. Juni 1890, † Potsdam 19. Nov. 1964, dt. Kunsthistoriker und Volkskundler. – Verfaßte Schriften und Aufsätze u. a. über H. Bosch, P. Bruegel, J. Ratgeb, M. Grünewald; Begr. und Hg. des „Jahrbuchs für histor. Volkskunde" (1925–37) und des „Jahrbuchs für Volkskunde" (1955 ff.).

Fraenkel ['frɛŋkəl], Ernst, *Köln 26. Dez. 1898, † Berlin (West) 28. März 1975, dt. Politologe. – 1926–38 Rechtsanwalt in Berlin; emigrierte in die USA; seit 1951 Prof. in Berlin; Forschungsschwerpunkte: Demokratietheorie und vergleichende Regierungslehre; Verfasser u. a. von „Das amerikan. Regierungssystem" (1960), „Deutschland und die westl. Demokratien" (1964).

F., Eugen, *Neustadt O. S. 28. Sept. 1853, † Hamburg 20. Dez. 1925, dt. Pathologe und Bakteriologe. – Prof. in Hamburg; entdeckte den Gasbranderreger (F.-Bazillus).

Fraenkel-Conrat, Heinz [engl. 'fræŋkl 'kɔnræt], *Breslau 29. Juli 1910, amerikan. Biochemiker dt. Herkunft. – Seit 1936 in den USA; Prof. in Berkeley (Calif.); entdeckte die Rolle der Ribonukleinsäure bei der Vererbung.

Fraga Iribarne, Manuel [span. 'fraɣa iri-'βarne], *Villalba (Prov. Lugo) 23. Nov. 1922,

span. Politiker. – Ab 1948 Prof. für Staats-
und Verfassungsrecht in Madrid; 1962–69
Min. für Information und Tourismus; Verfechter einer „europ. Öffnung" Spaniens;
1975/76 Innenmin.; 1976–86 und seit 1989
Führer der konservativen Volksallianz (1989
in Volkspartei umben.), seit 1987 MdEP.

Fragaria [lat.] ↑ Erdbeere.

Frage, Aufforderung zur Antwort; 1. Ent-
scheidungs-F., die einen Sachverhalt klären
soll: *Kommst du?* 2. Ergänzungs-F., die nach
einer Person, einer Sache oder einem Um-
stand fragt: *Wer ist krank?* 3. Rhetor. F., die
der Sprechende nur stellt, um zur Anerkennung einer bereits vorhandenen Meinung zu
bewegen: *Willst du wirklich kommen?*

Fragebogen, Hilfsmittel für statist. Er-
hebungen und Untersuchungen, liefern pri-
märstatist. Datenmaterial; als Einzel- oder
Kollektiv-F. (Omnibusverfahren) ausgebildet. In den *Sozialwissenschaften* und in der
Psychologie als techn. Hilfsmittel zur Verein-
heitlichung von Interviews oder schriftl. Befragungen bei der Erhebung von Daten benutzt, wobei in den Fällen, in denen sich
Sachverhalte nicht direkt erfragen lassen, die
Untersuchungsaufgaben (Programmfragen)
in Testfragen (F.fragen) „übersetzt" werden.

Frager, Malcolm [engl. 'freɪgə], * Clayton
(Mo.) 15. Jan. 1935, † Lennox (Mass.) 20. Juni
1991, amerikan. Pianist. – Wurde als brillanter Interpret v. a. klass. und romant. Klaviermusik bekannt.

Fragerecht, 1. im *Zivilprozeßrecht* Be-
fugnis des Gerichts, Fragen an die Parteien,
Zeugen und Sachverständigen zu richten, um
das für den Prozeß erforderl. Tatsachenmate-
rial zu beschaffen, die Stellung sachdienl.
Anträge und die Bez. der Beweismittel zu veranlassen. Bei der Vernehmung von Zeugen,
Sachverständigen und Parteien haben auch
Anwälte und Parteien ein F. Über die Zulässigkeit einer Frage entscheidet das Gericht; 2.
im *Strafprozeßrecht* das Recht der Beisitzer,
der Staatsanwaltschaft, des Angeklagten und
seines Verteidigers, in der Hauptverhandlung
Fragen an den Angeklagten, die Zeugen und
Sachverständigen zur Klärung des Beweisge-
genstandes zu stellen. Ungeeignete und nicht
zur Sache gehörende Fragen kann der Vorsit-
zende i. d. R. zurückweisen.

Fragesatz, svw. ↑ Interrogativsatz.

Fragestunde, parlamentar. Einrichtung,
in der MdB während bestimmter Plenarsit-
zungen zuvor eingereichte Fragen zur Beantwortung an die Regierung bzw. ihre Vertreter
stellen können.

Fragezeichen, Satzzeichen, das eine
Frage kennzeichnet: ?; span.: ¿...?; griech.: ;.

fragil [lat.], zerbrechl.; gebrechl., zart.

Fragment [zu lat. fragmentum „Bruch-
stück"], 1. unvollständig überliefertes Werk,
sowohl Teile eines (alten) Kunstwerks wie eines literar. Werkes; 2. unvollendet gebliebe-
nes oder aufgegebenes literar. Werk; 3.
literar. Form, die bewußt unvollendet sein
will, v. a. in der Romantik.

fragmentarisch [lat.], bruchstückhaft,
unvollendet.

Fragonard, Jean Honoré [frz. fragɔ'na:r],
* Grasse (Alpes-Maritimes) 5. April 1732,
† Paris 22. Aug. 1806, frz. Maler. – Schüler
von F. Boucher; 1756–61 in Italien (1760
Landschaftsstudien der Villa d'Este); seine
Malweise (Rokoko) nimmt bereits den Im-
pressionismus, mit ihren an Rubens und
Rembrandt geschulten Hell-Dunkel-Wirkun-
gen die romant. Malerei (Delacroix) vorweg.

Fra Guittone ↑ Guittone d'Arezzo.

fraise [frz. frɛːz; zu lat. fragum „Erdbeere"], erdbeerfarben.

fraktale Geometrie, Geometrie, die
sich nicht mit „einfachen" Figuren befaßt,
sondern mit bestimmten komplexen Gebil-
den und Erscheinungen, die ähnlich in der
Natur vorkommen (z. B. das Adernetz der
Lunge, die Oberfläche von Gebirgen, eine
Küstenlinie, Luftwirbel). Solche **Fraktale** besitzen 1. die Eigenschaft der *Selbstähnlichkeit*
(jeder kleine Teil hat die gleiche Struktur wie
das Gesamtobjekt) und 2. eine *gebrochene
(fraktale) Dimension;* z. B. liegt die Dimension eines Gebirges zw. 2 (der einer Ebene)
und 3 (der eines Körpers). Mit der f. G. lassen
sich komplexe Naturerscheinungen mathematisch erfassen und am Computer simulie-
ren. – Abb. S. 174.

📖 *Mandelbrot, B.: Die f. G. der Natur. Basel
⁵1989.*

Fraktion [zu lat. fractio „das Brechen"],
ständige Gliederung einer Volksvertretung,
in der sich politisch gleichgesinnte Abg. organisieren, um die Parlamentsarbeit zu erleichtern und in ihrem Sinne zu beeinflussen; sind
im modernen Parteienstaat die Bindeglieder
zw. den polit. Parteien und dem Parlament. –
Im Dt. Bundestag i. d. R. Vereinigungen von
mindestens 5 % der Mgl., die derselben Partei
oder solchen Parteien angehören, die auf
Grund gleichgerichteter polit. Ziele in keinem Land miteinander im Wettbewerb stehen. Politisch gleichgesinnte Abg., die diese
F.stärke nicht erreichen, können als *Gruppe* anerkannt werden, die jedoch die bes. Rechte
(v. a. Besetzung der Ausschüsse und des Älte-
stenrates des Bundestages, finanzielle Zu-
wendungen aus Haushaltsmitteln) der F.
nicht genießt. Jede F. gibt sich eine eigene
Geschäftsordnung und bildet eigene *Organe*
(F.vollversammlung, F.vorsitzender mit Stell-
vertretern, parlamentar. Geschäftsführer,
F.vorstand, Arbeitskreise). – In *Österreich*
(hier ↑ Klub gen.) und in der *Schweiz* gelten
für die Bildung der F. ähnl. Regeln.

Fraktale Geometrie. Computergraphik
einer Gebirgslandschaft

◆ bei einem Trenn- oder Reinigungsverfahren (Destillation, Kristallisation, Chromatographie) anfallender Teil eines Substanzgemisches; **fraktionieren,** Gemische mit verschiedenen Siedepunkten in Fraktionen zerlegen.

Fraktionszwang, Verpflichtung der Abg. zur einheitl. Stimmabgabe entsprechend den vorherigen Festlegungen der Fraktion. Die Ausübung von F. verstößt gegen den in Art. 38 Abs. 1 Satz 2 GG niedergelegten Grundsatz des freien Mandats, wird aber nicht als unzulässig angesehen. Bei Verstoß gegen den F. darf ein Abg. aus der Fraktion oder Partei ausgeschlossen werden, die Niederlegung des Mandats darf jedoch nicht erzwungen werden.
In *Österreich* und in der *Schweiz* gelten für die Führung einer Fraktion ähnl. Regeln.

Fraktur [zu lat. fractura „das Brechen"], eine in Deutschland im 16. Jh. geschaffene Form der ↑ gotischen Schrift, die jahrhundertelang in Deutschland gegenüber der ↑ Antiqua den Vorrang behauptete; auch im poln., tschech., litauischen, schwed. und finn. Sprachbereich verbreitet. Sie entstand auf der Grundlage der ↑ Bastarda als Teuerdankschrift (Entwurf von V. Rockner für den Druck des „Teuerdank", 1517) und als „Dürerfraktur" (1522, 1525 ff.), der Schrift in Dürers Veröffentlichungen, von J. Neudörffer d. Ä. entworfen (geschnitten von Hieronymus Andreae). Charakteristika: „Elefantenrüssel" an verschiedenen Majuskeln (𝔄, 𝔅, 𝔐, 𝔑, 𝔓, 𝔎 u. a.) und „Entenfüßchen" an den Minuskeln, gebrochene Wirkung. Die F. verlor seit

dem 19. Jh. zunächst in wiss. Werken, allg. im 20. Jh. ihre Bed., obwohl gerade Anfang des 20. Jh. vorzügl. Frakturschriften geschnitten wurden, die sog. *deutsche Schrift:* R. Koch (u. a. „Dt. Kochschrift", 1908).
◆ in der *Medizin* svw. Knochenbruch (↑ Bruch).

Fram [norweg. „vorwärts"], Name des Schiffes, mit dem F. Nansen 1893–96 im Eis der Arktis driftete. Heute auf ↑ Bygdøy.

Fra Mauro, † Venedig 1460, italien. Kartograph. – Kamaldulensermönch. Die von ihm angefertigte kreisförmige Weltkarte (1459; Durchmesser 1,96 m) ist verlorengegangen. Ein von seinen Gehilfen 1460 hergestelltes Duplikat befindet sich in der Markusbibliothek in Venedig.

Frambösie [zu frz. framboise „Himbeere" (wegen des Aussehens des Ausschlags)] (Framboesia tropica, Yaws), syphilisähnl. trop. Hautkrankheit, hervorgerufen durch das über Schmierinfektionen, gelegentlich auch durch Fliegen, nur ausnahmsweise durch Geschlechtsverkehr übertragene Bakterium Treponema pertenue; wird nicht zu den Geschlechtskrankheiten gerechnet.

Franc [frã:], in Zusammensetzungen Bez. für die Währungseinheiten verschiedener Staaten, z. B. Belgiens (Belg. F.), Frankreichs (Frz. F.), Luxemburgs (Luxemburg. F.). – ↑ CFA-Franc.

Franc [frz. frã:; nach der Devise „Francorum rex" („König der Franken") auf erstmals 1360 geprägten Münzen] (italien. franco; dt. Franken oder Frank), Name verschiedener Münzen, bes.: 1. Feingoldmünze Frankreichs 1360–80; 2. frz. Silbermünze 1577–1641; 3. frz. Währungseinheit seit 1795, 1 F. = 100 Centimes, geprägt in Silber, 1808–13 auch im

Kgr. Westfalen und im Großherzogtum Berg; seit 1921 in unedlen Metallen und fortlaufend abgewertet; als Währungseinheit von anderen Ländern übernommen, bes. im Latein. Münzbund. – Der Goldfranc ist seit 1920 Rechnungseinheit im Weltpostverein; als solche diente er auch im Völkerbund.

Française [frã'sε:zə; frz. „der französische (Tanz)"], in Deutschland übl. Bez. für die im 18. Jh. in Frankreich verbreiteten Ausprägungen des engl. ↑Country dance (↑Contredanse); i. e. S. ein Kettentanz in Doppelreihe.

Françaix, Jean [René] [frz. frã'sε], * Le Mans 23. Mai 1912, frz. Komponist und Pianist. – Seine Kompositionen bewegen sich im Rahmen der Tonalität und umfassen Opern, Ballette („Le roi nu", 1936; „Les demoiselles de la nuit", 1948), Orchester-, Kammer- und Klaviermusik sowie Filmmusiken.

Francavilla, Pietro ↑ Francheville, Pierre de.

France, Anatole [frz. frã:s], eigtl. Jacques-François-Anatole Thibault, * Paris 16. April 1844, † Gut La Béchellerie bei Saint-Cyr-sur-Loire (Indre-et-Loire) 12. Okt. 1924, frz. Schriftsteller. – Unternahm ausgedehnte Reisen durch Südamerika; trat als Sozialist für Dreyfus ein; erhielt 1921 den Nobelpreis für Literatur. F. verkörpert als einer der bedeutendsten frz. Erzähler, Essayisten und Literaturkritiker seiner Zeit die humanist. Tradition der frz. Aufklärung; Feind jeder irrationalen Strömung, auch des Symbolismus, dabei geistreich, iron., skept., humorvoll und undogmatisch. Höhepunkt seines Schaffens bildet das Romanwerk; mit Vorliebe wählte er Stoffe aus Epochen im Umbruch: der Spätantike („Thais", 1890), der Zeit der Frz. Revolution („Die Götter dürsten", 1912), des späten MA (krit. Bericht „Das Leben der hl. Johanna", 1908). F. schrieb auch Dramen, Aphorismen und literaturkrit. Abhandlungen.

Francesca da Rimini [italien. fran'tʃeska dar'ri:mini], † um 1284, italien. Adlige. – Mit G. Malatesta, Signore von Rimini, verheiratet, der sie und seinen Bruder Paolo wegen Ehebruchs ermordete; Dante, der beide in seiner „Göttl. Komödie" (Inferno V) büßen läßt, machte das Liebespaar berühmt. Der Stoff wurde v. a. im 19. Jh. vielfach bearbeitet.

Francesca, Piero della [italien. fran'tʃeska] ↑ Piero della Francesca.

Francescatti, Zino [frz. frãsεska'ti], eigtl. René F., * Marseille 9. Aug. 1902, † La Ciotat 16. Sept. 1991, amerikan. Violinist frz. Herkunft. – Erlangte als Interpret virtuoser Violinmusik Weltruhm.

Francesco di Giorgio Martini [italien. fran'tʃesko di 'dʒordʒo mar'ti:ni] ↑ Martini, Francesco di Giorgio.

France-soir [frz. frãs'swa:r; „Frankreich am Abend"], frz. Zeitung, ↑Zeitungen (Übersicht).

Franche-Comté [frz. frãʃkõ'te] (Freigrafschaft Burgund), histor. Prov. und Region in Frankreich, zw. oberer Saône und frz.-schweizer. Grenze, umfaßt die Dep. Doubs, Haute-Saône, Jura und Territoire de Belfort, 16 202 km², 1,1 Mill. E (1990), Regionshauptstadt Besançon. *Geschichte:* Zur Zeit der röm. Eroberung von kelt. Sequanern bewohnt, gehörte seit 27 v. Chr. zur Prov. Belgica, seit Ende 3. Jh. zur Maxima Sequanorum; seit 442 von den Burgundern, 534 vom Fränk. Reich in Besitz genommen; kam 888 zum Kgr. Hochburgund und mit dem gesamten Kgr. Burgund 1032/34 zum Hl. Röm. Reich; schied erst 1674/78 mit der Anerkennung als frz. Besitz aus dem Burgund. Reichskreis aus.

Franches-Montagnes [frz. frãʃmõ'taŋ], Teil des Schweizer Jura, ↑Freiberge.

Francheville [frz. frãʃ'vil] (Francqueville, Francavilla), Pierre de, * Cambrai 1548 (?), † Paris 25. Aug. 1615, frz. Bildhauer. – War lange in Italien tätig (Florenz, Genua, Pisa), seit 1604 in Paris; Vertreter des Manierismus.

Franchise [frã'ʃi:zə; frz., zu franc „frei"], bes. Form der Selbstbeteiligung des Versicherungsnehmers (v. a. in der Transportversicherung). Vereinbarungsgemäß trägt der Versicherungsnehmer die Schäden bis zu einer bestimmten Höhe selbst.

Franchising [engl. 'fræntʃaiziŋ, eigtl. „Vorrechtgeben"], Form der vertikalen Kooperation im Absatzbereich zw. jurist. und wirtsch. selbständigen Unternehmen. Im Rahmen eines Dauerschuldverhältnisses gewährt der *Franchisegeber* (mit weitgehenden Weisungs- und Kontrollrecht) dem *Franchisenehmer* gegen Entgelt das Recht, Waren und/oder Dienstleistungen (aus seinem Bereich) unter Verwendung von bestimmten Schutzrechten (z. B. Namen, Marken, Patente), Erfahrungen sowie unter Nutzung bestimmter Organisations- und Handlungsschemata herzustellen und/oder zu vertreiben.

Francia, il [italien. il 'frantʃa], eigtl. Francesco Raibolini, * Bologna um 1448, † ebd. 5. Jan. 1517, italien. Maler. – Goldschmied, malte etwa seit 1480 (zahlr. Altarbilder und Madonnen), beeinflußt von Lorenzo di Credi und Perugino.

Francia, José Gaspar Tomás Rodríguez de [span. 'fransia], gen. Doctor Francia, * Asunción 6. Jan. 1766, † ebd. 20. Sept. 1840, paraguayischer Politiker. – Advokat, Mgl. der Junta, die 1811 die Unabhängigkeit Paraguays erklärte. 1814 Diktator, seit 1817 auf Lebenszeit; brach die Macht von Kirche und Adel; förderte die Landwirtschaft.

Francia, latinisierte Bez. für Franzien, das Hauptsiedlungsgebiet der Franken zw. Rhein und Loire im Früh-MA (Kernraum des Fränk. Reiches); bezeichnete seit dem Reichsteilungen des 9. Jh. bes. das Gebiet zw. Seine und Maas. Die F., das einzige Teilreich des Westfränk. Reiches, in dem der König unmittelbar (nicht durch Stellvertreter) regierte, wurde zum Ausgangsgebiet der späteren Krondomäne. Mit der frz. Form „France" entstand schließlich der Gesamtname des frz. Staates.

Francis [engl. 'frɑːnsɪs], James Bicheno, * Southleigh 18. Mai 1815, † Lowell (Mass.) 18. Sept. 1892, brit. Ingenieur. – F. ging 1833 in die USA; schuf hervorragende hydraul. und wasserbautechn. Anlagen und konstruierte 1849 die **Francis-Turbine,** eine radial beaufschlagte Wasserkraftmaschine für Fallhöhen bis 450 m, die nach dem Überdruckprinzip arbeitet.

F., Sam, * San Mateo (Calif.) 25. Juni 1923, amerikan. Maler und Graphiker. – F. gehört zum weiteren Umkreis der abstrakten Expressionisten; seine starkfarbige Malerei in oft großen Formaten betont den Duktus des Farbauftrags in einer fleckenartigen Technik.

Francisco Javier [span. fran'θisko xa-'βier] † Franz Xaver.

Francium [nach Francia („Frankreich"), der Heimat der Entdeckerin M. Perey], chem. Symbol Fr, sehr seltenes und schnell radioaktiv zerfallendes Alkalimetall aus der I. Hauptgruppe des Periodensystems; Ordnungszahl 87; langlebigstes Isotop ist Fr 223 mit einer Halbwertszeit von 21,8 Minuten.

Franck, César [frz. frãːk], * Lüttich 10. Dez. 1822, † Paris 8. Nov. 1890, frz. Komponist belg.-dt. Herkunft. – Seit 1872 Prof. für Orgel am Pariser Conservatoire (Schüler u. a. V. d'Indy, C. Debussy); bahnbrechend für den frz. instrumentalen Impressionismus; beeinflußt von der kontrapunkt.-polyphonen Kompositionskunst Bachs und der Harmonik der dt. Spätromantik; viel gespielte Opern, Oratorien (u. a. „Les béatitudes", 1869–79), sinfon. Dichtungen, u. a. „Les Éolides" (1876), Sinfonie d-Moll (1886–88), „Variations symphoniques" für Klavier und Orchester (1885); Kammer-, Orgel- und Klaviermusik, Messen und Motetten.

F., James, * Hamburg 26. Aug. 1882, † Göttingen 21. Mai 1964, dt. Physiker. – 1916 Prof. in Berlin, 1920–33 in Göttingen; emigrierte 1933 in die USA, 1938–47 Prof. in Chicago; nahm im 2. Weltkrieg an der Entwicklung der Atombombe teil, warnte aber 1945 die Regierung der USA vor deren Einsatz **(Franck-Report).** Führte zus. mit G. Hertz den Nachweis diskreter Anregungsstufen der Atome des Quecksilberdampfes **(Franck-Hertz-Versuch)** und bestätigte damit die Quantenhypothese und Atomtheorie. Nobelpreis für Physik 1925 (mit G. Hertz).

F., Sebastian, auch gen. Frank von Wörd, * Donauwörth 20. Jan. 1499, † Basel 1542 oder 1543, dt. Schriftsteller. – Prediger. Lehnte jegl. dogmatisch geprägte Christentum ab und wandte sich den Täufern zu; unstetes Wanderleben; Vorkämpfer der Toleranz, volkstümlicher freimütiger Predigtstil; bed. Prosaist, u. a. „Chronica, Zeytbuch und Geschychtbibell" (1531).

Francke, August Hermann, * Lübeck 22. (12. ?) März 1663, † Halle/Saale 8. Juni 1727, dt. ev. Theologe und Pädagoge. – Von P. J. Spener beeinflußter Vertreter des Pietismus; seit 1689 Dozent in Leipzig, 1692 Pfarrer und Prof. für oriental. Sprachen in Halle. Gründete dort die † Franckeschen Stiftungen. Im Mittelpunkt seiner Arbeit stand die Erziehung der Jugend, die gekennzeichnet war durch strenge Beaufsichtigung der Zöglinge und Beschäftigung mit den Realien (Ansatz zur Realschule) mit den Zielen Frömmigkeit und Fleiß. 1710 gründete er zus. mit C. H. von Canstein eine Bibelanstalt zur Verbreitung preiswerter Bibeln.

F., Ernst, * Coburg 10. Nov. 1852, † Freiburg im Breisgau 23. Dez. 1921, dt. Sozialreformer. – 1897–1921 Hg. der Zeitschrift „Soziale Praxis", 1901–13 Generalsekretär, 1920/21 Vors. der „Gesellschaft für Soziale Reform"; gründete 1904 deren „Bureau für Sozialpolitik" in Berlin.

Francke, Meister † Meister Francke.

Francken [niederl. 'frɑŋkə], weit verzweigte fläm. Malerfamilie, aus Herentals stammend, tätig im 16. und 17. Jh.; u. a. **Frans Francken d. J.** (* 1581, † 1642), Kabinettformate; im Spätwerk Übergang vom Historienzum Genrebild.

Franckesche Stiftungen, von A. H. Francke in Halle/Saale gegr. Erziehungsanstalten, Zentrum des Pietismus. Sie umfaßten Armenschule mit Waisenhaus (1695), Pädagogium für Adlige mit Internat (1696), Bürgerschule und Lateinschule für Bürgerkinder mit Internat (1697), Gynaeceum, d. h. höhere Mädchenschule (1698). Den Schulen angegliedert waren die Ostind. Missionsgesellschaft (1705) und die Cansteinsche Bibelanstalt (1710) sowie eine Reihe „erwerbender Anstalten" (Verlag, Druckerei, Buchhandlung, Apotheke u. a.). Bei Franckes Tod hatten die Anstalten etwa 2300 Zöglinge. 1946 wurden die F. S. der Universität Halle eingegliedert.

Francke Verlag (A. Francke AG) † Verlage (Übersicht).

Franck-Hertz-Versuch, berühmter atomphysikal. Versuch († Franck, James).

Franckh'sche Verlagshandlung W. Keller Co. † Verlage (Übersicht).

Franco Bahamonde, Francisco, * El
Ferrol 4. Dez. 1892, † Madrid 20. Nov. 1975,
span. General und Politiker. – Schlug 1934
den sozialist. Aufstand in Asturien nieder;
wurde 1935 Generalstabschef, jedoch nach
dem Sieg der Volksfront 1936 kaltgestellt.
Nach dem Militäraufstand vom 17./18. Juli
1936 zum Befehlshaber in Span.-Marokko,
im Sept. 1936 zum Chef der sog. nat. span.
Reg. und zum Generalissimus ausgerufen;
baute im Span. Bürgerkrieg, in dem er mit dt.-
italien. Militärhilfe die republikan. Reg.
stürzte, seine Führungsrolle („Caudillo") aus.
Innenpolit. stützte sich der Diktator auf die
Armee, die Einheitspartei der Falange und
die kath. Kirche. Trotz Anlehnung an die
Achsenmächte hielt F. B. Spanien offiziell
aus dem 2. Weltkrieg heraus, duldete jedoch
die Entsendung militär. Einheiten (Blaue Di-
vision) auf dt. Seite in den Krieg gegen die
UdSSR. Mit dem Nachfolgegesetz (1947)
führte F. B. die Monarchie wieder ein, blieb
jedoch Staatschef auf Lebenszeit; war außerdem Reg.chef (bis 1973), militär. Oberbefehlshaber und Führer der Einheitspartei; bestimmte Juan Carlos (Haus Bourbon) 1969 zu
seinem Nachfolger und Anwärter auf den
span. Königsthron.
📖 *Beck, R.: Das span. Reg.system unter
Franco. Bochum 1979. – Dahms, H.: F.
Franco. Soldat u. Staatschef. Gött. 1972.*

François [frz. frã'swa], Jean-Charles,
* Nancy 4. Mai 1717, † Paris 21. März 1769,
frz. Kupferstecher. – Erfand die † Krayonma-
nier zur Wiedergabe weicher Modellierun-
gen.
F., Marie Luise von, * Herzberg/Elster 27.
Juni 1817, † Weißenfels 25. Sept. 1893, dt.
Schriftstellerin. – Schrieb Romane und Novellen, u. a. „Die letzte Reckenburgerin" (R.,
1871); Briefwechsel mit C. F. Meyer.
François de Sales [frz. frãswad'sal]
† Franz von Sales.
François-Poncet [frz. frãswapõ'sɛ], André, * Provins (Seine-et-Marne) 13. Juni 1887,
† Paris 8. Jan. 1978, frz. Diplomat und Politiker. – 1931–38 frz. Botschafter in Berlin,
1938–40 in Rom; 1940–43 Mgl. des Nationalrats, 1943–45 in dt. Haft; seit 1948 Beauftragter beim frz. Oberbefehlshaber in
Deutschland; 1949–53 Hochkommissar,
1953–55 Botschafter in Bonn; 1955–67 Präs.
des Internat. Roten Kreuzes, 1955–60 des frz.
Rats der Europ. Bewegung.
Françoisvase [frz. frã'swa], von dem frz.
Kupferstecher Alphonse François (* 1811,
† 1888) 1844 in Chiusi gefundener Voluten-
krater (Töpfer Ergotimos, Maler Klitias; um
570 v. Chr.; Florenz, Museo Archeologico);
bed. Werk hocharchaisch-att. Keramik.
Franconia, latinisierte Form des geograph. Namens Franken.

Francqueville [frz. fräk'vil] † Francheville.
Francs-tireurs [frz. frãti'rœ:r] † Franktireurs.
Frangipane [italien. frandʒi'pa:ne], seit
1014 urkundlich nachweisbares röm. Adelsgeschlecht; stieg dank der Verbindung mit
dem Reformpapsttum des späten 11.Jh. zu einer der mächtigsten Familien Roms auf;
schwankte seit dem 12.Jh. zw. päpstl. und
kaiserl. Partei. **Giovanni Frangipane** lieferte
1268 Konradin an Karl von Anjou aus.
Franju, Georges [frz. frã'ʒy], * Fougères
12. April 1912, † Paris 15. Nov. 1987, frz.
Filmregisseur. – Mitbegr. der Cinémathèque
Française (1936); Kurz- und Dokumentarfilme („Le sang des bêtes", 1949; „Hôtel des In-
valides", 1951).
frank [nach den Franken, die als „freie"
Herren galten], frei, gerade, offen (nur noch
in der Wendung **frank und frei**).
Frank, Adolf, * Klötze/Altmark 20. Jan.
1834, † Charlottenburg (= Berlin) 30. Mai
1916, dt. Chemiker. – Begründer der dt. Kali-
industrie, entwickelte mit N. Caro 1899 das
Frank-Caro-Verfahren zur Gewinnung von
Kalkstickstoff aus Calciumcarbid.
F., Anne, eigtl. Annelies Marie F., * Frankfurt am Main 12. Juni 1929, † KZ Bergen-Bel-
sen im März 1945, Tochter eines jüd. Ban-
kiers. – Emigrierte 1933 mit den Eltern in die
Niederlande; bekannt durch ihre Tagebuchaufzeichnungen im Versteck ihrer Familie in
Amsterdam während der dt. Besetzung vom
14. Juni 1942 bis 1. Aug. 1944, ein erschüt-
terndes Dokument jüd. Schicksals („Das Tagebuch der Anne Frank", dt. 1950); 1944 entdeckt und verschleppt.
F., Bruno, * Stuttgart 13. Juni 1887, † Beverly
Hills (Calif.) 20. Juni 1945, dt. Schriftsteller. –
Emigrierte 1933; in seiner Lyrik anfangs von
Rilke beeinflußt; als Erzähler in der Nachfolge der großen Romanciers des 19.Jh., v.a.
Turgenjews; verfaßte u.a. „Trenck" (R.,
1926), „Polit. Novelle" (1928), „Cervantes"
(1934); Lustspiel „Sturm im Wasserglas"
(1930).
F., Hans, * Karlsruhe 23. Mai 1900, † Nürnberg 16. Okt. 1946 (hingerichtet), dt. Jurist
und Politiker (NSDAP). – 1930–45 MdR,
1933/34 bayer. Justizmin., seit 1934 Reichs-
min. ohne Geschäftsbereich; als Generalgou-
verneur von Polen seit 1939 verantwortl. für
die brutale Besatzungspolitik; als Haupt-
kriegsverbrecher angeklagt.
F., Ilja Michailowitsch, * Petersburg 23. Okt.
1908, † Moskau 22. Juni 1990, sowjet. Physiker. – Entwickelte gemeinsam mit I. J. Tamm
eine Theorie des Tscherenkow-Effekts. Nobelpreis für Physik 1958 (zus. mit I. J. Tamm
und P. A. Tscherenkow).
F., Jacob, eigtl. Jankiew Lejbowicz, * Koro-

lowka (Ukraine) 1726, † Offenbach am Main 10. Dez. 1791, jüd. Sektierer. – Wirkte seit 1756 in Polen im Anschluß an die pseudomessianist. Bewegung des † Sabbatai Zwi; ab 1786 in Offenbach. F., der von seinen Anhängern, den **Frankisten**, als Inkarnation des Sabbatai Zwi und des verborgenen Gottes angesehen wurde, vertrat nihilist. religiöse Anschauungen.

F., Johann Peter, * Rodalben (Landkreis Pirmasens) 19. März 1745, † Wien 24. April 1821, dt. Mediziner. – Prof. in Göttingen, Pavia, Wien, Wilna und Petersburg. Begründer der wiss. Hygiene und der öff. Gesundheitspflege.

F., Karl Hermann, * Karlsbad 24. Jan. 1898, † Prag 22. Mai 1946, sudetendt. Politiker. – 1933 Propagandachef K. Henleins; als Staatssekretär beim Reichsprotektor (ab 1939) und als Staatsmin. für Böhmen und Mähren (ab 1943) für die dort begangenen Greueltaten der SS (Lidice) verantwortlich; als Kriegsverbrecher hingerichtet.

F., Leonhard, * Würzburg 4. Sept. 1882, † München 18. Aug. 1961, dt. Schriftsteller. – Lebte 1915–18 in der Schweiz, 1933–49 Emigration u. a. nach Frankreich und den USA. Wandte sich einem Erstlingsroman „Die Räuberbande" (1914) unter dem Einfluß des Expressionismus sozialrevolutionären Themen zu („Das Ochsenfurter Männerquartett", R., 1927; „Bruder und Schwester", R., 1929; „Die Jünger Jesu", 1949); Autobiographie „Links, wo das Herz ist" (1952).

F., Robert, * Zürich 9. Nov. 1924, amerikan. Photograph schweizer. Herkunft. – Seine Dokumentarphotographien von Amerika („Les Américains", 1958) wirkten stilbildend auf die nachfolgende Photographengeneration.

Franken (lat. Franci), westgerman. Stammesgruppe, seit dem 3. Jh. n. Chr. literarisch bezeugt. Östlich des Niederrheins siedelnd, nahmen die F. selbständige Stämme (Chamaven, Brukterer, Sugambrer, Attuarier) in sich auf und prägten in röm. Gebiet vor. Im 5. Jh. stießen einzelne Fürsten – teils in röm. Dienst – nach S vor und besetzten das Gebiet des heutigen Belgien, das Mosel- und Rheingebiet. Die durch Chlodwig I. um 500 eingeleitete Großmachtbildung des Fränk. Reiches wurde zum wichtigsten polit. Faktor des beginnenden MA. Die bis 500 unterworfenen Länder im W zw. Somme und Loire, im O an Mittelrhein, Main und unterem Neckar wurden fränk. überschichtet, jedoch relativ dünn, was im W bis zum 8. Jh. zur Assimilation des german. Elements durch das roman. und zur Ausbildung der seitdem geltenden Sprachgrenze führte.

Franken, histor. Landschaft in Bayern und Bad.-Württ.; F. hat im wesentl. Anteil am süddt. Schichtstufenland (Buntsandstein-

Keuper) sowie am Fichtelgebirge, am Frankenwald und nördl. Oberpfälzer Wald. Das Klima ist kontinental, wobei das westl. Steigerwaldvorland und das Schweinfurter Becken bes. begünstigt sind. Der Anbau von Getreide und Zuckerrüben (Zuckerfabriken in Ochsenfurt und Zeil a. Main) verdrängt zunehmend den von Kartoffeln und Hackfrüchten; in günstigen Lagen Weinbau († Frankenweine). Überregionale wirtsch. und kulturelle Bed. haben das Städtedreieck Nürnberg–Fürth–Erlangen sowie Würzburg und Schweinfurt. Demgegenüber hat das Ind.gebiet um Hof nach 1945 erhebl. an Bed. verloren. Bed. hat die im Fichtelgebirge beheimatete Porzellanindustrie.

Geschichte: Bis ins 6. Jh. Spannungsfeld zw. Thüringern und Alemannen, dann dem Fränk. Reich lose angegliedert und seit etwa 720 fränk. Königsprov.; 1168–1803 waren die Bischöfe von Würzburg Herzöge von F., im Spät-MA vielgestaltige Territorienbildung. Mit Errichtung des Fränk. Reichskreises (1500) und seiner geograph. Ausdehnung entstand echtes fränk. Gemeinschaftsbewußtsein. Durch die territoriale Neugliederung 1805–10 wurde der größte Teil Bayern zugeteilt; Hohenlohe-F. kam zu Württemberg, das Bauland und Taubertal an Baden, das ehem. mainz. Aschaffenburg an Bayern; 1920 kam zu F. auch die ehem. sächs. Pflegschaft Coburg.

F., Region in Baden-Württemberg.

Franken (Frank), Münzname, † Franc.

Frankenalb † Fränkische Alb.

Frankenberg (Eder), Stadt in Hessen, am Eintritt der oberen Eder in den Kellerwald, 300 m ü. d. M., 16 500 E. U. a. Textilind., Möbelfabriken, Lederverarbeitung; Fachschule für Umweltschutztechnik. – 1240 erstmals erwähnt; die 1294 als Stadt gen. Siedlung gehörte meist zu Hessen. – Got. Liebfrauenkirche (1286 ff.); Fachwerkrathaus (1421 erbaut, 1509 erneuert) mit oktogonalem Fachwerktreppenturm (1535).

Frankenhausen/Kyffhäuser, Bad † Bad Frankenhausen/Kyffhäuser.

Frankenhöhe, südlichster Teil des fränk. Keuperberglandes, bis 552 m hoch, erhebt sich über dem Gäuland von Crailsheim und Rothenburg ob der Tauber in einer rd. 150 m hohen Doppelstufe.

Frankenspiegel (Kaiserrecht), ein in Hessen entstandenes dt. Rechtsbuch (vermutl. 1328/38 im Frankfurter Bereich).

Frankenstein, urspr. Gestalt eines Romans von Mary W. Shelley (1818), in dem das von F. geschaffene Monster die getretene soziale Unterschicht symbolisiert. Ab 1910 bis heute häufig verfilmt; berühmt v. a. J. Whales „F." (1931) mit B. Karloff in der Rolle des Monsters.

Frankenstein in Schlesien (poln. Ząbkowice Śląskie), Kleinstadt im sö. Vorland des Eulengebirges, Polen, 280 m ü. d. M., 17 000 E. Glasind., elektrotechn. Ind., Holzverarbeitung. – 1287 gegr., seit der Mitte des 14. Jh. zu Böhmen; 1742 an Preußen, 1945 zu Polen. – Spätgot. Pfarrkirche (14./16. Jh.), Ruine der Burg (14. Jahrhundert).

Frankenthaler, Helen [engl. 'fræŋkən-'ðælər], * New York 12. Dez. 1928, amerikan. Malerin. – Ihr Werk steht am Übergang vom abstrakten Expressionismus zur ↑ Farbfeldmalerei.

Frankenthaler Maler, fläm. Künstler, die wegen ihres reformierten Bekenntnisses ihre Heimat verlassen mußten und sich ab 1562 in Frankenthal (Pfalz) niederließen; unter ihnen G. van ↑ Coninxloo.

Frankenthaler Porzellan, Erzeugnisse der in Frankenthal (Pfalz) von 1755 bis 1800 betriebenen Porzellanmanufaktur. Bed. die figürl. Arbeiten.

Frankenthal (Pfalz), Stadt in Rhld.-Pf., am Oberrhein, 96 m ü. d. M., 44 700 E. Maschinenbau, metall- und kunststoffverarbeitende Ind. – Urkundlich erstmals 772 erwähnt; Kurfürst Friedrich III. siedelte 1562 ref. Glaubensflüchtlinge aus den habsburg. Niederlanden an; 1577 Stadtrechte; 1689 von frz. Truppen völlig niedergebrannt; erneuter Aufschwung unter Kurfürst Karl Theodor (seit 1755; u. a. Porzellanmanufaktur); seit 1797 frz., 1814–16 unter östr.-bayr. Verwaltung, 1816 an Bayern. – Von der Stadtbefestigung sind das Wormser (1772) und das Speyerer Tor (1773) erhalten; klassizist. Zwölfapostelkirche mit Säulenvorhalle (1820–23; wieder aufgebaut).

Frankenwald, Teil der mitteldt. Gebirgsschwelle zw. Fichtelgebirge und Thüringer Wald, im Döbraberg 795 m hoch; bricht im SW entlang einer markanten Verwerfungszone **(Fränkische Linie)** steil zum obermain. Hügelland. Die **Münchberger Hochfläche** bildet den Übergang zum Fichtelgebirge. Reich an Niederschlägen; stark bewaldet (Fichten). Hausweberei, Hausierergewerbe, Flößerei und Holzwirtschaft waren jahrhundertelang neben dem schon im 17. Jh. entstandenen Bergbau wichtige Erwerbszweige der Bev.; heute u. a. Textil-, Holz-, Glas-, Elektro- und feinmechan. Ind. sowie Fremdenverkehr. Naturpark F., 1 116 km².

Frankenweine, am Main und in dessen Seitentälern bis zu den Abhängen des Steigerwaldes und Spessarts angebaute Weine, von O nach W: 1. *Keupergebiet* an den Hängen des Steigerwaldes von Zeil a. Main bis zum Aischgrund Mittelfrankens (Iphofen, Rödelsee), bes. Silvanerweine; 2. *Muschelkalkgebiet* im Maindreieck Schweinfurt–Ochsenfurt–Gemünden a. Main, v. a. Silvaner und

Müller-Thurgau; 3. *Buntsandsteingebiet* in Unterfranken: an Spessarthängen gedeihen Blauburgunder- und Rieslingweine, die bereits zu den Rheingauweinen überleiten.

Frankfort [engl. 'fræŋkfət], Hauptstadt von Kentucky, USA, am Kentucky River, 26 000 E. Univ.; histor. Museum, Bibliothek; Whiskeyherstellung; elektron. Ind.; ⚐. – Ehem. Capitol (1836; heute Museum).

Frankfurt, ehem. Großherzogtum, Rheinbundstaat, 1810–13 von Napoleon I. für den ehem. Mainzer Kurfürsten Karl Theodor (Reichsfreiherrn von Dalberg) errichtet; umfaßte außer schon zu Dalbergs Primatialstaat gehörenden Gebieten (F. am Main, Amt Aschaffenburg, Wetzlar) die Ft. Fulda und Hanau.

Frankfurt am Main. Blick auf den Römer, die Paulskirche (rechts) und die Hochhäuser des Bankenviertels

Frankfurt am Main, größte Stadt in Hessen, beiderseits des Untermains, 88 bis 212 m ü. d. M., 618 300 E. Max-Planck-Inst. für europ. Rechtsgeschichte, für Biophysik und für Hirnforschung, zahlr. naturwiss.-techn. Gesellschaften und Forschungsinst. (u. a. Battelle-Inst., Paul-Ehrlich-Inst.), Univ. (eröffnet 1914), Philosophisch-Theolog. Hochschule, Hochschulen für Musik und für bildende Künste, Dt. Akad. der Darstellenden Künste, Freies Dt. Hochstift, Dt. Inst. für Internat. Pädagog. Forschung, Inst. für Angewandte Geodäsie; zahlr. Fachschulen, Dt. Buchhändlerschule; Sitz mehrerer Bundesbehörden, u. a. Bundesanstalt für Flugsicherung, Bundesrechnungshof, Zentralstelle für Arbeitsvermittlung; Städt. Bühnen u. a. Theater, Museen (u. a. Goethehaus und -museum,

Städt. Skulpturensammlung, Naturmuseum und Forschungsinstitut Senckenberg, Bundespostmuseum]; Dt. Bibliothek, Palmengarten, Zoo. – F. am M. ist eines der wichtigsten Handels- und Finanzzentren der BR Deutschland: Sitz der Dt. Bundesbank und zahlr. Großbanken, Zentrum des dt. Pelzhandels, Sitz des Börsenvereins des Dt. Buchhandels, zahlr. Verlage; Messen und Fachausstellungen (u. a. Buchmesse, Internat. Pelzmesse, Internat. Automobil-Ausstellung). Wichtigster Ind.standort des Ballungsgebietes am Untermain, v. a. chem., metallverarbeitende und Elektroind.; Verkehrsknotenpunkt (Bahn und Straße), Flußhäfen, internat. ⚓ mit Luftfrachthafen.

Geschichte: Zunächst röm. Militärlager, nach 110 röm. Zivilsiedlung **Nida,** Mitte des 3. Jh. von den eindringenden Alemannen zerstört. Um 500 fränk. Königshof; der Name **Franconovurd** (Furt der Franken) ist seit 794 belegt. An der Stelle der karoling., später stauf. Pfalz entwickelte sich die Marktsiedlung, die noch vor 1200 Stadt wurde. F. am M. bildete eine eigene Stadtrechtsfamilie, zu der u. a. Friedberg, Gelnhausen, Hanau, Limburg und Wetzlar gehörten. Seit dem 12. Jh. war F. am M. häufig Ort von Königswahlen (in der Goldenen Bulle 1356 reichsrechtlich festgesetzt), seit 1562 war der Dom auch Stätte der Kaiserkrönung. Die Stadt (seit 1372 reichsunmittelbar) entwickelte sich im 13. und 14. Jh. zum überregionalen Handels- und Messeplatz. Die Frankfurter Messe erhielt durch die Frühjahrsmesse seit 1330 internat. Bedeutung. Nach der Erfindung des Buchdrucks fand die Frankfurter Buchmesse europ. Bedeutung. 1535 schloß sich die Stadt förmlich dem luth. Bekenntnis an und wurde Mgl. des Schmalkald. Bundes. 1612 erhoben sich die Zünfte, um Anteil am Stadtregiment zu erhalten (Fettmilchaufstand). 1792 und 1796 frz. besetzt, verlor F. seine reichsstädt. Freiheit 1806, wurde 1810 Hauptstadt des Groß-Hzgt. Frankfurt, 1813 Freie Stadt, erhielt 1816 eine Gesetzgebende Versammlung (bis 1866); seit 1815/16 Sitz des Dt. Bundestages und der Frankfurter Nationalversammlung 1848/49. Durch die 1928 erfolgte Eingemeindung von Höchst (1355 Stadtrechte) und Fechenheim wuchs die Bed. als Ind.stadt. Im 2. Weltkrieg schwer zerstört (völlige Vernichtung der Altstadt). 1977 Eingemeindung von Bergen-Enkheim.

Bauten: Zahlr. Kirchen, u. a. Sankt Justinus (spätkaroling.) in Höchst, got. Dom (13./ 14. Jh.), Liebfrauenkirche (14./15. Jh.), Leonhardskirche (15. Jh.), Paulskirche (1789 bis 1833). Erhalten bzw. wiederaufgebaut sind u. a. der Saalhof (12. Jh.), das Steinerne Haus (1464), der Römer, der als Rathaus aus verschiedenen Patrizierhäusern entstand, die

Hauptwache von 1729/30. Bed. öffentl. Bauten der Gründerzeit (19. Jh.) sind u. a. die Oper (nach Wiederaufbau der Ruine 1980 als Konzert- und Kongreßhaus eröffnet, nach Brand 1987–91 wiederaufgebaut), die Neue Börse, das Städelsche Kunstinst. und der Hauptbahnhof. Reste der Stadtbefestigung, u. a. Eschenheimer Turm (1400–28). Zu den wegweisenden Bauten zw. beiden Weltkriegen zählen verschiedene Wohnsiedlungen (v. a. Römerstadt, 1927/28) sowie das ehem. Verwaltungsgebäude der Firma I. G. Farben (1928–30). Nach dem 2. Weltkrieg entstanden u. a. der U-Bahnhof Hauptwache, Verwaltungshochhäuser, der Terminal Mitte des Flughafens, der Fernmeldeturm (1978), Messeturm (1990), mit 256 m höchstes Bürohaus Europas. Museumsviertel am Mainufer mit dem Liebieghaus (1909), dem Dt. Architekturmuseum (1984), dem Museum für Kunsthandwerk (1985), dem Dt. Filmmuseum (1984), dem Dt. Postmuseum (1990). Im weiteren Stadtgebiet u. a. Jüd. Museum, Museum für Moderne Kunst (1991), Goethemuseum, Histor. Museum.

📖 *Wolkenkratzer/Skyscrapers. Hochhausentwürfe für Frankfurt.* Hg. v. P. Cook. Darmst. 1988. – *Reclams Kunstführer Deutschland. Bd. 4: Hessen.* Ditzingen ⁶1987. – *Frankfurt-Chronik.* Ffm. ³1986. – Meinert, H.: *Frankfurts Gesch.* Ffm. ⁶1984.

Frankfurter, Der, unbekannter Verfasser der ↑„Theologia deutsch" (14. Jh.).

Frankfurter, Philipp, Wiener Schwankdichter des 15. Jh. – Seine gereimte, ironischsatir. Schwanksammlung vom „Pfarrer vom Kalenberg" wurde um 1473 in Augsburg erstmals gedruckt.

Frankfurter Allgemeine [Zeitung für Deutschland], dt. Zeitung, ↑Zeitungen (Übersicht).

Frankfurter Buchmesse, seit 1949 jährl. in Frankfurt am Main veranstaltete größte internat. Buchausstellung.

Frankfurter Dokumente (1948) ↑Londoner Konferenzen, Protokolle und Verträge.

Frankfurter Friede, Friedensvertrag vom 10. Mai 1871, beendete den Dt.-Frz. Krieg 1870/71.

Frankfurter Fürstentag, durch den östr. Kaiser Franz Joseph im Aug. 1863 mit dem Ziel der Reform des Dt. Bundes bei erkennung des Föderativprinzips einberufene Versammlung der dt. Monarchen und Freien Städte; scheiterte v. a. am Fernbleiben König Wilhelms I. von Preußen.

Frankfurter gelehrte Anzeigen, literar. und wiss. Zeitschrift, die von 1772 bis 1790 erschien und zuerst von J. H. Merck und J. G. Schlosser, dann von K. F. Bahrdt geleitet wurde; berühmt ist der Jahrgang 1772 (Mitarbeit u. a. von Goethe und Herder).

Frankfurter Goethe-Preis, von der Stadt Frankfurt am Main seit 1927 jährlich, seit 1949 alle 3 Jahre an Goethes Geburtstag (28. Aug.) verliehener, z. Z. mit 50 000 DM dotierter kultureller Preis; erster Preisträger war 1927 S. George, seither u. a. A. Schweitzer (1928), S. Freud (1929), M. Planck (1945), H. Hesse (1946), T. Mann (1949), C. Zuckmayer (1952), A. Kolb (1955), C. F. von Weizsäcker (1958), E. Beutler (1960), W. Gropius (1961), B. Reifenberg (1964), C. Schmid (1967), G. Lukács (1970), A. Schmidt (1973), I. Bergmann (1976), R. Aron (1979), E. Jünger (1982), Golo Mann (1985), Peter Stein (1988), Wisława Szymborska (1991), E. Gombrich (1994).

Frankfurter Hefte, 1946 in Frankfurt am Main von W. Dirks und E. Kogon gegr. dt. kulturpolit. Monatsschrift; seit 1985 mit der Zeitschrift „Die neue Gesellschaft" vereinigt.

Frankfurter Horizontale, svw. ↑ Ohr-Augen-Ebene.

Frankfurter Hypothekenbank, größte reine Hypothekenbank in Deutschland, Sitz Frankfurt am Main; gegr. 1862 als erste dt. private Hypothekenbank, Tochtergesellschaft der Dt. Bank AG.

Frankfurter Nationalversammlung, 1848/49 in der Paulskirche zu Frankfurt am Main tagendes (daher auch „Paulskirche" gen.) gesamtdt. verfassunggebendes Parlament; nach der Märzrevolution 1848 hervorgegangen aus freien, allg. und gleichen Wahlen (Abg. v. a. Vertreter des gebildeten Besitzbürgertums und Intellektuelle). Die am 18. Mai 1848 gebildete F. N. wollte eine gesamtdt. Verfassung entwerfen und einen dt. Nationalstaat schaffen, der die preuß. und östr. Sonderinteressen bei Erhaltung der staatl. Vielfalt Deutschlands aufheben sollte. Mit der Absage der F. N. an eine zu enge Verbindung des angestrebten Nationalstaats mit den nichtdt. Teilen wurde der Vielvölkerstaat Österreich zum entscheidenden, unlösbaren Problem. Am 28./29. Juni 1848 schuf die F. N. mit der Wahl des Reichsverwesers Erzherzog Johann von Österreich eine provisor. Reg., der jedoch eine wirksame Exekutivgewalt fehlte. In der Septemberrevolution 1848 wandte sich die gemäßigt-liberale Mehrheit der F. N. gegen den revolutionären Weg zu Volkssouveränität und Nationalstaat und verhalf mit dem Einsatz einzelstaatl. (v. a. preuß.) Truppen den alten Ordnungsmächten zum entscheidenden Erfolg. Während es der F. N. gelang, sich auf ein umfassendes Gesetz über die Grundrechte des dt. Volkes (27. Dez. 1848) zu einigen, standen sich in der dt. Frage die Kleindeutschen, die den Ausschluß Österreichs befürworteten, und die in sich uneinheitl. Gruppe der Großdeutschen ge-

genüber. Am 28. März 1849 wurde schließl. der preuß. König Friedrich Wilhelm IV. zum Kaiser eines kleindt. Reiches gewählt (290 Stimmen bei 248 Enthaltungen). Mit seiner Weigerung, die Erbkaiserkrone anzunehmen, war die F. N. gescheitert. Die liberal geprägte Reichsverfassung vom 28. März 1849 wurde nur von 28 kleineren Staaten, aber u. a. nicht von Preußen und Österreich anerkannt. Die Maiaufstände zur Durchsetzung der Verfassung in Sachsen, Baden und in der Rheinpfalz wurden niedergeschlagen. Konstitutionelle Überlegungen der F. N. beeinflußten spätere Diskussionen.

📖 *Texte aus der Paulskirche. Braunschweig 1990. – Koch, R. u. a.: Die F. N. 1848/49. Handlex. der Abg. ... Kelkheim 1989. – Reden für die dt. Nation. Stenograph. Bericht ... Hg. v. C. Stoll u. F. Wigand. Gräfelfing 1988. 9 Bde. – Wollstein, G.: Dt. Gesch. 1848/49. Gescheiterte Revolution in Mitteleuropa. Stg. 1986.*

Frankfurter Rundschau, dt. Zeitung, ↑ Zeitungen (Übersicht).

Frankfurter Tests, Schulreifetests (bes. Lern- und Denktests), Schulleistungstests und Sozialtests (Motivations- und Gruppensituationstests), die Eignung und Leistung von Schulanwärtern und Schülern untersuchen.

Frankfurter Wachensturm, die am 3. April 1833 erfolgte Erstürmung der Hauptwache und der Konstablerwache in Frankfurt am Main durch eine Gruppe von Studenten und Handwerkern, der eine revolutionäre Erhebung in SW-Deutschland ausgelöst werden sollte, was aber mißlang.

Frankfurter Zeitung, ehem. dt. Tageszeitung mit internat. Bedeutung; entwickelte sich aus der von L. Sonnemann 1856 hg. „Frankfurter Handelszeitung" (seit 1866 „F. Z."); 1943 verboten.

Frankfurt/Oder, kreisfreie Stadt in Brandenburg, am W-Ufer der Oder, 25–80 m ü. d. M., 87 000 E. Europa-Univ. (gegr. 1991), Kleist-Theater, Kleist-Gedenkstätte; u. a. Halbleiterwerk, Baustoff-, Metall-, Lebensmittelind.; Grenzübergang nach Polen; Flußhafen. – Auf Veranlassung Markgraf Johanns I. von Brandenburg wurde die wohl um 1226 auf dem westl. Oderufer gegr. dt. Marktsiedlung 1253 zur Stadt erweitert; 1368 bis zum Anfang des 16. Jh. Mgl. der Hanse. 1505 wurde in F./O. die erste brandenburg. Univ. gegr. (1811 nach Breslau verlegt). Seit 1945 bilden die östlich der Oder gelegenen Stadtteile, die *Dammvorstadt,* die zu Polen gehörende Gemeinde **Słubice.** 1952–90 Hauptstadt des gleichnamigen DDR-Bezirks. – Erhalten bzw. wiederaufgebaut u. a. spätgot. Rathaus (1607–10 umgebaut), Chor- und Südschiff der spätgot. Pfarrkirche Sankt

Marien (um 1400), got. Friedenskirche (13. Jh. und 15. Jh.), ehem. Franziskanerkirche (13. Jh. und 16. Jh., heute Konzerthalle).

Frankiermaschine (Freistempler), Büromaschine zum Freimachen von Postsendungen durch einen Stempelabdruck, der Gebühr, Ort, Datum und Absenderfirma und/oder Werbetext enthält.

Fränkisch ↑ deutsche Mundarten.

Fränkische Alb (Frankenalb), Teil des süddt. Schichtstufenlands mit bis 280 m hohem Stufentrauf des Weißen Jura, von der Schwäb. Alb durch das Nördlinger Ries getrennt, im Poppberg 657 m hoch. Von N nach S unterscheidet man drei naturräuml. Einheiten: 1. südl. des Mains liegt die Nördl. *Frankenalb,* in deren zentralem Teil die sog. **Fränkische Schweiz;** 2. zw. Hersbruck und Schwarzer Laber folgt die *Mittlere Frankenalb;* 3. anschließend erstreckt sich bis zum Ries die *Südl. Frankenalb* mit dem Donaudurchbruch zw. Weltenburg und Kelheim. Die F. A. ist stark verkarstet (u. a. zahlr. Höhlen), auf Grund des Wassermangels, des rauhen Klimas und unfruchtbarer Böden dünn besiedelt. Die Ind. ist gering (in Sulzbach-Rosenberg Eisenverhüttung, bei Solnhofen Gewinnung von Plattenkalken als Baustoff, bei Treuchtlingen Marmorabbau). Forstwirtschaft, Holzverarbeitung. Im N liegt der Naturpark Fränk. Schweiz/Veldensteiner Forst, im S der Naturpark Altmühltal.

Fränkische Rezat ↑ Rednitz.

Fränkischer Reichskreis ↑ Reichskreise.

Fränkische Saale, rechter Nebenfluß des mittleren Mains, entspringt in den Haßbergen, mündet unterhalb von Gemünden a. Main, 142 km lang.

Fränkische Schweiz ↑ Fränkische Alb.

fränkisches Recht ↑ germanische Volksrechte.

Fränkisches Reich (lat. Regnum Francorum), die bedeutendste german. Reichsgründung der Völkerwanderungszeit. Das von den sal. Franken im 5. Jh. um Tournai gebildete Kleinkönigtum der Merowinger wurde durch die Eroberungen Chlodwigs I. ab 486/487 zum Großreich. Unter seinen Söhnen kamen 531 das Thüringer- und 532/534 das Burgunderreich hinzu. Der Übertritt Chlodwigs zum kath. Christentum schuf die Voraussetzung für eine wirkl. Integration der roman. Bevölkerung. Die so gewonnene Stabilität des F. R. wurde jedoch geschwächt durch die häufigen Reichsteilungen, die bereits nach Chlodwigs Tod (511) ihren Anfang nahmen (4 Reichsteile mit den Zentren Paris, Soissons, Orléans und Metz). Hinzu kamen Spannungen zw. W-Teil (Neustrien) und O-Teil (Austrien), zw. Königtum und Aristokratie, aus deren Mitte die Hausmeier hervor-

gingen. Letztere übten nach dem endgültigen Verfall der königl. Macht der Merowinger seit dem Tod Dagoberts I. (639) die eigtl. Herrschaft im F. R. aus. Mit dem Aufstieg der austr. Hausmeier aus dem Geschlecht der Karolinger, die 687 mit Pippin dem Mittleren die Alleinherrschaft im F. R. erlangten, rückte der Schwerpunkt des Reichs in den O. 751 setzte Pippin d. J. den letzten merowing. König, Childerich III., ab und ließ sich mit Unterstützung des Papsttums selbst zum König erheben (Salbung durch Bonifatius als Ausgleich für die fehlende Legitimation durch Geblüt). 754 übernahm er seinerseits als Patricius Romanorum den Schutz des Papstes und die Garantie seines Besitzes (↑ Pippinsche Schenkung). Damit war die fränk. Politik fortan auf Rom ausgerichtet und der Boden bereitet, auf dem Karl d. Gr. 800 im Einvernehmen mit dem Papsttum und schließlich (812) auch unter Anerkennung durch Byzanz das abendländ. Kaisertum errichten konnte. Dieser Schritt war auch durch eine Reihe von territorialen Erwerbungen (Eroberung der Langobardenreiches 774, Unterwerfung der Sachsen 772–804) und Sicherung des F. R. (Sieg über die Awaren 796, Errichtung der Span. Mark) vorbereitet worden. Doch schon in den Kämpfen Ludwigs des Frommen zeichneten sich Auflösungstendenzen ab, die in den Teilungsverträgen von Verdun (843), Meerssen (870) und Ribemont (880) bestätigt wurden: Nach vorübergehender Dreiteilung des F. R. verselbständigten sich bei der Teilung des Mittelreiches („Lotharingien") 870/80, endgültig nach der Absetzung Karls III., des Dikken, der 885–87 das F. R. noch einmal vereinigt hatte, das Westfränk. und das Ostfränk. Reich, ferner Burgund und Italien.

Das F. R. war die Ausgangsbasis für *Kultur* und Institutionen aller ma. Staatengebilde Europas. Die Vielfalt der ma. Bevölkerungsstruktur (Geburts- und Dienstadel, Freie, Halbfreie, Unfreie) war bis zu einem gewissen Grade schon vorhanden, jedoch noch mit starkem Überwiegen der allg. Freienschicht. Seit dem 8. Jh. schufen die fränk. Könige mit der Verbindung von Vasallität, Treueid und Vergabe von Landbesitz (Lehen, lat. feudum) die Grundlage des hoch-ma. Lehnswesens. Die fast ausschließlich agrar. Wirtschaftsstruktur basierte auf der Grundherrschaft mit Fronhofverfassung. Klöster und Bischofssitze wurden zu den eigtl. Kulturzentren.

Ewig, E.: Die Merowinger u. das Frankenreich. Stg. 1988. – Drabek, A. M.: Die Verträge der fränk. u. dt. Herrscher mit dem Papsttum v. 754 bis 1020. Wien 1976. – Metz, W.: Zur Erforschung des karoling. Reichsgutes. Darmst. 1971.

fränkische Trachten ↑ Volkstrachten.

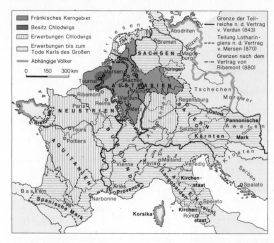

Legend:
- Fränkisches Kerngebiet
- Besitz Chlodwigs
- Erwerbungen Chlodwigs
- Erwerbungen bis zum Tode Karls des Großen
- Abhängige Völker
- 0   150   300 km
- Grenze der Teilreiche n. d. Vertrag v. Verdun (843)
- Teilung Lotharingiens n. d. Vertrag v. Mersen (870)
- Grenzen nach dem Vertrag von Ribemont (880)

Fränkisches Reich

Frankisten ↑ Frank, Jacob.

Frankland, Sir Edward [engl. 'fræŋklənd], *Churchtown bei Lancaster 18. Jan. 1825, †Golå, Gudbrandsdal (Norwegen) 9. Aug. 1899, brit. Chemiker. – Prof. in Manchester und London; entdeckte die metallorgan. Verbindungen und trug entscheidend zur Begründung der ↑ Valenztheorie bei.

Franklin [engl. 'fræŋklɪn], Aretha, *Memphis (Tenn.) 25. März 1942, amerikan. Popmusikerin (Gesang und Klavier). – Zählt zu den besten Soul- und Gospelinterpreten („Lady Soul").

F., Benjamin, *Boston 17. Jan. 1706, †Philadelphia 17. April 1790, amerikan. Politiker, Schriftsteller und Naturwissenschaftler. – Gab in Philadelphia ab 1729 die „Pennsylvania Gazette" heraus; 1736–51 Schriftführer des Parlaments von Pennsylvania (Pennsylvania Assembly), dem er 1751–64 als Mgl. angehörte. 1754 unterbreitete er Pläne zur Bildung einer Union der nordamerikan. Kolonien. 1757–62 und wiederum 1764–75 vertrat er die Interessen von Pennsylvania, 1768–70 die Georgias und danach die Massachusetts' gegen die brit. Krone in London; gehörte zu den Mitunterzeichnern der Unabhängigkeitserklärung von 1776 und der Verfassung von 1787. Als Gesandter in Frankreich (1776–85) bemühte sich F. um die Herstellung eines frz.-amerikan. Bündnisses gegen Großbritannien. 1783 war er am Abschluß des Friedens von Paris beteiligt. 1785 wurde F. Gouverneur von Pennsylvania. – Bed. sind seine wiss. Arbeiten, die im wesentl. aus den Jahren 1746–52 stammen. 1746 begann er mit Experimenten zur Elektrizität. Untersuchungen der elektr. Spitzenwirkung

gipfelten in der Konstruktion von Blitzableitern. Mit seinen Drachenversuchen wies er 1752 die elektr. Natur der Gewitter nach. Weitere Untersuchungen galten u. a. der Wärmestrahlung.

📖 *Benjamin F. Autobiographie. Hg. v. H. Förster. Dt. Übers. Mchn. 1983.*

F., Sir (seit 1829) John, *Spilsby (Lincolnshire) 16. April 1786, †King William Island 11. Juni 1847, brit. Admiral und Polarforscher. – Konteradmiral; leitete 1819–22 und 1825–27 zwei Landexpeditionen im Polargebiet; brach 1845 mit den Schiffen „Erebus" und „Terror" zur Suche nach der Nordwestpassage auf, bei der alle Besatzungsmgl. ums Leben kamen; seit 1846 vom Eis eingeschlossen; Tagebuchaufzeichnungen und Überreste der Ausrüstung wurden gefunden.

Franklinton [engl. 'fræŋklɪntən] ↑ Columbus.

franko (franco, frachtfrei) [gekürzt aus italien. porto franco „Beförderung frei"], Abk. fr, Lieferungsklausel im Handelsverkehr: Alle Transportkosten gehen zu Lasten des Verkäufers, während die Transportgefahr schon ab Werk auf den Käufer übergeht.

franko-flämische Schule ↑ niederländische Musik.

Frankokanadier, französischsprachige Einwohner Kanadas (etwa 6,5 Mill.), leben v. a. im O und SO des Landes.

Frankopani (Frankapani) [serbokroat. 'fraŋkɔpa:ni], kroat. Adelsgeschlecht, seit dem 12. Jh. genannt, seit 1430 unter dem Namen F.; bed. Stellung bei ungar. Königen und Röm. Kaisern vom 13.–15. Jh.; 1671 nach Hinrichtung des Dichters Fran Krsto **Frankopani,** Graf von Tersat (*1643, †1671) wegen

Teilnahme an einer Verschwörung und dem Aufstand in Kroatien (1670) gegen Kaiser Leopold I. erloschen.

frankophil (gallophil), allem Französischen zugetan, franzosenfreundlich.

frankophob [mittellat./griech.] (gallophob), allem Französischen abgeneigt, franzosenfeindlich.

frankophon [mittellat./griech.], französisch sprechend.

Frankoprovenzalisch ↑ Galloromanisch.

Frankreich

(amtl. Vollform: La République Française), Republik in Westeuropa zw. 42° 30′ und 51° n. Br. sowie 4° 30′ w. L. und 9° 30′ ö. L. (Korsika). **Staatsgebiet:** Umfaßt das zw. Kanal und Pyrenäen bzw. Mittelmeer sich erstreckende frz. Mutterland einschl. der Insel Korsika; zum Staatsverband gehören außerdem die Überseedep. Guadeloupe, Französisch-Guayana, Martinique, Réunion und Saint-Pierre-et-Miquelon; das festländische F. grenzt im W an den Atlantik, im NW an den Kanal, im NO an Belgien und Luxemburg, im O an Deutschland, die Schweiz und Italien, im S an das Mittelmeer und Spanien bzw. Andorra. **Fläche:** 543 965 km². **Bevölkerung:** 56,56 Mill. E (1990), 104 E/km². **Hauptstadt:** Paris. **Verwaltungsgliederung:** 96 Dep. (ohne Überseedep.). **Amtssprache:** Französisch. **Nationalfeiertag:** 14. Juli. **Währung:** Frz. Franc (FF) = 100 Centimes (c). **Internationale Mitgliedschaften:** UN, NATO (aus den militär. NATO-Organen trat F. 1966 aus), OECD, EG, Europarat, WEU. **Zeitzone:** MEZ (mit Sommerzeit).

Landesnatur: Kernraum ist das Pariser Bekken, ein Schichtstufenland, das sich zw. den alten Massiven der Ardennen und Vogesen im O, dem Zentralmassiv im S und dem armorikan. Massiv im W erstreckt. Das Anglo-Fläm. Becken greift in Flandern nur randl. auf F. über. Jenseits der zw. Burgund. Pforte und Zaberner Steige gelegenen Tiefung hat F. im Elsaß noch Anteil am Oberrhein. Tiefland. Über die niedrige Schwelle von Poitou steht das Pariser Becken mit dem Aquitan. Becken (mit dem Sand- und Dünengebiet der Landes an der Küste des Golfs von Biskaya) in Verbindung. Den Abschluß nach S bildet hier der Pyrenäenhauptkamm. Der Mittelmeerküstensaum ist relativ schmal; von N her wird er über die Rhone-Saône-Furche, eine Senke zw. Zentralmassiv und Westalpen, erreicht. Diese Grabenzone, die durch die Burgund. Pforte mit dem Oberrheingraben verbunden ist, ist der südl. Teil der wichtigsten tekton. Leitlinie Europas (Mittelmeer-

Mjösen-Zone) und bildet eine ausgezeichnete meridionale Verkehrsachse. Im O hat F. Anteil am Jura und den Westalpen, die in der Montblancgruppe mit 4 808 m ü. d. M. den höchsten Punkt des Landes erreichen.

Klima: F. hat Anteil am Klima der gemäßigten Breiten und, in weit geringerem Maße, an dem der Subtropen. Die Reliefgestaltung macht das Land auf der W-Seite sehr offen, so daß sich der atlant. Klimatypus mit seinen Großwetterlagen weit nach O auswirken kann. Niederschläge fallen im W zu allen Jahreszeiten, mit Maximum im Herbst und Winter, überwiegend in Form langdauernder Nieselregen. Der Midi, Bereich des Mediterranklimas, weist Niederschlagsmaxima im Herbst und Frühjahr auf; der Sommer ist sehr trocken. Extreme Verhältnisse weisen Alpen und Pyrenäen, aber auch Jura, Zentralmassiv und Vogesen auf, in denen in über 1 000 m Höhe der Schnee mehr als 100 Tage liegen bleibt. Selbst in Lothringen gibt es mehr als 80 Frosttage.

Vegetation: Entsprechend dem klimat. Gegebenheiten sind sowohl die eurosibir. als auch die mediterrane Florenprovinz vertreten. Kriterium für die letztere ist im allg. die Verbreitung der Olive; da hier Wälder degradiert oder ganz verschwunden sind, sind Macchie und Garriguen weit verbreitet. Im größten Teil des Landes finden sich Buche, Stiel- und Traubeneiche, Birke, Ahorn, Esche und Eberesche, in der Bretagne sind atlant. Heiden weit verbreitet.

Bevölkerung: 80 % der überwiegend kath. (rd. 94 %) Bev. leben in städt. Ballungsräumen. Außer Französisch und zahlr. Dialekten wird Katalanisch, Baskisch, Bretonisch, Niederländisch, Italienisch und Deutsch gesprochen. Schulpflicht besteht von 6–16 Jahren. F. verfügt über 69 staatl. Univ. sowie zahlr. Hochschulen und Fachhochschulen.

Wirtschaft: In der Landw. sind rd. 9 % der Erwerbstätigen beschäftigt. F. ist neben Italien das bedeutendste Weinbauland der Erde; exportiert werden neben Wein und Spirituosen v. a. Getreide, Zucker, Molkereiprodukte, Fleisch. Als waldreichstes Land der EG steht der Holzeinschlag an 4. Stelle in Europa. Die Fischerei spielt ebenfalls eine bed. wirtsch. Rolle. Die wichtigsten Bodenschätze sind Eisenerze (Schwerpunkt in Lothringen), Steinkohle (v. a. in der Region Nord-Pas-de-Calais und in Lothringen und Süd-F.) und Kalisalz (im Oberelsaß). Kohlen- und Eisenerzbergbau sind fast vollständig eingestellt worden. Die Erdölförderung aus Feldern im Aquitan. und Pariser Becken sowie aus Offshore-Bohrungen deckt nur 1 % des Bedarfs. Als Nebenprodukt der Erdgasaufbereitung – überwiegend aus Feldern im Aquitan. Becken – wird Schwefel gewonnen. Die Suche

Verwaltungsgliederung
(Stand: 1990)

Département (Verwaltungssitz)	Fläche (km²)	E (in 1 000)
Ain (Bourg-en-Bresse)	5 762	470
Aisne (Laon)	7 369	537
Allier (Moulins)	7 340	357
Alpes-de-Haute-Provence (Digne)	6 925	131
Alpes-Maritimes (Nizza)	4 299	976
Ardèche (Privas)	5 529	277
Ardennes (Charleville-Mézières)	5 229	296
Ariège (Foix)	4 890	136
Aube (Troyes)	6 004	289
Aude (Carcassonne)	6 139	298
Aveyron (Rodez)	8 735	272
Bas-Rhin (Straßburg)	4 755	951
Belfort, Territoire de (Belfort)	609	134
Bouches-du-Rhône (Marseille)	5 087	1 761
Calvados (Caen)	5 548	618
Cantal (Aurillac)	5 726	158
Charente (Angoulême)	5 956	342
Charente-Maritime (La Rochelle)	6 864	526
Cher (Bourges)	7 235	322
Corrèze (Tulle)	5 857	239
Corse-du-Sud (Ajaccio)	4 014	109
Côte-d'Or (Dijon)	8 763	494
Côtes-d'Armor (Saint-Brieuc)	6 877	538
Creuse (Guéret)	5 565	131
Deux-Sèvres (Niort)	5 999	346
Dordogne (Périgueux)	9 060	387
Doubs (Besançon)	5 234	484
Drôme (Valence)	6 530	414
Essonne (Évry)	1 804	1 084
Eure (Évreux)	6 039	514
Eure-et-Loir (Chartres)	5 880	396
Finistère (Quimper)	6 733	838
Gard (Nîmes)	5 853	584
Gers (Auch)	6 257	174
Gironde (Bordeaux)	10 000	1 211
Haute-Corse (Bastia)	4 666	132
Haute-Garonne (Toulouse)	6 309	925
Haute-Loire (Le Puy)	4 977	206
Haute-Marne (Chaumont)	6 211	204
Hautes-Alpes (Gap)	5 549	112
Haute-Saône (Vescoul)	5 360	230
Haute-Savoie (Annecy)	4 388	568
Hautes-Pyrénées (Tarbes)	4 464	224
Haute-Vienne (Limoges)	5 520	354
Haute-Rhin (Colmar)	3 525	671
Hauts-de-Seine (Nanterre)	176	1 391
Hérault (Montpellier)	6 101	793
Ille-et-Vilaine (Rennes)	6 775	798
Indre (Châteauroux)	6 791	237
Indre-et-Loire (Tours)	6 127	529
Isère (Grenoble)	7 431	1 015
Jura (Lons-le-Saunier)	4 999	249
Landes (Mont-de-Marsan)	9 242	311
Loire (Saint-Étienne)	4 781	745
Loire-Atlantique (Nantes)	6 815	1 051
Loiret (Orléans)	6 775	580
Loir-et-Cher (Blois)	6 343	306
Lot (Cahors)	5 217	155
Lot-et-Garonne (Agen)	5 361	305
Lozère (Mende)	5 167	73
Maine-et-Loire (Angers)	7 166	706
Manche (Saint-Lô)	5 938	479
Marne (Châlons-sur-Marne)	8 162	557
Mayenne (Laval)	5 175	278
Meurthe-et-Moselle (Nancy)	5 241	711
Meuse (Bar-le-Duc)	6 216	196
Morbihan (Vannes)	6 823	619
Moselle (Metz)	6 216	1 011
Nièvre (Nevers)	6 817	233
Nord (Lille)	5 742	2 527
Oise (Beauvais)	5 861	724
Orne (Alençon)	6 103	294
Pas-de-Calais (Arras)	6 672	1 433
Puy-de-Dôme (Clermont-Ferrand)	7 970	597
Pyrénées-Atlantiques (Pau)	7 645	580
Pyrénées-Orientales (Perpignan)	4 116	362
Rhône (Lyon)	3 249	1 507
Saône-et-Loire (Mâcon)	8 575	559
Sarthe (Le Mans)	6 206	514
Savoie (Chambéry)	6 028	348
Seine-et-Marne (Melun)	5 915	1 075
Seine-Maritime (Rouen)	6 278	1 223
Seine-Saint-Denis (Bobigny)	236	1 382
Somme (Amiens)	6 170	549
Tarn (Albi)	5 758	342
Tarn-et-Garonne (Montauban)	3 718	200
Val-de-Marne (Créteil)	245	1 218
Val-d'Oise (Cergy-Pontoise)	1 246	1 048
Var (Toulon)	5 973	813
Vaucluse (Avignon)	3 567	467
Vendée (La Roche-sur-Yon)	6 720	510
Vienne (Poitiers)	6 991	381
Ville de Paris (Paris)	105	2 147
Vosges (Épinal)	5 874	386
Yonne (Auxerre)	7 427	323
Yvelines (Versailles)	2 285	1 306

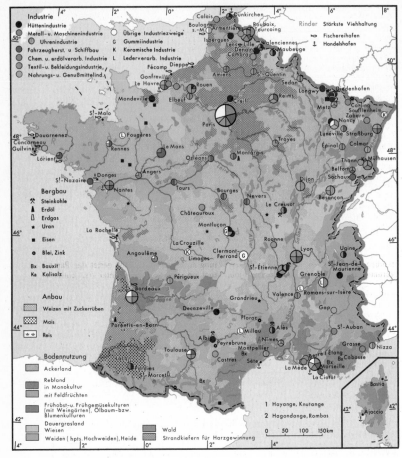

Frankreich. Wirtschaftskarte

nach Uranerzen wurde verstärkt; 1993 waren 56 Kernreaktoren in Betrieb. Das erste Sonnenkraftwerk arbeitet in der Provence. Führende Industriezweige sind die Hütten- und die Automobilind., gefolgt von Flugzeugind., Schiffbau, chem. Ind., Textil- und Bekleidungsind. sowie Nahrungs- und Genußmittelind., Uhrenind. und Herstellung von Luxusartikeln. Der Fremdenverkehr ist bed., v. a. an den Küsten, in den Gebirgen und Heilbädern sowie in Paris, dem kulturellen Mittelpunkt des Landes.

Außenhandel: Wichtige Ausfuhrgüter sind Produkte der Landw. und der Nahrungsmittelind., der Grundstoffind., des Maschinen- und Fahrzeugbaus, der Rüstungs- und Luftfahrtind. sowie der kosmet. und pharmazeut. Ind. Eingeführt werden mineral. Brennstoffe, elektron. und elektrotechn. Erzeugnisse, Kfz, Konsumgüter und Produkte der Grundstoffind. Haupthandelspartner sind die EG-Staaten und die USA.

Verkehr: Das staatl. Eisenbahnnetz hat eine Länge von 34 570 km, das Straßennetz (mit fester Decke) von rd. 805 000 km. Beide sind überwiegend auf Paris ausgerichtet. Von den 6 380 km Binnenwasserstraßen sind 75 % nur für kleinere Lastkähne befahrbar. Die größten Seehäfen sind Marseille (zugleich einer der bedeutendsten europ. Erdölhäfen mit

Pipelines nach Karlsruhe und Genf), Le Havre, Dünkirchen, Rouen, Saint-Nazaire und Bordeaux. Die nat. Air France und die private Union de Transports Aériens teilen sich die internat. Luftfahrtlinien. Mehrere Gesellschaften bedienen den innerfrz. Luftverkehr. Neben acht großen ⚓ im Land verfügt F. über drei internat. ⚓ in Paris.

Geschichte: Zur Vorgeschichte ↑ Europa.
Karolingische Anfänge (843–987): Mit dem Vertrag von Verdun 843 wurde die Selbständigkeit des Westfränk. Reiches (↑ Fränkisches Reich) eingeleitet. Der Karl II., dem Kahlen (⚯ 843–877), zuerkannte Bereich, im O begrenzt durch die Linie Schelde-Maas-Saône-Rhone, bildete die territoriale Grundlage der späteren F. Die Normandie mußte 911 den Normannen als Lehnsfürstentum überlassen werden. Da der Abwehrkampf gegen die einfallenden Normannen v. a. von führenden Angehörigen der Reichsaristokratie geführt worden war und diese sich bes. durch Burgen- und Festungsbau umfangreiche Herrschaftsrechte gesichert hatten, konnten sich bis zur Mitte des 10. Jh. die großen, zwei Jh. das Schicksal F. bestimmenden selbständigen Lehnsfürstentümer (Aquitanien, Normandie, Burgund, Blois-Tours, Anjou, Flandern, Toulouse) entwickeln. Dadurch wurde die Machtbasis des Königtums außerordentlich eingeschränkt, durch die Wahl nichtkaroling. Könige sogar in Frage gestellt.
Königtum und Lehnsfürstentümer (987–1214): Hugo Capet (⚯ 987–996), der die Dyn. der Kapetinger begr., setzte mit der sofortigen Wahl seines Sohnes Robert II. die Erblichkeit des frz. Königtums durch. Obwohl die schwache frz. Monarchie während des 10. und 11. Jh. stets im Schatten des in dieser Zeit starken römisch-dt. Königtums stand, erlebte F. einen bed. kulturellen, sozialen und wirtsch. Aufschwung. Wesentl. Anstöße in der monast. Bewegung (Cluny), in der Baukunst (burgund. und normann. Romanik bzw. später die Gotik) sowie in Wiss. und Bildung (Schulen von Chartres, Orléans, Paris) gingen von hier aus; in den frz. Städten blühten Handel und Gewerbe auf. Vor diesem Hintergrund vollzog sich dann v. a. im Bund mit den Päpsten der Aufstieg des kapeting. Königtums, dem es gelang, die partikularen Feudalgewalten allmählich auszuschalten, deren Ansehen im 12. Jh. als wichtigste Träger der Kreuzzüge einen letzten Höhepunkt erreichte. Seit Philipp I. (⚯ 1060–1108) wurde die Krondomäne gefestigt und ausgeweitet, wobei die folgenden Könige, Ludwig VI. (⚯ 1108–37) und Ludwig VII. (⚯ 1137–80), sich v. a. auf Kirche und Bürgertum stützten. Nachdem 1154 das Haus Anjou-Plantagenet durch Heirat und Erbschaft mehr als die Hälfte F. mit England vereinigt hatte, konnte Philipp II. August (⚯ 1180–1223) 1202 dem engl. König Johann ohne Land alle frz. Lehen entreißen, der sich nach der Schlacht von Bouvines (1214) trotz der Unterstützung durch den welf. Kaiser Otto IV. endgültig geschlagen geben mußte. England blieb lediglich der Besitz in Südwest-F., die frz. Krondomäne dagegen hatte sich gebietsmäßig mehr als verdoppelt. Unter den entstehenden frühen europ. Nationalstaaten war F. zur gleichberechtigten Großmacht aufgestiegen.
Frz. Vormachtstellung in Europa (1214–1461): Die Bemühungen Ludwigs IX., des Heiligen (⚯ 1226–70), um innere Einheit, insbes. durch die gewaltsame Eingliederung des von der Abspaltung bedrohten Languedoc (Albigenser) und die Schaffung zentraler Behörden (Staatsrat, Hofgericht, Rechenkammer) mit Sitz in Paris, schufen die Grundlage der frz. Vormachtstellung in Europa unter Philipp IV., dem Schönen (⚯ 1285–1314). Im Konflikt mit Papst Bonifatius VIII. konnte sich Philipp letztlich überlegen durchsetzen (Gefangennahme des Papstes 1303). Durch die erzwungene Übersiedlung nach Avignon (1309) geriet das Papsttum für nahezu ein Jh. unter frz. Einfluß. Philipp löste die großen Grundherrschaften auf, band den Adel durch Schaffung von Hofämtern an die Krone und stellte die Beratung der Reichsangelegenheiten durch Berufung der Generalstände (États généraux: Adel, Geistlichkeit, Vertreter des städt. Bürgertums; erstmals 1302) sicher. Als die Kapetinger in männl. Linie ausstarben, fiel die Krone an Philipp VI. (⚯ 1328–50) aus dem Hause Valois. Der dagegen erhobene Einspruch des engl. Königs Eduard III. (⚯ 1327–77) wurde Anlaß des ↑ Hundertjährigen Krieges (1337 bis 1453). Eine Reihe militär. Niederlagen F. (zur See bei Sluys 1340, zu Lande bei Crécy 1346 und Maupertuis 1356) und die Dauer des Krieges hatten 1358 Aufstände der Pariser Bürger unter Étienne Marcel und der nordfrz. Bauern (Jacquerie) zur Folge sowie schwere innere Krisen zw. den um die Regentschaft rivalisierenden Häusern Burgund und Orléans: Gegen die aristokrat. Armagnacs unter Führung des Herzogs von Orléans standen die Bourguignons unter Führung der Herzöge von Burgund, die in ihrer Politik eine mehr bürgerfreundl. Haltung mit burgund. Sonderinteressen gegen die frz. Krone verbanden. In den innerfrz. Bürgerkrieg griff 1415 der engl. König Heinrich V. (⚯ 1413–22) ein, dessen Truppen 1415 das frz. Heer bei Azincourt vernichtend schlugen. Heinrich V. heiratete eine Tochter Karls VI. (⚯ 1380–1422) und wurde 1420 im Vertrag von Troyes als Nachfolger in F. anerkannt; nach seinem Tode 1422 eroberte der Hzg. von

Bedford ganz F. nördlich der Loire. Die Wende des Krieges brachte Jeanne d'Arc bei der Belagerung von Orléans (1429). Durch die Pragmat. Sanktion von Bourges 1438 wurde Karl VII. (⚭ 1422–61) zum Begründer der frz. Nationalkirche. Nachdem 1435 im Frieden von Arras der Ausgleich mit Burgund erreicht worden war, dauerten die Kämpfe gegen die Engländer, von Waffenstillständen unterbrochen, bis 1453; sie endeten ohne förml. Friedensvertrag, jedoch mit der fast vollständigen Vertreibung der Engländer aus Frankreich.

Renaissancekönigtum und religiöspolit. Krise (1461–1589): Ludwig XI. (⚭ 1461–83) gelangte 1475 zu einer endgültigen Friedensregelung mit England. Durch Zahlung hoher Summen erreichte er den Abzug der engl. Truppen vom Festland, mit Ausnahme von Calais. Das Bürgertum, aus dem sich die am Ende des 15. Jh. rd. 80 000 Amtsträger der königl. Verwaltung rekrutierten, gewann an wirtsch. Macht. Beim Tode des Burgunders Karls des Kühnen (1477) wurde die frz. Lehen eingezogen, was zu jahrelangen Auseinandersetzungen mit den in Burgund erbberechtigten Habsburgern führte. Mit der 1492 einsetzenden Erwerbspolitik (Neapel) Karls VIII. (⚭ 1483–98) beteiligte sich F. an den europ. Machtkämpfen in Italien. Ludwig XII. (⚭ 1498–1515) eroberte 1499 das Hzgt. Mailand; sein Nachfolger Franz I. (⚭ 1515–47) bewarb sich 1519 vergeblich um die dt. Krone; in insges. 5 Kriegen gegen die spanisch-habsburg. Übermacht Kaiser Karls V. konnten er und Heinrich II. (⚭ 1547–59) nur den Besitzstand F. wahren. Durch das von Franz I. mit Papst Leo X. 1516 geschlossene Konkordat (Ausbildung eines absolutist. Staatskirchentums) wurde die frz. Kirche für fast 300 Jahre zu einem monarch. Herrschaftsinstrument. Nach 1540 gewann der Kalvinismus in F. zunehmend an Einfluß in Bürgertum und Adel. An der Spitze der Reformierten oder ↑ Hugenotten standen Mgl. des Hauses Bourbon (Condé). Die kath. Partei wurde von Angehörigen der Familie Guise geleitet. Vergeblich versuchte die Krone im religiösen Streit zu vermitteln und die Einheit F. zu wahren. Der im Auftrage der Guise geschehene blutige Überfall auf die Hugenotten im März 1562 löste die religiösen Bürgerkriege aus. Zwar zeigte sich Karl IX. (⚭ 1560–74) bereit, sich dem Führer der Hugenotten, G. de Coligny, anzuschließen, das Blutbad der ↑ Bartholomäusnacht 1572 machte jedoch diese Absicht zunichte; die darauf folgenden insgesamt 8 Hugenottenkriege dauerten bis 1598.

Aufstieg im Zeichen des Absolutismus (1589–1715): Nach der Ermordung Heinrichs III. (⚭ 1574–89), des letzten Valois, war der Hugenottenführer Heinrich von Navarra erbberechtigt. Mit ihm als Heinrich IV. (⚭ 1589–1610) kam das Haus Bourbon (1589–1792) auf den Thron; Heinrich IV. trat 1593 zum Katholizismus über. Der Religionskrieg mündete in einen Krieg gegen Spanien, der mit dem Frieden von Vervins (1598) seinen Abschluß fand. Die religiösen Gegensätze in F. wurden mit dem Edikt von Nantes (1598), das den Hugenotten Sonderrechte gewährte, überbrückt. Unter Heinrich IV. begann der zielgerichtete Aufbau der absolutist. Monarchie; sein prot. Min. Sully (1597–1610) ordnete Finanzen und Wirtschaft. In Kanada wurden die ersten frz. Siedlungen gegr. (1608 Quebec). Der absolutist. Ausbau der Königsmacht wurde 1624 von Kardinal Richelieu als leitendem Min. Ludwigs XIII. (⚭ 1610–43) fortgeführt; er brach den Widerstand des frz. Adels und beseitigte die polit. Sonderstellung der Hugenotten mit der Eroberung von La Rochelle, einer ihrer Hauptfestungen (1628). Außenpolit. Erfolge waren im ↑ Mantuanischen Erbfolgekrieg und dann an der Seite Schwedens im Dreißigjährigen Krieg (1618–48) zu verzeichnen. Für den fünfjährigen Sohn Ludwigs XIII., Ludwig XIV. (⚭ 1643–1715), übernahm Kardinal Mazarin 1643–61 die Regierung. Im Westfäl. Frieden (1648) gewann Mazarin für F. die habsburg. Gebiete im Elsaß und im Pyrenäenfrieden (1659) Roussillon und Artois von Spanien. Innenpolit. Stabilität erreichte Mazarin durch die Zerschlagung der ständisch-aristokrat. Fronde (1653/54). Nach seinem Tod führte Ludwig XIV. die absolute Monarchie zur Vollendung. Sein Min. Colbert (1661–72) mobilisierte nach den Maximen des Merkantilismus die Finanz- und Wirtschaftspolitik, förderte Ind., Handel, öffentl. Arbeiten, den Ausbau des Kolonialreiches in Kanada, Louisiana und Westindien sowie die Schaffung einer frz. Kriegsflotte. Die außerordentlich hohen Staatseinnahmen ermöglichten den Aufbau der größten Landstreitkraft Europas. Im Kampf um die europ. Hegemonie führte Ludwig XIV., der „Sonnenkönig", in Erweiterung der frz. N- und O-Grenzen drei Eroberungskriege (Devolutionskrieg 1667/68, Niederl.-Frz. Krieg [auch Holländ. Krieg] 1672–78, Pfälz. Erbfolgekrieg 1688–97). Europ. Große Allianzen zwangen ihn jedoch bis 1697 (Friede von Rijswijk) in die Defensive. Im Span. Erbfolgekrieg (1701–14) zerbrach F. Vormachtstellung und Hegemonieanspruch in Europa; das Gleichgewicht der Mächte mußte anerkannt werden.

Niedergang der absoluten Monarchie (1715–89): Unter Ludwig XV. (⚭ 1715–74) kam es trotz der von Kardinal Fleury (leitenden Min. 1726–43) herbeigeführten wirtsch.-

finanziellen Konsolidierung und dessen Wirken für die Befriedung Europas zu einem allmähl. Machtverfall der Krone, v. a. verursacht von Ludwigs Günstlings- und Mätressenwirtschaft (Marquise de Pompadour, Gräfin Dubarry) und seiner kostspieligen sowie verlustreichen Kriegs- und Kolonialpolitik. F. erlitt im Östr. Erbfolgekrieg und als Folge des Offensivbündnisses mit Österreich (1757) und Spanien im Siebenjährigen Krieg (1756–63) gegen Preußen schwere Niederlagen. Im Frieden von Paris (1763) mußte es seine Besitzungen in Kanada an Großbritannien abtreten und war bis 1830 als Kolonialmacht bedeutungslos. Die Staatsschulden wuchsen bis zum Tode Ludwigs XV. auf 4 Mill. Livres an. Gegen die gesellschaftl. Zustände des ↑Ancien régime begann das wirtsch. erstarkende und sozial aufsteigende frz. Bürgertum als 3. Stand immer stärker zu opponieren; geistige Wortführer der polit. Aufklärung des 18. Jh. waren Montesquieu, Voltaire und Rousseau, die die absolute Monarchie bekämpften. Halbherzige bzw. unzureichende Reformen Ludwigs XVI. (✍ 1774–92) und seiner Min. (v. a. A. R. J. Turgot, J. Necker und E. C. de Loménie de Brienne) scheiterten am Widerstand der Privilegierten (Notabelnversammlung). Mit der Einberufung der Generalstände 1789, die seit 1614 nicht mehr getagt hatten, ergriff man die letzte Möglichkeit, den unauflösbaren Gegensatz zw. absolutistisch-feudalist. Staat und bürgerl. Gesellschaft durch grundlegende Reformen zu beheben.
Die Französische Revolution (1789 bis 1799): Der Zusammenbruch der frz. Monarchie in der ↑Französischen Revolution erwies nicht nur in F. die Schwäche absolutist. Herrschaft und stellte dort Staat (Errichtung der Ersten Republik 1792) und Gesellschaft innerhalb weniger Jahre auf neue Grundlagen, sondern erschütterte durch die frz. Revolutionskriege (↑Koalitionskriege) auch das europ. Staatensystem. In der Dynamik der Revolution scheiterte jedoch die Realisierung der Errungenschaften von 1789. Mit dem Staatsstreich des 18. Brumaire (9. Nov.) 1799, dem Sturz des Direktoriums, versuchte Napoléon Bonaparte, die revolutionären Errungenschaften F. zu sichern.
Konsulat und Erstes Kaiserreich (1799–1814/15): Gestützt auf militär. Macht, ließ Bonaparte ein umfassendes modernes Polizeisystem durch J. Fouché aufbauen, legalisierte die revolutionäre Besitzumschichtung (den Erwerb der Nationalgüter, der enteigneten adligen Güter) und verständigte sich mit der kath. Kirche durch das mit Papst Pius VII. abgeschlossene Konkordat von 1801. Bed. Rechtsschöpfungen gelangen u. a. mit dem Code civil (1804). Die plebiszitär ge-

billigte Änderung der Konsularverfassung 1802 brachte die lebenszeitl. Ernennung Bonapartes zum einzigen Konsul. Hatte er mit der erfolgreichen Beendigung des 2. Koalitionskrieges (Frieden von Lunéville 1801 und Amiens 1802) zugleich den erwünschten äußeren Frieden gebracht, so stieß auch die von ihm betriebene Umwandlung der frz. Republik in ein erbl. Kaiserreich (1804 Krönung zum Kaiser der Franzosen als Napoleon I.) auf keinen Widerstand. Sein Machtwille, gegen den Außenmin. Talleyrand bis 1807 vergebens ankämpfte, bewirkte die Fortsetzung der Revolutionskriege im Kampf um die hegemonielle Beherrschung Europas; in den Koalitionskriegen bis 1806/07 erreichte er nach den Niederlagen Österreichs und Preußens, dem Ende des Hl. Röm. Reichs, dem Einordnungsversuch M-Europas in das frz. Staatssystem (Napoleon. Rheinbund), mit der Kontinentalsperre 1806 als Kampfansage gegen Großbritannien und der in Tilsit 1807 erzwungenen Partnerschaft des russ. Zaren Alexander I. den Gipfel seiner Macht. Aber in den folgenden Napoleon. Kriegen (1807–12) gegen Portugal und Spanien (1807/08), gegen Österreich (1809), mit der Besetzung und Annexion des Kirchenstaates (1808/09) stieß die Napoleon. Fremdherrschaft auf den Widerstand der Völker und Staaten, wobei der span. Unabhängigkeitskrieg (seit 1808) europ. Signalwirkung hatte. Die 1810–12 F. erschütternde Wirtschaftskrise infolge stockenden Absatzes und der Last der Kontinentalsperre sowie der drückenden indirekten Steuern ließ bei wachsender Kriegsmüdigkeit zuerst die Großbourgeoisie der Napoleon. Politik den Rücken kehren und zugleich bis 1812 die kath.-royalist. Opposition wachsen. Die Katastrophe des Rußlandfeldzuges 1812, der in die europ. Befreiungskriege mündete, brachte den Zusammenbruch des Napoleon. F. und die Wiederherstellung des Königtums der Bourbonen auf maßgebl. Betreiben Talleyrands, dem es gelang, beim 1. und 2. Pariser Frieden wie auf dem Wiener Kongreß (1814/15) größere frz. Gebietsverluste zu verhindern.
Restauration und Revolution (1814 bis 1848): Die Restaurationsphase (1814 bis 1830) basierte auf der konstitutionellen Monarchie Ludwigs XVIII. (✍ 1814/15–24) mit ihren Kennzeichen Zensuswahlrecht, Zweikammersystem mit Budgetbefugnissen und Verantwortlichkeit der Min. gegenüber der Kammer. Nach der Ermordung des Hzg. C. F. von Berry (1820), des einzigen dynast. Nachfolgers, gewannen die Ultraroyalisten erheblich an Einfluß. Auf dem Aachener Kongreß (1818) erreichte F. den Rückzug der Alliierten aus dem frz. Gebiet und die völkerrechtl. Gleichstellung. Nach dem Tode Lud-

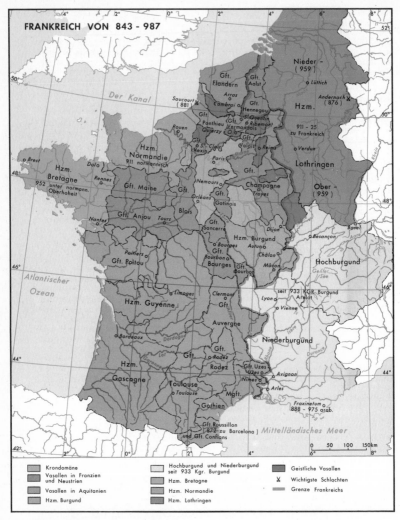

FRANKREICH VON 843 - 987

Der Kanal

Atlantischer Ozean

Mittelländisches Meer

Nieder - (959)
o Lüttich
Andernach (876) ✗
Hzm.
911 - 25 zu Frankreich
Lothringen
o Verdun
Ober - (959)
o Besançon
Hochburgund
Genfer See
seit 933 KGR. Burgund Arelat
Lyon o
o Vienne
Niederburgund
Rhein

Gft. Flandern
Gft. Aalst
Arras o
Cambrai o
Gft. Hennegau
o Quentin
Saucourt (881) ✗
o Ribemont
Panthieu Vermandois
Querzy
Gft. o St. Clair
Vexin
Rouen o
Hzm. Normandie
911 normannisch
Paris o
Reims o
Valois
Gft.
Nemours o
Champagne
Troyes o
Gft.
Hzm. Bretagne
952 unter normann. Oberhoheit
o Brest
Dalo o
Rennes o
Gft. Maine
Gft.
o Nantes
Gft. Anjou
Tours o
Blois
Orléans o
Gatinais
Gft. Sancerre
Hzm. Burgund
Dijon o
Autun o
Châlon o
Mâcon o
o Bourges
Gft.
Gft. Poitou
Poitiers o
Bourbon o
Gft. Bourbon
Baurges
Hzm. Guyenne
o Limoges
Clermont o
Gft.
Auvergne
Gft.
Rodez o
Gft. Radez
Hzm. Gascogne
Bordeaux o
Gft. Uzes
Uzes o
Avignon o
Nimes o
Arles o
Toulouse
o Toulouse
Mgft.
Gothien
Fraxinetum 888 - 975 arab.
Gft. Roussillon 872 zu Barcelona) und Gft. Conflans

0 50 100 150km

Legend:

Krondomäne	
Vasallen in Franzien und Neustrien	
Vasallen in Aquitanien	
Hzm. Burgund	
Hochburgund und Niederburgund seit 933 Kgr. Burgund	
Hzm. Bretagne	
Hzm. Normandie	
Hzm. Lothringen	
Geistliche Vasallen	
✗ Wichtigste Schlachten	
Grenze Frankreichs	

wigs XVIII. übernahm dessen Bruder Karl X. (⚰ 1824–30) die Reg. Infolge reaktionärer Entscheidungen des Königs, z. B. die 1825 verfügte Entschädigung der Emigranten, kam es zu einer immer stärker werdenden Opposition des liberalen Bürgertums. Der Erlaß der verfassungswidrigen Juliordonnanzen sowie die Auflösung der neu gewählten Kammer führten am 27. Juli 1830 zum Ausbruch der Julirevolution. Karl X. dankte ab; der Streit zw. Bürgertum und Arbeiterschaft um eine konstitutionell-monarchist. oder republikan. Staatsform wurde mit der Wahl des „Bürgerkönigs" Louis Philippe von Orléans (⚰ 1830–48) zugunsten der Monarchie entschieden. Während seiner Reg.zeit, in der das Finanzbürgertum die wichtigsten Ämter besetzte, begannen Industrialisierung und Entwicklung der kapitalist. Wirtschaft. Mit der Entstehung des Arbeiterproletariats und der

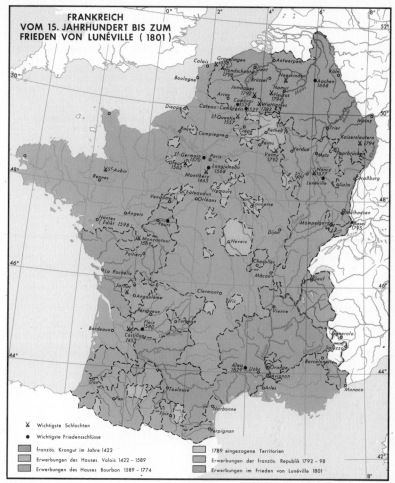

FRANKREICH VOM 15. JAHRHUNDERT BIS ZUM FRIEDEN VON LUNÉVILLE (1801)

✕ Wichtigste Schlachten

● Wichtigste Friedensschlüsse

franzö̈s. Krongut im Jahre 1422

Erwerbungen des Hauses Valois 1422–1589

Erwerbungen des Hauses Bourbon 1589–1774

1789 eingezogene Territorien

Erwerbungen der franzö̈s. Republik 1792–98

Erwerbungen im Frieden von Lunéville 1801

Herausbildung frühsozialist. Theorien (C. Fourier, P. J. Proudhon, L. A. Blanqui) kam es zu großen sozialen Unruhen (1. und 2. Weberaufstand von Lyon 1831/34, Blanquisten-erhebung von 1835). In den Jahren 1845–47 wuchs infolge schlechter Ernten und wirtsch. Depression die Unruhe unter der Bev. Als die von den Republikanern organisierten öffentl. Bankette für die Erweiterung des Wahlrechts im Febr. 1848 verboten wurden, brach in Paris am 24. Febr. 1848 die Februarrevolution aus, die zur Einsetzung einer provisor. Reg. führte, die teils aus Republikanern, teils aus

Sozialisten sowie einem Arbeitervertreter bestand. Der König dankte ab und floh nach Großbritannien; die neue Reg. proklamierte die Zweite Republik. Hatten sich anfangs sozialist. Tendenzen durchgesetzt (Errichtung von Nationalwerkstätten zur Verwirklichung des „Rechts auf Arbeit"), gewannen in den anschließenden Wahlen die gemäßigten Republikaner die Mehrheit in der Kammer, die am 21. Juni 1848 die Auflösung der Nationalwerkstätten beschloß. Ein darauffolgender Aufstand der Pariser Arbeiterschaft (24. bis 26. Juni) wurde blutig niedergeschlagen.

Am 10. Dez. 1848 wurde Louis Napoléon Bonaparte durch Plebiszit zum Staatspräs. gewählt.

Industrieller Aufschwung und Zweites Kaiserreich (1848–70): Die antiparlamentar. Zermürbungspolitik des neuen Präs. kulminierte im Staatsstreich des 2. Dez. 1851 (Auflösung der Kammer und Massenverhaftung oppositioneller Politiker). Louis Napoléon ließ sich zunächst zum Präs. auf 10 Jahre wählen und 1852 vom Senat als Napoleon III. zum Kaiser ausrufen und durch eine neue Volksabstimmung bestätigen. Entscheidend für die innere Festigung des Kaisertums war sowohl die mit polizeistaatl. Mitteln erzwungene Niederhaltung der Opposition wie auch die Kontrolle der öffentl. Meinung und die internat. Konjunkturwelle, die, ausgelöst durch Edelmetallfunde in Übersee, den europ. Exportländern einen breiten, wenn auch unterschiedlich verlaufenden industriellen Aufschwung sicherte. Die erfolgreichen Aktionen, die Napoleon III. zur Revision der außenpolit. Stellung F. unternahm, sahen ihn bereits als umworbenen Bündnispartner. Im Krimkrieg (1853–56) führte er F. an der Seite Großbritanniens aus der Isolierung, die frz. Beteiligung im italien. Einigungskrieg 1859 an der Seite Sardiniens gegen Österreich brachte mit Nizza und Savoyen auch territorialen Gewinn. Dem Ausbau Algeriens als Kornkammer und Siedlungsraum folgten weitere Eroberungen in Afrika (1854–65 in Senegal, Besetzung der Kabylei); 1860 erfolgte die Landung in Beirut, die Syrien dem frz. Einfluß öffnete. Der zus. mit Großbritannien unternommene Kolonialkrieg gegen China 1858–60 sicherte die frz. Hegemonialstellung in Indochina. Der Fehlschlag der mex. Expedition (1861–67) erwies jedoch bereits die Anfälligkeit des Regimes für außenpolit. Mißerfolge. Der Dt.-Frz. Krieg 1870/71, dessen Ausbruch seitens F. aus Furcht vor dem Verlust der hegemonialen Stellung in Kauf genommen wurde, führte mit der Niederlage der frz. Armee bei Sedan am 2. Sept. 1870 (Gefangennahme Napoleons III.) zum Zusammenbruch des Zweiten Kaiserreiches.

Die Dritte Republik (1870–79): Durch Straßendemonstrationen genötigt, riefen die republikan. Führer L. Gambetta und J. Favre am 4. Sept. 1870 in Paris die Republik aus und bildeten eine „Reg. der nat. Verteidigung", die den Kampf gegen die Deutschen fortsetzte; Gambetta organisierte die Volksbewaffnung (Levée en masse) in den Prov., konnte aber die Kapitulation (Waffenstillstand am 28. Jan. 1871) nicht verhindern. Die Wahlen zur verfassunggebenden Nat.versammlung am 8. Febr. 1871 erbrachten eine monarchist.-bonapartist. Mehrheit; Reg.chef

wurde A. Thiers, der am 10. Mai 1871 den Frankfurter Frieden (Abtretung des Elsaß und Lothringens, 5 Mrd. Franc Kriegsentschädigung) unterzeichnete. Teils aus patriot. Protest gegen den Waffenstillstand, teils aus sozialem Widerstand gegen die konservative Republik entstand die Erhebung der Pariser ↑ Kommune; als lokale Reg. im März 1871 errichtet und schon im Mai in militär. Massaker durch Reg.truppen liquidiert. Die Dritte Republik bedeutete nur verfassungspolitisch (durch Einführung des Parlamentarismus 1875) einen Bruch mit dem Empire; wirtsch. und gesellschaftlich stand sie im Zeichen der Kontinuität. In der Anfangsphase lag die polit. Führung bei der großbürgerl. Oberschicht mit Thiers (bis 1873, ihm folgte Mac-Mahon). Der tief in der Sozial- und Verfassungsgeschichte F. seit 1789 wurzelnde Dualismus von Präsidialverfassung und parlamentar. Führung blieb bis 1879 erhalten; erst die 3 Verfassungsgesetze von 1875 stabilisierten das labile Gleichgewicht der das politisch-soziale System abstützenden Kräfte, da die Stellung des Präs. gestärkt wurde (Wahl auf 7 Jahre, Unabsetzbarkeit, Recht der Gesetzesinitiative, Kammerauflösung). Nachdem die Republikaner 1876 die Mehrheit in der Kammer, 1879 auch im Senat erlangt hatten, trat Mac-Mahon zurück (Jan. 1879).

Staatl. Verwaltung, hohe militär. Kommandos und Spitzenposten der Diplomatie waren mit Vertrauensleuten der Republikaner besetzt worden; die Schlüsselstellungen der Wirtschaft und des Banksystems wurden vom Großbürgertum gehalten; der Landadel blieb anerkannte Führungsschicht und hatte v. a. auch in der Armee weiterhin die wichtigsten Kommandos inne. Der Verzicht auf grundlegende Sozialreformen trug den gemäßigten Republikanern den Vorwurf des Opportunismus ein (deshalb „opportunist." Republik, 1879–98), wenngleich am Anfang der 1880er Jahre ein Kurs schrittweiser Reform und in inneren Ausgleichs stand, der u. a. zur Liberalisierung des Pressegesetzes und zur Amnestierung der Kommunarden führte, zur Zulassung von Gewerkschaften und zu einem Programm öffentl. Arbeiten. Außenpolitisch, v. a. in der Kolonialpolitik, gewann F. durch Expansion in N-Afrika und Indochina die 1870 verlorene Großmachtrolle und Bündnisfähigkeit wieder, geriet jedoch in offenen Gegensatz zu Großbritannien, am deutlichsten in der Faschodakrise (1898/99). Durch die große wirtsch. Depression der 1880er Jahre wurde die Stellung der „Opportunisten" geschwächt; in den Wahlen von 1885 gelangten Monarchisten und Bonapartisten, die den Parlamentarismus ablehnten und außenpolitisch auf den revanchist. Patriotismus setzten, in die Nähe der absoluten Mehrheit. Die Krise um den populären General Boulanger, der um ein plebiszitäres Mandat der Massen warb, die Armee mit den Arbeitern fraternisieren ließ und zum Haupt der „Partei der Unzufriedenen" aufgestiegen war, brachte durch dessen Entscheidung, keinen Staatsstreich zu inszenieren, eine klare Frontstellung der Rechten (zus. mit dem Militär) gegen die sich auf dem Boden der opportunist. Republik zurückziehenden Radikalen. Weitere große polit. Krisen zeigten die Risse, die unter der Oberfläche die frz. Gesellschaft zerteilten: 1893 der Panamaskandal und 1894 die Dreyfusaffäre.

Von der Jh.wende bis zum Ende der Dritten Republik stellte der Radikalsozialismus des mittleren Bürgertums die entscheidende politische Kraft dar. Die „radikale" Republik (1898–1914) war bestimmt von der Annäherung der Radikalsozialisten, die zu bescheidenen Sozialreformen fanden, und der Sozialisten, die unter J. Jaurès auf reformist. Kurs einschwenkten. Die neue Koalition wurde unter Min.präs. E. Combes (1902–05) v. a. durch die radikal antikirchl. Schulpolitik, Bruch des Konkordats, Trennung von Staat und Kirche (9. Dez. 1905) zusammengehalten; Combes folgte (nach den Kabinetten M. Rouvier und F. Sarrien) unter stärkerer Anlehnung nach rechts 1906–09 G. B. Clemenceau. Die frz. Politik unter A. Briand (1909–11, 1913) und J. Caillaux (1911/12) war im Innern durch den Kampf um die Modernisierung des Steuersystems und die Änderung des Wahlsystems (Proporzwahl), nach außen durch den Ggs. zu Deutschland (2. Marokkokrise, Übergang zu dreijähriger Wehrpflicht) geprägt. Nachdem schon die Marokkokrise 1905 den Chauvinismus wiederbelebt hatte, wurde mit R. Poincaré 1913 ein Mann Staatspräs., der als Symbolfigur des Revanchedenkens galt und dessen außenpolit. Kurs sich auf das frz.-russ. Bündnis sowie die Entente cordiale, v. a. aber auf einen alle Schichten der frz. Gesellschaft umfassenden Nationalismus stützte.

Offizielles frz. Kriegsziel im 1. Weltkrieg war die Wiedergewinnung Elsaß-Lothringens gewesen. In den Versailler Friedensverhandlungen (1919/20) gelang es Clemenceau, die 1870 verlorengegangene kontinentale Vormachtposition F. zurückzugewinnen, die er durch eine harte Eindämmungspolitik gegenüber Deutschland abzusichern versuchte, mit dem Ziel, ein wirtsch. Erstarken Deutschlands zu verhindern und durch den Abschluß von Bündnisverträgen mit Belgien (1920), Polen (1921), der Tschechoslowakei (1924), Rumänien (1926), Jugoslawien (1927) und der UdSSR (1932) eine dt. Revisionspolitik unmöglich zu machen. V. a. ungelöste Probleme der frz. Finanzen führten im Zeichen einer

rechten Kammermehrheit (Bloc national, 1919–24) zu R. Poincarés Politik der „produktiven Pfänder", die mit der Ruhrbesetzung 1923 ihren Höhepunkt erreichte. Die von É. M. Herriot und A. Briand eingeleitete Verständigungspolitik brachte jedoch keinen vollständigen Ausgleich des dt.-frz. Gegensatzes, da die Revisionspolitik der Weimarer Republik auf die Wiedergewinnung einer Großmachtstellung Deutschlands abzielte, was dem Sicherheitsbedürfnis F. entgegenstand. Auf Grund der Weltwirtschaftskrise sah sich F. gezwungen, 1932 einer Einstellung der Reparationen (Lausanner Konferenz 1932) und der prinzipiellen Gleichberechtigung des Dt. Reiches auf dem Rüstungssektor zuzustimmen. Innenpolitisch hatten die durch die Kriegsereignisse verschärften Wirtschafts- und Finanzprobleme der Kriegsende zu großen Streiks und 1920 zur Spaltung der Séction Française de l'Internationale Ouvrière (SFIO) und der Gewerkschaften durch die Bildung einer kommunist. Partei und eines kommunist. Gewerkschaftsbundes geführt. Die inflationäre Entwicklung wurde zwar 1926/28 durch Poincaré gestoppt, es kam aber zu keiner dauerhaften Sanierung der öff. Finanzen. Die Weltwirtschaftskrise verschärfte die sozialen Spannungen und führte bei häufig wechselnden Kabinetten zu einer Dauerkrise des parlamentar. Systems, das sich sowohl von faschist. Sammlungsbewegungen (Croix de feu, Action française) als auch von der äußersten Linken bedroht sah. Im Zusammenhang mit der Stavisky-Affäre kam es am 6. Febr. 1934 in Paris zu Demonstrationen der Rechten und zu blutigen Zusammenstößen mit der Linken (Februarunruhen), die den Rücktritt des Kabinetts É. Daladier zur Folge hatten. Diese Entwicklung führte im Frühjahr 1936 zu einem Wahlerfolg der aus Radikalsozialisten, Sozialisten und Kommunisten gebildeten Volksfront, deren Reg. unter L. Blum (1936/37, 1938) weitreichende soziale Reformen durchführten (u. a. 40-Stunden-Woche, bezahlter Urlaub, kollektive Arbeitsverträge, Anerkennung des Gewerkschaftsrechts, Bildung von Arbeitervertretungen in den Betrieben, Lohnerhöhungen um 15 %). Auf die Machtergreifung Hitlers reagierte die frz. Reg. mit dem Versuch, durch internat. Abmachungen und Allianzen der Offensive Deutschlands entgegenzutreten: Beteiligung am Viermächtepakt vom 15. Juli 1933, Förderung der Balkanentente, Bildung der Stresafront im April 1935 mit Großbritannien und Italien, Beistandspakt mit der UdSSR (1935). Nach dem Scheitern der Stresafront setzte die frz. Reg. der Remilitarisierung der Rheinlande im März 1936 keinen Widerstand entgegen; im Span. Bürgerkrieg ließ sie sich vom Prinzip der Nichteinmi-

Frankreich

schung leiten. Auf Grund des zunehmenden militär. Übergewichts Deutschlands tolerierte das im April 1938 von Daladier gebildete bürgerl. Kabinett den Anschluß Österreichs und beteiligte sich 1938 am Münchner Abkommen. Nach dem Angriff der dt. Truppen auf Polen erklärte F. am 3. Sept. 1939 gemeinsam mit Großbritannien dem Dt. Reich den Krieg. Zum Schutz der ↑ Maginotlinie verhielt sich die frz. Armee jedoch defensiv und erlitt gegen die angreifende dt. Wehrmacht (Offensive vom 10. Mai 1940) eine militär. Niederlage. Die neugebildete Reg. P. Pétain unterzeichnete am 22. Juni 1940 das Waffenstillstandsabkommen mit dem Dt. Reich, am 24. Juni mit Italien, das am 10. Juni in den Krieg eingetreten war. Dt. Truppen besetzten den größten Teil F. unter Einschluß von Paris; Elsaß und Lothringen wurden faktisch dem Dt. Reich angegliedert.

Der État Français (1940–44): In dem neuen Reg.sitz Vichy übertrug das Parlament am 10. Juli 1940 mit großer Mehrheit Marschall Pétain die unumschränkte Gewalt über das noch unbesetzte F., wo sich der autoritär-korporative État Français etablierte. Während Pétain gegenüber dem dt. Sieger auf Zeitgewinn setzte (Treffen mit Hitler in Montoire-sur-le-Loir am 24. Okt. 1940), suchten P. Laval und F. Darlan durch begrenzte Kollaboration, F. eine günstigere Position in der von Hitler proklamierten neuen Ordnung Europas zu sichern. Auf Grund der harten dt. Besatzungspolitik sowie in Reaktion auf die antirepublikan. Politik des Vichy-Regimes trat die frz. Widerstandsbewegung (Résistance) zunehmend in Erscheinung. Auf sie gewann General C. de Gaulle wachsenden Einfluß, dessen Londoner Aufruf zur Fortführung des Kampfes (18. Juni 1940) zunächst ohne wesentl. Resonanz im Mutterland geblieben war. Als Chef des „Freien F." und des Frz. Nat.komitees setzte er sich 1943 in Algier auch gegen Darlan und im „Frz. Komitee der Nat. Befreiung" durch, dem sich nach und nach die Mehrheit der frz. Übersee-gebiete unterstellte und das am 3. Juni 1944 zur Provisor. Reg. der Frz. Republik umgewandelt wurde. Die Landung der Briten und Amerikaner an der Kanal- und Mittelmeer-küste im Juni bzw. Aug. 1944 führte zur Befreiung F. und zum Zusammenbruch des Vichy-Regimes.

Die Vierte Republik (1944–58): Nach Einzug de Gaulles in Paris (25. Aug. 1944) nahm dort die von ihm geführte Provisor. Reg. der Frz. Republik ihre Tätigkeit auf; sie sah zunächst ihre Aufgabe in der Verurteilung und Bestrafung der Kollaborateure sowie in der Durchsetzung der gleichberechtigten Teilnahme an den Entscheidungen der Alliierten über die Zukunft Deutschlands und in der Wiederherstellung der frz. Herrschaft in den Kolonien. Von der (ersten) Konstituante im Okt. 1945 einstimmig zum Min.präs. gewählt, trat de Gaulle am 16. Jan. 1946 wieder zurück, da er seine Pläne zur Neuordnung des Staates und für die künftige Verfassung nicht hatte durchsetzen können. Eine neugewählte Verfassunggebende Versammlung erlangte für ihren Verfassungsentwurf am 13. Okt. 1946 eine knappe Mehrheit, womit die Vierte Republik formell begründet war. Bis 1947 wurden die Reg. im wesentlichen von den 3 großen Parteien der Sozialisten, Kommunisten und Volksrepublikaner getragen. Ihre wichtigsten Maßnahmen waren die Verstaatlichung der Kredit- und Versicherungsgesellschaften, der Energiequellen, der Handelsmarine und zahlr. Ind.betriebe sowie die Einrichtung von Betriebsräten und die Ausarbeitung eines Modernisierungsplans für die Wirtschaft. Gegensätze in der Indochina-, Wirtschafts- und Finanzpolitik sowie der kalte Krieg führten am 5. Mai 1947 zum Ausschluß der Kommunisten durch Min.präs. P. Ramadier, der die Kabinette der „dritten Kraft" aus Sozialisten, Volksrepublikanern, Radikalsozialisten und gemäßigt linken Gruppen einleitete, die bis 1951 eine relativ stabile Reg.tätigkeit gegen die Opposition der Kommunisten und Gaullisten erreichten. Außenpolitisch suchte F. erneut sein Sicherheitsbedürfnis durch die Teilnahme an der Besetzung Österreichs und Deutschlands sowie dessen wirtsch. Schwächung und durch den Abschluß von Defensivbündnissen (Westeuropäische Union, Abk. WEU) zu befriedigen. Angesichts der Verschärfung der Ost-West-Spannungen schloß sich F. 1949 der NATO, im Hinblick auf seine ostasiat. Interessen 1954 der SEATO an. Seit dem kalten Krieg beteiligt sich F. führend an den europ. Einigungsbestrebungen (Beitritt zum Europarat 1949, zur Montanunion 1951, zu EWG und EURATOM 1957). Die supranat.-militär. Integration durch die Europ. Verteidigungsgemeinschaft (EVG) wurde zwar 1954 abgelehnt, die Pariser Verträge 1955 über die Aufnahme der BR Deutschland in die WEU und in die NATO dagegen angenommen. Angesichts der innenpolit. Labilität (1951–58 zwölf Kabinette) und der krisenhaften Situation in den frz. Kolonien übernahm am 1. Juni 1958 de Gaulle die letzte Reg. der Vierten Republik, die am 28. Sept. 1958 mit der Annahme der neuen Verfassung durch Volksabstimmung ihr formelles Ende fand.

Die Fünfte Republik (seit 1958): Die polit. Entwicklung F. wurde bis 1969 im wesentl. von der Persönlichkeit de Gaulles (seit Dez. 1958 Staatspräs.) bestimmt, der die Präsidialmacht stark ausbaute. Die Absicht des

Generals, in der Algerienfrage 1959 mit der Anerkennung des Selbstbestimmungsrechts die Assoziierung des autonomen Algerien an F. zu erreichen, führte zu scharfen Auseinandersetzungen mit den Anhängern eines „frz. Algerien" (OAS, Barrikadenaufstand von Algier 24. Jan. 1960, Generalsputsch vom 21./22. April 1961, Attentat bei Petit-Clamart vom 22. Aug. 1962), schließlich zur Hinnahme der alger. Unabhängigkeit (Abkommen von Évian-les-Bains vom 18. März 1962). Die angestrebte Großmachtrolle F. veranlaßte de Gaulle, die Entwicklung einer eigenen frz. Atomstreitmacht (Force de frappe) voranzutreiben. Diesem Ziel dienten auch die (allerdings nicht völlige) Lösung F. aus der NATO, die langjährige Blockierung eines brit. EWG-Beitritts und die Reduzierung der europ. Einigungsbemühungen auf rein wirtsch. Integration. Seit Mitte der 1960er Jahre bemühte sich die frz. Außenpolitik verstärkt um eine bilaterale Annäherung an die Staaten des Ostblocks (1964 Anerkennung der VR China, Eintreten für die Neutralität Vietnams seit 1963) sowie um einen dt.-frz. Ausgleich (Dt.-Frz. Vertrag vom 22. Jan. 1963). Dem allmähl. Zerfall der Massenbasis für de Gaulle und den wirtsch. und sozialen Mißständen, die seine Politik unter dem Primat der Außenpolitik forciert hatte, wurde nur mit unzureichenden Mitteln begegnet. Die soziale Unzufriedenheit breiter Bev.schichten kulminierte in den Maiunruhen 1968, die sich durch einen Generalstreik zu einer ernsthaften Staatskrise ausweiteten. Angesichts seines Prestigeverlusts und des negativen Ausgangs eines Referendums zur Senats- und Regionalreform trat de Gaulle am 28. April 1969 zurück. Sein Nachfolger G. Pompidou leitete auf Grund weiterbestehender wirtsch. und sozialer Ungleichheiten und wachsender Krisenerscheinungen innerhalb des Gaullismus eine Reformpolitik ein. Neuer Min.präs. wurde J. M. P. Chaban-Delmas (1969–72). In ihrer Europapolitik befürwortete die frz. Reg. den Eintritt v. a. Großbritanniens in die EG. Im Juni 1972 schlossen sich Kommunisten, Sozialisten und linksgerichtete Radikalsozialisten zur „Union de la Gauche" (Linksunion) zusammen und verabschiedeten ein gemeinsames Reg.programm in der Absicht, die gaullist. Parlamentsmehrheit abzulösen. Bei den Wahlen zur Nat.versammlung März 1973 konnten sich jedoch die Gaullisten und ihre Koalitionspartner behaupten. Zuvor schon war eine Reg. P. Messmer (1972–74) gebildet worden, die allerdings den polit. Machtverlust des Gaullismus nicht verhindern konnte. Nach dem Tod Pompidous im April 1974 wurde der Liberalkonservative V. Giscard d'Estaing zum Präs. gewählt, der v. a. mit Hilfe seines Außenhandelsmin. R. Barre die frz.

Wirtschaft zu stabilisieren suchte; bei den Wahlen zur Nat.versammlung 1978 konnte sich die Reg.mehrheit aus Gaullisten, Giscardisten, Zentrum und Radikalsozialisten gegenüber der Linksunion deutlich durchsetzen. Die außenpolit. Distanz zu den USA wurde beibehalten.

Die Präsidentschaftswahlen 1981 gewann der Sozialist F. Mitterrand; bei den nachfolgenden Parlamentswahlen erreichte die Sozialist. Partei die absolute Mehrheit. In die Reg. P. Mauroy (1981–84) wurden auch kommunist. Minister aufgenommen (bis 1983/84). Mit der Verstaatlichung von Industrieunternehmen und Banken wurde Anfang 1982 begonnen. 1984 übernahm der Sozialist L. Fabius das Amt des Premiermin. In der Außenpolitik leitete Mitterrand eine engere Zusammenarbeit mit den USA ein; zugleich erreichte er eine Verbesserung der Beziehungen zur Sowjetunion (Abschluß eines Grundlagenvertrages im Nov. 1990). Nach dem Wahlerfolg der Gaullisten (RPR) und der bürgerl. Mittelparteien (UDF) 1986 sah sich Mitterrand zu einer Zusammenarbeit („Cohabitation") mit diesen Kräften gezwungen und ernannte J. Chirac zum Premiermin. (1986–88). Angesichts der Tatsache, daß erstmals in der Fünften Rep. Staatspräs. und Premiermin. gegensätzl. polit. Richtungen angehörten, bemühten sich beide, in der innenpolit. Auseinandersetzung ihre Kompetenzen als Verfassungsorgane gegeneinander abzugrenzen und verfassungspolit. zu sichern. 1988 wurde Mitterrand als Präs. (bis 1995) mit großer Mehrheit wiedergewählt. Die Parlamentswahlen vom März 1993 brachten für die bis dahin Reg. stellenden Sozialisten eine schwere Niederlage. Sie erreichten nur 64 der 577 Sitze, während das Wahlbündnis der bürgerl. Parteien (RPR, UDF) 484 Mandate gewann. Premiermin. der folgenden bürgerl. Reg. wurde E. Balladur (RPR), der sich v. a. um wirtschaftl. Konsolidierung und Stärkung der inneren Sicherheit bemühte. 1993 wurde das Ausländer- und Asylrecht neu geregelt.

Politisches System: Staatsgrundgesetz der Fünften Republik ist die Verfassung vom 4. Okt. 1958; kennzeichnend ist eine Vermischung klass. Verfassungsdoktrinen in der Vereinigung repräsentativer (Parlament) mit plebiszitären Elementen (Referendum) und der Verknüpfung des parlamentar. mit dem präsidialen Prinzip. Es hängt weitgehend von der Persönlichkeit des als *Staatsoberhaupt* fungierenden Staatspräs. ab, ob die Verfassungswirklichkeit mehr dem einen oder mehr dem anderen Verfassungstyp zuneigt. Der Staatspräs. wird vom Volk direkt gewählt (seit 1962 auf 7 Jahre); erreicht im ersten Wahlgang keiner der Kandidaten die absolute Mehrheit, findet eine Stichwahl statt. Der

Frankreich, Staatsoberhäupter
(Könige: 843–1792 und 1814–48)

Karolinger
Karl II., der Kahle 843–877
                     (875 Kaiser)
Ludwig II., der Stammler 877–879
Ludwig III. 879–882
Karlmann 879–884
                     (881 Kaiser)
Karl der Dicke 885–887

Robertiner
Odo von Paris 888–898

Karolinger
Karl III., der Einfältige 898–923

Robertiner
Robert I. von Franzien 922–923

Haus des Boso
Rudolf von Burgund 923–936

Karolinger
Ludwig IV., der Überseeische 936–954
Lothar 954–986
Ludwig V., der Faule 986–987

Kapetinger (Robertiner)
Hugo Capet 987– 996
Robert II., der Fromme 996–1031
Heinrich I. 1031–1060
Philipp I. 1060–1108
Ludwig VI., der Dicke 1108–1137
Ludwig VII., der Junge 1137–1180
Philipp II. Augustus 1180–1223
Ludwig VIII., der Löwe 1223–1226
Ludwig IX., der Heilige 1226–1270
Philipp III., der Kühne 1270–1285
Philipp IV., der Schöne 1285–1314
Ludwig X., der Zänker 1314–1316
Johann I., das Kind 1316
Philipp V., der Lange 1317–1322
Karl IV., der Schöne 1322–1328

Haus Valois (Kapetinger)
Philipp VI. 1328–1350
Johann II., der Gute 1350–1364
Karl V., der Weise 1364–1380
Karl VI., der Wahnsinnige 1380–1422
Karl VII., der Siegreiche 1422–1461
Ludwig XI., der Grausame 1461–1483
Karl VIII. 1483–1498
Ludwig XII. von Orléans 1498–1515
Franz I. von Angoulême 1515–1547
Heinrich II. 1547–1559

Franz II. 1559–1560
Karl IX. 1560–1574
Heinrich III. 1574–1589

Haus Bourbon (Kapetinger)
Heinrich IV. von Navarra 1589–1610
Ludwig XIII. 1610–1643
Ludwig XIV. 1643–1715
Ludwig XV. 1715–1774
Ludwig XVI. 1774–1792
   (Ludwig XVII., Dauphin)

Erste Republik
Nationalkonvent 1792–1795
Direktorium 1795–1799
Konsulat 1799–1804

Erstes Kaiserreich
Napoleon I. 1804–1814
                     (1815)

Haus Bourbon (Kapetinger)
Ludwig XVIII. .... (1814) 1815–1824
Karl X. 1824–1830

Haus Orléans
Louis Philippe 1830–1848

Zweite Republik *(Präsident)*
Charles Louis Napoléon
Bonaparte 1848–1851
                     (1852)
Zweites Kaiserreich
Napoleon III. 1852–1870

Dritte Republik (Präsidenten)
A. Thiers 1871–1873
M. E. P. M. Mac-Mahon 1873–1879
J. Grévy 1879–1887
M. F. S. Carnot 1887–1894
J. P. P. Casimir-Périer 1894–1895
F. Faure 1895–1899
É. Loubet 1899–1906
C. A. Fallières 1906–1913
R. Poincaré 1913–1920
P. Deschanel 1920
A. Millerand 1920–1924
G. Doumergue 1924–1931
P. Doumer 1931–1932
A. Lebrun 1932–1940

Frankreich, Staatsoberhäupter (Fortsetzung)	
État Français *(Staatschef)* P. Pétain 1940–1944/45	**Vierte Republik** *(Präsidenten)* V. Auriol .... 1947–1954 R. Coty 1954–1959
Provisorsche Regierung der **Französischen Republik** *(Präsidenten)* C. de Gaulle .... 1944/45–1946 F. Gouin, G. Bidault, L. Blum 1946–1947	**Fünfte Republik** *(Präsidenten)* C. de Gaulle .... 1959–1969 G. Pompidou .... 1969–1974 V. Giscard d'Estaing .... 1974–1981 F. Mitterrand .... seit 1981

Staatspräs. ernennt und entläßt den Premiermin. und auf dessen Vorschlag die übrigen Reg.mitglieder; er führt den Vorsitz im Min.-rat, kann eine Gesetzesvorlage über die Organisation der öff. Institutionen oder die Ratifizierung eines Vertrags einem Referendum unterziehen und kann die Nat.versammlung auflösen; er darf ohne Befragung des Parlaments, nach Konsultation nur des Premiermin. und der Präs. von Nat.versammlung, Senat und Verfassungsrat, Notmaßnahmen anordnen, wenn die Institutionen der Republik, die Unabhängigkeit der Nation, ihre territoriale Integrität oder die Erfüllung ihrer internat. Verpflichtungen in einer ernsten und unmittelbaren Weise bedroht werden. Er verkündet die vom Parlament verabschiedeten Gesetze, unterzeichnet die Anordnungen des Min.rates, ernennt die Beamten, Richter und Offiziere und repräsentiert F. auf internat. Ebene.

Die *Exekutive* liegt bei der Reg., an deren Spitze der Premiermin. steht; sie ist der Nat.versammlung verantwortlich und von ihrem Vertrauen abhängig. Die *Legislative* liegt beim Parlament; es besteht aus der Nat.versammlung und dem Senat. Die 577 Abg. der Nat.versammlung werden bei allg. Wahlrecht (ab 18 Jahre) für 5 Jahre gewählt. In einem Wahlkreis ist als Abg. gewählt, wer die absolute Mehrheit (über 50%) der abgegebenen Stimmen von mindestens $^1/_4$ der Wahlberechtigten erhält. Kommt diese Mehrheit im ersten Wahlgang nicht zustande, findet eine Woche später ein 2. Wahlgang statt, in dem die relative Mehrheit entscheidet. Die 319 Mgl. des Senats, der mehr die „territorialen Einheiten" des Landes vertreten soll und gegenüber Reg. und Nat.versammlung eine Art suspensives Veto hat, werden für 9 Jahre (alle 3 Jahre Neuwahl von $^1/_3$ der Senatoren) indirekt in den Departements von Wahlmännerkollegien gewählt.

Die in der Nat.versammlung vertretenen *Parteien* sind u. a. der Parti Socialiste (PS), der gaullist. Rassemblement pour la République (RPR), die Union pour la Démocratie Fran-

çaise (UDF; ein Wahlbündnis von Centre des Démocrates Sociaux [CDS], Parti Radical-Socialiste [PRS] und Parti Républicain [PR]), der Parti Communiste Français (PCF), der Front National, verschiedene Rechte.

Neben den polit. Parteien sind *Verbände* im polit. Raum wichtige Interessenvertretungen. Spitzenorganisation der Arbeitgeber ist der Conseil National du Patronat Français (CNPF). Der wichtigste Agrarverband ist die Fédération Nationale des Syndicats d'Exploitants Agricoles (FNSEA), deren Funktionäre und Mgl. aus allen polit. Gruppierungen kommen. Die frz. Gewerkschaftsbewegung weist 3 große Gruppierungen auf: Die mit der Kommunist. Partei eng verbundene Confédération Générale du Travail (CGT), der 38 Einzelgewerkschaften angeschlossen sind, die gemäßigte Force Ouvrière (FO), die 28 Einzelgewerkschaften umfaßt, sowie die linkssozialist. Confédération Française Démocratique du Travail (CFDT) mit 23 kleinen Einzelgewerkschaften.

Zur regionalen und kommunalen *Verwaltung* ist F. in 22 Regionen, 96 Départements, 325 Arrondissements, 3714 Kantone und über 36400 Gemeinden gegliedert. An der Spitze jeder Departementsverwaltung steht seit dem Dezentralisierungsgesetz von 1982 ein vom Präs. ernannter „Kommissar der Republik", der den Präfekten mit seinen weitgehenden Befugnissen abgelöst hat.

Die *Rechtsprechung* gliedert sich horizontal in die ordentl. Gerichtsbarkeit und die Verwaltungsgerichtsbarkeit, vertikal in 6 bzw. 3 Stufen. Das System der ordentl. Gerichte umfaßt auf der untersten Stufe eine Art von Schiedsgerichten, die bei Arbeits- und bei kommerziellen Konflikten tätig werden. Die übrigen 5 Stufen in der Hierarchie der ordentl. Gerichtsbarkeit sind die lokalen Gerichte erster Instanz, die höheren Gerichte erster Instanz, die Geschworenengerichte, die Appellationsgerichte und schließl. an der Spitze der Pyramide der Kassationshof in Paris. Die Verwaltungsgerichtsbarkeit beginnt auf der untersten Stufe mit den nach Sachbereichen unterschiedenen Gerichten. Darüber stehen die allg. Verwaltungsgerichte, höchste Instanz ist hier der Staatsrat. Die Verfassungsgerichtsbarkeit wird vom Verfassungsrat ausgeübt (9 Mgl., je 3 Mgl. ernennt der Staatspräs., der Präs. der Nat.versammlung und der Präs. des Senats), ohne dessen Zustimmung kein Verfassungsgesetz in Kraft tritt. Die frz. *Streitkräfte* unterstehen dem Staatspräs.; er ist Vors. des Obersten Verteidigungsrates. Bei allg. Wehrpflicht beträgt die Dienstzeit 1 Jahr. Die Gesamtstärke der frz. Streitkräfte beträgt 456 900 Soldaten (darunter 13 500 Frauen). Außerdem gibt es die seit den 1950er Jahren aufgebaute frz. strateg. Atomstreitmacht (Force Nucléaire Stratégique, Abk. FNS), schlagwortartig als „Force de frappe" bezeichnet. Neben den Streitkräften existieren paramilitar. Verbände von insgesamt rd. 87 400 Mann Stärke (Gendarmerie und Sicherheitskräfte, die dem Innenmin. unterstellt sind). ▭ *Braudel, F.: F. Dt. Übers. Stg. 1990. 2 Bde. –* *Gesch. Frankreichs. Hg. v. J. Favier. Dt. Übers. Stg. 1989/90. 6 Bde. (bisher 5 Bde. erschienen). – Sieburg, H. O.: Gesch. Frankreichs. Stg. ⁴1989. – Grosser, A.: F. und seine Außenpolitik 1944 bis heute. Dt. Übers. Mchn. 1989. – F. – Europa – Weltpolitik. Hg. v. H. Elsenhans u.a. Wsb. 1989. – Schäfer, U.: Reg.-parteien in F. Stamsried 1989. – Bluche, F.: F. zur Zeit Ludwigs XVI. Dt. Übers. Ditzingen 1989. – F.-Ploetz. Frz. Gesch. zum Nachschlagen. Freib. ²1988. – Länderbericht F. 1987. Hg. v. Statist. Bundesamt. Stg. 1988. – Pletsch, A.: F. Stg. ²1987. – Loth, W.: Gesch. Frankreichs im 20.Jh. Stg. 1987. – Bertier de Sauvigny, G. A. de: Die Gesch. der Franzosen. Dt. Übers. Mchn. 1986. – Hartmann, J.: Frankreichs Parteien. Köln 1985. – Weisenfeld, E.: Frankreichs Gesch. seit dem Krieg. Von de Gaulle bis Mitterrand. Mchn. ²1982. – Erbe, M.: Gesch. Frankreichs von der Großen Revolution bis zur 3. Rep. 1789–1884. Stg. 1982.*

Franktireurs (Francs-tireurs) [frãti'rø:rs; frz. „Freischützen"], bewaffnete Zivilisten, die hinter der Front Kleinkrieg führen. F. gab es insbes. während des Dt.-Frz. Krieges 1870/1871 in Frankreich und während des 1. Weltkrieges in Belgien. „Francs-Tireurs et Partisans français" war 1940–45 der Name der militär. Organisation der ↑ Résistance.

Fransenfingereidechsen ↑ Eidechsen.
Fransenflügler, svw. ↑ Blasenfüße.
Františkovy Lázně [tschech. 'frantjiʃkovi 'la:znjɛ] ↑ Franzensbad.
Frantz, Justus, * Hohensalza 18. Mai 1944, dt. Pianist. – Seit 1986 Prof. an der Hamburger Musikhochschule; organisierte bis 1994 alljährlich das Schleswig-Holstein-Musikfestival.

Franz, Name von Herrschern:
Hl. Röm. Reich:
F. I. Stephan, * Nancy 8. Dez. 1708, † Innsbruck 18. Aug. 1765, Kaiser (seit 1745). – 1729 Herzog von Lothringen und des schles. Hzgt. Teschen; 1730 Statthalter von Ungarn; mußte 1736 auf Lothringen verzichten, 1737 mit dem Großherzogtum Toskana entschädigt; heiratete 1736 ↑ Maria Theresia und wurde 1740 ihr Mitregent; als Kaiser besaß er zwar wenig polit. und militär. Einfluß, machte sich aber durch administrative und finanzielle Reformen verdient.
F. II. Joseph Karl, * Florenz 12. Febr. 1768, † Wien 2. März 1835, Kaiser (1792–1806), als F. I. Kaiser von Österreich (1804–35). – Akzeptierte als Antwort auf die Selbsternennung Napoleons I. zum Kaiser der Franzosen die Errichtung des Kaisertums Österreich 1804; konnte damit und mit der Erklärung (in Verbindung mit der Niederlegung der Röm. Kaiserkrone) 1806, das Hl. Röm. Reich sei erloschen, Napoleons Streben nach den Röm. Kaiserkrone zunichte machen; billigte Österreichs Erhebung gegen Napoleon 1806–09 und widerstrebte nach deren Scheitern zunächst einer polit. Schwenkung, v. a. aber der polit. Heirat seiner Tochter Marie Louise mit Napoleon; vertrat mit Beharren auf Tradiertem nach 1815, außen- und innenpolit. teils starrer als Metternich, dessen „System".
Frankreich:
F. I., * Cognac 12. Sept. 1494, † Rambouillet 31. März 1547, König (seit 1515). – Gewann durch den Sieg über die im Dienste Mailands stehenden Schweizer bei Marignano (1515) das Hzgt. Mailand. Schloß 1516 mit den Schweizern den „Ewigen Frieden" (alleiniges Recht Frankreichs, Söldner aus der Eidgenossenschaft zu ziehen) und mit Papst Leo X. das Konkordat von Bologna. Als er 1519 bei der Kandidatur um die Kaiserwürde Karl I. von Spanien unterlag, kämpfte er in 4 Kriegen (1521–26, 1527–29, 1534–36, 1542–44) mit diesem (nunmehr Kaiser Karl V.) um das burgund. Erbe und Italien sowie gegen die habsburg. Umklammerung. Im 1. Krieg wurde F. bei Pavia (1525) vernichtend geschlagen und geriet in Gefangenschaft; in span. Haft 1526 zum Frieden von Madrid gezwungen, verweigerte er nach seiner Freilassung die Ratifikation. Die Friedensschlüsse von Cambrai (1529) und Crépy (1544) bestätigten seine Niederlage.
F. II., * Fontainebleau 19. Jan. 1544, † Orléans 5. Dez. 1560, König (seit 1559). – Sohn Heinrichs II. und Katharinas von Medici, Enkel F.' I.; seit 1558 ∞ mit Maria Stuart von Schottland; seine kurze Regierung stand vollkommen unter dem Einfluß seiner Mutter und der Herzöge von Guise.

Liechtenstein:
F. Joseph II., * Schloß Frauenthal (Steiermark) 16. Aug. 1906, † Grabs (Schweiz) 13. Nov. 1989, Fürst (seit 1938).
Lothringen:
F. Stephan, Herzog † Franz I. Stephan, Kaiser des Hl. Röm. Reiches.
Österreich:
F. I. † Franz II. Joseph Karl, Kaiser des Hl. Röm. Reiches.
Österreich-Ungarn:
F. Joseph I., * Schönbrunn (= Wien) 18. Aug. 1830, † ebd. 21. Nov. 1916, Kaiser von Österreich (seit 1848) und König von Ungarn (seit 1867). – Nach der Märzrevolution von 1848 sah er in der Aufrichtung und Sicherung unbeschränkter Autorität der Zentralgewalt die Lebensfrage der Monarchie und der Dynastie. Unter dem Einfluß von Fürst Schwarzenberg liquidierte er 1851 die Verfassungszugeständnisse der Revolutionszeit und ersetzte sie durch das System des neoabsolutist. Zentralismus. Er trug daher mehr als nur formale Verantwortung für die internat. Isolierung Österreichs im Krimkrieg und das Desaster des Sardin.-Frz.-Östr. Krieges 1859. Die Niederlage im Dt. Krieg 1866 führte zur problemat. Entscheidung des östr.-ungar. † Ausgleichs. Die Gefahr der wachsenden Rivalität zu Rußland in der Balkanfrage vermochte er nicht voll zu erkennen. Den Wirkungszusammenhang von ungelöster Verfassungskrise (Badenikrise), Verwicklung in die Balkanfrage und sich ergebendem Zugzwang zu einer längst über die Verhältnisse gehenden Politik der Stärke (Annexionskrise 1908/09) erfaßte F. J. in seinen Konsequenzen nicht mehr.
Conte Corti, E./Sokol, H.: Kaiser F. J. Graz ⁵1985. – Herre, F.: F. J. v. Österreich. Köln 1981.
F. Ferdinand, * Graz 18. Dez. 1863, † Sarajevo 28. Juni 1914, Erzherzog. – Neffe Kaiser Franz Josephs I.; nach dem Selbstmord des Kronprinzen Rudolf Thronfolger; seit 1899 General der Kavallerie, sah seine Hauptaufgabe in Ausbau und Modernisierung der östr. Land- und Seestreitkräfte; entwickelte Konzeptionen für einen Staatsumbau in föderalist. und liberal-demokrat. Sinne, blieb von den Regierungsgeschäften aber strikt ausgeschlossen; seine Ermordung durch serb. Verschwörer löste den 1. Weltkrieg aus.
Siebenbürgen:
F. II. Rákóczi (Ferenc R.), * Borsi 27. März 1676, † Rodosto (= Tekirdağ) 8. April 1735, Fürst (seit 1704). – Vertrat mit Nachdruck die antihabsburg. Tradition seines Hauses; wegen Vorbereitungen für einen Aufstand verhaftet, konnte aber nach Warschau fliehen. Proklamierte 1703 von Polen aus die Sonderrechte Ungarns und trat an die Spitze eines Heeres der Kurutzen; 1704 wurde er in Alba Iulia zum Fürsten von Siebenbürgen ausgerufen (1707 Absetzung des Kaisers als König von Ungarn), erlitt 1708 die entscheidende Niederlage bei Trenčín und floh nach Polen; lebte 1714–17 in Frankreich, danach in Konstantinopel.

Franz von Assisi (Francesco d'Assisi) hl., eigtl. Giovanni Bernardone, * Assisi 1181 oder 1182, † ebd. 3. Okt. 1226, italien. Ordensstifter. – Stammte aus wohlhabender Familie in Assisi. Nach Krankheit und Bekehrungserlebnissen pflegte F. v. A. Aussätzige und führte ein Bettlerleben. Seit 1209 schlossen sich ihm einige Gefährten an. Er gab ihnen Texte des N. T. als Lebensnorm (erste Regel) und verpflichtete sie als „Mindere Brüder" zum Dienst an Menschheit und Kirche in Armut und Buße. Innozenz III. billigte diese Lebensform 1210 mündlich, und es entstand eine rasch wachsende Brüdergemeinschaft, zu der 1212 nach der Bekehrung der adligen Klara von Assisi eine Schwesterngemeinschaft hinzukam. Über die eigenen Gemeinschaften hinaus zog F. v. A. Frauen und Männer in seinen Bann, die sich im Dritten Orden zusammenfanden und mitten in der Welt nach seinem Programm lebten. 1223 erhielt der Orden von F. v. A. seine endgültige Regel (durch Bulle Honorius' III. bestätigt). F. v. A. selbst trat 1220 von der Leitung des Ordens zurück. Seine Frömmigkeit fand in seinen Schriften (Regeln, Worte der Ermahnung, Sendschreiben, Gebete und bes. im „Sonnengesang") ihren Ausdruck. F. v. A. wurde 1228 von Gregor IX. heiliggesprochen. In der von Elias von Cortona erbauten Kirche San Francesco in Assisi wurde er begraben. – Fest: 4. Oktober. – Sein Leben lieferte schon früh den Stoff für viele literar. Werke, die z. T. in der Tradition der Legenden „I fioretti di San Francesco" stehen. Es entstanden nach dem Vorbild von J. G. Herder („Christenfreunde", 1780) zahlr. Vers- und Prosalegenden, Gedichte, Erzählungen, Romane und Dramen. – Unter den zahlr. zykl. Darstellungen der Legenden aus dem Leben des Heiligen in der italien. Kunst sind die berühmtesten: der Zyklus in der Oberkirche von San Francesco in Assisi von Giotto und seinen Schülern (zw. 1296 und 1304) und der Zyklus von Giotto in der Bardikapelle in Sante Croce, Florenz (entstanden nach 1317).
Atanassiu, G. u. a.: F. v. A. Stg. 1990. – Blume, D.: Die Wandmalerei als Ordenspropaganda. Bildprogramme im Chorbereich franziskan. Konvente bis zur M. des 14. Jh. Worms 1985. – Wendelborn, G.: Franziskus von Assisi. Eine histor. Darstellung. Wien ²1982. – Sabatier, P./Renner, F.: Leben des hl. F. v. A. St. Ottilien 1979.
Franz von Borgia [italien. 'bordʒa] (span. Francisco de Borja), hl., * Gandía (Prov. Va-

lencia) 28. Okt. 1510, † Rom 1. Okt. 1572, span.-italien. kath. Theologe, dritter Ordensgeneral der Jesuiten (seit 1565). – 1539–43 Vizekönig von Katalonien; als Generalkommissar der Jesuiten in Spanien und Rom und als Ordensgeneral um Ausdehnung des Ordens (in S-Amerika und M-Europa) und um straffere zentrale Leitung bemüht. – Fest: 10. Oktober.

Franz von Paula (Paola), hl., * Paola (Prov. Cosenza) 1436 (1416 ?), † Plessis-lez-Tours 2. April 1507, italien. Ordensgründer. – Gründete den Orden der Minimen, der 1474 päpstl. bestätigt wurde. Ab 1482 einflußreicher Ratgeber am frz. Königshof Ludwigs XI. und seiner Nachfolger. 1519 heiliggesprochen. – Fest: 2. April.

Franz von Sales (François de Sales) ['za:ləs, sal], hl., * Schloß Sales bei Annecy 21. Aug. 1567, † Lyon 28. Dez. 1622, frz. Theologe und Schriftsteller. – 1594 Priester, 1602 Bischof von Genf; 1610 gründete er mit J. F. F. de Chantal den Orden der Salesianerinnen; 1665 heiliggesprochen, 1877 zum Kirchenlehrer erklärt; Fest: 24. Jan. – Seine berühmtesten literar. Werke sind das u. d. T. „Philothea" bekanntgewordene Andachtsbuch „Introduction à la vie dévote" (1608, dt. 1699), und sein auch als „Theotimus" bekannter Traktat „Traité de l'amour de Dieu" (1616), die ihn in die Reihe der großen frz. Prosaisten stellen.

📖 *Lajeunie, E. J.: F. von Sales. Leben, Lehre, Werk. Dt. Übers. Eichstätt 1980. – Jb. für salesian. Studien. Hg. von der Arbeitsgemeinschaft für salesian. Studien. Eichstätt 1963 ff.*

Franz, Günther, * Hamburg 23. Mai 1902, dt. Historiker. – Prof. seit 1930 in Marburg, Heidelberg, Jena und Straßburg, zuletzt (seit 1957) in Stuttgart-Hohenheim; Arbeiten v. a. zur Agrargeschichte („Geschichte des Bauernstandes", 1970) und zur Geschichte des dt. Bauernkriegs („Der dt. Bauernkrieg", 1933, ¹²1984); Quelleneditionen; fachl. Bücherkunden und Wörterbücher.

Franzband [eigtl. „frz. Band"], Einbandart mit Buchdeckeln, die auf tiefem Falz angesetzt sind; Buchdecke oft lederüberzogen.

Franzbranntwein [eigtl. „frz. Branntwein"], kampferhaltige alkohol. Lösung für Einreibungen und Umschläge.

Franzensbad (tschech. Františkovy Lázně), Heilbad in der ČSFR, 5 km nördl. von Eger, 448 m ü. d. M., 4 800 E. Mineral- und Moorbad (Rheuma, Herzkrankheiten).

Franzensfeste (italien. Fortezza), italien. Gemeinde in Südtirol, 7 km nw. von Brixen, 801 m ü. d. M., 1700 E. – F. trägt seinen Namen nach den unter Kaiser Franz I. von Österreich 1833–38 zur Sicherung des wichtigen transalpinen Verkehrsweges gebauten mächtigen Befestigungen an der Eisackenge

(„Brixener Klause", die „Sachsenklemme" des MA).

Franzien ↑ Francia.

Franziskaner (offiziell lat. Ordo Fratrum Minorum; Abk. OFM), Mitglieder des „Ordens der Minderen Brüder", die nach der 1223 von Papst Honorius III. bestätigten Regel des ↑ Franz von Assisi leben, wonach sie ihr Leben nach dem Evangelium führen, auf jegl. persönl. und gemeinsamen Besitz verzichten und sich zum Dienst am Menschen durch Arbeit und Predigt verpflichten sollen. Sie gehören zu den sog. ↑ Bettelorden; zu ihrer Ordenstracht zählt braunes Habit mit Kapuze, weißer Strick als Gürtel, oft auch Sandalen. Der Orden ist bis heute in Seelsorge, Schule, Wissenschaft und Mission tätig. – Die Ausbreitung des Ordens erfolgte trotz interner Auseinandersetzungen, die im 13. Jh. zw. den *Spiritualen,* die auf wörtl. Regelbefolgung drangen, und den *Konventualen,* die eine Angleichung an die älteren Orden erstrebten, entstanden waren.

Franziskanerbrüder, die zum franziskan. Dritten Orden gehörenden Brüdergemeinschaften, die sich der Krankenpflege, Karitas und Erziehungsarbeit, z. T. in den Missionen, widmen.

Franziskanerinnen, Ordensgemeinschaften, die nach der Regel des franziskan. Dritten Ordens und ergänzenden Statuten leben. Ihre Tätigkeit liegt v. a. auf sozialem und pädagog. Gebiet.

Franziskanerschule, Richtung innerhalb der scholast. Philosophie und Theologie, in erster Linie im Franziskanerorden verbreitet. *Ältere F.:* Robert Grosseteste (* um 1175, † 1253), Alexander von Hales (* um 1175, † 1245). *Mittlere F.:* Bonaventura (* um 1221, † 1274), Johannes Peckham (* um 1220, † um 1292) und Richard von Middletown (* um 1249, † um 1308). Charakterist. ist der scharfe Gegensatz zu den Lehren des Thomas von Aquin. Die *jüngere F.* wurde von Johannes Duns Scotus (* um 1265/66, † 1308) begr., der die Lehren der vorhergehenden Schulen zu einem einheitl. System ausbaute (Skotismus).

Franz-Joseph-Land [nach dem östr. Kaiser Franz Joseph I.], eine zum größten Teil eisbedeckte Inselgruppe (etwa 190 Inseln) im Nordpolarmeer, östlich von Spitzbergen, 16 090 km², bis 620 m hoch; gehört zu Rußland; Polarstation. – 1873 von einer östr. Expedition unter K. Weyprecht und J. Payer entdeckt, seit 1928 sowjetisch.

Franzose ↑ Schraubenschlüssel.

Franzosenkraut, svw. ↑ Knopfkraut.

Französisch-Äquatorialafrika (Afrique-Équatoriale française), 1910–58 frz. Generalgouvernement bzw. Föderation von Territorien der Frz. Union auf dem Gebiet der heute unabhängigen Staaten Gabun, Tschad, Kongo und Zentralafrikan. Republik. Die frz. Kolonisation in diesem Gebiet begann 1842. Zum eigtl. Gründer der Kolonie wurde P. S. de Brazza, der mit Brazzaville 1880 die Verwaltungszentrale und spätere Hauptstadt (seit 1904) von F.-Ä. schuf. Das 1910 gebildete Generalgouvernement wurde 1946 in eine territoriale Föderation der Frz. Union umgestaltet. 1958 erlangten die 4 Territorien im Rahmen der Frz. Gemeinschaft ihre Autonomie, 1960 die vollständige Unabhängigkeit.

Französische Afar-und-Issa-Küste, ehem. frz. Überseeterritorium; ↑Dschibuti.

französische Broschur, Broschur mit einem an den Rändern angeklebten Doppelvorsatz und einem ringsum eingeschlagenen Schutzumschlag um den Umschlag.

Französische Gemeinschaft, 1958 bis 1960 bestehende Nachfolgeorganisation der Frz. Union auf staatsrechtl. Grundlage (Communauté); umfaßte Frankreich und die meisten seiner ehem. afrikan. Kolonien: Senegal, Soudan (seit 1960 Mali), Dahomey, Elfenbeinküste, Gabun, Kongo (Brazzaville), Madagaskar, Mauretanien, Niger, Obervolta, Tschad, Zentralafrikan. Republik, außerdem die UNO-Treuhandgebiete Kamerun und Togo. Bei innerer Autonomie der Mgl.staaten war die F. G. insbes. zuständig für Außen-, Verteidigungs-, Währungs- und Wirtschaftspolitik. 1960 bildete Frankreich mit den meisten seiner nunmehr völlig unabhängig gewordenen ehem. Kolonien auf völkerrechtl. Basis eine neue F. G. (Communauté rénovée), die heute aber nur noch formell besteht.

französische Kolonien, das frz. Kolonialreich, das im wesentl. in zwei Expansionswellen im 17. und 19.Jh. entstand und nach 1945 im Zuge der Entkolonisation bis auf kleine Restbestände aufgelöst wurde; erreichte zw. den beiden Weltkriegen seine größte Ausdehnung (12,154 Mill. km² mit rd. 35,273 Mill. E in Afrika; 861 000 km² mit rd. 21,05 Mill. E in Asien; 91 248 km² mit rd. 522 000 E in Amerika und 22 449 km² mit rd. 80 000 E in der Südsee). – J.-B. Colbert wurde zum eigtl. Begründer der frz. Kolonialmacht; 1682 besaß Frankreich die Insel Réunion, das Küstengebiet von Senegal, Cayenne, die östl. Gruppe der Antillen mit Guadeloupe und Martinique, den westl. Teil von Haiti, das Mississippi-Becken (1682 Louisiana gen.), Neufundland (↑Newfoundland) und Kanada entlang dem Sankt-Lorenz-Strom. Die frz. ostind. Kompanie hatte erste Stützpunkte in Indien gewonnen (Frz.-Indien). Im Span. Erbfolgekrieg (Frieden von Utrecht 1713) verlor Frankreich das Gebiet an der Hudsonbai, den größten Teil von Akadien und Neufundland, im Siebenjährigen Krieg (Frieden von Paris, 1763) fast alle Besitzun-

gen in N-Amerika und Indien an Großbritannien. Das westl. Louisiana kam 1762 an Spanien; 1800 Rückgabe an Frankreich, das dieses Gebiet 1803 an die USA verkaufte, die das östl. Louisiana bereits seit dem Ende des Unabhängigkeitskrieges (1783) besaßen. Beim Sturz Napoleons I. waren nur noch die Inseln Saint-Pierre-et-Miquelon bei Neufundland, Martinique, Guadeloupe, ferner Cayenne, Senegal, Réunion und 5 Kontore in Indien in frz. Besitz. 1830 begann mit der Eroberung von Algier eine neue Phase der frz. Kolonialexpansion. 1830–48 drangen die Franzosen in das Hinterland der Elfenbeinküste vor, erweiterten ihren Einflußbereich in Gabun und sicherten sich Stützpunkte auf den Komoren, auf Tahiti und den Marquesasinseln (Frz.-Polynesien). In den 1850er und 1860er Jahren wurden Plätze in Somaliland und Neukaledonien erworben. Mit der Eroberung von Cochinchina 1858–62 und dem Protektorat über Kambodscha wurde die Grundlage für die frz. Herrschaft über ↑Indochina gelegt. Im Zuge der imperialist. Expansion der europ. Großmächte erwarb die Dritte Republik seit den 1870er Jahren ein riesiges überseeisches Reich in Form von Kolonien, Protektoraten und Militärterritorien: Tunis 1881, Annam 1883/84, Tonkin 1885, Madagaskar 1885–97, Laos 1886, Frz.-Westafrika 1887–1909, Frz.-Äquatorialafrika 1880–1914, Marokko 1912. Nach dem 1. Weltkrieg erhielt Frankreich die größten Teile der dt. Kolonien Togo und Kamerun sowie das Völkerbundsmandat über Syrien und den Libanon. Die siegreichen nat. Emanzipationsbestrebungen in der Folge des 2. Weltkrieges führten zur vollständigen Auflösung des ehem. frz. Empire. Die frz. Niederlage im Vietnamkrieg (Diên Biên Phu) und der Algerienkrieg beschleunigten die Desintegration der ↑Französischen Union Ende der 1950er Jahre und ihre partielle Umwandlung in die lockere ↑Französische Gemeinschaft. Folgende Gebiete des ehem. frz. Kolonialreichs zählen heute noch zur Frz. Republik: Frz.-Guayana, Guadeloupe, Martinique, Réunion, Saint-Pierre-et-Miquelon als **Überseedepartements,** die als Teil des Mutterlandes gelten; Frz.-Polynesien, Neukaledonien, Wallis et Futuna, die Terres Australes et Antarctiques Françaises als **Überseeterritorien** mit beschränkter Selbstverwaltung sowie mit bes. Status die Komoreninsel Mayotte.

📖 *Fuchs, G./Henseke, H.: Das frz. Kolonialreich. Bln. (Ost) 1987. – Braunstein, D.: Frz. Kolonialpolitik 1830–1852. Stg. 1983.*

französische Kunst, die Geschichte der f. K. setzt an die Jt.wende an, als sich die Kunst des Westfränk. Reiches von der dt. Kunst abzuheben beginnt; beeinflußte die künstler. Entwicklung in Europa nachhaltig.

Französische Kunst. Innenraum der
Abteikirche Sainte-Madeleine in
Vézelay; um 1120–50

Mittelalter: In der roman. Epoche führten
die südl. Regionen die antike Tradition weiter. In der *Baukunst* wurden die Innenräume
der Kirchen mit einer Tonne überwölbt
(Saint-Trophime, Arles), während in Burgund und in der Normandie bald protogot.
Formen entwickelt wurden (Spitzbogen, Auf-

Französische Kunst. Georges de
La Tour, Die Verleugnung Petri;
1650 (Nantes, Musée des Beaux-Arts)

gliederung der Wand, Staffelchor, Chor mit
Umgang und Kapellenkranz, Doppelturm-
fassade). Charakterist. für die *Plastik* (meist
Bauplastik, v. a. Reliefs) war in der ersten
Hälfte des 12. Jh. ein visionär-ekstat. Stil von
starker ornamentaler Wirkung (Moissac,
Vézelay, Autun u. a.). Der Schöpfungsbau der
Gotik, mit der die f. K. die führende Rolle in
der europ. Kunst übernahm, war die Abtei-
kirche Saint-Denis bei Paris (1132–44). Kern-
landschaft der Gotik wurde die Île-de-
France. Kathedralen der Frühgotik sind
Chartres, Sens, Laôn, Noyon und Notre-
Dame in Paris. In der Hochgotik (Chartres
[Neubau], Amiens, Reims, Soissons u. a.) erhielt der Chor fast die gleiche Länge wie das
Mittelschiff. Die Spätgotik (Bourges, Le
Mans, Beauvais, Coutances u. a.) hatte in
Grundriß und Höhe der Kathedralbauten einen Hang zum Überdimensionalen. Im Flamboyantstil klang das MA aus. Die *Skulptur*
blieb in der Gotik Bauplastik, obgleich sie
sich bereits vollplast. von der Wand löste
(Königsportal, Chartres, um 1145). Dies er-
forderte eine neue Statuarik der Statue, die in
der Hochgotik in freier, gelöster Körperhaltung gipfelte. Gleichzeitig entstanden neue
Bildtypen, die über das MA hinaus wirksam
blieben (stehende Madonna mit Kind). In der
Spätgotik bildeten sich durch die Tätigkeit
des Niederländers C. Sluter und seiner Nachfolger in Burgund sowie durch M. Colombe
in Nantes Zentren der Monumentalplastik,
die bereits zur Renaissance überleiteten. In
der *Malerei* wurde im Süden (Avignon) unter
italien. und in Burgund unter fläm. Einfluß
das [Altar]tafelbild entwickelt. Unter niederl.
Einfluß stand auch der zunehmend erzähler.,
realist. Stil der Buchmalerei (Brüder Limburg). Die got. Malerei gipfelte in den Glas-
fenstern der Kathedralen.

16.–Anfang des 19. Jahrhunderts: Mit der
Renaissance übernahm Italien die Führungsrolle, Frankreich nahm v. a. manierist.
Einflüsse auf und fand dann im 17. Jh. seine
eigenen klass. Formen. Bis ins späte 18. Jh.
stand v. a. die frz. [Schloß]architektur im Zeichen polit. Repräsentation, die dem Künstler
Gefühl für Maßstäbe, für das „Angemesse-
ne" („convenance"), für Würde und Geschmack („bon goût") abverlangte. Renais-
sanceschlösser entstanden v. a. an der Loire.
Schloß Vaux-le-Vicomte (1655–62) war die
Vorstufe für eines der bedeutendsten Bauwerke des frz. Barock, die Residenz von
Ludwig XIV. in Versailles (1661–82), eine
Dreiflügelanlage mit Ehrenhof. In Paris entstanden neben großen königl. Bauvorhaben
(Louvre, Tuilerien, Palais du Luxembourg,
Palais Royal u. a.) zahlr. adlige Stadtsitze
(„Hôtels"). Die *Plastik,* im Manierismus
durch F. Primaticcio (Stuckdekoration in

Fontainebleau), J. Goujon (Reliefs) und G. Pilon (Grabmäler) vertreten, bevorzugte seit dem 17. Jh. Standbild, Reiterstatue, Büste, meist in klassizist. Formsprache (A. Coysevox), Ausnahmen bildeten P. Puget, J.-A. Houdon. In der *Malerei* wurde die manierist. Schule von Fontainebleau bedeutend. Meisterwerke der frz. Kunst seit dem Klassizismus schufen N. Poussin (heroische Landschaft), Claude Lorrain (ideale Landschaft), P. de Champaigne (Porträt), die Brüder Le Nain, G. de La Tour (bäuerl. Genre). Der Rokokostil in Malerei und Kunstgewerbe im 18. Jh. signalisierte den Rückzug von gesellschaftl. Repräsentation in den Bereich des Privaten. Charakterist. für den Rokokodekor sind geschwungene, muschelartige Formen („Rocaille"). Die Rokokomalerei fand in ihren besten Werken Ausdrucksmöglichkeiten kapriziöser Frische und heiterer Natürlichkeit und ließ im lichtdurchfluteten Kolorit und im weichen, großzügigen Pinselduktus mitunter schon den Impressionismus ahnen (A. Watteau, J. H. Fragonard). Bereits gegen Ende des 18. Jh. kam es in Architektur, Plastik und Kunstgewerbe zu einem ausgeprägten Neoklassizismus, während in der Malerei bürgerlich einfache Themen aufgegriffen wurden (J.-B. S. Chardin; J.-B. Greuze). Klassizismus als programmat. Annäherung an die

Französische Kunst. Jules Hardouin-Mansart, Invalidendom in Paris; 1677–1706

Französische Kunst. Salomon de Brosse, Das Palais de Luxembourg in Paris; 1615–31

demokrat. Ideale der Antike brach sich Bahn mit der Frz. Revolution im Directoirestil und in der Malerei J. L. Davids. Im darauffolgenden napoleon. Empirestil traten klassizist. Formen, bereichert durch altägypt. und assyr. Motive, wieder in den Dienst herrscherl. Repräsentation (Schloß Malmaison).

19. und 20. Jahrhundert: *Architektur:* Restauration und Zweites Empire begünstigen den Historismus. Parallel dazu wurde der aus England übernommene Eisenskelettbau weiter entwickelt. Der erste reine Eisenskelettbau war der Eiffelturm (1889). Bedeutendster frz. Vertreter avantgardist. Architektur in der ersten Hälfte des 20. Jh. war Le Corbusier, der sowohl eine neue, expressive Kühnheit (v. a. im Sakralbau) wie das funktionelle Bauen beherrschte, das den frz. Wohnungs- und Städtebau weitgehend prägte (u. a. G. Candilis). Individuellere Gestaltungen u. a. bei E. Aillaud, F. Spoerry, R. Simounet, R. Schweitzer. R. Piano und R. Rogers setzten mit dem Bau des Centre National d'Art et de Culture Georges Pompidou (1971–77) avantgardist. Akzente in der Pariser Altstadt. In seiner Nachbarschaft entstand 1972–87 ein modernes Einkaufszentrum („Forum des Halles"). 1983–86 erfolgte der Umbau der Gare d'Orsay in ein Museum. 1984 wurde mit der Erweiterung des Louvre begonnen (1989 Eingangszone in Form einer Glaspyramide fertiggestellt). *Plastik:* Die Bildhauerkunst des 19. Jh. blieb der klassizist. Tradition verpflichtet und fand selbst im 20. Jh. bed. Vertreter (A. Maillol), das expressive Werk A. Rodins stieß vielfach auf Ablehnung. *Malerei:* Deutlicher noch als die Plastik stand die Malerei bis weit ins 19. Jh. hinein im Spannungsfeld zw. Klassizismus (J. A. Ingres) und romant. Strömungen (E. Delacroix, Historienmalerei und Symbolismus [G. Moreau]). Gesellschafts- und Sozialkritik trat v. a. in der

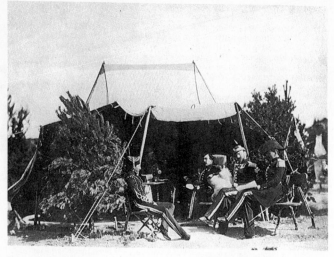

Französische Kunst. Gustave Le Gray,
Napoleon III. mit seinen
Offizieren; 1857 (Privatbesitz)

Graphik zutage (G. Doré, H. Daumier).
Landschaft wurde neu, realistisch erfaßt
(G. Courbet; die Freilichtmaler der Schule
von Barbizon). Freilichtmalerei, insbes. das
Werk C. Corots, bereitete den Impressionis-
mus vor, für den Licht und Farbe eine bes.
Bedeutung gewannen (C. Monet, A. Renoir,
A. Sisley, C. Pissarro u. a.). Eine Verfestigung
der Konturen trat wieder ein bei H. Toulouse-
Lautrec und der Schule von Pont Aven, deren
Vorbilder P. Gauguin und V. van Gogh waren, sowie bei den Fauvisten. Die Farbe wird
zum eigtl. Bildträger. Eine innere Struktur-
verfestigung über die Farbverteilung auf der
Bildfläche verfolgte P. Cézanne, wobei er an
Impressionisten wie C. Pissarro und É. Manet
anknüpfen konnte. Damit bereitete er die
kompositor. Bildzerlegung des Kubismus
vor, den G. Braque und P. Picasso 1907 in Paris begründeten und der mit J. Gris 1912 zum
synthet. Kubismus erweitert wurde. R. Delau-
nay, F. Léger u. a. knüpften an den Kubismus
an. Dada und Surrealismus waren wieder
eher emotionsbetonte Stilrichtungen (M.
Ernst, M. Duchamp, H. Arp, S. Dalí, J. Miró,
A. Masson). M. Duchamp gilt als Klassiker
der Objektkunst. Die abstrakte Malerei etablierte sich in Frankreich nur zögernd. Der
Durchbruch kam erst nach 1944 mit der École
de Paris (R. Bissière, J. Bazaine, M. Estève,
A. Manessier, G. Schneider, P. Soulages, N.
de Staël). Aus ihr ging auch die informelle

Malerei des frz. Tachismus (↑ abstrakter Expressionismus) hervor (R. Mathieu, S. Polia-
koff). Die Aufhebung traditioneller Kunst-
gattungen setzte in den 50er Jahren ein. Es
breitete sich eine Welle der Objektkunst aus
(„Assemblagen"; César, Arman, J. Dubuffet), begleitet von Sand- und Sackbildern (A.
Burri, Dubuffet) u. a. Erscheinungen („Nouveau realisme"). Y. Klein begründete die mo-
nochrome Malerei. In den 60er Jahren entfalten sich einerseits neokonstruktivist. Strömungen (Op-art [V. de Vasarély, J. R. Soto],
Minimal-art und kinet. [Licht]kunst), andererseits schafft Y. Klein die Verbindung der f.
K. zu Fluxus, Happening und Konzeptkunst.
Sehr bekannt in den 70er Jahren wurde Niki
de Saint-Phalle mit ihren Riesendamen-Ob-
jekten. In den 80er Jahren vollzog die „figuration libre" eine Wendung zu unkritisch-ge-
fühlvoller, naiv-volkstüml. Ausdrucksweise
(R. Combas, R. Blanchard, J. C. Blais). – Weitere Abb. S. 206/207.

⚏ *Raphael, M.: Das göttl. Auge im Menschen.*
Zur Ästhetik der roman. Kirchen in Frankreich.
Ffm. 1989. – Hamann, R.: Kunst u. Askese.
Bild u. Bed. in der roman. Plastik in Frank-
reich. Worms 1987. – Schardt, H.: Die frz. Pla-
katkunst. Paris 1900. Stg. 1987. – Gelleer, K.:
Frz. Malerei des 19. Jh. Kassel 1985. – Die frz.
Malerei. Hg. v. H. Damisch u. a. Freib. 1984. –
Zwanzig Jahre Kunst in Frankreich 1960 bis
1980. Ausstellungskat. Tüb. u. Bln. 1983. – Au-
bert, M.: Roman. Kathedralen u. Klöster in
Frankreich. Dt. Übers. Wsb. 1966. – Pobé, M./
Roubier, J.: Das got. Frankreich. Wien u.
Mchn. 1960.

französische Literatur, alt- und mittelfrz. Literatur: Das erste literar. Zeugnis in frz. Sprache, die „Eulaliasequenz" (um 880), ist ein Beweis für die prägende Kraft, die Sprache und Lehrinhalte der Kirche für die ma. Literatur Frankreichs besaßen. Die f. L. bis etwa 1200 schöpfte einerseits aus gelehrten Konventionen (z. B. die hagiograph. Texte oder der sog. „antike" Roman [Alexanderromane]) und andererseits aus der reichen Quelle der volkstüml. Überlieferung. So wurden ep. und lyr. Formen und Gattungen schriftl. fixiert wie die „Chansons de geste", Heldenlieder, die von den Kämpfen histor. teilweise identifizierbarer Krieger und Herrscher berichten. Sie fanden ihr berühmtestes Beispiel im „Rolandslied" (um 1100), das vom Tod des Neffen Karls des Gr. im August 778 berichtet. Auch die zweite große Gattung der frz. Literatur des 12. Jh., der höf. Roman, nahm volkstüml. Überlieferungsgut auf, das bes. aus dem kelt. Sagenkreis um König Artus stammte. Zugleich war der bedeutendste Verf. höf. Romane, Chrétien de Troyes, auch mit Werken antiker Autoren, v. a. Ovids, sehr gut vertraut. Nach der Blüte der provenzal. Lyrik (ab 1100) eroberte sich von etwa 1160 an die altfrz. Literatur diese Ausdrucksform (↑ Troubadours, ↑ Trouvères). Zum Ende des 12. Jh. wurde der Gralstoff aus dem Rahmen der ritterl. Erzählung herausgenommen und Element eschatolog. Seinserklärung. Aus den Versfassungen des 12. Jh. entstand zw. 1220/ 1235 der große Prosa-Lancelot-Gral-Zyklus, der eine der Vorlagen der später ausufernden Ritter- und Abenteuerromane wurde. Mit der großbürgerl. Gesellschaft der Städte gewann die f. L. vom 13. Jh. an einen realistischeren, auch satir. skept. Ton. Neben der Darstellung der Selbstzerstörung der höf. Welt in der Versnovelle „La chastelaine de Vergi" (Die Schloßherrin von Vergi) gewannen die Stadt Arras und ihre Bürger in den Abschiedsliedern des Jean Bodel und des Adam de la Halle krit. Kontur. Die Satire, im „Roman de Renart", bei Rutebeuf und bei Jean de Meung im „Rosenroman", und deren burleske Überzeichnung in den Fabliaux oder der Epenparodie „Audigier" bereicherte nun zusehends Ausdrucks- und Formenwelt der ma. f. L. Andererseits entstand die erste normative frz. Poetik („Art de dictier" [1392] des E. Deschamps). Diese Tendenzen setzten sich in den „Arts de seconde rhétorique" vom Anfang des 15. Jh. fort. Die Literatur sprengte jedoch ständig die normativen Bemühungen, insbes. die Passionsspiele (A. Gréban) und die persönlich getönte Lyrik F. Villons, deren Wirkung bis ins 20. Jh. ungebrochen blieb. **16. Jahrhundert:** Durch den Humanismus wurden die antiken Autoren in ihren Urtexten neu entdeckt und von den Wucherungen der ma. Auslegungen befreit. Griech. und röm. Dichter gewannen Modellfunktion für die nationalsprachliche Literatur. Die Literatur des italien. Trecento gewann dabei Vorbildcharakter. Von unerschöpfl. Gelehrsamkeit und von Volkstraditionen zugleich inspiriert, lieferte F. Rabelais mit seinen Geschichten um Gargantua und Pantagruel den satirisch-utop. Entwurf einer idealen humanist. Welt, wobei er alle Möglichkeiten des gelehrten sprachl. Spiels und Nonsens ausnutzte. 1549 legte J. Du Bellay das Sprach- und Literaturmanifest einer Autorengruppe vor, die sich nach alexandrin. Vorbild „Pléiade" nannte: die „Défense et illustration de la langue française". Das Französische sollte formal und inhaltl. in die Schule antiker und italien. Werke gehen. Du Bellay selbst und P. de Ronsard nahmen sich zeitweilig Petrarca, Horaz und Anakreon zum Vorbild. Die antike Tragödie wurde zögernd wiederentdeckt und imitiert (R. Garnier), ausführl. Diskussionen über die Dramentheorie des Aristoteles in Italien bereiteten die frz. Klassik vor. Die Grauen der Religionskriege zeichneten die Literatur der Zeit, so das Epos „Les tragiques" (1616) A. d'Aubignés, wie die „Essais" (1580–95) M. de Montaignes.

17. Jahrhundert: Der sprachlich kühne, Neologismen und Dialektformen nicht scheuende literar. Aufbruch der frz. Renaissanceliteratur erhielt in F. de Malherbe einen strengen Zensor, er schrieb aber auch einige der schönsten Verse der f. L. überhaupt. Der vorklassisch-barocken Strenge öffneten sich nicht alle Gattungen in gleicher Weise. Im Umkreis der Salonkultur hochgebildeter Aristokratinnen verwilderte der Roman: Als arkad., galantes Epos überwand er endgültig den Ritterroman ma. Herkunft, ohne allerdings dessen zahllose Abschweifungen aufzugeben (H. d'Urfé, M. de Scudéry). Der literar. Barock in Frankreich entdeckte die span. Literatur als Inspirationsquelle, P. Corneilles Tragikomödie „Der Cid" (1637) ist dafür ein Jahrhunderte überdauerndes Zeugnis. An ihm schieden sich jedoch die Geister: Er erfüllte nicht die Regeln der drei Einheiten von Ort, Zeit und Handlung. Die aristotel. Theorie wurde zum immer präziseren Maßstab des literar. noch Gestatteten. Neben den gesellschaftlich-moralisch bedingten Regeln („bienséances") hatte der Autor dem Kriterium der Wahrscheinlichkeit zu genügen, das durch P. D. Huets „Traité de l'origine des romans" (1670; Abhandlung über den Ursprung der Romane) eine der Grundlagen der künstler. Emanzipation des Romans wurde, der in der „Prinzessin von Clèves" der Madame de La Fayette (1678) seinen ersten Höhepunkt erreichte. Der Streit der Dichtungstheoretiker vertrieb Corneille mit aus der

Gunst des nun vom normierenden Glanz des
absoluten Königtums Ludwigs XIV. faszi-
nierten Publikums. J. Racine hieß der neue
Stern der Tragödienbühne, Molières Komödien entlarvten Zeit und Zeitloses („Tar-
tuffe", 1669). Die vollkommene Übernahme
antiker Literaturtheorien und antiker Literatur machte die Zeit reif für das Lehrgedicht
„Die Dichtkunst" (1674) von N. Boileau-
Despréaux'. Der Widerstand artikulierte sich
schon bald: In seiner Akademierede vom Jan.
1687 löste C. Perrault die „Querelle des an-
ciens et des modernes" (Streit zw. den Anhängern einer an der Antike bzw. an bewußter Zeitgenossenschaft orientierten literar.
Norm) aus, mit der zugleich der Beginn eines
epochenspezifisch deutenden Literaturver-
ständnisses markiert wurde.

18. Jahrhundert: Der frz. Klassik folgten Tendenzen, die auf die Aufhellung von Bewußt-
seins- und Empfindungsvorgängen gerichtet
waren. Bes. in den Romanen P. de Marivaux'
und des Abbé Prévost, in denen ein allmählich selbstbewußter werdender dritter Stand
seine Stimme erhob, wurde dieses Phänomen
deutlich. Neben der gelehrten Diskussion
über Rolle und Funktion der Literatur, in der
neben der Fortsetzung der klass. Poetik zunehmend der Bedeutung des Publikums
Rechnung getragen wurde, galt die Aufmerksamkeit Voltaires und D. Diderots der Erfassung und Bestimmung von Zufall und Glück,
Freiheit und Vorherbestimmung der einzelnen (Voltaire, „Candide", 1759; Diderot,
„Jacques der Fatalist", entstanden 1773–75,
hg. 1796). Mit der großen „Encyclo-

Französische Kunst. Claude Monet,
Frau mit Schirm; 1875 (Paris,
Musée d'Orsay)

pédie" (1751–80), deren Elan wesentlich von
J.-J. Rousseau mitgetragen wurde, setzten die
Herausgeber J. Le Rond d'Alembert und
D. Diderot die Zeichen für die Ausweitung
der Fähigkeiten des Individuums. Literatur-
theoretisch und literarhistorisch nahmen
D. Diderots Dramentheorie und die Natur-
schilderungen J. J. Rousseaus und J. H. Ber-
nardin de Saint-Pierres Entwürfe von Romantik und Nachromantik vorweg.

19. Jahrhundert: Aus der unmittelbaren Begegnung mit der Geschichte während der Revolution von 1789 gewann die Literatur des
19. Jh. bedeutsame Impulse zu einer Neu-
orientierung: Auf der Ebene ihrer Theorie
wurde die einseitige Ausrichtung an klass.
(antiken und nat.) Modellen ersetzt durch die
Deutung des Einzelwerkes (zusammenfas-
send V. Hugo in seinem Vorwort zum Drama
„Cromwell", 1827). Dadurch gewann auch
das MA den ihm gebührenden Rang, erlangte
z. T. mod. Attraktivität. In der literar. Praxis
erfolgte die Entdeckung des bes. Individuums in Selbstinszenierungen (H. B. Constant
de Rebecque, É. P. de Senancour, F. R. de
Chateaubriand; A. de Musset, G. de Nerval,
A. de Vigny) sowie durch Enthüllung des Genius in der Geschichte (H. de Balzac, V. Hugo, P. Mérimée). Neben Drama und Lyrik
weitete v. a. der Roman sein Ausdrucksspek-
trum aus. Der Realismus, der an die Stelle der
Nachahmung der klass. Dichtung trat, fand
in der bewußt als Sittengeschichte konzipier-

Französische Kunst. Auguste Rodin,
Die Bürger von Calais;
Bronzereplik, 1884 ff. (Basel,
Kunstmuseum)

ten „Comédie humaine" (1829–54) H. Balzacs ebenso seinen Ausdruck wie im rationalleidenschaftl. Werk M. H. B. Stendhals („Rot und Schwarz", 1830) und der nur scheinbar distanzierten Seelenanatomie G. Flauberts („Madame Bovary", 1857). Die Entwicklung der Wissenschaften begünstigte in der zweiten Jh.hälfte den Versuch der Präzisierung des romant. Realismusbegriffs durch die Einbeziehung naturwiss., auf soziolog. (H. Taine) und medizin. (C. Bernard) Untersuchungen basierender Erkenntnisse im naturalist. Werk É. Zolas und seiner Schüler (Kreis von Médan). Der Lyrik aber war dieser Weg zu direkt. Die vielfältig vorbereitete poet. Revolution C. Baudelaires entwarf nicht nur eine neue Ästhetik des Häßlichen, sondern deutete das Universum als eine Fülle von Chiffren, die wechselseitig aufeinander verweisen und einander deuten. Aus diesem Aspekt seiner Dichtung schöpften die Symbolisten (P. Verlaine, A. Rimbaud, S. Mallarmé, z. T. Lautréamont). Auswege aus der Eindimensionalität des herrschenden Rationalismus suchten auch religiös inspiriert P. Claudel, der damit zum Initiator einer neuen Bedeutung des Katholizismus in der frz. Literatur wurde („Renouveau catholique"), okkultist. und esoter. J. K. Huysmans und farcenhaft grotesk und absurd Alfred Jarry, der mit seinem „König Ubu" (1896) zum Ahnvater des sog. absurden Theaters wurde.

20. Jahrhundert: Die Vielfalt von Formen und Inhalten, die die Literatur des 19. Jh. hervorgebracht hatte, schien zunächst in einer Art klassizist. Neubesinnung gehalten, wie sie bes. von den Autoren um die einflußreiche Literaturzeitschrift „La Nouvelle Revue Française" (1909 ff.) – unter ihnen als Haupt A. Gide – gepflegt wurde. Aber bereits M. Proust durchbrach mit dem Romanzyklus „Auf der Suche nach der verlorenen Zeit" (1913–27) jede enge Normvorstellung und eröffnete dem Roman des 20. Jh. neue Horizonte. Das Erlebnis des 1. Weltkriegs verwandelte die literar. Szene vollkommen. Aus der Erfahrung des Bankrotts bürgerl. Wertvorstellungen entstanden ebenso die Nonsensausbrüche des Dadaismus wie der um die Aktivierung unbewußter schöpfer. Potenzen bemühte Surrealismus, dem G. Apollinaire den Namen gab. Sie wurden die Anreger moderner sprachexperimenteller („visueller" oder „konkreter") Lyrik, die sich in Frankreich als „lettrisme" (I. Isou) oder „spatialisme" (P. Garnier) artikulierte. Einen immer bedeutenderen Platz nahmen im 20. Jh. die Autoren ein, die neben ihrem literar. auch intensiv ein literaturtheoret.-essayist. Werk pflegten, in dem sie Erkenntnisse aus Surrealismus und Psychoanalyse (G. Bataille, M. Blanchot; als Literaturkritiker G. Bachelard), aus Phäno-

Französische Kunst. Georges Braque,
Der Tisch des Musikers; 1913
(Basel, Kunstmuseum)

menologie, strukturaler Sprachwiss. und russ. Formalismus (C. Lévi-Strauss, R. Barthes) verarbeiteten. Im Umkreis des phänomenolog. Existentialismus entstand das Werk J.-P. Sartres, S. de Beauvoirs und in An- und Ablehnung zugleich dasjenige A. Camus', das histor. von den Erfahrungen des 2. Weltkrieges und der Résistance mitgeprägt ist. Die neuen Erfahrungen des Schreibens (F. Ponge) wurden in den 50er und 60er Jahren im sog. Neuen Roman (Nouveau roman) greifbar (N. Sarraute, A. Robbe-Grillet, z. T. M. Duras). Er verdrängte das humane, sich in seinem Willen begründende Subjekt ebenso endgültig aus dem Zentrum wie das gleichzeitige „absurde Theater" S. Becketts und E. Ionescos. Die polit. Entwicklungen in der

Französische Kunst. Niki de Saint
Phalle und Jean Tinguely,
Brunnenanlage auf der Place Igor
Strawinski in Paris; 1983

2. Hälfte der 60er Jahre brachten teilweise eine Hinwendung zu maoist. Gedankengut (J.-P. Sartre; Gruppe „Tel Quel"). Spezif. Weiterentwicklungen im Bereich von Strukturalismus und Semiotik sind für die Werke von R. Barthes, J. Derrida, M. Foucault und J. Lacan kennzeichnend. Nach der Hinwendung zu marxist. Vorstellungen wird durch die „Neuen Philosophen" (z. B. A. Glucksmann, J.-M. Benoist) die Vielfalt des Individuellen zur Wiedererlangung schöpfer. Freiräume angestrebt. Verbreitet in der erzählenden Prosa ist die Hinwendung zur Retrospektive (histor. und autobiograph. R., Tagebücher, Memoiren), die mit universalen existentiellen Themen sowie der Suche nach eigener Identität verbunden wird (P. Modiano, M. Yourcenar, J. Cabanis, A. Cohen, Le Clezío, C. Mauriac). Innovationen in bezug auf Inszenierung und Dramaturgie des Literarischen werden weniger von der zeitgenöss. dramat. Literatur als vom aktuellen Filmschaffen erwartet, dessen Entwicklung Autoren wie A. Robbe-Grillet und M. Duras mitbestimmen. Die lebendige Vielfalt in der Lyrik wird u. a. von M. Deguy, D. Roche, M. Chapsal geprägt.

Belgien: Die belg. Literatur in frz. Sprache gehört unabhängig von der Begründung des selbständigen Staates 1830 seit dem MA bis heute fest zum Bestand der frz. Lit. Im 19. Jh. nahmen belg. Autoren ebenso wie die anderer Länder Europas Tendenzen des frz. Realismus und bes. des Symbolismus auf. Im 20. Jh. lassen sich u. a. Einflüsse von Surrealismus und Neuem Roman beobachten. Bekannte belg. Autoren: E. Verhaeren, M. Maeterlinck, H. Michaux, G. Simenon.

Frankophonie: In den ehem. frz. Kolonien entwickelte sich z. T. eine selbständige Literatur in frz. Sprache, die Überlieferungen des jeweiligen Landes mit denen Frankreichs verbindet oder konfrontiert (Algerien, Marokko, Tunesien, Schwarzafrika).

📖 *Frz. Literaturgesch. Hg. v. J. Grimm. Stg. 1989. – Wittschier, H. W.: Die frz. Lit. Tüb. 1988. – Krit. Lex. der roman. Gegenwartslit. Hg. v. W.-D. Lange. Losebl. Tüb. 1984 ff. – Engler, W.: Lex. der f. L. Stg. ²1984. – Lope, H. J.: Frz. Literaturgesch. Hdbg. ²1984. – Papst, W.: Frz. Lyrik des 20. Jh. Bln. 1983. – Bersani, J., u. a.: La littérature en France depuis 1968. Paris 1982. – Der frz. Roman. Hg. v. K. Heitmann. Düss. 1975. 2 Bde.*

französische Literatur in der Schweiz ↑ schweizerische Literatur.

französische Literatur in Kanada ↑ kanadische Literatur.

französische Musik, Mittelalter und Renaissance: Neben liturg. Gesängen entstanden um 970 zu großen kirchl. Festen kurze, gesungene geistl. Spiele mit Tropen zu Texten dieser Gesänge. Am Anfang des 12. Jh. nahm die weltl. Einstimmigkeit im Zusammenhang mit der Lyrik der ↑ Troubadours und ↑ Trouvères ihren Aufschwung. Im Bereich der Mehrstimmigkeit wurden an der ↑ Notre-Dame-Schule die ersten großen Kunstwerke geschaffen. Seit Adam de la Halle breitete sich die Mehrstimmigkeit auch auf weltl. Formen, wie Rondeau, Virelai und Ballade, aus.

Im 14. Jh. eröffnete die ↑ Ars nova den Musikern neue techn. Möglichkeiten. Bed. geistl. und weltl. Werke schuf Guillaume de Machault. Einflüsse aus England und Italien schlugen sich im Werk von G. Dufay nieder, der mit Messen, Motetten und geistl. Chansons neben G. Binchois als Hauptmeister des 15. Jh. gilt. Diese Musiker bereiteten den Weg für den Höhepunkt der Polyphonie, deren unerreichte Vertreter J. Ockeghem und Josquin Desprez waren. Daneben sind u. a. noch L. Compère, P. de la Rue und A. Brumel zu nennen. Orlando di Lasso, der alle spezif. nat. Stilelemente der europ. Musik verwendete, stand mit einem Teil seiner Kompositionen in der frz. und fläm. Tradition. Nach 1500 wurde der polyphone Satz durch den neuen harmon. Stil verdrängt.

Klass. Periode: Im 17. und 18. Jh. wurde v. a. das Ballet de cour gepflegt, ein theatral. Werk aus Musik und Tanz ohne dramat. Einheit. J.-B. Lully schuf in Zusammenarbeit mit Molière die Tragédie lyrique, die, vom Gedanken des Gesamtkunstwerks getragen, eine stark von der Sprache bestimmte und der Deklamation nahestehende Vokalkunst mit instrumentalen Partien verbindet. Zeitgenossen und Nachfolger Lullys, wie M.-A. Charpentier, griffen die Tragédie lyrique auch auf, jedoch verbreitete sich nach 1697 die Opéraballett, deren Handlung dem Tanz weiten Raum gewährte. A. Campra, M. Pinolet de Montéclair, A. C. Destouches waren die großen Vertreter vor J.-P. Rameau, der alle dramat. Gattungen pflegte. Die frz. Opéra-comique von A. d'Auvergne, F. A. Philidor und A. E. M. Grétry wies einen Zug zur Einfachheit auf, der sich gegen die Werke von Lully und Rameau stellte und in C. W. Glucks Opernreform aufgegriffen wurde.

Vom Ende des 16. Jh. bis 1660 vollzog sich in der geistl. Musik eine allmähl. Veränderung. Wurde zunächst noch doppelchörig komponiert, so führte H. Du Mont den Generalbaß ein. Mit M.-R. Delalande erreichte die Motette ihren Höhepunkt. Die Musik für Tasteninstrumente wurde erst relativ spät selbständig, so in den Werken für Orgel von J. Titelouze, für Cembalo von J. Champion de Chambonnières und L. Couperin. F. Couperin vereinigte in seinen Orgel- und Cembalokompositionen die Eigenheiten der frz. Klaviermusik mit Klangsinn und stark ausgeprägter Ornamentation, während die Cembalostücke von Rameau die bis dahin noch spürbare Verbindung zur Lautenmusik aufgaben und einen neuen frz. Klavierstil begründeten.

19. und 20. Jahrhundert: Nach der Frz. Revolution waren italien. Musiker führend, bes. Spontini und Cherubini: v.a. die italien. Oper nahm nach 1830 eine alles beherrschende Stellung ein. H. Berlioz war der einzige Vertreter der musikal. Romantik in Frankreich. Die Oper erfuhr eine Erneuerung mit den Werken des von R. Wagner beeinflußten C. Gounod. Nat. Tendenzen prägte die Musik u.a. von C. Saint-Saëns und É. Lalo. Einflüsse R. Wagners waren noch bei A. E. Chabrier bestimmend, während G. Bizet als Gegenpol Wagners gilt. G. Fauré war der bedeutendste Vertreter der Spätromantik. – C. Debussy leitete mit seinem lyr. Werk einen Wendepunkt in der f. M. ein. Der mit seinem Namen verbundene Impressionismus ist eine Einzelleistung der f. M., an der auch noch M. Ravel und P. Dukas teilhatten. Der mit dem 1. Weltkrieg markierte Einschnitt wird von der Gruppe der „Six" (D. Milhaud, A. Honegger, F. Poulenc, G. Tailleferre, G. Auric, L. Durey) gekennzeichnet, die sich von Wagner und Debussy ebenso abzusetzen versuchte wie die von E. Satie ausgehende „École d'Arcueil" (H. Sauguet, H. Cliquet-Pleyel, M. Jacob, R. Désomière) mit ihrem Streben nach Einfachheit und Klarheit. Eigene Ziele setzten sich O. Messiaen, A. Jolivet, D. Lesur und Y. Baudrier in der Gruppe „Jeune France". Nach dem 2. Weltkrieg wurde R. Leibowitz zum Hauptvertreter der an Schönberg und seine Schule anschließenden Zwölftonmusik, während seit 1948 – ausgehend von E. Varèse – P. Schaeffer und P. Henry mit ihrer ↑konkreten Musik neue Klangdimensionen eröffneten. Ihre Bestrebungen stehen in enger Verbindung mit den zahlr. Werken der elektron. Musik, zu der L. Ferrari wichtige Beiträge lieferte. I. Xenakis benutzt seit 1955 hauptsächlich mathemat. Verfahren beim Komponieren (↑stochastische Musik); mit Problemen von „Metatonalität" und „offener Form" beschäftigten sich C. Ballif und J. Barraqué. Als wichtigster Vertreter der seriellen Musik gilt P. Boulez, in dessen Werk alle entscheidenden avantgardist. Richtungen vertreten sind. In seinem Umkreis experimentieren auf der Suche nach neuen musikal. Ausdrucksmitteln u.a. G. Amy, J. C. Éloy, A. Louvier und P. Mestral.

📖 *Groth, R.: Die frz. Kompositionslehre des 19. Jh. Wsb. 1983. – Dufourcq, N.: La musique française. Paris 1970. – Boyer, F.: Kurzgefaßte Gesch. der f. M. Wsb. 1953.*

Französische Revolution, epochemachende gesellschaftl. Umwälzung in Frankreich 1789–99. Gedanklich in der Aufklärung wurzelnd, hervorgerufen durch wirtsch.-soziale Mißstände (ab 1787 Teuerungswellen und Hungerrevolten), beseitigte die F. R. gewaltsam das ↑Ancien régime und ersetzte die Herrschaft der bevorrechtigten Stände Adel und Klerus durch die des bürgerl. ↑dritten Standes. Sie wirkte über Frankreich hinaus auf die kontinentaleurop. Staatenwelt. Die angesichts des drohenden Staatsbankrotts 1787/88 einberufene Notabelnversammlung verhinderte wirksame Reformen, so daß die Einberufung der seit 1614 nicht zusammengetretenen Generalstände durch Ludwig XVI. als letzter Ausweg erschien (am 5. Mai 1789 eröffnet). Da die Forderung nach gemeinsamer Beratung und Abstimmung aller 3 Stände unentschieden blieb, erklärte sich der dritte Stand zur arbeitsfähigen Teilversammlung der Generalstände (12. Juni) und konstituierte sich, um einen großen Teil des niederen Klerus erweitert, zur Nationalversammlung (17. Juni). Den Auflösungsbefehl der Krone beantwortete sie mit dem Schwur im ↑Ballhaus (20. Juni). Mit ihrer Erhebung zur Verfassunggebenden Nationalversammlung (9. Juli) stellte sie die Legitimität der monarch. Herrschaft in Frage. Der Pariser Volksaufstand (Sturm auf die Bastille, 14. Juli) zwang Ludwig XVI. zur Bestätigung der Konstituante als Souverän Frankreichs. Die Erhebung der Massen in den Prov. führte zur Annullierung der Feudalrechte u.a. Privilegien (4./5. Aug.). Die Einziehung der Kirchengüter (2. Nov.) bedeutete das Ende der Kirche als größter und mächtigster Körperschaft des Ancien régime. Dies sowie die Entmündigung der Krone (Zwangsaufenthalt der königl. Familie in Paris seit Okt.) und bes. die Verkündung der Menschen- und Bürgerrechte (26. Aug. 1789) forderte das aristokrat. Europa heraus. Doch erst die in Varennes (21. Juni 1791) gescheiterte Flucht der königl. Familie bedeutete einen Wendepunkt. Der Klub der Jakobiner, der nach der polit. Ausschaltung der Sansculotten durch das von der Konstituante beschlossene Zensuswahlrecht (22. Dez. 1789) zum Zentrum der Opposition geworden war und dessen radikale Minderheit schon die Abschaffung des Erbadels durchgesetzt hatte (19. Juni 1790; 1. Emigrationswelle), spaltete sich in Gemäßigte (Klub der Feuillants) und Radikale (u.a. Danton, Marat, Desmoulins, Saint-Just, Robespierre). Letztere verwarfen die durch die Verfassung vom 3. Sept. 1791 errichtete konstitutionelle Monarchie und forderten die Republik. In der auf 2 Jahre gewählten Gesetzgebenden Versammlung (am 1. Okt. 1791 konstituiert) verschärften sich die Gegensätze, schließl. auch innerhalb der Linken (Girondisten und radikalere Bergpartei). Die Girondisten setz-

Französische Revolution. Der Sturm auf die Bastille am 14. 7. 1789; zeitgenössisches Gemälde

ten die Kriegserklärung (20. April 1792) an Österreich und Preußen durch, mußten aber nach dem Sturm auf die Tuilerien (10. Aug. 1792, Suspendierung der Monarchie und Inhaftierung der königl. Fam. im Temple) der demokrat. Wahl eines Nationalkonvents zustimmen, der am 21. Sept. die Republik ausrief. Im Nationalkonvent dominierte die Bergpartei, die den König hinrichten ließ (21. Jan. 1793) und das Revolutionstribunal errichtete (10. März). Robespierre warf die Girondisten nieder (31. Mai/2. Juni; 30. Okt. Liquidierung ihrer Elite). Im Zuge seiner Schreckensherrschaft (Machtausübung durch Sicherheits- und Wohlfahrtsausschuß, Sistierung der demokrat. Verfassung vom 24. Juni 1793) eliminierte Robespierre auch die radikalen Enragés und Hébertisten (13./14. März 1794), so daß er die soziale Stütze seines Programms verlor. Nach seinem Sturz (9. Thermidor = 27. Juli [1794]) etablierte sich die Großbourgeoisie als herrschende Klasse. Die liberale Verfassung vom 22. Aug. 1795 erneuerte die Zensuswahl. Die Reg. des Direktoriums (26. Okt. 1795 bis 9. Nov. 1799) beendete erfolgreich den 1. Koalitionskrieg, mußte aber den Staatsbankrott erklären und zur Diktatur zurückkehren; sie wurde durch den Staatsstreich Napoléon Bonapartes (18. Brumaire = 9. Nov. [1799]) gestürzt.
📖 Schulin, E.: Die F. R. Mchn. ³1990. – Flake, O.: Die F. R. 1789–1799. Zürich ²1989. – Markov, W./Soboul, A.: 1789 – Die Große Re-

volution der Franzosen. Köln ³1989. – Jeschonnek, B.: Revolution in Frankreich 1789–1799. Ein Lexikon. Bln. (Ost) 1989. – Pabst, S.: Die Köpfe der F. R. 1789–1799. Ffm. 1989. – Die F. R. u. Europa 1789–1799. Hg. v. H. Timmermann. Saarbrücken-Scheidt 1989. – Folgen der F. R. Hg. v. H. Krauss. Ffm. 1989. – Schulze, W.: Der 14. Juli 1789. Biographie eines Tages. Stg. ²1989. – Bertaud, J. P.: Alltagsleben während der F. R. Dt. Übers. Freib. 1989.

französische Revolutionskriege ↑ Koalitionskriege.

Französischer Franc [frã:], Abk. FF, Währungseinheit in Frankreich; 1 FF = 100 Centimes (c).

französische Schweiz (Suisse romande), zusammenfassende Bez. für das französischsprachige Gebiet der Schweiz.

Französisches Komitee der Nationalen Befreiung (Comité Français de Libération Nationale), Abk. CFLN, 1943 in Algier gegr. Ausschuß aus führenden Mgl. des (1941 von de Gaulle in London als polit. Führungsorgan des Freien Frankreich gegr.) **Französischen Nationalkomitees** (Comité National Français, Abk. NF) und der sich vom Vichy-Regime absetzenden politisch-militär. Kräfte in Nordafrika; entwickelte sich zu einer von den frz. überseeischen Gebieten anerkannten Reg.; 1944 Umwandlung in die Provisor. Reg. der Frz. Republik unter de Gaulle.

französische Sprache, eine der roman. Sprachen, von rd. 100 Mill. (davon rd. 56 Mill. in Frankreich) gesprochen; entwickelte sich aus dem Volkslatein Galliens nördl. der Loire (Langue d'oïl). Südl. davon entstand die provenzal. Sprache (Langue d'oc). Früher als in der übrigen Romania zog man in N-Frankreich offizielle Konsequenzen aus dem Unterschied zw. Latein und Volkssprache: 813 gestattete das Konzil von Tours die Predigt in der roman. Sprachform. Die ersten sprachl. Zeugnisse dieser Anerkennung der Volkssprache sind die Straßburger Eide. Schneller als die anderen roman. Sprachen wandelte sich die f. Sprache. Während das Altfranzösische (11.–13. Jh.) ihnen noch nahesteht, führten die raschen Veränderungen des Mittelfranzösischen (13.–16. Jh.) zu dem in seiner Struktur von der übrigen Romania stark abweichenden Neufranzösischen (ab 17. Jh.).

Das Alt- und Mittelfranzösische: Das nördl. der Loire gesprochene Volkslatein unterschied sich früh vom Latein südl. der Loire. Dies war dadurch bedingt, daß der N später und weniger latinisiert wurde, so daß das Gallische länger im Gebrauch bleiben konnte. Die Sonderentwicklung N-Galliens wurde durch die weitere Isolierung, die durch die Gründung der Germanenreiche erfolgte, gefördert: Südl. der Loire entstand in der 1. Hälfte des 5. Jh. das Tolosan. Reich der Westgoten, nördl., in der 2. Hälfte des 5. Jh., das Fränk. Reich. Die Franken kamen zahlr. und siedelten sich als Bauern an. Die röm. Stadtkultur ging unter; german. Gewohnheitsrecht verdrängte das röm. Recht. Das Fränk. Reich wurde und blieb bis ins 9. Jh. zweisprachig. Die roman. Sprache unterlag nun stark dem Einfluß german. Aussprachegewohnheiten. Den Entlehnungen aus dem Gallischen und Fränkischen verdankt die f. S. die charakterist. Färbung ihres Wortschatzes. Hinzuzunehmen sind die wenigen Wörter, die mit den im 9. Jh. die Normandie besetzenden Normannen eindrangen. Das Französische unterscheidet sich seit den frühesten Literaturzeugnissen deutl. vom Provenzalischen und damit von den übrigen roman. Sprachen durch die stärkere Veränderung der Tonvokale und den weitgehenden Schwund von Konsonanten. Das Altfranzösische des 11. und 12. Jh. kennzeichnet eine große Vielfalt im phonet., morpholog. und syntakt. Bereich, die erst im Laufe des 13.–15. Jh. grammat. Vereinfachungen Platz macht.

Das Neufranzösische: Seine Eigenart ist nur erkennbar, wenn man vom Lautbild ausgeht. Im Vergleich mit den übrigen roman. Sprachen ist die extreme Reduktion des Wortkörpers am auffälligsten. Durch die Verkürzung des Wortes gibt es nur noch Wörter, die auf dem letzten Vokal betont sind. Dieses Prinzip wird auch auf Entlehnungen aus anderen Sprachen übertragen. Der Erbwortschatz ist dadurch gekennzeichnet, daß er vorwiegend einsilbig, höchstens zweisilbig ist. In der Folge im Satzzusammenhang ist ein Zurücktreten des Worttons hinter den Satzton; betont wird jeweils das Ende des Satzes oder der Sinngruppe. Die Beseitigung von Konsonantengruppen und der Abfall der Endkonsonanten hat dazu geführt, daß 80 % der Silben auf Vokal enden, entsprechend auch die Wörter überwiegend vokal. aussehen. Das Vokalsystem ist reich (16 Vokale); es besitzt zwei Serien, die das Italienische und Spanische nicht kennen: die gerundeten vorderen Vokale und die Nasalvokale. Die Reduktion des lautl. Inventars hatte auch die kompensator. Verwendung des Artikels (auch auf Grund der phonetisch meist ident. Singular- und Pluralformen), in der Verbalflexion die Markierung der Verbformen durch das Personalpronomen zur Folge.

Ausbildung der **Schriftsprache** und **Verbreitung** des Französischen: Um 1300 setzt sich das Franzische unter allen ma. Dialekten als Schriftsprache durch. Die einsetzende Festigung und Anerkennung der Volkssprache unterstützen im 16. Jh. das Edikt von Villers-Cotterêts (15. Aug. 1539), das die Verwen-

dung der f. S. als Gerichtssprache festlegte, und die Betonung von Wert und Bed. der Volkssprache gegenüber dem Griechischen und dem Lateinischen durch die Pléiade-Autoren (1549). Während die heutige etymologisierende Schreibweise ebenfalls auf das 16. Jh. zurückgeht, wurde die Systematik der neufrz. Grammatik vor allen Dingen im 17. und 18. Jh. entwickelt. Abgesehen von geringfügigen Neuerungen bestimmt die damals geprägte Norm noch heute die Bewertung der Korrektheit der Sprache. Das Sprachgebiet des Französischen umfaßt gegenwärtig Frankreich, die frz. Schweiz, einen Teil Belgiens, das sö. Kanada, die Kanalinseln, das Aostatal; in Luxemburg und Monaco ist Französisch Amtssprache, in Kanada und auf den Kanalinseln Amtssprache neben dem Englischen, in Belgien neben dem Niederländischen; Amtssprache ist es ferner in den zur Frz. Gemeinschaft gehörenden ehem. frz. Kolonien (außer Algerien [seit 1990]). In Schwarzafrika gewinnt es bes. als Verkehrssprache an Bedeutung.

📖 *Lexikon der romanist. Linguistik. Hg. v. G. Holtus u. a. Tüb. 1988 ff. – Price, G.: Das f. S. v. den Anfängen bis zur Gegenwart. Dt. Übers. Tüb. 1988. – Sergijewskij, M. W.: Gesch. der f. S. Dt. Übers. Mchn. 1979. – Rohlfs, G.: Vom Vulgärlatein zum Altfrz. Tüb. ³1968.*

Französische Union (Union Française), 1946 gebildete Gemeinschaft, die das frz. Mutterland, die frz. Überseedepartements und -territorien sowie die assoziierten Gebiete und Staaten umfaßte; 1958 von der ↑ Französischen Gemeinschaft abgelöst.

französische Weine, bed. Weinbaugebiete sind: Elsaß, Champagne, Loire, Burgund, Côtes du Rhône, Midi, Bordelais, Charente. Frankreich ist nach Italien zweitgrößter europ. Weinerzeuger mit durchschnittlich über 70 Mill. hl pro Jahr und bedeutendster Produzent von Qualitätsweinen (30 % der Ernte).

Französisch-Guayana (amtl. Guyane Française), frz. Überseedepartement an der NO-Küste Südamerikas, 91 000 km², 93 500 E (1989), Hauptstadt Cayenne; in zwei Arrondissements geteilt. – An die 320 km lange Küste schließt eine 15–40 km breite Küstenebene an. Nach S folgt ein niedriges, von flachen Bauxitrücken durchzogenes Hügelland, das in das Bergland von Guayana (bis 690 m Höhe) übergeht. Etwa 90 % des Territoriums sind von trop. Regenwald bedeckt. – Die Bev. setzt sich aus Kreolen sowie einer schwarzen und weißen Minderheit zus., im Landesinnern leben Buschneger und Indianer. Rd. 90 % der überwiegend kath. Bev. wohnen in der Küstenebene. Frz. ist Amtssprache. – Zuckerrohranbau (Verarbeitung zu Rum) im

Küstentiefland, Krabbenfischerei, Forstwirtschaft und Goldbergbau bilden die ökonom. Grundlage. In Kourou befindet sich das frz. Raumforschungszentrum mit Raketenbasis. **Geschichte:** 1498 erkundete Kolumbus die Küste Guayanas. Niederländer und Briten eroberten wiederholt frz. Besitzungen aus dem 16. Jh. Im Frieden von Utrecht (1713) verlor Frankreich das Gebiet zw. Rio Oiapoque und Amazonas. 1808 eroberten Briten und Portugiesen das Frankreich verbliebene Guayana, das dieses sich erst 1816 sichern konnte; 1854–1938 frz. Sträflingskolonie; seit 1946 frz. Überseedepartement. **Politische Verhältnisse:** F.-G. ist Überseedepartement, damit Bestandteil der Republik Frankreich und entsendet einen Abgeordneten in die Nat.versammlung und ein Mgl. in den Senat des frz. Parlaments. Die *Verwaltung* liegt in Händen eines Präfekten. Ein aus 16 gewählten Mgl. zusammengesetzter Generalrat hat beratende Befugnisse in bestimmten Fragen der Gesetzgebung.

Französisch-Indien (Inde Française oder Établissements Français dans l'Inde), bis 1954 die Restbestände des frz. Kolonialbesitzes in Indien, der auf die Tätigkeit der ostind. Kompanie zurückging (seit 1668 Errichtung von Handelsniederlassungen); schmolz im Siebenjährigen Krieg im wesentl. auf die fünf Städte Chandernagore im Gangesdelta, Pondicherry, Karikal und Yanam an der Ostküste sowie Mahe an der Westküste des ind. Subkontinents zusammen, die 1950–54 zu Indien kamen.

Französisch-Indochina ↑ Indochina.

Französisch-Polynesien (amtl. Polynésie Française), frz. Überseeterritorium im zentralen Pazifik, umfaßt zus. 130 Vulkan- oder Koralleninseln mit einer Gesamtfläche von etwa 4000 km^2 in einem Meeresgebiet von fast 2 Mill. km^2, etwa 189000 E (1988), Hauptstadt Papeete auf Tahiti. Hauptexportgüter sind Kopra, Vanille und Perlmutt; Fremdenverkehr. – 1903 erhielt F.-P. den Status einer Kolonie. Die Einheimischen bekamen 1945 frz. Bürgerrecht; seit 1959 Überseeterritorium; in den Statuten von 1977 und 1984 erhielt F.-P. innere Autonomie.

Französisch-Somaliland, bis 1967 Name des ehem. frz. Überseeterritoriums Frz. Afar- und Issa-Küste (↑ Dschibuti).

Französisch-Westafrika (Afrique-Occidentale Française), 1895–1958 frz. Generalgouvernement bzw. Föderation von Territorien der Frz. Union (umfaßte die heutigen Staaten Senegal, Elfenbeinküste, Mali, Guinea, Niger, Benin, Mauretanien und Burkina Faso). Die koloniale Durchdringung setzte ab 1659 von der W-Küste aus ein, seit Anfang 19. Jh. begann eine etappenweise Expansion, die 1854 zur Konstituierung der Kolonie Se-

negal und 1857 zur Gründung der späteren Hauptstadt von F.-W., Dakar, führte und nach 1900 endete. 1946 wurde F.-W. ein Überseeterritorium der Frz. Union. Die Indochina- und die Algerienkrise führten zur Auflösung von F.-W.; 1958 lehnte Guinea den Verbleib in der Frz. Gemeinschaft ab und gewann so volle Unabhängigkeit. Die übrigen Staaten auf dem Gebiet des ehem. F.-W. blieben, ab 1960 unabhängig, mit gewissen Schwankungen Frankreich eng verbunden.

Franz Xaver, eigtl. Francisco de Jassu y Xavier (Javier), * Schloß Xaviero (Prov. Navarra) 7. April 1506, † auf Sankian bei Kanton 3. Dez. 1552, span. kath. Theologe, Jesuit. – Mitbegründer des Jesuitenordens; 1541 als päpstl. Legat im Auftrag des portugies. Königs Johann III. in Indien, von wo aus er weitere Missionsreisen unternahm. Seine Bed. liegt in der planmäßigen Erforschung des Missionsfeldes und einer Anpassung an die Landessitten (u. a. Sprachstudium). 1622 heiliggesprochen, Fest: 3. Dez.; Patron der kath. Missionen.

frappieren [zu frz. frapper „schlagen"], in die Augen fallen, auffallen; stutzig machen; überraschen; befremden.

Frascati, italien. Stadt in Latium, sö. von Rom, 322 m ü. d. M., 19400 E. Bischofssitz; Kernforschungszentrum, Europ. Raumforschungsinstitut; Weinbau, Ölmühlen; Fremdenverkehr. – Zahlr. Barockvillen, u. a. Villa Aldobrandini (oder Belvedere), 1598–1603 erbaut für Papst Klemens VIII.; sö. Ruinen der Römerstadt **Tusculum.**

Frasch (Frash), Hermann [engl. fræʃ], * Oberrot (Rems-Murr-Kreis) 25. Dez. 1851, † Paris 1. Mai 1914, amerikan. Chemiker und Technologe dt. Herkunft. – Entwickelte 1876 ein Paraffinraffinationsverfahren, ein Entschwefelungsverfahren für Erdöl und das nach ihm ben. **Frasch-Verfahren** zur Gewinnung von Schwefel durch Einpressen von Heißwasser (170 °C) und Preßluft in die Lagerstätte.

Fräse [lat.-frz.] (Fraise), schmaler Backen- und Kinnbart (von Ohr zu Ohr); ohne Schnurrbart getragen.

Fräsen [lat.-frz.], spanende Bearbeitung von Werkstücken mit rotierenden Fräswerkzeugen (Fräser) zur Herstellung planer Flächen, von Nuten, Profilen usw.; **Fräser** sind Schneidwerkzeuge mit mehreren Schneiden auf der Außen- und Stirnseite (Walzen-, Stirn- oder Walzenstirnfräser).

Fraser, John Malcolm [engl. ˈfreɪzə], * Melbourne 21. Mai 1930, austral. Politiker. - 1955–83 für die Liberal Party Abg. im Repräsentantenhaus; seit 1966 mehrfach Minister (u. a. 1969–71 für Verteidigung); 1975–83 Führer seiner Partei und Premierminister.

Fraser River [engl. 'frɛɪzə 'rɪvə], Fluß in W-Kanada, entspringt in den Rocky Mountains, mündet bei Vancouver in die Georgia Strait (Pazifik), 1 368 km lang.

Frashëri, Naim [alban. 'fraʃəri], * Frashër 25. Mai (?) 1846, † Kızıltoprak bei Istanbul 20. Okt. 1900, alban. Dichter. – Vorkämpfer der alban. nat. Bewegung. Begann mit pers. Lyrik, verfaßte dann in alban. Sprache Lyrik, Epen, Schulbücher und Übersetzungen.

Fraßgifte ↑ Schädlingsbekämpfungsmittel.

Frater [lat. „Bruder"], im frühen Mönchtum Selbstbez. der Mönche. Nach der Unterscheidung in Priester- und Laienmönche Bez. für Laienmönche.

Fraternisation [lat.-frz.], Verbrüderung; **fraternisieren**, sich verbrüdern, vertraut machen.

Fraternité [frz. fratɛrni'te: „Brüderlichkeit"; zu lat. frater „Bruder"], eines der drei Losungsworte der Frz. Revolution (Liberté, Égalité, F.).

Fratizellen [zu mittellat. fraticelli, eigtl. „Mönchlein"], Name für verschiedene Gruppen der ↑ Armutsbewegungen des MA.

Fratres Minores [lat. „Mindere Brüder"], offizielle Bez. für die Franziskaner.

Fratzenorchis (Ohnsporn, Aceras), Gatt. der Orchideen mit der einzigen einheim. Art **Aceras anthropophorum**; Blüten ohne Sporn, klein, gelblich-grün bis bräunlich, in dichter Traube mit vierzipfeliger Unterlippe; geschützt.

Frau [zu althochdt. frouwe „Herrin, Dame"], erwachsener Mensch weibl. Geschlechts. Neben den Chromosomen, den inneren und äußeren Geschlechtsorganen und den Keimdrüsenhormonen beziehen sich die geschlechtsspezif. Besonderheiten der F. v. a. auf das äußere Erscheinungsbild. Im *Skelettsystem* bestehen im Mittel deutl. Unterschiede zu dem des Mannes. Das Becken der F. ist breiter und niedriger, die vorderen Schambeinäste bilden einen stumpferen Winkel, die Beckenschaufeln werden durch ein breiteres, nach hinten stärker gewölbtes Kreuzbein verbunden, der Beckeneingang ist, funktionsabhängig, absolut größer. Am *Schädel* sind die Überaugenwülste schwächer ausgebildet, die Stirn ist steiler und gleichmäßiger gewölbt. Der Kehlkopf ist durchschnittlich um fast ein Drittel kleiner. Die *Muskulatur* ist im Mittel schwächer ausgebildet, das Unterhautfettgewebe dagegen stärker ausgeprägt. Letzteres wird bes. an den Oberschenkeln, der Hüfte und der Brust angelagert. Die sekundäre *Körperbehaarung* ist schwächer, die obere Begrenzung der Schamhaare verläuft meist gradlinig horizontal, das Kopfhaar erreicht bei ungehindertem Wachstum eine größere Länge. – **Physiolog. Merkmale** beziehen sich bes. auf die Hormone (↑ Geschlechtshormone) und das blutbildende System. Der Eisenspiegel ist (durch die Menstruation bedingt) prozentual geringer, die Blutkörperchensenkungsgeschwindigkeit liegt im Mittel etwas höher. In **psycholog. Hinsicht** sind Unterschiede zw. Mann und F., da weitgehend aus den in verschiedenen Gesellschaftsformen vorherrschenden Rollen der Geschlechter resultierend, zurückhaltend zu interpretieren. Wechselbeziehungen zw. den psych. und den primären sowie sekundären weibl. Geschlechtsmerkmalen sind nach bisherigen Untersuchungen nur in geringem Maße vorhanden.

Soziologie: Der zahlenmäßige Anteil der F. an der Bev. variiert in den einzelnen Ländern. In europ. Ländern besteht ein F.überschuß, bedingt v. a. durch die höhere Lebenserwartung der F. Die soziale, polit., rechtl. und ökonom. Stellung der F. ist wesentlich durch die gesellschaftl. Bewertung ihrer Mutterrolle sowie durch ihre Verfügungsgewalt über Eigentum bestimmt. Trotz der v. a. mit der Industrialisierung einsetzenden Veränderung der Rolle der F. in der Gesellschaft (z. B. wachsende Integration in das Berufsleben und zunehmende Teilnahme am öffentl. Leben) sowie einer formalen Gleichstellung zw. Mann und Frau in modernen europ. Recht, ist mit wenigen Ausnahmen die Stellung der F. als unterprivilegiert zu bezeichnen (↑ Frauenbewegung).

Kulturgeschichte: Antike Mythologien und archäolog. Funde lassen die Vermutung zu, daß F. in den frühgeschichtl. Kulturen eine gesellschaftlich starke, wenn nicht beherrschende Stellung innehatten. Beginnend mit dem 7.–6. Jh. v. Chr. erfährt jedoch das patriachal. Prinzip mit der Auflösung der bäuerl. Sippengemeinschaft im antiken Griechenland eine zunehmende Aufwertung. In Philosophie und Dichtung erscheint die F. als „verfehlter Mann" (Aristoteles) bzw. Verkörperung der „niedrigen Seelenkräfte" (Platon). Die frühchristl. und ma. Kirche und Theologie bestimmten die Rolle der F. in der Gesellschaft unter Berufung auf Textstellen des A. T. und N. T., jedoch unter Verzicht auf die in der Bibel enthaltenen positiven Wertungen der F. (Preislied auf die F. in den Sprüchen Salomons; das Hohelied). Das Bild der F. schwankte zw. den Gestalten der amoral., den Mann vom Weg des Heils abbringenden Verführerin *Eva* und der mütterl. Heiligen *Maria*. Thomas von Aquin begründete die Gehorsamspflicht der F. gegenüber dem Mann mit aristotel. Argumenten. Diese Unterwerfung der F. unter den Mann galt jedoch nur für ihr weltl. Dasein, in ihrer spirituellen Existenz galt die F. als prinzipiell gleichgestellt.

Erst im 13. Jh. erlangte die F. ihre Anerkennung als Rechtssubjekt und v. a. in den Städten Zugang zu Handel und gewerbl. Produktion. In der vorreformator. Zeit gab es im Textilhandwerk sogar Frauenzünfte. Die gesellschaftl. Prozesse des 14./15. Jh. (Aufkommen neuer Produktionstechniken, Erstarken der Geldwirtschaft, Verelendung breiter Bevölkerungsschichten usw.) verschlechterten Ansehen und Stellung der F. immer mehr, bis zw. 1560 und 1630 die systematisch betriebenen Hexenverfolgungen Mill. F. das Leben kosteten. Seit der Frz. Revolution und der wirtsch. Umwälzung durch die Industrialisierung im 19. Jh. drangen F., wenn auch unter großen Schwierigkeiten, in alle gesellschaftl. Bereiche ein, organisierten sich und kämpften z. T. mit erhebl. Militanz (Suffragetten) um ihre gesellschaftl. Rechte. Heute ist in allen industrialisierten Ländern die Gleichstellung von F. und Mann verfassungsmäßig verankert, trotzdem wird die F. in vielen Bereichen der Gesellschaft weiterhin benachteiligt (v. a. im Berufs- und Familienleben).
Religionsgeschichte: Spezif. religiösen Funktionen der F. lag urspr. die Annahme einer bes. engen Beziehung der F. zu übersinnl. Mächten zugrunde (Schamanin, Seherin, Prophetin). Das weibl. Priestertum war häufig mit den zwei entgegengesetzten Keuschheitsopfern verbunden: dem Gelöbnis der Jungfräulichkeit oder der Ausübung der Tempelprostitution. Die historisch späteren Religionen weisen eine sukzessive Zurückdrängung religiöser Funktionen der F. auf, die erst in neuester Zeit durch die weitgehende Gleichstellung der Geschlechter rückläufige Tendenzen zeigt (↑ Pfarrerin).
📖 *Gerhard, U.: Frauen im Recht. Mchn. 1990. – Frauen u. Sexualmoral. Hg. v. M. Janssen-Jurreit. Ffm. 1986. – Spender, A.: Frauen kommen nicht vor. Sexismus im Bildungswesen. Ffm. 1985. – Millett, K.: Sexus u. Herrschaft. Mchn. 1983. – Beauvoir, S. de: Das andere Geschlecht. Dt. Übers. Rbk. 1979. – Frauenprogramm gegen Diskriminierung. Hg. v. M. Janssen-Jurreit. Rbk. 1979. – Friedan, B.: Der Weiblichkeitswahn oder Die Selbstbefreiung der F. Dt. Übers. Neuausg. Rbk. 1978. – Moltmann-Wendel, E.: Freiheit – Gleichheit – Schwesterlichkeit. Zur Emanzipation der F. in Kirche u. Gesellschaft. Mchn. ²1978. – Frauenbefreiung. Bibl. u. theolog. Argumente. Hg. v. E. Moltmann-Wendel. Mchn.; Mainz ²1978. – Bachofen, J. J.: Das Mutterrecht. Hg. v. H. J. Heinrichs. Ffm. 1975. – Bebel, A.: Die F. u. der Sozialismus. Neudr. der Jubiläumsausg. 1929. Bln. 1980.*

Frau Ava, † bei Melk 7. Febr. 1127, dt. Dichterin. – Das Todesdatum ist das der Klausnerin Ava, mit der die Dichterin vermutlich identisch war. Schrieb zw. 1120/25

eine von Laienfrömmigkeit geprägte frühmittelhochdt. Heilsgeschichte.
Frauenarbeit, Arbeit der Frau als Erwerbstätigkeit. Sie hat seit Beginn der Industrialisierung kontinuierlich zugenommen. In Deutschland stellen die Frauen in den alten Bundesländern rd. 40%, in den neuen Bun022120dern (1989) nahezu 50% der Erwerbstätigen. Damit ist die Erwerbsquote der Frauen im östl. Teil Deutschlands (über 80%) eine der höchsten der Erde. Die weibl. Erwerbsquote in *Österreich* liegt bei 57%, in der *Schweiz* bei 35%. – Die zunehmende wirtschaftl. Selbständigkeit der Frau ist eng verbunden mit ihrer Emanzipation im sozialen, polit. und kulturellen Bereich. Doch ist bisher in keinem Ind.staat eine Neuverteilung der Aufgaben in Beruf, Haushalt, Erziehung zw. Männern und Frauen gelungen, so daß fast immer die Gefahr der Überforderung der berufstätigen Frau besteht. Bes. häufig zu finden sind Frauen in den gewerbl. und kaufmänn., in den Büro- und Verwaltungsberufen sowie in den Sozial- und Lehrberufen. Noch immer sind weltweit Frauen im Beruf gegenüber Männern benachteiligt, überproportional in Niedriglohngruppen eingestuft und stärker von Arbeitslosigkeit betroffen. Dementsprechend überdurchschnittlich verbreitet ist die Altersarmut bei Frauen.
📖 *Gottschall, K.: F. u. Bürorationalisierung. Ffm. 1990. – Tippelt, R.: Bildung u. sozialer Wandel. Weinheim 1990. – Knapp, V.: F. in Deutschland. Mchn. ²1986. 2 Bde.*

Frauenarzt, svw. ↑ Gynäkologe.
Frauenbeauftragte, Frauen, die die Aufgabe haben, die Benachteiligung von Frauen im öffentl. Leben aufzudecken und abzubauen. Die F. sind meist in sog. Gleichstellungsstellen bei Kommunen, anderen öffentl. Arbeitgebern (z. B. Univ.), z. T. auch in Betrieben, eingesetzt. Zu ihren Aufgaben gehören u. a. die Prüfung von Gesetzes- und anderen Vorhaben auf mögl. Benachteiligung von Frauen, Erstellung von Frauenförderplänen, Beratung ratsuchender Frauen.
frauenberufliche Schulen, Schulen für Mädchen und junge Frauen zur Vorbereitung auf hauswirtsch., pfleger., sozialpädagog., gewerbl. (Textilind.) und landw. Frauenberufe. Neben den Berufsschulen v. a. als Berufsfachschulen, Berufsaufbauschulen, Fachschulen, Fachoberschulen und Fachhochschulen, die heute aber weitgehend nicht ausschließl. Frauen ausbilden.
Frauenbewegung, organisierte Form des Kampfes um polit., soziale und kulturelle Gleichstellung der Frau, häufig im Zusammenhang mit anderen sozialen Reformbewegungen. Während der Frz. Revolution entstanden zahlr. Veröffentlichungen zu den Rechten der Frau sowie in Frankreich revolu-

tionäre Frauenklubs (ähnlich in Deutschland um 1848). Die mit der industriellen Revolution verbundenen sozialen Umwälzungen gaben der F. nach 1850 in vielen Ländern neue Impulse. 1865 wurde der Allg. Dt. Frauenverein gegr., der sich v. a. mit Frauenarbeit und Frauenbildung beschäftigte. Die sozialist. Interpretation der Frauenemanzipation (A. Bebel, C. Zetkin) betonte, daß die Befreiung des Proletariats die Befreiung der Frau beinhalte. Das Hauptanliegen der frühen F., das Frauenwahlrecht, wurde schließlich zu ganz unterschiedl. Zeitpunkten erreicht: z. B. Finnland 1906, UdSSR 1917, Deutschland 1918, USA 1920, Großbritannien 1928, Frankreich 1944, Schweiz 1971. Im 1. Weltkrieg nahm die Frauenarbeit und damit die Integration der Frau in Politik und Gesellschaft zu. Einen starken Rückschritt brachte in Deutschland die NS-Ideologie von der Rolle der Frau als Gattin und Mutter. – Trotz Frauenwahlrecht und verfassungsrechtl. Gleichstellung ist bis heute die volle Integration der Frauen in das polit., soziale und kulturelle Leben nicht verwirklicht (z. B. Benachteiligung bei der Entlohnung, geringe Vertretung in den Parlamenten). So entstand in den letzten Jahren eine *neue F.* (↑ Feminismus; in den USA „Women's Liberation Movement"). In der BR Deutschland entwickelten sich nach 1968 aus der Studentenbewegung – v. a. auch im Zusammenhang mit dem Kampf um die Abschaffung des § 218 (Verbot des Schwangerschaftsabbruchs) – alternative Frauengruppen, die im Kampf gegen das gesellschaftl. System v. a. gegen die individuelle und gesellschaftl. Männerherrschaft angehen, wobei der Ausbau eines eigenen Kommunikationssystems (Frauenzentren, -verlage) und die Einrichtung von Selbsthilfeprojekten (u. a. Frauenhäuser) als Ansatz für die Entstehung einer weibl. Gegenkultur verstanden werden. Seit den 80er Jahren engagieren sich viele Frauen aus der autonomen F. in der Ökologie-, Antiatomkraft- und Friedensbewegung sowie bei den Grünen.

📖 *Schenk, H.: Die feminist. Herausforderung. 150 Jahre F. in Deutschland. Mchn.* [5]*1990. – Gesch. der dt. F. Hg. v. F. Hervé. Köln* [4]*1990. – Die F. Hg. v. G. Dölle u. a. Kassel 1989. – Frauenalltag – Frauenforschung. Ffm. 1988. – F. in der Welt. Hamb. 1988–90. 4 Bde. – Grundlagentexte zur Emanzipation der Frau. Hg. v. J. Menschik. Köln* [3]*1980.*

Frauenburg (poln. Frombork), Stadt im Ermland, Polen, östl. von Danzig, 25 m ü. d. M., 1 500 E. Kopernikusarchiv und -museum (N. Kopernikus wirkte 1512–43 in F.); Fremdenverkehr. – Um 1270 gegr.; 1310 Lübecker Stadtrecht, 1466–1772 unter poln. Oberhoheit, 1772 an Preußen, 1945 an Polen. – Got. Dom (1329–88).

Frauenchiemsee [...'ki:mze:] (Frauenwörth), Benediktinerinnenkloster auf der Fraueninsel im Chiemsee, Bayern, gegr. Mitte des 8. Jh.; 1803 säkularisiert, 1831 den Benediktinerinnen wieder überlassen, 1901 Abtei. Die roman. Kirche geht auf einen karoling. Bau zurück, Langhaus und Chorumgang um 1150, freistehender Glockenturm (1395). In der Basilika und in der Torkapelle bed. roman. und got. Wandmalereien.

Frauenemanzipation, Bestrebungen um rechtl., soziale und polit. Gleichstellung der Frau in bezug auf den Mann; hat ihre Ursprünge in der Frz. Revolution, erfuhr weitere Entwicklungen in den Ideen des Liberalismus und des Sozialismus. Bed. Themen der F.: Frauenwahlrecht, Stellung der Frau im Beruf (gleicher Lohn für gleiche Arbeit, gleiche Ausbildungschancen für die Frau), Fragen des Ehe- und Familienrechts; organisierte Formen der F. manifestierten sich in ↑ Frauenverbänden.

Frauenfachschulen, ↑ Berufsfachschulen hauswirtsch. und gewerbl. (Textilgewerbe) Richtung.

Frauenfarn (Athyrium), Gatt. der Tüpfelfarngewächse mit etwa 200 Arten in den gemäßigten Zonen; in M-Europa in Wäldern und auf Bergweiden nur zwei Arten, davon am bekanntesten der **Waldfrauenfarn** (Athyrium filix-femina) mit feinzerteilten, bis 1 m langen, hellgrünen Wedeln.

Frauenfeld, Hauptort des schweizer. Kt. Thurgau, 15 km nö. von Winterthur, 411 m ü. d. M., 19 000 E. Kantonsbibliothek, -museum. Metall- und Lederverarbeitung, Zukkerraffinerie, Textilind., Verlage und Buchdruckereien. – Im 13. Jh. für Reichenauer Gebiet gegr.; wurde habsburgisch, erwarb 1415 die Reichsfreiheit, 1442 bis zur Eroberung des Thurgaues durch die Eidgenossen erneut unter östr. Herrschaft; 1712–98 Tagsatzungsort der Eidgenossenschaft. – Got. Laurentiuskapelle mit Glasmalereien aus dem 14. Jh.; Rathaus (1790–94); Schloß F. (13. Jh.).

Frauenflachs, svw. ↑ Leinkraut.

Frauenhaar (Polytrichum commune), bis 40 cm hohes, lockere Polster bildendes Laubmoos auf sauren Wald- und Heideböden.

Frauenhaarfarn (Adiantum), Gatt. der Tüpfelfarngewächse mit über 200 Arten in allen wärmeren Gebieten der Erde; am bekanntesten ist der **Echte Frauenhaarfarn** (Adiantum capillus-veneris) mit vielen haarfein gestielten Fiederchen.

Frauenhandel (Mädchenhandel), das Anwerben, Verschleppen oder Entführen von Mädchen oder Frauen ins Ausland mittels Täuschung oder unter Anwendung von Zwangsmitteln, um sie zur Prostitution zu mißbrauchen. Zur Bekämpfung des F. wur-

den mehrere internat. Abkommen abgeschlossen; in der BR Deutschland gemäß § 181 StGB (Menschenhandel) unter Strafe gestellt. Nach § 6 Ziff. 4 StGB unterliegt der Frauen- und Kinderhandel dem Weltrechtsgrundsatz und wird von dt. Gerichten unabhängig von Tatort und Nationalität des Täters verfolgt.
Für das *östr.* und das *schweizer. Recht* gilt das zum dt. Recht Gesagte.

Frauenhaus, in Deutschland Bez. für Einrichtungen, in denen von Männern mißhandelte Frauen [mit ihren Kindern] vorübergehend Aufnahme finden.
◆ Bez. für die Schlafstätte unverheirateter Mädchen außerhalb des elterl. Hauses, u. a. auf Südseeinseln und in O-Afrika.

Frauenheilkunde, svw. ↑ Gynäkologie.

Fraueninsel ↑ Chiemsee, ↑ Frauenchiemsee.

Frauenkauf ↑ Kaufheirat.

Frauenkrankheiten, Erkrankungen der weibl. Geschlechtsorgane und Brustdrüsen.

Frauenkunst (feminist. Kunst), um 1970 aufgekommener Begriff, als zahlr. Künstlerinnen, zunächst in den USA, dann auch in Europa, feminist. Forderungen auf die Kunst ausweiteten. F. setzt sich mit der gesellschaftl. Stellung der Frau auseinander, baut herkömml. Rollenklischees ab und entwirft ein neues Bild der befreiten Frau, die sich mit sich selbst identifiziert. Leitfiguren der F.bewegung sind Künstlerinnen wie H. Höch, F. Kahlo, M. Oppenheim, N. de Saint Phalle. Zu den wichtigsten Vertreterinnen der F. gehören: E. Antin, J. Chicago, V. Export, R. Horn, A. Messager, F. Pezold, U. Rosenbach, K. Sieverding, H. Wilke, C. Sherman. 1981 wurde in Bonn das erste Frauenmuseum eröffnet. 1987 in Washington D. C. das „National Museum for Women in the Arts".
📖 *Frauenforschung und Kunst v. Frauen. Hg. v. M. Jochimsen u. a. Pfaffenweiler 1989. 2 Bde. – Das verborgene Museum. Hg. Neue Gesellschaft für Bildende Kunst, Ausst.-Kat. Bln. (West) 1987. 2 Bde. – Kunst u. Kultur v. Frauen: Weibl. Alltag, weibl. Ästhetik in Gesch. u. Gegenwart. Rehburg-Loccum ²1986. – Frauenkunstgesch. Zur Korrektur des herrschenden Blicks. Hg. v. C. Bischoff u. a. Gießen 1984. – Berger, R.: Malerinnen auf dem Weg ins 20. Jh. Kunstgesch. als Sozialgesch. Köln 1982. – Frauen in der Kunst. Hg. v. G. Nabakowski u. a. Ffm. 1981. 2 Bde. – Woman Artists. Kat. Los Angeles 1976.*

Frauenlob ↑ Heinrich von Meißen.

Frauenmantel (Alchemilla), Gatt. der Rosengewächse mit über 20 Arten vorwiegend in gemäßigten und kühlen Gebieten und Hochgebirgen; meist Stauden mit kleinen, gelbl. oder grünen Blüten und rundl.,

häufig fingerförmig eingeschnittenen Blättern; bekannt der **Gemeine Frauenmantel** (Marienmantel, Alchemilla vulgaris), auf feuchten Wiesen und in lichten Wäldern, Blätter mit 9–13 stark gesägten Lappen.

Frauenmilch, svw. ↑ Muttermilch.

Frauenpresse, die frühesten Frauenzeitschriften stammen aus der 1. Hälfte des 18. Jh. Um die Wende 18./19. Jh. entstanden die ersten Modezeitschriften. Nach 1848 entwickelte sich die F. in zwei Richtungen: reine Unterhaltungspresse, meist als Familienzeitschrift (z. B. „Die Gartenlaube"); zum anderen Blätter, die sich mit speziellen Problemen der Frauen befaßten, z. B. mit Frauenberufen oder mit der Frauenbewegung. Daneben entstanden konfessionelle Frauenzeitschriften. Nach 1933 wurde die F. der NS-Propaganda dienstbar gemacht und gleichgeschaltet. – Die auflagenstarken Frauenzeitschriften nach dem 2. Weltkrieg gehören vorwiegend zur Gruppe der Illustrierten und Modezeitschriften. Mit der Gründung von „Ms." (1972) in den USA, von „Courage" (1976) und „Emma" (1977) in der BR Deutschland entstand ein neuer Typ der Frauenzeitschrift, der sich umfassend und in radikal-reformerischer Zielsetzung der Emanzipation der Frauen widmet.

Frauenraub, gewaltsame Entführung eines Mädchens gegen oder mit dessen Willen zur Eheschließung; i. d. R. dort verbreitet, wo entweder der hohe Brautpreis oder die Kosten einer Hochzeitsfeier die Mittel der Eltern übersteigen oder wo wegen sozialer Schranken einer Eheschließung Schwierigkeiten im Wege stehen. F. ist heute noch verbreitet bei Naturvölkern sowie in Restformen (z. B. Verstecken der Braut) u. a. bei Türken und Tartaren. – F. war ein beliebtes Thema der antiken Mythologie, bereits in der griech. Vasenmalerei und Plastik mehrfach dargestellt; Wiederaufnahme bes. seit dem Manierismus; häufig auch im Barock.

Frauenschaft ↑ Nationalsozialistische Frauenschaft.

Frauenschuh (Cypripedium), Gatt. der Orchideen mit etwa 50 Arten auf der nördl. Erdhalbkugel; Blüten einzeln oder in wenigblütigen Trauben mit großer, schuhförmiger Unterlippe; in Europa in lichten Wäldern auf Kalk nur der geschützte **Rotbraune Frauenschuh** (Cypripedium calceolus) mit bis 10 cm langen, rotbraunen Blütenhüllblättern und goldgelber Lippe.

Frauensport ↑ Mädchen- und Frauensport.

Frauenverbände, Interessenverbände von Frauen; sie entwickelten sich bes. seit der Industrialisierung, ausgelöst einerseits durch das Bewußtwerden der Unterprivilegierung der Frauen in der Ausbildung, in sozialer und polit. Hinsicht, und andererseits durch ein starkes sozialpolit. Engagement v.a. von Frauen mittelständ. Herkunft. Um die Jh.wende beschäftigten sich in den USA zahlr. F. mit Friedenspolitik, Ausbildung und Beruf sowie dem Schutz von Minderheiten. In den meisten europ. Ländern setzten sich seit etwa 1850 F. für die Lösung sozialer Fragen (z. B. Schutz lediger Mütter, Problem der Prostitution), das Frauenwahlrecht und die Gleichberechtigung ein. Es bestehen nat. Dachverbände (Deutschland: Dt. Frauenrat, Österreich: Bund östr. Frauenvereine, Schweiz: Bund schweizer. Frauenvereine).

Frauenwahlrecht ↑ Wahlrecht.

Frauenzimmer, im späten MA das Frauengemach und die Gesamtheit der darin wohnenden weibl. Hausgenossen; seit Anfang des 17. Jh. für die einzelne Person verwendet; seit dem 19. Jh. in verächtl. Sinn.

Fräulein, urspr. als Verkleinerungsbildung zu „Frau", seit dem 12. Jh. Bez. und Anrede für die Jungfrau hochadligen Standes; die Bez. war bis ins 18./19. Jh. als „gnädiges F." dem Adel vorbehalten. Heute wird F. für die unverheiratete Frau nur noch beschränkt verwendet (allg. durch „Frau" ersetzt). – Auch Bez. für weibl. Angestellte in Dienstleistungsberufen (z. B. in der Gastronomie).

Fraunhofer, Joseph von (seit 1824), * Straubing 6. März 1787, † München 7. Juni 1826, dt. Optiker und Physiker. – Obwohl F. keinerlei akadem. Ausbildung hatte, wurde er zum Mgl. der Bayer. Akad. der Wiss. ernannt. 1819 wurde er Prof. und 1823 Konservator des Physikal. Kabinetts der Akad. – F. entwickelte neue Verfahren des Glasschmelzens sowie neue Schleif-, Berechnungs- und Prüfmethoden für Linsen. Seine opt. Geräte (Mikroskope, Refraktoren, Spektrometer) waren weit verbreitet. 1814 entdeckte er die nach ihm ben. Absorptionslinien im Sonnenspektrum (**Fraunhofer-Linien**). Mit seinen Untersuchungen zur Beugung verhalf F. der Wellentheorie des Lichts zum endgültigen Durchbruch. Er erfand das Beugungsgitter und führte damit absolute Wellenlängenmessungen von Spektrallinien durch.

Fraunhofer-Gesellschaft zur Förderung der angewandten Forschung e. V. [nach J. von Fraunhofer], Abk. FhG, 1949 gegr. gemeinnützige Gesellschaft (Sitz München), die z. Zt. etwa 40 wiss. Einrichtungen in Deutschland angewandte und anwendungsorientierte Forschung, v. a. auf dem Gebiet der Natur- und Ingenieurwiss., betreibt.

Frawaschi [awest.], im Parsismus der persönl. Schutzgeist jedes Menschen, der sich nach dessen Tod mit seiner Seele vereinigt.

Fraxinus [lat.], svw. ↑ Esche.

Frazer, Sir (seit 1914) James George [engl. 'freizə], * Glasgow 1. Jan. 1854, † Cambridge 7. Mai 1941, brit. Ethnologe. – Prof. in Liverpool und Cambridge; befaßte sich v. a. mit der Religion von Naturvölkern sowie der Antike aus ethnolog. Sicht („Der goldene Zweig", 2 Bde., 1890; 12 Bde., ³1907–15).

Frea ↑ Frigg.

Freak [fri:k; engl.], 1. jemand, der sich nicht ins normale bürgerl. Leben einfügt; 2. jemand, der sich übertrieben für etwas begeistert, z. B. Computerfreak.

Frechen, Stadt im Braunkohlenrevier der Ville, NRW, 60–120 m ü. d. M., 42 300 E. Galerie Keramion, internat. Graphik-Biennale. Braunkohlenbergbau, Brikettfabriken, Baustoff- und Steinzeugind. – 877 erstmals erwähnt; 1230 an die Herzöge von Jülich und 1609/14 mit Jülich-Berg an Pfalz-Neuburg, 1815 an Preußen; seit 1951 Stadt.

Freckenhorst, Ortsteil von Warendorf.

Fredegar, seit dem 16. Jh. fälschl. Name für den angebl. Verf. einer fränk. Weltchronik des 7. Jh., die mehrere Autoren wohl in Burgund geschrieben und um 660 abgeschlossen haben; für die Zeit bis 584 Kompilation aus älteren Vorlagen, für 584–642 eigenständige und wichtige Geschichtsquelle dieser Zeit, ebenso die Fortsetzungen bis 768.

Fredegunde, * um 550, † 597, fränk. Königin. – Unfrei geborene Nebenfrau König ↑ Chilperichs I. von Neustrien, dessen Gemahlin 567 nach der Ermordung Königin Galswindas, der Schwester Brunhildes; übernahm nach der Ermordung Chilperichs (584) die Regentschaft für ihren Sohn Chlotar II.

Fredensborg [dän. 'fre:'ðənsbɔr], dän. Schloß am Esrumsø, im NO der Insel Seeland, 1720–24 erbaut; Sommersitz der dän. Könige.

Fredericia [dän. freðə're(d)sja], dän. Hafenstadt an der O-Küste Jütlands, 46 000 E. Eisenbahnknotenpunkt, Erdölraffinerie, chem., Eisen-, Textilind; Brücke über den Kleinen Belt. – 1649 von König Friedrich III. als Festungsstadt mit rechtwinkliger Straßenanlage erbaut.

Fredericton [engl. 'fredriktən], Hauptstadt der kanad. Prov. New Brunswick, am Saint John River, 43 700 E. Sitz eines anglikan. Bischofs; Univ. (gegr. 1785), Bootswerften, Schuhind.; Hafen, ☒. – Gegr. 1783.

Frederiksberg [dän. freðrəgs'bɛr], dän. Gemeinde auf Seeland, Enklave in der Stadt Kopenhagen, 85 000 E. Königl. Hochschule für Veterinärmedizin und Agrikultur, Handelshochschule, Militärakad., dän. Rundfunk, Zoo; Königl. Porzellanmanufaktur.

Frederiksborg [dän. freðrəgs'bɔr], Renaissanceschloß im NO der dän. Insel Seeland, 1602–20 erbaut, mit bed. Parkanlage (1720–24); 1859 z. T. abgebrannt, nach Wiederaufbau nationalhistor. Museum, bed. Orgel von Esaias Compenius (1605–10/16). – Der am 3. Juli 1720 zw. Schweden und Dänemark geschlossene **Friede von Frederiksborg** beendete den 2. Nord. Krieg. Dänemark gab seine Eroberungen in Pommern (Stralsund, Greifswald, Rügen) und Wismar an Schweden gegen Zahlung von 600 000 Reichstalern und Anerkennung des dän. Sundzolls zurück.

Frederikshåb [dän. frεðregs'hɔ:'b] (Paamiut), Hafenort an der SW-Küste Grönlands, 2 300 E. Radio- und meteorolog. Station; Fischfang und -verarbeitung. – Gegr. 1742.

Frederikshavn [dän. freðrəgs'hau̯'n], dän. Hafenstadt am Kattegat, 35 000 E. Fischereihafen, Werft, Eisen-, Fischkonservenind., Fährverkehr u. a. nach Oslo, Göteborg. – Ab 1627 als Festung angelegt; Stadt seit 1818.

Fredrikstad [norweg. ˌfredriksta], Hafenstadt in SO-Norwegen, 26 500 E. Luth. Bischofssitz; u. a. Werft, Textil-, Elektroind.; Fährverbindung nach Frederikshavn. Im Stadtgebiet liegt **Gamlebyen**, eine 1567 gegr. Festungsstadt (unter Denkmalschutz).

Fredro, Aleksander Graf, * Surochów bei Jaroslaw 20. Juni 1793, † Lemberg 15. Juli 1876, poln. Dramatiker. – Schöpfer und bedeutendster Vertreter des poln. Lustspiels (u. a. „Herr Geldhab", 1821), bed. Memoiren.

Free Cinema [engl. 'fri: 'sɪnəmə „freies Kino"], Bewegung des engl. Films der späten 50er und frühen 60er Jahre, u. a. von den Regisseuren L. Anderson, K. Reisz und T. Richardson getragen (Ggs. zum Kommerzfilm); bed. Filme: T. Richardsons „Blick zurück im Zorn" (1959) u. a.

Freehold [engl. 'fri:hoʊld], bezeichnet im engl. Recht das freie Eigentum und bestimmte Arten des gebundenen Eigentums an Grund und Boden. Ursprünglich die Leiheform für den Freien, der dafür nur Ritterdienst schuldig war, im Ggs. zum zinspflichtigen Lehnsbesitz der abhängigen Bauern. Die **Freeholders** hatten seit dem Jahre 1429 Wahlrecht für das Unterhaus.

Free Jazz [engl. 'fri: 'dʒæz „freier Jazz"], ein um 1960 entstandener Stilbereich des Jazz. Der F. J. stellt den radikalsten Bruch in der Geschichte des Jazz dar, da in ihm alle herkömml. Gestaltungsprinzipien aufgehoben werden: an die Stelle der bis dahin gültigen harmon.-metr. Formschemata tritt die „offene Form", die tonalen Bezüge werden verschleiert oder negiert, der den Rhythmus regulierende † Beat wird weitgehend aufgehoben und die Tonbildung führt durch starke Geräuschanteile z. T. zu amelod., klangl. Improvisationsverläufen. – Seit 1965 beginnen sich im F. J. drei auseinanderstrebende Entwicklungen abzuzeichnen: 1. Der sog. „Mainstream" des F. J., der an die Musik der Wegbereiter O. Coleman, C. Taylor und J. Coltrane anknüpft und bluesbetont ist, 2. ein an der europ. Neuen Musik orientierter Stil und 3. ein an die außereurop. („exot.") Musik angelehnter Stil.
📖 Jost, E.: Europas Jazz 1960–1980. Ffm. 1987. – Jungbluth, A.: Jazz-Harmonielehre. Mainz 1981. – Jost, E.: F. J. Mainz 1975.

Freese, Heinrich * Hamburg 13. Mai 1853, † Strausberg 29. Sept. 1944, dt. Industrieller und Sozialpolitiker. – Führte als einer der ersten dt. Industriellen in seinem Berliner Unternehmen Arbeitervertretung und Tarifvertrag (1884), Gewinnbeteiligung für Angestellte und Arbeiter (1889/91) und Achtstundentag (1892) ein.

Freesie (Freesia) [nach dem dt. Arzt F. H. T. Freese, † 1876], Gatt. der Schwert-

Schloß Frederiksborg

Fregatte. Flugkörperfregatte der
Klasse 122: die „Bremen" der
deutschen Bundesmarine

liliengewächse mit nur wenigen Arten in
S-Afrika; Stauden mit schmalen, langen Blättern und weißen oder bunten, duftenden Blüten in nach einer Seite gerichteten Wickeln.
   Freetown [engl. 'fri:taʊn], Hauptstadt
von Sierra Leone, an der Küste der Halbinsel
Sierra Leone, 470 000 E. Sitz eines kath. und
eines anglikan. Bischofs; Univ. (gegr. 1967);
Nat.museum; größtes Ind.zentrum des Landes; wichtigster Handelshafen des Landes;
internat. ✈ in Lungi. – 1787 als Ansiedlungs-
platz für befreite Sklaven von Engländern
gegr.; wurde 1808 brit. Kolonie.
   Freeze-Bewegung [engl. fri:z] ↑ Friedensbewegung.
   Fregatte [roman.], ursprüngl. ein als Bei-
boot dienendes Ruderboot mit Besegelung.
Seit dem 17. Jh. Bez. für ein aus der Galeere
entwickeltes bewaffnetes Segelschiff mit drei
vollgetakelten Masten, das als Geleit- oder
Aufklärungsschiff diente. Der heutige F.typ
entstand im 2. Weltkrieg: ein wendiges
Kriegsschiff u. a. zum Geleitschutz und U-Boot-Jagd. Wasserverdrängung zw. 2 000
und 3 000 t, Geschwindigkeit etwa 30 Knoten.
   Fregattenkapitän ↑ Dienstgradbezeichnungen (Übersicht).
   Fregattvögel (Fregatidae), Fam. sehr
fluggewandter, ausgezeichnet segelnder, etwa
0,8–1,1 m langer Vögel mit fünf Arten, v. a. an
den Küsten und Inseln trop. und subtrop.
Meere; Flügelspannweite bis 2,3 m, Schwanz
tief gegabelt; Gefieder einfarbig schwarz
oder mit weißen Zonen auf der Bauchseite; ♂
mit Kehlsack, den es während der Balz zu einem mächtigen, knallroten Ball aufbläst.
   Frege, [Friedrich Ludwig] Gottlob, * Wismar 8. Nov. 1848, † Bad Kleinen (Landkr.
Wismar) 26. Juli 1925, dt. Mathematiker und
Philosoph. – 1879–1918 Prof. in Jena; Mitbegründer der modernen formalen Logik; leistete auch wichtige Vorarbeiten für die
Sprachphilosophie.
Werke: Begriffsschrift... (1879), Grundgeset-
ze der Arithmetik (1893–1903).

   Frei, Eduardo ↑ Frei Montalva, Eduardo.
   Freibad ↑ Schwimmbad.
   Freiballon ↑ Ballon.
   Freibank, volkstüml. (früher auch offizielle) Bez. für die (kommunale) Abgabestelle
des Schlachthofs für Freibankfleisch, d. h. für
auf Grund der Fleischbeschau als bedingt
tauglich oder minderwertig deklariertes
Fleisch. Bedingt taugl. Fleisch muß vor dem
Verkauf durch Erhitzen sterilisiert werden.
Minderwertiges Fleisch kann auch roh verkauft werden.
   Freibauer, im Ggs. zu einem grundherr-
schaftlich gebundenen Bauern derjenige, der
seinen Hof zum günstigsten Leiherecht besaß
oder im Besitz eines Freihofs war.
◆ im *Schachspiel* Bez. für einen Bauern, der
nicht mehr durch gegner. Bauern aufgehalten
werden kann; kann leichter als andere
Bauern umgewandelt werden.
   Freiberg, Krst. in Sa., am Nordfuß des
Erzgebirges, nahe der F.er Mulde, 400–420 m
ü. d. M., 48 000 E. Älteste Bergakad. der Welt
(1765 gegr.) mit Mineraliensammlung, meh-

Fregatte (um 1812; Modell)

rere Forschungsinst., Stadt- und Bergbaumuseum; Theater; Präzisionsinstrumentenbau, Elektro-, Porzellanind., Verhüttung von Bleierz und Zinkblende. - Seit dem 12. Jh. Silberbergbau (bis 1913), erhielt im 13. Jh. Stadtrecht. - Spätgot. Dom (15./16. Jh.) mit der Goldenen Pforte (um 1230), Orgel von G. Silbermann (1711-14); spätgot. Rathaus (1470-74); zahlr. Wohnhäuser (16.-19. Jh.), Reste der Stadtbefestigung (13.-17. Jh.).

F., Landkr. in Sachsen.

Freiberge (frz. Franches-Montagnes), verkarstetes Hochplateau im Schweizer Jura, Rinder- und Pferdezucht, Uhrenind. Hauptort ist Saignelégier.

Freiberger Mulde, 102 km langer Quellfluß der Mulde.

Freibetrag, steuerfreier Betrag, der bei der Berechnung der Steuerbemessungsgrundlage unberücksichtigt bleibt.

Freibeuter, früher svw. Seeräuber.

Freibeweis, Beweis, der keine förml. Beweisaufnahme erfordert und auch mit anderen als mit den gesetzl. Beweismitteln geführt werden kann (z. B. mit schriftl. Auskünften). Er ist z. B. zulässig zum Nachweis der Prozeßvoraussetzungen und anderer prozeßerhebl. Tatsachen. Ggs.: Strengbeweis, bei dem das Gericht an bestimmte gesetzl. Formen der Beweisaufnahme gebunden ist.

freibleibend, Klausel im Geschäftsverkehr, die die Bindung des Anbietenden an das Angebot oder an einzelne vertragl. Abreden (z. B. Preis) ausschließt.

Freibord, der senkrechte Abstand zw. F.deck (↑ Deck) und Schwimmwasserlinie eines Seeschiffes. Um einen Restauftrieb des beladenen Schiffes und somit die Seetüchtigkeit sicherzustellen, sind Mindest-F. international festgelegt. *F.marke* an der Außenhaut des Schiffes.

Freibrief, im älteren Recht: 1. Urkunde über eine erteilte Erlaubnis oder Befreiung von einem Verbot (Privileg), 2. Urkunde über die Entlassung aus der Leibeigenschaft, 3. Urkunde, die freie Geburt bescheinigte.

Freiburg, Reg.-Bez. in Bad.-Württemberg.

Freiburg (Freiburg im Uechtland, frz. Fribourg), Hauptstadt des schweizer. Kt. F. und des Bez. La Sarine, 27 km sw. von Bern, 588 m ü. d. M., 34 000 E. Bischofssitz; einzige kath. Univ. der Schweiz (gegr. 1889), Priesterseminar; Museum für Kunst und Geschichte, naturhistor. Museum. Schul-, Markt-, und Ind.stadt; Verkehrsknotenpunkt. - 1157 durch Herzog Berthold IV. von Zähringen gegr.; 1487 Reichsfreiheit; 1481 Aufnahme in die Eidgenossenschaft mit beschränkten Rechten, 1502 Voll-Mgl. Durch P. Canisius nach dem Konzil von Trient Zentrum der Gegenreformation; seit 1613 Sitz des Bischofs von Lausanne. - Hochgot. Kathedrale Sankt

Nikolaus (im 18. Jh. vollendet), Franziskanerkirche (13. Jh.), im Kreuzgang Fresken (15. und 17. Jh.), Basilika Notre Dame (1201/02; wiederholt umgestaltet), Rathaus (1500-21); Reste der Befestigungsanlagen sind die Porte de Morat und die Porte de Berne (beide 14./15. Jh.); zahlreiche Brunnen (16. Jh.).

F. (frz. Fribourg), Kanton in der W-Schweiz, 1 670 km², 204 000 E (1989; ²/₃ frz.-sprachig), Hauptstadt Freiburg; erstreckt sich S über weite Gebiete der Voralpen und erreicht hier im Moléson 2 002 m ü. d. M., nach N Anteil am Schweizer Mittelland; weitgehend agrar. orientiert; Milchwirtschaft (Grundlage für Käserei und Schokoladenherstellung); im Mittelland Ackerbau; am Neuenburger See und Murtensee Obst- und Weinbau. Wichtigste Branchen sind Nahrungsmittel- und Genußmittel- sowie holzverarbeitende Industrie.

Geschichte: Der Kanton F. wurde 1803 aus dem ehem. Untertanenland der Stadt und der gemeinsam von F. und Bern regierten ref. Herrschaft Murten gebildet. Der Kanton, der sich 1846 dem Sonderbund anschloß, wurde 1847 von Bundestruppen erobert.

Verfassung: Nach der Verfassung vom 7. Mai 1857 (mit Änderungen) liegt die Exekutive beim vom Volk auf 5 Jahre gewählten Staatsrat (7 Mgl.). Die Legislative bildet der vom Volk auf 5 Jahre gewählte Große Rat (130 Mgl.) und das Volk selbst (obligator. Referendum). Seit 1971 besitzen die Frauen im Kanton F. das aktive und passive Wahlrecht.

F., Bistum ↑ Lausanne-Genf-Freiburg, Bistum.

Freiburger Bucht, Schwarzwaldrandbucht westl. von Freiburg im Breisgau, reicht von Emmendingen im N bis nach Staufen im Breisgau im S und wird im W vom Kaiserstuhl und Tuniberg begrenzt.

Freiburger Münster, Bischofskirche (seit 1821) in Freiburg im Breisgau. Nach roman. Vorgängerbau um 1120 erfolgte um 1200 ff. der Neubau (Querhaus mit der Vierungskuppel und die „Hahnentürme" erhalten). Ab 1220 folgten Langhaus und Turmunterbau. Das Friz. hochgot. Wandsystem wurde reduziert: statt des Triforiums große Wandflächen im Obergaden. Der hochgot. Westturm wird von einem oktogonalen Helm in durchbrochenem Maßwerk gekrönt. Seit 1354 Neubau des hohen spätgot. Chors: dreischiffig mit Kapellenkranz. Bed. Skulpturenschmuck v. a. in der Turmvorhalle (um 1300), bed. Ausstattung, insbes. Glasfenster des 13. und 14. sowie 16. Jh.; Hochaltar von H. Baldung, gen. Grien (1512-16).

Freiburger Schule, an der Univ. Freiburg im Breisgau in den 1930er Jahren von einigen Wirtschaftswissenschaftlern (v. a. W. Eucken, F. Böhm und H. Grossmann-

Doerth) begr. wirtschaftspolit. Lehre, die Fragen der Wirtschaftsordnung, des Wettbewerbs und der Freiheit des einzelnen zum Gegenstand hat und als wiss.theoret. Grundlage des sog. Neoliberalismus angesehen wird.

Freiburger Thesen (Freiburger Programm), auf dem 22. Parteitag der FDP in Freiburg im Breisgau (25.–27. Okt. 1971) beschlossenes Programm zur Gesellschaftspolitik von grundsätzl. Bed. Zentrale Aussagen betreffen die Sozialbindung des Eigentums, Beteiligungsrechte am Vermögenszuwachs bzw. Nachlaßabgabe für Großvermögen, Mitbestimmung sowie Umweltschutz (vor Gewinnstreben). Die F. T. dienten der Orientierung in der sozialliberalen Koalition; verloren in den 80er Jahren an polit. Aktualität.

Freiburg im Breisgau, Stadt am Austritt der Dreisam aus dem S-Schwarzwald, Bad.-Württ., 278 m ü. d. M., 178 700 E. Verwaltungssitz der Region Südl. Oberrhein, des Reg.-Bez. F. und des Landkr. Breisgau-Hochschwarzwald; Sitz eines kath. Erzbischofs; Univ. (gegr. 1457), PH, Staatl. Hochschule für Musik, Verwaltungs- und Wirtschaftsakad., erzbischöfl. Theologenkonvikt; Max-Planck-Inst. für Immunbiologie sowie für ausländ. und internat. Strafrecht, Fraunhofer-Inst., Arnold-Bergstraesser-Inst.; Museen, u. a. Augustinermuseum, Museum für Vor- und Frühgeschichte; Theater. Wirtsch. bed. sind v. a. Verwaltung, Handwerk, Handel und Fremdenverkehr, Kunstfaser- und Kunstseideproduktion, holzverarbeitende und elektrotechn. Ind., Verlage. – 1120 auf zähring. Eigengut gegr.; fiel 1218 an die Grafen von Urach, die sich seitdem Grafen von Freiburg nannten. 1368 kauften sich die Bürger vom Grafen los, um sich unter die Herrschaft der Habsburger zu begeben. Die 1678 an Frankreich abgetretene und vom frz. Baumeister Vauban zur Festung ausgebaute Stadt (1744 geschleift) fiel 1697 wieder an Österreich; kam 1805 an Baden, 1821 wurde F. i. B. Erzbischofssitz; 1944 wurde die Altstadt durch einen Bombenangriff in weiten Teilen zerstört. – Das bedeutendste Bauwerk ist das ↑ Freiburger Münster. Erhalten bzw. wiederaufgebaut u. a.: Pfarrkirche Sankt Martin (13. Jh.), Universitätskirche (1683 vollendet), Kaufhaus (gegen 1520). Altes Rathaus (1558), daneben das Neue Rathaus, aus 2 Gebäuden 1620 zusammengefügt. Im Landgericht wurde die Fassade des ehem. großherzogl. Palais (1769–73) in den Neubau (1962–65) einbezogen. In der Altstadt offene „Bächle" (ma. Kanalisation) und Brunnen. Schwaben- und Martinstor sind Reste der Stadtbefestigung (beide urspr. 13. Jh.); zahlr. Bürgerhäuser und Palais.

📖 *Vetter, W.: F., ein Führer zu Kunst u. Gesch.*

Freiburger Münster. Innenansicht von Westen

Freib. 1986. – Müller, Wolfgang, u. a.: Freiburg in der Neuzeit. Bühl 1972.

F. im B., Erzbistum, 1821 für Baden und Hohenzollern aus Teilen der ehem. Bistümer Konstanz, Worms, Speyer, Straßburg, Mainz und Würzburg errichtet. – ↑ katholische Kirche (Übersicht).

F. im B., Reg.-Bez. in Baden-Württemberg.

Freiburg im Üechtland ↑ Freiburg.

Freidank (mittelhochdt. Frîdanc, Vrîdanc, Frîgedanc), † Kaisheim bei Donauwörth 1233, mittelhochdt. fahrender Spruchdichter wohl oberdt. Herkunft. – Verf. einer Spruchsammlung „Bescheidenheit" (d. h. Bescheidwissen, Einsicht), die Lebensweisheiten, Sprichwörter und Exempel enthält.

Freidenker, Begriff, der auf die engl. Bez. „Freethinker" (seit 17. Jh.) zurückgeht und im engl. Sprachgebrauch zunächst diejenigen bezeichnet, die den christl. Glauben dem Urteil der Vernunft unterwarfen, dann allg. für diejenigen, die das Denken unabhängig von jeder Autorität allein von der Evidenz des Gegenstandes leiten lassen wollten, in der Folge (irrtümlich) auch weitgehend synonym für die Anhänger des engl. ↑ Deismus verwendet, schließlich im 19./20. Jh. [Selbst]bez. für

die atheist. Denker, die die Emanzipation des Denkens von jeder religiösen Vorstellung anstrebten. Als F. galten in England J. Toland, A. A. C. Shaftesbury, der die systemat. Klärung des Begriffs einleitete, und A. Collins. In Frankreich gaben einige Enzyklopädisten (D. Diderot, P. H. D. Holbach, C. A. Helvétius) dem Begriff F. („libre-penseur"; bei Voltaire auch „franc-penseur") eine atheist. Wendung. In Deutschland, zunächst als **Freigeister** bezeichnet und dadurch in die Nähe religiösen Sektierertums gerückt, gewannen die F. im 19. Jh. weitreichenden Einfluß im liberalen Bürgertum in einer naturphilosoph., monist. Richtung einerseits, in der Arbeiterschaft in einer sozialrevolutionären Richtung im Anschluß an den dialekt. Materialismus von Marx andererseits. Gegen Ende des 19. Jh. und im frühen 20. Jh. kam es zu zahlr. Zusammenschlüssen in mehreren Ländern: **Fédération Internationale de la Libre Pensée** („Internationaler F.-Verband" oder **„Brüsseler Freidenker-Internationale"**, gegr. 1880), **Dt. Freidenker-Bund** durch L. Büchner 1881; **Dt. Monistenbund** durch E. Haeckel 1906 (1933 verboten, 1947 neu entstanden, seit 1956 **Freigeistige Aktion-Dt. Monistenbund),** in Österreich Zusammenschluß von 13 Einzelgruppierungen im **Zentralsekretariat der östr. Freidenker** (1914; Sitz: Wien), in der Schweiz **Kartell freigesinnter Vereinigungen der Schweiz** (1913). – Die Entwicklung einer marxistisch orientierten F.bewegung ist gekennzeichnet durch Gründung des **Vereins der Freidenker für Feuerbestattung** (1905), des **Zentralverbands der proletar. Freidenker Deutschlands** (1908). In der Sowjetunion wurde 1925 der **Bund der Gottlosen** (seit 1929 „Bund der kämpfenden Gottlosen") gegründet, der 1942 aufgelöst wurde. 1945 entstand die **Allunionsgesellschaft zur Verbreitung polit. und wissenschaftl. Erkenntnisse.**
Ω *Lindemann, Walter/Lindemann, Anna: Die proletar. F.-Bewegung. Münster (Westf.) 1980.*
Freideutsche Jugend, aus 13 Jugendverbänden 1913 auf dem Hohen Meißner bei Kassel gebildete dt. Jugendorganisation; erstrebte Entwicklung der Jugend nach deren eigenen Gesetzen. Die ↑ Meißnerformel wurde für die ganze Jugendbewegung wichtig, ein Zusammenschluß aller Gruppen gelang aber nicht. Zersplitterte bis 1923 restlos.
Freiding ↑ Femgerichte.
Freie (Freihälse, Frilinge), nach den german. Volksrechten die frühen MA der Stand derer, die volle Rechtsfähigkeit und polit. Rechte besaßen (Gemeinfreie, Altfreie, Volksfreie). Die polit. Rechte der **Minder-** oder **Halbfreien** (Liten, Barschalken) waren gemindert, die **Unfreien** (Leibeigene) hatten keinerlei Rechte, konnten aber durch Freilassung in den Stand der F. oder Minderfreien

übergehen. Die **Edelfreien** näherten sich dem Adel an, während große Teile der altfreien bäuerl. Bev. in immer stärkere Abhängigkeit von der sich ausbreitenden Grundherrschaft gerieten; neue Gruppen von F. entstanden durch bes. Zuordnung zum Herrscher und Königsdienst (↑ Königsfreie, Wehrbauern) oder durch bes. Vergünstigung in Neusiedelgebieten (Rodungsfreiheit).
freie Assoziation, ↑ Assoziation.
freie Atmosphäre, meteorolog. Bez. für die Schichten der Atmosphäre, die nicht mehr dem unmittelbaren Einfluß der Erdoberfläche unterliegen.
freie Benutzung, ohne Zustimmung zulässige Benutzung eines urheberrechtlich geschützten Werkes zur Herstellung eines neuen, selbständigen Werkes. Das neue Werk muß eine eigenschöpfer. Leistung darstellen, die ihrerseits urheberrechtsfähig ist.
freie Berufe, Berufstätigkeiten, die i. d. R. wiss. oder künstler. Vorbildung voraussetzen und selbständig ausgeübt werden können, z. B. die Tätigkeit als Arzt, Apotheker, Architekt, Rechtsanwalt, Kunstmaler, Schriftsteller, Musiklehrer. Freiberufl. Tätige sind weder Arbeitnehmer noch Gewerbetreibende; sie arbeiten gegen Honorar. Sie sind zusammengeschlossen in eigenen Berufsverbänden, haben eigene Gebührenordnungen, Berufsgerichtsbarkeit sowie gesetzlich geschützte Berufstitel und Prüfungen. In *Österreich* und in der *Schweiz* gilt eine entsprechende Regelung.
Freie Bühne, 1889 gegr. Theaterverein in Berlin nach dem Vorbild von A. Antoines „Théâtre libre"; führte in geschlossenen Vorstellungen v. a. (meist durch Zensur verbotene) naturalist. Dramen auf. Vorsitzender war 1889–94 O. Brahm, bis 1898 P. Schlenther, ab 1898 L. Fulda, der auch die 1890 gegr. Zeitschrift der F. B. herausgab. Ähnl. Vereine entstanden u. a. in Berlin („Freie Volksbühne", 1890; „Dt. Bühne", 1890), München („Akademisch-dramat. Verein", 1894), Leipzig („Litterar. Gesellschaft", 1895), London, Wien.
Freie Demokratische Partei, Abk. FDP, seit 1968/69 parteioffiziell F.D.P., 1948 aus dem Zusammenschluß nat.-liberaler und linksliberaler Gruppen entstandene dt. polit. Partei. Sie stellte mit ihrem ersten Vors. T. Heuss 1949–59 den ersten B.präs. der BR Deutschland und war 1949–56 an den CDU/CSU-geführten B.reg. beteiligt. Vors. waren 1949–54 F. Blücher, 1954–57 T. Dehler, 1957–60 R. Maier. Unter E. Mende (1960 bis 1968) bildete die FDP 1961–66 erneut eine Koalition mit der CDU/CSU. 1968 setzte eine linksliberale Umorientierung ein, die unter dem neuen Vors. W. Scheel weiterverfolgt wurde (↑ Freiburger Thesen). 1969–82 bildete

die FDP mit der SPD eine sozialliberale Koalitionsreg. Der Wechsel zur Koalition mit
der CDU/CSU im Okt. 1982 wurde in der
B.tagswahl vom März 1983 von den Wählern
bestätigt. Nach der Wahl W. Scheels 1974
zum B.präs. waren 1974–85 H.-D. Genscher,
1985–88 M. Bangemann, 1988–93 O. Graf
Lambsdorff Parteivors., seitdem ist es K. Kin-
kel. Im Aug. 1990 Vereinigung mit den liberalen Parteien der DDR (Bündnis Freier Demokraten, Dt. Forumpartei). Die FDP hat in
16 Landesverbänden rd. 91 500 Mgl. (1994).
Nahestehende Jugendorganisation sind die
Jungen Liberalen. Stimmenanteile der FDP
bei den B.tagswahlen ↑Bundestag (Übersicht).
ॻ *Verantwortung für die Freiheit. 40 Jahre
FDP. Hg. v. W. Mischnick. Stg. 1989. – Baum,
G. R./Juling, P.: Auf u. Ab der Liberalen von
1848 bis heute. Gerlingen 1983.*
Freie Deutsche Jugend, Abk. FDJ,
1946 gegr. „sozialist. Massenorganisation"
der DDR für Jugendliche ab 14 Jahren; bis
1989 als einzig zugelassener Jugendverband
Nachwuchsorganisation der SED, deren führende Rolle sie anerkannte; ihre Aufgaben
waren: die polit. Organisierung der Jugend,
deren ideolog. und fachl. Erziehung sowie
Freizeitgestaltung; betreute den Kinderver-
band der DDR, die Pionierorganisation
„Ernst Thälmann" (die **Jungen Pioniere**).
    freie Gewerkschaften, Bez. für die
sozialistisch orientierten dt. Gewerkschaften,
im Ggs. z. B. zu den christl. Gewerkschaften;
standen bis 1906 in enger organisator. Verbindung zur dt. Sozialdemokratie; im Mai
1933 zwangsaufgelöst. Nach 1945 organisierten sich die dt. Gewerkschaften in Abkehr
vom Prinzip der Richtungsgewerkschaft als
Einheitsgewerkschaft.
    freie Hansestädte ↑freie Städte.
    Freie Künste ↑Artes liberales.
    Freienwalde/Oder, Bad ↑Bad Freien-
walde/Oder.
    Freier, urspr. Bez. für den eine Heirat ver-
mittelnden Boten (Freiwerber), dann für den
Bräutigam; auch für den Kunden von weibl.
oder männl. Prostituierten.
    **Freier Deutscher Gewerkschafts-
bund,** Abk. FDGB, 1945 entstandene Einheitsgewerkschaft der DDR; Aufgaben: die
Arbeitnehmer im Sinne und unter Führung
der SED zur Bejahung des Gesellschafts- und
Staatssystems der DDR zu erziehen, die Pro-
duktionssteigerung zu fördern (lehnte das
Streikrecht ab), die Interessen der Arbeiter
und Angestellten in den Betrieben zu vertreten; zuständig für Sozialversicherung, Ge-
sundheits- und Arbeitsschutz, Abschluß von
Betriebskollektivverträgen und Organisierung des Wettbewerbs; hatte 1989 etwa 9,5
Mill. Mgl.; setzte sich aus 15 Industriege-
werkschaften zusammen, für die die FDGB-

Beschlüsse bindend waren. Der FDGB war
seit 1949 Mgl. des kommunist. Weltgewerk-
schaftsbundes. Mit den demokrat. Veränderungen in der DDR 1989 geriet der FDGB in
eine tiefe Krise und löste sich als Dachverband 1990 selbst auf.
    freie Rechtsfindung, richterl. Rechts-
schöpfung bei der Entscheidung von Rechts-
streitigkeiten, für die eine gesetzl. Regelung
weder im Wege der Auslegung noch im Wege
der Lückenfüllung durch Analogie oder Um-
kehrschluß zu ermitteln ist. – Eine ausdrückl.
Ermächtigung zu f. R. kennt das dt. Recht
nicht, jedoch ist deren prakt. Bed. infolge bewußter und unbewußter Gesetzeslücken oder
gesetzl. Mehrdeutigkeiten groß.
    freie Rhythmen, metr. gebundene,
reimlose Verse mit wechselnder Anzahl der
Hebungen und Senkungen, bestimmt vom
Rhythmus, häufig sinngemäß in Versgruppen
gegliedert. In der dt. Literatur v. a. bei Klopstock, dem jungen Goethe, Novalis, Heine,
Rilke, Benn, Brecht. – ↑freie Verse.
    freie richterliche Überzeugung, die
ohne jegl. Bindung seiner Meinungsbildung
im Laufe des Verfahrens gewonnene subjek-
tive Gewißheit des Richters über die Wahrheit einer Tatsache. Nach seiner freien Überzeugung entscheidet der Richter v. a. über
den Wert der Beweise.
    freie Rücklagen ↑Rücklagen.
    **Freies Deutsches Hochstift Frank-
furter Goethe-Museum,** 1859 gegr. Inst.
zur Pflege von Wissenschaft, Kunst und Bildung, insbes. zur Erforschung der Goethe-
zeit. Zugehörig das Frankfurter Goethehaus,
eine Bibliothek (18. und 19. Jh.), ein Archiv
(Goethe-Kreis und Romantiker), Museum
und graph. Sammlung. Herausgabe des
„Jahrbuchs des Freien Dt. Hochstifts" sowie
krit. Ausgaben.
    Freies Frankreich, Bez. für diejenigen
Kräfte des frz. Volkes und des frz. Imperiums
1940–44, die die Autorität des Vichy-Regierung nicht anerkannten und sich de Gaulles
Führung anschlossen, um den Krieg gegen
die Achsenmächte fortzusetzen. Emblem des
F. F. und seiner Truppen (Forces Françaises
Libres [Abk. FFL]) war die Trikolore mit dem
Lothringer Kreuz.
    freies Geleit, 1. als **sicheres Geleit** die
gerichtl. Zusage im Strafprozeß an einen ab-
wesenden Beschuldigten, ihn wegen einer bestimmten strafbaren Handlung nicht in Un-
tersuchungshaft zu nehmen. **2.** Im *Völkerrecht*
umfaßt das **Geleitrecht** den Schutz vor recht-
mäßigen Eingriffen sowohl in das persönl.
Eigentum als auch in die persönl. Freiheit. Es
kann auf Grund zwischenstaatl. vertragl. Vereinbarungen gewährt werden. Üblich ist es
v. a. im diplomat. Verkehr (z. B. bei Kriegs-
ausbruch).

freie Städte, (Freistädte) im MA eine Reihe von bischöfl. und/oder Hansestädten (Augsburg, Basel, Köln, Worms u. a.), die im Verlauf des 13. und 14. Jh. die Unabhängigkeit von ihren königl., bischöfl. oder adeligen Stadtherren erlangten.
◆ die vier Stadtrepubliken Hamburg, Bremen, Lübeck und Frankfurt am Main; seit 1815 (nicht mediatisiert) Mgl. des Dt. Bundes; Frankfurt wurde 1866 von Preußen okkupiert; die „Freien und Hansestädte" Lübeck und Hamburg sowie die „Freie Hansestadt" Bremen wurden Mgl. des Norddt. Bundes und 1871 des Dt. Reiches; Lübeck verlor 1937 seine Eigenständigkeit an Preußen, Bremen wurde dem Reichsstatthalter in Oldenburg unterstellt, bildet aber nach 1945 wie Hamburg ein Land der BR Deutschland.

Freie und Hansestädte ↑ freie Städte.

Freie Universität Berlin, Abk. FU, die 1948 in Berlin (West) eröffnete Universität: gegr. von Studenten und Dozenten der Humboldt-Universität, die ihre im Ostsektor liegende Univ. aus polit. Gründen verließen; betont körperschaftl. Verfassung mit Sitz und Stimme der Studenten in allen Organen.

freie Verse, 1. Verse von verschiedener Länge, aber mit gleichen Versfüßen, stets gereimt (so bei Gellert, Wieland u. a.); 2. Verse ungleicher Füllung, nur durch den Reim von Prosa oder ↑ freien Rhythmen unterschieden.

Freie Volkspartei, Abk. FVP, rechtsliberale Splitterpartei in der BR Deutschland; ging 1956 aus der FDP hervor; schloß sich 1957 der Dt. Partei an.

freie Wohlfahrtsverbände, Verbände, die neben dem Staat (Gemeinden und Kommunalverbände) Wohlfahrtspflege und soziale Fürsorge betreiben und für ihre Arbeit Anspruch auf staatl. Unterstützung haben. Zu den f. W. in der BR Deutschland gehören: ↑ Arbeiterwohlfahrt e. V., ↑ Deutscher Caritasverband, ↑ Deutscher Paritätischer Wohlfahrtsverband e. V., Deutsches ↑ Rotes Kreuz, ↑ Diakonisches Werk der Evangelischen Kirche in Deutschland e. V. und Zentralwohlfahrtsstelle der Juden in Deutschland e. V. Internat. Zusammenarbeit besteht in der *„Liga der f. W."* (gegr. 1924) und in der *„Internat. Konferenz für Sozialarbeit"* (gegr. 1928).

Freifallmischer ↑ Betonmischmaschine.

Freifrau, Ehefrau des Freiherrn.

Freifräulein, svw. ↑ Freiin.

Freigänger, im modernen Strafvollzug ein Häftling, der wegen guter Führung tagsüber ohne bes. Aufsicht in einem normalen Betrieb arbeiten darf und abends in die Vollzugsanstalt zurückkehrt.

Freigehege ↑ Gehege.

Freigelassene ↑ Freilassung.

Freigericht ↑ Femgerichte.

Freigrafschaft Burgund ↑ Franche-Comté.

Freigrenze, Höchstbetrag der Steuerbemessungsgrundlage, bis zu dem keine Steuer erhoben wird. Überschreitet die Bemessungsgrundlage die F., wird die gesamte Bemessungsgrundlage besteuert.

Freihäfen (Freigebiete, Freibezirke, Freizonen; engl. free ports, foreign trade zones; frz. ports francs, zones franches), im Völkerrecht Hafenbezirke, in denen zur Förderung des Handels zollpflichtige Güter und Vorgänge (alle oder einzelne) von der Erfüllung der innerstaatl. zollrechtl. Vorschriften ganz oder z. T. befreit sind.

Freihandel, im Rahmen der klass. Außenhandelstheorie entwickeltes Prinzip der vollkommenen Handelsfreiheit. Die Entstehung des F. ist auf der Grundlage des Wirtschaftsliberalismus in Abkehr vom Protektionismus der Merkantilisten zu sehen. Nach der F.lehre führt die Befreiung des internat. Güteraustausches von Kontrollen und Regulierungen (z. B. Zölle, Kontingente, Devisenbewirtschaftung) und die Durchsetzung des freien Wettbewerbs zu einer internat. Arbeitsteilung mit optimaler Produktion und größtmögl. Wohlstand. Theoret. Grundlage dabei ist die *Theorie der komparativen Kosten* von D. Ricardo, nach der sich die einzelnen Länder bei freier internat. Konkurrenz auf die Produktion der Güter mit den – internat. gesehen – relativ größten Kostenvorteilen spezialisieren. Die F.idee war v. a. im 19. Jh. von großer Bedeutung. Nach 1945 entstanden neue Ansätze in den Liberalisierungsbemühungen des GATT und der OECD, in der wirtschaftl. Integration der EG und EFTA.

Freihandelszone, durch den Zusammenschluß mehrerer Länder entstandener Wirtschaftsraum, in dem Freihandel herrscht, d. h., der Handel der beteiligten Länder untereinander ist keinerlei Zöllen und sonstigen Beschränkungen unterworfen.

freihändiger Verkauf (Verkauf aus freier Hand, Freihandverkauf), der nicht in öffentl. Versteigerungen, sondern auf Grund freier Übereinkunft zustandegekommene Verkauf einer verpfändeten, gepfändeten oder im Wege des Selbsthilfeverkaufs zu veräußernden bewegl. Sache.

Freiheit, 1. Unabhängigkeit von äußerem, innerem oder durch Menschen oder Institutionen (Staat, Gesellschaft, Kirche usw.) bedingtem Zwang; 2. svw. ↑ Willensfreiheit. In der **Antike** ist F. zunächst ein polit. Begriff: Frei ist, wer Bürger der ↑ Polis ist. Bei Sokrates, Platon und Aristoteles wird die individuelle F. definiert als Einsicht in das Vortreffliche, die in der polit. Praxis und im theoret. Lebensvollzug verwirklicht werden kann. In der **Neuzeit** wird F. bei Hobbes, Locke und

Rousseau im Unterschied zu der Polisvorstellung der Antike als individuelle Unabhängigkeit von tradierter oder selbst auferlegter Autorität und Fremdbestimmung (Heteronomie) verstanden. Der F.begriff, der zus. mit dem Willensbegriff auf Vernunft gründet, kommt im dt. Idealismus bei Kant, Hegel, Fichte zur vollen Entfaltung. Kant unterscheidet die empir. psych. F., die in der Unabhängigkeit von äußeren Faktoren besteht, und die sittl. F.; diese zeichne sich aus einerseits durch Unabhängigkeit des Willens von inneren psych. Faktoren, andererseits durch Befolgung des undeterminierten Sittengesetzes, das seinerseits auch eine Tatsache der Vernunft sei. Für Hegel ist F. insbes. das Vermögen, Inhalte auf Grund von Denken im Willen setzen zu können. Für Marx ist F. erst jenseits der bedürfnisbestimmten gesellschaftl., auf materielle Produktion ausgerichteten Praxis voll zu verwirklichen. F. in der Sicht des Marxismus ist die bewußt selbstbestimmte, gesellschaftl. organisierte Kontrolle der Menschen über ihre materiellen Existenzbedingungen, die Aufhebung der verselbständigten Macht über die Menschen. Im Marxismus-Leninismus gilt die einsichtig-freiwillige Unterordnung unter die objektiven Gesetze der gesellschaftl. Entwicklung als Inbegriff menschl. F., die in Aufhebung sozialer und individueller Unfreiheit allein im Sozialismus zu realisieren sei. – In der Existenzphilosophie wird F. Grundbestimmung des Daseins.

Die **Soziologie** geht von einem menschl. F.bedürfnis aus, das gesellschaftl. bedingt, aber relativ unabhängig von kultureller Konformität ist. Die Charakterisierung einer Gesellschaft oder Gruppe als „freiheitlich" bezieht sich nicht nur auf deren Wert- und Normsystem, sondern ebenso auf institutionell abgesicherte F.räume (z. B. Grundrechte). Der politisch-geschichtl. Begriff F. des MA umfaßte nicht eine Gesamtheit von Grund- und Menschenrechten, sondern bezeichnete die aus Herkommen und Verleihung einem einzelnen, einer Gemeinschaft oder einer Örtlichkeit jeweils eigentüml. Rechtsstellung und stand daher in enger Beziehung zum Begriff Herrschaft (verstanden als rechtmäßige Machtausübung), die in der ma. Welt „konkurrierender Gewalten" durch die Gewährung von Schutz (Munt) die Entfaltung von F. erst ermöglichte. Seit den religiösen Bürgerkriegen des 16. und 17. Jh. entstand im Kampf um ständ. und persönl. F.rechte der moderne (liberale) F.begriff, der auf dem modernen, die Emanzipation des Einzelnen betonenden Naturrecht basiert und in Form der ↑ Grundrechte bis zum 20. Jh. Eingang in alle demokrat. Verfassungen gefunden hat. Neben diese polit. F.rechte trat seit dem 19. Jh.

in Verbindung mit der Forderung nach ↑ Gleichheit der Kampf um soziale F.rechte. Daneben hat ebenfalls seit dem 19. Jh. die Forderung nach nat. F. eine bedeutende historische Rolle gespielt. Sie löste (in der Dritten Welt bis in unsere Zeit) zahlr. Kriege, Staatsneugründungen und Abspaltungen aus. Allerdings verliert nat. F. im Sinne außenpolit. Selbstbestimmung angesichts der weltwirtsch. Verflechtung zunehmend an Bedeutung.

📖 *F. – Was ist das? Hg. v. D. Wellershoff. Herford* [2]*1986. – Dahrendorf, R.: Die Chancen der Krise. Über die Zukunft des Liberalismus. Stg. 1983. – Neumann, F.: F. Baden-Baden 1978. – Mannheim, K.: F. u. geplante Demokratie. Wsb. 1970.*

Freiheit der Berichterstattung ↑ Pressefreiheit.

Freiheit der Meere (Meeresfreiheit), die Freiheit jedes einzelnen, ohne irgendeine Erlaubnis die hohe See in einer solchen Art und bis zu einem solchen Umfang zu [be]nutzen, daß kein anderer hierdurch in einer gleichartigen [Be]nutzung beeinträchtigt wird. Dieses Recht beinhaltet nicht nur den freien Verkehr und den Fischfang, sondern u. a. auch die Gewinnung von Rohstoffen, die Durchführung von techn. Experimenten und Flottenmanövern. Die F. d. M. besteht tatsächlich nur im Frieden; im Krieg ist sie in der Staatenpraxis beschränkt bis nahezu aufgehoben worden. Sie wird in zunehmendem Umfang durch [hoheitl.] Ansprüche einzelner Staaten (Erweiterung der Hoheitsgewässer) eingeschränkt. Formal gewährleistet ist die F. d. M. durch das Abkommen über das Regime der Hohen See 1958 (↑ Seerechtskonferenzen).

Freiheit der Person (persönliche Freiheit), in Art. 2 Abs. 2 GG verankertes Grundrecht, das vor willkürl. Verhaftungen, Festnahmen, Internierungen u. a. Maßnahmen schützt. Die F. d. P. sichert das Leben „auf reinem Fuße" und schließt sich an das Recht auf Leben und körperl. Unversehrtheit (Art. 2 Abs. 2 Satz 1 GG) an. Die F. d. P. kann nur auf Grund eines förml. Gesetzes und nur unter Beachtung der darin vorgeschriebenen Formen beschränkt werden (Art. 104 Abs. 1 Satz 1 GG). Jede seel. oder körperl. Mißhandlung festgehaltener Personen ist untersagt. Entscheidungen über die Zulässigkeit und Fortdauer einer Freiheitsentziehung stehen nur dem Richter zu.
In *Österreich* wurde 1964 die Europ. Menschenrechtskonvention, die u. a. das Recht auf persönl. Freiheit gewährt, als österr. Verfassungsrecht in Geltung gesetzt. – In der *Schweiz* wird heute die persönl. Freiheit in sämtlichen kantonalen Verfassungen gewährleistet; die BV dagegen garantiert die F. d. P.

nicht ausdrücklich. Das Bundesgericht hat indes in einem grundlegenden Entscheid die persönl. Freiheit als ungeschriebenes Grundrecht anerkannt.

Freiheit, Gleichheit, Brüderlichkeit (frz. Liberté, Égalité, Fraternité), in der Frz. Revolution 1793 zuerst im Club der Cordeliers aufgestellte Losung; ausschließl. amtl. Devise zur Zeit der Zweiten Republik (1848–52).

freiheitliche demokratische Grundordnung, Begriff des Verfassungsrechts; die der demokrat. und rechtsstaatl. Ordnung des GG zugrundeliegenden Prinzipien, u. a. Volkssouveränität, Gewaltentrennung, Achtung der Menschenrechte, Verantwortlichkeit der Reg. vor dem Parlament, Gesetzmäßigkeit der Verwaltung, Mehrparteiensystem, Unabhängigkeit der Richter. Zum Schutz der f. d. G. kann bei Mißbrauch bestimmter Grundrechte für den Kampf gegen die f. d. G. das Bundesverfassungsgericht die Verwirkung des Grundrechts aussprechen (Art. 18 GG). Zur Abwehr einer drohenden Gefahr für die f. d. G. des Bundes oder eines Landes kann die Bundesreg. Streitkräfte zur Unterstützung der Polizei und des Bundesgrenzschutzes einsetzen (Art. 87a GG). Die Beseitigung der f. d. G. ist auch durch Verfassungsänderung nicht möglich (Art. 79 Abs. 3 GG).

Freiheitliche Partei Österreichs, Abk. FPÖ, 1955 entstandene östr. polit. Partei; zunächst eine rechtsgerichtete Partei mit nationalist. Zügen, seit Mitte der 1960er Jahre fanden auch liberale Gedanken Eingang in ihr Programm; 1983–86 Reg.koalition mit der SPÖ (Bruch durch die SPÖ); seit der Wahl J. Haiders zum Obmann (Sept. 1986) wieder verstärkt nationalist. und monokrat. Tendenzen, aber auch zunehmend Stimmengewinne bei Bundes- und Landeswahlen (v. a. Tirol, Kärnten); ist im Nationalrat seit 1990 mit 33 (von 183) Abg. vertreten.

Freiheitsberaubung, vorsätzl. und widerrechtl. Entzug der persönl. Bewegungsfreiheit durch Einsperren oder auf andere Art; wird nach § 239 StGB mit Freiheitsstrafe bis zu fünf Jahren oder mit Geldstrafe bedroht. Ein qualifizierter Fall der F. liegt in der *Vollstreckung einer Strafe oder Maßregel* gegen Unschuldige durch einen Amtsträger (§ 345 StGB).

Freiheitsdelikte, Straftaten (insbes. des 18. Abschnitts des StGB), die sich gegen die persönl. Freiheit eines Menschen richten, z. B. Freiheitsberaubung (§ 239), Menschenraub (§ 234), Verschleppung (§ 234a), Entführung gegen den Willen des Entführten (§ 237), Geiselnahme (§ 239b).

Freiheitsentziehung, befristete oder unbefristete Unterbringung einer Person gegen ihren Willen oder im Zustande der Willenlosigkeit an einem eng umgrenzten Ort (Gefängnis, Haftraum, Verwahranstalt). Über die Zulässigkeit und Fortdauer entscheidet der Richter. Für die F. in Form der *Freiheitsstrafe* ist die Staatsanwaltschaft zuständig. Jeder [durch die öff. Gewalt] wegen des Verdachts einer strafbaren Handlung *vorläufig Festgenommene* ist gemäß Art. 104 Abs. 3 GG spätestens am Tage nach der Festnahme dem Richter vorzuführen. Zur Vorbereitung eines Gutachtens über den Geisteszustand eines Beschuldigten kann das Gericht diesen in eine öff. Heil- oder Pflegeanstalt einweisen.

In *Österreich* und in der *Schweiz* gilt im wesentlichen das zum dt. Recht Gesagte.

Freiheitsglocke (Liberty Bell), 1753 in der Town Hall in Philadelphia aufgehängte Glocke, die 1776 die Unabhängigkeit der USA verkündete; heute in der Nähe der Independence Hall in Philadelphia ausgestellt. Die **F. von Berlin** ist eine 1950 von L. D. Clay als Nachbildung der F. von Philadelphia dem damaligen Regierenden Bürgermeister von Berlin, E. Reuter, übergebene Glocke; läutet täglich um 12 Uhr vom Turm des Schöneberger Rathauses.

Freiheitsgrad, in der *Mechanik* Bez. für die Möglichkeiten eines Systems, im Raume Bewegungen auszuführen. Die *Anzahl der F.* ist die Anzahl der voneinander unabhängigen Bestimmungsstücke (Koordinaten), die zur eindeutigen Bestimmung des Systems notwendig sind. Ein im Raum frei bewegl. Massenpunkt hat drei F.; er besitzt zwei F. bei der Bewegung längs einer Fläche und einen F. bei der auf einer Kurve. Ein freier starrer Körper hat drei F. der Translation und drei der Rotation. In der *Thermodynamik* bezeichnet man als Anzahl der F. die Gesamtzahl der Lage- und Impulskoordinaten, von denen die Energie eines Moleküls abhängt.

Freiheitskreuz ↑ Orden (Übersicht).

Freiheitskriege ↑ Befreiungskriege.

Freiheitsrechte, im spät-ma. Ständestaat Rechte und Freiheiten („Jura et libertates"), auf die sich die Lokalgewalten für ihren Herrschaftsbereich gegenüber den Landesherren beriefen.

◆ ↑ Grundrechte, ↑ Menschenrechte.

Freiheitsstatue (Statue of Liberty), am Hafeneingang von New York als Symbol der Freiheit errichtete Figur (46 m hoch, Sockel 47 m hoch) von F. A. Bartholdi; ein Geschenk Frankreichs (1886 aufgestellt). Von der UNESCO zum Weltkulturerbe erklärt.

Freiheitsstern ↑ Stern.

Freiheitsstrafe, einzige Form der Strafe durch Freiheitsentzug nach dem StGB (Einheitsstrafe). Nach dem WehrstrafG ist neben F. Strafarrest, nach dem JugendgerichtsG Ju-

gendstrafe möglich. Die F. ist zeitlich be-
grenzt („zeitig") oder lebenslang. – Das *östr.*
StGB sieht auch nur eine einheitl. F. vor (ein
Tag bis zwanzig Jahre oder lebenslänglich).
Im *schweizer. StGB* sind als F. Zuchthaus (ein
Jahr bis zwanzig Jahre oder lebenslänglich),
Gefängnis (drei Tage bis drei Jahre) und Haft
(ein Tag bis drei Monate) enthalten.

Freiheitssymbole, meist in Verbindung
mit polit. Freiheitsbestrebungen entstandene
Symbole; stehen v. a. in der Tradition des
nordamerikan. Unabhängigkeitskrieges, der
Frz. und der Russ. Revolution: z. B. Freiheits-
baum, Jakobinermütze, Freiheitsglocke, Freiheitsstern, Freiheitsfackel, Freiheitsstatue
und Freiheitssonne; erscheinen auf den Flaggen und Wappen vieler Staaten und polit. Bewegungen, auf Münzen und Briefmarken.
Farbsymbol der Freiheit ist Grün.

Freiherr, Angehöriger der höchsten
Rangstufe des niederen Adels; im Rang nach
dem Grafen; seit dem 15. Jh. mit „Baron" an-
geredet.

Freiherrenkrone   ↑ Wappenkunde
(Übersicht).

Freihof, Hofgut eines Freibauern (Frei-
gut), das von grundherrl. (z. T. auch öff.) Abgaben und Diensten befreit war.

Freiin (Freifräulein), die unverheiratete
Tochter eines Freiherrn.

Freiheitsstatue

Freikirche, im Ggs. zu Staats- oder
Volkskirche frei konstituierte Kirche, die unabhängig ist von staatl. Einflüssen und deren
Mgl. nur auf Grund ausdrückl. Willenserklä-
rung aufgenommen werden. In England seit
dem 17. Jh. die Presbyterianer, Kongregatio-
nalisten und Baptisten, seit dem 18. Jh. außerdem die Quäker und Methodisten. In den
USA haben die meisten Kirchen den Charakter von Freikirchen. – Als F. bzw. freikirchl.
Zusammenschlüsse in Deutschland u. a.
zu nennen einige altluth. Kirchen, der Bund
Ev.-Freikirchl. Gemeinden in Deutschland
und der Bund freier ev. Gemeinden in
Deutschland.

Freikolbenmotor (Freikolbenverdich-
ter), Gegenkolbenmotor ohne Pleuel und
Kurbelwelle, bei dem die Kolben eines Zwei-
taktdieselmotors mit den Stufenkolben eines
Verdichters verbunden sind. Durch den Ver-
brennungsdruck werden die Kolben nach außen geschleudert, verdichtete Luft treibt die
Kolben wieder nach innen. Der F. dient zur
Erzeugung von Druckluft oder als Gaserzeu-
ger für Turboanlagen.

Freikonservative Partei, preuß. Partei; entstand 1866 durch Abspaltung der die
großpreuß. Einigungspolitik Bismarcks be-
fürwortenden agrarkonservativen, industriellen und bürokrat. Führungsgruppen von der
preuß. Konservativen Partei; ihre Reichstagsfraktion nannte sich 1871 Dt. Reichspar-
tei; unterstützte mit einem Teil der Altlibera-
len den Kulturkampf sowie das Sozialisten-
gesetz (an der ab 1876 eingelei-
ten Wendung zur Schutzzollpolitik maßgebl.
beteiligt; 1918 in der DNVP aufgegangen.

Freikörperkultur (Nacktkultur, Natu-
rismus, Nudismus), Abk. FKK, der unbeklei-
dete Aufenthalt im Freien zum Zweck der Er-
holung und Gesunderhaltung, v. a. das Baden
(Wasser-, Luft- und Sonnenbaden) an Orten,
zu denen jedermann Zutritt hat. Das Nackt-
baden in öffentl. Gewässern begann sich seit
Anfang des 20. Jh. von Skandinavien aus in
Deutschland auszubreiten.

Freikorps [ko:r], für die Dauer eines
Krieges bzw. Feldzugs unter einzelnen Füh-
rern (nach denen die F. meist benannt wurden) mit Ermächtigung des Kriegsherrn gebildete Freiwilligenverbände. Polit. Bed. erst
seit dem 18. Jh., v. a. in den Befreiungskriegen. Die nach Auflösung des kaiserl. Heeres
seit Ende 1918 gebildeten insgesamt über 100
F. waren in der Mehrzahl republikfeindlich
eingestellt und vertraten rechtsradikale Tendenzen. Nach Stabilisierung der Weimarer
Republik aufgelöst und zum großen Teil in
der Reichswehr aufgegangen.

Freikugel, im Volksglauben eine Flinten-
kugel, die durch mag. Kräfte ihr Ziel unfehlbar trifft (↑ Freischütz).

Freilassing, Stadt 7 km nw. von Salzburg, Bayern, 421 m ü. d. M., 13 500 E. U. a. Holz- und Sportartikelind., Fremdenverkehr. – Seit 1954 Stadt.

Freilassung, Aufhebung von Herrschaftsrechten über Menschen minderen Rechts (Sklaven, Unfreie). – Im **Alten Orient** war die F. von Sklaven nicht selten, meist (in Ägypten nur) in Form der Adoption durch den Herrn oder des Freikaufs durch den Sklaven selbst. In der **griech. Polis** hatte die F. die Aufgabe, dem Sklaven die selbständige Rechtsfähigkeit, wie das Recht auf die eigene Person in Handlung und Wahl des Wohnsitzes zu verschaffen, wodurch der Sklave das Fremdenrecht und, bei Vorliegen eines entsprechenden Volksbeschlusses, auch das Bürgerrecht erhielt. In **Rom** erhielt die F. („manumissio") durch Zustimmung des Prätors rechtl. Anerkennung. Im Unterschied zu Griechenland blieb der Freigelassene („libertus") jedoch trotz Erlangung des röm. Bürgerrechts unter dem Patronat des Freilassers, dessen Gentilnamen er bekam und demgegenüber er gewisse Pflichten zu erfüllen hatte. Im **Früh-MA** wurden von den meisten Germanenstämmen die röm. F.formen übernommen. Die F. nach fränk. Recht durch Schatzwurf wurde in Deutschland die wichtigste Form: Der Herr (oder König) schlug als Symbol für die F. dem Freizulassenden den Kopfzins aus der Hand. Der Freigelassene war nunmehr „frei", aber von abgestufter Freiheit in einem Schutz- und Abhängigkeitsverhältnis milderer Art zum bisherigen Herrn. Seit der **Neuzeit** (bis zur Aufhebung der Leibeigenschaft) erfolgte die F. nur noch durch Ausstellung einer Urkunde (Freibrief), wofür oft erhebl. Gelder gefordert wurden. Hieraus entwickelte sich meist ein Recht der Leibeigenen auf Loskauf. – Im **Islam** galt die F. eines Sklaven als frommes Werk. Sie erfolgte durch eine Erklärung seitens des Eigentümers (häufig für den Fall seines Todes) oder durch einen F.vertrag, der dem Sklaven nach Zahlung eines Betrages oder nach anderen Leistungen den vollen Status eines Freien zusichert.

Freilauf, Vorrichtung zur Trennung von Antrieb und angetriebener Achse, sobald letztere sich schneller dreht als die Antriebsachse.

Freileitung, im Freien offen verlegte elektr. Leitung zum Übertragen elektr. Energie. F. werden ohne Isolationshülle verlegt. Die Leiterseile bestehen selten aus Kupfer, heute vorwiegend aus Stahl-Aluminium *(Staluseile);* diese sind Verbundleiter mit Stahlseele (für die mechan. Festigkeit) und Aluminiummantel (für die erforderl. gute Leitfähigkeit). Zur Herabsetzung der Koronaverluste bei hohen Spannungen werden *Bündelleiter*

verlegt, wobei 2 bis 4 Leiterseile je Phase parallel mit Hilfe von Abstandhaltern geführt werden. Dadurch wird die für die elektr. Feldverteilung wirksame Oberfläche wesentlich vergrößert. Die Leiterseile werden an *Isolatoren* aus Hartporzellan oder Glas an *F.masten* aus Stahl, Stahlbeton oder Holz aufgehängt. Hochspannungsleitungen für Drehstrom als Fernleitungen zum Übertragen elektr. Energie über große Strecken bestehen zur besseren Ausnutzung der Masten aus zwei Systemen mit drei Bündelleitern. Über den Leitersystemen werden zur Abschirmung und zum Schutz gegen atmosphär. Entladungen ein bis drei *Erdseile* gespannt, die elektrisch leitend mit den Masten verbunden sind. F. werden für alle Spannungen verwendet, wobei für größte Übertragungsentfernungen auch *Hochspannungsgleichstromübertragung (HGÜ)* angewendet wird.

📖 *Rieger, H./Fischer, R.: Der Freileitungsbau. Bln. u. a.* [2]*1975.*

Freilichtmalerei (Pleinairmalerei), das Malen von Landschaften unmittelbar vor der Natur unter freiem Himmel („plein air"). Begründet Anfang des 19. Jh. von J. Constable, R. P. Bonnington in England, aufgenommen von C. Corot und der Schule von † Barbizon.

Freilichtmuseum, volkskundl. Museumsanlage, in der in freiem Gelände wiederaufgebaute Wohnhäuser, Stallungen, Handwerksbetriebe oder techn. Betriebe usw. frühere Wohn- und Wirtschaftsformen veranschaulichen. Als erstes, vorbildl. gewordenes F. wurde 1891 *Skansen* in Stockholm eröffnet. Neben den zahlr. F. in Skandinavien sind bed. Anlagen in Rumänien (Bukarest, 1936), in Belgien (Genk-Bokrijk, 1953), in Ungarn (Szentendre, 1967), in Großbritannien (Ironbridge, 1968) zu besichtigen.

Freilichttheater, frühe Formen waren das antike Theater, im MA die Aufführung geistl. Spiele auf Marktplätzen oder vor Kirchen, die Theater in den höf. Parks des 17. und 18. Jh. Wiederbelebung im 20. Jh., oft in Verbindung mit sommerl. Festspielen, z. B. die Opernfestspiele in der Arena von Verona.

Freiligrath, Ferdinand [...ligra:t, ...lịçra:t], * Detmold 17. Juni 1810, † Cannstadt (= Stuttgart) 18. März 1876, dt. Dichter. – In frühen Gedichten (erste Sammlung 1838) stehen exot. Welten im Mittelpunkt; wegen der radikal-polit. Gedichtsammlung „Ein Glaubensbekenntniß" (1844) ging er 1845 ins Exil nach Brüssel (Bekanntschaft mit K. Marx); nach seiner Rückkehr Verfechter der Revolution von 1848; die „Neueren polit. und sozialen Gedichte" (2 Bde., 1849–51) zwangen ihn zu erneuter Emigration (1851–68 in London, 9 Jahre als Direktor der Schweizer Generalbank); auch Übersetzer engl., amerikan. und frz. Literatur.

Freilichtmuseen in Deutschland (Auswahl)			
Name	(gegr.) eröffnet	Größe	Angaben zur Anlage
Baden-Württemberg:			
Schwarzwälder Freilichtmuseum Vogtsbauernhof, Gutach (Schwarzwaldbahn)	(1964) 1964	4 ha	bäuerl. und techn. Baudenkmäler aus dem mittleren Schwarzwald (Gutacher, Kinzigtaler Haustyp, Hochschwarzwaldhaus)
Bayern:			
Freilichtmuseum des Bezirks Oberbayern an der Gentleiten über Großweil bei Murnau	(1972) 1976	15 ha (später 30 ha)	bäuerl., bürgerl., techn. und religiöse Baudenkmäler aus dem Gebiet des Regierungsbezirks Oberbayern
Ostoberbairisches Bauernhausmuseum, Amerang bei Wasserburg am Inn	1976	7 ha	bäuerl. Baudenkmäler aus dem östl. Oberbayern
Schwäbisches Bauernhofmuseum Illerbeuren, Kronburg, Landkr. Unterallgäu	(1948) 1955	4 ha	bäuerl. Baudenkmäler und umfangreiche Sachgutsammlungen der ländl. Kultur und Lebensweise im Allgäu
Fränkisches Freilandmuseum, Bad Windsheim	(1976) 1982	40 ha	bäuerl. Baudenkmäler aus Franken, Altmühlgebiet
Berlin:			
Museumsdorf Düppel, Berlin-Zehlendorf	1975	12 ha	Rekonstruktion auf originalen Grundrissen einer Siedlung aus der Zeit um 1200
Brandenburg:			
Freilichtmuseum Lehde, Lübbenau/Spreewald	(1954) 1956	3 ha	3 vollständige niedersorb. Gehöfte in typ. Blockbauweise
Bremen:			
Deutsches Schiffahrtsmuseum, Bremerhaven	1975	7,5 ha	Hochseeschiffe des 19. und 20. Jh.
Freilichtmuseum des Bauernhausvereins Lehe e. V. im Stadtpark Speckenbüttel, Bremerhaven	(1909) 1911	18 ha	bäuerl. und techn. Baudenkmäler aus der Geest- und Marschlandschaft im Elbe-Weser-Gebiet
Hamburg:			
Freilichtmuseum am Kiekeberg	(1953) 1953	2,5 ha	bäuerl. und techn. Baudenkmäler aus der nördl. Lüneburger Heide und deren nördl. Randgebieten
Hessen:			
Freilichtmuseum „Hessenpark", Neu-Anspach	(1974) 1978	60 ha	nach Siedlungsformen regional gegliederte Baugruppen bäuerl. Kulturdenkmäler und alter Handwerksstätten Hessens
Mecklenburg-Vorpommern:			
Freilichtmuseum Schwerin-Mueß	1970	9 ha	niederdt. Hallenhaus, Scheune und Dorfschmiede aus dem 17. Jh., funktionstüchtiger Backofen und großer Kräutergarten
Freilichtmuseum Klockenhagen, Landkr. Ribnitz-Damgarten	(1969) 1970	7 ha	Haus- und Gehöftformen in Mecklenburg, v. a. niederdt. Hallenhäuser, und landwirtsch. Arbeitsgeräte
Niedersachsen:			
Museumsdorf Cloppenburg, Niedersächsisches Freilichtmuseum	(1934) 1936	18 ha	bäuerl. Baudenkmäler und techn. Kulturdenkmäler Niedersachsens, v. a. niederdt. Hallenhaus, Gulfhaus und mitteldt. Gehöft (16.–19. Jh.), Handwerksbetriebe und Mühlen

Freilichtmuseen in Deutschland
(Fortsetzung)

Name	(gegr.) eröffnet	Größe	Angaben zur Anlage
Nordrhein-Westfalen:			
Rheinisches Freilichtmuseum und Landesmuseum für Volkskunde, Mechernich-Kommern in der Eifel	(1958) 1961	77 ha	bäuerl., techn. und religiöse Baudenkmäler in 4 Baugruppen: Niederrhein, Eifel und Köln-Bonner Bucht, Westerwald-Mittelrhein, Berg. Land
Westfälisches Freilicht-museum bäuerlicher Kultur-denkmäler, Detmold	(1960) 1971	80 ha	bäuerl., handwerkl.-ackerbürgerl. und religiöse Baudenkmäler aus dem westl. Westfalen, dem nördl. Ostwestfalen, Südostwestfalen, Sauer-land und Siegerland
Mühlendorf-Freilicht-museum, Münster	1963	4 ha	bäuerl. und techn. Baudenkmäler, u. a. eine Bockwindmühle
Rheinland-Pfalz:			
Freilichtmuseum Sobernheim	(1972) 1987	35 ha	4 Baugruppen bäuerl. Baudenkmäler: Huns-rück-Nahe, Rheinhessen-Pfalz, Westerwald-Taunus-Mittelrhein, West- und Südeifel
Sachsen:			
Vogtländisches Bauern-museum, Landwüst, Landkr. Klingenthal	(1972) 1987	1 ha	bäuerl. Baudenkmäler des oberen Vogtlandes, Gutsarbeiterhaus („Tripfhäusgerl") und Klein-bauerngehöft (Umgebindehaus), mit bäuerl. Hausgerät, Dorfhandwerk
Freilichtmuseum Seiffen	1973	5 ha	funktionstüchtiges Wasserkraft-Drehwerk aus dem 18. Jh. sowie techn. Anlagen traditioneller Holzberufe (u. a. Reifendreher)
Sachsen-Anhalt:			
Freilichtmuseum Diesdorf	1911	3 ha	bäuerl. Baudenkmäler der Altmark, u. a. ein niederdt. Hallenhaus und eine Bockwindmühle
Schleswig-Holstein:			
Schleswig-Holsteinisches Freilichtmuseum, Molfsee bei Kiel	(1958) 1965	60 ha	bäuerl. und techn. Baudenkmäler aus Schles-wig und Holstein, aus Marsch- und Geestland-schaften, einschließl. bäuerl. Gärten
Thüringen:			
Volkskundemuseum „Thüringer Bauernhäuser", Rudolstadt	(1914) 1915	1 ha	bäuerl. Baudenkmäler aus Thüringen, Wohn-haus eines Saalebauern sowie eines Wäldlers; bäuerl. Hausgerät, Ladeneinrichtung einer Dorfapotheke
Agrarhistorisches Museum Kloster Veßra, Landkr. Hildburghausen	1975	6 ha	bäuerl. Wohn- und Wirtschaftsgebäude, z. T. aus dem 17. Jh., auf dem Gelände des um 1131 gegr. Prämonstratenserklosters

Freimachung, im Postwesen die Vor-ausentrichtung von Gebühren; mit Ausnah-me von gewöhnl. Briefen, Postkarten und Pa-keten besteht **Freimachungszwang,** d. h., der Absender muß die Sendungen freimachen.

Freimaurerei [Lehnübersetzung von engl. freemasonry], eine internat. verbreitete Bewegung von humanitärer, der Toleranz verschriebener, auf lebendige Bruderschaft abzielender Geisteshaltung. Die in der brü-derl. Gemeinschaft in sog. „Tempelarbeiten" gewonnene Selbsterkenntnis soll zugleich Gewissen und Verantwortungsgefühl gegen-über Staat und Gesellschaft schärfen. Das Ri-tual der Freimaurer, das in seinen wesentl. Bestandteilen überall auf der Erde gleich ist, wird als ein dynam. Symbol des kosm. Ge-schehens gedeutet und soll den teilnehmen-den Logenmitgliedern ermöglichen, ihr Le-ben in zunehmenderem Maß aus einem über-geordneten Bewußtsein heraus zu gestalten. Das Brauchtum der Freimaurer stammt vielfach aus den ↑Bauhütten. Die F. stellt eine sinnbildl. Baukunst dar, Gegenstand dieses Bauens ist der einzelne Mensch und über ihn hinaus die gesamte Menschheit. Die Arbeiten werden in drei **Graden** geleistet, dem des Lehrlings, des Gesellen und des Meisters, und erfassen das gesamte Leben des Mannes. Die Freimaurer verwenden auch bes. Zeichen und tragen zu ihren Arbeiten Abzeichen, Schurz und weiße Handschuhe. Die Freimaurerlogen sind meist im Vereinsregister eingetragene Vereine.

Zu den *geistigen Grundlagen* der F. zählen Urkunden wie die „Alten Landmarken" und die „Alten Pflichten". Erstere stammen z.T. bereits aus dem 14.Jh. und verlangen die Anerkennung eines „Großen Baumeisters aller Welten", das Auflegen der Bibel bei den freimaurer. Arbeiten, die Eigenschaft des freien Mannes von gutem Ruf für die Mgl., die Loge als reinen Männerbund. Diese Grundlagen wurden 1723 von dem engl. Geistlichen James Anderson (* 1680, † 1739) in die von ihm verfaßten „Alten Pflichten" übernommen und gelten noch heute unverändert.

Die F. besitzt keine über die ganze Erde reichende *Organisation*. Die regulären Freimaurerlogen sind innerhalb eines Staates, in dem sie arbeiten, in einem oder auch mehreren Bünden zusammengeschlossen. Die Mgl. einer Loge wählen in freier Wahl ihren Vorsitzenden, den Meister vom Stuhl bzw. Logenmeister. Die Logenmeister wählen auf dem Großlogentag den Großmeister und seine Mitarbeiter in der Führung der Großloge. Auch die Großlogen sind eingetragene Vereine oder Körperschaften öffentl. Rechts. In der BR Deutschland besteht ein von allen Logen gemeinsam getragenes „Freimaurer. Hilfswerk" und in Bayreuth ein Dt. Freimaurer-Museum mit Bibliothek.

Geschichte: Die Bez. „freemason" (seit 1376 belegt) entspricht der dt. Berufsbez. „Steinmetz", „lodge" (Loge) bezeichnet seit 1278 das den Bauhandwerkern als Werkstatt und Versammlungsraum dienende Holzgebäude, seit dem 14./15.Jh. auch die Gruppe der dort arbeitenden Steinbauwerker. Durch den Zusammenschluß von vier solcher Logen entstand 1717 in London die erste Großloge, der seit 1725 die Verbreitung der F. auf dem europ. Festland und schließl. weltweit folgte. In Deutschland (erste Loge 1737 in Hamburg) erhielt die F. gewaltigen Auftrieb durch den Beitritt des preuß. Kronprinzen, des späteren Königs Friedrich II., d. Gr. (1738 in Braunschweig). Vor 1933 (Schließung der Logen, Einzug ihrer Vermögen, z.T. Verfolgung ihrer Mgl. durch das nat.-soz. Regime) lebten in Deutschland etwa 76000 Freimaurer. Die nach 1945 wieder entstandenen Logen schlossen sich 1958 zu den „Vereinigten

Großlogen von Deutschland" zus. (heute etwa 20500 Freimaurer). In *Österreich* (seit 1742) umfaßt die heutige „Großloge der Alten Freien und Angenommenen Maurer von Österreich" (1918 gegr.; 1938–45 verboten) 22 Logen. – In der *Schweiz* (seit 1736) gehören heute alle (51) Logen der 1844 gegr. „Schweizer. Großloge Alpina" an. Weltweit arbeiten fast 7 Mill. (allein in den USA über 4 Mill.) Freimaurer in über 30000 Logen (genaue Zahlen sind nicht bekannt). Die F. erregte von Anfang an das Mißfallen der kath. Kirche, die sie zw. 1738 und 1918 in 12 päpstl. Stellungnahmen verurteilte und die Freimaurer wegen antiklerikalist. Ziele und humanist.-deist. Weltanschauung exkommunizierte. Heute hat die Kirche den Dialog mit der F. aufgenommen und die Exkommunikation ihrer Mgl. aufgehoben (1972). – Zahlr. bek. Persönlichkeiten waren Freimaurer, u.a. Blücher, Simón Bolívar, Churchill, Disraeli, Garibaldi, Goethe, Haydn, Lessing, Liszt, Mozart, von Ossietzky, F. D. Roosevelt, Stresemann, Tucholsky, Washington.

⚏ *Haack, F. W.:* Freimaurer. Mchn., ⁷1984. – *Freimaurer u. Geheimbünde seit dem 18.Jh.* Hg. v. H. Reinalter. Ffm. 1982. – *Wein, B.:* Die Bauhütten u. ihre Entwicklung zur F. Hamb. 1977. – *Lagutt, J.:* Der Grundstein der F. Bern ³1971.

Frei Montalva, Eduardo [span. ˈfreimɔnˈtalβa], * Santiago de Chile 16. Jan. 1911, † ebd. 22. Jan. 1982, chilen. Politiker. – Mgl. der Falange Nacional (später: Christl. Demokrat. Partei Chiles); vermochte als Staatspräs. (1964–70) sein wirtsch. und soziales Aufbauprogramm nur z.T. zu verwirklichen.

Freir [ˈfraiər] ↑ Freyr.

Freirechtslehre ↑ Begriffsjurisprudenz.

freireligiös, Bez. für die religiöse Haltung, die aus dem ↑Deutschkatholizismus und den ↑Lichtfreunden hervorging. Beide Gruppierungen schlossen sich 1859 zum Bund **Freireligiöser Gemeinden** zusammen. Die proklamierte religiöse Freiheit zu einer Variationsbreite vom Pantheismus zum Theismus und Atheismus, auch zu Absplitterungen. Der Mensch ist nicht Sünder vor Gott, sondern nur sich selbst verantwortl., und das Böse nur Durchgang zum Guten. 1950 organisierte sich unter vorübergehender Einbeziehung der südwestdt. Gemeinden, die das religiöse Moment stärker betonten, der **Bund Freireligiöser Gemeinden Deutschlands** (70000 Anhänger) neu.

Frei Ruiz-Tagle, Eduardo [span. - ˈrruis-], * Santiago de Chile 24. Juni 1942, chilen. Politiker, Sohn von E. Frei Montalva; wurde 1991 in den Senat gewählt. Er gewann die Präsidentschaftswahlen 1993 als Kandidat eines christlich-demokrat. Wahlbündnisses und trat sein Amt im März 1994 an.

Freisassen, bis ins 19. Jh. die Bauern persönlich freien Standes, die grundherrl. Boden zu freiem Leiherecht besiedelten oder Inhaber eines Freihofes waren.

Freischar ↑ Jugendbewegung.

Freischaren, militär. Formationen aus Freiwilligen, die unter der Führung einzelner Persönlichkeiten oder polit. Gruppen an der Seite regulärer Truppen, denen sie angegliedert und unterstellt sind, in das Kriegsgeschehen eingreifen; nach der Haager Landkriegsordnung unter bestimmten Umständen als Bestandteil regulärer Streitkräfte anerkannt.

Freischärler ↑ Kombattanten, ↑ Partisanen.

Freischütz, im Volksglauben ein Schütze, der mit sechs Freikugeln, die mit Hilfe des Teufels gegossen wurden, unfehlbar trifft; die siebte Kugel lenkt der Teufel. F. Kind schrieb das Textbuch zu C. M. von Webers romant. Oper „Der F." (1821).

freisetzen, in der *Wirtschaft:* jemanden von den bisherigen Aufgaben entlasten; verhüllend für entlassen.

Freisetzungstheorie, in der Wirtschaftstheorie die Grundthese D. Ricardos: die Einführung von Maschinen erhöht zwar den Nettoertrag der Produktion, vermindert aber den Bruttoertrag und führt so zu einer Freisetzung von Arbeitern (Arbeitslosigkeit) im Produktionsprozeß.

Freising, Krst. am nw. Rand des Erdinger Mooses, Bayern, 471 m ü. d. M., 34 300 E. Staatl. Lehr- und Forschungsanstalt für Gartenbau; Fakultät für Landw. und Gartenbau sowie Fakultät für Brauwesen, Lebensmitteltechnologie und Milchwirtschaft der TU München (im Ortsteil Weihenstephan), Fachhochschule Weihenstephan; Diözesanmuseum. Motoren- und Maschinenbau, Textilind. – Die um 700 erbaute Burg der Bayernherzöge wird 744 erstmals erwähnt. Wirkungsstätte des hl. Korbinian († 730), der die Anfänge des Klosters Weihenstephan begr. (1020 neugegr., 1802/03 aufgehoben). Um 738 errichtete der hl. Bonifatius das Bistum F. Im 8. bzw. 9. Jh. war F. ein polit. (Königspfalz), Missions- und Kulturzentrum mit bed. Schreibschule. Unter Otto von F. (ab 1138 Bischof) neue Blütezeit. 1220 wurde das Kerngebiet des Hochstifts reichsunmittelbar, 1802/03 gelangte es an Bayern. 1821 wurde die Erzdiözese München und Freising gegr. – Dom (12. Jh.; im 18. Jh. barockisiert) mit barocker Maximilianskapelle (1710), Krypta und Kreuzgang, gotische Johanniskirche (1319–21), Renaissancearkadenhof (1519) der ehem. fürstbischöfl. Residenz, spätgot. Stadtpfarrkirche Sankt Georg (um 1440), barocke Kirche Sankt Peter und Paul (1700–15).

F., Landkr. in Bayern.

Freisinnig-Demokratische Partei der Schweiz (häufige Abk.: FDP), schweizer. polit. Partei, 1894 gegr.; Folgeorganisation der um 1830 entstandenen demokrat. Freiheitsbewegung, des 1873 gegr. „Schweizer Volksvereins" sowie der 1878 gebildeten „radikaldemokrat." Fraktion der Bundesversammlung; verstand sich als umfassende Staatspartei, verlor 1919, nach Einführung des Mehrheitswahlrechts und Abspaltung der Bauern-, Gewerbe- und Bürgerpartei (↑ Schweizerische Volkspartei), die absolute Mehrheit; strebt eine Revision der Verfassung an; großbürgerl. Partei, die einen sozialen Liberalismus verfolgt; hat seit den Wahlen 1987 im Nationalrat 51 (von 200), im Ständerat 14 (von 46) Sitze.

Freisinnige, Mgl. und Anhänger liberaler Parteirichtungen in Deutschland und in der Schweiz, die sich v. a. für liberale Grundideen in Staat und Wirtschaft einsetzten. Im Dt. Reich fusionierte 1884 die dt. Fortschrittspartei mit der Liberalen Vereinigung in der ↑ Dt. Freisinnigen Partei, die sich 1893 in die Freisinnige Vereinigung und die Freisinnige Volkspartei spaltete. In der *Schweiz* entstand der **Freisinn** nach 1815, bildete jedoch erst 1894 eine Parteiorganisation (Freisinnig-Demokrat. Partei der Schweiz).

Freisinnige Partei ↑ Deutsche Freisinnige Partei.

Freisinnige Vereinigung, liberale dt. Partei (1893–1910), entstand aus der Spaltung der Dt. Freisinnigen Partei; vertrat die Tradition der Liberalen Vereinigung.

Freisinnige Volkspartei, liberale dt. Partei (1893–1910), gegr. bei der Spaltung der Dt. Freisinnigen Partei: vertrat einen strengen Wirtschaftsliberalismus.

Freisler, Roland, * Celle 30. Okt. 1893, † Berlin 3. Febr. 1945 (bei Luftangriff), dt. Jurist und Politiker. – Trat 1925 der NSDAP bei; 1933–34 Staatssekretär im preuß. Justizministerium, 1934–42 im Reichsjustizministerium; 1942 Präs. des Volksgerichtshofes; in den Prozessen nach dem 20. Juli 1944 Personifikation des nat.-soz. Justizterrors („Blutrichter").

Freispruch, Urteil im Strafprozeß, im Ehrengerichts- und Disziplinarverfahren, durch das der Angeklagte von dem Vorwurf der Anklage befreit wird. Aus den Urteilsgründen muß sich ergeben, ob der Angeklagte für nicht überführt oder ob und aus welchen Gründen die als erwiesen angesehene Tat für nicht strafbar erachtet worden ist.

Freistaat ↑ Republik.

Freistadt, Bez.hauptstadt 30 km nnö. von Linz, Oberösterreich, 560 m ü. d. M., 7 100 E. Textil-, Möbelind., Brauerei. – 1241 erstmals genannt. – Stadtpfarrkirche (13. Jh.), 1690 barock erneuert; Liebfrauenkirche

(15. Jh.); zahlr. Bürgerhäuser des 14.–16. Jh.; Mauern, Türme, Tore und Graben der ma. Stadtummauerung (13./14. Jh.) sind erhalten.

Freistempelung, im Postwesen die Freimachung von Sendungen mit Freistempelabdrucken statt mit Postwertzeichen; die Gebühren sind im voraus zu entrichten.

Freistempler, svw. ↑ Frankiermaschine.

Freistilringen ↑ Ringen.

Freistilschwimmen ↑ Schwimmen.

Freistoß, im Fußballspiel Strafe bei Regelverstoß. Von einem Spieler der durch den Regelverstoß benachteiligten Mannschaft wird ein unbehinderter Schuß abgegeben, der beim **direkten Freistoß** unmittelbar zum Torerfolg führen kann, während beim **indirekten Freistoß** der Ball von einem weiteren Spieler berührt werden muß.

Freistudenten, frühere Bez. der Studenten, die keiner Korporation angehörten (auch **Finken** gen.); ältester Zusammenschluß: Leipziger Finkenschaft von 1896. Seit 1900 bestand der Zentralverband der Dt. Freien Studentenschaft. Seine Forderungen (allg. Studentenausschüsse und Selbsthilfeeinrichtungen) wurde erst nach dem 1. Weltkrieg durch die Dt. Studentenschaft verwirklicht.

Freistrahlturbine, svw. ↑ Peltonturbine.

Freistuhl ↑ Femgerichte.

Freitag, Walter, * Remscheid 14. Aug. 1889, † Herdecke 7. Juni 1958, dt. Gewerkschaftsführer. – Dreher, ab 1920 Gewerkschaftsfunktionär, führender SPD-Politiker der Weimarer Republik, 1933–45 zeitweilig im KZ; nach 1945 MdL in NRW, 1946–52 Vors. der IG Metall; 1949–53 MdB, 1952–56 DGB-Vorsitzender.

Freitag, die dt. Bez. für den 5. Tag der Woche. Die gemeingerman. Bez. (althochdt. fria-, frijetag, mittelhochdt. vrītac) ist dem lat. Veneris dies (vgl. frz. vendredi) nachgebildet, wobei die röm. Liebesgöttin Venus durch die german. Göttin Frija (↑ Frigg) ersetzt wurde. – Im religiösen Leben durch das Gedenken an den Tod Christi (Karfreitag) geprägt, wurden der F. oder besondere F.e durch Andachts- und Gebetsübungen (z. B. Kreuzweg), Fasten usw. aus den übrigen Wochentagen herausgehoben. Vielfältige Volksglaubensvorstellungen geben dem F. bes. Bedeutung, v. a. als Unglücks- bzw. Glückstag.

Freital, Krst. in Sa., sw. von Dresden, 160–280 m ü. d. M., 40 000 E. Bergbaumuseum; Edelstahlwerk, Maschinenbau, Glas-, Porzellan-, Papier-, Möbelind. – F. entstand 1921 durch den Zusammenschluß der Landgemeinden Deuben, Döhlen und Potschappel als Stadt. F., Landkr. in Sachsen.

Freitod ↑ Selbsttötung.

Freiton, svw. ↑ Freizeichen.

Freitreppe ↑ Treppe.

Freiübungen, gymnast. Übungen ohne Gerät.

Freiverkehr, Handel in Wertpapieren, bei denen keine Zulassung zum amtl. Börsenverkehr beantragt worden ist bzw. die nicht zum amtl. Verkehr zugelassen sind.

Freiviertel (Vierung) ↑ Wappenkunde.

Freivorbau, ein Montageverfahren beim Brückenbau, wobei mit Hilfe eines Freivorbaukrans die einzelnen Brückenteile an bereits montierten, frei auskragenden Bauteil angebaut werden.

Freiwillige, Bez. für die freiwillig in einer Streitmacht Wehrdienst Leistenden, im Unterschied zu den rechtlich zum militär. Dienst Verpflichteten (z. B. Lehns-, Wehrpflichtige).

freiwillige Eingemeindung ↑ Eingemeindung.

freiwillige Erziehungshilfe, im JugendwohlfahrtsG i. d. F. von 1977 vorgesehene öff. Ersatzerziehung in einer geeigneten Familie oder einem Heim; wurde durch das ↑ Kinder- und Jugendhilfegesetz vom 26. 6. 1990, in Kraft gesetzt ab 1. 1. 1991, wieder abgeschafft.

freiwillige Feuerwehr ↑ Feuerwehr.

freiwillige Gerichtsbarkeit, Teil der ordentl. Gerichtsbarkeit. Die f. G. kann formal bestimmt werden als Rechtspflegetätigkeit der ordentl. Gerichte (Richter, Rechtspfleger) oder anderer Rechtspflegeorgane (z. B. Notar, Standesbeamter) in solchen Angelegenheiten, die durch das Gesetz als Angelegenheiten der f. G. gekennzeichnet sind; das sind v. a. die vom Vormundschafts-, Nachlaß- oder Registergericht zu erledigenden Sachen, die Beurkundungstätigkeit, das Verfahren zur Todeserklärung und andere Tätigkeiten auf dem Gebiet des bürgerl. Rechts. Es handelt sich dabei i. d. R. um sog. *Rechtsfürsorgeangelegenheiten,* bei denen nur im Ausnahmefall unter den Beteiligten Streit besteht (etwa zw. Erben über den Inhalt eines Erbscheins). Daneben werden auch echte Streitsachen des privaten und des öff. Rechts zugewiesen (z. B. Hausratsverteilung, Versorgungsausgleich bei Ehescheidung).

Rechtsquellen: Das Gesetz über die Angelegenheiten der f. G. (FGG) vom 17. 5. 1898, eine Rahmenkodifikation, die durch BGB, HGB und andere Gesetze (auch des Landesrechts) ergänzt oder teilweise ersetzt wird. *Verfahren:* In Rechtsfürsorgesachen wird das Verfahren häufig von Amts wegen eingeleitet, in Streitsachen nur auf Antrag. Die entscheidungserhebl. Tatsachen werden von Amts wegen ermittelt. Die Durchführung einer mündl. Verhandlung ist freigestellt; sie ist nicht öffentlich. Entscheidungen ergehen (auch in Streitsachen) durch Beschluß oder Verfügung, als Rechtsmittel ist die einfache

oder sofortige Beschwerde an das Landgericht gegeben. Über die als Rechtsbeschwerde ausgestaltete *weitere Beschwerde* [gegen die Beschwerdeentscheidungen des Landgerichts] entscheidet das Oberlandesgericht. In *Österreich* ist für das Verfahren der f. G. die Bez. **außerstreitiges Verfahren** in Gebrauch. Dazu gehören v. a. das Vormundschaftswesen, einvernehml. Scheidung, Führung von Grundbuch und Handelsregister, Konkurs- und Ausgleichsverfahren. In der *Schweiz* besteht nur für Teilgebiete eine einheitl. Regelung der f. G. Die meisten ihrer Aufgaben sind nicht den Gerichten, sondern Verwaltungsbehörden übertragen.
 Bassenge, P./Herbst, G.: FGG/RPflG. Hdbg. [4]*1986. – Dolinar, H.: Östr. Außerstreitverfahren. Wien 1982.*

Freiwilligenverbände, freiwilliger Zusammenschluß von (meist regulären bzw. ehem.) Truppenangehörigen; aktivieren sich bei innenpolit. und lokalen Konflikten (Einwohnerwehren, Freikorps), außerdem im Rahmen militär. Auseinandersetzungen. In der Waffen-SS gab es Freiwilligendivisionen aus Nord- und Westeuropäern, seit 1943 auch südeurop. und asiat. Einheiten.

freiwilliger Arbeitsdienst ↑ Arbeitsdienst.

Freiwillige Selbstkontrolle der Filmwirtschaft, Abk. FSK, Organ der „Spitzenorganisation der Filmwirtschaft" (SPIO) in Wiesbaden, gegr. 1948; prüft mit Vertretern des Staates, gesellschaftl. Gruppen und der Filmwirtschaft als sachverständiges, unabhängiges Gremium in drei, bei behördl. Bedenken vier Instanzen Kinofilme und Videoangebote nach dem JugendschutzG vom 25. 2. 1985, den Bestimmungen für Feiertagsschutz und (für die Film- und Videowirtschaft) den Regeln des Vertrauensschutzes gegenüber strafrechtl. Bedenken.

freiwilliges soziales Jahr, Abk. FSJ, freiwilliger persönl. Hilfsdienst junger Menschen zw. dem 17. und 25. Lebensjahr im Einrichtungen der Wohlfahrt und Gesundheitspflege im Bereich der BR Deutschland für die Dauer von 12 Monaten; geht auf die Initiative der Kirchen, „Diakon. Jahr" (ev.), „Das Jahr für die Kirche" (kath.), und einiger Verbände der freien Wohlfahrtspflege zur Milderung des Personalmangels in sozialpfleger. und sozialpädagog. Einrichtungen zurück; kann für sozialpfleger. und hauswirtsch. Berufe als Berufspraktikum anerkannt werden, nicht als Ersatzdienst für Wehrdienstverweigerer.

Freiwurf, eine Strafmaßnahme bei Regelverstößen, hauptsächlich im Handball-, Wasserball-, Korbball- und Basketballspiel; wird (mit Ausnahme des Basketballspiels) am Ort des Regelverstoßes ausgeführt. Beim Basketballspiel darf der bei einer Schußaktion regelwidrig behinderte Spieler zwei Freiwürfe ohne Behinderung des Gegners auf den Korb ausführen.

Freizeichen, Zeichen, die ihre für die Eintragung als Warenzeichen erforderl. Unterscheidungskraft und Eignung zum Hinweis auf die Herkunft einer Ware aus einem bestimmten Betrieb durch den allg. Gebrauch einer größeren Zahl voneinander unabhängiger Unternehmen eingebüßt haben (z. B. Äskulapstab für medizinisch-pharmazeut. Produkte).
◆ (Freiton) oft ein langer Signalton (tüüüt), der beim Telefonieren anzeigt, daß der angewählte Anschluß frei ist; ist der Anschluß besetzt, ertönt das **Besetztzeichen** (tüt, tüt, ...), eine Folge kurzer Signaltöne.

Freizeichnungsklausel, vertragl. Haftungseinschränkung oder -ausschluß bei Fahrlässigkeit (nicht für Vorsatz); häufig in allg. Geschäftsbedingungen zu finden.

Freizeit, in der Soziologie hauptsächl. als Komplementärbegriff zu Arbeit aufgefaßt; bezeichnet die dem Berufstätigen außerhalb der Arbeit zur Verfügung stehende Zeit; läßt sich untergliedern in „reproduktive" Zeit, die ausgefüllt ist mit existenzerhaltenden Verrichtungen, wie Schlafen, Essen, Körperpflege, und „verhaltensbeliebige" private Zeit.

Freizeitarrest ↑ Jugendarrest.

Freizügigkeit, in Art. 11 GG verankertes Grundrecht aller Deutschen, an jedem Ort des Bundesgebietes Wohnsitz oder Aufenthalt zu nehmen (die F. umschließt das Recht, die bewegl. Habe an den neuen Wohnort mitzunehmen sowie dort unter denselben Voraussetzungen wie im Einheimische beruflich tätig zu werden (wirtsch. F.). Die F. berechtigt alle Deutschen ferner, in das Bundesgebiet einzuwandern und einzureisen. Die Ausreisefreiheit ist nach Maßgabe der *allg. Handlungsfreiheit* (Art. 2 Abs. 1 GG) geschützt. Einschränkungen der F. dürfen nur durch Gesetz oder auf Grund eines Gesetzes erfolgen (Art. 11 Abs. 2 GG). – F. innerhalb der Europ. Gemeinschaften ↑ Arbeitnehmerfreizügigkeit.
In *Österreich* unterliegt die F. der Person und des Vermögens innerhalb des Staatgebietes keiner Beschränkung. – Im *schweizer. Recht* wird die F. (Niederlassungsfreiheit) durch Art. 45 BV garantiert.

Fréjus [frz. fre'ʒys], frz. Stadt in der Provence, Dep. Var, 32 700 E. Kunststoff- und Textilind.; Erwerbsgartenbau. Seebäder sind F.-Plage und der Vorhafen Saint-Raphaël; ↯. – 360–1957 Bischofssitz. – Der Bruch eines oberhalb der Stadt errichteten Staudammes verursachte 1959 schwere Schäden und forderte mehr als 400 Todesopfer. – Reste der röm. Stadtmauer, eines Aquädukts, einer

Thermenanlage, eines Amphitheaters (Ende 1./Beginn 2. Jh.) und eines Theaters. Kathedrale (11./12. Jh.) mit frühchristl. Baptisterium (5. Jh.) und zweigeschossigem Kreuzgang (13. Jh.; jetzt Archäolog. Museum).

FRELIMO, Abk. für: Frente de Libertação de Moçambique, Befreiungsbewegung und polit. Partei in ↑Moçambique.

Fremantle [engl. 'frːmæntl], austral. Stadt in der Metropolitan Area von Perth, 24 000 E. Haupthafen von Westaustralien, Fischereihafen und Industriestadt.

Fremdatome, in einem Kristallgitter auf Gitterplätzen oder auf Zwischengitterplätzen eingebaute, dem Grundgitter fremde Atome, die durch Diffusion oder Ionenimplantation in den Kristall gelangt sind oder bereits der Schmelze zugesetzt wurden. F. beeinflussen die physikal. Eigenschaften des Kristalls.

Fremdbefruchtung ↑Befruchtung.
◆ svw. ↑Fremdbestäubung.

Fremdbestäubung (Fremdbefruchtung, Allogamie), Übertragung des Blütenstaubs aus einer Blüte auf die Narbe einer anderen Blüte derselben Art.

Fremdbestimmung, in der Soziologie Bez. für das Bestimmtsein durch andere, von denen der Betreffende abhängig ist. – ↑Entfremdung.

Fremdenlegion (Légion étrangère), zum frz. Heer gehörende Freiwilligentruppe; 1831 auf Initiative des frz. Königs Louis Philippe in Algerien gebildet. Angeworben und aufgenommen werden Diensttaugliche jegl. Nationalität im Alter von 18 bis 40 Jahren, die sich zunächst zu einer 5jährigen Dienstzeit verpflichten müssen; schlagkräftige Berufsarmee, die in fast allen Kolonialkriegen Frankreichs eingesetzt wurde, v. a. in N-Afrika und (bes. 1946–54) in Indochina; verlor mit dem Zerfall des frz. Kolonialreiches an Bedeutung.

Fremdenrecht, Normen, die die Rechtsstellung von Personen regeln, die nicht die Staatsangehörigkeit ihres Aufenthaltsstaates besitzen (↑Ausländerrecht).

Fremdenverkehr ↑Tourismus.

Fremdenverkehrsgeographie, Forschungsrichtung der Geographie, untersucht die wechselseitigen Beziehungen zw. Tourismus und Fremdenverkehrsgebieten.

Fremderregung, bei elektr. Maschinen die Erzeugung des zum Betrieb erforderl. Magnetfeldes mit Hilfe eines fremden Netzes.

Fremdfinanzierung, Maßnahmen der Kapitalbeschaffung, wobei ein Unternehmen auf beschränkte Zeit Finanzierungsmittel von Dritten erhält. – Ggs. ↑Eigenfinanzierung.

Fremdimpfstoff, svw. ↑Heterovakzine.

Fremdkapital, der Teil des Kapitals eines Unternehmens, der ihm von außen zur

Verfügung gestellt wird. Das F. gehört zu den Verbindlichkeiten und wird demnach auf der Passivseite der Bilanz ausgewiesen. Das Verhältnis des F. zum Eigenkapital ergibt den Verschuldungskoeffizienten.

Fremdkörper (Corpus alienum), gewöhnlich auf unnatürl. Weise zufällig von außen eingedrungener oder absichtlich in den Körper eingeführter Stoff oder Gegenstand, der vom Gewebe als körperfremd empfunden wird und eine Entzündung verursachen kann.

Fremdlingsfluß ↑Fluß.

Fremdrente, Leistung nach dem Fremdrentengesetz (gilt gemäß Einigungsvertrag nicht in den Ländern der ehem. DDR); wird Deutschen aus außerdt. Gebieten mit Wohnsitz in der BR Deutschland gewährt, die ihren früheren Versicherungsträger nicht mehr in Anspruch nehmen können, außerdem heimatlosen Ausländern, Flüchtlingen und Hinterbliebenen dieser Personen.

fremdsprachlicher Unterricht ↑neusprachlicher Unterricht, ↑altsprachlicher Unterricht.

Fremdstoffe, im Lebensmittelrecht veraltete Bez. für ↑Zusatzstoffe.

Fremdverbreitung, svw. ↑Allochorie.

Fremdwort, aus einer Fremdsprache übernommenes Wort, das sich in Aussprache und/oder Schreibweise und/oder Flexion der übernehmenden Sprache nicht angepaßt hat. Haben sich Wörter, auch wenn sie erst in neuerer Zeit übernommen wurden, angepaßt, gelten sie als Lehnwörter (z. B. Film und Sport). Die in ihrer fremden Herkunft erkennbaren F. gehören zumeist dem Wortschatz der Gruppensprachen (Fach- und Sondersprachen) an, unterscheiden sich aber von anderen Ausdrücken durch ihre Fremdheit; als fremd gelten z. B. Silben wie: -(is)ieren (funktionieren, realisieren), -ion (Generation), ex- (Experte), -ell (kriminell), -(is)mus (Automatismus, Expressionismus), -iv (primitiv), -or (Diktator) usw., Schreibungen wie c (Club), th (Theater), -e (extra), -ph- (Telephon), -ou- (Tourist). Die wichtigste Ursache für die Übernahme eines F. ist die Übernahme der bezeichneten Sache. Daher spiegeln sich in den Fremd- und Lehnwörtern die Kulturströmungen, die auf den dt.sprachigen Raum gewirkt haben; z. B. aus dem Italienischen Wörter des Geldwesens (Giro, Konto, Porto) und der Musik (adagio, Sonate, Violine), aus dem Französischen Ausdrücke des Gesellschaftslebens (Kavalier, Renommee, Cousin) oder des Kriegswesens (Offizier, Leutnant, Patrouille), aus dem Englischen Wörter des Sports (Favorit, Outsider, Derby) und aus der Wirtschaft (Manager, Floating). In neuester Zeit hat die Entwicklung von Wiss. und Technik den F.bestand der Wortschätze stark vermehrt. Die dt. Sprachpflege

sah häufig die F.bekämpfung als ihr Haupt-
problem an, bes. in Zeiten nat. Selbstbesin-
nung, z. B. im Barock (Sprachgesellschaften)
und im 19.Jh. (J. H. Campe, Deutscher
Sprachverein).

Fremont, John Charles [engl. frɪ'mɔnt],
* Savannah (Ga.) 21. Jan. 1813, † New York
13. Juli 1890, amerikan. Forscher und Offizier. – 1878–81 Gouverneur von Arizona; unternahm mehrere bed. Expeditionen, u. a. in
das Felsengebirge von Colorado, an den Großen Salzsee und in die Sierra Nevada.

French, John Denton Pinkstone [engl.
frɛntʃ], Earl of Ypres and of High Lake
(1921), * Ripple (Kent) 28. Sept. 1852,
† Schloß Deal (Kent) 22. Mai 1925, brit. General. – Spielte im Burenkrieg eine bed. Rolle; 1913 Feldmarschall; kommandierte 1914/
1915 das brit. Expeditionskorps in Frankreich, bis 1918 Oberbefehlshaber der Truppen in Großbritannien; Lord Lieutenant in
Irland (1918–21).

Freneau, Philip Morin [engl. frɪ'nou],
* New York 2. Jan. 1752, † bei Middleton
Point (N. J.) 19. Dez. 1832, amerikan. Dichter. – Aus hugenott. Familie; Dichter der Revolution und der jungen amerikan. Republik,
v. a. Lyrik und Satiren.

Frenektomie [griech.], Durchtrennung
oder operative Entfernung der Lippenbänd-
chen im Ober- und Unterkiefer oder des Zun-
genbändchens.

frenetisch [griech.], rasend, tobend, toll.

Freni, Mirella, * Modena 27. Febr. 1935,
italien. Sängerin (Sopran). – Debütierte 1955
in Modena, war dann gefeierter Gast an bedeutenden Opernhäusern; wirkte auch bei
Festspielen (Salzburg, Glyndbourne) mit;
wurde v. a. bekannt in Opernpartien von Mozart, Verdi, Puccini und Bizet.

Frenkel-Defekt [nach dem sowjet. Physiker J. I. Frenkel, * 1894, † 1952], Abwandern
eines in einen Kristall eingebauten Atoms
von seinem normalen Platz im Kristallgitter
auf einen Zwischengitterplatz; gehört zu den
nulldimensionalen Fehlordnungen.

Frenssen, Gustav, * Barlt (Dithmarschen) 19. Okt. 1863, † ebd. 11. April 1945, dt.
Schriftsteller. – Ev. Pfarrer (1890–1902);
stellte in seinen Romanen („Die Sandgräfin",
1896; „Jörn Uhl", 1901; „Hilligenlei", 1905;
„Otto Babendiek", 1926, u. a.) die norddt.
Landschaft und ihre Menschen dar. F.s Abwendung vom Christentum gipfelt in der
Schrift „Der Glaube der Nordmark" (1936).

Frenulum [lat.], in der Anatomie Bez. für
Bändchen, kleine Haut- oder Schleimhaut-
falte.

Freon ⓦ [engl.], Fluorchlorkohlenwasserstoffe, die als Sicherheitskältemittel und
als Treibgas (für Aerosole) Verwendung finden.

frequentieren [lat.], häufig besuchen;
ein und aus gehen; verkehren.

Frequenz [zu lat. frequentia „Häufig-
keit"], Besuch, Besucherzahl, Verkehrsdichte.
♦ Formelzeichen v oder f, bei einem period.
Vorgang, z. B. einer Schwingung, der Quo-
tient aus der Anzahl der Perioden (vollen
Schwingungen) und der dazu erforderl. Zeit.
Das 2π-fache der Frequenz wird als **Kreisfre-**
quenz ω bezeichnet: $\omega = 2\pi v$. Zw. der Peri-
odendauer (Schwingungsdauer) T und der
Frequenz v besteht die Beziehung: $T = 1/v$.
SI-Einheit der F. ist das Hertz (Hz).

Frequenzband, svw. ↑Band.

Frequenzbereich ↑Wellenbereich.

Frequenzgang, der Verlauf einer physikal. Größe als Funktion der Frequenz; auch
Bez. für die Funktion selbst.

Frequenzhub ↑Frequenzmodulation.

Frequenzmodulation, Abk. FM, vorzugsweise bei UKW-Rundfunk, Richtfunk
und kommerziellen Fernsehanlagen ange-
wendete Modulationsart: Im Sender wird die
Trägerfrequenz f_T gemäß der Amplitude A_M
und dem Rhythmus f_M der Modulierschwin-
gung (Sprache, Musik) verändert. Die Amplitude der Trägerschwingung bleibt unverändert. Die F. ermöglicht störungsarmen Empfang. Da die meisten Störungen eine Amplitudenmodulation bewirken, lassen sie sich
durch Amplitudenbegrenzung im Empfänger
heraussieben. Maximaler Frequenzhub (d. h.
Änderung der Trägerfrequenz) bei UKW-
Rundfunk $\Delta f = 75$ kHz, maximale Modulationsfrequenz $f_M = 15$ kHz.

Frequenznormal, in der Meßtechnik
eine Anordnung, die eine konstante, stets re-
produzierbare Frequenz erzeugt (z. B. Quarz-
uhr oder Atomuhr).

Frequenzteiler, Bez. für eine Schaltung
zur Teilung (Untersetzung) der Frequenz einer elektr. Wechselgröße in einem ganzzahligen Verhältnis. Als F. verwendet man Kipp-
generatoren, Multivibratoren, Zählwerke und
Flip-Flop-Generatoren. Die Flip-Flops hal-
bieren die Frequenz der Steuerimpulse; Hin-
tereinanderschaltung von n derartigen Bauelementen ergibt eine Frequenzteilung
(Untersetzung) um den Faktor 2^n.

Frequenzumformer ↑Motorgenerator.

Frequenzumsetzer, Geräte zurÄnde-
rung einer gegebenen Frequenz in eine andere durch Frequenzteilung oder -vervielfa-
chung oder (z. B. in Rundfunkempfängern)
durch Zwischenfrequenzbildung.

Frequenzwandler ↑Motorgenerator.

Frequenzweiche, elektron. Filteran-
ordnung, die meist zum Aussondern eines
Frequenzbandes aus einem breiteren oder zur
Trennung zweier Frequenzbereiche dient.

Frère [frz. frɛːr; zu lat. frater „Bruder"],
frz. für Bruder.

Frescobaldi, Girolamo [italien. fresko-'baldi], *Ferrara vermutl. 12. Sept. 1583, †Rom 1. März 1643, italien. Komponist. – Seit 1604 Organist an Sankt Peter in Rom. Schrieb Messen, Madrigale, Arien, v.a. bed. Werke für Cembalo und Orgel (Fantasien, Tokkaten, Kanzonen).

Fresenius, [Carl] Remigius, *Frankfurt am Main 28. Dez. 1818, †Wiesbaden 11. Juni 1897, dt. Chemiker. – Prof. in Wiesbaden. F. entwickelte wichtige Grundlagen und Methoden der chem. Analyse; Hg. der „Zeitschrift für analyt. Chemie".

Fresko [italien.], ein Kammgarn- oder Streichgarngewebe mit freskenartigem Oberflächenbild; entsteht durch Anwendung von Leinwandbindung und hart gedrehter Garne oder Zwirne in Kette und Schuß.

Freskomalerei [zu italien. pittura a fresco „Malerei auf das Frische"], abschnittweise auf noch feuchtem gipsfreiem Kalkputz ausgeführte Wandmalerei; Korrekturen sind nicht möglich infolge des schnellen Auftrocknens und der Bildung einer wasserunlösl. Schicht von Calciumcarbonat, die dem Farbauftrag einen außerordentl. Halt verleiht, im Ggs. zur Seccomalerei, die abblättern kann (↑a secco). F. findet sich vermutl. bereits in der kret. Kunst, sicher bei den Etruskern, in Pompeji und Herculaneum. Byzanz bewahrte die antike Technik, während man im MA seit Giotto eine Mischtechnik (F. mit Seccomalerei) anwandte. Erst in der Renaissance wurde wieder die reine Freskotechnik benutzt, vermutl. zuerst von Masaccio (u.a. in der Brancaccikapelle von Santa Maria del Carmine in Florenz, 1425–28), auch Michelangelos F. in der Sixtin. Kapelle (1508–12) und Raffaels in den Stanzen des Vatikans (1509–17) sind reine Freskotechnik („fresco buonto"). Seit dem 17. Jh. spielt dann v.a. die Kalkkaseintechnik (↑Kaseinfarben) eine Rolle, entweder auf noch feuchtem oder trockenem Freskoputz (sog. Kaseinfresko) oder auf mit Kalkmilch getünchten Flächen. Die alte F. wurde noch einmal von den Nazarenern (im Casino Massimo, Rom, 1817ff.) aufgegriffen. – Abb. S. 238.
📖 *Imdahl, M.: Giotto, Arenafresken. Ikonographie – Ikonologie – Ikonik. Mchn. 1988. – Philippot, P.: Die Wandmalerei. Wien u. Mchn. 1972.*

Fresnay, Pierre [frz. frɛ'nɛ], eigtl. P.-Jules-Louis Laudenbach, *Paris 4. April 1897, †Neuilly-sur-Seine 9. Jan. 1975, frz. Schauspieler. – 1915–27 Mgl. der Comédie-Française; zahlr. Filmrollen, u.a. in „Der Mann, der zuviel wußte" (1935), „Monsieur Vincent" (1947).

Fresnel, Augustin Jean [frz. frɛ'nɛl], *Broglie (Eure) 10. Mai 1788, †Ville d'Avray bei Paris 14. Juli 1827, frz. Ingenieur und

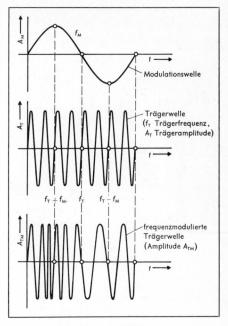

Frequenzmodulation. Schematische Darstellung mit Sinusschwankungen. Die Frequenz der Trägerwelle wird entsprechend der Modulationsfrequenz f_M und Modulationsamplitude A_M geändert (t Zeit)

Physiker. – F. verhalf mit seinen experimentellen und theoret. Arbeiten der Wellentheorie des Lichtes zum Durchbruch und wies experimentell nach, daß Licht aus Transversalwellen besteht. Ihm gelang die erste Wellenlängenbestimmung des Lichtes.

Fresnel-Linse [frz. frɛ'nɛl; nach A. J. Fresnel] (Stufenlinse), Linsentyp für Sammellinsen mit großem Öffnungsverhältnis. Die F.-L. besteht aus einer (zentralen) Linse und nach außen anschließenden, etwa gleich starken, ringförmigen Zonen, deren Krümmungsradien so gewählt sind, daß die Brennpunkte aller Zonen zusammenfallen.

Fresnelscher Spiegelversuch [frz. frɛ'nɛl; nach A. J. Fresnel], klass. Interferenzversuch zum Nachweis der Wellennatur des Lichts (1816). Das Licht einer punktförmigen einfarbigen Lichtquelle fällt über zwei sehr wenig gegeneinander geneigte Spiegel auf einen Schirm. Dort entstehen durch Interferenz dunkle Streifen an den Stellen, für die der

Freskomalerei. Iphigenie wird zur
Opferung geführt. Fresko aus dem „Haus
des tragischen Dichters" in Pompeji;
1. Jh. n. Chr. (Neapel, Museo Nazionale)

Unterschied der beiden Lichtwege von der
Quelle über den einen bzw. den anderen
Spiegel zum Schirm ein ungeradzahliges Viel-
faches der halben Wellenlänge beträgt.

Freßzellen (Phagozyten), Zellen in der
Blutflüssigkeit oder in Geweben bei Tier und
Mensch. Ihre Aufgabe ist v. a. die Aufnahme
(Phagozytose) und Unschädlichmachung von
abgestorbenen Gewebsteilen und Fremdkör-
pern (u. a. auch von Bakterien).

Frettchen [lat.-niederl.] (Mustela puto-
rius furo), domestizierte Albinoform des Europ. Iltisses mit weißer bis blaßgelber Fellfärbung; wird v. a. in Europa zur Kaninchen-
jagd verwendet **(Frettieren),** daneben auch
zur Bekämpfung von Ratten und Mäusen.

Frettkatze [lat.-niederl./dt.] (Fossa,
Cryptoprocta), Gatt. schlanker, kurzbeiniger,
etwa 90 cm körperlanger Schleichkatzen in
den Wäldern Madagaskars.

Freud, Anna, * Wien 3. Dez. 1895, † London 9. Okt. 1982, brit. Psychoanalytikerin
östr. Herkunft. – Tochter von Sigmund
Freud; nach Emigration (1938) vorwiegend
in Großbritannien tätig; leitete das Londoner
kinderanalyt. Zentrum Hampstead Child-
Therapy Course and Clinic; Arbeiten bes. zur
Kinderpsychoanalyse und zur Theorie der
Abwehrmechanismen (Hauptwerk: „Das Ich
und die Abwehrmechanismen", 1936); gab
die ges. Werke ihres Vaters heraus.

F., Sigmund, * Freiberg (= Příbor, Nord-
mährisches Gebiet) 6. Mai 1856, † London 23.
Sept. 1939, östr. Arzt und Psychologe. – Dozent und Arzt in Wien. Wegen seiner jüd. Abstammung emigrierte er 1938 nach London.
F. ist der Begründer der theoret. und prakt.
Psychoanalyse. Zur Konzeption erfolgver-
sprechender Behandlungsmethoden bei der
Hysterie arbeitete F. eng mit J. Breuer zusammen. Aus dieser Zusammenarbeit entwickelte
F. das psychoanalyt. Therapieverfahren, bei
dem er zugleich seine grundlegenden Ein-
sichten in die Triebstruktur menschl. Verhaltens gewann. Als Zentraltrieb nahm F. den
Geschlechtstrieb an. Da gerade die Entfaltung der geschlechtl. Triebhaftigkeit des
Menschen durch gesellschaftl. Regeln und
Tabus unterdrückt wird, ergeben sich nach F.
hieraus die Fehlentwicklungen, die zu Neu-
rosen führen, denen auszuweichen lediglich
durch Sublimierung möglich sei. F. weitete
dementsprechend seine psycholog. Theorie
auf alle geistig-kulturellen, sozialen, mytholog. und religiösen Bereiche aus.
F.s Lehre – vielfach kritisiert, abgelehnt, miß-
deutet und z. T. auch widerlegt – hatte weltweit beträchtl. Einfluß auf die Entwicklung
nicht nur der Anthropologie, Psychologie,
Psychiatrie und Psychotherapie, sondern
auch der Philosophie, Kunst und Literatur. –
Werke: Die Traumdeutung (1900), Zur Psy-
chopathologie des Alltagslebens (1901), Der
Witz und seine Beziehung zum Unbewußten
(1905), Sammlung kleiner Schriften zur Neu-
rosenlehre (1906–21), Totem und Tabu
(1913), Das Ich und das Es (1923), Das Unbehagen in der Kultur (1929).
*Nitzschke, B.: F. u. die akadem. Philosophie.
Mchn. 1989. – Mannoni, O.: S. F. Mit Selbst-
zeugnissen u. Bilddokumenten. Rbk. 1986. –
Schöpf, A.: S. F. Mchn. 1982. – Jones, E.: Das
Leben u. Werk von S. F. Bern 1960–62. 3 Bde.*

Freudenberg, Stadt im Siegerland,
NRW, 300 m ü. d. M., 16 400 E. Luftkurort;
Metallind. – Im 14. Jh. entstanden. – Der
Stadtkern „Alter Flecken" ist Baudenkmal
von internat. Bedeutung.

Sigmund Freud (1926)

F., Stadt am Main, Bad.-Württ., 134 m ü. d. M., 3 700 E. Möbelind. – Um 1200 gegr., 1333 Stadtrecht. – Roman. Friedhofskapelle mit frühgot. Chor (1210–20), spätgot. Rathaus (1499), Burgruine (14./15. Jh.).

Freudenhaus ↑ Prostitution.

Freudenstadt, Krst. am O-Rand des nördl. Schwarzwaldes, Bad.-Württ., 595 bis 940 m ü. d. M., 21 100 E. Heilklimat. Kurort, Wintersport. – Gründung 1599 durch Herzog Friedrich I. von Württemberg; diente der Förderung des Silbererzbergbaus sowie der Ansiedlung von Bergleuten (großenteils östr. Protestanten). Im April 1945 wurde die Altstadt von frz. Truppen völlig zerstört. Wiederaufbau in histor. Form; eine Marktplatzecke wird vor der Stadtkirche (1601–1608), deren Schiffe im rechten Winkel aneinandergefügt sind, eingenommen.

F., Landkr. in Baden-Württemberg.

Freudsche Fehlleistung [nach S. Freud] ↑ Fehlleistung.

Freund, Gisèle [frz. frø:nd], * Berlin 19. Dez. 1912, frz. Photographin dt. Herkunft. – Sie emigrierte 1933 nach Paris und arbeitete ab 1936 für die Zeitschrift „Life"; schuf Porträts, insbes. von Schriftstellern und Künstlern.

F., Leopold, * Miscovice bei Kuttenberg 5. April 1868, † Brüssel 7. Jan. 1943, östr. Röntgenologe. – Prof. in Wien; Begründer der medizin. Radiologie und Röntgentherapie.

Freund-Feind-Theorie ↑ Schmitt, Carl.

Freundlich, Otto, * Stolp 10. Juli 1878, † im KZ Majdanek 9. März 1943, dt. Maler, Graphiker und Bildhauer. – Kam 1908/09 in Paris in Kontakt mit P. Picasso, A. Herbin, J. Gris, G. Braque. Lebte 1914–24 vorwiegend in Köln, seit 1924 in Paris. Seine Malerei rhythmisiert fläche geometr. Felder durch Farbdifferenzierung. Die meist ungegenständl. Plastik wirkt monumental. Sein Mosaik „Geburt des Menschen" befindet sich im Opernhaus in Köln.

Freundschaft, soziale Beziehung zw. zwei oder mehreren Personen, die auf gegenseitiger Anziehung (Attraktion) gründet, im Ggs. zur Machtbeziehung freiwillig und wechselseitig aufgebaut ist und durch Vertrauen und Zuneigung verstärkt wird.

Freundschaftsinseln ↑ Tonga.

Frevel, im älteren dt. Recht urspr. das schwere, mit einer Leibes- oder Lebensstrafe bedrohte Verbrechen; ab dem 14./15. Jh. auch das leichtere, mit Geldstrafen bedrohte Vergehen; seit dem 18. Jh. leichte Gesetzesübertretungen ohne Kriminalstrafe.

Frey, Dagobert, * Wien 23. April 1883, † Stuttgart 13. Mai 1962, östr. Kunsthistoriker. – Prof. in Wien, Breslau und Stuttgart; Leiter des Bundesdenkmalamtes in Wien.

Werke: Gotik und Renaissance als Grundlagen der modernen Weltanschauung (1929), Kunstwiss. Grundfragen (1946), Grundlegung einer vergleichenden Kunstwiss. (1949).

Freya ↑ Freyja.

Freyburg/Unstrut, Stadt in Sa.-Anh., an der Unstrut, 120–190 m ü. d. M., 5 000 E. Museum (F.-L.-Jahn-Wohnhaus); Kalksteinind., Sektkellerei. – Seit dem Ende des 13. Jh. Stadt, fiel 1485 an Sachsen, 1815 an Preußen. – Spätromanische Marienkirche (13. Jh.), Neuenburg mit spätroman. Doppelkapelle (um 1220).

Freycinet, Charles Louis de Saulces de [frz. frɛsi'nɛ], * Foix (Ariège) 14. Nov. 1828, † Paris 14. Mai 1923, frz. Politiker. – Organisierte 1870 unter Gambetta den militär. Widerstand; 1879–92 mehrfach Min. (Äußeres, Krieg) und viermal Min.präs. (1879/80, 1882, 1886, 1890–92); hatte führenden Anteil am Zustandekommen des frz.-russ. Bündnisses von 1893/94.

Freyer, Achim, * Berlin 30. März 1934, dt. Bühnenbildner, Regisseur und Maler. – Arbeitete u. a. am Deutschen Theater Berlin und am Schillertheater Berlin, bekannt v. a. durch Operninszenierungen; schuf optisch wirkende, experimentelle „Projekte".

F., Hans, * Leipzig 31. Juli 1887, † Wiesbaden 18. Jan. 1969, dt. Philosoph und Soziologe. – Prof. in Kiel (1922–25), Leipzig (1925 bis 1948; 1938–44 auch in Budapest), Münster (1953/54) und Ankara (1954/55). Arbeiten über philosoph. Grundlegungen einer Ethik des bewußten Lebens, Begründer einer dt. soziolog. Schule. Verband Politik, Wirtschaft und Philosophie zu einer universalgeschichtl. konservativen Anschauung. – *Werke:* Antäus (1918), Prometheus (1923), Theorie des objektiven Geistes (1923), Der Staat (1925), Soziologie als Wirklichkeitswissenschaft (1930), Einleitung in die Soziologie (1931), Revolution von rechts (1932), Macchiavelli (1938), Weltgeschichte Europas (2 Bde., 1948), Schwelle der Zeiten (1965).

Freyja (Freia, Freya) [altnord. „Herrin"], in der altnord. Mythologie die Ur- und Erdmutter aus dem Göttergeschlecht der Wanen, zauberkundige Göttin der Liebe und der Fruchtbarkeit. Sie wird später im Volksglauben mit ↑ Frigg verbunden.

Freyr [altnord. „Herr"] (Freir, Frey, Fricco), in der altnord. Mythologie aus dem Göttergeschlecht der Wanen stammender, friedensliebender Gott des Lichts und der Fruchtbarkeit, Bruder der Freyja.

Freystadt i. Niederschles. (poln. Kożuchów), Stadt am N-Rand des Schles. Landrückens, Polen, 101 m ü. d. M., 9 300 E. Metall-, Lebensmittelind. – Um 1270 im Rahmen der dt. Ostsiedlung gegr. – Spätgot. Hallenkirche (14./15. Jh.).

Freytag, Gustav, * Kreuzburg O. S. 13. Juli 1816, † Wiesbaden 30. April 1895, dt. Kulturhistoriker und Schriftsteller. – 1867–70 Abgeordneter der Nationalliberalen Partei im Norddt. Reichstag. 1848–61 und 1867–70 in Leipzig Mithg. der Wochenschrift „Die Grenzboten", eines einflußreichen Organs der Nationalliberalen. Seine Romane (v. a. „Soll und Haben", 1855; „Die Ahnen", R.-Zyklus, 1872–80) dienten seinen polit. Zielen, v. a. der Stärkung bürgerl. Standesbewußtseins. – *Weitere Werke:* Die Journalisten (Kom., 1854), Die verlorene Handschrift (R., 1864), Bilder aus der dt. Vergangenheit (Schriften, 1859–67).

Freyung, Krst. im SO des Hinteren Bayerischen Waldes, Bayern, 658–798 m ü. d. M., 7 100 E. Verwaltungssitz des Landkr. F.-Grafenau; Elektro-, Textil-, Holz-, Kunststoffind. – Die Siedlung erhielt 1354 Marktrecht, seit dem 15. Jh. F. genannt.

Freyung-Grafenau, Landkr. in Bayern.

Frfr., Abk. für: Freifrau.

Frhr., Abk. für: Freiherr.

Friaul-Julisch-Venetien (italien. Friuli-Venezia Giulia), Großlandschaft und Region im östl. N-Italien, 7 847 km², 1,20 Mill. E (1990), Hauptstadt Triest. Erstreckt sich von der italien.-östr. Grenze in den Alpen bis zur lagunenreichen Küste des Adriat. Meeres. Die O-Grenze fällt mit der italien.-jugoslaw. Grenze zus.; im W liegen die Dolomiten und die venezian. Tiefebene, deren östl. Ausläufer den S von F.-J.-V. bilden. Die z. T. rätoroman. Bev. hat ihre Sprache und zahlr. Bräuche bewahrt. **Geschichte:** Im 6. Jh. langobard. Hzgt., nach 800 fränk. Mark. Otto I., d. Gr., vereinigte das Territorium von Cividale 952 mit Bayern, 976 kam es mit der Mark Verona an Kärnten; das übrige Friaul war 1077–1420 dem Patriarchat von Aquileja unterstellt; fiel danach größtenteils an Venedig, mit diesem 1797 an Österreich, 1866 an Italien. Die Grafschaft Görz kam 1919 an Italien. Der östl., von Slowenen besiedelte Teil wurde 1947 mit Jugoslawien vereinigt, aus dem Hauptteil die Region F.-J.-V. gebildet. Z. T. durch Erdbeben 1976 erhebl. Zerstörungen.

Friauler, svw. ↑ Forlana.

Fribourg [frz. fri'bu:r] ↑ Freiburg.

Frick, Wilhelm, * Alsenz bei Meisenheim 12. März 1877, † Nürnberg 16. Okt. 1946 (hingerichtet), dt. Jurist und Politiker. – Ab 1924 MdR, 1928–45 Fraktionsvorsitzender der NSDAP; 1930/31 erster reich.-soz. Min. (in Thüringen); als Reichsinnenmin. 1933–43 maßgeblich verantwortlich für den Ausbau der NS-Herrschaft; 1943–45 Reichsprotektor von Böhmen und Mähren; 1946 vom internat. Militärgerichtshof in Nürnberg zum Tode verurteilt.

Fricker, Peter Racine [engl. 'frɪkə], * London 5. Sept. 1920, † Santa Barbara (Calif.) 1. Febr. 1990, engl. Komponist. – Seine Kompositionen fügen sich formal traditionellen Gattungen (Sinfonie, Konzert, Sonate), gelegentl. Einbeziehung serieller Techniken.

Fricktal, Talschaft im Aargauer Jura, Schweiz, von der Sisseln, einem linken Zufluß des Rheins, entwässert. Von alters her wichtige Verkehrsader (u. a. Römerstraße), Hauptort Frick (3 100 E). Bed. Kirschenanbau und Kirschwasserherstellung.

Fricsay, Ferenc [ungar. 'fritʃoi], * Budapest 9. Aug. 1914, † Basel 20. Febr. 1963, ungar.-östr. Dirigent. – Schüler u. a. von Z. Kodály; 1948–54 und ab 1960 Chefdirigent des RIAS-Sinfonieorchesters in Berlin (West), 1948–52 Generalmusikdirektor der Städt. Oper Berlin und 1956–58 der Bayer. Staatsoper in München.

Friderichs, Hans, * Wittlich 16. Okt. 1931, dt. Politiker. – Jurist; Bundesgeschäftsführer der FDP 1964–69, MdB 1965–69; 1972–77 Bundesmin. für Wirtschaft, 1974–77 stellv. Vors. der FDP; 1978–85 Sprecher des Vorstands der Dresdner Bank AG.

Fridericus Rex [lat.„König Friedrich"], Friedrich II., d. Gr., von Preußen.

friderizianisch, auf die Zeit König Friedrichs II., d. Gr., von Preußen bezogen oder zu ihr gehörend.

Fridman (Friedmann), Alexander Alexandrowitsch, * Petersburg 17. Juni 1888, † ebd. 16. Sept. 1925, russ. Physiker. – Leistete wichtige Beiträge zur dynam. Meteorologie, Turbulenztheorie und Hydrodynamik. Die Lösungen der **Friedmann-Gleichungen,** die er aus den Einstein-Gleichungen der allg. Relativitätstheorie herleitete, sind Grundlage der relativist. Kosmologie.

Fridolin, hl., Missionar des 7. Jh. Stammte wahrscheinl. aus Irland, missionierte im Merowingerreich und gründete im 7. Jh. die Abtei Säckingen; zuverlässige Nachrichten fehlen. F. wird dargestellt als Abt oder Mönch und als Viehpatron sowie Patron von Glarus verehrt. – Fest: 6. März.

Fried, Alfred Hermann, * Wien 11. Nov. 1864, † ebd. 4. Mai 1921, östr. Pazifist. – 1892 Mitbegr. der Dt. Friedensgesellschaft; wirkte für die Schaffung einer internat. Friedensorganisation; erhielt 1911 den Friedensnobelpreis (mit T. M. C. Asser); Hauptwerk: „Handbuch der Friedensbewegung" (1905).

F., Erich, * Wien 6. Mai 1921, † Baden-Baden 22. Nov. 1988, östr. Schriftsteller. – Lebte seit 1938 in London: zeitkrit., in den letzten Jahren polit. und gesellschaftlich stark engagierte Lyrik. 1987 Georg-Büchner-Preis. – *Gedichtbände:* Warngedichte (1964), Vietnam (1966), Unter Nebenfeinden (1970), Die Freiheit, den Mund aufzumachen (1972), Gegengift (1974), Fast alles Mögliche (1975), Mitunter sogar lachen. Zwischenfälle und Erinnerungen (1986).

Friedan, Betty [engl. 'frɪdən], *Peoria (Ill.) 4. Febr. 1921, amerikan. Frauenrechtlerin und Sozialwissenschaftlerin. – Gründete 1966 die „National Organization for Women" und organisierte einen internat. feminist. Kongreß; weltweite Erfolge waren ihre Bücher „Der Weiblichkeitswahn"(1963) und „Das hat mein Leben verändert" (1976).

Friedberg, Stadt in Bayern, im W an Augsburg grenzend, 514 m ü. d. M., 25 600 E. Metallverarbeitung, Textilind. und Polstermöbelherstellung. – Die Burg F. entstand um 1250; 1264 als Stadt gegr., erhielt 1270 das Salzstapelrecht sowie ein neues Stadtrecht. – Die meisten Gebäude der Burg (13. Jh.) stammen aus dem 16./17. Jh.; Rathaus (17. Jh.); Wallfahrtskirche zu Unseres Herrn Ruhe (1731–35).

Friedberg (Hessen), Krst. in der Wetterau, 160 m ü. d. M., 23 860 E. Verwaltungssitz des Wetteraukr.; Fachhochschule Gießen, Bereich F. (Maschinenbau): Predigerseminar der Ev. Landeskirche in Hessen und Nassau, Sonderschule für Blinde und Gehörlose; Wetterau-Museum. U. a. Zuckerfabrik, Lackfabrik, Fahrzeugbau. – Röm. Kastelle auf dem Burgberg; bis etwa 260 röm. Stadt **Civitas Taunensium;** in fränk. Zeit besiedelt: von den Staufern wohl um 1170 gegr. (Burg 1216, Stadt 1219/20 erstmals erwähnt). Um sich von der Herrschaft der Burg zu befreien, schloß sich F. 1285 mit Frankfurt am Main, Wetzlar und Gelnhausen zum Wetterauer Städtebund zusammen, doch konnte sich die Burg, die sich im 14./15.Jh. zu einer Adelsrepublik entwickelt hatte, endgültig 1482/83 durchsetzen. 1802/03 kam die Stadt, 1806 die Burg an Hessen-Darmstadt. Seit 1834 bilden Burg und Stadt eine Gemeinde. – Got. Stadtkirche Unserer Lieben Frau (13./14. Jh.), Judenbad (1260); Reste der Stadtmauer mit Armsünderpförtchen und Rotem Turm.

Friedeburg, Hans-Georg von, *Straßburg 15. Juli 1895, †Flensburg 23. Mai 1945 (Selbstmord), dt. Admiral. – Im 2. Weltkrieg Kommandierender Admiral der Unterseeboote (seit 1943); als Oberbefehlshaber der Kriegsmarine (1945) am 7. und 9. Mai Mitunterzeichner der Gesamtkapitulation der dt. Wehrmacht.

Friedelehe [zu althochdt. friudil „Geliebter"], german. und altdt. Sonderform der Ehe. Anders als bei der regulären Sippenvertragsehe hatte der Bräutigam der Familie der Braut keinen Muntschatz (↑ Munt) zu entrichten, erwarb aber auch keine hausherrl. Gewalt über die Frau.

Friedell, Egon, eigtl. E. Friedmann (bis 1916), *Wien 21. Jan. 1878, †ebd. 16. März 1938 (Selbstmord), östr. Schriftsteller. – War Kabarettist, Schauspieler, Theaterkritiker u. a. Schrieb v. a. Aphorismen und Essays. Am bekanntesten wurden die „Kulturgeschichte der Neuzeit" (3 Bde., 1927–31) und die „Kulturgeschichte des Altertums" (Bd. 1 [Ägypten und der Vordere Orient] 1936, Bd. 2 [Griechenland] hg. 1950). – *Weitere Werke:* Steinbruch (Aphorismen, 1922), Die Reise mit der Zeitmaschine (E., 1946), Kleine Porträtgalerie (Essays, hg. 1953).

Frieden [zu althochdt. fridu, urspr. „Schonung, Freundschaft"], als Zustand einer Regelung der Verhältnisse innerhalb, von und zw. Staaten rein durch Rechtsprinzipien ist F. eine Idee der Neuzeit, die maßgeblich erst von I. Kant formuliert wurde. Als Inbegriff einer das Wohl des Staates und seiner Bürger fördernden legitimen Rechtsordnung war F. im europ. Denken fast immer umfassender gedacht als nur aus dem Ggs. zum Krieg. Die Antike hat im Entwurf der Pax Romana die Ausrichtung des F. am krieger. Normalzustand überwunden und die Idee einer umfassenden und dauerhaften rechtsförmigen Regelung der Lebensordnungen entwickelt. Der F. im A. T. (Schalom) meint das heilsame Intaktsein einer Gemeinschaft, das als Gabe der Gerechtigkeit ihres gnädigen Schöpfers erfahren wird. F. ist göttl. Geschenk, kaum menschl. Aufgabe. Das N. T. verstärkt diese Auffassung, ist jedoch seine gesamte Heilsbotschaft als Verkündigung des F. verstanden (Eph. 6, 15). In Jesus Christus ist der F. der ganzen Welt beschlossen, und wer ihm folgt, wird zum F.stifter (Matth. 5, 9; Röm. 14, 19; 2 Tim. 2, 22). Die Hoffnung auf das Reich Gottes läßt die Christen ein ewiges F.reich jenseits aller Kriege erwarten. Augustinus hat im 19. Buch von „De civitate Dei" streng unterschieden zw. dem innerweltl. Bereich, in dem der F. mit Macht und Herrschaft und notfalls auch durch „gerechten Krieg" (Bellum iustum) gesichert wird, und dem Bereich eschatolog. F.erwartung, der den Möglichkeiten ird. Politik entzogen ist. Augustinus' Lehre vom gerechten Krieg geht auf Cicero zurück; als christlich darf an ihr allein der Versuch gelten, die Möglichkeit des Krieges einzugrenzen und seine Wirklichkeit zu „humanisieren". Trotz dieser Trennung von Welt-F. und Gottes-F. war im MA das Streben unübersehbar, christl. Ordnungsvorstellungen der Welt des Politischen aufzuprägen. „Pax et Justitia" (F. und Recht) lautete über Jh. die Zielbestimmung der öffentl. Ordnung: das Recht diente dem F. und war selbst Ausdruck des F. In der Epoche des Gottes- und Land-F. entwickelten sich die Herrschaftsinstanzen zu Trägern der Rechts- und F.idee. Im Ewigen Landfrieden von 1495 erreichte diese Entwicklung ihren Höhepunkt, die noch im Augsburger Religionsfrieden von 1555 nachwirkte.

Globale Bedeutung gewannen die Prinzipien einer rechtl. verfaßten F.ordnung erst im Zeitalter von Renaissance und Humanismus. Erasmus verwarf den Krieg als naturwidrig und forderte zwischenstaatl. Garantieerklärungen und Schiedsgerichte. Von der span. Barockscholastik (F. de Vitoria, L. de Molina, F. Suarez) gingen die entscheidenden Impulse für das neuzeitl. Infragestellung der Theorie des „gerechten Krieges". Parallel dazu entwickelten sich aus täuferbruderschaftl. Quellen der Reformationszeit die Anfänge des neuzeitl. Pazifismus (Mennoniten, Quäker, Baptisten usw.), in dessen F.vorstellungen sich die Elemente christl. Gewaltlosigkeit mit denen der polit. Demokratie verbanden.

Die Zweifel an der Unvermeidbarkeit von Kriegen wuchsen bes. seit der Zeit der Aufklärung. I. Kant umriß in seinem Entwurf „Zum ewigen Frieden" (1795) die Bedingungen einer globalen Rechtsordnung als F.ordnung und postulierte eine unbedingte sittl. F.pflicht, die eine Rechtfertigung des Krieges als „ultima ratio" ausschloß. J. G. Fichte und Jean Paul folgten den kantischen Grundsätzen, während Hegel dem Krieg erneut eine produktive Funktion zuerkannte.

In der Folge ging aus der Euphorie der Befreiungskriege und dem Nationalismus der europ. Völker eine neue Kriegsbereitschaft hervor, und die innerstaatl. sozialen Konflikte der Ind.gesellschaft waren mit den überkommenen F.ideen nicht mehr zu überbrücken. Die Kriege des 20. Jh. zerstörten schließlich auch diejenigen Hoffnungen, welche sich eine Entwicklung des F. von der systemat. Entfaltung der Möglichkeiten der Technik erwarteten. Tatsächlich zeigte sich, daß die Technik die Zerstörungsfähigkeiten der Menschen zu potenzieren vermag. Inbegriff dieser Möglichkeit ist die Beherrschung der Kernenergie. Die Kriege der Neuzeit haben aber den Ruf nach F. lauter werden lassen. Schon zu Beginn des 19. Jh. gründeten die Quäker **Friedensgesellschaften** (Peace Societies) in Amerika und Großbritannien. B. von Suttners Erfolgsroman „Die Waffen nieder!" (1888) wurde zum Signal für die Entstehung einer organisierten **Friedensbewegung** in Österreich und Deutschland; 1892 wurde die Dt. Friedensgesellschaft gegründet. F.kongresse, die Gründung des „Internat. Roten Kreuzes" (1864) oder die Haager F.konferenz (1899) konnten den 1. Weltkrieg indes sowenig verhindern wie der Völkerbund (gegr. 1920 in Paris) den 2. Weltkrieg. Seither ist das Völkerrecht mannigfach weitergebildet worden (Kriegsverbot und allg. Gewaltverbot in der Satzung der UN), aber die relative Stabilität des F. jedenfalls zw. den großen Blöcken in West und Ost war mehr der wechselseitigen Furcht, teils dem gegenseitigen Nutzen, kaum aber gemeinsamer Achtung vor dem Recht zu verdanken.

Die Bewahrung des F. im atomaren Zeitalter steht unter der Drohung mögl. globaler Zerstörung; darum sieht C. F. v. Weizsäcker im Weltfrieden – als der Vermeidung des „heißen" Krieges – die Überlebensbedingung der techn.-wiss. Welt. Die polit. Veränderungen im Ostblock seit Beginn der 80er Jahre ermöglichten den Übergang von der Strategie der atomaren Abschreckung zu tatsächl. Entspannung und Abrüstung. Trotzdem sind Kriege nach wie vor möglich (Kolonialkriege, Interventionen, „Stellvertreter"-Kriege); durch Rüstung werden Mittel ausgegeben, die ansonsten u. a. für Umweltschutzmaßnahmen und Entwicklungshilfe verwendet werden könnten. Der alte Zusammenhang der F.vorstellungen mit einem umfassenden Rechtsbegriff ist weithin vergessen.

Diese Defizite mahnt die moderne **Friedensforschung** an, an der sich verschiedene wiss. Disziplinen und Einrichtungen beteiligen. Ihre Zusammenarbeit wird in der BR Deutschland v. a. von der Dt. Gesellschaft für Friedens- und Konfliktforschung (DGFK) und der Arbeitsgemeinschaft für Friedens- und Konfliktforschung (AFK) gefördert. Zentren der Friedensforschung in der BR Deutschland sind u. a. Frankfurt am Main (Hess. Stiftung Friedens- und Konfliktforschung), Tübingen (Universität) und Starnberg (Max-Planck-Institut zur Erforschung der Lebensbedingungen der wissenschaftl.-techn. Welt [1982 geschlossen]); 1989 wurde die Bremische Stiftung für Rüstungskonversion und Friedensforschung gegründet. Wichtige ausländ. Institute sind das International Peace Research Institute Oslo (Abk. PRIO) und das Stockholm International Peace Research Institute (Abk. SIPRI). Internat. Zusammenschluß der Friedensforscher ist die International Peace Research Association (IPRA) in Tampere.

Trotz Methodenvielfalt und sehr gegensätzl. Auffassungen im einzelnen ist der F.begriff i. d. R. nicht verengt auf den Ggs. zum Krieg. Es besteht weithin Übereinstimmung, daß moderne F.vorstellungen folgende Elemente enthalten müssen: 1. F.sicherung durch polit. und militär. Stabilität (Balance of power); 2. Schutz für einzelne und Gruppen vor individueller und kollektiver Gewalt (staatliches, rechtlich geordnetes Gewaltmonopol); 3. Sicherung gegen Not und Teilhabe am gesellschaftl. Reichtum (Minimal welfare); 4. Gewährleistung staatsbürgerl. Freiheit (Rechtsstaat; 2.–4. = **innerer Frieden**). Der Bed. dieser F.dimensionen versucht die moderne

F.forschung dadurch Rechnung zu tragen, daß sie die neuzeitl. Einengung der Kriegsursachenforschung überwindet zugunsten einer systemat. Berücksichtigung der Probleme der Nord-Süd-Beziehungen, des Völkerrechts und – neuerdings – der Sicherung der Menschenrechte. Deren Einhaltung ist sowohl formale wie materiale Bedingung mögl. Friedens, aber die Grenzen ihrer Einklagbarkeit und Durchsetzbarkeit liegen im Fortbestand nationalstaatl. Souveränität, welche keine übergreifende Macht der Rechtsdurchsetzung und -sicherung anerkennt. Erst wenn zu Kants Postulat eines Völkerbundes eine Zentralgewalt – analog dem innerstaatl. Gewaltmonopol im Rechtsstaat – hinzuträte, wäre an eine Verwirklichung von F. rein durch Rechtsprinzipien zu denken, dessen Wesen die Sicherung der Freiheit wäre.

Jahrbuch F. 1991. Hg. v. H.-M. Birkenbach u. a. Mchn. 1990. – Czempiel, E.-O.: F.strategien. Systemwandel durch internat. Organisationen, Demokratisierung u. Wirtschaft. Paderborn 1986. – Brauch, H. G.: Entwicklungen u. Ergebn. der F.forschung (1969–1978). Ffm. 1979. – Christl. F.begriff in europ. F.ordnung. Hg. v. F.M. Schmölz. Mchn.; Mainz 1977. – Weizsäcker, C. F. Frhr. v.: Bedingungen des F. Bln. ⁶1974.

Friedensbewegung, Sammelbez. für polit. Bewegungen in der Bev., die für Abrüstung und friedl. Zusammenleben der Völker eintreten und (vor allem in jüngster Zeit) auf die Bedrohung der Menschheit durch die militär. Nutzung der Kernkraft (Overkill) aufmerksam machen wollen. Sie entstehen neben der offiziellen Politik der Staaten, häufig im Ggs. dazu, und suchen mit Aktionen in der Öffentlichkeit (Unterschriftensammlungen, Demonstrationen, Sitzblockaden, Menschenketten usw.) die eigene Reg. zu polit. Handeln zu veranlassen. F. haben meist keine feste Organisationsstruktur, sondern setzen sich aus Gruppen unterschiedl. polit. Orientierung zusammen (↑Pazifismus).

Die geistigen Wurzeln der F. reichen bis ins MA zurück (Idee eines ewigen Friedens, später Humanismus u. a.). Die praktisch-polit. F. setzte im 19. Jh. ein (Bildung nat. Friedensgesellschaften, u. a. 1891 durch B. von Suttner in Österreich). 1891 wurden die bestehenden Friedensgesellschaften in einem Internat. Friedensbüro zusammengeschlossen (Sitz Bern, seit 1919 Genf). Die „Dt. Friedensgesellschaft" entstand 1892. Internat. Friedenskonferenzen fanden 1899 und 1907 in Den Haag statt.

Nach dem Scheitern der F. vor dem 1. und vor dem 2. Weltkrieg und der Erfolgslosigkeit der Ostermarschbewegung (↑Ostermarsch) bildete sich Anfang der 1980er Jahre in zahlr. westl. Staaten (u. a. BR Deutschland, Nieder-

lande, Großbritannien, USA) eine neue F. auf breiter Basis. Sie umfaßt in der BR Deutschland u. a. kirchl. und gewerkschaftl. Gruppen, die Grünen, Teile der SPD und ist stark verflochten mit der Umweltschutz-, der Frauen- und der alternativen Bewegung. Während ein Teil das Hauptgewicht auf die Verhinderung der westl. Nachrüstung entsprechend dem ↑NATO-Doppelbeschluß legte, forderten andere Gruppen allg. atomare Abrüstung bzw. Abschaffung aller Waffen. In den USA hat v. a. die *Freeze-Bewegung* polit. Bed., die das Einfrieren der atomaren Rüstung auf dem jetzigen Stand fordert. Die in der 2. Hälfte der 80er Jahre in der ehemaligen DDR für Abrüstung in Ost und West wirkenden kleinen Gruppen (Leitsatz „Schwerter zu Pflugscharen"), z. T. unterstützt von den Kirchen und bis zum Herbst 1989 staatl. Repression ausgesetzt, waren konstitutiver Bestandteil der Oppositionsbewegung, die den gesellschaftl. Umbruch einleitete. Neue Wirkungsbedingungen für die F. entstanden insbes. durch die Beendigung des kalten Krieges (↑Charta von Paris 1990) infolge der grundsätzl. Verbesserung der sowjet.-amerikan. Beziehungen und der demokrat. Umwälzung in Mittel- und Osteuropa.

F. Entw. u. Folgen in der BR Deutschland, Europa u. den USA. Hg. v. J. Janning u. a. Köln 1987. – Riesenberger, D.: Gesch. der F. in Deutschland. Von den Anfängen bis 1933. Gött. 1985.

Friedensbruch (Friedbruch), im altgerman. Recht jedes Verbrechen, da „Friede" Schutz und Sicherheit des Rechts bedeutete. F. i. e. S., gegenüber gesetztem „Sonderfrieden", galt als Kapitalverbrechen.

Friedensburg, Ferdinand, *Schweidnitz 17. Nov. 1886, †Berlin 11. März 1972, dt. Politiker. – Seit 1920 Mgl. der DDP; 1927–33 Reg.präs. in Kassel; 1933–45 ohne Amt; 1945 Mitbegr. der CDU in der SBZ; 1946–51 stellv. Bürgermeister von Berlin; 1952–65 MdB als Berliner Abg.; seit 1953 Prof. an der Techn. Univ. Berlin; 1945–68 Präs. des Inst. für Wirtschaftsforschung.

Friedensbürgschaft, nach schweizer. StGB Maßnahme des Richters gegen eine Person, die mit der Ausführung einer Straftat gedroht hat. Diese muß auf Antrag des Bedrohten versprechen, die Tat nicht auszuführen und dafür eine angemessene Sicherheit leisten.

Friedensfahrt, alljährl. internat. Amateurradrennen, bisher in der Regel auf einer Strecke zw. Prag, Warschau und Berlin.

Friedenskuß (Pax), Friedensgestus in den christl. Liturgien an je nach Ritus verschiedener Stelle der Eucharistiefeier.

Friedensnobelpreis ↑Nobelpreis.

Friedenspfeife ↑Kalumet.

Friedenspflicht ↑ Tarifvertrag.

Friedenspreis des Börsenvereins des Deutschen Buchhandels, 1950 als „F. des Dt. Buchhandels" gestiftet (10 000 DM, seit 1979 25 000 DM), 1951 in Form einer Stiftung vom Börsenverein des Dt. Buchhandels übernommen (heutige Bez. seit 1969). Verliehen für die „Förderung des Gedankens des Friedens, der Menschlichkeit und der Verständigung der Völker untereinander" (seit 1972 auch postum und an Organisationen). Bisherige Preisträger: M. Tau (1950), A. Schweitzer (1951), R. Guardini (1952), M. Buber (1953), C. J. Burckhardt (1954), H. Hesse (1955), R. Schneider (1956), T. Wilder (1957), K. Jaspers (1958), T. Heuss (1959), V. Gollancz (1960), S. Radhakrishnan (1961), P. Tillich (1962), C. F. von Weizsäcker (1963), G. Marcel (1964), N. Sachs (1965), A. Bea u. W. A. Visser't Hooft (1966), E. Bloch (1967), L. S. Senghor (1968), A. Mitscherlich (1969), G. und A. Myrdal (1970), M. Gräfin Dönhoff (1971), J. Korczak (1972, postum), Club of Rome (1973), R. Schutz (Frère Roger; 1974), A. Grosser (1975), M. Frisch (1976), L. Kolakowski (1977), A. Lindgren (1978), Y. Menuhin (1979), E. Cardenal (1980), L. S. Kopelew (1981), G. F. Kennan (1982), M. Sperber (1983), O. Paz (1984), T. Kollek (1985), W. Bartoszewski (1986), H. Jonas (1987), S. Lenz (1988), V. Havel (1989), K. Dedecius (1990), G. Konrád (1991), A. Oz (1992), F. Schorlemmer (1993), J. Semprún (1994).

Friedensresolution des Reichstages, auf Initiative des Zentrumsabg. M. Erzberger beschlossenes Bekenntnis der Reichstagsmehrheit aus SPD, Fortschrittlicher Volkspartei und Zentrum zu einem Verständigungsfrieden ohne Annexionen und Kriegsentschädigungen (19. Juli 1917); schuf Voraussetzungen für die spätere Weimarer Koalition.

Friedensrichter, im Recht 1. der Schweiz in einigen Kantonen vor der eigtl. Zivilprozeß tätig werdender Richter, der im Sühneverfahren auf eine gütl. Einigung der Parteien hinwirken soll; 2. im angelsächs. und frz. Rechtskreis Richter (meist ohne jurist. Ausbildung), der über Zivil- und Strafsachen geringerer Bed. entscheidet.

Friedenssicherung, Gesamtheit der Bemühungen, den Weltfrieden herbeizuführen und zu erhalten. Mittel der F. können sein eine innen- und außenpolit. Entspannungspolitik, kollektive Abrüstungsmaßnahmen, Gründung von internat. Organisationen (z. B. UN, Weltverbund) bilaterale oder multilaterale Friedensverträge oder andere völkerrechtl. verbindl. Vereinbarungen (z. B. Nichtangriffsverträge und Neutralitätsabkommen, Verteidigungs- und Beistandsverträge, kol-

lektiver Verzicht auf einen Angriffskrieg). Darüber hinaus spielt für die Gewährleistung des Weltfriedens die Errichtung einer internat. Gerichtsbarkeit eine Rolle, so der Ständige Schiedshof (1907), der vom Völkerbund eingerichtete Ständige Internat. Gerichtshof (1919) und der durch die UN-Charta errichtete Internat. Gerichtshof (1945) in Den Haag. Neue Möglichkeiten für die F. in Europa ergeben sich aus der Beendigung des kalten Krieges zw. Ost und West, insbes. aus dem auf dem Pariser Gipfeltreffen der KSZE-Staaten im Nov. 1990 abgeschlossenen Vertrag über konventionelle Streitkräfte in Europa und der Verankerung des Prinzips der friedl. Konfliktlösung in der ↑ Charta von Paris. Ein wichtiges Element der F. in der Gegenwart ist der Versuch der Beilegung gefährl. regionaler Konflikte durch internat. Vermittlung bzw. UN-Hilfe.

Friedenssymbole, Zeichen, Gegenstände und Handlungen, die als Symbole der Versöhnung, des Erbarmens, des himml. oder ird. Friedens verstanden werden: u. a. Taube, Olivenzweig, Ölbaum.

Friedensverrat, Störung des friedl. Zusammenlebens der Völker, insbes. durch die Vorbereitung eines Angriffskrieges. In Ausführung des Verfassungsgebotes des Art. 26 Abs. 1 GG wurde § 80 in die Staatsschutzdelikte den StGB eingefügt. Danach wird mit lebenslanger Freiheitsstrafe oder mit Freiheitsstrafe nicht unter 10 Jahren bestraft, wer einen Angriffskrieg, an dem die BR Deutschland beteiligt sein soll, vorbereitet und dadurch die [konkrete] Gefahr eines Krieges für die BR Deutschland herbeiführt. Durch § 80 a StGB (**Kriegshetze**) wird das öffentl. Aufstacheln zum Angriffskrieg bestraft.

Friedensvertrag, völkerrechtl. Vertrag, durch den der Kriegszustand zw. zwei oder mehreren Staaten beendet wird. Er enthält als *wesentl. Bestimmung* die Wiederherstellung friedl. Beziehungen zw. den kriegführenden Parteien, außerdem Bestimmungen über die Abtretung von Gebieten und über Reparationen oder Kriegsentschädigungen. Notwendig ist, daß der besiegte Staat – wenn auch unter Druck – dem F. zustimmt.

Friedenthal, Richard, * München 9. Juni 1896, † Kiel 19. Okt. 1979, dt. Schriftsteller. – Emigrierte 1938 nach London. Schrieb anfangs Lyrik, dann v. a. Essays sowie Biographien über Händel (1959), Leonardo da Vinci (1959), Goethe (1963), Luther (1967), Jan Hus (1972), K. Marx (1981).

Friederike von Sesenheim ↑ Brion, Friederike.

Friederike Luise, * Bad Blankenburg 18. April 1917, † Madrid 8. Febr. 1981, Königin von Griechenland. – Tochter des Herzogs Ernst August von Braunschweig-Lüneburg;

∞ seit 1938 mit dem späteren König Paul I. von Griechenland; nach Thronbesteigung Konstantins II. (1964) ohne polit. Einfluß.

Friedhof [zu althochdt. frīthof „eingehegter Raum" (Bez. für den Vorhof eines Hauses oder der Kirche), von vrīten „hegen"] (Kirchhof, Totenacker, Gottesacker), abgesonderte Stätte, an der die Toten bestattet werden. Seit dem Neolithikum wurden Gräber in einem bes. Bezirk angelegt, v. a. in natürl. und künstl. Höhlen (z. B. Felsgräber in Oberägypten und Petra). Oberird. Grabbauten bilden oft den Mittelpunkt von Nekropolen (Pyramiden-F. in Ägypten; F. am Dipylon in Athen). Die antiken F. lagen außerhalb der Städte an den Landstraßen (Gräberstraßen, z. B. in Rom: Via Appia; Pompeji; Arles: Aliscamps). Der **christl. Friedhof** wurde in der Frühzeit in Katakomben, dann in und neben den Kirchen *(Kirchhof)* angelegt, in Italien seit dem Ende des 13. Jh. in Form des Camposanto, wo die einzelnen Gräber übereinander in hohen, kreuzgangähnl. Hallen untergebracht sind (Pisa). Die Verbreitung von Pest und Seuchen führte seit Ende des MA allg. zur Trennung von Pfarrkirche und F. und zur Anlage großer Begräbnisstätten außerhalb der Wohngebiete. Sie bekamen eigene (meist dem hl. Michael geweihte) Kapellen, die oft als Beinhaus verwendet wurden. Ab 1750 erhielten die Friedhöfe unter engl. Einfluß gärtner. und parkähnl. Gestaltung. Neue Tendenzen, v. a. in Skandinavien, weisen zum Trauergarten ohne bes. Betonung des Einzelgrabes (u. a. Süd-F. in Stockholm), ebenso die Soldatenfriedhöfe. Der **jüd. Friedhof** kennt keinen Grabschmuck, die Gräber sind mit urspr. liegenden Grabsteinen gekennzeichnet. Berühmte jüd. F. sind die alte jüd. F. in Prag und in Worms. Obwohl der Koran Grab und F. geringe Bedeutung beimißt, entstanden bed. **islam. Anlagen,** z. B. Gräberstraßen der Timuriden in Samarkand (15. Jh.), sog. Kalifen- und Mameluckengräber in Kairo (14.–17. Jh.), Sulaiman-Moschee in Istanbul (16. Jh.), Muradije-F. in Bursa (15./16. Jh.). Eine der größten islam. Totenstädte entstand bei der Grabmoschee des heiligmäßig verehrten Eyüp in Istanbul.

Recht: Das F.wesen ist in Deutschland in den F.- und BestattungsG der Länder geregelt. Die **Friedhofsordnungen,** erlassen vom jeweiligen F.träger (Gemeinde oder Kirche), sind für die konkreten Rechtsverhältnisse auf dem einzelnen F. maßgeblich. Der gesetzl. Pflicht, Leichen und Urnen auf Friedhöfen beizusetzen (**Friedhofszwang,** Verfassungsmäßigkeit für Urnen umstritten), entspricht ein Anspruch auf Beisetzung auf dem örtl., ggf. [unbeschadet des religiösen Bekenntnisses] auf einem kirchl. F., wenn kein kommunaler F. vorhanden ist.

📖 *Pfaundler, W.:* Eines Schatten Traum ist der Mensch. Friedhöfe u. Gräber der Alten u. der Neuen Welt. Wien u. a. 1979.

Friedjung, Heinrich, * Roštín (Südmähr. Gebiet) 18. Jan. 1851, † Wien 14. Juli 1920, dt.-östr. Historiker, Politiker und Journalist. – Vertreter einer „großdt." Geschichtsschreibung, u. a. „Der Kampf um die Vorherrschaft in Deutschland 1859–1866" (2 Bde., 1897/98) und „Österreich von 1848–1860" (2 Bde., 1908–12).

Fried. Krupp GmbH ↑ Krupp-Konzern.

Fried. Krupp Hüttenwerke AG ↑ Krupp-Konzern.

Friedlaender (Friedländer), Johnny, * Pleß (= Pszczyna) 21. Juni 1912, † Paris 18. Juni 1992, frz. Maler und Graphiker dt. Herkunft. – Informelle Farbradierungen mit verschieden tiefen Ätzungen.

F., Salomo, Pseud. **Mynona,** * Gollantsch (= Gołańcz, Woiwodschaft Posen) 4. Mai 1871, † Paris 9. Sept. 1946, dt. Schriftsteller. – Schrieb neben philosoph. Werken („Die schöpfer. Indifferenz", 1918) v. a. Grotesken: „Rosa, die schöne Schutzmannsfrau" (1913), „Die Bank der Spötter" (1919), „Das Eisenbahnunglück oder der Anti-Freund" (1925), „Der lachende Hiob" (1935).

Friedland, Gemeinde mit Durchgangslager, 12 km südl. von Göttingen, Nds., 176 m ü. d. M., 6 900 E.

F., Stadt in Meckl.-Vorp., 20 m ü. d. M., 8 300 E. Nahrungsmittelind., Fliesenwerk. – 1244 gegr., 1298/99 an Meckl. – Ma. Stadtbefestigung mit Anklamer und Neubrandenburger Tor, got. Backsteinkirche Sankt Marien (14./15. Jh. und nach 1703).

Friedländer (der F.) ↑ Wallenstein, Albrecht von.

Friedländer, Ludwig, * Königsberg (Pr) 16. Juli 1824, † Straßburg 16. Dez. 1909, dt. klass. Philologe. – 1858–92 Prof. in Königsberg; Hauptwerk: „Darstellungen aus der Sittengeschichte Roms in der Zeit von August bis zum Ausgang der Antonine" (1862–71).

F., Johnny ↑ Friedlaender, Johnny.

F., Max [Jacob], * Berlin 5. Juni 1867, † Amsterdam 11. Okt. 1958, dt. Kunsthistoriker. – Erster Direktor der Berliner Gemäldegalerie (1924–33), emigrierte 1938 in die Niederlande. Grundlegend wurde sein 14bändiges Werk „Die altniederl. Malerei" (1924–37).

Friedland (Ostpr.) (russ. Prawdinsk), Stadt in Ostpreußen, Rußland, etwa 3 000 E. Käse-, Schuhfabrik. – 1312 als Grenzburg des Dt. Ordens gegr. – Ev. Pfarrkirche (14./15. Jh.) mit Epitaphien des 16. und 17. Jh. – Der Sieg Napoleons I. bei F. (O.) über die Russen unter L. A. G. Graf Bennigsen am 14. Juni 1807 führte zum Frieden von Tilsit.

friedliche Durchdringung (frz. pénétration pacifique), im Zusammenhang mit der

Ausdehnung des frz. Einflusses in Marokko zu Beginn des 20. Jh. verbreitetes Schlagwort; mit den Mitteln polit. und wirtsch. Einflußnahme durchgeführt; zählte zum Instrumentarium des Imperialismus.

friedliche Koexistenz ↑ Koexistenz.

Friedlosigkeit, im german. Strafrecht des frühen MA strafweiser Ausschluß aus der Gemeinschaft, die dem Menschen Schutz, Sicherheit und Recht verbürgte. Der Friedlose war rechtlos; er durfte straflos getötet werden.

Friedman [engl. 'fri:dmən], Jerome Isaac, * Chicago (Ill.) 28. März 1930, amerikan. Physiker. – Seit 1967 Prof. am Massachusetts Institute of Technology. Mit H. W. Kendall und R. E. Taylor bestätigte F. erstmals durch Elektronenstreuung an Protonen und Neutronen die Theorie vom Aufbau der Hadronen aus Quarks. Dafür erhielten sie 1990 den Nobelpreis für Physik.

F., Milton, * New York 31. Juli 1912, amerikan. Wirtschaftswissenschaftler. – Prof. an der University of Chicago (1946), seit 1976 in Stanford. Erhielt 1976 den Nobelpreis für Wirtschaftswiss. für seinen Beitrag zur Konsumanalyse, Geldgeschichte und Geldtheorie sowie für die Darstellung der Komplexität der Stabilisierungspolitik. – *Werke:* Studies in quantity theory of money (1956), A theory of the consumption function (1957), Kapitalismus und Freiheit (1962), Die optimale Geldmenge und andere Essays (1969).

Friedmann, Alexander Alexandrowitsch ↑ Fridman.

Friedrich, Name von Herrschern:
Hl. Röm. Reich:
F. I. Barbarossa („Rotbart"), * Waiblingen (?) 1122, † im Salef (= Göksu nehri, Kleinasien) 10. Juni 1190 (ertrunken), als F. III. Hzg. von Schwaben, Röm. König (1152), Kaiser (1155). – Erhebung zum König vermutlich gegen Heinrich den Löwen, dem F. 1154 das (1138 seinem Vater Heinrich X., dem Stolzen, entzogene) Hzgt. Bayern zurückgab, von dem er aber 1156 Österreich als babenberg. Hzgt. abtrennte (Privilegium minus). Nach dem 1. Italienzug 1154/55 (Kaiserkrönung) kam es 1157 (Reichstag zu Besançon) zum 1. Konflikt mit dem Papsttum, als F. sich weigerte, das Kaisertum als päpstl. Lehen („Beneficium") anzuerkennen. Die folgenden Italienzüge (1158, 1163, 1166–68, 1174–77) wurden unternommen, um die kaiserl. Rechte in den lombard. Städten wiederherzustellen (Ronkal. Reichstag 1158) und um das 1159 ausgebrochene Schisma zw. den Päpsten Alexander III. und (dem von F. unterstützten) Viktor (IV.) zu beenden; 1176 unterlag das dt. Ritterheer bei Legnano. Im Frieden mit den Städten (seit 1167 Lombardenbund) wurde F. nur noch eine formale Oberhoheit einge-

räumt (1183). 1178 ließ sich F. in Arles zum König von Burgund krönen, nachdem er bereits 1156 Beatrix, die Erbin der Pfalz-Gft. Burgund, geheiratet hatte. Im Reich gelang F. der Ausbau der stauf. Hausmacht (v. a. Städtegründungen) und der Sturz Heinrichs des Löwen (1180 Teilung des Hzgt. Sachsen, Bayern an die Wittelsbacher), doch kein Ausgleich mit den Welfen. Auf dem 6. Italienzug 1184 ließ er seinen Sohn Heinrich (VI.) zum König von Italien krönen. F. starb auf dem 3. Kreuzzug (1189–92). – Auf F. wurde 1519 die urspr. um F. II. entstandene Kyffhäusersage übertragen; im 19. Jh. wurde F. zur volkstüml. Gestalt.

📖 *Cardini, F.: F. I. Barbarossa. Dt. Übers. Graz 1990. – Osterbrauck, W. D.: F. I. Barbarossa. Mchn. 1989.*

Friedrich I.
Barbarossa
(Kopfreliquiar aus vergoldeter Bronze;
12. Jh., Cappenberg, Kirche)

F. II., * Iesi bei Ancona 26. Dez. 1194, † Fiorentino bei Lucera 13. Dez. 1250, Röm. König (seit 1196/1212), Kaiser (seit 1220). – Nach dem Tod seines Vaters, Kaiser Heinrichs VI., (1197) verzichtete Kaiserin Konstanze für F. auf das dt. Königtum (1198 Krönung zum König von Sizilien). Der Feldzug des welf. Kaisers Otto IV. nach S-Italien bewog Innozenz III., die Wahl des Staufers zum Gegenkönig zu betreiben, die 1211/12 erfolgte. Die königl. Territorialpolitik (v. a. Städtegründungen, vielfach auf kirchl. Gebiet) führte zu Protesten geistl. Fürsten, denen die „Confoederatio cum principibus ecclesiasticis" (1220; ↑ Fürstenprivilegien) Rechnung trug. Obwohl F. entgegen früherem Versprechen seinen schon zum König von Sizilien gewählten Sohn Heinrich (VII.) 1220 zum Röm. König erheben ließ, krönte der Papst F. zum Kaiser, um dessen versprochenen Kreuzzug nicht zu verzögern. In Sizilien schuf F. mit den Assisen (Hoftagsbeschlüssen) von Capua 1220 und den Konstitutionen von Melfi 1231 einen straff organisierten Beamtenstaat. Trotz päpstl. Banns (1227) wegen des mehrfach verschobenen Kreuzzugs brach F. (Gemahl der Erbtochter des Königs von Jerusalem) 1228 auf und krönte sich 1229 zum König von Jerusalem. Auf dem Höhepunkt seiner Macht (1235 Niederwerfung des Aufstands Heinrichs [VII.], Mainzer Reichslandfriede, Versöhnung mit den Welfen; 1237 Erhebung Konrads IV., Sieg über den Lombardenbund bei Cortenuova) wurde F. 1239 erneut gebannt, 1245 vom Papst abgesetzt, doch trotz Aufstellung von Gegenkönigen u.a. nicht bezwungen. F. galt den Zeitgenossen als „Stupor mundi" (svw. „der die Welt in Erstaunen versetzt"); er beschäftigte sich auch mit Philosophie, Naturwissenschaft und Lyrik. Sein Buch für die Falknerei (vollendet um 1246) gilt als ein frühes Meisterwerk der beobachtenden Naturwissenschaft.

📖 *Schaller, H. M.: Kaiser F. II. Gött. ³1990. – Kaiser F. II. Sein Leben in zeitgenöss. Berichten. Hg. v. K. J. Heinisch. Mchn. 1988. – Kantorowicz, E.: Kaiser F. der Zweite. Stg. ⁶1985.*

Friedrich II.
(Miniatur;
Vatikanische
Bibliothek)

F. der Schöne, * 1289, † Burg Gutenstein (Niederösterreich) 13. Jan. 1330, König, als F. II. Herzog von Österreich (seit 1306). – Sohn König Albrechts I.; 1314 zum Gegenkönig Ludwigs des Bayern gewählt; von diesem 1322 bei Mühldorf am Inn geschlagen und gefangengenommen; mußte im Vertrag von München (1325) die Gemeinschaftlichkeit des Königtums anerkennen; zog sich 1326 in sein von den Kriegskosten geschwächtes Hzgt. Österreich zurück.

F. III., * Innsbruck 21. Sept. 1415, † Linz 19. Aug. 1493, Kaiser, als F. V. Herzog von Steiermark. – Sohn Herzog Ernsts des Eisernen von Österreich, 1440 zum König gewählt und 1452 in Rom zum Kaiser gekrönt; entschlußlos und bedächtig, aber zäh im Festhalten an seinen Plänen, konnte er das Abbröckeln des habsburg. Hausmachtbesitzes nicht verhindern; überlebte seine Gegner und konnte 1477 durch die Verheiratung seines Sohnes (und Nachfolgers) Maximilian mit Maria von Burgund dieses für Habsburg gewinnen.

Dt. Reich:

F., * Potsdam 18. Okt. 1831, † ebd. 15. Juni 1888, Kaiser (1888), als König von Preußen

F. III. – Als Kronprinz F. Wilhelm; ältester Sohn Kaiser Wilhelms I.; seit 1858 ∞ mit der brit. Prinzessin Viktoria; stand den liberalen Zeitströmungen nahe; trat zur Konfliktpolitik Bismarcks seit 1862 in offenen Widerspruch. Starb nach 99 Tagen Regierung an einem Krebsleiden.

Baden:

F. I., * 1249, † Neapel 29. Okt. 1268, Markgraf. – Sein Anspruch auf das Hzgt. Österreich (1250) konnte nicht realisiert werden; zog 1267 mit Konradin nach Italien, wurde nach der Niederlage bei Tagliacozzo mit ihm in Neapel hingerichtet.

F. I., * Karlsruhe 9. Sept. 1826, † Schloß Mainau im Bodensee 28. Sept. 1907, Großherzog (seit 1856). – Übernahm 1852 die Regentschaft; betrieb eine ausgesprochen liberale Politik; 1866 auf seiten Österreichs, trat später für die kleindt. Einigung ein; wirkte 1870/71 vermittelnd bei der Reichsgründung, geriet aber erneut in Gegensatz zu Bismarck, an dessen Sturz er nicht unbeteiligt war.

Brandenburg:

F. I., * 1371, † Cadolzburg 20. Sept. 1440, Kurfürst (1417–25), als F. VI. Burggraf von Nürnberg (seit 1397). – 1411 von König Sigismund zunächst zum Verweser der Mark Brandenburg (ohne Kurrecht) ernannt, 1417 mit der Mark und dem Erzkämmereramt belehnt; Stammvater der brandenburg. Hohenzollern; übergab nach Verlust der Uckermark (1425) die Regentschaft seinem Sohn.

F. II., der Eiserne, * Tangermünde 19. Nov. 1413, † auf der Plassenburg bei Kulmbach 10. Febr. 1471, Kurfürst (seit 1440). – Sohn Kurfürst Friedrichs I.; setzte die landesfürstl. Gewalt gegenüber Adel und Städten durch; gewann 1455 die Neumark zurück.

F. Wilhelm, gen. der Große Kurfürst, * Berlin 16. Febr. 1620, † Potsdam 9. Mai 1688, Kurfürst (seit 1640). – Gewann im Westfäl. Frieden Hinterpommern mit Cammin, Minden, Halberstadt und die Anwartschaft auf Magdeburg. Baute im Streben nach Arrondierung seines unzusammenhängenden Territoriums und nach Angliederung Vorpommerns ein stehendes Heer auf (1688: 31 000 Mann) und arbeitete auch mit der Aufhebung der ständ. Finanzrechte, der Einführung der Kontribution und der Akzise u. a. auf ein einheitl. Staatswesen im Sinne des Absolutismus hin. Seine Außenpolitik war gekennzeichnet von rücksichtslosen Frontwechseln („brandenburg. Wechselfieber"), so im 1. Nord. Krieg 1655–60 (1660 Souveränität über das Hzgt. Preußen), im Devolutionskrieg 1667/68 und im Niederl.-Frz. Krieg 1672–78/79 (Sieg bei Fehrbellin über die in Brandenburg eingefallenen Schweden am 28. Juni 1675).

F. III., Kurfürst von Brandenburg, † Friedrich I., König in Preußen.

Friedrich

Braunschweig-Lüneburg-Oels:

F. Wilhelm, gen. der „Schwarze Herzog", * Braunschweig 9. Okt. 1771, ✕ Quatre-Bras 16. Juni 1815, Herzog (seit 1813). – Verlor durch Napoleon I. sein Hzgt.; kämpfte mit seinem Freikorps („Schwarze Schar") erfolgreich gegen die Franzosen.

Dänemark:

F. II., * Haderslevhus bei Hadersleben 1. Juli 1534, † Antvorskov bei Slagelse 4. April 1588, König von Dänemark und Norwegen (seit 1559), Herzog von Schleswig und Holstein. – Eroberte 1559 die Bauernrepublik Dithmarschen; konnte im Dreikronenkrieg (1563–70) gegen Schweden die Vorherrschaft im Ostseeraum nicht erreichen.

F. III., * Haderslevhus bei Hadersleben 18. März 1609, † Kopenhagen 9. Febr. 1670, König von Dänemark und Norwegen (seit 1648), als F. II. Herzog von Schleswig und Holstein. – Der von ihm 1657 gegen Karl X. von Schweden begonnene Krieg führte 1658 im Frieden von Roskilde zu dän. Gebietsverlusten; brach die Adelsherrschaft, wurde (1665) Erbkönig und Alleinherrscher Dänemarks.

F. IV., * Kopenhagen 11. Okt. 1671, † Odense 12. Okt. 1730, König von Dänemark und Norwegen (seit 1699), Herzog von Schleswig und Holstein. – Erreichte im 2. Nord. Krieg (Frieden von Frederiksborg 1720) die Vereinigung des gemeinschaftl. und des herzogl. Anteils des Hzgt. Schleswig mit dem königlich-dän. Anteil; führte innere Reformen durch, v. a. die Abschaffung der Leibeigenschaft (1702).

F. VI., * Kopenhagen 28. Jan. 1768, † ebd. 3. Dez. 1839, König (seit 1808). – Übernahm für seinen geisteskranken Vater Christian VII. die Regentschaft (1797); führte Dänemark durch soziale Reformen und wirtsch. Maßnahmen zu kultureller und wirtsch. Blüte. Brit. Angriffe im 2. und 3. Koalitionskrieg bewogen ihn zum Bündnis mit Frankreich; mußte 1814 Norwegen an Schweden abtreten.

F. VII., * Kopenhagen 6. Okt. 1808, † Glücksburg 15. Nov. 1863, König (seit 1848), Herzog von Schleswig, Holstein und Lauenburg (seit 1848). – Sein Versuch, Schleswig dem dän. Gesamtstaat einzuverleiben, führte zum Dt.-Dän. Krieg 1848–50; wandelte 1849 die absolute in eine konstitutionelle Monarchie um.

F. IX., * Schloß Sorgenfri bei Lyngby 11. März 1899, † Kopenhagen 14. Jan. 1972, König (seit 1947). – Sohn König Christians X.; führte seit 1942 die Regentschaft.

Hessen-Homburg:

F. II., * Homburg (= Bad Homburg v. d. H.) 30. März 1633, † ebd. 24. Jan. 1708, Landgraf. – Heiratete 1670 die Nichte des Kurfürsten Friedrich Wilhelm von Brandenburg;

trat als General der Kavallerie in das brandenburg. Heer ein; zeichnete sich v. a. in der Schlacht von Fehrbellin (1675) aus; übernahm 1681 die Regierung der Landgft. Homburg; histor. Vorbild zu Kleists „Prinz Friedrich von Homburg".

Hessen-Kassel:

F. II., * Kassel 14. Aug. 1720, † Schloß Weißenstein (= Wilhelmshöhe) bei Kassel 31. Okt. 1785, Landgraf (seit 1760). – Kämpfte im Siebenjährigen Krieg auf der Seite Preußens und Großbritanniens; nach Kriegsende rege Bautätigkeit in Kassel, umfassende Wirtschafts- und Verwaltungsreformen zum großen Teil durch brit. Zahlungen für die Entsendung hess. Soldaten (1776–83 etwa 12 000) nach N-Amerika; verzichtete 1771 auf die ihm angebotene poln. Königskrone; bemühte sich vergeblich um die 9. Kurwürde.

F. Wilhelm, * Philippsruhe bei Hanau am Main 20. Aug. 1802, † Prag 6. Jan. 1875, Kurfürst von Hessen (seit 1847). – Setzte 1850 die März-Min. wieder ab und hob die Verfassung von 1831 auf (1862 unter dem Druck Preußens und des Dt. Bundes wieder eingeführt); seine Entscheidung gegen Preußen im Dt. Krieg 1866 kostete ihn den Thron.

Meißen:

F. I., der Freidige (der Gebissene), * 1257, † auf der Wartburg 16. Nov. 1323, Markgraf, Landgraf von Thüringen. – Enkel Kaiser Friedrichs II., kämpfte lange um sein Erbe, bekam 1291 die Mark Meißen, konnte erst nach Auseinandersetzungen mit König Adolf und nach dem Sieg über König Albrecht I. (bei Lucka 1307) Thüringen erlangen, was ihm 1310 von König Heinrich VII. bestätigt wurde.

Niederlande:

F. Heinrich, Prinz von Oranien, Graf von Nassau, * Delft 29. Jan. 1584, † Den Haag 14. März 1647, Statthalter (seit 1625 von Holland, Utrecht, Geldern und Seeland, seit 1640 auch von Groningen und Drente). – Sohn Wilhelms von Oranien; im Festungskrieg bed. Heerführer, der die Verteidigungslinie („Barriere") der Republik schuf, die sie im Westfäl. Frieden und später behauptete; verschaffte dem Haus Oranien europ. Geltung.

Österreich:

F. II., der Streitbare, * um 1210, † 15. Juni 1246, Herzog. – Sohn Herzog Leopolds VI., folgte ihm 1230 als Herzog von Österreich und Steiermark (seit 1232 durch Heirat auch Herr in Krain); betrieb eine Politik gegen Kaiser Friedrich II., um seine Länder aus dem Reich zu lösen (1236 geächtet); später gewisse Annäherung; starb bei einem Feldzug gegen König Béla IV. von Ungarn nach einer Schlacht an der Leitha.

F. IV., * 1382/83, † Innsbruck 24. Juni 1439, Herzog von Österreich, Steiermark, Kärnten und Krain, Graf von Tirol. – Sohn Herzog Leopolds III.; übernahm den Schutz des Papstes Johannes (XXIII.) in Konstanz, deckte dessen Flucht vom Konzil (1415), verfiel deshalb der Reichsacht; 1425 förml. Aussöhnung mit dem König.

Pfalz:
F. I., der Siegreiche, * Heidelberg 1. Aug. 1425, † ebd. 12. Dez. 1475, Pfalzgraf bei Rhein, Herzog von Bayern und Kurfürst von der Pfalz (seit 1452). – Übernahm 1449 als Vormund für Kurfürst Philipp die Regentschaft in der Pfalz, seit 1452 die vollen Herrschaftsrechte; verfolgte zielstrebig die Vergrößerung seines Territoriums auf Kosten v. a. von Kurmainz, begründete die pfälz. Vormachtstellung am Oberrhein.
F. III., * Simmern 14. Febr. 1515, † Heidelberg 26. Okt. 1576, Kurfürst (seit 1559). – Trat 1546 offen zur Reformation über; Anhänger des Kalvinismus; veranlaßte die Abfassung des Heidelberger Katechismus (1563), führte in seinem Land die zweite Reformation durch, unterstützte die Kalvinisten in den westeurop. Religionskriegen.
F. V., * Amberg 26. Aug. 1596, † Mainz 29. Nov. 1632, Kurfürst (seit 1610), als F. I. König von Böhmen (1619/20). – Stand bis 1614 unter Vormundschaft Pfalzgraf Johanns von Zweibrücken; ließ sich als Haupt der prot. Union 1619 zum böhm. König wählen, sein Heer wurde jedoch am Weißen Berg geschlagen und geächtet (wegen seiner kurzen Reg.-zeit „der Winterkönig" gen.); die pfälz. Kurwürde fiel an Bayern.

Preußen:
F. I., * Königsberg (Pr) 11. Juli 1657, † Berlin 25. Febr. 1713, als F. III. Kurfürst von Brandenburg (seit 1688), König in Preußen (seit 1701). – Sohn Kurfürst F. Wilhelms d. Gr. von Brandenburg; erlangte von Kaiser Leopold gegen Hilfeversprechen im Span. Erbfolgekrieg die Anerkennung des Königtums für das Hzgt. Preußen (Krontraktat 1700; Krönungsakt 1701; Titel: „König in Preußen"); berief A. Schlüter an seinen Hof, gründete 1694 die Univ. Halle, in Berlin 1696 die Akademie der Künste und 1700 die Sozietät der Wissenschaften.
F. II., der Große, * Berlin 24. Jan. 1712, † Schloß Sanssouci 17. Aug. 1786, König (seit 1740). – Von seinem Vater, F. Wilhelm I., streng erzogen, nach einem fehlgeschlagenen Fluchtversuch in der Festung Küstrin inhaftiert (bis 1732), sein an den Fluchtplänen beteiligter Freund Hans Hermann von Katte (* 1704, † 1730) wurde vor seinen Augen hingerichtet. Nach sorglosen Jahren in Rheinsberg (dort 1739 Entstehung des „Antimachiavell") begann F. kurz nach seinem Antritt der Reg. ohne Rechtsgrundlage den 1. Schles. Krieg (1740–42). Er verteidigte das eroberte

Friedrich II., der Große,
König von Preußen

Schlesien erfolgreich im 2. Schles. Krieg (1744/45). Überzeugt, daß der Dualismus zw. Preußen und Österreich in offenem Konflikt enden würde, legte F. großen Wert auf die Vervollkommnung seiner Armee. Die Überschneidung des preuß.-östr. und des brit.-frz. Ggs. führte zu einer entsprechenden Bündniskonstellation im ↑ Siebenjährigen Krieg (1756–63), den F. durch Einmarsch in Kursachsen auslöste und in dem er sich als hervorragender Feldherr erwies (seit dem Sieg bei Roßbach 1757 der „große F." gen.). Der polit. Umschwung in Großbritannien 1760 brachte F. an den Rand der Kapitulation, vor der er nur durch den Tod der mit Österreich verbündeten Zarin Elisabeth 1762 bewahrt blieb. Durch den Frieden von Hubertusburg 1763 wurde der territoriale Vorkriegsstand bestätigt, doch stand Preußen seither als Großmacht ebenbürtig neben Österreich. Im Zuge der 1. Poln. Teilung 1772 erwarb F. Ermland und Westpreußen ohne Danzig und Thorn. Innenpolitisch erstrebte er, bestimmt von der Staatsauffassung des aufgeklärten Absolutismus, ein merkantilist. Wirtschafts- und Finanzsystem, die Bildung eines zu unbedingtem Gehorsam verpflichteten Beamtenstandes, ferner umfassende Reformen im Heer-, Rechts-, Erziehungswesen (Landschulreglement 1763) und in der Landw. (Kolonisation, Melioration, Kanalbauten); bed. Förderer von Wiss. und Kunst (selbst Flötenspieler und Komponist). Wegen der zunehmenden Schroffheit seines Wesens von seiner Umwelt immer mehr gemieden, verbrachte F. die letzten Lebensjahre in Einsamkeit. – Als „Fridericus Rex" oder „Alter Fritz" wurde F. bald zu einer legendären Gestalt. Das von der Geschichtsschreibung des 19. Jh. gezeichnete Bild des genialen Feldherrn und des der Staatsräson verpflichteten Monarchen prägte die literar. und künstler. Darstellung v. a. in der 1. Hälfte des 20. Jh.

Friedrich

250

📕 *Mittenzwei, I.: F. II. von Preußen. Bln.* ⁵*1990. – Bibliographie F. der Große 1786–1986. Bln. 1988. – F. der Große in seiner Zeit. Hg. v. O. Hauser. Köln 1987. – Duffy, C.: F. der Große. Ein Soldatenleben. Dt. Übers. Zürich 1986. – Leuschner, H.: F. der Große. Zeit – Person – Wirkung. Düss. 1986.*

F. Wilhelm I., * Kölln (= Berlin) 14. Aug. 1688, † Potsdam 31. Mai 1740, König (seit 1713). – Vater F. II., d. Gr.; einfach, kalvinistisch-fromm, streng und rücksichtslos; wegen seiner Vorliebe für die Armee „Soldatenkönig" gen. Unter ihm wurde die absolute Monarchie in Brandenburg-Preußen vollendet. Der preuß. Staat erhielt seine einseitig militär. Ausrichtung, das stehende Heer spielte eine bevorzugte Rolle. Konnte im Frieden von Utrecht (1713) das Staatsgebiet um Obergeldern erweitern, im Frieden von Stockholm (1720) Schwed.-Vorpommern bis zur Peene gewinnen.

F. Wilhelm II., * Berlin 25. Sept. 1744, † Potsdam 16. Nov. 1797, König (seit 1786). – Neffe König F. II., d. Gr.; hochbegabt, kunstliebend, v. a. musikalisch, aber ohne Stetigkeit in der Arbeit, unselbständig. Trotz bed. Gebietserweiterungen (Ansbach-Bayreuth 1791, Gebiete aus der 2. und 3. Teilung Polens 1793 und 1795) sank das Ansehen Preußens durch den schwankenden Kurs seiner Politik, bes. nachdem er im Basler Frieden Frankreich das linke Rheinufer zugestanden hatte.

F. Wilhelm III., * Potsdam 3. Aug. 1770, † Berlin 7. Juni 1840, König (seit 1797). – Sohn von König F. Wilhelm II.; ∞ 1793 mit Prinzessin Luise von Mecklenburg-Strelitz; bis 1806 in Abhängigkeit von Napoleon I. Trat 1806 überstürzt in den Krieg gegen Napoleon I. ein, der ihn nach der Niederlage bei Jena und Auerstedt zum Frieden von Tilsit 1807 zwang. 1812/13 von seinen polit. Beratern, Generalen und v. a. durch die patriot. Befreiungskriege zu einem Bündnis mit Rußland und Österreich gezwungen. Versuchte, die 1815 bestätigte Großmachtstellung Preußens im Bündnis mit Rußland und Österreich zu bewahren. Seine Innenpolitik (zw. Reform und Restauration) wurde schließlich von den Reformplänen K. vom und zum Steins, K. A. Hardenbergs, G. von Scharnhorsts sowie A. von Gneisenaus bestimmt.

F. Wilhelm IV., * Berlin 15. Okt. 1795, † Schloß Sanssouci 2. Jan. 1861, König (seit 1840). – Sohn F. Wilhelms III., Bruder Wilhelms I. Ging von der Restaurationspolitik seines Vaters ab. Von der dt. Romantik geprägt, einem christlich-german. Staatsideal verhaftet; Vorstellungen vom Gottesgnadentum und vom ma. Ständestaat verhinderten im Vormärz einen preuß. Übergang zum Konstitutionalismus. Durch den Ausbruch

der Märzrevolution (1848) zum Nachgeben gezwungen, lehnte er aber 1849 die von der Frankfurter Nationalversammlung angebotene Erbkaiserwürde ab. Strebte die nat. Einigung unter eine Union auf der Basis des Dreikönigsbündnisses und mit Hilfe des Erfurter Unionsparlaments an, scheiterte aber 1850 am russisch-österreichischen Widerstand (Olmützer Punktation). Wegen der durch eine Krankheit hervorgerufenen Regierungsunfähigkeit übernahm Wilhelm I. 1858 die Regentschaft.

F. III., König von Preußen, † Friedrich (Dt. Reich).

F. Karl, * Berlin 20. März 1828, † Klein Glienicke (= Potsdam) 15. Juni 1885, Prinz von Preußen, preuß. Generalfeldmarschall. – Neffe Kaiser Wilhelms I.; 1864 Oberbefehlshaber der verbündeten preuß.-östr. Truppen im Dt.-Dän. Krieg; im Dt. Krieg 1866 und im Dt.-Frz. Krieg 1870/71 hoher Kommandeur.

Sachsen:

F. I., der Streitbare, * Altenburg/Thüringen (?) 11. April 1370, † ebd. 4. Jan. 1428, Kurfürst (seit 1423), als F. IV. Markgraf von Meißen (seit 1381). – Erhielt 1420 von Kaiser Sigismund die drei Jahre zuvor bei Belehnung mit den Reichslehen noch zurückgehaltenen böhm. Lehen; 1423 wurde ihm das erledigte Kurfürstentum Sachsen übertragen; begr. den Aufstieg des Hauses Wettin; gründete 1409 die Univ. Leipzig.

F. III., der Weise, * Torgau 17. Jan. 1463, † Lochau bei Torgau 5. Mai 1525, Kurfürst (seit 1486). – Begr. 1502 die Univ. Wittenberg. Regierte gemeinsam mit seinem Bruder Johann dem Beständigen; bemühte sich um die Reichsreform; gab 1519 seine Stimme Karl I. von Spanien, nachdem er es abgelehnt hatte, sich selbst zum Kaiser wählen zu lassen; gewährte Luther Schutz (Wartburg-Aufenthalt 1521/22), obwohl er selbst der neuen Lehre abwartend gegenüberstand; förderte durch tolerante Haltung die Ausbreitung der Reformation.

F. August I., Kurfürst von Sachsen, † August II., der Starke, König von Polen.

F. August II., Kurfürst von Sachsen, † August III., König von Polen.

F. August III., * Dresden 25. Mai 1865, † Sibyllenort (Niederschlesien) 18. Febr. 1932, König (seit 1904). – Sehr populär; mußte 1918 abdanken.

Schwaben:

F. I., * um 1050, † 1105, Herzog (seit 1079). – Sohn des Grafen F. von Büren, Schwiegersohn Kaiser Heinrichs IV.; als dessen treuer Gefolgsmann mit Schwaben belehnt; versuchte, durch zahlr. Klostergründungen Zentren herrschaftl. Macht für seine Familie zu bilden; schuf so die Grundlage für den späteren Aufstieg der Staufer.

Caspar David Friedrich, Abtei im
Eichwald; um 1808 (Berlin, Schloß
Charlottenburg)

F. III., Herzog, † Friedrich I. Barbarossa (Hl.
Röm. Reich).
Württemberg:
F. I., * Treptow a./Rega (Hinterpommern) 6.
Nov. 1754, † Stuttgart 30. Okt. 1816, König
(seit 1806; 1803–06 Kurfürst), als F. II. Herzog (1797–1803). – Neffe Herzog Karl Eugens und Onkel des Zaren Alexander I. von
Rußland; nutzte den Anschluß an die Politik
Napoleons I. (1802; 1806–13 Mgl. des Rheinbunds) zielstrebig v. a. zur Verdoppelung des
Territoriums und zur Erlangung der Souveränität; wandelte sein Land zum bürokrat.-absolutist. Einheitsstaat; 1812 Anschluß an die
antifrz. Koalition, 1816 an den Dt. Bund.
Friedrich von Antiochien (vermutlich ein
heute unbekannter Ort in Süditalien), * um
1225, † Foggia 1256, Graf von Alba, Celano
und Loreto. – Illegitimer Sohn Friedrichs II.,
der ihn 1244 zum Generalvikar der Mark Ancona, 1246 zum Podestà von Florenz und Generalvikar der Toskana und des tusz. Patrimoniums erhob; stand später an der Seite seines Halbbruders Manfred weiter gegen Papst
Innozenz IV.
Friedrich von Hausen, * Hausen b. Bad
Kreuznach (?) um 1150, ✕ Philomelium
(Kleinasien) 6. Mai 1190, mittelhochdt. Lyriker. – Unter diesem Namen sind etwa 50
Strophen, v. a. Kreuzzugsgedichte, überliefert, die zum ersten Mal in der dt. Lyrik (neben H. von Veldeke) das Thema der hohen
Minne voll entfalten (provenzal. Einflüsse).
Friedrich, Caspar David, * Greifswald
5. Sept. 1774, † Dresden 7. Mai 1840, dt. Maler und Graphiker. – F. studierte 1794–98 an
der Akad. von Kopenhagen und ging 1798
nach Dresden. Ein gesteigertes, aus sorgfältiger Beobachtung erwachsendes Gefühl für
die Stimmungen der Natur lösen bei F. die
Schemata der idealen (italien.) Landschaft
ab. Die neuen Inhalte romant. Erlebens sind
Spiegelungen subjektiver Empfindung und
einer individuellen Gefühlswelt, deren Vorstellungen im wesentlichen um Werden und
Vergehen kreisen. – *Werke:* Das Kreuz im
Gebirge (1808; Dresden, Gemäldegalerie),
Mönch am Meer (um 1808/09; Berlin, Schloß
Charlottenburg), Die gescheiterte Hoffnung
(1821; Hamburg, Kunsthalle), Mondaufgang
am Meer (1823; Berlin, neue Nationalgalerie). – Weitere Abb. Bd. 5, S. 166.
F., Götz, * Naumburg/Saale 4. Aug. 1930, dt.
Opernregisseur. – 1968–72 Oberspielleiter an
der Kom. Oper in Berlin unter W. Felsenstein, 1973–81 an der Hamburgischen Staatsoper, seit 1981 Generalintendant der Dt.
Oper Berlin, seit 1984 auch Intendant am
Theater des Westens (Berlin). F. inszenierte
1984/85 an der Dt. Oper Berlin Wagners
„Ring des Nibelungen", bei den Bayreuther
Festspielen 1984 Wagners „Parsifal" und bei
den Salzburger Festspielen 1984 L. Berios
„Un re in ascolto".
F., Hugo, * Karlsruhe 24. Dez. 1904, † Freiburg im Breisgau 25. Febr. 1978, dt. Romanist. – Prof. in Freiburg im Breisgau; maßgebende Untersuchungen zu den roman. Literaturen. – *Werke:* Das antiromant. Denken im
modernen Frankreich (1935), Roman. Literaturen (Aufsätze, 2 Bde., 1972).
F., Rudolf, * Winterthur 4. Juli 1923, schweizer. Politiker (Freisinnig-Demokrat. Partei). –
Rechtsanwalt; seit 1983 Bundesrat.

Friedrich-Ebert-Stiftung e. V., auf Wunsch F. Eberts nach seinem Tode 1925 gegr. Stiftung mit dem Ziel, das demokrat. Bewußtsein und die internat. Verständigung zu fördern. 1933 verboten, 1947 wieder belebt. Im Mittelpunkt stehen Erwachsenenbildung (Heimvolkshochschulen), Studienförderung (auch Absolventen des zweiten Bildungswegs) und Entwicklungshilfe; Sitz: Bonn-Bad Godesberg.

Friedrich-Naumann-Stiftung, 1958 durch T. Heuss gegr. Stiftung privaten Rechts zur Pflege und Förderung des demokrat. Bewußtseins in allen Schichten des dt. Volkes und der Verständigung zw. den Völkern; Sitz: Königswinter.

Friedrichroda, Stadt in Thür., am N-Rand des Thüringer Waldes, 420–460 m ü. d. M., 5 800 E. Erholungsort und Wintersport, Holz-, Kunststoffind. Nw. von F. die Marienglashöhle (Gipsauslaugung). – Erstmals 1209 erwähnt; unter wettin. Oberhoheit (ab 1247), 1597 Stadtrecht, 1826 an Sachsen-Coburg-Gotha, 1920 an Thüringen. – Neugot. Schloß Reinhardsbrunn (1827–35).

Friedrichsdor [dt./frz. „aus Gold"], Abk. Frdor., preuß. Münze, Abwandlung der †Pistole, geschaffen von Friedrich II., d. Gr.; geprägt 1741–1855.

Friedrichsdorf, Stadt 16 km nördl. von Frankfurt am Main, am Abfall des östl. Taunus zur Wetterau, Hessen, etwa 200 m ü. d. M., 22 300 E. U. a. Zwiebackfabriken. – Um 1687 für einwandernde Hugenotten gegr.; 1771 wurde F. Stadt. – Frz.-ref. Pfarrkirche (1837 vollendet).

Friedrichshafen, Krst. am N-Ufer des Bodensees, Bad.-Württ., 400 m ü. d. M., 51 800 E. Verwaltungssitz des Bodenseekr., Technikerschule für Maschinenbau, Akad. für prakt. Betriebswirtschaft; Städt. Bodensee-Museum mit Zeppelinabteilung; Internat. Bodenseemesse und Internat. Bootsausstellung. Metall- und Elektroind. (u. a. Motoren- und Flugzeugbau). Fähre nach Romanshorn (Schweiz), Fremdenverkehr, Jachtfen, ♨. – Das 838 zuerst erwähnte **Buchhorn** lag an der Stelle des heutigen Schlosses und kam nach dem Aussterben der Grafen von Buchhorn (1089) in welf. und seit 1191 in stauf. Besitz. Der Markt wurde 1275/99 Reichsstadt. 1802/03 fiel Buchhorn an Bayern. – Das 1085 von Berta von Buchhorn gegr. Nonnenkloster erhielt im 13. Jh. den Namen **Hofen** (1419 aufgehoben, 1702 als Priorat neu gegr., 1802/03 säkularisiert). – Nach der Erwerbung durch Württemberg (1810) bildeten beide Gemeinden 1811 F. – Barocke Schloßkirche (1695–1701) im ehem. Benediktinerklosterbezirk, die Klostergebäude (17. Jh.) wurden 1824–30 zur königlich-württemberg. Sommerresidenz umgebaut.

Friedrichsruh, Ortsteil der Gemeinde **Aumühle,** im Sachsenwald, östlich von Hamburg, 3 300 E. Schloß Bismarcks mit Mausoleum; Bismarckmuseum.

Friedrichstadt, Stadt in der östl. Eiderstedter Marsch, Schl.-H., 4 m ü. d. M., 2 600 E. Blumenzucht; Fremdenverkehr. – 1621 für niederl. Arminianer von Herzog Friedrich III. von Schleswig-Holstein-Gottorf gegründet. – Häuser im Stil der niederl. Renaissance.

Friel, Brian [engl. fri:l], * Omagh (Gft. Tyrone) 9. Jan. 1929, ir. Dramatiker. – Bed. Vertreter des modernen ir. Volkstheaters. Einfühlsame, plast. Darstellung ir. Charaktere; gestaltet Hoffnungen, Illusionen und Enttäuschungen einfacher Menschen; auch Hörspiele und Kurzgeschichten. – *Werke:* Ich komme, Philadelphia (Dr., 1965), Die Liebesaffären des Cass McGuire (Dr., 1967), Liebespaare (Dr., 1967), Fathers and sons (Dr., 1986), Making history (Dr., 1988).

Frieren, Reaktion des Warmblüterorganismus auf eine Erniedrigung der Umgebungstemperatur deutlich unter die Behaglichkeitsgrenze. Thermorezeptoren in der Haut registrieren die Kälte und leiten entsprechende Erregungen zu höheren Zentren im Rückenmark und im Gehirn weiter. Als reflektor. Abwehrmaßnahme kommt es kompensatorisch zu erhöhter Wärmeproduktion durch aktive Muskelarbeit (Kältezittern) und Drosselung der Wärmeabgabe durch Bildung einer Gänsehaut sowie Gefäßverengung.

Fries, Ernst, * Heidelberg 22. Juni 1801, † Karlsruhe 11. Okt. 1833, dt. Maler. – F. gilt neben P. Fohr als einer der bedeutendsten Vertreter der Heidelberger Romantik.

F., Hans, * Freiburg um 1465, † Bern um 1523, schweizer. Maler. – Von seinen spätgot. Altarwerken sind erhalten u. a. Teile des „Weltgerichtsaltars" (1501; München, Alte Pinakothek) und des „Johannes-Triptychons" (1514; Basel, Kunstmuseum).

F., Heinrich, * Mannheim 31. Dez. 1911, dt. kath. Theologe. – 1950 Prof. in Tübingen, seit 1958 in München. Zahlr. Werke über Fundamentaltheologie und ökumen. Theologie, u. a. „Die kath. Religionsphilosophie der Gegenwart" (1949), „Glaube – Wissen" (1960), „Das Gespräch mit den ev. Christen" (1961), „Glaube und Kirche auf dem Prüfstand" (1970), „Fundamentaltheologie" (1985).

F., Jakob Friedrich, * Barby/Elbe 23. Aug. 1773, † Jena 10. Aug. 1843, dt. Philosoph und Physiker. – Ab 1805 Prof. in Heidelberg, ab 1816 in Jena; wegen seiner Beteiligung am Wartburgfest 1817 Entziehung der Professur, seit 1824 erneut Prof. in Jena. – Versuchte die krit. Philosophie Kants von dem „Vorurteil des Transzendentalen" zu reinigen, indem er die Kritik der Vernunft auf der Grundlage der Selbstbeobachtung psychologisierte und so zu einer Erfahrungswiss. machte.

Werke: System der Philosophie als evidenter Wissenschaft (1804), Neue oder anthropolog. Kritik der Vernunft (1807), System der Logik (1811), Die Geschichte der Philosophie (2 Bde., 1837–39).

Fries [frz.], in der Baukunst gliedernder Schmuckstreifen einer Wand; beim antiken Tempel Teil des Gebälks zw. Architrav und Gesims. Zierformen der Antike: Palmetten, Akanthus, Mäander, Eierstab; Romanik: Rundbogen, Kreuzbogen, Zahnschnitt, Schachbrett, Würfel, Kugel, Zickzack; Gotik: Laub- und Blattformen.

Friesach, Stadt im Metnitztal, Kärnten, Österreich, 636 m ü. d. M., 7 100 E. Museum; Maschinenbau, Sägewerk; Fremdenverkehr. – Schon zur Römerzeit besiedelt **(Candalice),** kam 860 in salzburg. Besitz; 1215 Stadt gen.; fiel 1805 an Österreich. – Pfarrkirche Sankt Bartholomäus (12.–15.Jh.) mit bed. Glasmalereien (13./14.Jh.), Dominikanerklosterkirche (13.Jh.); auf dem *Petersberg* die Peterskirche (zw. 860 und 927) und Bergfried (1130) der zerstörten Burg. – Zuerst in F. geprägt, dann vielfach nachgeahmt (bis N-Italien), wurden die **Friesacher Pfennige** im 12.–14. Jh. beliebte Handelsmünzen.

Frieseln (Frieselausschlag, Schweißfrieseln, Miliaria, Sudamina), hirsekorngroße Hautbläschen mit klarem oder weißl. Inhalt (v. a. bei starkem Schwitzen oder bei fieberhaften Erkrankungen). – **Rote Frieseln** (Miliaria rubra), von einem roten Hof umgeben, treten häufig in den Tropen auf als *Prickly heat* oder als sog. *Roter Hund.*

Friesen, [Karl] Friedrich, * Magdeburg 25. Sept. 1784, ✕ Lalobbe (Ardennes) 15. März 1814, dt. Turnpädagoge. – Wirkte seit 1808 als Lehrer in Berlin, Mitarbeiter F. L. Jahns; trat 1813 in das Freikorps Lützow ein und fiel 1814 als Lützows Adjutant.

Friesen (lat. Frisi, Frisiones), westgerman. Stamm an der Nordseeküste (Kernraum zw. Vliestroom und Ems), der 12 v.Chr. bis Ende des 3.Jh. unter röm. Herrschaft stand und um 700 ein Großreich von Brügge bis zur Weser bildete (später Ausdehnung der F. bis ins heutige N-Friesland). Karl d. Gr. unterwarf das F.reich 785 und ließ die fries. Volksrechte aufzeichnen (Lex Frisionum). Angelsächs. Missionare (Willibrord, Bonifatius) christianisierten die F. Der Deichbau (seit etwa 1000) brachte als soziale Folge allen Ständen die persönl. Freiheit, eine entscheidende Voraussetzung der späteren „Fries. Freiheit", der in einer Art Landfriedensbund (↑Upstallsboom) zusammengeschlossenen Bauernrepubliken. Während das Land westlich der Zuidersee schon früh in der Gft. Holland aufging, fiel der Teil zw. Zuidersee und Lau-

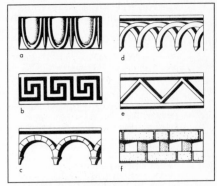

Fries. a Eierstab; b Mäander;
c Rundbogen-, d Kreuzbogen-,
e Zickzack- und f Zahnschnittfries

werszee im 16.Jh. den Habsburgern zu. Ostfriesland war seit 1464 selbständiges Territorium.

friesische Literatur, erst aus dem 13.Jh. *(altfries. Zeit)* sind Texte in fries. Sprache (Ostfries. und westlauwersches Friesisch) bekannt (Rechtsquellen). Greifbar wird f. L. in sog. *mittelfries. Zeit* (etwa 1550–1800) und zwar überwiegend als westfries. Literatur: Bedeutendster Vertreter ist G. Japiks (* 1603, † 1666). Nach 1800 erfuhr die *neufries. Literatur* Anstöße durch die Romantik, bes. durch J. H. Halbertsma (* 1789, † 1869). Um 1914 entstand die „Jungfries. Bewegung", die nat. Bestrebungen mit weltoffener Geisteshaltung zu vereinen suchte. Führend war D. Kalma (* 1896, † 1953). Heute sind v. a. A. S. Wadman (* 1919) und T. Riemersma (* 1938) zu nennen. Die ostfries. Schriftsteller zählen zur ↑niederdeutschen Literatur.

friesische Sprache, zur westgerman. Gruppe der german. Sprachen gehörende Sprache, die in der niederl. Provinz Friesland *(Westfriesisch),* im niedersächs. Saterland *(Saterländisch* oder *Ostfriesisch),* auf den Inseln Helgoland, Sylt, Föhr, Amrum, den nördl. Halligen und an der W-Küste Schleswig-Holsteins *(Nordfriesisch)* gesprochen wird. Die f. S. ist frühestens in den niederl. Seemarschen, die erst um 300 v.Chr. besiedelt wurden, entstanden.

Friesland, Landkr. in Niedersachsen.

F., Prov. in den nördl. Niederlanden; 3 359 km² Landfläche, 599 000 E (1989), Verwaltungssitz Leeuwarden. Grundmoränenlandschaft im O, Torfmoorzone im mittleren Teil mit zahlr. Seen, im W und N Marschland. Zuckerrüben-, Flachs-, Saatkartoffelanbau; Rinderzucht; Maschinen- und Schiffbau;

Förderung von Erdgas. F. umfaßt außerdem die Inseln Schiermonnikoog, Ameland, Terschelling und Vlieland.

Geschichte: Durch Fehden zw. den Parteien der „Schieringers" und „Vetkopers" gelang es Holland und Groningen, im 14. Jh. Einfluß in F. zu gewinnen; 1492 von Herzog Albrecht dem Beherzten von Sachsen besetzt; kam 1515/24 an die Habsburger; nahm von Anfang an am † Achtzigjährigen Krieg teil; 1572 vorübergehend wieder span., seit 1576 endgültig auf der Seite der Geusen; teilte in der Folgezeit die Geschicke der Vereinigten † Niederlande.

Friesoythe, Stadt an der Soeste, Nds., 9 m ü. d. M., 17 000 E. Pharmaind., Bandwebereien. – Urspr. bei einer Burg entstandener Marktort, erhielt 1366 Stadtrecht. Von den Grafen von Tecklenburg fiel F. 1400 an die Bischöfe von Münster, 1803 kam es zu Oldenburg.

Friesz, Othon [frz. fri'ɛs], * Le Havre 6. Febr. 1879, † Paris 10. Jan. 1949, frz. Maler. – Zeitweilig loser Anschluß an die Fauves (1906); eine kräftige Farbigkeit zeichnet seine Porträts, Stilleben, Figuren- und Landschaftskompositionen aus.

Frigen ⓦ [Kw.], Fluorchlorkohlenwasserstoffe, die als Sicherheitskältemittel und als Treibgas (für Aerosole) dienen.

Frigg (Frija, Frea, Freyja) [altnord.], nord- und westgerman. Göttin, Gattin Wodans, Mutter Baldrs. Auf ihren Namen geht der Name des Freitags (althochdt. frīatag, frījedag, mittelhochdt. vrītac) zurück.

frigid [lat.], kalt, kühl.

Frigidarium [lat.], Kaltwasserbad in röm. Thermen.

Frigidität [lat.], veraltete Bez. für eine als sexuelle Gefühlskälte beschriebene Störung der sexuellen Erlebnisfähigkeit der Frau; inzwischen als Libido- oder Orgasmusstörungen bezeichnet.

Frikadelle [lat.-frz.] (Bulette, Fleischpflanzerl), gebratener Hackfleischkloß.

Frikandeau [frikan'do:; frz.], Teil der Kalbskeule, gespickt und gebraten oder geschmort **(langes Frikandeau).**

Frikandelle [gebildet aus † Frikadelle und † Frikandeau], Schnitte aus gedämpftem Fleisch.
♦ svw. † Frikadelle.

Frikassee [frz.], Ragout aus Kalb-, Lamm-, Geflügel-, Wild- oder Fischfleisch.

Frikativ [lat.] † Reibelaut.

Friktion [lat.], Reibung zw. gegeneinander bewegten Körpern, die die Übertragung von Kräften und Drehmomenten ermöglicht.
♦ kreisende Abreibung mit Fingerspitzen, Tuch oder Bürste; Massagegriff zur Durchblutungssteigerung und Erwärmung der Haut.

♦ in der *Wirtschaftstheorie* Bez. für Verzögerungswiderstand, der der sofortigen Wiederherstellung des wirtsch. Gleichgewichts beim Überwiegen von Angebot oder Nachfrage entgegensteht.

Friktionsräder, svw. † Reibräder.

Frimaire [frz. fri'mɛːr „Reifmonat"], 3. Monat des Kalenders der Frz. Revolution (21., 22. bzw. 23. Nov. bis 20., 21. bzw. 22. Dez.).

Frings, Josef, * Neuß 6. Febr. 1887, † Köln 17. Dez. 1978, dt. kath. Theologe und Kardinal (seit 1946). – 1910 Priester, 1942–69 Erzbischof von Köln, 1945–65 Vors. der Fuldaer Bischofskonferenz und Wortführer des dt. Katholizismus; maßgebl. Beteiligung am 2. Vatikan. Konzil.

F., Theodor, * Dülken 23. Juli 1886, † Leipzig 6. Juni 1968, dt. Germanist. – 1917–27 Prof. für dt. Sprache und Literatur in Bonn, dann in Leipzig; dialektgeograph., sprachgeschichtl. und literarhistor. Arbeiten; Begr. des „Althochdt. Wörterbuchs" (1952 ff.).
Werke: Studien zur Dialektgeographie des Niederrheins (1913), Grundlegung einer Geschichte der dt. Sprache (1948), Sprache und Geschichte (3 Bde., 1956).

Frisbee ⓦ ['frɪzbi; engl.], Sportgerät; tellerähnl. Wurfscheibe aus Plastik; mehrere Disziplinen mit verschiedenen Wettbewerbsgedanken.

Frisch, Karl Ritter von, * Wien 20. Nov. 1886, † München 12. Juni 1982, östr. Zoologe. – Prof. u. a. in Breslau und seit 1930 in München; grundlegende Untersuchungen über die Sinnes- und Verhaltensphysiologie; berühmt seine Studien über das der gegenseitigen Verständigung dienende Tanzverhalten der Bienen („Aus dem Leben der Bienen", 1927; „Tanzsprache und Orientierung der Bienen", 1965); 1973 zus. mit K. Lorenz und N. Tinbergen Nobelpreis für Medizin oder Physiologie.

F., Max, * Zürich 15. Mai 1911, † ebd. 4. April 1991, schweizer. Schriftsteller. – Neben F. Dürrenmatt bedeutendster Vertreter der modernen Schweizer Literatur, v. a. in den Gattungen des Romans (v. a. „Stiller", 1954; „Homo Faber", 1957; „Mein Name sei Gantenbein", 1964) und Dramas (v. a. „Don Juan oder Die Liebe zur Geometrie", 1953, Neufassung 1961; „Herr Biedermann und die Brandstifter", Hsp. 1956, Dr. 1958; „Andorra", 1961). Hauptthema der Werke F. ist die Selbstentfremdung des modernen Menschen, das Problem der spaltungsbedrohten Identität, der Versuch der Identitätsfindung. Mit „Montauk" (1975) beginnt eine sich im „Triptychon. Drei szen. Bilder" (1978) und „Der Mensch erscheint im Holozän" (E., 1979) fortsetzende Tendenz eschatolog. Denkens, Todes- und Altersbewußtseins, die keine rea-

list. Utopien mehr zuläßt. 1958 erhielt F. den Georg-Büchner-Preis, 1976 wurde ihm der Friedenspreis des Börsenvereins des Dt. Buchhandels zuerkannt.
Weitere Werke: Bin oder die Reise nach Peking (E., 1945), Nun singen sie wieder (Dr., 1946), Santa Cruz (Dr., 1947), Die chin. Mauer (Dr., 1947, Neufassungen 1955 und 1972), Als der Krieg zu Ende war (Dr., 1949, verkürzte Fassung 1962), Tagebuch 1946–1949 (1950), Graf Öderland (Dr., 1951, endgültige Fassung 1961), Rip van Winkle (Hsp., 1953), Öffentlichkeit als Partner (Reden u. a., 1967), Erinnerungen an Brecht (1968), Dramaturgisches. Ein Briefwechsel (1969), Wilhelm Tell für die Schule (Prosa, 1971), Tagebuch 1966–1971 (1972), Blaubart (E., 1982), Schweiz ohne Armee. Ein Palaver (1988/89; Theaterfassung u. d. T. „Jonas und sein Veteran. Ein Palaver" 1989).

Max Frisch

F., Otto Robert, * Wien 1. Okt. 1904, † Cambridge 22. Sept. 1979, brit. Physiker östr. Herkunft. – 1947–72 Prof. in Cambridge; gab 1939 zus. mit L. Meitner die physikal. Deutung der experimentellen Ergebnisse von O. Hahn und F. Straßmann beim Beschuß von Uran mit Neutronen und prägte den Begriff „nuclear fission" (Kernspaltung).
F., Ragnar [Anton Kittil], * Oslo 3. März 1895, † ebd. 31. Jan. 1973, norweg. Nationalökonom. – 1931–65 Prof. in Oslo; Mitbegr. der Ökonometrie; arbeitete v. a. über Nachfrageforschung, Konjunkturtheorie, Planung und Programmierung und Produktionstheorie. Erhielt 1969 (gemeinsam mit J. Tinbergen) den sog. Nobelpreis für Wirtschaftswissenschaften.

Frischblutkonserven ↑ Blutkonserve.
Frisches Haff, flaches Ostseehaff zw. der ostpreuß. Küste und der 60 km langen, bis 1,8 km breiten **Frischen Nehrung,** 840 km²; Verbindung zur Ostsee durch das 550 m lange

und 360 m breite **Pillauer Seetief.** Durch das F. H. verläuft seit 1945 die Grenze zw. der UdSSR und Polen.
Frisch, fromm, fröhlich, frei ↑ FFFF.
Frischhaltung ↑ Konservierung.
Frischlin, Nikodemus [...li:n], * Erzingen (= Balingen) 22. Sept. 1547, † Festung Hohenurach 29. (30. ?) Nov. 1590, dt. Dichter und Humanist. – Prof. u. a. in Tübingen; schrieb in Latein derb-humorvolle Komödien und die bibl. Dramen „Rebecca" (aufgeführt 1576, gedruckt 1587), „Susanna" (aufgeführt 1578), in dt. Sprache das Drama „Frau Wendelgard" (aufgeführt 1579, gedruckt 1580).
Frischling, wm. Bez. für Wildschwein im ersten Lebensjahr.
Frischmuth, Barbara, * Altaussee 5. Juli 1941, östr. Schriftstellerin. – Seit 1962 Mgl. des Grazer Forum Stadtpark; schrieb die R.-Trilogie „Die Mystifikationen der Sophie Silber" (1976), „Amy oder die Metamorphose" (1978), „Kai und die Liebe zu den Modellen" (1979). – *Weitere Werke:* Die Klosterschule (1968), Amoral. Kinderklapper (E., 1969), Das Verschwinden des Schattens in der Sonne (R., 1973), Haschen nach Wind (E., 1974), Über die Verhältnisse (R., 1987), Einander Kind (R., 1990).
Frischpräparate ↑ Präparate.
Frischwetter ↑ Grubenbewetterung.
Frischzelltherapie ↑ Zelltherapie.
Frisia minor ↑ Eiderstedt.
Friss [ungar. friʃ] (Friska), der schnelle Paartanz des ↑ Csárdás.
Frist [zu althochdt. frist, eigtl. „das Bevorstehende"], eine durch Gesetz, durch richterl. oder verwaltungsbehördl. Verfügung oder durch Rechtsgeschäft festgelegte [bestimmte oder bestimmbare] Zeitspanne, deren Ablauf allein oder zusammen mit anderen jurist. Tatsachen (etwa einer Kündigung) Rechtswirkungen herbeiführt, so Entstehung, Untergang oder inhaltl. Änderung von Rechten, den Erwerb rechtserhebl. Eigenschaften (Volljährigkeit), den Verlust von Rechtsmitteln u. a. F. gliedern sich in ↑ Ausschlußfristen und Verjährungsfristen (↑ Verjährung). Für die Ermittlung des Beginns und des Endes einer F. enthalten die §§ 186–193 BGB Auslegungsregeln, die für das gesamte Privatrecht, das öff. Recht und das Prozeßrecht gelten. – ↑ Notfrist.
Fristenlösung ↑ Schwangerschaftsabbruch.
Frisur [zu frz. friser], Art und Weise, wie das Haar frisiert ist, d. h. geschnitten und gelegt ist (↑ Haartracht).
Friteuse [fri'tøːzə; lat.-frz.] (Fritüre), [elektr.] Gerät zum Fritieren von Speisen.
Fritfliege (Oscinella frit), 2–3 mm große, oberseits glänzend schwarze, unterseits braune, rotäugige Halmfliege.

Frithigern (Fritigern, Fridigern), †nach 382, westgot. Heerführer (seit 375). – Arianer; vermittelte die vertragl. Aufnahme des Großteils seines Volkes beim Übergang über die Donau ins röm. Imperium; führte, von den röm. Behörden getäuscht, einen erbitterten Kampf in Thrakien und besiegte 378 das röm. Heer bei Adrianopel.

fritieren [lat.-frz.], Speisen oder Gebäck in heißem Fett schwimmend ausbacken.

Fritigern ↑ Frithigern.

Fritillaria [lat.], Gatt. der Liliengewächse mit etwa 100 Arten in der nördl. gemäßigten Zone; mehrere Arten als Zierpflanzen kultiviert, v. a. ↑ Kaiserkrone, ↑ Schachbrettblume.

Fritsch, Werner Freiherr von, * Benrath (= Düsseldorf) 4. Aug. 1880, ✕ vor Warschau 22. Sept. 1939, dt. General. – 1934 Chef der Heeresleitung, 1935–38 als Oberbefehlshaber des Heeres maßgeblich an der dt. Wiederaufrüstung beteiligt; äußerte mit Reichskriegsmin. W. von Blomberg 1937 militär. Bedenken gegen die Expansionspläne Hitlers; unter dem verleumder. Vorwurf der Homosexualität 1938 aus der Armee entlassen **(Fritsch-Krise);** nachträglich von einem Ehrengericht rehabilitiert. Hitler war es mit dieser Aktion jedoch gelungen, das Oberkommando der Wehrmacht zu übernehmen.
F., Willy, * Kattowitz 27. Jan. 1901, † Hamburg 13. Juli 1973, dt. Filmschauspieler. – Nach zahlr. Stummfilmerfolgen (u. a. „Ein Walzertraum", 1925) Liebhaberrollen im Film der 30er Jahre (meist zus. mit Lilian Harvey), u. a. in „Die Drei von der Tankstelle" (1930).

Fritsch-Krise ↑ Fritsch, Werner Freiherr von.

fritten [lat.-frz.], Erhitzen pulverförmiger oder körniger Materialien bis zum Erweichungspunkt, so daß die einzelnen Teilchen nur oberflächlich aufschmelzen und dadurch zusammensintern. **Fritte,** poröse Filterplatte aus gefrittetem Material.

Fritüre [lat.-frz.], svw. ↑ Friteuse.

Fritz, Walter Helmut, * Karlsruhe 26. Aug. 1929, dt. Schriftsteller. – Natur- und Landschaftsgedichte, dann konzentrierte Gedankenlyrik, später auch Romane, die sich durch analyt. Beobachtung menschl. Beziehungen auszeichnen (u. a. „Die Verwechslung", 1970; „Cornelias Traum", 1985).

Fritzlar, Stadt an der Eder, Hessen, 220 m ü. d. M., 13 700 E. Domschatzmuseum. Konservenfabrik, Textil- u. a. Industrie. – 724 Klostergründung durch Bonifatius bei einem fränk. Kastell, 774 von den Sachsen zerstört. Die wohl in karoling. Zeit entstandene Königspfalz bildete einen wichtigen Stützpunkt der Ottonen und Salier. Im 11. Jh. kam die Siedlung F. in den Besitz der Erzbischöfe von Mainz, die Anfang des 12. Jh. neben dem alten Kern die Stadt als regelmäßig angelegte Kaufmannssiedlung gründeten; F. wurde zum Mittelpunkt der erzbischöfl. Territorialpolitik in Hessen; 1803 fiel es an Hessen-Kassel. – Roman. Pfarrkirche, sog. Dom (11.–14. Jh.), Fraumünsterkirche mit hochgot. Wandmalereien (13./14. Jh.); Stadtmauer (13./14. Jh.) mit Wehrtürmen; zahlr. Fachwerkhäuser (15.–18. Jh.) sowie got. Steinhäuser (14. Jh.).

Fritz Thyssen Stiftung, 1959 gegr. Stiftung, finanziert v. a. Forschungsvorhaben auf geisteswiss. Gebiet und insbes. der Medizin; vergibt auch zahlr. Stipendien.

Friuli-Venezia Giulia [italien. fri'u:live-'nettsja 'dʒu:lia] ↑ Friaul-Julisch-Venetien.

frivol [frz. zu lat. frivolus „nichtig"], leichtfertig; schamlos, frech; schlüpfrig.

Frivolitäten [lat.-frz.], svw. ↑ Schiffchenspitze.

Fröbe, Gert, * Planitz (= Zwickau) 25. Febr. 1913, † München 5. Sept. 1988, dt. Filmschauspieler. – Erster Erfolg mit dem Film „Berliner Ballade" (1948); weitere Charakterrollen in „Die Helden sind müde" (1955), „Das Mädchen Rosemarie" (1958), „Goldfinger" (1964), „Die tollkühnen Männer in ihren fliegenden Kisten" (1965), „Ludwig II." (1972), „Der Schimmelreiter" (1978), „Blutspur" (1979), „August der Starke" (1983).

Gert Fröbe

Fröbel, Friedrich [Wilhelm August], * Oberweißbach/Thür. Wald 21. April 1782, † Marienthal (= Bad Liebenstein) 21. Juni 1852, dt. Pädagoge. – Onkel von Julius F.; gründete 1831–36 in der Schweiz verschiedene Schulen und übernahm im Auftrag der Berner Regierung die Leitung der Volksschullehrerfortbildung und die Führung des Waisenhauses in Burgdorf. 1837 gründete F. in Bad Blankenburg eine „Autodidakt. Anstalt" bzw. „Pflege-, Spiel- und Beschäftigungsanstalt" für Kleinkinder, seit 1840

„Kindergarten". Seine Idee fand großen Anklang. 1851–60 waren die Kindergärten jedoch vom preuß. Kultusministerium verboten. Aufmerksamkeit wurde dem Spiel, der „Pflege" des „freitätigen" Lebens des Kindes in seiner Sehnsucht nach „Lebenseinigung" geschenkt. F. gilt als Begründer des ganzheitl. Denkens in der Pädagogik.
📖 *Heiland, H.: Die Pädagogik F. F. Hildesheim 1989. – Heiland, H.: F. F. Rbk. 1982. – Bollnow, O. F.: Die Pädagogik der dt. Romantik. Von Arndt bis F. Stg. ³1977.*

F., Julius, Pseud. Carl Junius, * Griesheim bei Stadtilm 16. Juli 1805, † Zürich 6. Nov. 1893, dt. Schriftsteller und Politiker. – Neffe von Friedrich F.; 1848 Abg. der Frankfurter Nationalversammlung, Teilnahme am Oktoberaufstand in Wien; 1849–57 in den USA; Mitbegr. des Dt. Reformvereins.

Froben (Frobenius), Johann, * Hammelburg um 1460, □ Basel 26. Okt. 1527, schweizer. Buchdrucker und Verleger dt. Herkunft. – Begann in Basel 1491 zu drucken; u. a. Hg. der Werke des Erasmus von Rotterdam; berühmt für künstler. Ausstattung (Titelblätter, bes. von U. Graf und H. Holbein d. J.).

Frobenius, Leo, * Berlin 29. Juni 1873, † Biganzolo Selasca (= Verbania) 9. Aug. 1938, dt. Völkerkundler. – Prof. und Direktor des Völkerkundemuseums in Frankfurt am Main, unternahm 12 Expeditionen nach Afrika; entwickelte den Begriff „Kulturkreis" sowie die „kulturmorpholog. Völkerkunde", wobei er die einzelnen Kulturen als lebende Organismen betrachtete und zugleich die rein statistische Arbeitsweise ablehnte. Zahlreiche Veröffentlichungen, u. a. „Atlas Africanus" (1922–30), „Schicksalskunde im Sinne des Kulturwerdens" (1932), „Kulturgeschichte Afrikas" (1933).

Frobenius-Institut, völkerkundl. Forschungsinst., 1922 von L. Frobenius in München gegr., 1925 von der Stadt Frankfurt am Main übernommen, 1946 in F.-I. umbenannt. Forschungsobjekt ist ausschließlich die Völker- und Kulturkunde Afrikas.

Froberger, Johann Jakob, * Stuttgart 19. Mai 1616, † Héricourt bei Montbéliard 6. (7. ?) Mai 1667, dt. Komponist. – Schüler von Frescobaldi; vermittelte die italien., frz. und engl. Klavierkunst nach Deutschland und gilt als Schöpfer der Klaviersuite.

Frobisher, Sir (seit 1588) Martin [engl. 'froʊbɪʃə], * Normanton bei Wakefield um 1535, † Plymouth 22. Nov. 1594, engl. Freibeuter und Seefahrer. – Entdeckte auf der Suche nach der Nordwestpassage 1576 die nach ihm ben. Frobisher Bay; nahm 1585 als Vizeadmiral an der Westindienfahrt von F. Drake und 1588 am Kampf gegen die span. Armada teil.

Frobisher Bay [engl. 'froʊbɪʃə 'beɪ], kanad. Ort im S der Insel Baffinland, 2500 E. Zentrum im östl. Kanad.-Arkt. Archipel. 🛬.

Fröding, Gustaf [schwed. ,frøːdiŋ], * Alster (Värmland) 22. Aug. 1860, † Stockholm 8. Febr. 1911, schwed. Dichter. – Bed. Lyriker, schrieb 1890–98 z. T. von seinem Leiden (Geisteskrankheit) mitgeprägte, melodisch und rhythmisch vollendete Lyrik mit Natur-, visionären, humorvollen und grübler. Momenten; dt. Übers. 1914, 1923, 1936.

Froelich, Carl, * Berlin 5. Sept. 1875, † ebd. 12. Febr. 1953, dt. Filmregisseur. – Drehte Stummfilme („Kabale und Liebe", 1921; „Mutter und Kind", 1924); arbeitete mit O. Meßter an der Entwicklung des Tonfilms; 1929 drehte er den ersten dt. Tonfilm („Die Nacht gehört uns").

Fröhlich, Gustav, * Hannover 21. März 1902, † Lugano 22. Dez. 1987, dt. Bühnen- und Filmschauspieler. – In den 30er Jahren v. a. jugendl. Heldenrollen. Nach 1945 v. a. Gastauftritte an verschiedenen Bühnen der BR Deutschland, der Schweiz und Österreichs. Seine Filmkarriere begann mit der jugendl. Hauptrolle in F. Langs „Metropolis" (1926); beliebter dt. Filmdarsteller der 20er und 30er Jahre (u. a. „Der unsterbl. Lump", 1930).

F., Katharina (Kathi) * Wien 10. Juni 1800, † ebd. 3. März 1879, Verlobte Grillparzers. – War mit ihren Schwestern Mittelpunkt eines kulturellen Zirkels in Wien; erbte nach Grillparzers Tod dessen Vermögen, mit dem sie die „F.-Stiftung" zur Unterstützung von Künstlern begründete.

Frohner, Adolf, * Großinzersdorf (= Zistersdorf) 12. März 1934, östr. Maler und Graphiker. – F. gehörte zu den Wegbereitern des † Wiener Aktionismus, der in seinen Arbeiten (u. a. Objekte, Collagen, Materialbilder, Tafelbilder) ebenso nachwirkt wie seine Auseinandersetzung mit der informellen Kunst und der Einfluß J. Dubuffets.

Froissart, Jean [frz. frwa'saːr], * Valenciennes 1337 (?), † Chimay um 1410, frz. Geschichtsschreiber und Dichter. – Sein zw. 1373 und 1400 entstandenes, den Zeitraum 1325–1400 umfassendes Geschichtswerk „Chroniques de France, d'Angleterre, d'Écosse, d'Espagne, de Bretagne ..." (gedruckt 1495) ist von hohem kulturhistor. Wert.

Frombork † Frauenburg.

Froment, Nicolas [frz. frɔ'mã], * Uzès (Gard), * um 1430, † Avignon um 1484/85, frz. Maler. – Bed. Vertreter der Schule von Avignon; beeinflußt von der niederl., fläm. und italien. Malerei. Für König René d'Anjou schuf er 1475/76 sein Hauptwerk, ein Triptychon (in Aix-en-Provence, Kirche Saint-Sauveur).

Fromentin, Eugène [frz. frɔmã'tɛ̃], * La Rochelle 24. Okt. 1820, † Saint-Maurice bei La Rochelle 27. Aug. 1876, frz. Schriftsteller. – Veröffentlichte Reisebücher (Nordafrika) und Romane, u. a. „Dominique" (1863), eine Auseinandersetzung mit der Romantik; auch Kunstkritiker und Maler.

Fromm, Erich, * Frankfurt am Main 23. März 1900, † Muralto bei Locarno 18. März 1980, amerikan. Psychoanalytiker dt. Herkunft. – Emigrierte 1934 in die USA; seit 1958 Prof. an verschiedenen Universitäten. F. betont die soziale und kulturelle Überformung der Antriebs- und Persönlichkeitsentwicklung des Menschen (Akkulturation); er erkennt zwar auch die biolog. Fundierung des menschl. Trieblebens an, weist aber bes. auf die unterschiedl. Formen der Triebbefriedigung in den verschiedenen Gruppen und Kulturen hin. – *Werke:* Die Furcht vor der Freiheit (1941), Die Kunst des Liebens (1956), Haben oder Sein (1976).

F., Friedrich, * Berlin 8. Okt. 1888, † Brandenburg 12. März 1945, dt. General. – 1939–44 Befehlshaber des Ersatzheeres; war in die Verschwörung vom 20. Juli 1944 eingeweiht, wandte sich aber in ihrem Verlauf gegen sie und ließ C. Graf Schenk von Stauffenberg und drei Mitverschworene erschießen; dennoch selbst verhaftet, zum Tode verurteilt und hingerichtet.

Frommann, dt. Buchhändler- und Verlegerfamilie; **Carl Friedrich Ernst Frommann** (* 1765, † 1837) entwickelte die von seinem Großvater 1727 gegr. Frommannsche Buchhandlung in Züllichau zum seinerzeit bedeutendsten Schulbuchverlag, den er 1798 nach Jena verlegte (heute **Friedrich Frommann Verlag,** seit 1886 in Stuttgart).

Frömmigkeit [zu althochdt. frumicheit „Tüchtigkeit, Tapferkeit" (seit dem 15. Jh. zunehmend religiöse Bedeutung)], in der Religionsgeschichte die innere Haltung des Anhängers einer Religion, in der die Verehrung des Göttlichen und die Bereitschaft des Frommen enthalten ist, wegen seines Glaubens Opfer zu bringen. Die F. prägt sein Denken, Fühlen und Handeln.

Fron ↑ Fronen.

Fronbote, svw. ↑ Büttel.

Fronde ['frɔːdə; frz. „Schleuder"], die oppositionelle Bewegung und die Aufstände gegen das absolutist. frz. Königtum 1648–53. Träger der 1. F. (1648/49) war das Pariser Parlament (Gerichtshof; „Parlaments-F."), das die Annahme eines Steueredikts verweigerte. Die durch die Verhaftung eines führenden Parlamentssprechers ausgelösten Barrikadenkämpfe der Pariser Bev. veranlaßten den Hof zur Flucht; Rückkehr mit Hilfe von Louis II., Fürst von Condé. Nach dem Frieden von Rueil (März 1649) wurde die F. vom

Hochadel („Prinzen-F.") unter maßgebl. Beteiligung Condés mit span. Unterstützung fortgeführt (1651), doch konnte Ludwig XIV. 1652, Mazarin 1653 zurückkehren. – ↑ Adel (Frankreich).

Fronden, svw. ↑ Fronen.

Fröndenberg, Stadt an der mittleren Ruhr, NRW, 124–244 m ü. d. M., 20 400 E. Metall- und Papierind., Fremdenverkehr. – 1197 erstmals genannt; seit 1952 Stadt. – Got. Pfarrkirche (13./14. Jh.).

Frondeur [frõ'dø:r; frz.], urspr. Bez. für ein Mgl. der Fronde; dann allg. für unversöhnl. polit. Gegner und Kritiker etablierter Herrschaftsverhältnisse.

Frondienste, svw. ↑ Fronen.

Fronen [zu mhd. vrõn „heilig, herrschaftl." (von ahd. frõ „Herr, Gott")] (Fronden, Frondienste, Scharwerk), bis zur Bauernbefreiung übl., dem Umfang nach bemessene oder unbemessene Dienstleistungen (z. B. Hand- und Spanndienste, Reparatur- und Botendienste), die persönlich abhängige Personen, Besitzer bestimmter Liegenschaften oder Bewohner eines Bezirks (Grundherr, Gerichtsherr oder Landesherr) unentgeltlich leisten mußten.

Fronhof (Meierhof), im Rahmen einer ma. Grundherrschaft der Herrenhof, d. h. Wohn- und Wirtschaftsgebäude mit [Sal]land, der vom Grundherrn (der auch Gerichtsherr sein konnte) selbst oder von seinem Beauftragten, dem Meier (lat. villicus) oder Schultheiß (lat. scultetus), verwaltet wurde und das Zentrum ihm zugeordneter Bauerngüter und Ländereien bildete, die vom Grundherrn zu Lehen ausgegeben waren (Fronhofsverband).

Fronius, Hans, * Sarajevo 12. Sept. 1903, † Wien 21. März 1988, östr. Graphiker, Illustrator und Maler. – Schuf graph. Zyklen und illustrierte Meisterwerke der Weltliteratur (u. a. F. Kafka, F. Villon, H. de Balzac); auch Porträts, Stadt- und Landschaftsbilder.

Fronleichnam [zu mittelhochdt. vrõnlîcham „Leib des Herrn"], Fest der kath. Kirche zur Verehrung der Eucharistie, am Donnerstag nach dem ersten Sonntag nach Pfingsten gefeiert, 1246 zuerst in Lüttich nach Visionen der belg. Nonne Juliana von Lüttich eingeführt, 1264 von Urban IV. für die ganze Kirche verbindlich vorgeschrieben. Mittelpunkt des Festes ist eine Prozession, bei der die geweihte Hostie in einer Monstranz durch die Straßen getragen wird. Das von liturg. Bewegung und nachkonziliarer Erneuerung geprägte Eucharistieverständnis hat neuere Formen v. a. der Prozession entstehen lassen oder die Prozession ganz abgeschafft.

Fronleichnamsspiel, ma. geistl. Spiel im Rahmen der Fronleichnamsprozessionen; dargestellt wurden einzelne Stationen der christl. Heilsgeschichte; seit dem 14.Jh. bes. in England verbreitet, seit dem 15.Jh. auch in Deutschland (F. von Künzelsau, 1479), Italien und Spanien (↑ Auto sacramental).

Frons [lat.], svw. ↑ Stirn.

Front [frz., zu lat. frons „Stirn"], allg. Vorder-, Stirnseite.

◆ in der *Meteorologie* die schmale Grenzzone, an der Luftmassen verschiedenen Ursprungs und verschiedener Eigenschaften gegeneinandergeführt werden. Man unterscheidet u. a. zw. ↑ Kaltfronten, ↑ Warmfronten und ↑ Okklusionen.

◆ *militär.* Bez. für 1. die ausgerichtete vordere Reihe einer angetretenen Truppe; 2. die vorderste Linie der kämpfenden Truppe; 3. das Kampfgebiet.

◆ *polit.*, meist zugleich parlamentar. Kampfverband; Zusammenschluß von (häufig extremen) polit. Gruppen sowohl der Rechten (z. B. Harzburger F., Kampffront Schwarz-Weiß-Rot, Frontismus) als auch der Linken (z. B. Volksfront, Einheitsfront). – ↑ Block, ↑ Aktionseinheit, ↑ Eiserne Front.

frontal [lat.], an der Vorderseite befindlich, von der Vorderseite kommend.

◆ in der *Anatomie* zur Stirn gehörig, stirnwärts.

Frontalzone, in der Meteorologie die geneigte Übergangszone zw. verschiedenartigen Luftmassen, z. B. zw. Tropikluft und Polarluft. In F. treten vorzugsweise die ↑ Strahlströme auf.

Frontantrieb (Vorderradantrieb), Antriebsart bei Kraftfahrzeugen; die lenkbaren Vorderräder werden über Gelenkwellen vom [Front]motor angetrieben.

Front de Libération Nationale [frz. frõdliberasjõnasjɔ'nal] ↑ FLN.

Frontenac, Louis de Buade, Graf von Palluau und von F. [frz. frõt'nak], * Saint-Germain-en-Laye 22. Mai 1622, † Quebec 28. Nov. 1698, frz. Offizier und Politiker. – 1672–82 und seit 1689 frz. Gouverneur in Kanada, da er erfolgreich gegen die Engländer verteidigte; zwang sie 1690 zur Aufhebung der Belagerung Quebecs.

Frontera, das Gebiet der ehem. freien Indianer im Kleinen Süden Chiles, in dem die dort lebenden Araukaner ihre Unabhängigkeit bis in die 80er Jahre des 19.Jh. gegen chilen. und span. Kolonisten behaupteten.

Frontgewitter ↑ Gewitter.

Frontier [engl. 'frʌntiə], die äußerste noch von der europäisch bestimmten Zivilisation erfaßte Zone am Rande der Wildnis während der Besiedlung der USA und Kanadas.

Frontinus, Sextus Julius, * etwa 30, † nach 100, röm. Schriftsteller und Militär. – 73, 98 und 100 Konsul, 74–77 Statthalter in Britannien; Verfasser einer Schrift über röm. Feldmeßkunst, von Werken über Kriegs-

listen, über das Kriegswesen sowie über die Wasserleitungen Roms.

Frontismus [lat.], Sammelbez. für die in der Schweiz in Anlehnung an Faschismus und Nationalsozialismus gebildete mittelständ., antidemokrat. Bewegung („Frontenbewegung"), v. a. in den großen Städten und in den Grenzgebieten; jedoch ohne längerfristigen Erfolg; zerfiel bald wieder.

Frontispiz [lat.], Giebeldreieck [über einem Gebäudevorsprung].

◆ die dem Titelblatt gegenüberstehende, mit Kupferstich geschmückte Vortitelseite; auch der das Titelblatt verzierende Holzschnitt.

Frontlader, am Vorderteil z.B. eines Schleppers angebrachte, hydraulisch betätigte Vorrichtung zum Heben von Lasten.

Frontstaaten, Bez. für eine informelle (d.h. völkerrechtlich nicht ausdrücklich verbundene) Gruppe von Staaten im südl. Afrika, die ihre Politik gegenüber der Republik Südafrika zu koordinieren suchen und ihr Wirken bislang insbes. gegen deren Apartheidpolitik richteten. Zu den F. gehören Angola, Botswana, Moçambique, Sambia, Simbabwe und Tansania; wirtsch. arbeiten sie in der „Southern African Development Coordination Conference" (SADCC) zusammen.

Frosch ↑ Frösche.

Frosch, Bez. für das Griffende des Bogens von Streichinstrumenten, mit dessen Stellschraube der Bezug gespannt wird.

Froschauer, Christoph, d. Ä., * Kastl bei Altötting um 1490, † Zürich 1. April 1564, schweizer. Buchdrucker und Verleger. – Druckte Schriften des Erasmus, Luthers, Zwinglis, griech., lat. und v. a. dt. Bibelausgaben.

Froschbiß (Hydrocharis), Gatt. der Froschbißgewächse mit drei Arten in Europa und Australien; einzige einheim. Art ist **Hydrocharis morsus-ranae,** eine Schwimmpflanze stehender oder langsam fließender Gewäs-

Frontalzone. Vertikalschnitt
(*P* Druckfläche, *T* Temperatur in °C)

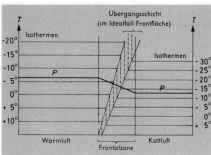

ser mit langgestielten, rundlich herzförmigen, dicken Blättern und weißen Blüten.

Froschbißgewächse (Hydrocharitaceae), Fam. der Einkeimblättrigen mit etwa 15 Gatt. und 100 Arten in den wärmeren und gemäßigten Zonen der Erde; meist ausdauernde, in Süß- und Salzgewässern untergetauchte oder schwimmende Kräuter; Blüten weiß, mit Blütenscheide, in Trugdolden; bekanntere Gatt. in M-Europa sind ↑ Froschbiß, ↑ Krebsschere, ↑ Wasserpest.

Frösche, allg. volkstüml. Bez. für ↑ Froschlurche.

♦ (Echte F., Ranidae) sehr artenreiche, weltweit verbreitete Fam. der Froschlurche; Kopf nach vorn verschmälert, mit großem Trommelfell und (bei ♂♂) häufig ausstülpbaren Schallblasen; vorn am Mundboden ist eine meist zweilappige, klebrige Zunge angewachsen, die beim Beutefang (v. a. Insekten, Schnecken, Würmer) herausgeschnellt werden kann. – Die meisten Arten halten sich überwiegend im und am Wasser auf. – Auf feuchten Wiesen, in Wäldern und Gebirgen des gemäßigten und nördl. Eurasiens lebt der **Grasfrosch** (Rana temporaria); bis 10 cm lang, Oberseite meist gelb- bis dunkelbraun mit dunkler Fleckung und je einer Drüsenleiste an der Rückenseite. Der **Moorfrosch** (Rana arvalis) kommt auf sumpfigen Wiesen und Mooren Eurasiens vor; etwa 6–7 cm lang, Oberseite braun, z. T. dunkel gefleckt, längs der Rückenmitte meist ein gelbl., dunkel gesäumter Streifen; ♂♂ während der Paarungszeit oft himmelblau schimmernd. Im Unterwuchs von Buchen- und Mischwäldern M- und S-Europas lebt der 6–9 cm lange, spitzschnäuzige **Springfrosch** (Rana dalmatina); Oberseite meist hellbraun, mit großem, bräunlichschwarzem Fleck in der Schläfengegend; ♂ ohne Schallblase; kann mit seinen außergewöhnlich langen Hinterbeinen bis 2 m weit springen. Der 17 cm lange **Seefrosch** (Rana ridibunda) kommt an größeren Gewässern mit dichtem Unterbewuchs M-Europas vor; mit dunkelbraunen Flecken und grünl. Längsstreifen über der Rückenmitte. Die bekannteste einheim. Art ist der **Wasserfrosch** (Teichfrosch, Rana esculenta), v. a. in wasserpflanzenreichen Teichen und Tümpeln; Färbung graugrün bis bräunlich, mit dunklen Flecken; ♂ mit großen Schallblasen hinter den Mundwinkeln. Der größte Frosch ist der bis 40 cm lange **Goliathfrosch** (Rana goliath) in W-Afrika; Färbung dunkel, Augen sehr groß. An größeren Gewässern der USA lebt der 10–15 cm lange **Amerikan. Ochsenfrosch** (Rana catesbeiana); oberseits grün oder graubraun. Zu den F. gehören auch die ↑ Färberfrösche. – Abb. S. 262.

Froschfische (Batrachoidae), Fam. bis 40 cm langer, kaulquappenartiger Kno-

chenfische mit etwa 30 Arten, v. a. in küstennahen Meeresgebieten bes. der trop. und gemäßigten Regionen; zu den F. gehören u. a. die in warmen Küstengewässern Amerikas lebenden **Krötenfische;** lassen grunzende bis quakende Töne hören.

Froschgeschwulst (Ranula), meist durch Verstopfung eines Speichelausführungsganges oder der Unterzungendrüse hervorgerufene Zyste neben dem Zungenbändchen beim Menschen und bei Haustieren.

Froschlaichalge (Batrachospermum), Gatt. der Rotalgen mit etwa 50, nur in Süßgewässern vorkommenden Arten, davon sechs in Deutschland; bis 10 cm lange, reichverzweigte Algen mit langgliedrigem Zentralfaden und locker gestellten, in Wirteln stehenden Kurztriebbüscheln.

Froschlaichgärung (schleimige Gärung, Dextrangärung), die Bildung von Polysacchariden in rohrzuckerhaltigen Lösungen (z. B. Wein) durch die Tätigkeit verschiedener Bakterien und Pilze, wodurch die Lösungen viskos, zuweilen gallertig werden.

Froschlöffel (Alisma), Gatt. der Froschlöffelgewächse mit mehreren Arten in allen gemäßigten und warmen Gebieten der Erde; ausdauernde Sumpf- und Wasserpflanzen mit grundständigen, eiförmigen oder lanzettförmigen, aufrechten oder flutenden Blättern und kleinen, weißl. bis rötl. Blüten in Rispen.

Froschlöffelgewächse (Alismataceae), Fam. einkeimblättriger, meist Milchsaft führender Wasser- und Sumpfpflanzen mit etwa 10 Gatt. und 70 Arten, hauptsächl. auf der Nordhalbkugel; in M-Europa u. a. die Gatt. ↑ Froschlöffel und ↑ Pfeilkraut.

Froschlurche (Anura, Salientia), mit etwa 2 600 Arten weltweit verbreitete Ordnung der Lurche; Körper klein bis mittelgroß, gedrungen, schwanzlos (im erwachsenen Zustand), mit nackter, drüsenreicher Haut und zwei Gliedmaßenpaaren, von denen die hinteren (als Sprungbeine) meist sehr viel länger als die vorderen sind; an den Vorderextremitäten vier, an den Hinterextremitäten fünf Zehen, oft durch Schwimmhäute verbunden oder mit endständigen Haftballen (z. B. bei Laubfröschen). Die Entwicklung der F. verläuft meist über eine Metamorphose. Die in den meisten Fällen ins Wasser als Laich abgelegten Eier werden dort befruchtet; die aus ihnen schlüpfenden Larven (Kaulquappen) besitzen zuerst äußere, dann innere Kiemen. Die zunächst fehlenden Gliedmaßen entwickeln sich später. Bei der Metamorphose werden Schwanz und Kiemen rückgebildet, Lungen für das Landleben entwickelt. Zu den F. gehören u. a. Urfrösche, Zungenlose Frösche, Scheibenzüngler, Krötenfrösche, Echte Frösche, Blattsteigerfrösche, Ruderfrösche, Kröten, Laubfrösche, Pfeiffrösche.

Froschmann, speziell ausgebildeter und ausgerüsteter, freischwimmender Taucher für Militär- und Rettungseinsätze.

Froschperspektive ↑ Perspektive.

Frosinone, italien. Stadt in Latium, sö. von Rom, 291 m ü. d. M., 47 100 E. Hauptstadt der Prov. F.; Hubschrauberwerk, Textil-, elektron. Ind.; Handel mit Wein, Öl und Oliven. – Das antike **Frusino** war eine hernik. oder volsk. Stadt; kam im 13. Jh. an den Kirchenstaat und 1870 an das Kgr. Italien. – Reste des röm. Amphitheaters.

Frost, Robert Lee, *San Francisco 26. März 1874, †Boston 29. Jan. 1963, amerikan. Lyriker. – 1912–15 in Großbritannien, wo er durch Vertreter des Imagismus entscheidende Anregungen erhielt. Formsicherer, an der klass. Dichtung geschulter Lyriker, der in schlichter Sprache und in feiner Melodik und Rhythmik Themen der bukol. Dichtung aufgriff; schrieb auch Dramen.

Frost, Absinken der Lufttemperatur unter 0 °C. – ↑ Bodenfrost.

Frostbeulen (Perniones), rundl., gerötete, bei Erwärmung juckende und brennende Hautanschwellungen als Auswirkung eines Kälteschadens bei Durchblutungsstörungen. F. treten bes. an Füßen und Händen auf; sie verschwinden in der warmen Jahreszeit. Bereits geringgradige, aber langdauernde Kälteeinwirkung begünstigt ihre Entstehung.

Frostboden, Boden in polaren Zonen oder im Hochgebirge, der dauernd, langanhaltend oder tageszeitlich gefroren ist.

Frösteln, unangenehme Kälteempfindung beim Anstieg der Körpereigentemperatur im Fieber oder bei Erniedrigung der Umgebungstemperatur (Vorstufe des Frierens).

Froster [engl.], Tiefkühlteil eines Kühlschranks.

Frostgraupeln ↑ Graupeln.

Frostkeimer, Pflanzen, deren Samen ohne vorhergehende Frosteinwirkung nicht oder nur sehr schlecht keimen.

Frostlagen, Bez. für bes. frostgefährdete Gebiete, in denen sich häufig Kaltluftseen ausbilden.

Frostmusterböden, svw. Strukturböden, ↑ Solifluktion.

Frostschäden, Schäden an Pflanzen, die durch plötzlich eintretende niedrige Temperaturen verursacht werden. Nach Art der Schädigung unterscheidet man: *Frosttod* bei Absterben der Pflanzen, *Starrfrost* bei mechan. Schädigungen und *Barfrost* beim Auffrieren junger Pflanzen.

Frostschutz, Schutz der Kulturpflanzen vor Frostschäden. Zu den **vorbeugenden Maßnahmen** zählen geeignete Bewirtschaftung der Anbauflächen und die Beseitigung von Kaltluftseen (z. B. durch Anlage von Windschutzhecken). Die **unmittelbaren Maßnahmen** wer-

den kurz vor dem Frosteintritt ergriffen: 1. durch Erhaltung der vorhandenen Wärme: Abdecken gefährdeter Kulturen oder **Frosträuchern** (Abbrennen von Chemikalien, wobei die entstehende Rauch- oder Nebeldecke die Wärmeausstrahlung herabsetzt) in höheren Beständen, 2. durch Wärmeerzeugung: **Frostschutzberegnung** (die gefährdeten Pflanzen werden vor Einsetzen des Frostes beregnet; bei der Bildung des Eisüberzugs wird Wärme frei [Erstarrungswärme]) oder durch direkte Beheizung von Kulturen (z. B. Weinbergen) durch Öfen.

◆ Schutz vor Schäden durch gefrierendes Wasser. Im *Straßenbau* werden unter der Tragschicht der Straßendecke meist 20–60 cm dicke F.schichten aus Kies, Sand, gebrochenem Gestein oder Hochofenschlacke eingebaut, die ein Aufsteigen der Bodenfeuchtigkeit verhindern sollen. Im *Hochbau* werden dem Beton und Mörtel F.mittel (Gefrierschutzmittel) zugesetzt, um den Gefrierpunkt des Wassers zu senken. Im *Maschinenbau* (z. B. in Kfz-Kühlern) werden v. a. Glykol, Glycerin und Methanol als F.mittel verwendet.

Frostspalten, v. a. in Dauerfrostgebieten entstehende Bodenspalten.

Frostspanner, Bez. für Schmetterlinge aus der Fam. Spanner, deren flugunfähige Weibchen von den von Okt.–Dez. fliegenden Männchen begattet werden. Die im Frühjahr schlüpfenden Raupen werden an Obstbäumen schädlich; Bekämpfung erfolgt durch Spritzungen mit Kontaktgiften oder durch Leimringe. In M-Europa kommen drei Arten vor: **Kleiner Frostspanner** (Gemeiner F., Operophthera brumata), etwa 25 mm spannend, mit dunklen Querbinden auf den bräunl. Vorderflügeln; **Großer Frostspanner** (Erannis defoliaria), etwa 4 cm spannend, Vorderflügel des ♂ hellgelb mit zwei bräunl. Querbinden; **Buchenfrostspanner** (Wald-F., Operophthera fagata), ♂ etwa 25 mm spannend, Vorderflügel hell gelblichgrau mit mehreren dunkleren Querlinien, Hinterflügel weißlich.

Frostsprengung ↑ Verwitterung.

Frosttage, in der Meteorologie Bez. für die Tage mit zeitweisen Lufttemperaturen unter 0 °C.

Frottage [frɔ'ta:ʒə; frz. „das Reiben"], eine 1924/25 von Max Ernst eingeführte graph. Technik, bei der Oberflächenstrukturen von Materialien mittels Durchreibung auf Papier übertragen werden.

Frottee [frɔ'te:; frz.], Woll- oder Baumwollgewebe mit ungleichmäßig gekräuselter Oberfläche, mit Schlingen- oder Schleifeneffekten durch Verwendung von zwei glatten Fäden und einem überdrehten Faden; für Kleider und Röcke.

Frösche. Grasfrosch

frottieren [frz.], den Körper mit Tüchern, Bürsten u.a. zur Abhärtung und besseren Durchblutung abreiben.

Frottierware [frz.; dt.] (Frottiergewebe), aus Baumwolle gefertigtes Schlingengewebe, bestehend aus einem Grundgewebe (straff gespannte Grundkette und Schuß) und aus wenig gespannten Polkettfäden (Schlingen- bzw. Florkette). Herstellung von F. auf bes. konstruierten Webmaschinen.

Frottola [italien.], in der *italien. Literatur* des 14.–16. Jh. volkstüml. Dichtungsform didakt. oder satir. Art.
◆ in der *italien. Musik* vierstimmige, schlichte Liedform (um 1450–1530).

frotzeln [vielleicht zu Fratze], mit spött. oder anzügl. Bemerkungen necken; hänseln.

Froufrou [fru'fru:; frz.], Bez. für das Raschein der (bes. für die Zeit um 1900 charakterist.) eleganten Damenunterkleidung.

Frucht [zu lat. fructus „Frucht"], (Fructus) aus der Blüte hervorgehendes pflanzl. Organ, das die Samen bis zur Reife birgt und meist auch der Samenverbreitung dient. Die F. wird von den F.blättern bzw. dem Stempel, oft unter Beteiligung weiterer Teile der Blüte und des Blütenstandes, gebildet. – ↑ Fruchtformen.
◆ (Leibes-F.) in der *Medizin* svw. Embryo.

Fruchtaromen (Fruchtessenzen), Alkohole, Aldehyde, Ketone, niedere und mittlere Fettsäuren sowie deren Ester mit niederen Alkoholen (früher *Fruchtäther* gen.), die die Aromen von Früchten enthalten bzw. wiedergeben; meist künstlich hergestellt.

Fruchtbarer Halbmond (engl. Fertile Crescent), Bez. für die Steppengebiete Vorderasiens, die halbkreisförmig um die Wüsten- und Halbwüstengebiete nördlich der Arab. Halbinsel liegen und in denen noch Regenfeldbau möglich ist. Getreideanbau und Haustierzucht haben hier ihren Ursprung, wie Funde aus der Steinzeit schließen lassen.

Fruchtbarkeit, svw. ↑ Fertilität.

Fruchtbarkeitskult, zusammenfassende Bez. für Bräuche zur Verehrung und Steigerung der Fruchtbarkeit von Pflanze, Tier und Mensch. F. sind meist mit Opferkult (Fruchtbarkeitsriten) verbunden und überall und zu allen Zeiten verbreitet.

Fruchtbarkeitsziffer, in der amtl. Statistik Bez. für die Zahl der Geborenen auf 1 000 Frauen im gebärfähigen Alter von 15 bis unter 45 Jahren.

Fruchtbecher (Cupula), oft mit Schuppen oder Stacheln versehene, becherförmige (z. B. bei der Eiche) oder vierteilige (z. B. bei der Rotbuche) Achsenwucherung, die die Früchte der Buchengewächse umgibt.

Fruchtblase (Fruchtwassersack, Fruchtsack), Bez. für die das Fruchtwasser und den Embryo lebendgebärender Säugetiere (einschl. Mensch) umschließende Hülle.

Fruchtblatt (Karpell), bes. ausgebildetes Blattorgan der Blüte, das die Samenanlagen trägt. Alle Fruchtblätter einer Blüte werden als ↑ Gynözeum bezeichnet. Die Fruchtblätter können einzeln angeordnet oder zum ↑ Fruchtknoten verwachsen sein.

Fruchtbringende Gesellschaft (Palmenorden), älteste dt. Sprachgesellschaft, nach dem Vorbild der ↑ Accademia della Crusca 1617 in Weimar von Ludwig von Anhalt-Köthen gegr.; bemühte sich um die Förderung von Richtigkeit und Reinheit der dt. Sprache; Emblem war der „indian. Palmbaum" (= Kokospalme); bestand bis 1680.

Früchte, im Recht die nicht durch den Gebrauch, sondern durch sonstige Nutzung einer Sache oder eines Vermögensrechts erzielten Vorteile. Unterschieden werden unmittelbare und mittelbare **Sachfrüchte** (z. B. Bodenerzeugnisse wie Getreide; Miet- und Pachtzinsen) und unmittelbare und mittelbare **Rechtsfrüchte** (z.B. die Dividende der Aktie bzw. der Mietzins bei Untervermietung). Der Eigentumserwerb an natürl. F. (Sachen) vollzieht sich nach Sachenrecht, der Erwerb der (nicht in Sachen bestehenden) zivilen F. nach Schuldrecht, ausnahmsweise nach Sachenrecht.

Fruchtessenzen, svw. ↑ Fruchtaromen.

Fruchtfäule, Sammelbez. für mehrere, durch verschiedene Pilzarten verursachte Fäulniserscheinungen an reifenden, meist beschädigten Früchten. Zur F. werden die ↑ Moniliakrankheiten, der ↑ Grauschimmel und die Fusariumfäule (↑ Fusariosen) gezählt.

Fruchtfliegen (Bohrfliegen, Trypetidae), weltweit verbreitete Fam. der Fliegen mit etwa 2 000 Arten, deren Larven in Pflanzen schmarotzen. Am bekanntesten sind: **Kirschfliege** (Rhagoletis cerasi), etwa 6 mm groß, glänzend schwarz, grünäugig, Larven schädlich an Süß- und Sauerkirschen; **Spar-**

gelfliege (Platyparea poeciloptera), 7–8 mm lang, braunrot, mit feiner schwarzer Behaarung sowie schwarzer und weißer Streifenzeichnung, Larven schädlich in Spargelkulturen.

Fruchtfolge (Rotation), die zeitl. Aufeinanderfolge von Kulturpflanzen auf einer landw. Nutzfläche. Grundsätzl. unterscheidet man zw. F., bei denen nur Feldfrüchte miteinander abwechseln (↑ Felderwirtschaft), und solchen, bei denen Feldnutzung mit Grasnutzung wechselt (↑ Wechselwirtschaft).

Fruchtformen, Grundformen der Frucht der Samenpflanzen, die nach Ausbildung und Art der beteiligten Organe in drei Haupttypen untergliedert werden: 1. **Einzelfrüchte:** Aus einer Blüte geht nur eine einzige Frucht hervor, die sich bei der Reife ganz oder teilweise öffnet und die Samen freigibt (*Öffnungsfrüchte, Streufrüchte;* z. B. Balgfrucht, Hülse, Kapselfrucht und Schote) oder in geschlossenem Zustand von der Pflanze abfällt (*Schließfrüchte;* z. B. Nuß, Beere, Steinfrucht, Achäne, Karyopse, Spaltfrucht und Gliederfrucht). – 2. **Sammelfrüchte:** Aus jedem einzelnen Fruchtblatt entsteht eine Frucht für sich *(Früchtchen),* jedoch bilden alle Früchtchen dieser Blüte unter Mitwirkung anderer Blütenteile (z. B. der Blütenachse) bei der Reife einen einheitl. Verband *(Fruchtverband),* der eine Einzelfrucht vortäuscht *(Scheinfrucht)* und sich als Gesamtheit ablöst. Nach der Ausbildung der Früchtchen werden Sammelnußfrucht (z. B. Erdbeere), Sammelsteinfrucht (z. B. Himbeere) und Sammelbalgfrucht (z. B. Apfel) unterschieden. – 3. **Fruchtstände:** Ganze Blütenstände, die bei der Reife (unter Mitwirkung zusätzl. Organe) das Aussehen einer Einzelfrucht annehmen und als Ganzes verbreitet werden (Scheinfrüchte). Fruchtstände können als *Nußfruchtstand* (z. B. Maulbeere), *Beerenfruchtstand* (z. B. Ananas) oder *Steinfruchtstand* (z. B. Feige) ausgebildet sein.

Fruchtholz, Bez. für die blüten- und fruchttragenden Kurz- oder Langtriebe der Obstbäume und Beerensträucher.

Fruchthüllen, svw. ↑ Embryonalhüllen.

Fruchtknoten (Ovarium), der aus Fruchtblättern gebildete, geschlossene Hohlraum, in dem die Samenanlagen eingeschlossen sind.

Fruchtkörper (Karposoma), vielzelliges Geflecht aus verzweigten und miteinander verwachsenen Pilzhyphen bei Pilzen und Flechten; trägt die Sporen.

Fruchtkuchen ↑ Plazenta.

Fruchtsack, svw. ↑ Fruchtblase.

Fruchtsaft, i. w. S. ein unvergorener, aus Früchten mittels techn. Verfahren gewonnener Saft; auch aus (meist pasteurisiertem oder sterilisiertem) F.-Konzentrat durch Zu-

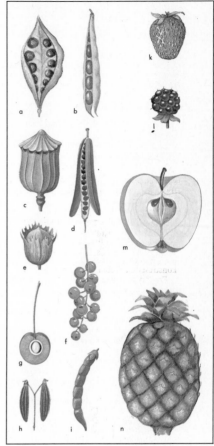

Fruchtformen. Einzelfrüchte: a–d Öffnungsfrüchte: a Balgfrucht (Sumpfdotterblume); b Hülse (Wachsbohne); c Kapselfrucht (Mohn); d Schote (Raps). e–i Schließfrüchte: e Nuß (Haselnuß); f Beeren (Johannisbeere); g Steinfrucht (Kirsche); h Spaltfrucht (Kümmel); i Bruchfrucht (Gliederhülse des Vogelfußklees). Sammelfrüchte: k Sammelnußfrucht (Erdbeere); l Sammelsteinfrucht (Brombeere); m Sammelbalgfrucht (Apfel). Fruchtstände: n Beerenfruchtstand (Ananas)

satz des bei der Konzentration entzogenen Wassers hergestellter Saft. Der F.-VO i. d. F. vom 17. 2. 1982 zufolge darf als **Fruchtsaft** (Saftanteil 100%, Fruchtgehalt 50%) nur ein Getränk bezeichnet werden, das über alle charakterist. Eigenschaften des frischen Saftes der Früchte verfügt, denen es entstammt. **Fruchtnektar** (Saftanteil 50%, Fruchtgehalt 25%) bezeichnet ein Erzeugnis, das durch Zusatz von Wasser und Zucker aus F., konzentriertem F., Fruchtmark und konzentriertem Fruchtmark hergestellt wird. Das **Fruchtsaftgetränk** (Saftanteil 6%, Fruchtgehalt 3%) hingegen wird lediglich unter Mitverwendung von F. hergestellt. **Fruchtsirup** ist eine dickflüssige Zubereitung aus F., konzentriertem F. oder aus Früchten (mit höchstens 68% Zucker). Den F. können bis 15 g Zucker pro Liter ohne Kennzeichnung zugesetzt werden, jedoch sind Farb- und Aromastoffe verboten.

Fruchtsäuren, organ., im Obst vorkommende Säuren, bes. Wein-, Apfel- und Zitronensäure.

Fruchtschalenwickler (Apfelschalenwickler, Capua reticulana), etwa 2 cm spannender, ockerfarbener Kleinschmetterling; Raupen bis 2 cm lang, werden schädlich an Obstbäumen durch Fraß bes. an den Früchten (v. a. Äpfeln, Birnen).

Fruchtschuppe, svw. ↑ Samenschuppe.

Fruchtstand ↑ Fruchtformen.

Fruchtwand (Perikarp), der aus der Fruchtknotenwand hervorgehende Teil der Frucht der Samenpflanzen.

Fruchtwasser (Amnionwasser, Liquor amnii), vom Amnion gebildete Flüssigkeit innerhalb der Fruchtblase. Im F. ist der Embryo frei beweglich eingebettet und gegen Druck, Stoß und Erschütterungen von außen geschützt.

Fruchtwassersack, svw. ↑ Fruchtblase.

Fruchtwein, svw. ↑ Obstwein.

Fruchtzucker, svw. ↑ Fructose.

Fructidor [frz. frykti'dɔːr „Fruchtmonat"] (Fruktidor), 12. Monat des Kalenders der Frz. Revolution (18. bzw. 19. Aug. bis 16. bzw. 17. Sept.).

Fructose [lat.] (Fruchtzucker), eine Zuckerart (↑ Monosaccharide), die zus. mit Traubenzucker im Saft süßer Früchte und im Honig vorkommt; dient u. a. zum Süßen der Speisen von Zuckerkranken.

Frueauf, Rueland, d. Ä., *Obernberg am Inn (?) um 1440, † Passau 1507, dt. Maler. – Vater von R. F. d. J.; bed. Vertreter der Salzburger Malerschule; Hauptwerk sind 8 Salzburger Flügelbilder (1490/91; Wien, Östr. Galerie).

F., Rueland, d. J., *um 1465/70, in Passau nachweisbar 1497–1545, dt. Maler. – Sohn von R. F. d. Ä.; Hauptwerke sind die Flügelbilder zu einem Leopoldsaltar (1505), heute

im Stiftsmuseum von Klosterneuburg; mit seinen stimmungsvollen Landschaftsdarstellungen bed. Vorläufer der Donauschule.

frugal [lat.-frz.], mäßig, einfach (von Speisen gesagt); fälschlich auch im Sinne von „üppig" verstanden.

Frühbeet, zur Anzucht junger Pflanzen angelegtes Beet, das zum Schutz vor der Witterung mit einer Umrandung versehen und mit transportablen Fenstern oder Plastikfolie abgedeckt ist.

Frühchristentum, Periodisierungsbegriff zur Bez. der ersten Epoche der Geschichte des Christentums (Zeit der Urgemeinde bis 313 [Mailänder Konstitution]); in der jüngeren Forschung wird die Epoche des F. stärker differenziert in Urgemeinde, Urchristentum, **alte** bzw. **altchristl. Kirche** und bis zu den Anfängen der Christianisierung der Germanen (etwa 7. Jh.) ausgedehnt.

frühchristliche Kunst (altchristliche Kunst), die von Anhängern der neuen christl. Religion in der Spätantike vom 3. bis 6. Jh. geschaffene Kunst, meist unter Abgrenzung der byzantin. und der armen. Kunst. Die Themen der Darstellungen sind bestimmt vom christl. Erlösungsgedanken, ausgedrückt in den symbol. Bildern von Oranten (Betenden), Pfauen, Tauben, in alt- und neutestamentl. Szenen.

Bed. Denkmäler der f. K. sind neben den *Malereien* in den röm. *Katakomben* die *Mosaiken* in den seit 313 entstehenden *Basiliken*. Die Bautätigkeit setzte in Rom ein mit der Erlöserbasilika (seit dem späten 6. Jh. San Giovanni in Laterano). Alt-Sankt-Peter (San Pietro in Vaticano; vollendet nach der Mitte des 4. Jh.) wurde seit 1506 abgebrochen. Der konstantin. Bau von San Paolo fuori le mura wurde nach 386 erneuert. Santa Maria Maggiore wurde unter Sixtus III. (432–440) erbaut (der heutige Zustand der Kirche zeigt anstelle der alten Apsis eine Querschiff mit Apsis, um 1290). Neben diesen sog. Patriarchalbasiliken entstanden noch zahlr. andere bed. frühchristl. röm. Basiliken (Santi Cosma e Damiano, Sant'Agnese, San Clemente), auch in Mailand (San Vittore in Ciel d'Oro [Kapelle in Sant'Ambrogio], Komplex von San Lorenzo Maggiore) und in Ravenna (Mausoleum der Galla Placidia, um 450 vollendet, Baptisterium der Orthodoxen, 451–460; Baptisterium der Arianer, 493–526; Sant'Apollinare Nuovo, um 500; San Vitale, 547; Sant'Apollinare in Classe, 549 geweiht).

Bed. Zeugnisse f. K. sind auch die *Sarkophagreliefs* (u. a. Junius-Bassus-Sarkophag [359; Rom, Vatikan. Sammlungen], der sog. Zwölf-Apostel-Sarkophag in Sant'Apollinare in Classe in Ravenna [5. Jh.]) und die *Elfenbeinarbeiten* (u. a. Kathedra des Bischofs Maximian in Ravenna [zw. 546/556; Ravenna, Erzbischöfl. Museum]); von der *Buchmalerei* ist wenig erhalten (Wiener Genesis [6. Jh.; Wien, Östr. Nationalbibliothek]). – Die f. K. beeinflußte die gesamte abendländ. Entwicklung. 📖 *Effenberger, A.: F. K. u. Kultur. Mchn. 1986. – Gerke, F.: Spätantike u. Frühes Christentum. Baden-Baden 1980. – Grabar, A.: Die Kunst des frühen Christentums. Dt. Übers. Mchn. 1967.*

frühchristliche Literatur ↑ Patristik.

frühchristliche Musik, die Musik und Musikübung der christl. Kirche vom 1. bis 6. Jh., hervorgegangen aus Elementen des jüd. Synagogalgesangs und der antiken griech. Musik. Die Kenntnis von der f. M. basiert allein auf literar. Zeugnissen. Im Ggs. zum jüd. Kult war die Verwendung von Musikinstrumenten im Gottesdienst verboten. In den i. d. R. einstimmigen Gesängen herrschte zunächst das Griech. als Kultsprache vor. Die Vortragsformen lassen sich scheiden in ein psalmod. Rezitieren, einen melodisch reicher entwickelten, dabei aber noch einfachen und weitgehend syllab. Gesang sowie das kunstvoll improvisierende melismat. Singen der Solisten im ↑ Responsorium.

Frühdruck, Erzeugnis des ältesten Buchdrucks; im weitesten Umfang die Drucke von etwa 1450 bis etwa 1550, i. e. S. die zw. 1501 und etwa 1550; Drucke, die dem 15. Jh. angehören, werden als ↑ Inkunabeln bezeichnet.

Frühe aus Trévoux [frz. tre'vu] ↑ Birnen (Übersicht).

Frühgeburt, vorzeitige Entbindung eines lebenden Neugeborenen zw. der 28. („Siebenmonatskind") und 38. Schwangerschaftswoche. Ursachen einer **spontanen Frühgeburt** sind entweder Erkrankungen der Mutter oder des Kindes. Die hohe Frühgeborenensterblichkeit beruht auf der funktionellen Unreife der Organe sowie einer Gefährdung durch Trinkschwäche, Atemstörungen und Infektionen. Frühgeborene sollten zunächst unter ständiger Überwachung in einem Frühgeborenenzentrum aufgezogen werden. Sie sind auch bei guter Pflege längere Zeit kleiner und schwächer als zum Normaltermin geborene Kinder; sie holen deren Vorsprung aber bis zum 5. oder 6. Lebensjahr auf. – Als **künstl. Frühgeburt** bezeichnet man die vom Arzt herbeigeführte, vorzeitige Entbindung.

Frühgeschichte, Übergangsphase zw. der Vorgeschichte bzw. Urgeschichte und der durch schriftl. Überlieferung erhellten Geschichte; im allg. Bez. für Perioden, für deren Erforschung neben schriftl. oder mündl. Überlieferung mit archäolog. Methoden erschließbare Überreste mindestens gleichrangig herangezogen werden müssen.

frühhelladische Kultur ↑ helladische Kultur.

Frühchristliche Kunst. Stadttorsarkophag mit Szenen aus dem Alten und Neuen Testament; Ende des 4. Jh. (Mailand, Sant'Ambrogio)

Frühinfiltrat, häufig Ersterscheinung der Tuberkulose beim Erwachsenen; zeigt sich im Röntgenbild als rundl. Schatten unterhalb des Schlüsselbeins. Tuberkulöse Herde des F. liegen meist im Spitzenbereich der Lunge.

Frühjahrslorchel (Frühlingslorchel, Giftlorchel, Gyromitra esculenta), Schlauchpilz mit weißl. bis blaßviolettem, gefurchtem, bis 7 cm hohem Stiel und hohlem, rundl., kaffee- bis schwarzbraunem Hut; von April bis Mai in trockenen Kiefernwäldern und auf Kahlschlägen; Giftpilz.

Frühjahrsmüdigkeit, volkstüml. Bez. für das Nachlassen der Leistungsfähigkeit und die allg. körperl. Abgespanntheit während der Frühjahrsmonate, u. a. möglicherweise Folge eines Vitamin-C-Mangels oder bioklimat. Einflüsse.

Frühjahrs-Sommer-Enzephalitis ↑ Gehirnentzündung.

Frühkapitalismus, Bez. für eine Epoche der europ. Wirtschaftsgeschichte, die mit dem 16. Jh. begann und mit der industriellen Revolution (seit etwa 1760) in die Zeit des Hochkapitalismus überleitete. – ↑ Kapitalismus.

Frühkommunion ↑ Erstkommunion.

Frühkonstitutionalismus, die Phase der histor. Entwicklung, in der die Regierungsgewalt des erbl. Herrschers durch eine Verfassung beschränkt wurde. Die Fürsten von Bayern, Württemberg und Baden, deren Territorien durch Napoleon I. erhebl. vergrößert worden waren, wollten ihre Herrschaft sichern, indem sie die Untertanen zu Staatsbürgern mit bestimmten Rechten und Freiheiten machten. Nach dem Vorbild der frz. Charte constitutionelle von 1814 erließen die Fürsten unter Beibehaltung ihrer alleinigen Souveränität Verfassungen (z. B. Nassau 1814, Bayern 1818) oder vereinbarten sie mit der Ständevertretung (Württemberg 1819), die die Mitwirkung von gewählten Parlamenten an der Gesetzgebung und garantierte Grundrechte festlegten. Die Karlsbader Beschlüsse unterbanden die Fortentwicklung des F. im Dt. Bund.

Frühlähme ↑ Fohlenlähme.

Frühling ↑ Jahreszeiten.

Frühlingsadonisröschen (Frühlingsteufelsauge, Adonis vernalis), größte, geschützte mitteleurop. Art der Gatt. Adonisröschen, verbreitet auf meist kalkreichen, warmen Trockenrasen, Heidewiesen und in Kiefernwäldern.

Frühlingsäquinoktium ↑ Äquinoktium.

Frühlingsenzian ↑ Enzian.

Frühlingsknotenblume ↑ Knotenblume.

Frühlingslorchel, svw. ↑ Frühjahrslorchel.

Frühlingspunkt ↑ Äquinoktialpunkte.

Frühlingsschlüsselblume ↑ Primel.

Frühmenschen (Archanthropinen, Archanthropinae), älteste Gruppe der fossilen Echtmenschen, zu der v. a. der Homo erectus erectus (Pithecanthropus) und der Homo erectus pekinensis (Sinanthropus) gehören. ↑ Mensch (Abstammung).

frühminoische Kultur ↑ minoische Kultur.

Frühmittelalter ↑ Mittelalter.

Frühneolithikum, Anfangsphase des ↑ Neolithikums.

Frühreife, eine der normalen Entwicklung der Jugendlichen vorauseilende Ausbildung seel. und körperl. Merkmale; häufig nur einzelne Frühleistungen, dagegen selten als Reife der Gesamtpersönlichkeit.

Frührenaissance ↑ Renaissance.

Frühschmerz ↑ Spätschmerz.

Frühsommermeningoenzephalitis ↑ Gehirnentzündung.

Frühstückskartell, allg. Bez. für ein gesetzwidriges Kartell, das bei einer als unverfänglich erscheinenden gesellschaftl. Zusammenkunft formlos und meist nur auf mündl. Absprache hin gebildet wird.

Frühtrunk, Günter, * München 1. Mai 1923, † ebd. 12. Dez. 1982, dt. Maler. – Seine Werke zeigen die Überwindung einer auf geometr. Grundformen reduzierten Malerei. An die Stelle des Dialoges der Formengegensätze tritt ein auf homogene Strukturen zurückgeführtes Kontinuum von Farbe.

Frühwarnsystem (Early Warning System), militär. Radar- und damit gekoppelte Rechenanlage zum frühzeitigen Orten und Identifizieren [feindl.] Flugkörper und zum Einleiten von Abwehrmaßnahmen.

Frühzündung ↑ Zündanlage.

Fruin, Robert Jakobus [niederl. frœ̈yn], * Rotterdam 14. Nov. 1823, † Leiden 29. Jan. 1899, niederl. Historiker. – Prof. in Leiden 1860–94; gilt als bedeutendster niederl. Historiker des 19. Jh.; befaßte sich v. a. mit der Zeit des niederl. Freiheitskampfes sowie der niederl. Rechts- und Verfassungsgeschichte.

Fruktidor ↑ Fructidor.

Fruktifikationstheorie [lat./griech.] ↑ Zinstheorie.

Fründsberg, Georg von, * auf der Mindelburg bei Mindelheim 24. Sept. 1473 (1475?), † ebd. 20. Aug. 1528, dt. Landsknechtsführer („Vater der Landsknechte"). – Kämpfte in Diensten Maximilians I. und Karls V.; 1519 beteiligt an der Vertreibung Herzog Ulrichs aus Württemberg durch den Schwäb. Bund; hatte entscheidenden Anteil an den Siegen des kaiserl. Heeres in Italien (Bicocca 1522, Pavia 1525).

Frunse, Michail Wassiljewitsch, * Pischpek 2. Febr. 1885, † Moskau 31. Okt. 1925, sowjet. Politiker und Militärspezialist. – Im Bürgerkrieg erfolgreicher militär. Führer der Roten Armee im Kampf gegen Koltschak und Wrangel; leitete die Militärreform 1924/1925, Begründer der sowjet. Militärwiss.; als Nachfolger Trotzkis 1925 Volkskommissar für Heer und Flotte; starb unter ungeklärten Umständen.

Frunse, bis 1991 Name der Stadt ↑ Bischkek.

Fruška gora [serbokroat. 'fruʃka ːgɔra], Gebirge in Kroatien, zw. Donau und Save; etwa 100 km lang, bis 539 m hoch; z. T. Nationalpark.

Frustration [lat.], Erlebnis der Enttäuschung durch Ausbleiben eines erwarteten und/oder geplanten Handlungserfolgs, von dem die Befriedigung primärer und sekundärer Bedürfnisse abhängt. Die F. kann auch aus einer vermeintl. Behinderung oder Benachteiligung resultieren. Die so *frustrierte* Person fühlt sich zurückgesetzt oder „zu kurz gekommen", ohne daß dafür ein tatsächl. Anlaß besteht. Die **Aggressions-Frustrations-Hypothese** besagt, daß unter bestimmten Umständen eine F. regelmäßig aggressives Verhalten hervorruft, dessen Stärke umgekehrt proportional zur Stärke der F. sei.

Frutex [lat.], svw. ↑ Strauch.

Frutigen, Bez.hauptort im schweizer. Kt. Bern, südlich von Thun, 803 m ü. d. M., 6 000 E. Uhrenind., Schiefertafelfabrikation, Fremdenverkehr. – F., Zentrum einer gleichnamigen Herrschaft, kam 1400 durch Kauf an Bern. – Spätgot. Landkirche (15. Jh.), Ruinen der Tellenburg (ehem. Vogteisitz, 14. Jh.).

Frutti di mare [italien.], svw. ↑Meeresfrüchte.

Fry [engl. fraɪ], Christopher, urspr. C. Harris, * Bristol 18. Dez. 1907, engl. Dramatiker. – Seine lyr. Versdramen sind teils unorthodoxe religiöse festl. Schauspiele, teils metaphern- und wortspielreiche Komödien, in denen sich Heiteres und Tragisches mischen. *Werke:* Ein Phönix zuviel (Dr., 1946), Die Dame ist nicht fürs Feuer (Dr., 1949), Venus im Licht (Dr., 1950), Ein Schlaf Gefangener (Mysterienspiel, 1951), Das Dunkel ist licht genug (Dr., 1954), Ein Hof voll Sonne (Dr., 1971).

F., Elizabeth, geb. Gurney, * Norwich 21. Mai 1780, † Ramsgate 12. Okt. 1845, brit. Sozialreformerin. – Stammte aus einer Quäkerfamilie; kämpfte bes. gegen die Mißstände in den Gefängnissen sowie für eine Reform des Strafrechts und des Strafvollzugs.

F., E. Maxwell, * Wallasey 2. Aug. 1899, † Gft. Durham 3. Sept. 1987, brit. Architekt. – Wegbereiter des ↑internationalen Stils in Großbritannien. Baute zus. mit Gropius das „Impington Village College" bei Cambridge (1936).

F-Schicht (F-Gebiet), ionisierte Doppelschicht (F₁- und F₂-Schicht) der ↑Ionosphäre.

F-Schlüssel, in der Musik das aus dem Tonbuchstaben F entwickelte Zeichen, mit

dem im Liniensystem die Lage des f festgelegt wird. Unterschieden werden: Bariton- (1), Baß- (2) und Subbaßschlüssel (3).

FSK, Abk. für: ↑Freiwillige Selbstkontrolle der Filmwirtschaft.

ft, Einheitenzeichen für ↑Foot.

Fuad I., eigtl. Ahmad F., * Gise 26. März 1868, † Kairo 28. April 1936, ägypt. Sultan (1917–22) und König (1922–36). – Sohn Ismail Paschas; nahm nach Ende des brit. Protektorats über Ägypten 1922 den Königstitel an.

Fuad Pascha, Muhammed (türk. Fuat, Mehmet), * Konstantinopel 17. Jan. 1815, † Nizza 12. Febr. 1869, türk. Politiker. – Führend in der autokrat. Reformbewegung; 1852–67 fünfmal Außenmin., 1861–66 Großwesir; auch Dichter.

Fuchs, Anke, * Hamburg 5. Juli 1937, dt. Politikerin (SPD). – Juristin; seit 1980 MdB; 1982 Bundesmin. für Jugend, Familie und Gesundheit; 1987–91 Bundesgeschäftsführerin der SPD.

F., Arved, * Bad Bramstedt 1953, dt. Seemann und Abenteurer. – Durchquerte vom 13. Nov. 1989 bis 12. Febr. 1990 zus. mit R. ↑Messner zu Fuß (2 800 km) die Antarktis.

F., Ernst, * Wien 13. Febr. 1930, östr. Maler und Graphiker. – Vertreter der Wiener Schule des phantast. Realismus. In Gemälden und Radierungen, die er in altmeisterl. Techniken ausführt, behandelt F. v. a. bibl. Themen.

F., Günter Bruno, * Berlin 3. Juli 1928, † Berlin (West) 19. April 1977, dt. Schriftsteller. – Lyriker und Prosaist; auch Hörspiele.
Werke: Brevier eines Degenschluckers (Ged. und En., 1960), Lesebuch des G. B. F. (1970), Handbuch für Einwohner (Ged., 1970), Ratten werden verschenkt. Werkauswahl (1974), Wanderbühne, Geschichten und Bilder (1976), Gemütlich summt das Vaterland (Ged. u. a., hg. 1984).

F., Jürgen, * Reichenberg/Vogtland 19. Dez. 1950, dt. Schriftsteller. – Ab 1971 Studium der Psychologie in Jena, 1975 zwangsexmatrikuliert; nach Protest gegen die Ausbürgerung W. Biermanns 1976 mehrere Monate in Haft, 1977 nach Berlin (West) abgeschoben. Beschreibt v. a. im (ehem.) DDR-Alltag Bedrohung, Unterwerfung und Selbstzurichtung („Gedächtnisprotokolle", 1977; „Tagesnotizen", Ged., 1979; „Fassonschnitt", R., 1984; „Das Ende einer Feigheit", R., 1988).

F., Klaus, * Rüsselsheim 29. Dez. 1911, † Berlin 28. Jan. 1988, dt. Physiker. – Emigrierte 1933; als brit. Staatsangehöriger 1943–46 am amerikan. Atombombenprojekt in Los Alamos tätig; 1946 Leiter der theoret. Abteilung des brit. Atomforschungszentrums Harwell; 1948 als Spion für die UdSSR entlarvt, wurde er 1950 wegen Atomspionage verurteilt. Nach seiner Begnadigung (1959) in der DDR bis 1978 an der Akad. der Wiss. tätig.

F., Leonhart, * Wemding 17. Jan. 1501, † Tübingen 10. Mai 1566, dt. Arzt und Botaniker. – Prof. in Ingolstadt und Tübingen; zählt zu den bedeutendsten humanist. Medizinern des 16. Jh.; gab in „Historia stirpium" (1542; dt. 1543 u. d. T. „New Kreuterbuch") eine systemat. Darstellung von Pflanzen.

F., Robert, * Frauenthal an der Laßnitz 15. Febr. 1847, † Wien 19. Febr. 1927, östr. Komponist. – War am Wiener Konservatorium Lehrer u. a. von H. Wolf und G. Mahler; komponierte Orchester- und Kammermusik, Klavierwerke, Chormusik und Lieder.

F., Sir (seit 1958) Vivian [engl. fu:ks], * Freshwater (Isle of Wight) 11. Febr. 1908, brit. Geologe. – 1957/58 Leiter der Commonwealth Trans-Antarctic-Expedition, der erstmals die Durchquerung der Antarktis gelang.

Fuchs [zu althochdt. fuhs, eigtl. „der Geschwänzte"], Raubtier (↑Füchse).
◆ Bez. für einige Tagfalter: 1. **Kleiner Fuchs** (Nesselfalter, Aglais urticae), 4–5 cm spannend, Flügeloberseite rotbraun, mit gelben und schwarzen Flecken auf den Vorderflü-

geln, Flügelrandbinden dunkel mit je einer Reihe kleiner, blauer Fleckchen; 2. **Großer Fuchs** (Nymphalis polychloros), ziemlich selten, 5–6 cm spannend; Flügeloberseite gelbbraun mit schwarzen Flecken.

◆ **Pferd** mit rötl. (fuchsfarbenem) Deckhaar und gleichfarbigem oder hellerem Mähnen- und Schweifhaar.

◆ das noch nicht vollberechtigte Mgl. einer Studentenverbindung im ersten und zweiten Semester.

Füchschen ↑ Sternbilder (Übersicht).

Füchse, Bez. für etwa 20 miteinander eng verwandte Arten aus der Raubtierfam. Hundeartige; meist schlanke, nicht hochbeinige, weltweit verbreitete Tiere mit verlängerter, spitzer Schnauze, großen, zugespitzten Ohren und buschigem Schwanz. Hierher gehören u. a.: **Polarfuchs** (Eisfuchs, Alopex lagopus), am Nordpol bis zur südl. Baumgrenze lebend, 45–70 cm lang, Schwanz 30–40 cm lang, kleine, abgerundete Ohren; je nach Fellfärbung im Winter unterscheidet man ↑ Blaufuchs und **Weißfuchs** (rein weiß); Sommerfell bei beiden graubraun bis grau. **Korsak** (Steppenfuchs, Alopex corsac) in Z-Asien, etwas kleiner als der Rotfuchs, Fell im Sommer rötl. sandfarben, im Winter weißlichgrau. **Fennek** (Wüstenfuchs, Fennecus zerda) in N-Afrika und SW-Asien, 35–40 cm lang, Schwanz 20–30 cm lang, Ohren bis über 15 cm lang, Fell hell bis dunkel sandfarben, meist mit rostfarbener Tönung am Rücken, Bauchseite weiß. Die Gatt. **Graufüchse** (Urocyon) hat je eine Art auf dem südamerikan. Festland und auf einigen Inseln vor S-Kalifornien; 53–70 cm lang, Schwanz 28–40 cm lang, Oberseite und größter Teil der Flanken grau, Schwanz- und Körperunterseite sowie Beine rostbraun, Rückenstreif schwarz, Kehle weißlich. Eine Unterart ist der ↑ Azarafuchs. Außerdem zählen zu den F. die fast weltweit verbreiteten, überwiegend nachtaktiven **Echten Füchse** (Vulpes) mit neun Arten, darunter der in Eurasien, N-Afrika und N-Amerika vorkommende **Rotfuchs** (Vulpes vulpes), 60–90 cm lang, Schwanz etwa 35–40 cm lang, Beine kurz, Färbung rostrot mit grauer Bauchseite und schwarzen Füßen, Schwanzspitze meist weiß. Das Fell einiger Unterarten ist ein begehrtes Pelzwerk (z. B. **Kreuzfuchs**, mit dunkler, über Rücken und Schultern kreuzförmig verlaufender Zeichnung; **Kamtschatkafuchs** [Feuerfuchs], Fell leuchtend rot; **Silberfuchs**, glänzend schwarze Grundfarbe mit Silberung kleinerer oder größerer Rückenteile, in Pelztierfarmen gezüchtet). – Abb. S. 270.

Füchsel, Georg Christian, * Ilmenau 14. Febr. 1722, † Rudolstadt 20. Juni 1773, dt. Geologe. – Gehört zu den Wegbereitern des ↑ Aktualismus in der Geologie.

Fuchsflechte (Letharia vulpina), intensiv gelb gefärbte, bis 5 cm hohe Strauchflechte mit arkt.-alpiner Verbreitung; vorwiegend auf Nadelhölzern; einzige giftige Flechte Europas.

Fuchshai ↑ Drescherhaie.

Fuchshund (Foxhound), engl. Laufhund.

Fuchsie ['fʊksiə; nach L. Fuchs] (Fuchsia), Gatt. der Nachtkerzengewächse mit etwa 100 Arten in Amerika und Neuseeland; Halbsträucher, Sträucher oder kleine Bäumchen mit gezähnten Laubblättern; Blüten oft hängend und auffällig rot, rosa, weiß oder violett, meist mehrfarbig gefärbt.

Fuchsin [nach der Fuchsie] (Rosanilin, Magenta), intensiv roter Triphenylmethanfarbstoff von geringer Farbechtheit.

Fuchsjagd, 1. ↑ Schnitzeljagd; 2. Reitjagd, bei der das Wild durch einen Reiter dargestellt wird, der einen Fuchsschwanz an der Schulter trägt.

Fuchskauten, mit 656 m ü. d. M. die höchste Erhebung des Westerwaldes.

Fuchskusu (Trichosurus vulpecula), v. a. in den Wäldern Australiens lebender Kletterbeutler von etwa 35–60 cm Körperlänge mit rd. 25–40 cm langem, buschig behaartem Schwanz; Fell sehr dicht und weich, Färbung grau, braun oder schwärzlich mit heller Zeichnung. – Sein Fell kommt u. a. unter den Bez. **Adelaide-Chinchilla** und **Austral. Biber** und **Austral. Opossum** in den Handel.

Fuchsmanguste (Cynictis penicillata), etwa 30–40 cm körperlange, schlanke, kurzbeinige Schleichkatze, v. a. in sandigen Gebieten S-Afrikas; Fell relativ langhaarig, orangebraun bis blaß gelbgrau.

Fuchsschwanz (Amarant, Amaranthus), Gatt. der Fuchsschwanzgewächse mit etwa 50 Arten, v. a. in subtrop. und gemäßigten Gebieten; meist Kräuter mit unscheinbaren, kleinen Blüten in dichten Blütenständen.

Fuchsschwanz ↑ Säge.

Fuchsschwanzgewächse (Amarantgewächse, Amaranthaceae), weltweit verbreitete Pflanzenfam. mit etwa 900 Arten in über 60 Gatt.; hauptsächlich Kräuter mit kleinen Blüten, oft in knäueligen Teilblütenständen, die zus. Ähren oder Köpfchen bilden.

Fuchsschwanzgras (Alopecurus), Gatt. der Süßgräser mit dichten, weichen Ährenrispen; in M-Europa sieben Arten auf Wiesen, Äckern und an feuchten Stellen, z. B. ↑ Wiesenfuchsschwanzgras, ↑ Ackerfuchsschwanzgras.

Fuchtel [zu fechten], Degen mit breiter Klinge, später auch Bez. für den Schlag mit der flachen Klinge; da dies als Strafe beim militär. Drill üblich war, wurde das Wort zum Sinnbild strenger Zucht (Redensart: „unter der F. stehen").

Fuciner Becken ['fu:tʃinər], italien. Bekkenlandschaft in den sö. Abruzzen, 655 m ü. d. M., noch im Altertum von einem Karstsee mit stark schwankendem Wasserspiegel (**Fucinus lacus**) erfüllt. Trockenlegungsversuche im Altertum und MA scheiterten, erst diejenigen von 1854–76 hatten Erfolg. Insgesamt wurden 16 500 ha als Kulturfläche gewonnen und unter Neusiedlern aufgeteilt.

Fucus [lat.], Gatt. der Braunalgen mit etwa 30 Arten, verbreitet im Litoral der nördl. Meere; die häufigsten Arten in der Nordsee sind der ↑ Blasentang und der ↑ Sägetang.

fud., Abk. für: ↑ fudit.

Fuder, altes, regional noch verwendetes Hohlmaß, v. a. für Wein; 1 rhein. F. = 1 000 l, 1 bad. F. = 1 500 l, 1 östr. F. = 1 811 l.

fudit [lat. „(er) hat (es) gegossen"], steht [meist abgekürzt als fud.] hinter der Signatur des Gießers (z. B. bei Glocken).

Fudschaira, Scheichtum in den ↑ Vereinigten Arabischen Emiraten.

Fudschijama ↑ Fuji.

Fudschinomija ↑ Fujinomiya.

Fudschisawa ↑ Fujisawa.

Fudschiwara ↑ Fujiwara.

Fuduli, Muhammad Ibn Sulaiman, türk. Mehmet Fuzulî, * Hilla (Irak) 1495 (?), † Bagdad 1556, türk. Dichter. – Bedeutendster Vertreter der türk. Klassik; schrieb Gedichte und eine lange Versdichtung von pessimist. Daseinshaltung und myst. Gottesliebe.

Fuero [span.; zu lat. forum (↑ Forum)], span. Rechtsbegriff; Bez. für Stadtrecht, Gewohnheitsrecht, Vorrecht, Rechtsordnung, aber auch Gesetz und Gesetzessammlung.

Fuerteventura, eine der ↑ Kanarischen Inseln, Hauptort Puerto del Rosario.

Fuge. Oben: Fugenanfang; darunter: schematische Darstellung der gesamten Fuge

Füetrer, Ulrich ['fy:ɛtrər], * Landshut 1. Hälfte des 15. Jh., † München um 1495, dt. Dichter. – Anscheinend ausgebildet als Maler. Erhalten ist eine „Kreuzigung Christi" (1457; München, Alte Pinakothek). Verfaßte ein „Buch der Abenteuer" (zw. 1473/78), eine Bearbeitung höf. Epen in rd. 41 500 Versen (Titurelstrophen), und zw. 1478 und 1481 eine „Baier. Chronik".

Fufu, Speise der Westafrikaner: zu Brei zerstampfte Maniok- oder Jamsknollen, z. T. mit Mehlbananen, werden zu Kugeln geformt und mit stark gewürzter, öliger Suppe übergossen.

Fugato [lat.-italien.], fugierter Abschnitt (oft nur die Exposition) in einer nicht als Fuge gearbeiteten Komposition.

Fuge [italien., zu lat. fuga „Flucht" (der einen Stimme vor der folgenden)], in der Musik Bez. für ein mehrstimmiges (in der Regel 3- oder 4stimmiges) Instrumental- oder Vokalstück, dessen streng kontrapunkt. gesetzte Stimmen ein Thema imitator.-variativ durchführen. Die in der Bach-Zeit exemplar. ausgebildete F. hat etwa folgenden Aufbau: Ein Thema (Subjekt) erklingt zunächst allein in seiner Grundgestalt (Dux, Führer), hierauf wird es in einer anderen Stimme auf der Dominante oder Subdominante beantwortet (Comes, Gefährte). Diese Beantwortung ist entweder „real", d. h. intervallgetreu, oder „tonal", d. h. mit charakterist. Abweichungen, wobei die Ausgangstonart erhalten bleibt. Danach beginnen sukzessiv die nächsten Stimmen wieder mit dem Dux bzw. Comes. Außer zum ersten erklingt zu jedem Themeneinsatz ein Kontrapunkt – häufig als beibehaltener Gegensatz (Kontrasubjekt), der schließlich in einen freien Kontrapunkt übergeleitet wird. Die erste Durchführung des Themas, die Exposition, endet, wenn alle Stimmen einmal das Thema als Dux bzw. Co-

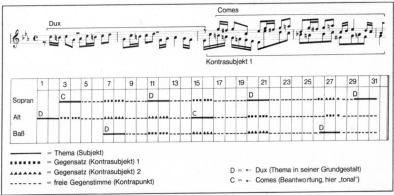

		1		3		5		7		9		11		13		15		17		19		21		23		25		27		29		31
Sopran				C										D								D								D		
Alt	D														C																	
Baß							D																		D							

— = Thema (Subjekt)
······· = Gegensatz (Kontrasubjekt) 1
▲▲▲▲▲▲ = Gegensatz (Kontrasubjekt) 2
- - - - - = freie Gegenstimme (Kontrapunkt)

D = ← Dux (Thema in seiner Grundgestalt)
C = ← Comes (Beantwortung, hier „tonal")

Füchse. Rotfuchs

mes vorgetragen haben. Hieran schließen
sich nach einem freien Zwischenspiel weitere
Durchführungen (und Zwischenspiele) an, in
denen das Thema in veränderter Gestalt
(↑ Diminution, ↑ Augmentation, ↑ Umkeh-
rung, ↑ Krebs oder rhythm.-melod. Veränderungen) auftritt, oder die Themeneinsätze gegeneinander verschoben sind (Engführung).
Die Anzahl der Themeneinsätze ist ebenso-
wenig festgelegt wie Anzahl und Länge der
Durchführungen. Je nach Art, Anordnung
und Anzahl der Themen unterscheidet man
verschiedene F.typen: einfache F., ↑ Gegenfu-
ge, Spiegelfuge, ↑ Permutationsfuge, Doppel-
fuge (mit 2 Themen), Tripelfuge (mit 3 Themen), Quadrupelfuge (mit 4 Themen). –
Nach Vorformen seit dem 14. Jh. entwickelte
sich die F. v. a. bei Sweelinck, Frescobaldi,
Buxtehude, Pachelbel, Händel, bis sie ihren
Höhepunkt im Werk J. S. Bachs erreichte
(„Wohltemperiertes Klavier" und „Kunst der
Fuge").
📖 *Schwebsch, E.: J. S. Bach u. die Kunst der F.*
Stg. ³1988. – Czaczkes, L.: Die F. des Wohl-
temperierten Klaviers in bildl. Darstellung.
Wien 1984. – Bergel, E.: J. S. Bach: Die Kunst
der F. Bonn 1980. – Müller-Blattau, J.: Gesch.
der F. Kassel 1963.
Fuge, Zwischenraum zw. zwei aneinan-
derstoßenden Bauwerkteilen, Bauteilen,
Mauersteinen usw. Waagerechte F. werden
als *Lager-F.,* senkrechte F. als *Stoß-F.* bezeichnet.
◆ in der *Sprachwissenschaft* Stelle, an der die
Bestandteile einer Zusammensetzung zusam-
mentreffen, z. B. Eisen|bahn.
Fugger, dt. Kaufmannsfamilie, Grafen
(seit 1511 Reichsadel, seit 1514 Reichsgra-
fen); seit 1367 in Augsburg ansässig. Die
noch heute bestehende Linie „F. von der Li-

lie", begr. von **Jakob d. Ä.** († 1469), erlangte
durch Jakob II. und die Fuggersche Handels-
gesellschaft Weltgeltung; seine Neffen **Rai-
mund** († 1535) und **Anton** († 1560) begr. die
beiden noch bestehenden Hauptlinien: F.
von Kirchberg und F. von Glött (1913 bayr.
Fürstenstand). Die Linie F. von Babenhausen
wurde 1803 reichsfürstlich. Bed.:
F., Anton, Reichsgraf (seit 1530), * Augsburg
10. Juni 1493, † ebd. 14. Sept. 1560, Handelsherr. – Übernahm 1525 die Leitung des Unternehmens und befolgte den politisch-öko-
nom. Kurs seines Onkels, Jakobs II.; unterstützte Ferdinand I. und Karl V.; konnte mit
des Kaisers Hilfe den Handel bis nach Buenos Aires, Westindien und Mexiko ausdeh-
nen; gewährte auch Philipp II. von Spanien
1556/57 Kredite; hinterließ 6 Mill. Goldkro-
nen und einen beträchtl. Landbesitz.
F., Jakob II., der Reiche, Reichsgraf (seit
1514), * Augsburg 6. März 1459, † ebd. 30.
Dez. 1525, Handelsherr und Bankier. – Übernahm 1485 die Leitung der F.schen Faktorei
in Innsbruck; verbündete sich mit Erzherzog
Maximilian, dem er 1490 zur Übernahme Tirols verhalf; errichtete durch seine Beteiligungen am ungar. Bergbau und Metallhandel
ein europ. Kupfermonopol; wurde zum Bankier des Kaisers, der Päpste und der röm. Ku-
rie; mischte sich bei Papstwahlen ein, finan-
zierte 1519 die Wahl Karls I. von Spanien
zum Kaiser, wurde weitgehend dessen Geld-
geber; betätigte sich als Mäzen (Sankt Anna
in Augsburg) und schuf die „Fuggerei", eine
(noch bestehende) Wohnsiedlung für Bedürf-
tige.
📖 *Pölnitz, G. v.: Die F. Tüb. ⁴1981.*
Fugitives [engl. ˈfjuːdʒɪtɪvz „Flüchtlinge"], konservative Dichtergruppe des amerikan. Südens in Nashville (Tenn.) um die Zeitschrift „The Fugitive" (1922–25); skeptisch
bis ablehnend gegenüber Fortschrittskult und
Wissenschaftsgläubigkeit, Modernismen und
Naturwissenschaft.
fühlen, 1. ein Gefühl (im Sinne von Lust
oder Unlust) erleben; 2. svw. tasten.
Fühler, Sinnesorgane tragende Kopfan-
hänge (↑ Antennen, ↑ Tentakel).
Fühlerlehre (Fühllehre, Spion), Meß-
werkzeug zur Bestimmung der Breite von
Spalten (z. B. Elektrodenabstand bei Zünd-
kerzen), ein Satz von Stahlblechzungen mit
Dicken zw. 0,05 und 1,0 mm.
Fühlerlose (Scherenfüßer, Chelicerata),
seit dem Kambrium bekannter, heute mit
über 35 000 Arten weltweit verbreiteter Un-
terstamm 0,1–60 cm langer Gliederfüßer
(fossile Arten bis 1,8 m lang); Antennen fehlen; erstes Gliedmaßenpaar (Chelizeren)
meist scheren- oder klauenförmig, zweites
Gliedmaßenpaar (Pedipalpen) als Kieferta-
ster ausgebildet; leben an Land, im Süßwas-

ser und im Meer; drei rezente Klassen: ↑ Pfeilschwanzkrebse, ↑ Spinnentiere, ↑ Asselspinnen.

Fühlhaare ↑ Tastsinnesorgane.

Fühlorgane, svw. ↑ Tastsinnesorgane.

Fuhlrott, Johann [Carl], * Leinefelde (Landkr. Worbis) 31. Dez. 1803, † Elberfeld (= Wuppertal) 17. Okt. 1877, dt. Naturforscher. – Gymnasiallehrer in Elberfeld; erkannte die von ihm 1856 im Neandertal bei Düsseldorf gefundenen Knochen als Gebeine eines fossilen Menschen.

Fühlsinn, svw. ↑ Tastsinn.

Fühmann, Franz, * Rochlitz (Rokytnice nad Jizerou [Riesengebirge]) 15. Jan. 1922, † Berlin (Ost) 8. Juli 1984, dt. Schriftsteller. – Gestaltete zunächst Krieg und NS-Herrschaft als Grunderlebnis seiner Generation (Nov. „Kameraden", 1955; E. „Das Judenauto", 1962; „König Ödipus", 1966), später v. a., unter intensivem Bezug zu Mythos, Moderne und Traum sowie zunehmender Distanz zur DDR-Realität, sein essentielles Bemühen um Wirklichkeit (u. a. Tagebuch „22 Tage oder die Hälfte des Lebens", 1973; En. „Der Geliebte der Morgenröte", 1978; „Saiäns-fiktschen", 1981; Essay „Der Sturz des Engels", in der DDR u. d. T. „Vor Feuerschlünden", 1982; Aufs. u. a. „Wandlung, Wahrheit, Würde", 1985; En. u. a. „Unter den Paranyas", 1988); auch bed. Nachdichter und Kinderbuchautor.

Fuhr, Xaver, * Neckarau (= Mannheim) 23. Sept. 1898, † Regensburg 16. Dez. 1973, dt. Maler. – Schuf v. a. aquarellierte Städtebilder mit harter Umrißzeichnung.

Fuhre, allg. svw. Wagenladung; im Rotwelsch Bez. für eine versteckt angebrachte Tasche oder einen Sack der Diebe.

Führer, Inhaber derjenigen Position innerhalb einer Gruppe, die mit der Organisation und Kontrolle von Gruppenaktivitäten sowie der Aufrechterhaltung eines Zusammenhaltes unter den Gruppen-Mgl. verbunden ist. Die F.rolle variiert sowohl zw. verschiedenen Gruppen als auch innerhalb einer Gruppe in Abhängigkeit von den bes. Charakteristika und Ansprüchen der Geführten, den spezif. Zielen, die eine Gruppe verfolgt, sowie den von außen auf sie einwirkenden Einflüssen.

◆ in der *Musik* svw. ↑ Dux.

Führerausweis, in der Schweiz Bez. für Führerschein (↑ Fahrerlaubnis).

Führerprinzip, ein den Werten und Zielen demokrat. Organisation prinzipiell entgegengesetztes polit. Leitungsprinzip, nach dem Autorität ausschließlich von einer monokrat. Spitze nach unten ausgeübt, Verantwortung aber ausschließlich von unten nach oben geschuldet wird; insbes. eine Erscheinungsform plebiszitär legitimierter Diktaturen des 20. Jh.

Führerschein ↑ Fahrerlaubnis.

Führer und Reichskanzler, von A. Hitler selbst geschaffene Amts-Bez., nachdem er nach Hindenburgs Tod 1934 die Ämter des Reichskanzlers und des Reichspräs. auf sich vereinigt hatte; seit 1939 war nur noch die Bez. Führer üblich.

Führich, Josef Ritter von (seit 1861), * Kratzau (= Chrastava, Nordböhm. Gebiet) 9. Febr. 1800, † Wien 13. März 1876, östr. Maler. – Führender Vertreter der Nazarener in Österreich.

Fuhrmann ↑ Sternbilder (Übersicht).

Führung, Vorrichtung, die z. B. einem Maschinenteil eine bestimmte Bahn bzw. eine bestimmte Lage bei seiner Bewegung vorschreibt.

◆ Wahrnehmung der durch die Rolle eines Führers umschriebenen Aufgaben und Funktionen; bei demokrat. F. werden die Gruppen-Mgl. bei der Entscheidung über Gruppenziele oder an der Organisation von Gruppenaktivitäten beteiligt, bei autokrat. F. übt diese Funktionen der Führer allein aus.

◆ *militär.*: Planung und Leitung des Einsatzes von Streitkräften, abgestuft nach strateg., operativen und takt. Gesichtspunkten.

Führungsakademie der Bundeswehr, Ausbildungsstätte der Bundeswehr, in der v. a. Offiziere für den Dienst als Stabsoffiziere ausgebildet und fortgebildet werden; Sitz: Hamburg.

Führungsaufsicht, Maßregel der Besserung und Sicherung, die neben oder anstelle einer Strafe treten kann (§§ 68–68 g StGB) und rückfallgefährdete Täter vor Straftaten bewahren soll. Während der F., die 2 bis 5 Jahre dauern kann, stehen dem Verurteilten eine Aufsichtsstelle und ein Bewährungshelfer helfend und betreuend zur Seite und überwachen die Erfüllung der ihm vom Gericht erteilten Weisungen.

Führungsplanke, svw. ↑ Leitplanke.

Führungstruppen, in der Bundeswehr zusammenfassende Bez. für diejenigen ↑ Truppengattungen, die die militär. Führung im Heer unterstützen.

Führungszeugnis (früher polizeil. F.), Zeugnis über den Inhalt des ↑ Bundeszentralregisters. Im *östr. Recht* entspricht dem F. die **Strafregisterbescheinigung,** in der *Schweiz* das **Leumundszeugnis.**

Fuji [fudʒi] (Fujisan, Fudschijama), höchster Berg Japans, auf Honshū, etwa 100 km wsw. von Tokio, 3 776 m hoch. Nicht aktiver, ganzjährig schneebedeckter Stratovulkan im Bereich der Fossa Magna. Durchmesser des Kraters rd. 600 m bei einer Tiefe von 150–200 m; letzter Ausbruch 1707. Waldgrenze oberhalb 2 300 m. – Hl. Berg Japans; Gegenstand zahlr. Dichtungen und bildl. Darstellungen.

Fujian [chin. fudзięn] (Fukien), Küstenprov. in SO-China, an der Formosastraße, gegenüber von Taiwan; 120 000 km², 27,5 Mill. E (1986), Hauptstadt Fuzhou. Die Prov. wird von einem Teil des hier bis 1 667 m hohen südostchin. Berglandes eingenommen. Der stark zergliederten Küste mit Naturhäfen sind über 600 Inseln vorgelagert. Im subtrop. Klima werden Reis (oft zwei Ernten im Jahr), Bataten, Mais, Tabak, Tee, Zitrusfrüchte und Bananen angebaut. Ausgedehnte Wälder (v. a. mit Nadelhölzern, Bambus und Eukalyptus) bilden die Grundlage der Forstwirtschaft und der holzverarbeitenden Ind.; Küstenfischerei. Bei reichen Bodenschätzen an Kohle, Eisen- und Wolframerz erst allmähl. Industrialisierung; bed. Kunsthandwerk (Fuzhou-Lackwaren). 1980 wurde **Xiamen** zur Wirtschaftssonderzone für Auslandsinvestitionen erklärt.

Fujimori, Alberto [span. fuxi'mori, jap. fudзi...], *Lima 28. Juli 1938, peruan. Politiker jap. Abstammung. – Agraringenieur; 1984–89 Rektor der Landwirtschaftshochschule. Gründete 1989 die Bürgerbewegung „Cambio 90“ [= Wechsel 90]; seit Juli 1990 (im 2. Wahlgang) Präs. Perus; erstrebt v. a. eine wirtsch. Konsolidierung des Landes.

Fujinomiya [fudзi...] (Fudschinomija), jap. Stadt auf Honshū, am SW-Fuß des Fuji, 111 500 E. Zellstoff- und Papierindustrie.

Fuji Photo Film Co. Ltd. [engl. 'fudзi 'foυtoυ 'film 'kʌmpəni 'limitid], eines der größten Photounternehmen der Welt, Sitz Tokio, gegr. 1934.

Fujisan [fudзi...] ↑ Fuji.

Fujisawa [fudзi...] (Fudschisawa), jap. Stadt auf Honshū, 40 km ssw. von Tokio, 328 000 E. TH; Wohnstadt für die Ind.region Tokio–Yokohama.

Fujiwara [fudзi...], jap. Adelsgeschlecht, eine der „vier (großen) Sippen“. Ahnherr ist der aus dem Shintō-Priestergeschlecht Nakatomi stammende **Fujiwara no Kamatari** (*614, †669), als bed. Reformer Mitbegr. der Staatsform des alten kaiserl. Japan. Die Familie war jahrhundertelang in Politik und Kunst (F.zeit 894–1185) tonangebend und erlebte unter **Fujiwara no Michinaga** (*966, †1028), der den Staat als Regent und Großkanzler leitete und Schwieger- bzw. Großvater einiger Kaiser war, ihren glanzvollen Höhepunkt; bald darauf Entmachtung der F., nach der Mitte des 11.Jh. vollends Verlust ihrer führenden polit. Stellung.
F., altjap. Geschlecht ungeklärter Herkunft, das im 11./12.Jh. im N der jap. Hauptinsel über ein Gebiet von etwa 67 000 km² weitgehend unabhängig von der Zentralreg. in Kyōtō herrschte; „Könige des Nordens“ genannt; wichtigster Vertreter: **Fujiwara no Hidehira** (†1187).

Fukien ['fu:kiɛn] ↑ Fujian.

Fuks, Ladislav, *Prag 24. Sept. 1923, †Prag 19. Aug. 1994, tschech. Schriftsteller. – Der Roman „Herr Theodor Mundstock“ (1963) schildert den Versuch eines alten Juden im von dt. Truppen besetzten Prag, das drohende Schicksal der Deportation innerlich zu bewältigen.

Fukuda Takeo, *in der Präfektur Gunma 14. Jan. 1905, jap. Politiker (Liberal-Demokrat. Partei). – Seit 1952 Abg. des Unterhauses; 1965/66, 1968–71 und 1973/74 Finanzmin.; 1966–68 Generalsekretär seiner Partei; 1971/72 Außenmin.; 1976–78 Parteivors. und Min.präsident.

Fukui, jap. Stadt in der F.ebene an der W-Küste von Honshū, 249 000 E. Verwaltungssitz der Präfektur F.; Univ. (techn. Fakultäten). Seidenweberei.

Fukui Kenichi, *Nara 4. Okt. 1918, jap. Physikochemiker. – Arbeiten zur theoret. Chemie, insbes. zur Quantenchemie der chem. Reaktivität und der organisch-chem. Reaktionen. F. entdeckte fast gleichzeitig mit Roald Hoffmann die Prinzipien, nach denen solche Reaktionen ablaufen, wofür beide 1981 mit dem Nobelpreis für Chemie ausgezeichnet wurden.

Fukujama ↑ Fukuyama.

Fukuoka, jap. Hafenstadt an der NW-Küste von Kyūshū, 1,08 Mill. E. Verwaltungssitz der Präfektur F.; kath. Bischofssitz; zwei Univ. (gegr. 1910 bzw. 1934). Der Steinkohlenbergbau im Hinterland von F. begünstigte die Industrialisierung; u. a. chem. Ind., Eisen- und Stahlverarbeitung, Textil- und Porzellanind.; internat. ⚓. – Die Hafenstadt **Hakata** war im MA eine der bedeutendsten Japans.

Fukushima [...ʃima] (Fukuschima), jap. Stadt in N-Honshū, 271 000 E. Verwaltungssitz der Präfektur F.; medizin. Hochschule; Textil-, v. a. Seidenindustrie.

Fukuyama [...jama] (Fukujama), jap. Stadt an der S-Küste von W-Honshū, 363 000 E. Eisen- und Stahl-, Elektroind., Maschinenbau.

Fukuzawa Yukichi [...z...], *Ōsaka 10. Jan. 1835, †Tokio 3. Febr. 1901, jap. Gelehrter. – 1858 gründete er die Keiō-Univ. in Tokio.

Ful (Eigenbez. Fulfulde), Sprache der ↑ Fulbe. F. gehört zur westatlant. Gruppe der Niger-Kongo-Sprachfamilie. Es besitzt fünf Vokalphoneme, implosive Konsonanten, Nasalverbindungen im Silbenanlaut. Es existiert eine reichhaltige Literatur (bes. Lyrik).

Fulbe (Einz.: Pullo; Fulani, Peul), Volk in West- und Zentralafrika (ca. 12 Mill.); gliedert sich kulturell und wirtsch. in zwei Gruppen: äthiopide Nomaden und negride Seßhafte. Staatenbildend im 15. und 19.Jh.

Fulbright, James William [engl. 'fʊlbraɪt], *Sumner (Mont.) 9. April 1905, † Washington (D. C.) 9. Febr. 1995, amerikan. Politiker. – Demokrat; Jurist; brachte als Kongreßabg. 1943 die F.-Resolution ein, eine der Grundlagen für die Schaffung der UN; initiierte 1946 die ↑Fulbright-Stipendien; 1945–74 Mgl. des Senats und 1959–74 Vors. seines außenpolit. Ausschusses; Kritiker der amerikan. Vietnampolitik, trat für einen Ausgleich mit der UdSSR und der VR China ein.

Fulbright-Stipendien [engl. fʊlbraɪt], nach dem Initiator J. W. Fulbright benannte Stipendien zur Finanzierung eines akadem. dt.-amerikan. Austauschprogramms.

Fulda, Krst. in einem von der Fulda durchflossenen Becken zw. Rhön und Vogelsberg, Hessen, 260 m ü. d. M., 54 000 E. Kath. Bischofssitz; Sekretariat des Dt. Ev. Kirchentags; philosophisch-theolog. Hochschule, Fachhochschule, mehrere Museen; Textil- und Bekleidungsind., Filzwaren- und Teppichherstellung, Reifenfabrik, Metallverarbeitung. – Um 500 fränk. Hof, um 700 von den Sachsen zerstört. 744 wurde das benediktin. Musterkloster F. begr., 765 Reichsabtei, 774 Verleihung der Immunität; unter Hrabanus Maurus (Abt 822–844) bed. Vermittler abendländ. Kultur in Deutschland. Der Abt wurde 968 Primas aller Benediktinerklöster „Germaniens und Galliens", seit 1170 als Reichsfürst tituliert. Die außerhalb des Klosterbezirks schon im 8.Jh. entstandene Siedlung erhielt 1019 das Marktrecht, wohl um 1114 Stadt. 1523 drang die Reformation in F. ein, das nach Rekatholisierung ein geistiges Zentrum der Gegenreformation wurde. 1752 wurde für das Stiftsland ein selbständiges Fürstbistum F. errichtet; 1803 fiel das Fürstbistum an Nassau-Oranien, 1806 an Frankreich, 1810 an das Großhzgt. Frankfurt, 1816 an Hessen-Kassel; seit 1821 wieder Bischofssitz und seit 1867 Sitz der F. Bischofskonferenz. – Anstelle der 791–819 erbauten Basilika barocker Neubau (1704–12) mit bed. Domschatz; ehemalige Klostergebäude (17./18. Jh.). Die karoling. Krypta der Michaelskirche ist erhalten; barocke Stadtpfarrkirche (1770–88). Das Schloß, ehem. Residenz der Fürstäbte, hat im Kern Teile der ma. Abtsburg (1294–1312) bewahrt, dem Renaissanceschloß (1607–12) folgte in der heutigen Gestalt der barocke Ausbau (1707–13). Spätgotisch-barocke Stein- und Fachwerkhäuser. Vier Bergklöster um F. bezeichnen symbolisch die Enden eines Kreuzes.
F., Landkr. in Hessen.
F., Bistum, 1752 für das Gebiet der ehem. Fürstabtei gegr. Fürstbistum. Nach der Säkularisation wurde 1821 ein neues Bistum F. errichtet und der Oberrhein. Kirchenprov. unterstellt. 1929 zur Kirchenprovinz Paderborn.

1945 geteilt (1973–94 in Erfurt-Meiningen eine Apostol. Administratur für den thüring. Anteil). – ↑katholische Kirche (Übersicht).
F., linker Quellfluß der Weser, entspringt an der Wasserkuppe, vereinigt sich bei Hann. Münden mit der Werra zur Weser; 218 km lang, davon 109 km schiffbar.

Fulgurite [lat.], svw. ↑Blitzröhren.

Fulla, L'udovít, *Ružomberok 27. Febr. 1902, † Preßburg 21. April 1980, slowak. Maler, Graphiker und Illustrator. – F. verband in seinen Bildern folklorist. Motive mit konstruktivist. und fauvist. Elementen.

Full-dress [engl. 'fʊldrɛs, eigtl. „volle Kleidung"], die passende Garderobe für gesellschaftl. Anlässe.

Füllen ↑Sternbilder (Übersicht).

Fuller [engl. 'fʊlə], Curtis [Dubois], *Detroit 15. Dez. 1934, amerikan. Jazzmusiker (Posaunist). – Wurde v. a. durch seine Mitarbeit im Farmer-Golson-Jazztet (1959–60) und bei Art Blakeys Jazz Messengers bekannt. F. gilt heute als einer der führenden Posaunisten der J.-J.-Johnson-Schule.
F., Richard Buckminster, *Milton (Mass.) 12. Juli 1895, † Los Angeles 1. Juli 1983, amerikan. Ingenieur. – Seine Schalenkonstruktionen prägen das Bild moderner Repräsentativarchitektur. Sein Hauptwerk ist die Kuppel des amerikan. Pavillons auf der Weltausstellung in Montreal 1967.
F., [Sarah] Margaret, *Cambridgeport (= Cambridge, Vt.) 23. Mai 1810, † Fire Island bei New York 19. Juli 1850 (Schiffsuntergang), amerikan. Schriftstellerin. – Hg. der transzendentalist. Zeitschrift „The Dial"; übersetzte Eckermanns „Gespräche mit Goethe".

Füllhalter (Füllfederhalter), Schreibgerät mit eingebautem, nachfüllbarem Tintenbehälter. Beim **Kolbenfüllhalter** wird der Tank gefüllt durch Verschieben eines dichtschließenden Kolbens, der die Tinte durch Leitkanäle ansaugt. Beim **Patronenfüllhalter** wird eine Tintenpatrone (1 cm³) aus flexiblem Kunststoff eingesetzt, die von einem Dorn geöffnet wird.

Füllhalterdosimeter ↑Dosimeter.

Füllhorn, ein Horn, aus dem Blumen und Früchte quellen, in der antiken Mythologie Symbol des Überflusses, das verschiedenen Göttinnen zugeordnet war; Wiederaufnahme in Renaissance und Barock, bes. Attribut von Fortuna, auch bei Personifikationen von Flüssen oder der Jahreszeiten.

Füllkörper, im *Bauwesen* nichttragende Teile.
◆ in der *chem. Technik* Stoffe, die für gleichmäßige Verteilung, große Verweilzeit und intensive Berührung durch Vergrößerung der Oberfläche sorgen, z. B. bei Absorption, Adsorption und Destillation.

Füllschriftverfahren, Verfahren bei der Schallplattenaufnahme. Die Spieldauer einer Platte wird dadurch verlängert, daß der Rillenabstand nicht konstant ist, sondern von der Welligkeit (Schallspeicherung) der benachbarten Rille beeinflußt wird.

Full Service [engl. 'fʊl 'sɜːvɪs „voller Service"], Bez. für die Gesamtheit der Dienst- und Betreuungsleistungen, die eine Einkaufsgenossenschaft ihren Mgl. gegenüber erbringt.

Füllstoffe, bei der Papier- und Kunststoffherstellung verwendete Hilfsstoffe (z. B. Kreide, Holzmehl) zur Einsparung von Grundmaterial oder um eine bestimmte Eigenschaft zu erreichen.

Full-time-Job [engl. fʊltaim „Vollzeit"], Beschäftigung, die jemanden ganz ausfüllt; Ganztagsarbeit.

Füllung, svw. ↑ Zahnfüllung.

fully fashioned [engl. 'fʊlɪ 'fæʃənd „mit (voller) Paßform"], in der Form gestrickt oder gewirkt, wie man sie sonst nur durch Zuschneiden erreicht.

fulminant [lat.], glänzend, zündend, prächtig.

Fulminate [lat.], äußerst giftige, explosive Salze der ↑ Knallsäure.

Fulton, Robert [engl. 'fʊltən], *Little Britain (= Fulton, Pa.) 14. Nov. 1765, †New York 24. Febr. 1815, amerikan. Mechaniker. – Baute 1807 das erste brauchbare Dampfschiff („Clermont") sowie das erste dampfgetriebene amerikan. Kriegsschiff („Fulton the First").

Fumarolen [lat.-italien.], in Vulkangebieten ausströmende, chemisch sehr aggressive, 200–800 °C heiße Gase (u. a. Wasserdampf, Chlor-, Bor-, Schwefel-, Fluorverbindungen).

Fumarsäure [lat./dt.], einfachste ungesättigte Dicarbonsäure, trans-Form, $HOOC-CH=CH-COOH$; cis-Form ist die ↑ Maleinsäure. Die Salze und Ester der F. werden als **Fumarate** bezeichnet; kommt in Pilzen und Flechten vor.

Funabashi [...ʃi] (Funabaschi), jap. Stadt auf Honshū, 515 000 E. Standort eisenverarbeitender Ind., Wohnvorort von Tokio.

Funafuti, Atoll der Ellice Islands im Pazifik mit dem Verwaltungssitz von Tuvalu.

Funchal [portugies. fũ'ʃal], Hauptstadt der portugies. Insel Madeira, 44 000 E. Kath. Bischofssitz; Verwaltungs- und Handelszentrum mit bed. Hafen; Weinkellereien; Fremdenverkehr; ⚓. – Um 1420 gegr.; 1508 Stadtrechte; 1580–1640 unter span. und 1801 sowie 1807–14 unter brit. Herrschaft. – Kathedrale (1485–1514).

Funcke, Liselotte, *Hagen 20. Juli 1918, dt. Politikerin (FDP). – Diplomkauffrau; 1961–79 MdB, 1969–79 Vizepräs. des Dt. Bundestags; 1977–82 stellv. Vors. der FDP;

1979–80 Wirtschaftsmin. von NRW; 1981 bis 1991 Beauftragte der Bundesreg. für Ausländerfragen.

Fund, die Inbesitznahme einer verlorenen (= besitz-, nicht herrenlosen) bewegl. Sache (§§ 965–983 BGB). Der Finder muß den F. unverzüglich dem Empfangsberechtigten oder der Polizei anzeigen. Er hat die Sache zu verwahren und sie der polizeil. Anordnung an die Polizei abzuliefern. Der Finder haftet für Vorsatz und grobe Fahrlässigkeit. Vom Empfangsberechtigten kann er Ersatz seiner Aufwendungen verlangen, ferner – außer bei Verletzung der Anzeigepflicht – einen **Finderlohn** (bei Sachen im Wert bis 1 000 DM: 5 %, darüber hinaus 3 %, bei Tieren: 3 %). Nach 6 Monaten seit Anzeige des F. bei der Polizei erwirbt er lastenfreies Eigentum an der F.sache (bei Klein-F. bis 10 DM sofort), sofern der Empfangsberechtigte vorher weder sein Recht bei der Polizei angemeldet hat noch es dem Finder bekannt geworden ist. Der Finder haftet aber jedem, der infolge seines Eigentumserwerbs einen Rechtsverlust erlitten hat, noch 3 Jahre lang aus ungerechtfertigter Bereicherung. **Verkehrsfunde** (in Räumen oder Beförderungsmitteln einer Behörde oder von Verkehrsunternehmen) sind unverzüglich einem Bediensteten der Behörde oder des Unternehmens abzuliefern; der Anspruch auf Finderlohn ist auf die Hälfte herabgesetzt und gilt nur für Gegenstände ab 100 DM Wert. Bei einem **Schatzfund** (Sache, die so lange verborgen war, daß ihr Eigentümer nicht mehr zu ermitteln ist) entsteht mit der Inbesitznahme Miteigentum je zur Hälfte für den Entdecker und den Eigentümer der Sache, in welcher der Schatz verborgen war (§ 984 BGB).
Ähnl. rechtl. Bestimmungen gelten in *Österreich* und in der *Schweiz*.

Fundament [lat.], bis auf tragfähigen Untergrund herabreichender Unterbau eines Bauwerks.

fundamental [lat.], grundlegend; schwerwiegend.

Fundamentalartikel, Begriff der luth.-orth. Dogmatik, der in den kontroverstheolog. Auseinandersetzungen in der Zeit der Orthodoxie zur Bez. der Zentralwahrheiten des christl. Glaubens verwendet wurde. Die Lehre vom F. wurde schon im 16. Jh. vorbereitet durch den Humanismus, v. a. bei M. Bucer. Während der Einigungsbestrebungen im 17. Jh. erlangten die F. ihre wesentl. Bedeutung zur Klärung von Unterschieden und Gemeinsamkeiten zw. den verschiedenen Konfessionen. Die luth. Orthodoxie erreichte keine Einheitlichkeit in der Bestimmung dessen, was zum Heil notwendig ist.
◆ Hauptteil des 1871 projektierten böhm. Ausgleichs; drei Gesetzentwürfe zur Um-

strukturierung des dualist. östr.-ungar. Ausgleichs (bei Gleichstellung Böhmens und Ungarns) in einen böhmisch-östr.-ungar. Trialismus; stießen v. a. auf die Gegnerschaft der Deutschen in Böhmen, der gesamtstaatl. tendierenden Bürokratie, der Magyaren und auf Vorbehalte Mährens und scheiterten.

Fundamentalismus [lat.], allg. das kompromißlose Festhalten an (polit., religiösen) Grundsätzen; i. e. S. eine Ende des 19. Jh. entstandene Bewegung des amerikan. Protestantismus zur Abwehr des Liberalismus; sie geht mit Entschiedenheit davon aus, daß die Bibel unmittelbares Wort Gottes (gewissermaßen wörtlich diktiert: „inspiriert") und aus diesem Grund irrtums- und widerspruchsfrei sei. Fundamentalist. Bewegungen gibt es auch in der kath. Kirche, z. B. die Internationale Priesterbruderschaft des Hl. Pius X. – F. ist auch die bei nichtmuslim. Beobachtern eingebürgerte Bez. für eine Strömung im Islam, deren Vertreter die wörtl. Befolgung der Vorschriften des Koran und einen islam. Staat fordern, in dem die islam. Pflichtenlehre (Scharia) gilt. Dabei symbolisiert für sie die Anwendung der in der Scharia vorgesehenen drast. Körperstrafen (Abhacken einer Hand für Diebstahl) in besonderem Maße die Islamizität des Gemeinwesens. Der gegenwärtige islam. F. begreift den Islam als geschlossenes System von Lösungen für alle Lebensfragen und nimmt eine radikale Abwehrhaltung gegenüber der als materialistisch und zerstörerisch eingestuften westl. Zivilisation ein.

Fundamentalkatalog ↑ Fundamentalsterne.

Fundamentalpunkte, Bez. für den Schmelzpunkt (Eispunkt) des Wassers (0 °C bzw. 273,15 K) und den Siedepunkt des Wassers (100 °C bzw. 373,15 K) in ihrer Eigenschaft als Bezugspunkte für die Temperaturmessung.

Fundamentalsatz, (Algebra) ↑ Algebra.
◆ (F. der Zahlentheorie) ↑ Zahlentheorie.

Fundamentalsterne, Fixsterne, deren Position und Eigenbewegung bes. genau bekannt sind; F. sind in **Fundamentalkatalogen** zusammengefaßt und dienen zur genauen Orts- und Zeitbestimmung.

Fundamentaltheologie, Disziplin der kath. Theologie, die nicht einzelne Glaubensinhalte, sondern die Prinzipien der Theologie, die Möglichkeit des Glaubens und der diesem zugrundeliegenden Offenbarung sowie heute v. a. den Wiss.anspruch der Theologie, ihre Methoden und ihr Verhältnis zu anderen Wissenschaften untersucht.

Funder, Friedrich, * Graz 1. Nov. 1872, † Wien 19. Mai 1959, östr. Publizist. – Ab 1896 Mitarbeiter, 1903 Chefredakteur der christlich-sozialen „Reichspost"; kämpfte gegen den Anschluß Österreichs an Deutschland; 1938/39 aus polit. Gründen im KZ inhaftiert; gründete 1945 die Zeitschrift „Die Furche".

fundierte Schuld [lat./dt.], langfristige öffentl. Anleihe, deren Tilgung und Verzinsung aus Einnahmen des ordentl. Haushalts erfolgt.

fündig, gesagt von einer Bohrung oder Schürfung, die auf vermutete Bodenschätze trifft.

Fundunterschlagung ↑ Unterschlagung.

Fundus [lat. „Boden, Grund(lage)"], allg. Grundlage, Unterbau; Grundbestand.
◆ im antiken Rom Landgut mit Zubehör als Betriebseinheit (daher frz. fonds); auch allg.: Grundstück.
◆ Bestand an Kostümen, Requisiten u. a. Ausstattungsmitteln bei Theater und Film.

Fundy, Bay of [engl. 'beɪ əv 'fʌndɪ], rd. 150 km lange Bucht des Atlantiks an der kanad. Küste, zw. dem Festland (Prov. New Brunswick) und der Halbinsel der Prov. Nova Scotia, mit den höchsten Tidenhub der Erde (14 m, bei Springflut 21 m).

funebre [frz. fy'nɛbr; italien. 'fu:nebre], musikal. Vortragsbez.: traurig, düster.

Fünen, dän. Ostseeinsel zw. Großem und Kleinem Belt, 2977 km², bis 131 m hoch, Hauptstadt Odense. Brücken zum Festland, Fähren zu den Nachbarinseln.

Funès, Louis de [frz. fy'nɛs], * Courbevoie (Seine) 31. Juli 1914, † Nantes 27. Jan. 1983, frz. Schauspieler. – Seit den 60er Jahren Komiker in Unterhaltungsfilmen, u. a. als „Balduin" und „Gendarm von St. Tropez" (1964 ff.). – Weitere Filme: Die dummen Streiche der Reichen (1971), Hasch mich, ich bin der Mörder (1971), Louis und seine verrückten Politessen (1982).

fünf, eine Primzahl, die Anzahl der Finger an einer Hand, aber auch der Sinne. Der kreuzweisen Verbindung von f. Punkten, dem Drudenfuß oder Pentagramm, wurden magisch-abwehrende Kräfte zugeschrieben.

Fünferalphabet (Fünfercode) ↑ Telegrafenalphabet.

Fünfkampf, in verschiedenen Sportarten ein (ehem.) Mehrkampf aus fünf verschiedenen Disziplinen; nach dem Vorbild des griech. ↑ Pentathlons. Am bekanntesten ist gegenwärtig der moderne F. mit den Disziplinen Degenfechten, Freistilschwimmen, Pistolenschießen, Geländelauf und Geländeparcoursreiten mit Umrechnung der Resultate in Punkte.

Fünfkirchen, dt. für ↑ Pécs.

Fünfpaß, got. Maßwerkfigur aus fünf gleich großen Dreiviertelkreisen, die um einen mittleren Kreis angeordnet sind oder von einem Kreis umschlossen werden.

Fünfprozentklausel, Bestimmung, der zufolge nur solche Parteien Parlamentssitze erhalten, die mindestens 5 % der im Wahlgebiet abgegebenen gültigen Stimmen auf sich vereinigt haben. Eine F. enthalten das BundeswahlG i. d. F. der Bekanntmachung vom 1. 9. 1975 für Bundestagswahlen und die meisten Landeswahlgesetze für Landtagswahlen, jedoch zumeist mit der Maßgabe, daß eine Partei auch dann Sitze erhält, wenn sie zwar 5 % der Wählerstimmen nicht erreicht, aber in einer bestimmten Zahl von Wahlkreisen Sitze unmittelbar erringt. Bei der Bundestagswahl 1990 erfolgte eine getrennte Anwendung der F. für die alten Länder der BR Deutschland und für die Länder der ehem. DDR.

Fünftagefieber (wolhyn. Fieber, Febris quintana), Infektionskrankheit mit period., meist im Abstand von fünf Tagen auftretenden Fieberschüben, heftigen Kopf- und Gliederschmerzen sowie Leber- und Milzvergrößerung; Übertragung durch Kopf- und Kleiderläuse, der Erreger ist Rochalimaea quintana.

fünfte Kolonne, Schlagwort zur Bez. polit. Gruppen, deren Angehörige vornehmlich in Krisen oder während eines Krieges im Interesse einer auswärtigen Macht polit. Ziele verfolgen. Der Begriff entstand 1936 während des Span. Bürgerkriegs, als General Mola auf die Frage, welche seiner vier Kolonnen die von Republikanern verteidigte Hauptstadt einnehmen werde, antwortete, daß dies in erster Linie von den getarnten Anhängern der Aufständischen, die er als f. K. bezeichnete, geleistet werden müsse.

Fünfte Krankheit, svw. ↑ Ringelröteln.

Fünfte Republik (Cinquième République), Name des frz. Staates seit 1958.

Fünf zivilisierte Nationen, 1834–98 bestehender einflußreicher Zusammenschluß von Indianerstämmen in den USA; nach der Vertreibung aus dem sö. Waldland in das Indianerterritorium in Oklahoma von den Creek, Cherokee, Choctaw, Chickasaw und Seminolen gebildet.

Fungibilität [lat.], im Recht Vertretbarkeit, Austauschbarkeit von Waren, Devisen, Wertpapieren; Voraussetzung für den Börsenhandel.

fungieren [lat.], ein Amt verrichten.

Fungistatika [lat./griech.] ↑ Fungizide.

Fungizide [lat.], Stoffe, die bereits in niedriger Konzentration Pilze abtöten. Der Übergang zu den **Fungistatika,** die das Pilzwachstum nur hemmen, ohne abtötend zu wirken, ist gleitend und oft nur eine Frage der Dosis und der Anwendungsdauer. F. spielen eine Rolle in der Medizin und bes. im Pflanzenschutz. **Protektivfungizide** verhindern die Sporenkeimung, **systemische Fungizide** dringen in das Leitungssystem der Pflanze ein

und wirken von innen heraus gegen Pilzbefall.

Fungus [lat.], in der *Medizin:* schwammige Geschwulst bzw. Wucherung, z. B. bei Gelenk- und Knochenmarktuberkulose.

Funhof, Hinrik, * um 1430/40 wohl in Westfalen, † Hamburg 1484 oder 1485, dt. Maler. – Erhalten u. a. vier Flügel eines Altars in Sankt Johannis in Lüneburg (1482–84).

Funiculus [lat. „dünnes Seil"], in der *Anatomie:* kleiner Gewebsstrang; z. B. *F. umbilicalis,* die Nabelschnur.
◆ (Nabelstrang) in der *botan. Morphologie:* von einem Gefäßbündel durchzogenes Stielchen, mit dem die Samenanlage der Samenpflanzen an der Plazenta befestigt ist.

Funikulitis [lat.], Entzündung im Bereich des Samenstrangs, meist infolge Gonorrhö.

Funk, Casimir, * Warschau 23. Febr. 1884, † Albany (N. Y.) 20. Nov. 1967, poln.-amerikan. Biochemiker. – Arbeitete in der Ind. und Forschung in Frankreich, Deutschland, Großbritannien und in den USA; bei seiner Untersuchung der Beriberi (1912/13) prägte er die Bez. „Vitamin".

F., Walther, * Trakehnen 18. Aug. 1890, † Düsseldorf 31. Mai 1960, dt. Politiker. – 1931 Eintritt in die NSDAP; seit 1933 Pressechef und Staatssekretär im Propagandaministerium; 1938–45 Reichswirtschaftsmin. und seit 1939 zugleich Reichsbankpräs.; 1946 in Nürnberg zu lebenslängl. Haft verurteilt, 1957 wegen Krankheit entlassen.

Funk [engl. fʌŋk], im Jazz aus dem afroamerikan. Slang (engl. funky = stinkig) abgeleitete Bez. für die blues- und gospelbetonte Spielweise des Hardbop um 1960; seit den 70er Jahren auch Richtung im Rockjazz (u. a. H. Hancock); der F. hatte zu Beginn der 80er Jahre großen Einfluß auf Stilbereiche der Rockmusik.

Funkamateure [...'tøːrə], Personen, die auf Grund einer staatl. Genehmigung (nach Ablegen einer Prüfung) in ihrer Freizeit privaten Funkverkehr betreiben. Die Frequenzen für F. sind internat. vereinbart; entsprechend der benutzten Frequenz kann jeder Punkt der Erde erreicht werden, z. T. unter Verwendung von Amateurfunksatelliten. Die Verbindungen dienen rein privaten Zwecken; polit. Informationen dürfen nicht ausgetauscht werden.

Funkdienst ↑ feste Funkdienste.

Funke, Glutteilchen, das bei Verbrennungs- oder Reibungsvorgängen entsteht.

Funkenentladung, kurzzeitige Gasentladung, die bei genügend hoher Spannung als *Durchbruch* (Durchschlag) einer Gasstrecke entsteht. Sie zeigt sich als ein Bündel grell leuchtender, verästelter Funkenkanäle, die

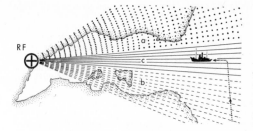

RF

Funkfeuer. Funktionsweise
eines Richtfunkfeuers:
punkt- oder strichförmige
Funkzeichen kennzeichnen
die unbefahrenen Sektoren
(a und b), Dauerzeichen
den Fahrwassersektor (c)

den Entladungsraum *(Funkenstrecke)* durchdringen. Eine bes. F. ist der ↑Blitz.

Funkeninduktor, Hochspannungstransformator, der mit pulsierendem Gleichstrom betrieben wird; liefert Spannungen bis zu einigen 100 kV.

Funkenkammer, Gerät zum Nachweis der Spuren energiereicher ionisierender Teilchen in der Kernphysik. Die F. besteht aus einer Anzahl flächenförmiger, paralleler Elektroden in einer Gasatmosphäre. Kurz nach dem Durchgang eines ionisierenden Teilchens wird kurzzeitig eine so hohe Spannung an die Elektroden angelegt, daß entlang der Ionisationsspur des Teilchens sichtbare Funken zw. den Platten überspringen, die photographiert werden können.

Funkenlinien ↑Funkenspektrum.

Funkensender, historisch ältester Funksender, von H. Hertz für grundlegende Versuche zur Erzeugung und Übertragung elektromagnet. Wellen verwendet. Der Funke einer Funkenstrecke erzeugt elektromagnet. Schwingungen, die von dem an die Funkenstrecke angeschlossenen Hertzschen Dipol abgestrahlt werden.

Funkenspektrum, das Spektrum ionisierter Atome, die bes. in Funkenentladungen angeregt werden (im Ggs. zum Bogenspektrum neutraler Atome). Die einzelnen Spektrallinien des F. werden **Funkenlinien** genannt.

Funkenstrecke ↑Funkenentladung.

Funkentstörung (Entstörung), Sammelbez. für alle Maßnahmen zur Vermeidung oder Verringerung von Funkstörungen sowohl am störenden als auch am gestörten Gerät. Für die F. werden v. a. Kondensatoren, Drosselspulen und Widerstände verwendet.

Funker, unterster Dienstgrad bei der Fernmeldetruppe der Bundeswehr.

Funkerzählung ↑Hörspiel.

Funkfernschreiber ↑Fernschreiber.

Funkfeuer, ortsfester Sender, der ausschließlich für die Zwecke der Funknavigation von Schiffen und Flugzeugen ein Signal ausstrahlt, dem bestimmte Funkzeichen als Kennung eingeblendet werden. Man unterscheidet: **ungerichtete Funkfeuer** (rundstrahlende F.), die gleichmäßig in alle Richtungen des Azimuts strahlen, z. B. *Decca-Navigator-System,* **Richtfunkfeuer,** die mittels Richtantennen einen oder mehrere Leitstrahlen aussenden, z. B. Markierungsfeuer; die **Drehfunkfeuer** mit einem umlaufenden Richtstrahl, die außer der Ortung auch das Einhalten eines gewählten Kurses ermöglichen, z. B. UKW-Drehfunkfeuer.

Funkhaus, Hauptgebäude[komplex] einer Hörfunk- oder Fernsehanstalt u. a. mit Studios für die Produktion von Hörfunk- und Fernsehsendungen.

Funkkolleg, wiss. Vorlesungsreihe im Hörfunk, die im Medienverbund angeboten wird (Texte, Studienbegleitbriefe und -zirkel); mit Abschlußprüfungen.

Funkkompaß, svw. Radiokompaß (↑Funknavigation).

Funkmeßtechnik, Verfahren, mit Hilfe von elektr. Wellen durch Messung ihrer Laufzeit die Entfernungen dieser Objekte, speziell mit Hilfe des ↑Radars, aber auch die genaue Lage von Fehlern in elektr. Leitungen zu bestimmen.

Funknavigation, die Navigation von Wasser- oder Luftfahrzeugen mit Hilfe von Funksignalen, die von Funkfeuern ausgesendet und von bordeigenen Funkpeilern empfangen oder von Bordsendern abgestrahlt und als reflektierte Signale empfangen werden. Entsprechend der Reichweite unterscheidet man allg. Kurzstrecken-, Mittelstrecken- und Langstrecken-F.; spezielle Verfahren der Kurzstrecken-F. werden z. B. in der Luftfahrt für den Landeanflug und die Allwetterlandung, in der Schiffahrt für das Befahren schwieriger Küstengewässer verwendet. – Die meßtechn. Verfahren werden in folgende Gruppen eingeteilt: Bei den *Richtempfangsverfahren* wird die Abhängigkeit der Antennenspannung von der Richtung der von einer Land- oder Bodenfunkstelle einfallenden elektromagnet. Wellen ausgenutzt, z. B. beim Radiokompaß. Bei den *Richtsendeverfahren* werden von einer oder mehreren ortsfesten Funkstellen modulierte Wellen

ausgesendet, wobei die Modulation als Richtungsinformation deutbar ist, z. B. beim **Instrumentenlandesystem** oder beim **VOR-Verfahren.** Bei den *Differenzentfernungsmeßverfahren* werden Entfernungen zu verschiedenen Bodenstationen dadurch ermittelt, daß entweder die *Zeitdifferenzen* zw. dem Empfangen der von den Stationen gleichzeitig ausgesendeten Impulse (Laufzeitdifferenzen) gemessen werden (z. B. beim **LORAN-Verfahren**) oder die *Phasendifferenzen* zw. den gleichfrequenten elektromagnet. Wellen (z. B. beim **Decca-Navigator-System**). Beide Methoden liefern als Standlinien Hyperbeln (sog. *Hyperbelnavigation*). Bei den *Entfernungsmeßverfahren* wird aus der Laufzeit eines von einem (bordeigenen) Sender ausgestrahlten Impulses zu einem [aktiven] Rückstrahler und zurück die momentane Entfernung bestimmt. *Radarverfahren* (Radarnavigation) dienen in der Schiffahrt v. a. zur Ermittlung des Standorts und des Kurses bei Nacht und schlechter Sicht. Navigationseinrichtungen unabhängig von Bodenstationen sind z. B. ↑ Doppler-Radar.
📖 *Marcus, C.: F. Herford* ³1990.

Funkpeiler, Funkempfänger mit bes. Empfangsantennen (Richtantennen), mit denen die Einfallsrichtung der von einem Sender ausgestrahlten Signale und damit die Richtung zum Sender bestimmt werden kann.

Funkrufdienst, Abk. FuRD, Einrichtung der Dt. Bundespost (seit 1974) im Rahmen des Europ. F. **(Eurosignal).** Einseitig gerichtete Funkverbindung zw. Landfunkstellen und tragbaren oder bewegl. Funkrufempfängern (insbes. in Kfz). Ein Anruf (vom öffentl. Fernsprecher zur Rufzentrale) löst im Empfänger opt. oder akust. Signale aus mit

Funkschatten. Beispiel aus der Raumfahrt: Der Funkkontakt zwischen Erde und Raumkabine ist unterbrochen, sobald die Raumkabine in den Funkschatten des Mondes eintritt

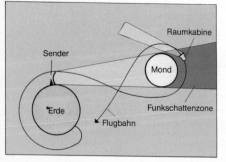

vorher festzulegender Bedeutung (z. B. Aufforderung zu telefon. Rückruf). *Stadt-F.* (Cityruf) wird erprobt.

Funkschatten, der hinter einem von elektromagnet. Wellen „angestrahlten" Objekt bei quasiopt. Wellenausbreitung liegende Bereich, in dem Verschlechterung oder Unterbrechung des Funkkontaktes zw. Sender und Empfänger auftritt.

Funksprechgerät ↑Sprechfunkgerät.

Funkspruch, drahtlos, d. h. durch Funk übermittelte Nachricht.

Funkstille, allg. Unterbrechung des Funkverkehrs, insbes. Sendeverbot auf der Telegrafienotfrequenz 500 kHz und der Sprechfunknotfrequenz 2182 kHz zweimal stündl. für je 3 Min., um zu verhindern, daß ein Notruf im allg. Funkverkehr untergeht.

Funkstörung, Störung des Bild- und Tonempfangs durch elektromagnet. Schwingungen. Störquellen sind beispielsweise schleifende oder schaltende Kontakte, Zündvorgänge. F. i. w. S. sind die v. a. im Kurzwellenbereich auftretenden Störungen als Folge von Veränderungen der Ionosphäre.

Funktaxi ↑Taxi.

Funktechnik (drahtlose Nachrichtentechnik), Teilgebiet der Nachrichten- bzw. Hochfrequenztechnik; die Gesamtheit aller techn. Verfahren und Geräte zur drahtlosen Übermittlung von Signalen mit Hilfe elektromagnet. Wellen, die von der Antenne eines Senders ausgestrahlt und von der Antenne eines Empfängers aufgenommen werden. Spezielle Bereiche der F. sind Rundfunktechnik, Fernsehtechnik, Funkfernschreibtechnik, Funktelegrafie (einschließl. Bildfunk) und Funktelefonie, Funknavigation, Funkortung und Funkpeilung, Funkmeß- oder Radartechnik, Sprechfunk sowie Telemetrie, i. w. S. auch Radioastronomie.

Funktelefonie ↑Fernsprechen.

Funktelegrafie, die drahtlose Übermittlung von Nachrichten nach einem vereinbarten Code, z. B. dem Morse- oder Telegrafenalphabet.

Funktion [lat.], in der *Mathematik:* nach traditioneller Auffassung eine Zuordnungsvorschrift, die gewissen Zahlen x (den Argumenten) wieder Zahlen $y = f(x)$ (die F.werte) zuordnet. Man bezeichnet x gewöhnlich als *unabhängige,* y als *abhängige Variable* (Veränderliche). F. mit reellen Werten x, y *(reelle F.)* lassen sich graphisch durch eine Kurve im (x, y)-Koordinatensystem darstellen. Man unterscheidet *ganzrationale F.,*

$$f(x) = a_n x^n + a_{n-1} x^{n-1} + \ldots + a_1 x + a_0,$$

die für $n = 1$ speziell die *linearen F.* enthalten, und *rationale F.* (Quotienten von ganzrationalen F.). *Algebraische F.* können auch Wurzeln enthalten, z. B. $y = \sqrt{1 + x^2}$; sie sind allg. dadurch definiert, daß eine algebraische Gleichung zw. x und y besteht (↑ algebraische Funktion), z. B. $y^4 - x^2 - 1 = 0$. F., wie $y = \sin x$, $y = e^x$, $y = \ln x$, für die keine algebraische Beziehung zw. y und x besteht, nennt man *transzendente F.* Außer den F. in einer Variablen gibt es die *F. mehrerer Variablen,* z. B. $z = f(x, y)$ und $u = f(x, y, z)$ bei zwei bzw. drei unabhängigen Variablen, allg. $u = f(x_1, x_2, ..., x_n)$ bei n unabhängigen Variablen $x_1, x_2, ..., x_n$. Daneben kennt man F., deren Werte nicht Zahlen, sondern z. B. Vektoren im Falle der sog. *Vektor-F.* sind. Eine bes. Bedeutung haben die von der Funktionentheorie behandelten komplexwertigen F. eines komplexen Arguments $z = x \pm i y$ *(komplexe F.).* Nach heutiger Auffassung bedeutet der Begriff F. dasselbe wie ↑ Abbildung (Mathematik). – Der F.begriff ist einer der wichtigsten mathemat. Begriffe. Mit F. kann man gesetzmäßig ablaufende [Natur]prozesse beschreiben und analysieren.

◆ *allgemeinsprachl.:* die Position eines Menschen oder der Arbeitsbeitrag eines techn. Aggregats innerhalb einer Organisation.

◆ in der *Soziologie* (seit E. Durkheim) die Leistung oder der Beitrag eines sozialen Elements für Aufbau, Erhaltung oder Veränderung eines bestimmten Zustandes des gesamten Systems, zu dem das Element gehört.

◆ in der *Physiologie* die normale (funktionelle) Tätigkeit eines Organs oder Gewebes innerhalb des Gesamtorganismus.

◆ in der *Sprachwissenschaft* die Leistung eines sprachl. Elements in einem bestimmten Zusammenhang, die Rolle eines sprachl. Elements in einem System oder Teilsystem.

Funktional [lat.] ↑ Operator.

Funktionalanalysis, Teilgebiet der Analysis, entstand durch Anwendung von Begriffsbildungen der analyt. Geometrie auf Mengen von Funktionen, die dann *Funktionenräume* bilden. Die F. wird z. B. auf Probleme der Lösung von Differentialgleichungen und in der Quantentheorie angewendet.

funktionale Musik, Musik, in der die autonom musikal. Belange vor einer außermusikal. Zweckbestimmung zurücktreten, u. a. Arbeits-, Tanz-, Marschmusik, Musik zu öff. Anlässen, Festen, in Werbesendungen.

Funktionalgleichung, eine Gleichung, durch die eine bestimmte Eigenschaft einer Funktion zum Ausdruck gebracht wird; z. B. ist $f(x) + f(y) = f(x \cdot y)$ eine F. für die Logarithmusfunktion.

Funktionalismus [lat.], Gestaltungsprinzip der modernen *Architektur* und des modernen *Designs:* Die Erscheinungsform eines Bauwerks wie eines Gebrauchsgegenstandes wird aus seiner Funktion abgeleitet, weder Funktion noch Material werden verschleiert; „Form folgt der Funktion" (L. H.

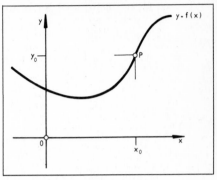

Funktion. Graphische Darstellung einer Funktion $y = f(x)$

Sullivan). Wegbereitend war die engl. kunsthandwerkl. Bewegung und der dt. Architekt H. Muthesius, dann der Jugendstil. Die Zielvorstellungen des F. wurden im 2. und 3. Jahrzehnt des 20. Jh. im ↑ Deutschen Werkbund, am ↑ Bauhaus und in der ↑ Stijl-Gruppe dahingehend präzisiert, daß die neue Architektur auch die veränderten Lebensbedingungen auszudrücken habe.

◆ *sozialwiss. Methode* zur Analyse von Gesellschaft und Kultur, die als Systeme einer Zahl von funktional aufeinander bezogenen Elementen verstanden werden. Gesellschaft gilt als System von normierten Handlungen, Kultur als System von Institutionen. Der F. prüft Leistungen, Beiträge oder Konsequenzen der kulturellen und sozialen Elemente für Aufbau, Erhaltung oder Veränderung eines (jeweils zu bestimmten) Zustandes des Systems. – ↑ strukturell-funktionale Theorie.

◆ in der *Psychologie* zu Beginn des 20. Jh. in den USA entstandene, darwinistisch orientierte Theorie, nach der die psycholog. Funktionen von den biolog. Anlagen, insbes. von Antrieben und Bedürfnissen abhängen.

Funktionär [lat.-frz.], hauptberufl. oder ehrenamtl. Beauftragter in gesellschaftl. Organisationen, z. B. in Parteien, Gewerkschaften, Verbänden; steht in deren Hierarchie meist auf der mittleren Ebene; seine Hauptaufgabe ist das Organisieren und Koordinieren; gilt vom Persönlichkeitstypus her als übermäßig konform und risikoscheu mit einem Hang zur Routine.

funktionell [lat.-frz.], auf die Funktion bezogen; wirksam.

funktionelle Gruppen, diejenigen eigenschaftsbestimmenden Gruppen eines Moleküls (z. B. Hydroxy-, Carbonyl-, Carboxyl-, Aminogruppen), die ihm eine charakterist. Reaktionsfähigkeit verleihen.

Funkturm. Von links nach rechts:
Funkmast; Stahlgitterkonstruktion;
Stahlbetonkonstruktion

funktionelle Störungen, in der Medizin Bez. für psychophys. Störungen, denen im Unterschied zu organ. Störungen keine nachweisbaren Schädigungen der organ. Struktur zugrunde liegen.

Funktionentheorie, allg. Bez. für die komplexe Analysis, d. h. für die Infinitesimalrechnung von ↑Funktionen $w = f(z)$ mit komplexen Werten $w = u + iv$ und komplexem Argument $z = x + iy$, wobei x, y, $u = u(x, y)$ und $v = v(x, y)$ reell sind (↑komplexe Zahlen).

Funktionskreise, nach der Umweltlehre J. von Uexkülls Bez. für die Zuordnung bestimmter Organe und Verhaltensweisen eines Tiers zu bestimmten Teilen seiner Umgebung. Die evolutionistisch angepaßte Beziehung jeder Tierart zu ihrer spezif. Umwelt besteht aus F. (z. B. Ernährung, Feindbeziehung oder Sexualität). Diese Umwelt bildet einen wahrnehmbaren, von den Rezeptoren herausgefilterten Ausschnitt der Umgebung, und in ihm liegen diejenigen Eigenschaften (Merkmale), die für eine Lebensbewältigung wesentlich sind; rückgekoppelt bestimmen sie als Wirkmale phylogenetisch vorprogrammiertes Verhalten. Sobald ein Merkmal auftritt, wird es mit einer Wirkung beantwortet; dies führt zur Tilgung des Wirkmals, wodurch die Handlung beendet ist. – Die Lehre von den F. wurde mit Einschränkungen und Erweiterungen von der vergleichenden Verhaltensforschung übernommen.

Funktionsprüfung (Funktionsdiagnostik), Untersuchung der spezif. Leistungen eines Organs oder Organsystems; z. B. F. der Leber, Nieren, Lungen, des Herzens oder des Gehörs.

Funkturm, in Stahlgitter- oder Stahlbetonbauweise errichtetes freistehendes, nicht mit Stahlseilen abgespanntes Bauwerk; Träger von Sende- oder Empfangsantennen. **Funkmaste** sind abgespannte Gittermaste, die elektrisch isoliert aufgestellt sind und selbst als Antenne wirken können. Bei den sog. **Fernmeldetürmen,** die als Relaisstationen der Richtfunknetze zur drahtlosen Übertragung von Ferngesprächen, Fernschreiben, häufig auch von Hörfunk- und Fernsehprogrammen dienen, befinden sich Empfangs- und Sendeantennen meist auf einer bes. Plattform *(Antennenbühne)*.

Funkverkehr, Nachrichtenaustausch mit Hilfe elektromagnet. Wellen; Frequenzbereiche (zw. 10 kHz und 400 GHz) sind internat. festgelegt. Die verwendeten Frequenzen bzw. Wellenlängen richten sich nach der gewünschten Reichweite des Senders.

fuoco ↑con fuoco.

Furage [fuːˈraːʒə; frz.], frühere Bez. für die Truppenverpflegung und das Pferdefutter.

Furan [lat.], eine farblose, chloroformartig riechende, leicht entflammbare Flüssigkeit; dient u. a. zur Herstellung von sog. *F.harzen,* die u. a. als kalthärtende Klebstoffe und Kitte verwendet werden.

Fürbitten, in der kath. Liturgie Bez. für die neueren Formen des Allg. Gebets. F. werden auch während des eucharist. Hochgebets eingeschaltet, je nach Liturgietypus vor oder nach dem Einsetzungsbericht.

Furchenbienen (Schmalbienen, Halictidae), mit über 1 000 Arten weltweit verbreitete Fam. 3–20 mm großer Bienen; Körper schlank (bes. bei ♂♂), letztes Hinterleibssegment der ♀♀ oben mit kahler Längsfurche.

Furchenfüßer (Solenogastres), Klasse der ↑Stachelweichtiere mit über 120, etwa 3–300 mm langen, weltweit in den Meeren auf schlammigem Grund oder auf Nesseltierstöcken vorkommenden, zwittrigen Arten.

Furchenwale (Balaenopteridae), mit sechs Arten in allen Meeren verbreitete Fam. etwa 9–33 m langer Bartenwale (Gewicht bis max. etwa 130 t); an Kehle und Brust etwa 15–100 Furchen, die eine starke Erweiterung des Rachens ermöglichen; Bestände z. T. stark bedroht. – Zu den F. gehören: ↑Blauwal; bis 24 m lang und bis 80 t schwer wird der häufig auch im Mittelmeer vorkommende **Finnwal** (Balaenoptera physalus); Oberseite grau, Unterseite weiß. Sehr feine Barten hat der **Seiwal** (Rudolphswal, Balaenoptera borealis); etwa 15–18 m lang, Oberseite dunkelgrau bis bläulichschwarz, Unterseite weiß. Der bis 9 m lange, blaugraue **Zwergwal** (Hechtwal, Balaenoptera acutorostrata) hat eine weißl. Unterseite und Brustflossen mit weißer Querbinde.

Furchenzähner, Sammelbez. für Giftschlangen, deren Giftzähne primär vorn oder seitlich eine Rinne besitzen, an deren Basis der Ausführungsgang der Giftdrüsen mündet.

Furcht, Gefühl des Bedrohtseins, das von körperl. Symptomen (z. B. Herzklopfen, Pupillenerweiterung) begleitet ist; F. ist im Unterschied zur Angst objektbezogen.

Furcht und Mitleid ↑ Drama.

Furchungsteilung (Eifurchung, Furchung, Eiteilung, Blastogenese), gesetzmäßig aufeinanderfolgende mitot. Teilung des aktivierten Eies der Vielzeller, wobei durch Längs- und Querteilungen (stets kleiner werdende) Furchungszellen entstehen und sich eine ↑ Morula ausbildet (bei totaler Furchung). Die F. ist der Beginn der Keimesentwicklung. Einen entscheidenden Einfluß auf die F. hat u. a. auch die Dottermenge. Ist nur wenig Dotter vorhanden, so wird das ganze befruchtete Ei in Furchungszellen zerlegt **(totale Furchung).** Ist dagegen viel Dotter vorhanden, wird dieser nicht mit in den Teilungsvorgang einbezogen **(partielle Furchung).** – Bei der totalen F. (bei Säugern und beim Menschen) teilt sich die Eizelle in zwei gleich große Furchungszellen **(äquale Furchung)** oder, bei dotterreichen Eiern, deren Dottermenge sich am vegetativen Pol ansammelt, in zwei ungleich große Furchungszellen **(inäquale Furchung).** Bei der partiellen F. sehr dotterreicher Eier schwimmt das Eiplasma entweder als Keimscheibe am animalen Pol auf dem Dotter, und die F. zerlegt die Keimscheibe in eine ein- oder mehrschichtige Zellkappe **(diskoidale Furchung;** bei Vögeln, Fischen, Reptilien), oder es ordnet sich ringförmig um den zentral gelegenen Kern an. Durch Teilung des Kerns entstehen viele Kerne, die sich mit Plasma umgeben, nach außen wandern und dort nach Ausbildung von Zellwänden eine Zellschicht bilden **(superfizielle Furchung;** bei Insekten). – Abb. S. 282.

Furfural [Kw. aus lat. furfur („Kleie") und Aldehyd], aus Pentosen oder pentosereichen Materialien (Stroh, Kleie) bei Erhitzen mit verdünnten Mineralsäuren gewinnbares farbloses, angenehm riechendes Öl; dient als Lösungsmittel für Trennverfahren.

Furgler, Kurt, * Sankt Gallen 24. Juni 1924, schweizer. Politiker (CVP). – 1972–86 Bundesrat (1972–82 Departement Justiz und Polizei, 1983–86 Departement für Volkswirtschaft); 1977, 1981 und 1985 war F. Bundespräsident.

Furiae (Dirae), Rachegöttinnen der röm. Mythologie, den griech. Erinnyen entsprechend.

Furie [lat., zu furere „rasen, wüten"], wütendes, rasendes Weib. – ↑ Furiae.

Furier [frz.], früher Bez. für den in jeder Einheit für Verpflegung, Futter und Unterkunft zuständigen Unteroffizier.

furios [lat.], wütend, rasend, hitzig, wild, stürmisch, leidenschaftlich.

furioso [italien.], musikal. Vortragsbez.: erregt, wild, rasend.

Furkapaß ↑ Alpenpässe (Übersicht).

Furneauxgruppe [engl. 'fɜːnoʊ], austral. Inselgruppe an der Bass-Straße, vor der NO-Spitze von Tasmanien; Hauptinsel ist **Flinders Island** (2 089 km², 1 200 E; Schafzucht, Milchwirtschaft).

Furness [engl. 'fɜːnɪs], Halbinsel an der NW-Küste Englands, außer einem schmalen Küstenstreifen bewaldetes Bergland.

Furniere [zu frz. fournir „liefern, mit etwas versehen"], dünne Holzblätter, die nach Art der Herstellung in Säge-, Messer- und Schäl-F. eingeteilt werden. **Messerfurniere** sind dünne Deckblätter aus gutem Holz, das auf weniger wertvolles Holz aufgeleimt wird. **Schälfurniere** werden hauptsächlich für Furnierplatten verwendet. Durch Sägen hergestellte **Sägefurniere** sind etwa 3 mm dick. Nach der Verwendung unterscheidet man Absperr-, Unter-, Gegen- und Deck-F. Furnierstämme müssen u. a. gesund, geradschaftig sein und Jahresringbau aufweisen.

Furnierplatten ↑ Sperrholz.

Furor [lat.], Wut, Raserei; *F. teutonicus* „teutonische Wut", alles niederwerfendes Ungestüm.

Furore [italien.; zu ↑ Furor], Begeisterung; Leidenschaftlichkeit; rasender (frenet.) Beifall; *F. machen,* Aufsehen erregen, Beifall erringen.

Furphy, Joseph [engl. 'fɜːfi], Pseud. Tom Collins, * Yarra Glen (Victoria) 26. Sept. 1843, † Claremont (Queensland) 13. Sept. 1912, austral. Erzähler. – Farmersohn; schrieb aus seiner Kenntnis der austral. Verhältnisse „Such is life" (1903), ein klass. Werk der austral. Literatur.

Furrer, Jonas, * Winterthur 3. März 1805, † Bad Ragaz 25. Juli 1861, schweizer. Politiker. – Führender liberaler Politiker des Kt. Zürich; 1834 Mgl. des Großen Rats, 1845 Bürgermeister von Zürich und gleichzeitig Präs. der eidgenöss. Tagsatzung; befürwortete die Einführung der neuen Bundesverfassung; ab 1848 Ständerat und dessen Präs., erster schweizer. Bundespräs. 1848.

Fürsorge, Unterstützung aus kollektiven Mitteln bei individueller Notlage, die nicht durch Selbsthilfe oder Leistungen anderer Unterhaltspflichtiger behoben werden kann.

Im allg. Sprachgebrauch wird sowohl die soziale und karitative Arbeit der ↑ freien Wohlfahrtsverbände als auch die staatl. ↑ Sozialhilfe („öffentl. F."), die überwiegend im Bundessozialhilfegesetz geregelt wird, F. genannt. Auch Bez. in Spezialbereichen, z. B. Kriegsopferfürsorge.

Fürsorgeerziehung, Erziehungsmaßnahme (nach dem JugendwohlfahrtsG) bzw. Erziehungsmaßregel (nach dem JugendgerichtsG), die seit der Neuregelung des Kin-

1a
1b

2a
2b

der- und Jugendhilferechts durch das ↑ Kinder- und Jugendhilfegesetz nicht mehr vorgesehen ist.

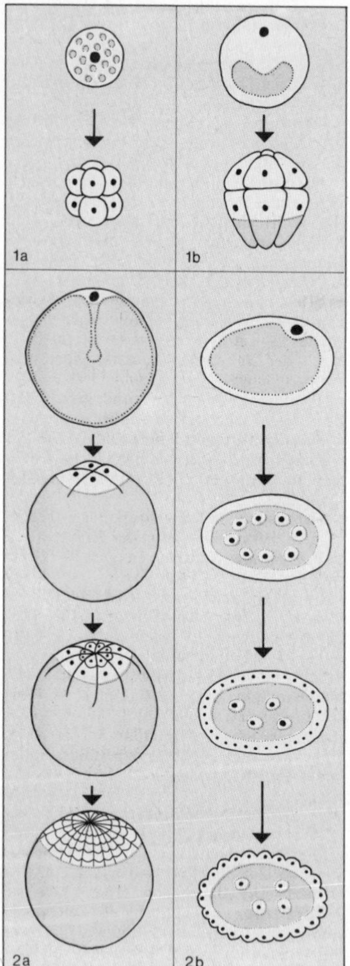

Fürsorgepflicht, Verpflichtung des Arbeitgebers (im öff. Dienst des Dienstherrn), für die Rechtsgüter, insbes. Leben, Gesundheit, Eigentum, seiner Arbeitnehmer (seiner Beamten, Richter und Soldaten) Sorge zu tragen. Die F. bildet das Gegenstück zur Treuepflicht der Arbeitnehmer (der Beamten usw.). Die einzelnen F. sind teilweise gesetzlich festgelegt (z. B. die Pflicht zur Fürsorge für Leben und Gesundheit in § 617 ff. BGB, § 62 HGB, die Pflicht zur Gewährung bezahlten Erholungsurlaubs im Bundesurlaubsgesetz), z. T. ist das jedoch nicht der Fall (z. B. bei der F. für das Eigentum der Arbeitnehmer, das diese zur Arbeitsstelle mitbringen). Bei Verletzung der F. hat der Arbeitnehmer, je nach Lage des Falles Anspruch auf Erfüllung der F., auf Schadenersatz und/oder das Recht zur Verweigerung der Arbeit ohne Minderung seines Lohnanspruchs. Zuständig sind die Arbeitsgerichte. Die F. des *Dienstherrn* hat Verfassungsrang, da das Beamten- und Richterverhältnis von Verfassungs wegen (Art. 33 Abs. 4 GG) ein gegenseitiges Treueverhältnis darstellt. Sie erstreckt sich personell über den Beamten usw. hinaus auch auf dessen Angehörige sowie zeitlich über die aktive Dienstzeit hinaus auf den Ruhestand. Kraft der F. muß der Dienstherr seinen Beamten usw. z. B. Beihilfen in Krankheits-, Geburts- und Todesfällen sowie Unterstützung bei außergewöhnl. Belastungen gewähren. Die Erfüllung der F. kann bei den Verwaltungsgerichten eingeklagt werden. Die Rechtslage in *Österreich* und der *Schweiz* ist der dt. vergleichbar.

Fürspan (Fürspange), [Schmuck]spange, im MA (seit dem 12. Jh.) verwendet, um Kleider, Umhänge usw. am Hals zusammenzuhalten; von Männern und Frauen getragen.

Fürsprecher, in der Schweiz in manchen Kt. svw. Rechtsanwalt.

Fürst [zu althochdt. furisto, eigtl. „der Vorderste"], 1. allg., verfassungsrechtl. Bez. für die Mgl. der aristokrat., Herrschaftsfunktionen ausübenden Führungsschicht eines Volkes oder Stammes sowie auch allg. für das monarch. Staatsoberhaupt. 2. In Europa seit dem MA Bez. für die höchste Schicht des hohen Adels, die durch ihre bes. Königsnähe an der Herrschaft über das Reich, bes. in seiner territorialen Gliederung, teilhatte (principes regni, „Reichsadel"), v. a. Herzöge und Her-

Furchungsteilung. 1 a total-äquale Furchung bei einem dotterarmen Ei, 1 b total-inäquale Furchung bei einem dotterreichen Ei. 2 a diskoidale partielle Furchung, 2 b superfizielle partielle Furchung zogsgleiche sowie Erzbischöfe, Bischöfe und Äbte der Reichsabteien. Ihnen stand das Recht der Königswahl zu (seit dem 13. Jh., verankert in der Goldenen Bulle von 1356, nur noch den ↑ Kurfürsten) und die Pflicht, bei Entscheidungen in Reichssachen mitzuwirken. Weltl. und geistl. Reichsfürsten hatten Sitz und Stimme im Reichstag.

Fürstabt, Titel eines Abtes bzw. einer Äbtissin, die zum Reichsfürstenstand gehörten (↑ geistliche Fürsten). Von den Fürstabteien sind die reichsunmittelbaren Abteien (mit Reichsäbten) zu unterscheiden.

Fürstbischof, im Hl. Röm. Reich Titel der Bischöfe im Fürstenrang.

Fürstenabfindung, die im Zusammenhang mit der dt. Republikgründung (1918) notwendig gewordene Vermögensauseinandersetzung zw. den dt. Ländern und den entthronten Fürsten. Ein 1926 von den Linksparteien geforderter Volksentscheid über eine entschädigungslose Fürstenenteignung scheiterte; vielmehr wurden Schlösser, Parks, Bibliotheken, Museen usw. vom Staat übernommen und dafür als Abfindung einmalige Zahlungen an die Fürsten entrichtet.

Fürstenau, Stadt im SW der bis 140 m hohen Fürstenauer Berge, Teil eines Endmoränenbogens, Landkr. Osnabrück, Nds., 50 m ü. d. M., 8 000 E. U. a. Textilind., Maschinenfabrik. – 1344 ließ der Osnabrücker Bischof Gottfried von Arnsberg die Wasserburg F. errichten; die Siedlung erhielt 1402 Stadtrecht; 1803 an Hannover. Die erhaltenen Gebäude der Burg stammen v. a. aus dem 16. Jh. Die got. ev. Stadtkirche wurde nach Brand 1608 wiederhergestellt.

Fürstenbank ↑ Reichsfürstenrat.

Fürstenberg, schwäb. Grafen-, seit 1664 Fürstengeschlecht, erwarb die Landgft. Baar und Stühlingen sowie die Gft. Heiligenberg. **Franz Egon** (* 1625, † 1682) und sein Bruder **Wilhelm Egon** (* 1629, † 1704) waren Bischöfe von Straßburg und Parteigänger Ludwigs XIV. von Frankreich. Das Fürstentum F. (Hauptstadt Donaueschingen) kam 1806 größtenteils unter bad. Landeshoheit.

Fürstenberg, rheinisch-westfäl. Adelsgeschlecht; erlangte 1660 den Reichsfreiherrnstand, 1840/43 den preuß. Grafenstand; **Ferdinand** (* 1626, † 1683) wurde 1661 Fürstbischof von Paderborn, 1678 auch von Münster; **Franz Friedrich Wilhelm Maria** (* 1729, † 1810), 1748 Domherr in Münster, war Min. (1762–80) und Generalvikar (1770–1807) des Hochstifts Münster.

Fürstenberg, Friedrich Karl Richard, * Berlin 22. April 1930, dt. Soziologe. – Seit 1966 Prof. in Linz, seit 1986 in Bonn. Forschungsschwerpunkte: die Ind.- und die Wirtschaftssoziologie.

Fürstenberg, Ortsteil von ↑ Hüfingen.

Fürstenberger Porzellan.
Potpourrivase; um 1775 (Mannheim, Städtisches Reiß-Museum)

Fürstenberger Porzellan, Porzellan der 1747 in Schloß Fürstenberg an der Weser von dem braunschweig. Herzog Karl I. gegr. Manufaktur. Ab 1753 stellte sie Geschirr, Bildnisbüsten und -reliefs sowie figürliche Arbeiten her; bed. sind v. a. die Figuren der Commedia dell'arte und die Bergleute H. S. Feilners. Die Blütezeit des F. P. lag um 1770–90, danach kurzer Aufschwung im Empire. Heute v. a. Gebrauchsgeschirr in traditionellem und modernem Design.

Fürstenberg/Havel, Stadt in Brandenburg, auf der Mecklenburg. Seenplatte, an der Havel, 5 400 E. Elektrotechn., Futtermittelind. – Erstmals 1278 erwähnt. Im Ortsteil ↑ Ravensbrück existierte 1939–45 ein KZ. – Barockschloß (1741–52), Alte Burg (16. Jh.).

Fürstenberg/Oder ↑ Eisenhüttenstadt.

Fürstenbund, 1785 abgeschlossenes Bündnis, das auf Betreiben König Friedrichs II. von Preußen als Kurfürst von Brandenburg mit den Kurfürsten von Hannover und Sachsen zustande kam und dem zahlr. Fürsten beitraten; sollte v. a. Kaiser Josephs II. östr. Expansionsbestrebungen entgegenwirken, hinsichtl. der Reichsverfassung den bestehenden Zustand sichern und Preußens Isolierung ausgleichen.

Fürstenfeld, östr. Bez.hauptstadt 50 km östlich von Graz, Steiermark, 276 m ü.d.M., 6000 E. Tabak-, Textil-, opt. Ind. – F., 1170 als Sperrfestung nahe der ungar. Grenze gegr., erhielt im 13.Jh. Stadtrecht. – Stadtpfarrkirche (13.Jh., 1774–79 umgestaltet); zahlr. Profanbauten (16.Jh.).

Fürstenfeldbruck, Krst. an der oberen Amper, Bayern, 528 m ü.d.M., 30300 E. Heimatmuseum. Textilind., Offizierschule und Fliegerhorst der Bundeswehr, Wohnvorort von München. – Bruck wurde 1306 Markt und kam um 1400 an das 1258 gegr. Zisterzienserkloster, das 1263 auf das „Fürstenfeld“ bei Bruck verlegt worden war; seit 1814 Stadt; seit 1908 heutiger Name. – Klosterkirche (18.Jh.) mit Fresken der Brüder Asam. **F.,** Landkr. in Bayern.

Fürstengräber, in der Vor- und Frühgeschichte Gräber, die sich durch ungewöhnlich reiche Beigaben, meistens auch durch aufwendige Grabbauten – z.B. durch bes. hohe Hügel – von den gleichzeitig übl. Bestattungen unterscheiden und dadurch die hohe soziale Stellung der Verstorbenen kennzeichnen.

Fürstenhut ↑ Wappenkunde (Übersicht).

Fürstenkrone ↑ Wappenkunde (Übersicht).

Fürstenlehen, das an einen Reichsfürsten gegebene Reichslehen (weltl. F. als Fahnlehen, das geistl. als Zepterlehen bezeichnet); wurde unmittelbar aus der Hand des Herrschers empfangen (deshalb seit dem 16.Jh. auch **Thronlehen** gen.).

Fürstenlehre ↑ Fürstenspiegel.

Fürstenprivilegien, zwei Reichsgesetze, in denen Kaiser Friedrich II. den geistl. und weltl. Reichsfürsten (Confoederatio cum principibus ecclesiasticis, 1220; Statutum in favorem principum, 1231/32) Münz-, Markt-, Zollrecht u.a. Regalien überließ, über die sie de facto schon verfügten; bedeuteten auch eine Begrenzung der expansiven stauf. Territorialpolitik.

Fürstenrat ↑ Reichsfürstenrat.

Fürstenrecht, das vom allg. geltenden Recht, insbes. im Vermögens-, Familien- und Erbrecht abweichende Recht fürstl. Familien. Das F. bestand aus Standesgewohnheitsrecht und aus Hausgesetzen, die durch Familienvertrag oder einseitige Verfügung des Familienoberhauptes geschaffen wurden. – Die Weimarer Reichsverfassung ordnete die Aufhebung der Sonderstellung des hohen Adels an, z.T. wurden entsprechende Landesgesetze erlassen. Zweifelhaft ist, ob formell noch fortbestehende Hausgesetze durch Art. 3 GG (Gleichheit vor dem Gesetz) beseitigt wurden.

Fürstenschulen (Landesschulen), in prot. Ländern entstandene, mit Internat verbundene humanist. Gymnasien, u.a. die 1543–50 von Kurfürst (seit 1547) Moritz von Sachsen aus Mitteln der eingezogenen Kirchengüter errichteten Schulen Sankt Marien zur Pforte bei Naumburg/Saale (↑Schulpforta), Sankt Afra in Meißen und Sankt Augustin in Grimma mit ausgeprägter Selbststregierung der Schüler. F.G. Klopstock, G.E. Lessing, J.G. Fichte, L. Ranke und F. Nietzsche waren Fürstenschüler.

Fürstenspiegel, Schriften, in denen das Musterbild eines Fürsten aufgestellt ist, als Lebensbeschreibung berühmter Fürsten oder als dichter. Idealbild geschichtl. Persönlichkeiten, eth. Vorstellungen über Rechte und Pflichten, Befugnisse und Begrenzungen fürstl. Macht. Seit der Antike bekannt; berühmt v.a. Xenophons „Kyrupädie“, die Selbstbetrachtungen Mark Aurels, Augustinus' „De civitate Dei“, Thomas von Aquins „De regimine principum“ (1265/66), „Institutio principis christiani“ (1516) des Erasmus. Machiavellis Traktat „Il principe“ (1532) markiert die Wendung vom Fürstenideal des „princeps christianus“ zum „princeps optimus“ (besten Fürsten), die Ablösung der Gattung der F. durch die Traktate der **Fürstenlehre;** bed. u.a. der Essay des preuß. Kronprinzen Friedrich (als König Friedrich II., d. Gr.) „Antimachiavell oder ...“ (1739).

Fürstentage, Versammlungen der dt. Reichsfürsten außerhalb der Reichstage, neben den Kurfürsten-, Grafen-, Städte- und Rittertagen.

Fürstentum, 1. im MA Herrschaftsgebiet eines Angehörigen des Fürstenstandes; 2. in der Neuzeit reichsunmittelbares Territorium mit einem Fürsten als Oberhaupt. Die meist Hzgt. gen. territorialen Einheiten sind der urspr. Typ des F. Gelegentlich werden staatsähnl. monarch. Herrschaftsgebiete F. genannt, v.a. in Ost- und Nordeuropa. Mit der Konsolidierung eines Reichsfürstenstandes konnte der Begriff F. auf die Besitzungen der weltl. und geistl. Fürsten übergehen, insbes. soweit es sich um Fürstenlehen handelte. Aufnahmen in den Stand der Fürsten erfolgten seit 1180 durch Erhebung des Territoriums zum Hzgt., zur Markgft. oder Landgft. Unter den einfachen Gft. ist anfangs nur Anhalt F., im 14.Jh. gibt es das Kollegium der gefürsteten Grafen.

Fürstenverschwörung, Erhebung dt. Fürsten, getragen von prot. Reichsfürsten, geführt von Moritz von Sachsen und Landgraf Wilhelm von Hessen, gegen die Reichs- und Kirchenpolitik Karls V. 1551/52.

Fürstenwalde (Spree), Stadt in Brandenburg, an der Spree, 43 m ü.d.M., 35000 E. Chemie- und Tankanlagenbau, Reifenwerk, Eisengießerei; Verkehrsknotenpunkt; Hafen. – Zw. 1252 und 1258 als Stadt gegr.; 1354 an den Bischof und das Domkapitel von Lebus. Nach der Aufhebung des Bistums (1555) ab 1598 kurfürstl. brandenburg. Amtsstadt. – Pfarrkirche Sankt Marien (begonnen 1446); Rathaus (Backstein, um 1500).

Fürsterzbischof, vor 1803 Titel von Erzbischöfen, die als geistl. Fürsten keine Kurfürsten waren; in Österreich Ehrentitel der elf sog. „alten" Bischöfe, deren Sprengel schon vor der Regierung Maria Theresias existierten und die auch Sitz im Herrenhaus hatten; bis 1918 auch vom Erzbischof von Gran (Esztergom) und vom Erzbischof von Breslau geführt.

Fürstprimas, Titel, der Karl Theodor, zuvor Kurfürst und Reichserzkanzler, durch die Rheinbundsakte 1806 verliehen wurde.

Fürst-Pückler-Eis, aus gefrorener Schlagsahne, Zucker und Geschmacksstoffen hergestelltes Speiseeis, schichtweise gefärbt.

Furt, seichte Übergangsstelle in Gewässern, an der Durchwaten und Übergang ohne bes. Übersetzmittel möglich sind. Bed. für die Entstehung von Ansiedlungen (z. B. Frankfurt, Schweinfurt, Ochsenfurt, Heufurt).

Furter (Furtter, Ferter), Michael, * Augsburg um 1450, † Basel zw. 5. März und 2. Mai 1517, schweizer. Buchdrucker. – Erwarb 1488 das Basler Bürgerrecht; neben wiss. Werken druckte F. zahlr. Schulschriften und reich illustrierte Ausgaben, u. a. mit Holzschnitten von A. Dürer und U. Graf.

Fürth, kreisfreie Stadt am Zusammenfluß von Rednitz und Pegnitz, Bayern, 297 m ü. d. M., 97 500 E. Verwaltungssitz des Landkr. F.; Theater, elektrotechn., metallverarbeitende, Spielwarenind.; Großversandhaus; Hafen am Rhein-Main-Donau-Großschiffahrtskanal; bildet mit Nürnberg eine wirtsch. Einheit. – Der Königshof F. wurde 1007 von König Heinrich II. dem Domkapitel von Bamberg geschenkt. Die Vogteirechte erhielten die Burggrafen von Nürnberg, zu Beginn des 14. Jh. fiel die Vogtei an Bamberg. Im 16. und 17. Jh. brachten Hugenotten und Holländer Goldschlägerei, Bronzefarbfabrikation, Uhrmacherei und Spiegelglasherstellung nach F. 1791/96 preuß., ab 1805/06 bayr.; 1808/18 zur Stadt erhoben. 1835 wurde die Strecke Nürnberg – F. als erste dt. Eisenbahnlinie eröffnet. – Got. Kirche Sankt Michael (um 1100, umgebaut 14./15. Jh.), barocke Patrizierhäuser (17./18. Jh.).

F., Landkr. in Bayern.

Fürth i. Wald, Stadt in der Cham-Further Senke, Bayern, 410 m ü. d. M., 9 400 E. Stadtmuseum; Glas-, Textil-, Holz-, Leder-, Spielwarenind.; Fremdenverkehr (Freilichtspiele). – Erhielt um 1330 Stadtrechte.

Fürtuch, süddt., schweizer.: Schürze.

Furtwangen, Stadt im Südschwarzwald, Bad.-Württ., 870 m ü. d. M., 9 700 E. Fach-

hochschule; Uhrenmuseum; Uhren-, Holz- und feinwerktechnische Industrie; Luftkurort. – F. wurde 1179 erstmals erwähnt, seit 1873 ist es Stadt.

Furtwängler, Adolf, * Freiburg im Breisgau 30. Juni 1853, † Athen 10. Okt. 1907, dt. Archäologe. – Vater von Wilhelm F.; 1884 Prof. in Berlin, 1894 in München. Beteiligt an Ausgrabungen in Olympia, auf Ägina und Orchomenos. – *Werke:* Meisterwerke der griech. Plastik (1893), Griech. Vasenmalerei (1900–04), Die antiken Gemmen (1900).

F., Wilhelm * Berlin 25. Jan. 1886, † Ebersteinburg 30. Nov. 1954, dt. Dirigent und Komponist. – Sohn von Adolf F. Kapellmeister in Straßburg und Lübeck, Operndirektor in Mannheim (1915–20). Als Nachfolger von A. Nikisch 1922–28 Dirigent des Leipziger Gewandhausorchesters sowie 1922–45 und 1947–54 Leiter der Berliner Philharmoniker. 1931 wurde er künstler. Leiter der Bayreuther Festspiele, 1933 Direktor der Berliner Staatsoper. F. war v. a. ein bed. Interpret der Musik des 19. Jh., aber auch der Moderne. Als Komponist (drei Sinfonien, Tedeum, zwei Violinsonaten u. a.) knüpfte er an die Klassik und Romantik an.

Wilhelm Furtwängler

Furunkel [lat., eigtl. „kleiner Dieb"] (Blutgeschwür, Eiterbeule), durch Eindringen von Bakterien (meist Staphylokokken) verursachte, umschriebene, eitrige Entzündung eines Haarbalgs und der dazugehörigen Talgdrüse mit Entwicklung eines erbsen- bis walnußgroßen, schmerzhaft geröteten Knotens mit zentralem Eiterpfropf. Zur Behandlung des F. können Antibiotika gegeben werden; u. U. ist eine Eröffnung (Inzision) des F. erforderlich. – Treten mehrere F. gleichzeitig an verschiedenen Stellen auf, spricht man von **Furunkulose,** gehen mehrere, nebeneinanderliegende F. ineinander über, von **Karbunkel.**

Fürwort ↑ Pronomen.

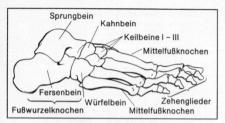

Sprungbein
Kahnbein
Keilbeine I – III
Mittelfußknochen
Fersenbein
Würfelbein
Zehenglieder
Fußwurzelknochen
Mittelfußknochen

Fuß. Fußskelett des Menschen
(Seitenansicht)

Fusariosen [lat.], Bez. für eine Reihe durch verschiedene Fusariumarten verursachter Pflanzenkrankheiten: Die **Fusariumfäule** ist eine Fruchtfäule des Obstes oder eine Knollenfäule der Kartoffel. Die **Fusariumwelke** verursacht Welkekrankheiten bei Kulturpflanzen (z. B. Gurkenwelke).

Fusarium [lat.], Gatt. der Deuteromyzeten; umfaßt konidienbildende Nebenfruchtformen einiger Schlauchpilze, z. B. der Gatt. Nectria; häufig Erreger verschiedener Pflanzenkrankheiten.

Fuschun ↑ Fushun.

Fuselöle ↑ Amylalkohol.

Fushun [chin. ...ʃ...] (Fuschun), chin. Stadt beiderseits des Hun He, 1,3 Mill. E. Wichtigstes Zentrum des Kohlenbergbaus in NO-China, Ölschieferabbau; chem. und stahlverarbeitende Ind., Aluminiumwerk. – Seit dem 7. Jh. bed. Festungsstadt; unter der Qing(Ch'ing)-Dynastie (1644–1911) zu einer Verwaltungs- und Handelsstadt ausgebaut.

Füsiliere [lat.-frz., zu fusil „Flinte, Gewehr"], urspr. Bez. für die mit dem Stein-

Fuß. Stammesgeschichtliche Umwandlung des Fußes beim 1 Sohlengänger (Affe), 2 Zehengänger (Hund), 3 Zehenspitzengänger (Pferd), 4 Vogel; rot: Zehen, blau: Mittelfußknochen, gelb: Fußwurzelknochen (beim Vogel in den Unterschenkel aufgenommen)

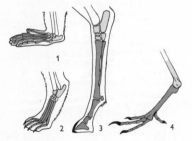

schloßgewehr ausgerüsteten frz. Soldaten, später allg. Bez. für leichte Infanterie.

Füsilieren [lat.-frz.], frühere Bez. der Exekution eines zum Tode Verurteilten durch ein militär. Erschießungskommando.

Fusin ↑ Fuxin.

Fusion [zu lat. fusio „das Gießen, Schmelzen"], in der *Wirtschaft* die Verschmelzung von Personengesellschaften, Kapitalgesellschaften, Genossenschaften gleicher Haftungsart und Versicherungsvereinen auf Gegenseitigkeit in der Form der Einzelübertragung des Vermögens oder im Wege der Gesamtrechtsnachfolge (F. durch Aufnahme oder durch Neubildung) unter Ausschluß der Abwicklung. Bei der **vertikalen Fusion** schließen sich zwei oder mehrere Unternehmen aufeinanderfolgender Produktions- und Handelsstufen zus., durch die **horizontale Fusion** werden gleichartige Unternehmen zusammengefaßt. In erster Linie geht es den bei einer F. beteiligten Unternehmen um die Verbesserung ihrer Wettbewerbsfähigkeit durch Ausdehnung ihrer Marktmacht.

◆ in der *Zytologie* und *Genetik:* 1. Zell-F., die Verschmelzung von Zellen miteinander; 2. Kern-F., die Verschmelzung von Zellkernen unter Bildung von F.kernen; 3. Das Verschmelzen von Chromosomenbruchstücken bei Chromosomenaberrationen; 4. Gen-F., die Verschmelzung von zwei Genen.

◆ in der *Physik* ↑ Kernfusion.

Fusionskontrolle, zum Schutz des Wettbewerbs eingerichtete Institution, die die Entstehung oder Verstärkung marktbeherrschender wirtschaftl. Positionen verhindern soll. Im Falle einer Fusion ist nach dem Gesetz gegen Wettbewerbsbeschränkungen (GWB) das Bundeskartellamt grundsätzlich verpflichtet, diese zu untersagen, wenn zu erwarten ist, daß durch sie eine marktbeherrschende Stellung entsteht oder verstärkt wird. Die F. erfolgt grundsätzlich erst nach dem Zusammenschluß; wenn dieser untersagt wird, muß das neue Unternehmen wieder aufgelöst werden.

Fuß, (Pes) unterster Teil der Beine der Wirbeltiere, beim Menschen und bei den Affen nur der beiden hinteren (unteren) Gliedmaßen. Der F. des Menschen ist durch das *Sprunggelenk* mit den Unterschenkelknochen (Waden- und Schienbein) verbunden. Man kann ein zw. den beiden Knöcheln gelegenes oberes Sprunggelenk (Knöchelgelenk, ein Scharniergelenk für das Heben und Senken des F.) und ein unteres Sprunggelenk (für drehende F.bewegungen) unterscheiden. – Der F. setzt sich zus. aus der *Fußwurzel* (Tarsus) mit den *Fußwurzelknochen,* dem *Mittelfuß* (Metatarsus) mit den (meist fünf) langgestreckten, durch Bänder miteinander verbundenen *Mittelfußknochen* (Metatarsalia) und

den Zehen. Das Fußskelett besteht aus den Knochen der fünf Zehen, aus sieben Fußwurzelknochen (Fersenbein, Sprungbein, Kahnbein, Würfelbein, drei Keilbeinen) und fünf Mittelfußknochen. An der Unterseite ist ein Fußgewölbe ausgebildet, das durch drei durch Ballen gepolsterte und durch das Fersenbein und die Enden des inneren und äußeren Mittelfußknochens gebildete Punkte vom Boden abgestützt wird.
♦ Zeichen: ′, von der Länge des menschl. Fußes abgeleitete alte Längeneinheit unterschiedl. Größe, in Deutschland zw. 250 mm (z. B. in Hessen) und 429,5 mm (z. B. in Sachsen); entsprach 10 Zoll **(Dezimalfuß)** oder auch 12 Zoll. Die in der Luftfahrt zur Angabe von Höhen verwendete Längeneinheit F. entspricht dem ↑ Foot.
Fußball (Fußballspiel), ein zw. zwei Mannschaften ausgetragenes Ballspiel mit dem Ziel, den Ball regelgerecht über die Torlinie des gegner. Tors zu spielen. Der Ball wird dabei vorwiegend mit dem Fuß, darf aber auch mit dem ganzen Körper gespielt werden. Nicht erlaubt ist das absichtl. Berühren bzw. Spielen des Balls mit der Hand oder mit dem Arm (gilt nicht für den Torwart innerhalb des eigenen Strafraums).
Entwicklung: Über den Ursprung des F.spieles gibt es unterschiedl. Darstellungen. Eine verbreitete ist die, daß es mit den röm. Legionen Cäsars nach England kam, allerdings in wesentlich anderer Form, als F. heute gespielt wird. In England verbreitete es sich schnell, obwohl 1349 durch Eduard II. verboten. Brit. Seeleute, Kaufleute und Studenten brachten das F.spiel in den 80er Jahren des vorigen Jh. auf den europ. Kontinent. In Deutschland liegt der Anfang in Braunschweig, wo 1874 an einem Gymnasium F. gespielt wurde.
Spielregeln: Das übl. Spielfeld ist 70 m breit und 105 m lang. Die Spieldauer beträgt zweimal 45 Minuten mit mindestens 5 Minuten Pause; für den Hallen-F. gelten kürzere Spielzeiten und entscheidend geänderte Spielbedingungen. Spiele von Jugendlichen und Frauen dauern zweimal 40, von Schülern zweimal 30 Minuten. Elf Spieler bilden eine Mannschaft. Eine beschränkte Anzahl von Spielern (bei Pflichtspielen in der BR Deutschland z. Z. 2) kann im Verlauf des Spiels ausgetauscht werden. Der Hohlball ist 396 bis 453 g schwer, hat einen Umfang von 68 bis 71 cm und muß aus Leder oder lederähnl. Material bestehen. Das Tor ist 2,44 m hoch und 7,32 m breit. Die Zahl der erzielten Tore entscheidet über den Spielausgang; bei Torgleichheit endet das Spiel unentschieden. Ein Schiedsrichter, dessen Entscheidungen unanfechtbar sind, leitet zusammen mit zwei Linienrichtern das Spiel. Für den Sieg in einem Punktspiel werden zwei Punkte, für ein Unentschieden wird ein Punkt angerechnet. Bei Verstößen eines Spielers gegen die Spielregeln wird der gegner. Mannschaft ein ↑ Freistoß (bzw. ↑ Strafstoß) zugesprochen. Auch Verwarnungen und Feldverweise, je nach der Schwere des Vergehens, kann der Schiedsrichter aussprechen, um das Spiel in sportl. Grenzen zu halten. Der Raum vor dem Tor (bis zu einem Abstand von 16,50 m) ist der sog. Strafraum. Ein Tor ist erzielt, wenn der Ball vollständig die Linie zw. den Torpfosten überschritten hat. Wenn der Ball von einem Spieler über die seitl. oder hintere Linie

---

Fußball

Deutsche Meisterschaft

1903 VfB Leipzig (7 : 2 gegen DFC Prag)	1915–1919 nicht ausgetragen
1904 nicht ausgetragen	1920 1. FC Nürnberg
1905 Union Berlin (2 : 0 gegen Karlsruher FV)	(2 : 0 gegen Spielvereinigung Fürth)
1906 VfB Leipzig (2 : 1 gegen 1. FC Pforzheim)	1921 1. FC Nürnberg
1907 Freiburger FC	(5 : 0 gegen Vorwärts Berlin)
(3 : 1 gegen Viktoria 89 Berlin)	1922 Hamburger SV verzichtete auf den Titel,
1908 Viktoria 89 Berlin	der ihm vom DFB nach zwei Spielen (2 : 2,
(3 : 0 gegen Stuttgarter Kickers)	1 : 1) gegen den 1. FC Nürnberg
1909 Phönix Karlsruhe	zugesprochen worden war
(4 : 2 gegen Viktoria 89 Berlin)	1923 Hamburger SV
1910 Karlsruher FV (1 : 0 gegen Holstein Kiel)	(3 : 0 gegen Union Oberschöneweide)
1911 Viktoria 89 Berlin	1924 1. FC Nürnberg
(3 : 1 gegen VfB Leipzig)	(2 : 0 gegen Hamburger SV)
1912 Holstein Kiel (1 : 0 gegen Karlsruher FV)	1925 1. FC Nürnberg
1913 VfB Leipzig (3 : 1 gegen Duisburger SV)	(1 : 0 gegen FSV Frankfurt)
1914 Spielvereinigung Fürth	1926 Spielvereinigung Fürth
(3 : 2 gegen VfB Leipzig)	(4 : 1 gegen Hertha BSC Berlin)

Fußball (Fortsetzung)

1927 1. FC Nürnberg
(2 : 0 gegen Hertha BSC Berlin)
1928 Hamburger SV
(5 : 2 gegen Hertha BSC Berlin)
1929 Spielvereinigung Fürth
(3 : 2 gegen Hertha BSC Berlin)
1930 Hertha BSC Berlin
(5 : 4 gegen Holstein Kiel)
1931 Hertha BSC Berlin
(3 : 2 gegen 1860 München)
1932 FC Bayern München
(2 : 0 gegen Eintracht Frankfurt)
1933 Fortuna Düsseldorf
(3 : 0 gegen FC Schalke 04)
1934 FC Schalke 04 Gelsenkirchen
(2 : 1 gegen 1. FC Nürnberg)
1935 FC Schalke 04 Gelsenkirchen
(6 : 4 gegen VfB Stuttgart)
1936 1. FC Nürnberg
(2 : 1 gegen Fortuna Düsseldorf)
1937 FC Schalke 04 Gelsenkirchen
(2 : 0 gegen 1. FC Nürnberg)
1938 Hannover 96 (4 : 3 gegen FC Schalke 04)
1939 FC Schalke 04 Gelsenkirchen
(9 : 0 gegen Admira Wien)
1940 FC Schalke 04 Gelsenkirchen
(1 : 0 gegen Dresdner SC)
1941 Rapid Wien (4 : 3 gegen FC Schalke 04)
1942 FC Schalke 04 Gelsenkirchen
(2 : 0 gegen Vienna Wien)
1943 Dresdner SC (3 : 0 gegen FV Saarbrücken)
1944 Dresdner SC (4 : 0 gegen LSV Hamburg)
1945–1947 nicht ausgetragen
1948 1. FC Nürnberg
(2 : 1 gegen 1. FC Kaiserslautern)
1949 VfR Mannheim
(3 : 2 gegen Borussia Dortmund)
1950 VfB Stuttgart
(2 : 1 gegen Kickers Offenbach)
1951 1. FC Kaiserslautern
(2 : 1 gegen Preußen Münster)
1952 VfB Stuttgart
(3 : 2 gegen 1. FC Saarbrücken)
1953 1. FC Kaiserslautern
(4 : 1 gegen VfB Stuttgart)
1954 Hannover 96
(5 : 1 gegen 1. FC Kaiserslautern)
1955 Rot-Weiß Essen
(4 : 3 gegen 1. FC Kaiserslautern)
1956 Borussia Dortmund
(4 : 2 gegen Karlsruher SC)
1957 Borussia Dortmund
(4 : 1 gegen Hamburger SV)
1958 FC Schalke 04 Gelsenkirchen
(3 : 0 gegen Hamburger SV)
1959 Eintracht Frankfurt
(5 : 3 gegen Kickers Offenbach)

1960 Hamburger SV (3 : 2 gegen 1. FC Köln)
1961 1. FC Nürnberg
(3 : 0 gegen Borussia Dortmund)
1962 1. FC Köln (4 : 0 gegen 1. FC Nürnberg)
1963 Borussia Dortmund
(3 : 1 gegen 1. FC Köln)

Dt. Meister seit Einführung der Bundesliga

1964 1. FC Köln
1965 Werder Bremen
1966 1860 München
1967 Eintracht Braunschweig
1968 1. FC Nürnberg
1969 Bayern München
1970 Borussia Mönchengladbach
1971 Borussia Mönchengladbach
1972 Bayern München
1973 Bayern München
1974 Bayern München
1975 Borussia Mönchengladbach
1976 Borussia Mönchengladbach
1977 Borussia Mönchengladbach
1978 1. FC Köln
1979 Hamburger SV
1980 Bayern München
1981 Bayern München
1982 Hamburger SV
1983 Hamburger SV
1984 VfB Stuttgart
1985 Bayern München
1986 Bayern München
1987 Bayern München
1988 Werder Bremen
1989 Bayern München
1990 Bayern München
1991 1. FC Kaiserslautern
1992 VfB Stuttgart
1993 Werder Bremen
1994 Bayern München

Fußballweltmeisterschaft

1930 Uruguay (4 : 2 gegen Argentinien)
1934 Italien (2 : 1 gegen Tschechoslowakei)
1938 Italien (4 : 2 gegen Ungarn)
1950 Uruguay (2 : 1 gegen Brasilien)
1954 BR Deutschland (3 : 2 gegen Ungarn)
1958 Brasilien (5 : 2 gegen Schweden)
1962 Brasilien (3 : 1 gegen Tschechoslowakei)
1966 England (4 : 2 gegen BR Deutschland)
1970 Brasilien (4 : 1 gegen Italien)
1974 BR Deutschland (2 : 1 gegen Niederlande)
1978 Argentinien (3 : 1 gegen Niederlande)
1982 Italien (3 : 1 gegen BR Deutschland)
1986 Argentinien (3 : 2 gegen BR Deutschland)
1990 BR Deutschland (1 : 0 gegen Argentinien)
1994 Brasilien (3 : 2 gegen Italien)

gespielt wurde, kann die gegner. Mannschaft den Ball wieder ins Spiel bringen (bei Seitenaus: der Einwurf muß mit beiden Händen über Kopf ausgeführt werden) oder vom Tor „abstoßen". Eine bes. Bedeutung hat die Abseitsregel (↑abseits). Die ersten Spielregeln entstanden im 19. Jh. Über Regeländerungen entscheidet das achtköpfige International Board. **Spielsysteme:** Im F. haben bisher verschiedenartige Systeme die Spieltaktik bestimmt. Bis nach dem 2. Weltkrieg wurden allgemein die Mannschaften mit einem Torwart, zwei Verteidigern, drei Läufern und fünf Stürmern aufgestellt. In jüngerer Zeit wird größerer Wert auf die Deckung des eigenen Tores und die Abwehr des gegner. Angriffs gelegt. Gegenwärtig ist das 1-1-3-4-2-System weit verbreitet (1 Torwart, 1 Libero, 3 Abwehrspieler, 4 Mittelfeldspieler, 2 Stürmer). Bei diesem System bewähren sich Spieler mit gut gezielten scharfen Schüssen aus der „zweiten Reihe" (d. h. aus größerer Entfernung). ⚏ *Rohr, B./Simon, G.: F.-Lexikon. Mchn. 1991. – Fußball-Weltgeschichte. Hg. v. K. H. Huba. Mchn. ¹⁰1990.*

Fußballtoto, staatlich genehmigte Sportwette auf den Ausgang von Fußballspielen. Das F. wurde erstmals 1921 in Großbritannien eingeführt. In der BR Deutschland (seit 1948) ist die Lotteriehoheit ein Länderregal. Die Totogesellschaften sind entweder staatl. Betriebe, Körperschaften des öffentl. Rechts oder private Gesellschaften. Der Spieleinsatz wird wie folgt verteilt: 50 % auf die Gewinner, 16⅔ % für Sportwettsteuer, etwa 22 % auf Abgaben für sportl., kulturelle, soziale und karitative Zwecke und etwa 11 % auf die Kosten der Durchführung.

Fußboden, künstlich befestigte, begehund befahrbare ebene Fläche eines Innenraums. Die oberste Schicht des F. wird als *Bodenbelag* bezeichnet, wenn sie auf einem *Unterboden* aus anderem Material aufgebracht

ist. Der F. soll ausreichende Feuchtigkeits-, Schall- und Wärmedämmung bewirken und widerstandsfähig gegen Wasser, Reinigungsmittel und mechan. Beanspruchung sein. – Man unterscheidet Fugenböden, zu denen die Böden aus Platten, Fliesen, Tafeln u. a. von unterschiedl. Material und die verschiedenen Arten des Holz-F. gehören, und fugenlose Fußböden, insbes. Estrichböden sowie Spachtelböden aus Polyvinylacetat- und Polyamidmassen. Für **Plattenböden** werden Natustein-, Beton-, Steinzeug und Steinholzplatten, Klinkerplatten und Steinzeugfliesen, Glas-, Kunststoff- und Asphaltplatten sowie Holzfaser- und Holzspanplatten, Korkplatten u. a. verwendet. Bei **Holzfußböden** unterscheidet man **Dielenböden** (aus gehobelten, etwa 15 cm breiten, meist 3,5 cm dicken Nadelholz-, Buchen- oder Eichenbrettern), **Parkettböden** sowie die **Holzpflasterfußböden** (aus 10–12 cm hohen Hartholzklötzchen). Zu den **Estrichböden** zählen neben Beton- oder Zementestrich v. a. die Hartbeton- und Holzbetonestriche, ferner Terrazzo und der Mosaik-F. Lehm-F. bestehen aus gestampftem Lehm. Gußasphaltestriche geben wasserdichte und federnde Unterböden für F.belag und Parkett. Als F.-Belag dienen auch Bahnen oder Platten aus Gummi, Kunststoff sowie Teppichboden (textiler Bodenbelag).

Fußbodenheizung ↑Heizung.

Fußdeformitäten, angeborene oder erworbene Formabweichungen oder Fehlhaltungen der Füße. Zu den häufigsten F. gehört die Fußsenkung (**Senkfuß**), eine Absenkung des Fußgewölbes infolge Muskel- oder Bindegewebsschwäche. Fließende Übergänge bestehen zw. Senkfuß und **Plattfuß,** bei dem inneres und äußeres Fußgewölbe abgeflacht sind. Bei nicht rechtzeitiger Behandlung kann es durch Veränderung der Gelenkflächen und durch Bänderschrumpfungen zu einer völligen Versteifung kommen. Neben der Abflachung des Längsgewölbes tritt häufig eine Lockerung der Querverspannungen auf, was eine weitere Abplattung und Verbreiterung

Fußball. Spielfeld

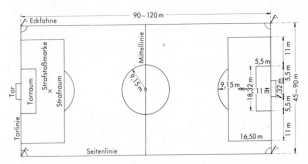

Füssen

des Fußes zur Folge hat (**Spreizfuß**). Bei Kindern ist die entstehende Senkung des Fußgewölbes meist mit einer Abknickung des Fußes nach innen kombiniert, so daß man in diesem Fall von einem **Knick-Senk-Fuß** spricht. Vorbeugende Maßnahmen gegen die Fußsenkung sind Barfußlaufen und das Tragen passender, weicher Schuhe. – Der **Klumpfuß** ist meist angeboren. Er besteht in einer starken Abknickung der äußeren Fußkante nach unten und einer Einwärtsknickung des Vorderfußes samt den Zehen. Die Behandlung erfolgt durch einen Gipsverband oder operativ. – Der **Spitzfuß** wird durch Lähmung der vorderen Unterschenkelmuskulatur hervorgerufen. Die Fußspitze hängt steil nach unten, beim Auftreten erreicht die Ferse den Boden nicht. Behandlung: orthopäd. Schuhe, operative Verlängerung der Achillessehne. – Der **Hackenfuß,** der durch Lähmung der Wadenmuskulatur oder Abriß der Achillessehne entsteht, ist durch eine abnorme Steilstellung des Fersenbeins gekennzeichnet. – Der **Hohlfuß** ist durch ein abnorm hohes Längsgewölbe mit hohem Spann, meist zus. mit Spreizfuß und Hammerzehe, gekennzeichnet.

Füssen, Stadt am Austritt des Lechs aus den Kalkalpen, Bayern, 808 m ü. d. M., 13 200 E. Wirtsch. Mittelpunkt der z. T. vom Forggensee bedeckten **Füssener Bucht** mit etwas Ind.; Luftkurort, im Ortsteil **Bad Faulenbach** Kneipp- und Mineralbad, nahebei die Königsschlösser Neuschwanstein und Hohenschwangau. – Im 4.Jh. n.Chr. wird das röm. Kastell **Foetibus** erwähnt. Aus einer um 748 gegr. Zelle entstand noch im 8.Jh. das Benediktinerkloster **Sankt Mang.** Die um das Kloster entstandene Siedlung entwickelte sich im frühen 13.Jh. zur Stadt, die dem Bistum Augsburg 1310 erwarb. Seit 1803 gehört F. zu Bayern. – Der **Friede von Füssen** (22. April 1745) beendete zw. Bayern und Österreich den Östr. Erbfolgekrieg. Kurfürst Maximilian III. Joseph von Bayern verzichtete auf die Kaiserwürde und versprach gegen Rückgabe seiner Erblande Großherzog Franz Stephan von Toskana bei der Kaiserwahl seine Stimme. – Pfarrkirche Sankt Mang (1701 bis 1717), Frauenkirche am Berge (1682/83), Franziskanerkirche (18. Jh.). Die ma. Burg wurde 1486–1505 zum Schloß ausgebaut.

Fussenegger, Gertrud, * Pilsen 8. Mai 1912, östr. Schriftstellerin. – Schrieb Romane aus Vergangenheit und Gegenwart über Konflikte zw. Lebensformen, Schuld, Leiden und Bewährung; u.a. „Das Haus der beiden Krüge" (1951), „Das verschüttete Antlitz" (1957), „Jona" (1986).

Füssli (Füessli[n]), schweizer. Familie, seit 1357 in Zürich nachweisbar, Glockengießer, Künstler, Gelehrte, Magistratsbeamte. Bed.:

F., Johann Heinrich, in England Henry Fuseli, * Zürich 6. Febr. 1741, † London 16. April 1825, Maler und Graphiker. – Emigrierte 1764 nach London, wandte sich unter dem Einfluß von Reynolds' der Malerei zu (1770–78 in Rom). 1804 Direktor der Royal Academy. F. schuf visionäre Bilder und Zyklen meist zu literar. Stoffen. Dante, Shakespeare und Milton wurden zu Hauptquellen seiner Vorstellungs- und Bildwelt, in der er die literar. Stoffe zum Ausgangspunkt für eigene Erfindungen und Visionen machte. Formal ist F. dem Klassizismus verpflichtet. Bes. bekannt „Der Nachtmahr" (1781; Frankfurt, Goethemuseum), „Titania und Zettel" (1794; Zürich, Kunsthalle).

Fußmann, Klaus, * Velbert 24. März 1938, dt. Maler und Graphiker. – Beeinflußt von G. Morandi, schuf er Stilleben, Interieurs, Porträts, Landschaften.

Fußnagel ↑ Nagel.

Fußnote, durch ein Verweiszeichen (Sternchen oder hochgestellte kleine Ziffer) auf eine bestimmte Stelle im Text bezogene Erläuterung oder Ergänzung am unteren Rand einer Druckseite.

Fußpferd, seemänn. Bez. für das starke Tau, auf dem die Matrosen bei Arbeiten an den Rahsegeln stehen.

Fußpflege, svw. ↑ Pediküre.

Fußpilzerkrankung, durch Befall mit parasitären Pilzen hervorgerufene Infektion der Fußhaut mit stärkster Ausprägung in den Zwischenzehenräumen; Behandlung mit Antimykotika (Salben, Puder, Sprays).

Fußpunkt, der Punkt, in dem das auf eine Gerade oder Ebene gefällte Lot diese trifft.

Fußschweiß, vermehrte Absonderung von Schweiß an den Füßen, bes. zw. den Zehen und an der Fußsohle; meist übelriechend infolge bakterieller Zersetzung der organ. Schweißbestandteile. F. kann v. a. zw. den Zehen zu Hautentzündungen und Ekzemen führen; auch begünstigt er die Ansiedlung von Fußpilzen. Behandlung: Einpudern oder Benutzung adstringierender Fußsprays, häufiges Barfußlaufen.

Fußsenkung ↑ Fußdeformitäten.

Fußsohlenreflex (Plantarreflex), reflektor. Abwärtsbewegung der Zehen beim Bestreichen der Fußsohle mit einem harten, spitzen Gegenstand (z. B. Reflexhammer). Diagnost. Bed. kommt nur dem einseitigen Fehlen des F. zu („stumme Sohle", z. B. bei einer Schädigung der Pyramidenbahn).

Fußtonzahl, die in Fuß (etwa 30 cm; Zeichen: ′) angegebene Tonlage eines Orgelregisters, benannt nach der Pfeifenlänge des jeweils tiefsten Tons. Dabei wird von dem Fußmaß einer offenen Labialpfeife mit dem Ton C (der tiefsten Taste auf der Orgel) ausgegangen, deren Länge 8 Fuß (etwa 2,40 m) beträgt, wonach das ganze Register achtfüßig heißt. 8′-Register erklingen in der Äquallage, d.h. in der geschriebenen Tonhöhe. Wird durch die Taste C der Ton $_1$C ausgelöst, spricht man von 16′-Register, da die Pfeife des Tons $_1$C die doppelte Länge hat. So ergeben sich folgende Fußtonbezeichnungen: $_2$C = 32′; $_1$C = 16′; C = 8′; G = 5$\frac{1}{3}$′; c = 4′; g = 2$\frac{1}{3}$′; c^1 = 2′; g^1 = 1$\frac{1}{3}$′; c^2 = 1′. Die gedackten Register werden nach ihrer Tonhöhe, nicht nach ihrer Pfeifenlänge bezeichnet.

Fußtruppen ↑ Infanterie.

Fußwaschung, Reinigungssitte im Alten Orient und im Mittelmeerraum, die, da man normalerweise barfuß oder in offenen Sandalen ging, vor der Mahlzeit üblich und nötig war. Die F. galt als Sklavenarbeit. Nach Joh. 13, 1–17 wäscht Jesus seinen Jüngern die Füße als Zeichen vorbehaltloser, demütiger Dienst- und Liebesbereitschaft am Nächsten. Die F. ging in das Brauchtum der Klöster ein (hier „Mandatum" [= Auftrag] genannt). Von hier übernahmen Bischöfe und Fürsten den Brauch, am Gründonnerstag Armen oder Alten die Füße zu waschen.

Fust, Johann, * Mainz um 1400, † Paris 30. Okt. 1466, dt. Verleger und Buchhändler. – Gläubiger Gutenbergs, gegen den er 1455 prozessierte. Verlegte mit Hilfe des Druckers Peter Schöffer (vorher Geselle Gutenbergs) den von J. Gutenberg begonnenen Mainzer Psalter (1457) sowie andere Werke, u.a. eine 48zeilige Bibel (1462, mit ältestem Signet).

Fustanella [neugriech.-italien.] (Fustane), kurzer, eng gefältelter weißer Baumwollrock, Bestandteil der neugriech. Nationaltracht der Männer.

Fustikholz, svw. ↑ Gelbholz.

Fusulinen (Fusulinidae) [zu lat. fusus „Spindel"], Fam. fossiler, etwa 0,5 mm–10 cm großer Foraminiferen mit spindelartigen, linsenförmigen oder kugeligen, stark gekammerten Kalkgehäusen; vom Oberen Karbon bis Perm in Europa, Asien und Amerika weit verbreitet; bed. Kalkbildner *(F.kalk).*

Fusuma [jap.], die Schiebewand, die im jap. Haus die einzelnen Räume voneinander trennt; vor Wandschränken. Die mit weißem Papier bespannte Schiebewand, die das Licht von außen durchscheinen läßt, heißt **Shōji.**

Futhark, german. Runenalphabet, benannt nach den ersten sechs Zeichen.

Futschou ↑ Fuzhou.

Futter, (Futtermittel) der tier. Ernährung dienende organ. oder mineral. Stoffe. Nach der ernährungsphysiolog. Aufgabe unterscheidet man zw. **Erhaltungsfutter** zur Aufrechterhaltung der Lebensfunktionen und **Leistungsfutter** (Produktions-F., Kraft-F.) zur

Erzielung höherer Leistungen (z.B. in bezug auf Milch, Eier, Wolle, Fett- und Fleischansatz). Je nach den mengenmäßigen F.anteilen spricht man von **Grundfutter** (Haupt-F.; hat die Aufgabe, auf Grund des hohen Gehaltes an Ballaststoffen zu sättigen und einen Teil des Nährstoffbedarfs zu decken) und **Beifutter** (Zusatz-F.; zur Deckung des Nährstoffbedarfs). Nach dem Ursprung differenziert man die pflanzl. **Futter** (z.B. Klee, Hafer), **tier. Futter** (Magermilch, Fischmehl, Fleischmehl) und **mineral. Futter** (Futterkalk, Salz usw.). Außer Knollen- und Wurzel-F. (z.B. Rüben, Kartoffeln, Topinambur) kennt man Grün-F., Gär-F., Rauh-F. und Körnerfutter.
◆ (Futterstoff) Schutz- oder Stützstoff auf der Innenseite von Kleidungsstücken, Koffern, Schuhen u.a. zur Verdeckung der Nähte, Erhöhung der Wärmehaltung; verwendet werden v.a. Baumwolle, Chemiefasern, Seide oder Mischgewebe.
◆ svw. ↑ Auskleidung.

Futteral [german.-mittellat.], gefütterte [Schutz]hülle; Überzug, Behälter, Hülse.

Futterautomat, in der Landw. eine Vorrichtung, die den Tieren schüttbare Futtermittel (z.B. Körner) zuteilt. Bei einfachen F. rieselt das Futter in der Menge nach, wie es von den Tieren entnommen wird. Moderne F. dagegen dosieren das Futter.

Futterbau, Anbau von Nutzpflanzen, die frisch, gesäuert oder getrocknet zur Tierfütterung verwendet werden (z.B. Mais, Kartoffeln, Rüben, verschiedene Kleearten). Im F. unterscheidet man zw. **Dauergrünlandnutzung,** bei der ein Teil der landw. Nutzfläche dauernd als Wiese oder Weide genutzt wird, und **Feldfutterbau,** bei dem die Futterpflanzen auf dem Acker angebaut werden.

Futterbohne, svw. ↑ Pferdebohne.

Futteresparsette ↑ Esparsette.

Futterkugel (Pflanzenhaarstein), aus Pflanzenfasern bestehender Bezoarstein im Verdauungskanal von pflanzenfressenden Säugetieren (bes. Huftieren).

Futtermittel, svw. ↑ Futter.

Futterrübe ↑ Runkelrübe.

Futterstoff, svw. ↑ Futter.

Futuna [frz. fyty'na], Vulkaninsel im Pazifik, ↑ Wallis et Futuna.

Futur [lat.] ([1.] Futurum, Zukunft, Futur I), Tempus des Verbs, das ein erwartetes, in der Zukunft ablaufendes Geschehen oder Sein bezeichnet. Das F. wird im Dt. mit dem Hilfsverb *werden* und dem Infinitiv gebildet: ich werde arbeiten. Das F. im Dt. drückt nur selten wirklich etwas Zukünftiges aus (z.B. ich werde morgen fahren; dafür meist das Präsens: ich fahre morgen), häufiger ist seine Verwendung für modale Abstufungen, z.B. Vermutungen (Das wird wohl viel kosten), Befürchtungen (Du wirst vielleicht enttäuscht

sein), Aufforderungen, Befehle (Wirst du
jetzt endlich zu arbeiten anfangen), Absich-
ten (Ich werde dich einmal besuchen). – ↑ Futurum exaktum.

Futura [lat.], eine von P. Renner 1926 geschaffene klare Groteskschrift.

Futurismus [lat.], Anfang des 20. Jh. in
Italien aufgekommene, nach Rußland aus-
greifende revolutionierende Bewegung in der
Literatur und in der bildenden Kunst sowie
in der Musik, als eine Erneuerungsbewegung
durchaus mit polit. Akzentuierung. Zentren
waren Berlin und Paris. Nach dem 1909 im
„Figaro" veröffentlichten Gründungsmani-
fest des italien. [literar.] F. von Marinetti folgte eine Flut von Manifesten, auch zur Politik
(deutl. faschist. Marinettis „Futurismus und
Faschismus", 1924).
Literatur: Der F. will das moderne Leben, die
Welt der Technik als „Bewegung, als Dynamik" spiegeln, als „allgegenwärtige Geschwindigkeit, die die Kategorien Raum und
Zeit aufhebt". Eine derartige Literatur mußte
sich ihre eigene Sprache, Syntax und Grammatik erst einmal schaffen („Techn. Manifest
der futurist. Literatur", 1912). In den sprachl.
und formalen Neuerungen liegt daher die
Bed. des *italien. F.,* durch die beeinflußte er
u. a. Dadaismus und Surrealismus. Auch die
russ. Futuristen (1912) betonten das Recht
des Dichters auf Revolutionierung des poet.
Stoffes, des Wortschatzes und der Syntax
(D. Burliuk, W. Chlebnikow, A. Krutschonych,
W. Majakowski). Seit 1923 wurden sie bzw.
ihre Zeitschrift „LEF" angefeindet.
Malerei, Plastik, Architektur: Mit Marinetti
gaben U. Boccioni, C. Carrà, L. Russolo und
G. Balla 1910 das „Manifest der futurist. Malerei" heraus, gefolgt vom „Techn. Manifest
der futurist. Malerei". Bewegung und Energie wird im *italien. F.* durch den sog. „Kom-
plementarismus", das ständige Sichdurch-
dringen und Ergänzen der Formen und Farben (da Licht und Bewegung die Stofflich-
keit der Körper zerstören) wiedergegeben,
seit 1912 als simultane Darstellung von Be-
wegungsimpulsen. Boccioni forderte 1912
auch für die Plastik dynam. Simultaneität,
Sant'Elia eine futurist. Architektur. Auf dem
1920 in Moskau von Gabo und Pevsner veröffentlichten „Techn. Manifest" basierend,
strebt der *russ. F.* in der bildenden Kunst auf
konstruktivist. Basis eine absolute Gestaltung
ohne Wiedergabe individueller Empfindun-
gen an. Mechan. Bewegungsimpulse und
elektr. Licht werden in dreidimensionale Objekte mit einbezogen.
📖 *Calvesi, M.: F. Herrsching 1988. – Eltz, J.:
Der italien. F. in Deutschland, 1912–1922.
Bamberg 1986. – Chiellino, C.: Die F.debatte.
Bern 1978. – Baumgart, C.: Gesch. des F. Rbk.
1966.*

Futurologie [lat./griech.], Zukunftsfor-
schung; gliedert sich nach O. K. Flechtheim,
der den Begriff „F." 1943 geprägt hat, in Pro-
gnostik, Planungswiss. und Philosophie der
Zukunft (Ideologie- und Utopiekritik); weniger eine eigenständige wiss. Disziplin als vielmehr ein wiss. Problemfeld, zu dem viele
wiss. Disziplinen (Nationalökonomie, Soziologie, polit. Wiss., Naturwiss.) beitragen müssen, um die zukünftige Entwicklung durch-
schaubar zu machen. Die F. will nicht die Zukunft im einzelnen ausmalen, sondern alternative Entwicklungsmöglichkeiten aufzeigen
und dadurch Entscheidungsgrundlagen liefern. Insbes. seit den letzten Jahren versucht
die F., die 5 Hauptprobleme für das Überle-
ben der Menschheit in einer menschenwürdi-
gen Zukunft zu bewältigen: 1. Eliminierung
des Krieges und Institutionalisierung des
Friedens; 2. Beseitigung von Hunger und
Elend in der dritten und vierten Welt (Stabilisierung der Bev.zahl); 3. Beendigung des
Raubbaus der natürl. Reserven sowie Schutz
der Natur und des Menschen vor sich selber;
4. Überwindung von Ausbeutung und Unterdrückung sowie Demokratisierung von Staat
und Gesellschaft; 5. Abbau von Sinnentlee-
rung und Entfremdung sowie Schaffung eines „kreativen Homo humanus" (O. K.
Flechtheim). Die F. ist in Deutschland insti-
tutionalisiert in der Gesellschaft für Zu-
kunftsfragen e. V. (Berlin), in Österreich in
der Östr. Gesellschaft für langfristige Ent-
wicklungsforschung (Wien), in der Schweiz
in der Schweizer. Vereinigung für Zukunfts-
forschung (Zürich).

Futurum exaktum [lat. „vollendete Zukunft"] (2. Futurum, Futur II), Tempus des
Verbs, das ein in der Zukunft liegendes Geschehen bezeichnet, das sich bei Eintritt eines
anderen zukünftigen Geschehens bereits
vollendet hat. Im Dt. wird das F. e. durch die
Hilfsverben *werden* und *haben* bzw. *sein* gebildet, drückt aber häufig kein Tempus, sondern eine Vermutung aus, z. B. die Aufgabe
wirst du sicher rasch *erledigt haben.*

Fux, Johann Joseph, *Hirtenfeld (Steiermark) 1660, † Wien 13. Febr. 1741, östr. Komponist. – Seit 1698 Hofkomponist, seit 1715
Hofkapellmeister in Wien; bed. Meister des
südd.-östr. Barock; komponierte über 500
Werke. Seine „Gradus ad Parnassum" (1725)
werden bis heute als Kontrapunktlehre verwendet.

Fuxin [chin. fuᴐɪn] (Fusin), Stadt in NO-
China, Prov. Liaoning, 653 000 E. Schnell
wachsendes Zentrum des Steinkohlenberg-
baus und der Energieerzeugung. – 1904 gegründet.

Fuzhou [chin. fuᴣou] (Futschou), Hauptstadt der chin. Prov. Fujian, oberhalb der
Mündung des Min Jiang in das Ostchin.

Meer. 1,21 Mill. E. Univ.; Schiffbau, elektron., chem., Textilind., Kunsthandwerk (Lackwaren); Exporthafen. 1984 zur „offenen" Küstenstadt erklärt. – Im 3./2.Jh. v.Chr. entstanden; seit 1734 endgültig Hauptstadt der Prov. Die wichtige Handelsstadt gehörte zu den durch den Vertrag von Nanking (1842) dem ausländ. Handel geöffneten ersten 5 Vertragshäfen.

FVP, Abk. für: ↑Freie Volkspartei.
F. V. S. ↑Stiftung F. V. S. zu Hamburg.
Fyt, Jan [niederl. fε̣it], ≈ Antwerpen 15. März 1611, †ebd. 11. Sept. 1661, fläm. Maler. – In der Nachfolge seines Lehrers F. Snyders malte F. Stilleben (Motive: Wildbret, Früchte, Blumen) sowie Jagd- und Tierbilder, bes. mit Federwild.
fz, Abk. für: **forzato** (↑sforzato).

G

G, der siebte Buchstabe des Alphabets. Da altlat. ↑C die Lautwerte [g] und [k] hatte, wurde im 3.Jh. v.Chr. durch Zufügung eines Querstrichs G mit dem Lautwert [g] aus C differenziert und nahm im Alphabet den Platz des bereits vorher aufgegebenen Z ein, das erst später wieder neu entlehnt wurde.
◆ (g) in der *Musik* die Bez. für die 5. Stufe der Grundtonleiter C-Dur, durch ♯ (Kreuz) erhöht zu gis, durch ♭-(b) Vorzeichnung erniedrigt zu ges.
◆ (Münzbuchstabe) ↑Münzstätte.
G, Abk.:
◆ für: Genius und Gens, auf röm. Inschriften.
◆ für: Geld, Zusatz auf Kurszetteln hinter dem Kurs; besagt: Zum genannten Kurs bestand Nachfrage, jedoch kamen keine oder nur wenige Kaufaufträge (mangels entsprechenden Angebots) zur Ausführung.
G, Einheitenzeichen für ↑Gauß.
G, Vorsatzzeichen für ↑Giga.
g, Einheitenzeichen für Gramm (↑Kilogramm).
g, Formelzeichen für Fallbeschleunigung (↑Fall).
Ga, chem. Symbol für ↑Gallium.
Gäa (Gaia), bei den Griechen die göttl. „Urmutter Erde", die alles Sterbliche hervorbringt und wieder in sich aufnimmt, erzeugt als Urprinzip aus sich selbst den Himmel, die Gebirge und das Meer; spielt in der dichterisch-philosoph. Spekulation eine größere Rolle als in der Volksreligion.
Gäa [griech.], in der Tiergeographie Bez. für einen von Tieren besiedelten Großraum auf der Erdoberfläche *(Faunenreich);* bezüglich der Landfauna unterscheidet man auf der Erde drei Faunenreiche: ↑Arktogäa, Neogäa (↑neotropische Region) und Notogäa (↑australische Region).
Gạbal, im Sudan und in Ägypten svw. Berg.

Gabardine [frz., zu span. gabardina „Männerrock"], einfarbiges festes Gewebe aus Kammgarnen in Köperbindung.
Gạbbro [italien.], grobkörniges, bas. Tiefengestein, fast schwarz, z. T. mit grünl. oder bläul. Farbton; Hauptbestandteile: Plagioklas und Pyroxen. Verwendung als Baustein und für [Grab]denkmäler.
Gabel [urspr. „gegabelter Ast"], als Tischgerät zuerst 1023 in Montecassino erwähnt, diente die G. bis ins späte MA zum Vorlegen (v. a. von Fleisch), vom 16. Jh. an zunehmend auch als Eßgerät.
Gabelantilope, svw. ↑Gabelbock.
Gabelbock, (Gabelantilope, Antilocapra americana) einzige rezente Art der ↑Gabelhorntiere in der Prärie N-Amerikas; Körperlänge etwa 1–1,3 m, Schulterhöhe 0,9 bis 1 m; Fell dicht, rotbraun, an Kopf und Hals weiße und schwarze Zeichnungen, Brust und Bauchseite weiß, am Hinterende großer, weißer „Spiegel"; ♂ mit gegabeltem, etwa 30 cm langem Gehörn.
◆ ↑Gabler.
Gabelfarne, svw. ↑Gleicheniengewächse.
Gabelhirsche, svw. ↑Andenhirsche.
◆ ↑Gabler.
Gabelhorntiere (Antilocapridae), Fam. der Paarhufer mit mehreren fossilen Gatt.; z. T. großes, stark verzweigtes (hirschgeweihähnl.) Gehörn, dessen Knochenzapfen nicht abgeworfen wird. – ↑Gabelbock.
Gạbelsberger, Franz Xaver, * München 9. Febr. 1789, †ebd. 4. Jan. 1849, dt. Stenograph. – Sekretär und Kanzlist im bayr. Staatsdienst; schuf als erster eine kursive Kurzschrift, die später eine der Voraussetzungen für die dt. Einheitskurzschrift wurde.
Gabelschwänze, Bez. für zwei Gatt. der Zahnspinner (Cerura und Harpyia) mit mehreren Arten in den nördl. gemäßigten Regio-

nen. Bei den meist grünlich, bunt gezeichneten Raupen ist das letzte Beinfußpaar in zwei lange, gabelähnl. Fortsätze umgewandelt. In M-Europa kommen fünf Arten vor, u. a. der bis 7 cm spannende **Große Gabelschwanz** (Cerura vinula) mit durchscheinenden, weißgrauen Vorderflügeln und etwas dunkleren Hinterflügeln.

Gabelschwanzseekühe (Dugongs, Dugongidae), Fam. bis 7,5 m langer Seekühe mit zwei Arten im Roten Meer, Ind. Ozean und Beringmeer; mit horizontalem, seitlich ausgezipfeltem Schwanzruder; Schneidezähne bei ♂♂ als kurze Stoßzähne entwickelt; einzige rezente Art ist der bis 3,2 m lange, maximal 200 kg schwere **Dugong** (Dugong dugong) im Roten Meer und Ind. Ozean. Die Art **Stellersche Seekuh** (Riesenseekuh, Phytina gigas) mit einem plumpen, bis etwa 8 m langen und rd. 20 t schweren Körper mit dikker borkiger Haut wurde um 1768 ausgerottet.

Gabelstapler ↑ Hubstapler.

Gabeltang (Dictyota dichotoma), Braunalgenart mit handgroßem, gabelig verzweigtem Thallus; bildet oft ausgedehnte, bis 15 cm hohe Rasen am Meeresboden.

Gabelweihe, svw. Roter Milan (↑ Milane).

Gabelzahnmoos (Dicranum), Gatt. der Laubmoose mit etwa 50 Arten, meist in den kühlen und gemäßigten Zonen der Nordhalbkugel; kleine bis mittelgroße, rasenbildende Moose mit sichelförmigen, an der Spitze gezähnten Blättern.

Gabengebet ↑ Sekret.

Gabès [frz. ga'bɛs], tunes. Stadt am Golf von G., in einer Küstenoase, 92 000 E. Verwaltungssitz des Governorats G. Erdölraffinerie, chem. Ind., Teppichherstellung, Kunsthandwerk (Flecht- und Schmuckwaren); Fischerei; Seebad; Hochseehafen; Fremdenverkehr; ⚓. – Zahlr. Moscheen, maler. Sukviertel. – An der Stelle von G. befand sich die röm. Kolonie Tacapae.

Gabès, Golf von [frz. ga'bɛs] (Kleine Syrte), Teil des Mittelmeers an der südl. O-Küste Tunesiens, 68 km breit, 41 km lang; Erdölförderung und Erdgasgewinnung.

Gabin, Jean [frz. ga'bɛ̃], eigtl. Jean Alexis Moncorgé, * Mériel bei Paris 17. Mai 1904, † Neuilly-sur-Seine 15. Nov. 1976, frz. Filmschauspieler. – Berühmt seit den 30er Jahren als Typ des harten Burschen in Filmen wie „Nachtasyl" (1936), „Pépé le Moko" (1937), „Die große Illusion" (1937), „Bestie Mensch" (1938), „Hafen im Nebel" (1938), „Der Tag bricht an" (1939). Bed. Charakterschauspieler, z. B. in „French Can-Can" (1955), „Die Katze" (1971), „Der Fall Dominici" (1973). Bes. populär wurden seine „Kommissar-Maigret"-Filme.

Gabirol (Gebirol), Salomon Ben Jehuda Ibn [gabi'ro:l], latinisiert Avicebron oder Avencebrol, * Málaga um 1021, † Valencia 1058 oder 1070, span.-jüd. Dichter und Philosoph. – Wirkte im arab. Spanien; sein in arab. Sprache abgefaßtes philosoph. Hauptwerk, das nur in der um 1150 erstellten lat. Übersetzung von Johannes Hispanus u. d. T. „Fons vitae" (Lebensquell) erhalten ist, enthält jüd. religiöse Ideen, verbunden mit arab. Aristotelismus und alexandrin. Neuplatonismus; von großem Einfluß auf die Philosophie des MA bis Spinoza; gilt als erster jüd. Philosoph des Abendlandes; seine Dichtung umfaßt Hymnen, Klagelieder, Gebete und Bußgesänge.

Gable, Clark [engl. gɛɪbl], * Cadiz (Ohio) 1. Febr. 1901, † Los Angeles-Hollywood 16. Nov. 1960, amerikan. Filmschauspieler. – Als Typ des charmanten Draufgängers erlangte er Weltruhm in Filmen wie „Es geschah in einer Nacht" (1934), „Meuterei auf der Bounty" (1935), „Vom Winde verweht" (1939), „Nicht gesellschaftsfähig" (1960).

Gablenz, Carl-August Freiherr von, * Erfurt 13. Okt. 1893, † bei Mühlberg/Elbe 21. Aug. 1942 (Flugzeugabsturz), dt. Luftfahrtpionier. – 1926 Flugbetriebsleiter der Dt. Lufthansa; ermöglichte 1934 mittels schwimmender Flugzeugstützpunkte den ersten planmäßigen Transatlantikflugdienst der Welt.

Gabler, Joseph, * Ochsenhausen 6. Juli 1700, † Bregenz 8. Nov. 1771, dt. Orgelbauer. – Bed. Orgelbauer Oberschwabens; baute Orgeln in Ochsenhausen, Weingarten (Abteikirche, 1737–50), Memmingen und Bregenz.

Gabler, wm. Bez. für einen Rothirsch (**Gabelhirsch**) oder Rehbock (**Gabelbock**) mit einfach verzweigtem Geweih bzw. Gehörn.

Gablonz an der Neiße (tschech. Jablonec nad Nisou), Stadt in der ČSFR, 10 km sö. von Reichenberg, 475 m ü. d. M., 45 700 E. Techn. Nationalmuseum; Maschinenbau; Mittelpunkt der nordböhm. Bijouteriewaren-

Jean Gabin

Clark Gable

ind. - 1356 gegr., 1538 aber als Wüstung erwähnt, im 16. Jh. erneut besiedelt. Im 19. Jh.
Aufstieg durch Textil-, Glas- und Schmuck-
ind., 1866 Stadt.

Gabo, Naum [engl. 'gɑːboʊ], eigtl. N.
Pevsner, * Brjansk 5. Aug. 1890, † Waterbury
(Conn.) 23. Aug. 1977, russ.-amerikan. Bild-
hauer. - Seit 1946 in den USA; Bruder von A.
Pevsner. Bed. Vertreter des russ. † Konstrukti-
vismus. In seinen mit Nylon bespannten Ob-
jekten („Raumplastiken") bauen sich räuml.
Schichten auf.

Gábor, Dennis [ungar. 'gɑːbor], * Budapest 5. Juni 1900, † London 9. Febr. 1979, brit.
Physiker ungar. Herkunft. - 1958-67 Prof.
am Imperial College in London. Arbeiten zur
Plasmaphysik, Elektronenoptik und Infor-
mationstechnik; erfand 1948 die † Holographie. Nobelpreis für Physik 1971.

Gaborone [engl. gɑːbɔːˈroʊneɪ], Hauptstadt von Botswana, im SO des Landes,

Jacques-Ange Gabriel. Südfassade des
Petit Trianon in Versailles; 1764–68

1 015 m ü. d. M., 120 000 E. Kath. Bischofssitz,
Univ. (1976 gegr.), Nationalmuseum; Zentrum eines Viehzuchtgebiets; Bahnstation, internat. ✈. - G. wurde 1965 Hauptstadt des
brit. Protektorats Betschuanaland (seit 1966
Botswana).

Gabriel, Erzengel; in Luk. 1, 26 Engel der
Verkündigung der Geburt Jesu, gilt im Islam
als der höchste Engel, von dem Mohammed
seine Offenbarung empfing.

Gabriel, Jacques-Ange [frz. gabriˈɛl],
* Paris 23. Okt. 1698, † ebd. 4. Jan. 1782, frz.
Baumeister. - Vollendete als königl. Architekt die Arbeiten seines Vaters Jacques G.
(* 1667, † 1742) in Rennes und Bordeaux
(Place de la Bourse). Zu G.s Hauptwerken im
klassizist. Stil gehören in Paris die École Mi-
litaire (begonnen 1751), die Place de la Concorde (begonnen 1755), in Versailles die Oper
(1769/70) und das Petit Trianon (1764-68).

Gabrieli, Andrea, * Venedig um 1510,
† ebd. 1586, italien. Komponist. - Seit 1566
Organist an San Marco in Venedig. Komponierte (z. T. mehrchörig) „Sacrae cantiones"
(1565), 6stimmige Messen und Psalmen,
16stimmige „Concerti" (1587), 3- bis 6stim-
mige Madrigale, Orgelwerke.

G., Giovanni, * Venedig zw. 1553 und 1556,
† ebd. 12. Aug. 1612, italien. Komponist. -
Neffe und Schüler von Andrea G.; seit 1584
Organist an San Marco in Venedig, Lehrer
von H. Schütz. Mit seinen 3- bis 22stimmigen
„Canzoni e sonate" (1615) war er an der Ausbildung einer eigenständigen Instrumentalmusik entscheidend beteiligt. Er komponierte
außerdem Madrigale u. a. vokale Werke sowie Orgelstücke.

Gabrowo, Stadt in N-Bulgarien, am
Oberlauf der Jantra, 392 m ü. d. M., 82 000 E.
Maschinenbauhochschule, Freilichtmuseum
(alte Handwerke). Textil-, Lederind., Maschinenbau und Elektroindustrie.

Gabun

(amtl. Vollform): République Gabonaise), Republik an der W-Küste Afrikas, zw. 4° s. Br. und 2° n. Br. sowie 9° und 14° ö. L. **Staatsgebiet:** G. grenzt im S und O an Kongo, im N an Äquatorialguinea und Kamerun, im W an den Atlantik. **Fläche:** 267 667 km². **Bevölkerung:** 1,2 Mill. E (1992), 5 E/km². **Hauptstadt:** Libreville. **Verwaltungsgliederung:** 9 Prov. **Amtssprache:** Französisch, Umgangssprache: Französisch und (regional) Bantudialekte. **Nationalfeiertag:** 17. Aug. (Unabhängigkeitstag). **Währung:** CFA-Franc = 100 Centimes (c). **Internationale Mitgliedschaften:** UN, OAU, UDEAC, UMOA, OPEC und Frz. Gemeinschaft, der EU assoziiert. **Zeitzone:** MEZ.

Landesnatur: G. liegt auf der Niederguineaschwelle, die in einigen Gebirgszügen Mittelgebirgscharakter hat (im Massif du Chaillu bis über 1 550 m ü. d. M.) und zur Küste hin in einem relativ ebenen Vorland (bis 300 m ü. d. M.) ausläuft. Den N und O des Landes nehmen Hochplateaus ein. G. liegt größtenteils im Einzugsbereich des Ogowe.
Klima: Das Klima ist tropisch mit zwei Regenzeiten und nur schwach ausgeprägten Trockenzeiten.
Vegetation: Der trop. Regenwald (auf urspr. 75 % der Fläche) ist weitgehend vernichtet, vorherrschend sind hier jetzt Sekundärwälder. Auf 15 % der Fläche Feuchtsavannen, nur im SO Trockensavannen. An der durch Lagunen stark gegliederten Küste sind z. T. Mangrovenwälder verbreitet.
Tierwelt: Sie umfaßt Arten der Savanne (Schakal, Tüpfelhyäne, Büffel, Elefant, Antilope u. a.) sowie des trop. Regenwaldes (z. B. Gorilla).
Bevölkerung: Sie setzt sich v. a. aus Bantustämmen zus. (Pangwe oder Fang, Eschira, Mbete u. a.). 60 % sind Christen, rd. 40 % Anhänger traditioneller Religionen. Schulpflicht besteht vom 7.–16. Lebensjahr. In Libreville besteht eine Univ. (gegr. 1971).
Wirtschaft: Größte Bedeutung hat die Erdölförderung (²/₃ der Staatseinnahmen) im Küstenschelf um Port-Gentil und bei Gamba im S. Manganerze (nach der GUS zweitgrößter Exporteur der Erde) werden im SO abgebaut und per Seilbahn nach Mbinda (Kongo) transportiert, Uranerze werden bei Mounana im Tiefbau gewonnen. Die einst wichtige Holzgewinnung (bes. Okume) ist stark rückläufig. Landw. wird v. a. im äußersten N, O und S betrieben. Die landw. Nutzfläche umfaßt nur 0,5 % der Landesfläche. Für den Export ist der Kakaoanbau bedeutsam.
Außenhandel: Ausfuhr von Bergbauerzeugnissen (über 90 % des Exportwertes) und Holz, Einfuhr von Lebensmitteln, Maschinen und Fahrzeugen, Metallen. Wichtigste Handelspartner sind Frankreich und die USA.
Verkehr: Ende 1986 wurde die Trans-G.-Eisenbahn (649 km) fertiggestellt. Das Straßennetz ist 6 898 km lang. Die wichtigste Binnenwasserstraße ist der Ogowe. Die bedeutendsten Hochseehäfen sind Port-Gentil, Libreville und Owendo bei Libreville; internat. ⚓ in Libreville und Port-Gentil.
Geschichte: Die Küste G. wurde 1472 von den Portugiesen entdeckt. 1839 ließen sich die Franzosen am Gabunästuar nieder. Als Stützpunkt errichtete 1843 die frz. Marine das Fort Aumale, das mit der seit 1849 bestehenden Siedlung aus befreiten schwarzen Sklaven den programmiert. Namen Libreville erhielt. Nach Erwerb weiterer Küstenstreifen begann 1851 die Erforschung des Landesinneren, auch des frz. Kongo. 1886 erhielten die Gebiete den Status von Kolonien. Seit 1910 war G. Teil von Frz.-Äquatorialafrika. 1929 wurde der letzte Aufstand niedergeworfen. Mit dem Beitritt zur Frz. Gemeinschaft 1958 wurde G. selbständig. 1960 erklärte es sich für unabhängig, blieb aber in der Gemeinschaft und unterhielt bes. enge wirtsch., kulturelle und militär. Beziehungen zu Frankreich; frz. Truppen warfen 1964 einen Militärputsch gegen Staatspräs. L. Mba nieder. Seit 1967 ist O. Bongo Staatspräs., der 1979, 1986 und 1993 wiedergewählt wurde. Nach anhaltenden Unruhen und Streiks kam es 1990 zu einer Reg.umbildung; neuer Min.präs. ist seit April Casimir Oyé-Mba. Eine „Nationale Konferenz" (27. 3.–23. 4. 1990) beschloß die Aufgabe des von dem Parti Démocratique Gabonais (PDG) seit 1968 getragenen Einparteiensystems und die Zulassung auch oppositioneller Parteien. Parlamentswahlen im Okt. 1990 gewann die PDG.
Politisches System: Nach der Verfassung von 1961 (mehrfach geändert) ist G. eine präsidiale Republik. *Staatsoberhaupt* und oberster Inhaber der *Exekutive* ist der auf 7 Jahre gewählte Staatspräs. (Wiederwahl ist möglich). Er ernennt und entläßt die Mgl. des Min.rats. Der Präs. hat Gesetzesinitiative und ist Oberbefehlshaber der Streitkräfte. Die *Legislative* liegt beim Parlament, der Nationalversammlung (111 vom Volk auf 7 Jahre gewählte sowie 9 ernannte Abg.). Allein zugelassene *Partei* bis zur Einführung des Mehrparteiensystems im Jahre 1990 war seit 1968 der Parti Démocratique Gabonais (PDG). Wichtigste der seit Okt. 1990 im Parlament vertretenen oppositionellen Parteien ist der Rassemblement de Redressement National des Bûcherons (RNB). In G. gelten zwei *Rechtssysteme,* ein modifiziertes frz. (mit Amts- und Untergerichten) und ein traditionelles (mit lokalen Gerichten und regionalen

Berufungsgerichten). Der Oberste Gerichtshof ist oberste Berufungsinstanz und auch für Verfassungs-, Verwaltungs- und Finanzstreitigkeiten zuständig.

📖 *Barret, J.: Géographie et cartographie du Gabon, Paris 1983. – Schamp, E. W.: Industrialisierung in Äquatorialafrika. Mchn. 1978.*

Gabunästuar, Bucht des Golfs von Guinea, am nördl. Küstenabschnitt von Gabun, 80 km lang und bis 16 km breit.

Gad, einer der zwölf Stämme Israels.

Gadamer, Hans-Georg, * Marburg a. d. Lahn 11. Febr. 1900, dt. Philosoph. – Seit 1937 Prof. in Marburg, seit 1939 in Leipzig, seit 1947 in Frankfurt am Main, seit 1949 in Heidelberg. Bekannt v. a. durch seine „philosoph. Hermeneutik", die wesentl. Impulse von W. Dilthey, E. Husserl und M. Heidegger aufgenommen und verarbeitet hat. Grundlegend dafür ist sein Werk „Wahrheit und Methode" (1960), das Erfahrungsmöglichkeiten von Wahrheit (in Philosophie, Kunst und Geschichte) ausmacht, die nicht nur jenseits des neuzeitl., sich wiss. verstehenden Methodenbewußtseins liegen, sondern die menschl. Welterfahrung überhaupt betreffen und die auf anderem Wege nicht erreichbar sind.

Weitere Werke: Hegels Dialektik (1971), Die Begriffsgeschichte und die Sprache der Philosophie (1971), Philosoph. Lehrjahre (1977), Heideggers Wege (1983).

Gadara, Name mehrerer Städte im alten Palästina: G. sö. des Sees Genezareth (heute Ruinenstätte bei Umm Kais) war ein hellenist. Kulturmittelpunkt (Heimat von Meleagros, Menipp, Philodemos), Mgl. der ↑ Dekapolis. Zeitweilig jüd. (1. Jh. v. Chr.), dann endgültig römisch. – G. nö. von Jericho war zeitweilig Zentrum des jüd. Aufstandes 66 n. Chr. – Dt. Ausgrabungen seit 1977.

Gadda, Carlo Emilio, * Mailand 14. Nov. 1893, † Rom 21. Mai 1973, italien. Schriftsteller. – Verf. nuancierter Romane und Erzählungen, u. a. „Die gräßl. Bescherung in der Via Merulana" (R., 1957), „Die Erkenntnis des Schmerzes" (R., 1963).

Gaddafi, El ↑ Kadhdhafi, Al.

Gaddi, Taddeo, * Florenz (?) gegen 1300, † ebd. 1366, italien. Maler. – Mehr als zwei Jahrzehnte Schüler und Gehilfe von Giotto, übernahm er dessen flüssige Linienführung und übte seine perspektiv. Fähigkeiten an verschachtelten Architekturhintergründen; belebte den Raum mit erzähler. Details und Lichteffekten; u. a. Fresken der Cappella Baroncelli in Santa Croce, Florenz (1332–38). Sein Sohn **Agnolo Gaddi** (* um 1350, † 1396) führte die väterl. Werkstatt weiter.

Gade, Niels [Wilhelm] [dän. 'ga:ðə], * Kopenhagen 22. Febr. 1817, † ebd. 21. Dez. 1890, dän. Komponist und Dirigent. – 1844–48 Dirigent des Leipziger Gewandhausorchesters;

an Mendelssohn Bartholdy und Schumann orientiertes Schaffen, u. a. Ballette, 8 Sinfonien u. a. Orchesterwerke, ein Violinkonzert, Chor- und Kammermusik, Klavierstücke und Lieder.

Gadebusch, Krst. in Meckl.-Vorp., 31–35 m ü. d. M., 7 000 E. Waldbühne; Leder- und Teigwarenind. – 1194 erstmals erwähnt, kam 1203 an Meckl., erhielt 1225 lüb. Stadtrecht. Seit 1621 gehörte G. zu Meckl.-Schwerin. – Schloß (Hauptgebäude 1570/71), spätroman. Stadtkirche (um 1220); Rathaus (um 1340) mit Gerichtslaube (1618).

G., Landkr. in Meckl.-Vorpommern.

Gaden (Gadem), Haus von nur einem Raum oder nur einem Stockwerk; Fensterbereich des Mittelschiffs einer Basilika (Lichtgaden, Obergaden).

Gades, Antonio, eigtl. A. Esteve, * Elda (Prov. Alicante) 16. Nov. 1936, span. Tänzer, Choreograph und Ballettdirektor. – Gilt als einer der führenden span. Tänzer und Choreographen; wurde weltbekannt mit seiner Flamenco-Trilogie („Bluthochzeit", 1981; „Carmen", 1983; „Liebeszauber", 1986), die C. Saura verfilmte.

Gades ↑ Cádiz.

Gadir ↑ Cádiz.

Gadolinium [nach dem finn. Chemiker J. Gadolin, * 1760, † 1852], chem. Symbol Gd; metall. Element aus der Reihe der Lanthanoide, Ordnungszahl 64, relative Atommasse 157,25, Schmelzpunkt 1311 °C, Siedepunkt 3 233 °C. G. ist silberweiß bis schwach gelblich; in seinen vorwiegend farblosen Verbindungen ist es dreiwertig. Vorkommen v. a. in den Mineralen Gadolinit und Yttrotantalit. Gewonnen wird es aus dem Fluorid GdF_3 durch Reduktion mit Calcium. G. ist ferromagnetisch. Verwendung in der Kern-, Mikrowellen- und Hochfrequenztechnik.

Gaede, Wolfgang, * Lehe (= Bremerhaven) 25. Mai 1878, † München 24. Juni 1945, dt. Physiker. – Prof. in Karlsruhe von 1919 bis zu seiner Entlassung durch die Nationalsozialisten 1934; entwickelte sehr leistungsfähige Pumpen und Meßgeräte für die Vakuumtechnik.

Gaeta, italien. Hafenstadt und Seebad im südl. Latium, 10 m ü. d. M., 24 100 E. Erzbischofssitz; Nahrungsmittelind., Bootsbau. – In der Antike **Caieta;** wurde im 9. Jh. Hauptstadt eines gleichnamigen Hzgt.; 1848/49 Zufluchtsort von Papst Pius IX., 1860 von König Franz II. von Neapel/Sizilien, der dort 1861 zur Kapitulation gezwungen war (Ende der Bourbonenherrschaft). – Roman. Dom (geweiht 1106; klassizistisch restauriert 1792) mit roman. Kampanile, Kastell (v. a. 13. und 15./16. Jh.; heute Gefängnis).

Gaetani [italien. gae'ta:ni], italien. Adelsfamilie, ↑ Caetani.

Gaffel [niederdt. „Gabel"], am oberen Teil eines Schiffsmastes angebrachtes, schräg nach hinten aufwärts ragendes Rundholz, an dem die Oberkante des **Gaffelsegels** befestigt wird.

Gaffky, Georg Theodor August ['gafki], *Hannover 17. Febr. 1850, †ebd. 23. Sept. 1918, dt. Bakteriologe. – Schüler R. Kochs; Prof. für Hygiene in Gießen, später Nachfolger Kochs als Direktor des Instituts für Infektionskrankheiten in Berlin; 1884 züchtete er erstmals den Typhusbazillus in Reinkultur.

Gaffori, Franchino, latinisiert Franchinus Gafurius, *Lodi 14. Jan. 1451, †Mailand 24. Juni 1522, italien. Komponist und Musiktheoretiker. – Seit 1484 Kapellmeister am Mailänder Dom; einer der bedeutendsten Musiktheoretiker seiner Zeit („Practica musicae", 1496); komponierte daneben zahlr. Messen.

Gafsa, tunes. Stadt, Zentrum einer Oase, nw. von Gabès, 325 m ü. d. M., 61 000 E. Verwaltungssitz des Governorats G. Leder-, Textilind.; Kunsthandwerk. In der Umgebung Phosphatabbau; Thermalquellen (25 °C). – G. ist das antike **Capsa** (Ruinen aus der Römerzeit); nach Funden aus der Umgebung ist das †Capsien benannt.

Gag [gɛk, engl. gæg; engl.-amerikan., eigtl. „Knebel"], Trick, Ulk, witziger Einfall in Theaterstücken, Filmen und beim Kabarett, auch allg. für Überraschungseffekt.

Gagaku [jap. „elegante Musik"], die „klass." Musik Japans, wie sie seit Anfang des 8. Jh. bis heute am Kaiserhof gepflegt wird. Das Repertoire umfaßt Instrumentalmusik, Tanzmusik („bugaku"), Vokalmusik und Musik für den shintoist. Ritus.

Gagarin, Juri Alexejewitsch, *Kluschino (Gebiet Smolensk) 9. März 1934, †bei Nowosjolowo (Gebiet Wladimir) 27. März 1968 (Flugzeugabsturz), sowjet. Luftwaffenoffizier und Kosmonaut. – Umkreiste am 12. April 1961 als erster Mensch die Erde in einer Raumkapsel.

Gagat [zu griech. gagátēs (nach dem Fluß und der Stadt Gagas in Lykien)] (Jet), bitumenreiche Braunkohle, meist tiefschwarz und von samtartigem Wachs- oder Fettglanz; Vorkommen in Großbritannien, Frankreich, Spanien, auch in Württ. und Franken; Verwendung als Schmuckstein.

Gagausen, christl. Turkvolk in Moldawien und der Ukraine (etwa 185 000), in Rumänien und Bulgarien (zus. etwa 5 000).

Gage ['ga:ʒə; altfränk.-frz.], Bezahlung, Gehalt von Künstlern.

Gagelstrauch (Myrica), in den gemäßigten und subtrop. Gebieten (außer Australien) vorkommende Gatt. der **Gagelgewächse** (Myricaceae). Von den etwa 50 Arten kommt in den norddt. Moor- und Heidegebieten der

Heidegagelstrauch (Myrica gale) vor; sommergrüner, 1–1,5 m hoher Strauch mit ungeteilten, harzig-drüsigen, aromatisch duftenden Blättern und kleinen, unscheinbaren Blüten; Steinfrüchte.

Gagern, dt. Uradelsgeschlecht (Stammsitz Gawern auf Rügen); erstmals 1290 urkundlich erwähnt. Bed.:

G., Friedrich Freiherr von, *Schloß Mokritz (Krain) 26. Juni 1882, †Geigenberg bei Sankt Leonhard am Forst (Niederösterreich) 14. Nov. 1947, östr. Schriftsteller. – Schrieb kulturkrit. Abenteuer-, Reise- und Jagdgeschichten, u. a. „Ein Volk" (R., 1924), „Das Grenzerbuch" (En., 1927).

G., Friedrich (Fritz) Ludwig Balduin Karl Moritz Reichsfreiherr von, *Weilburg/Lahn 24. Okt. 1794, ✕ bei Kandern 20. April 1848, General. – Führte in der Revolution 1848 die bad. und hess.-darmstädt. Truppen gegen die Freischärler unter F. Hecker und G. von Struve, fiel im ersten Gefecht.

G., Hans Christoph Ernst Reichsfreiherr von, *Kleinniedesheim (= Heßheim) 25. Jan. 1766, †Kelkheim 22. Okt. 1852, Politiker. – Vater von Friedrich (Fritz), Heinrich und Maximilian Reichsfreiherr von G.; 1813 im Dienst Wilhelms von Oranien; 1816–18 luxemburg. Gesandter beim Bundestag.

G., Heinrich Reichsfreiherr von, *Bayreuth 20. Aug. 1799, †Darmstadt 22. Mai 1880, Politiker. – Mitbegr. der Allg. Dt. Burschenschaft; 1847 im Darmstädter Landtag Sprecher des Liberalismus; am 19. Mai 1848 zum Präs. der Frankfurter Nationalversammlung gewählt; am 18. Dez. 1848 Leiter des Reichsministeriums; verfocht zur Lösung der dt. Frage ein Programm des engeren und weiteren Doppelbundes. Vertrat, als dies scheiterte, mit dem Erbkaiserlichen eine kleindt. Lösung. Nach der Ablehnung der dt. Kaiserkrone durch Friedrich Wilhelm IV. von Preußen und Auflösung des Reichsministeriums Rücktritt am 21. März 1849.

G., Maximilian (Max) Reichsfreiherr von, *Weilburg 25. März 1810, †Wien 17. Okt. 1889, Politiker. – Trat leidenschaftlich für eine großdt.-föderalist. Lösung der dt. Frage ein; führendes Mgl. der Frankfurter Nationalversammlung; unterstützte die Politik seines Bruders Heinrich; seit 1855 im östr. Außenministerium.

Gaggenau, Stadt an der Murg, Bad.-Württ., 141–275 m ü. d. M., 28 100 E. Metallverarbeitende, Kunststoff-, Schuh-, Elektrou. a. Ind. – Erstmals erwähnt 1288; seit 1922 Stadt.

Gagini, Domenico [italien. ga'dʒi:ni], *Bissone (Bez. Lugano) um 1420, †Palermo 29. Sept. 1492, italien. Bildhauer. – Wahrscheinlich Schüler Brunelleschis in Florenz, seit 1463 in Palermo, wo seine große Werkstatt v. a. Renaissancemadonnen weit über Sizilien hinaus verbreitete.

Gagliano [italien. gaʎˈʎaːno], bed. italien. Geigenbauerfamilie in Neapel (Ende 17. bis Ende 19. Jh.); wichtigste Vertreter waren **Alessandro Gagliano** (* um 1660, † um 1728; Stradivari-Schüler) und **Nicola Gagliano** (* um 1695, † um 1758).

Gagliarda [galˈjarda; italien.] ↑ Gaillarde.

Gagliardi, Ernst [galˈjardi], * Zürich 7. Jan. 1882, † ebd. 22. Jan. 1940, schweizer. Historiker. – Seit 1919 Prof. in Zürich; arbeitete v. a. zur „Geschichte der Schweiz von den Anfängen bis zur Gegenwart" (3 Bde., 1920–27) und der Bismarckära.

Gahal [hebr. ˈgaxal], israel. polit. Partei, 1965 durch Zusammenschluß der Herut und der liberalen Partei entstanden; tritt für eine Politik der Stärke gegenüber den arab. Staaten ein; 1967–70 und seit 1973 als Teil des Likud an der Reg. beteiligt.

Gahmuret [ˈgaːmurət, ˈgaxmurɛt], Vater Parzivals in Wolfram von Eschenbachs Epos „Parzival".

Gahn, Johan Gottlieb, * Voxna (Verw.-Geb. Gävleborg) 19. (17.?) Aug. 1745, † Stockholm 8. Dez. 1818, schwed. Chemiker. – Entwickelte 1770 zus. mit C. W. Scheele ein Verfahren zur Herstellung von Phosphor aus Knochenasche. 1774 stellte er metall. Mangan aus Braunstein her.

Gähnen, unwillkürl., durch Sauerstoffmangel im Gehirn ausgelöstes tiefes Einatmen unter weiter Öffnung der Kiefer, wodurch eine stärkere Lungenbelüftung und Kreislaufanregung bewirkt wird.

Gähnkrampf (Chasmus), abnorm häufiges, zwanghaftes Gähnen; tritt auf bei organ. Hirnerkrankungen, bes. bei Tumoren des Kleinhirns.

Gaibach, Stadtteil von Volkach in Bayern. Vierflügeliges Schloß (um 1600; z. T. umgebaut 1694–1710 von J. L. Dientzenhofer) mit klassizist. Innenausstattung; im Park die von L. von Klenze entworfene „Konstitutionssäule" (1821–28) zur Erinnerung an die bayr. Verfassung von 1818. Barocke Pfarrkirche (1742–45) von B. Neumann.

Gail, rechter Nebenfluß der Drau, entspringt in Osttirol, mündet bei Villach, 125 km lang.

Gaildorf, Stadt im Kochertal, Bad.-Württ., 329 m ü. d. M., 10 600 E. Metallverarbeitende Ind., Schaltgerätebau, Holzind. – 1255 erstmals erwähnt, seit 1404 Stadt- und Marktrecht; 1806 zu Württemberg. – Ehem. Wasserschloß (15.–17. Jh.), got. ev. Stadtkirche (15./16. Jh., zerstört 1945; wiederhergestellt).

Gaillarde [gaˈjardə; frz., zu gaillard „fröhlich"] (Gagliarda, Galliarde), lebhafter Tanz des 15. bis 17. Jh., wahrscheinl. aus Ita-

Thomas Gainsborough. Der Morgenspaziergang; 1785 (London, National Gallery)

lien. Die G. war schneller, tripeltaktiger Nachtanz zur geradtaktigen, meist melod. verwandten Pavane oder zum Passamezzo.

Gailtaler Alpen, Gebirgszug westl. des Klagenfurter Beckens, Österreich, zw. den Tälern der oberen Drau im N und der Gail im S, in der Großen Sandspitze, die im W-Teil **(Lienzer Dolomiten)** liegt, 2 772 m hoch.

Gainesville [engl. ˈgeɪnzvɪl], Stadt im nördl. Florida, USA, 84 800 E. Univ. (gegr. 1853); Staatsmuseum.

Gainsborough, Thomas [engl. ˈgeɪnzbərə], ≈ Sudbury (Suffolk) 14. Mai 1727, † London 2. Aug. 1788, engl. Maler. – Nahm früh Anregungen der niederl. Landschaftsmalerei, später auch Watteaus auf. G. versah seine in graziösem Rokokostil gehaltenen Porträts gern mit typisch engl. Landschaftshintergründen in zarten Tönen und helleuchtenden Farben; bed. Wegbereiter der engl. Landschaftsmalerei. Bes. bekannt sind „The blue boy" (um 1770; San Marino, Calif., Huntington Gallery), „Mrs. Sarah Siddons" (1783–85; London, National Gallery), „Der Morgenspaziergang" (1785; London, National Gallery).

Gaiser, Gerd, * Oberriexingen 15. Sept. 1908, † Reutlingen 9. Juni 1976, dt. Schriftsteller. – Schrieb v. a. Romane über die Einsamkeit und Isoliertheit des Einzelmenschen und die Sattheit der Wohlstandsbürger („Schlußball", 1958); auch Gedichte, Erzählungen und Essays. – *Weitere Werke:* Die sterbende Jagd (R., 1953), Einmal und oft (En., 1956), Merkwürdiges Hammelessen (En., 1971), Ortskunde (En., 1977).

Gaiserich ↑ Geiserich.

Gaismair, Michael [...maıər], *Sterzing um 1491, † Padua April 1532 (ermordet), Tiroler Bauernführer. – Schreiber, zuletzt des Fürstbischofs von Brixen; 1525 Führer des Tiroler Bauernaufstandes, floh nach dessen Scheitern nach Zürich zu Zwingli. Verfaßte Anfang 1526 die „Tiroler Landesordnung", die eine kirchl. Neuordnung im Sinne Zwinglis und die Umwandlung Tirols in eine Bauernrepublik vorsah. Trat nach erfolgloser Teilnahme am 2. Salzburger Bauernaufstand 1526 in venezian. Dienste.

Gaitskell, Hugh Todd [engl. 'gɛɪtskəl], *London 9. April 1906, † ebd. 18. Jan. 1963, brit. Politiker (Labour Party). – Seit 1945 Abg. im Unterhaus; als Min. für Brennstoff- und Energiewirtschaft 1947–50 an der Verstaatlichung einiger Industriezweige beteiligt, verhinderte später als Wirtschaftsmin. 1950 und Schatzkanzler 1950/51 eine konsequente Weiterführung der eingeleiteten sozialist. Politik; Parteiführer 1955–63.

Gaj, Ljudevit [serbokroat. ga:j], *Krapina 8. Juli 1809, † Zagreb 20. April 1872, kroat. Publizist und Politiker. – Führender Ideologe des ↑ Illyrismus; verdient um die Vereinfachung der serbokroat. Schrift; schrieb auch Lyrik.

Gajdusek, Daniel Carleton [engl. gɛɪ-'du:sək], *Yonkers (N. Y.) 9. Sept. 1923, amerikan. Kinderarzt und Virologe. – Prof. am National Institute of Health in Bethesda (Md.); erbrachte durch Erforschung von *Slow-virus-Infektionen,* bes. der Kurukrankheit auf Neuguinea, den Nachweis, daß Krankheitserreger sich jahrzehntelang im menschl. Körper aufhalten können, ohne Symptome hervorzurufen. Mit B. S. Blumberg erhielt er 1976 den Nobelpreis für Physiologie oder Medizin.

Gajus, Julius Caesar Germanicus, röm. Kaiser, ↑ Caligula.

Gajus, röm. Jurist des 2. Jh. n. Chr. – Von ihm stammt das einzige fast vollständig überlieferte Werk der klass. röm. Rechtswissenschaft, die „Institutionen", die in überarbeiteter Form auch den ersten Teil des ↑ Corpus Juris Civilis bilden.

gal, Einheitenzeichen für ↑ Gallon.

Gál, Hans [ga:l], *Brunn am Gebirge 5. Aug. 1890, † Edinburgh 4. Okt. 1987, östr. Komponist. – Wirkte als Dirigent in Wien; 1945–65 als Dozent an der Univ. in Edinburgh. Komponierte Opern, Sinfonien, Chor-

Orchesterwerke, Kammer- und Klaviermusik, Lieder; war mit E. Mandyczewski Hg. der Brahms-Gesamtausgabe.

Gala [span., zu altfrz. gale „Freude, Vergnügen"], 1. für einen bes. Anlaß vorgeschriebene festl. Kleidung; großer Gesellschaftsanzug. 2. Hoftracht. **Galaabend,** Abendveranstaltung in festl. Rahmen. **Galaaufführung,** in festl. Rahmen stattfindende Theater-, Opernaufführung u. a. **Galauniform,** prunkvolle Uniform für bes. Anlässe.

Galagos [afrikan.] (Buschbabies, Ohrenmakis, Galagidae), Fam. dämmerungs- und nachtaktiver Halbaffen mit sechs Arten v. a. in den trop. Regen- und Galeriewäldern, Baumsavannen und Buschsteppen Afrikas (südl. der Sahara). Am bekanntesten sind der bis 20 cm lange **Senegalgalago** (Moholi, Galago senegalensis), mit einem dichten, graubraunen Fell, und der bis 35 cm lange **Riesengalago** (Komba, Galago crassicaudatus) mit braunem bis fast schwarzem Fell sowie der bis 15 cm lange **Zwerggalago** (Galago demidovii) mit oberseits braunem bis grünl., unterseits gelbl. Fell.

Galaktagoga [griech.], svw. ↑ milchtreibende Mittel.

galaktisch [griech.], zum System der Galaxis, dem Milchstraßensystem, gehörend.

galaktischer Nebel, dichte Ansammlung interstellarer Materie im Milchstraßensystem.

galaktisches Koordinatensystem ↑ astronomische Koordinatensysteme.

galakto..., Galakto... [griech.], Bestimmungswort von Zusammensetzungen mit der Bed. „Milch...", z. B. Galaktometer.

Galaktographie [griech.] (Duktographie), röntgenolog. Darstellung des Milchgangsystems der weibl. Brust nach vorheriger Injektion von Kontrastmittel.

Galaktorrhö [griech.], svw. ↑ Milchfluß.

Galaktosämie [griech.] (Galaktoseintoleranz), Unverträglichkeit gegenüber Galaktose (Bestandteil des Milchzuckers) infolge eines Enzymmangels. Ernährung mit Frauen- oder Kuhmilch führt beim Säugling zu schwerer Erkrankung mit Erbrechen, Lebervergrößerung, Gelbsucht, Hirn- und Augenschäden. Eine rechtzeitige milch- und milchzuckerfreie Ernährung ermöglicht eine normale Entwicklung.

Galaktose [griech.], zu den Aldohexosen gehörendes Monosaccharid, das im Milchzucker, in Pektinstoffen und Zerebrosiden vorhanden ist. Im Organismus wird G. über Zwischenstufen in Glucose umgewandelt und abgebaut.

Galaktosidasen [griech.], zu den Glykosidasen gehörende Enzyme, die unter Wassereinlagerung Glykoside der Galaktose spalten.

Galaktostase [griech.], svw. ↑ Milchstauung.

Galakturonsäure [griech./dt.], durch Oxidation aus der ↑ Galaktose entstehende Uronsäure, bed. Bestandteil von Pektinen.

Galan [span. (zu ↑ Gala)], spött. für: Liebhaber, Verehrer.

galant [frz., zu altfrz. galer „sich amüsieren"], betont höflich, zuvorkommend, bes. gegenüber Frauen; **Galanterie,** Höflichkeit gegenüber Frauen.

galante Dichtung, europ. Modedichtung in der Übergangszeit vom Spätbarock zur Aufklärung und zum Rokoko (etwa 1680–1720); als geistreich-witzige, weltmännische, z. T. erot.-frivole Gesellschaftskunst (v. a. lyrische Kleinkunst, auch Romane) in den frz. Salons entwickelt.

Galanteriewaren [frz./dt.], veraltete Bez. für mod. Zubehör (Tücher, Fächer, Bänder usw.).

Galanthomme [frz. galā'tɔm], Ehrenmann, Mann von feiner Lebensart.

Galanthus [griech.], svw. ↑ Schneeglöckchen.

Galápagosechse, svw. ↑ Meerechse.

Galápagosfinken, svw. ↑ Darwin-Finken.

Galápagosinseln (amtl. Archipiélago de Colón), aus 13 größeren und zahlr. kleinen gebirgigen Inseln vulkan. Ursprungs bestehende ecuadorian. Inselgruppe im Pazifik, fast 1 000 km westlich der Küste, Hauptort Puerto Baquerizo Moreno auf der **Isla San Cristóbal.** Bewohnt sind außerdem: **Isla Isabela,** mit 4 275 km² die größte der G., **Isla Santa Cruz** und **Isla Santa María,** zus. 7 812 km², 7 950 E (1986). Trotz der Lage am Äquator ist das Klima mild dank des kalten Humboldtstroms.
Die G. zeichnen sich durch ihre einzigartige Flora und Fauna aus; über 40 % der Pflanzenarten und fast alle Vögel und Reptilien sind endemisch; Riesenschildkröten und Echsen sind dabei die auffälligsten Tiere. Die vom Menschen eingeschleppten Mäuse und Ratten sowie verwilderte Haustiere, aber auch eingeführte Ziersträucher und Nutzpflanzen (Chinarindenbaum) stören trotz bestandsregulierender Maßnahmen noch immer das ökolog. Gleichgewicht. Bereits seit 1934 stehen die G. deshalb unter Naturschutz; 1959 wurden rd. 90 % der Fläche des Archipels zum Nationalpark erklärt. 1964 wurde das Charles-Darwin-Inst. auf Santa Cruz eröffnet. Wochenlange Buschbrände zerstörten 1985 die Flora und Fauna auf 300 km². – 1535 entdeckt, kamen die G. 1832 an Ecuador. 1835 studierte C. R. Darwin die dortige Tierwelt.

Galápagosriesenschildkröte ↑ Riesenschildkröten.

Galater (lat. Galatae), kelt. Volk, das 278/277 die Dardanellen überschritt und sich 277–274 in Inneranatolien (in dem zu Groß-Phrygien gehörenden **Galatien**) niederließ; suchten die griech. Küstenstädte wie das Innere Kleinasiens durch ständige Plünderungen heim; 189 von den Römern fast gänzlich vernichtet; 64/63 machte Pompejus Galatien zum röm. Klientelstaat, 25 v. Chr. wurde das Gebiet unter Augustus röm. Prov. (Galatia).

Galaterbrief, Abk. Gal., echter Brief des Apostels Paulus an die Christen in Galatien, in dem er in der Grundfrage des Briefs nach dem Heilscharakter des Gesetzes und nach dem Verhältnis von ↑ Gesetz und Evangelium die Freiheit des Christen vom Gesetz betont.

Galatien, histor. Landschaft, ↑ Galater.

Galatz (rumän. Galaţi), Hauptstadt des rumän. Verw.-Geb. G., am linken Donauufer, 30 m ü. d. M., 295 400 E. Orth. Bischofssitz; Univ. (gegr. 1974), Museen, Theater, Oper. Eisenhüttenwerk, Feinwalzwerk, Schiffswerft. Donauhafen für Hochseeschiffe; Fischereizentrum, ⚓. – Im 15. Jh. erstmals erwähnt, im 16. Jh. bed. Donauhafen, v. a. für den Verkehr mit Konstantinopel. Nach dem Ende der Türkenherrschaft 1829 entwickelte sich G. zum internat. Hafen (1837–83 Freihafen).

Galaxis [zu griech. galaxías „Milchstraße"], Bez. für das Milchstraßensystem; als **Galaxie** (Plur. Galaxien) bezeichnet man ein extragalakt. ↑ Sternsystem.

Galba, Servius Sulpicius, * Tarracina (= Terracina) 24. Dez. 4 v. Chr., † Rom 15. Jan. 69 n. Chr., röm. Kaiser. – Aus altröm. Geschlecht; Ausrufung zum Kaiser (April 68) während seiner Statthalterschaft in Hispania Tarraconensis (seit 60); vom Senat bestätigt. Seine rigorosen Maßnahmen und Sparsamkeit führten jedoch in Rom (seit Herbst 68) zur Unzufriedenheit der Prätorianer und zum Abfall Germaniens, Galliens und Britanniens.

Galbanum [lat.] (Galbanharz), aus den Stengeln einiger Steckenkrautarten gewonnenes Gummiharz; walnußgroße, braungelbe Körner mit würzigem Geschmack und Geruch; Verwendung in der Parfümindustrie.

Galbraith, John Kenneth [engl. 'gælbreɪθ], * Iona Station (Ontario) 15. Okt. 1908, amerikan. Wirtschaftswissenschaftler. – G. wurde durch die Theorie der gegengewichtigen Marktmacht weltweit bekannt; versucht die Unzulänglichkeit des herrschenden Wirtschaftsdenkens zu beweisen, das durch ein Mißverhältnis von privater Verschwendung und öffentl. Armut der meisten sozialen Probleme hervorrufe. – *Werke:* Der amerikan. Kapitalismus im Gleichgewicht der Wirtschaftskräfte (1951), Die moderne Industriegesellschaft (1967).

Gałczyński, Konstanty Ildefons [poln. gaɥ'tʃiĩski], *Warschau 23. Jan. 1905, †ebd. 6. Dez. 1953, poln. Dichter. – Während des 2. Weltkriegs im KZ; charakteristisch für seine Gedichte, ep. sowie dramat. Versuche sind iron. und makaber-groteske Elemente; u. a. „Die grüne Gans" (1946–48, Einminutenstücke).

Galdhøpigg [norweg. ˌgalhø:pig] ↑ Glittertind.

Galeasse [italien.-frz.-niederl. (zu ↑ Galeere)], im 16. Jh. aus der Galeere entwickeltes, im Ggs. zu dieser kampfkräftigeres, aber schwerfälligeres Kriegsschiff.
◆ ([Schlup]galeaß, Galjaß) im 19. Jh. ein in der Nord- und Ostsee verwendeter anderthalbmastiger Küstenfrachtsegler.

Galeere. Modell einer französischen Galeere; um 1670

Galeere [italien., zu mittelgriech. galía „Ruderschiff" (wohl zu dem griech. Fischnamen galéē, eigtl. „Wiesel")], wenig seetüchtiges Ruderschiff des MA; erstmals (um 1000) von italien. Seestädten gebaut. Die G. hatte meist zwei Masten mit Lateinsegel. Die *Kriegs-G.* des 14. bis 18. Jh. hatte Ruderbänke für 200–500 Mann auf einer Ebene und einen Rammsporn; seit dem 16. Jh. Bewaffnung mit Geschützen. Die nur bei ruhiger See einsatzbereite Kriegs-G. wurde seit dem 16. Jh. z. T. durch die ↑ Galeasse, im 17. Jh. vollends durch die ↑ Galeone verdrängt.

Galeerenstrafe, früher verschärfte Form der Freiheitsstrafe. Der Sträfling mußte Zwangsarbeit auf einer Galeere leisten, wurde gebrandmarkt und an die Ruderbank gekettet.

Galen (lat. Claudius Galenus), *Pergamon (Kleinasien) 129 (?), † Rom 199 (?), röm. Arzt griech. Herkunft. – Arzt und Schriftsteller in Rom; neben Hippokrates der bedeutendste Arzt der Antike. Mit ihm fand die griech. Medizin, soweit sie als eine wiss. Medizin angesehen werden kann, ihren Abschluß. Sein System zeichnet sich durch die Betonung der Notwendigkeit einer theoret. Grundlage in der Medizin, durch die Erklärung physiolog. Vorgänge sowie durch die Verknüpfung der Medizin mit den philosoph. Anschauungen Platons und Aristoteles' aus. G. Lehren beherrschten über ein Jt. nahezu uneingeschränkt die Medizin.

Galen, Clemens August Graf von, *Dinklage 16. März 1878, † Münster (Westf.) 22. März 1946, dt. kath. Theologe, Bischof von Münster (seit 1933), Kardinal (1946). – Wandte sich als Bischof gegen den Nationalsozialismus, v. a. gegen den nationalsozialist. Klostersturm und die Euthanasie.

Galenik [nach dem Arzt Galen], Lehre von der Entwicklung und Herstellung der Arzneizubereitungen (Galenika); Teilgebiet der allg. Pharmazie.

galenische Arzneimittel (Galenika) [nach dem Arzt Galen], Arzneizubereitungen bes. aus Drogen, die (z. B. als Extrakte und Tinkturen) die Wirkstoffe in ihrer natürl. Zusammensetzung enthalten.

Galenit [lat.], svw. ↑ Bleiglanz.

Galeone [span.-niederl. (zu ↑ Galeere)], Segelkriegsschiff des Spät-MA; von den Portugiesen entwickelt und in der 2. Hälfte des 16. Jh. v. a. von Spaniern und Engländern nachgebaut. Die G. besaßen 3–4 Decks und 3–5 Masten, im Hauptdeck meist acht schwere Geschütze und achtern leichtere Geschütze. Schwere G. bildeten den Kern der span. Kriegsflotten Ende des 16. Jh. (Armada).

Galeote (Galiot[e], Galjot) [roman. (zu ↑ Galeere)], urspr. eine kleine, von 16 bis 24 Rudern vorwärtsbewegte, im Mittelmeer übl. Galeere mit einem Mast; später ein hauptsächlich im 19. Jh. gebautes, in Nord- und Ostsee verwendetes, meist zweimastiges, schonerähnl. Küstenfahrzeug.

Galerie [zu italien. galleria „gedeckter Säulengang" (wohl nach ↑ Galiläa, der Bez. für Vorhallen)], an einer Längsseite mit Fenstern, Arkaden und dgl. versehener Gang.
◆ großer langgestreckter [Durchgangs]raum (in Klöstern), mit einer Fensterseite; nicht selten zum Aufhängen von Gemälden benutzt (daher später die Bed. Kunstsammlung oder Kunsthandlung).
◆ oberster Rang im Theater.
◆ svw. ↑ Empore.
◆ früher ein mit Schießscharten versehener bedeckter Gang im Mauerwerk einer Befestigungsanlage.

◆ Tunnel am Berghang mit fensterartigen Öffnungen nach der Talseite.

Galeriewald, Grundwasser anzeigender Waldstreifen, der sich entlang von Flußläufen und Seen, an Talhängen und in Schluchten findet. Man unterscheidet den *G. der Feuchtsavanne* (ähnelt dem trop. und subtrop. Regenwald) und den *G. der Trockensavanne* (ähnelt dem Trockenwald oder dem trockenen Monsunwald).

Galerius (Gajus G. Valerius Maximianus), * bei Serdica (= Sofia) um 250, † Nikomedia (= İzmit) im Mai 311, röm. Kaiser (Caesar seit 293, Augustus seit 305). – Von niederer Abkunft, 293 durch Diokletian adoptiert; führte das 303 zus. mit Diokletian erlassene Edikt gegen Christentum und Manichäismus rigoros durch; ein 310 erlassenes Toleranzedikt erlaubte schließlich auch die Ausübung der christl. Religion.

Galgal (Galgala) † Gilgal.

Galgant [arab.-mittellat.] (Alpinia officinarum), etwa 1,5 m hohes Ingwergewächs aus S-China; der an äther. Öl reiche Wurzelstock wird für Magenmittel und als Gewürz verwendet.

Galgen [zu althochdt. galgo, eigtl. „Stange, Pfahl"], Vorrichtung zur Vollstreckung der Todesstrafe durch Erhängen; seit dem Früh-MA verbreitet. Der G. besteht in seiner ältesten Form aus einem Querbalken über 2 Stützen (Säulen); es gibt auch andere Konstruktionen, z.B. die Dreiecksform (dreischläfrige G.: 3 Querbalken auf 3 Säulen). Der Delinquent wurde an diesen G. entweder „aufgezogen" oder, die Schlinge um den Hals, von einer Leiter gestoßen. Mit dem StGB von 1871 wurde im Dt. Reich der G. durch die Vollzugsart der Enthauptung abgelöst. Während der nat.-soz. Herrschaft wurde er wieder eingeführt, danach aber endgültig abgeschafft. – Der G. war im *Volksglauben,* ebenso wie die „unehrl." Gewerbe der Henker und Scharfrichter, mit mag. Vorstellungen verbunden. War er auf der einen Seite ein unheiml. Gegenstand, so waren andererseits Holz, Kette, Nägel, Strick vom G. begehrte Talismane.

Galgenmännlein † Alraune.

Galiani, Ferdinando, * Chieti 2. Dez. 1728, † Neapel 30. Okt. 1787, italien. Nationalökonom. – Diplomat; er vertrat in seinem berühmten Werk „Della moneta" (1750) als einer der ersten die Theorie des subjektiven Werts, sein „Gespräch über den Kornhandel" (1770) enthält eine Kritik der Physiokraten. Verf. des Librettos zu „Socrate immaginario" (1775, Buffo-Oper von Paisiello); bed. Briefwechsel, u.a. mit Madame d'Epinay.

Galicien (span. Galicia), histor. Prov. (Region) in NW-Spanien, 29 434 km², 2,85 Mill. E (1988), ein Mittelgebirgsland, das sich von den sö. Randgebirgen (Peña Trevinca, 2 142 m ü.d.M.) nach N und NW auf rd. 200 m Höhe abdacht. – G. hat ozean., immerfeuchtes Klima. Neben Stieleiche und Buche finden sich Seestrandkiefern, in höheren Stufen Flaumeiche und Edelkastanie. In den Talsohlen Anbau von Mais, Kartoffeln, ferner Obst- und Weinbau; Rinder- und Schweinehaltung; im Bergland Abbau von Wolfram-, Blei- und Zinkerzen. Bed. Fischfang, führende Fischereihäfen sind Vigo, La Coruña, El Ferrol und Marín. Die Ind. (Eisen- und Stahlwerke, chem. und Konservenind., Werften) konzentriert sich an der Küste.

Geschichte: Von kelt. Callaici bewohnt; nach röm. Eroberung unter Augustus zunächst Teil der Prov. Hispania citerior, deckte sich vom 3. Jh. an größtenteils mit der Prov. Callaecia; im 5. Jh. sweb. Kgr.; seit 585 Teil des Westgot. Reichs; 711/718 von den Arabern erobert. Gehörte im MA meist zum Kgr. León, 910–914 sowie 1060–71 selbständiges Kgr.; fiel mit León 1230 an die Krone Kastiliens. Ein 1936 verabschiedetes Autonomiestatut war nach der Eroberung durch die Truppen Francos im Span. Bürgerkrieg nicht verwirklicht worden. 1981 wurde G. eine autonome Region mit eigener Reg. und eigenem Parlament.

Galicisch, aus dem Vulgärlat. hervorgegangener Dialekt mit rd. 3,2 Mill. Sprechern im NW Spaniens; seit 1975 als span. Regionalsprache anerkannt. – † Portugiesisch.

galicische Literatur, 1. die Literatur in galic.-portugies. Sprache des 12.–14. Jh.: v.a. Minnelyrik. Vertreter: König Dionysius von Portugal, König Alfons X. von Kastilien. – 2. die neugalic. Literatur, die um die Mitte des 19. Jh. aufblühte; seit 1861 fanden jährlich Dichterwettbewerbe („Xogos Froraes de Galicia") statt. Vertreter: M. Curros Enríquez (* 1851, † 1908), R. de † Castro.

Galiläa, histor. Landschaft in Palästina, deren nördl. Drittel zum Staat Libanon, der übrige Teil zu Israel gehört; dort durch ein Quertal in Ober-G. (im N) und Unter-G. geteilt. **Obergaliläa** ist eine stark gegliederte Gebirgslandschaft mit dem höchsten Berg des Landes (Har Meron, 1 208 m hoch); zentraler Ort ist Zefat. **Untergaliläa** ist ein Bergund Hügelland unter 600 m ü.d.M.; zentrale Orte sind Nazareth im W und Karmiel im O.

Geschichte: Obwohl der Name G. sehr alt ist, ist Genaueres über die Landschaft erst aus der Zeit nach Alexander d. Gr. bekannt; seit 107 v.Chr. Teil des jüd. Einheitsstaats, gehörte später zum Reich Herodes' d. Gr. Die von den Evangelien als Wirkungsstätten Jesu gen. Orte Nazareth, Kana, Kapernaum, Chorazin, Bethsaida lagen in selbständigen Landkreisen (Toparchien), die den Hauptteil des Landes ausmachten. Nach 135 n.Chr. Zentrum jüd. Lebens, hörte die jüd. Besiedlung nie ganz auf.

Galiläa [hebr.-mittellat.; vermutlich nach den Galiläern (= Heiden), die sich in den Vorhallen aufhielten], Bez. für Vorhalle bei frz. und engl. Kirchen, auch des Atriums sowie anderer Teile.

Galiläisches Meer ↑Genezareth, See von.

Galilei, Alessandro, * Florenz 25. Juli 1691, † Rom 21. Dez. 1736, italien. Baumeister. – Baute 1732–35 die Cappella Corsini in San Giovanni in Laterano in Rom und gewann den Wettbewerb für die Fassade von San Giovanni in Laterano (1733–35).

G., Galileo, * Pisa 15. Febr. 1564, † Arcetri bei Florenz 8. Jan. 1642, italien. Mathematiker, Philosoph und Physiker. – Prof. der Mathematik in Pisa (1589–92) und Padua (1592–1610); seit 1610 Hofmathematiker in Florenz. G. wurde durch die Einführung des (quantitativen) Experimentes der Begründer der modernen Naturwissenschaft. Er leitete die Pendelgesetze ab, erfand einen Proportionalzirkel und leitete in reinen Gedankenexperimenten die Gesetze des freien Falls her. Mit dem von ihm nach niederländ. Vorbild konstruierten Fernrohr entdeckte er u. a. die Phasen der Venus, die vier ersten Monde des Jupiter sowie die Saturnringe und erkannte, daß die Sternhaufen und die Milchstraße aus Einzelsternen bestehen („Sidereus nuncius" [Sternenbotschaft], 1610). Seine Planetenbeobachtungen machten ihn zum Vorkämpfer der heliozentr. Lehre des Kopernikus („Dialog über die beiden hauptsächlichsten Weltsysteme, das ptolemäische und das kopernikanische", 1632). Dies führte zur Auseinandersetzung mit der röm. Kirche. Bereits 1616 ermahnt, wurde G. 1632 vor die Inquisition zitiert und verurteilt. Am 22. Juni 1633 schwor er „seinem Irrtum" als treuer Katholik ab. Legende ist der Ausspruch „Und sie (die Erde) bewegt sich doch". Ende desselben Jahres wurde er zu unbefristetem Hausarrest auf seine Villa in Arcetri verbannt. Dort verfaßte er 1634 seine „Unterredungen und mathemat. Demonstrationen über zwei neue Wissenszweige, die Mechanik und die Fallgesetze betreffend", sein für den Fortgang der neuen Physik wichtigstes Werk. 1637 erblindete Galilei.

Sein Konflikt mit der Kirche bildete mehrfach den Stoff für dichter. Darstellungen, u. a. im Drama B. Brechts „Leben des G." (1938), im Roman von M. Brod „G. in Gefangenschaft" (1948) und in G. von Le Forts Novelle „Am Tor des Himmels" (1954).

⅏ *Schmutzer, E./Schütz, W.: G. G. Ffm. 1989. – Fölsing, A.: G. G. – Prozeß ohne Ende. Mchn. 1988. – G. G. Schriften, Briefe, Dokumente (hg. v. A. Mudry). Mchn. 1987.*

G., Vincenzo, * Santa Maria a Monte bei Pisa um 1520, □ Florenz 2. Juli 1591, italien. Komponist und Musiktheoretiker. – Vater von Galileo G., Schüler von Zarlino, veröffentlichte Madrigale (1574, 1587) und Lautenkompositionen (1563, 1584).

Galileisches Fernrohr [nach G. Galilei] ↑Fernrohr.

Galilei-Transformation [nach G. Galilei], die Umrechnung der Raum-Zeit-Koordinaten eines Inertialsystems in die eines diesem gegenüber gleichförmig geradlinig bewegten ↑Bezugssystems. In allen Bezugssystemen, die durch G.-T. auseinander hervorgehen, sind die Gesetze und Bewegungsgleichungen der klass. nichtrelativist. Mechanik unverändert gültig; Zeitpunkte und Zeitabschnitte sind in ihnen gleich.

Galileo, im Okt. 1989 gestartete, aus Orbiter und Atmosphären-Eintrittskörper bestehende Raumsonde zur Erforschung von Atmosphäre und Magnetosphäre des Jupiter und seiner Hauptmonde. G. soll Jupiter 1995 erreichen und vorher Beobachtungen an Sonne, Venus, Erde, Mond und zwei Planetoiden anstellen.

Galion [span.-niederl.], früher übl., häufig verstärkter Vorbau am Bug von Segelschiffen, mit einer hölzernen **Galionsfigur** (meist Frauenfigur). – Abb. S. 306.

Galiot, svw. ↑Galeote.

gälische Sprachen, 1. i. w. S. svw. goidelische Sprachen (↑keltische Sprachen); 2. i. e. S. svw. ↑Schottisch-Gälisch.

Galite, Îles de la [frz. ilдlaga'lit], tunes. Inselgruppe vulkan. Ursprungs im Mittelmeer, nw. von Biserta.

Galitsch, Stadt am Dnjestr, Gebiet Iwano-Frankowsk, Ukraine, 4 000 E. – G. ist eine der ältesten slaw. Siedlungen in der Ukraine, wohl im 10. Jh. gegründet; wurde 1144 Hauptstadt des gleichnamigen Ft., 1199 des Ft. G.-Wolynien. – Ausgrabungen legten einen Teil der alten Stadt G. frei; Geburt-Christi-Kirche (14./15. Jh.).

Galitzin-Pendel [ga'lıtsın, 'galıtsın; nach dem russ. Physiker B. B. Golizyn, * 1862, † 1916] (Tauchspulseismograph), Gerät zur Messung von Erdbebenwellen, bei dem eine kleine Induktionsspule als Pendelmasse an den Polen eines starken Dauermagneten vorbeischwingt. Die induzierten Ströme sind ein Maß für die Stärke der Bodenbewegung.

Galium [griech.], svw. ↑Labkraut.

Galizien (poln. Galicja, russ. Galizija), histor. Landschaft nördlich der Karpaten.

Geschichte: Die Landschaften G. wurden nach german. Besiedlung seit Mitte des 6. Jh. n. Chr. von Slawen besetzt (im W v. a. Polen, im O Ukrainer). Nach Eroberung von Ost-G. (Rotreußen) Ende des 10. Jh. durch das Kiewer Reich Bildung eines Ft. Galitsch im 11./ 12. Jh., 1199–1234 Ausweitung zu der galitsch-wolyn. Staatsgründung der Dyn. der Romanowitsche. 1349/87 Eroberung und endgültige Inbesitznahme Rotreußens durch Polen. Kam durch die 1. Poln. Teilung 1772 zu dem neuformierten östr. „Königreich G. und Lodomerien". Seit 1781 planmäßige Ansiedlung v. a. prot. Pfälzer. 1786–1849 Anschluß der Bukowina; nach der 3. Poln. Teilung 1795–1809 Ausweitung durch Neu-G., den Nordteil Kleinpolens mit Krakau und dem Gebiet zw. Weichsel und Bug; 1809–15 Verlust des podol. Kreises Tarnopol; 1846 die Rückgewinnung des aufständ. Krakau. Erhielt 1867 umfassende Autonomie, eigenen Landtag, poln. Amtssprache. 1918 annektierte das neu erstandene Polen G.; v. a. in Ost-G. kam es zu blutigen Auseinandersetzungen zw. Polen und Ukrainern. 1939 annektierte die UdSSR Ost-G.; dieses 1941 von dt. Truppen besetzte Gebiet (Vernichtung des starken jüd. Bev.anteils) verblieb nach Rückeroberung durch die Rote Armee (1944) im Besitz der UdSSR (heute zur Ukraine).

Galizija [russ. ga'litsijɐ] ↑ Galizien.

Galizin [ga'lıtsın, 'galitsın] ↑ Golizyn.

Galizyn [ga'lıtsın, 'galitsın] ↑ Golizyn.

Galjot, svw. ↑ Galeote.

Gall, Ernst, * Danzig 17. Febr. 1888, † München 5. Aug. 1958, dt. Kunsthistoriker. – Systemat. Untersuchungen zur ma. Baukunst („Die got. Baukunst in Frankreich und Deutschland", 1925); bed. als Herausgeber.

G., Franz Joseph, * Tiefenbronn bei Pforzheim 9. März 1758, † Montrouge 22. Aug. 1828, dt. Mediziner. – Begr. die nach ihm ben. „Schädellehre"; bed. seine morphologisch-physiolog. Arbeiten zur Erforschung des Gehirns.

G., Lothar, * Lötzen (Ostpreußen) 3. Dez. 1936, dt. Historiker. – Prof. in Gießen 1968, in Berlin 1972, in Frankfurt am Main 1975; beschäftigte sich v. a. mit der Geschichte des 19. und 20. Jh. und dem Liberalismus; schrieb u. a. „Bismarck. Der weiße Revolutionär" (1980), „Bürgertum in Deutschland" (1989); Mit-Hg. der „Enzyklopädie deutscher Geschichte" (1988 ff.; über 100 Bde. geplant).

Galla (Eigenbez. Oromo), äthiopides Volk in S-Äthiopien, ca. 20 Mill. Menschen (1990); in zahlr. Stämme gegliedert. Urspr. Bauern, heute meist Hirtennomaden. Anhänger traditioneller Religionen, des kopt. Christentums oder des Islams. Ihre Sprache ist die am stärksten verbreitete Sprache Äthiopiens, jedoch ohne offiziellen Status; sie gehört zur nordkuschit. Gruppe der hamitosemit. Sprachen.

Gallagher, Rory [engl. 'gɛləgə], * Ballyshannon (County Donegal) 2. März 1949, ir.

Rockmusiker (Gitarrist und Sänger). – Wurde durch seine v. a. am Blues orientierte Rockmusik bekannt; spielte 1966–70 mit der Gruppe „The Taste", dann als Solist.

Galläpfel [lat./dt.] (Eichengallen, Eichäpfel, Gallae quercinae), kugelige oder birnenförmige, bis 2 cm große ↑ Gallen an Blättern, Knospen oder jungen Trieben verschiedener Eichenarten, verursacht durch Gallwespen.

Galla Placidia (Aelia G. P.), * Konstantinopel etwa 390, † Rom 27. Nov. 450, weström. Kaiserin. – Tochter Theodosius' I.; heiratete 414 den Westgotenkönig Athaulf († 416), dann den späteren Kaiser Konstantin III.; 421 zur Augusta erhoben. – Berühmt ihre Kapelle (wohl Teil einer verschwundenen Kirche) in Ravenna (bed. Mosaiken).

Gallarate, italien. Stadt in der westl. Lombardei, 238 m ü. d. M., 47 000 E. Museum; Ind.- und Handelsstadt mit Baumwollwebereien und Strumpfwarenherstellung. – Erstmals im 10. Jh. als befestigter Platz erwähnt.

Gallas, Matthias, Reichsgraf (1632), * Trient 16. Sept. 1584, † Wien 25. April 1647, kaiserl. General. – Erhielt nach Wallensteins Ermordung (1634) die Herrschaft Friedland und den Oberbefehl über das kaiserl. Heer; siegte 1634 bei Nördlingen über die Schweden; legte das Kommando 1645 nieder.

G., Wilhelm, * Petersburg 22. Juli 1903, † Heidelberg 5. Nov. 1989, Strafrechtslehrer. – 1934 Prof. in Gießen, später in Königsberg, Tübingen, Leipzig, seit 1954 in Heidelberg. – *Werke:* Kriminalpolitik und Strafrechtssystematik (1931); Zum gegenwärtigen Stand der Lehre vom Verbrechen (1955); P. J. A. Feuerbachs Kritik des natürl. Rechts (1964); Beitr. zur Verbrechenslehre (1968).

Gallate [lat.], Salze und Ester der ↑ Gallussäure.

Galle [niederl. 'ɣɑlə], Künstlerfamilie, Zeichner und Kupferstecher holländ. Ursprungs, die im 16. und 17. Jh. in Antwerpen tätig waren.

Galle, Johann Gottfried, * Pabsthaus bei Gräfenhainichen 9. Juni 1812, † Potsdam 10. Juli 1910, dt. Astronom. – Prof. der Astronomie in Breslau (1856–97); entdeckte 1846 den von U. J. J. Le Verrier aus Bahnstörungen des Uranus erschlossenen Neptun.

Galle [engl. gɑːl, gæl], Hafen- und Distr.-hauptstadt im sw. Sri Lanka, 95 000 E. Kath. Bischofssitz; Handelsplatz mit Hafen. – Schon vor dem 9. Jh. wichtiger Handelsplatz. Nach der Eroberung durch die Portugiesen (1505) und Niederländern (1640) wurde G. Zentrum des Zimtanbaus sowie wichtiger Stützpunkt der europ. Kolonialmächte. 1796 kam G. in brit. Besitz. – Die Altstadt mit ihrem Mauerring und 11 Bastionen wurde von der UNESCO zum Weltkulturerbe erklärt.

Galion. Galionsfiguren: links
Einhorn (2. Hälfte des 19. Jh.),
rechts Mädchen mit Rose (um 1830)

Galle (Bilis, Fel), fortlaufend gebildetes, stark bitter schmeckendes Sekret und Exkret der Leber der Wirbeltiere (einschließlich Mensch), das entweder als dünne, hellgelbe Flüssigkeit direkt durch den Lebergallengang in den Zwölffingerdarm gelangt oder (meist) zunächst in der ↑ Gallenblase gespeichert und eingedickt wird (die G. wird zähflüssig und bräunlichgelb), um später auf Grund chemisch-reflektor. Reizung (bei fett- und eiweißreicher Nahrung) als grünl. Flüssigkeit entleert zu werden. Die G. enthält neben Cholesterin, Harnstoff, Schleim, Salzen u.a. Stoffen v.a. ↑ Gallenfarbstoffe und die für die Verdauung wesentl. ↑ Gallensäuren.

◆ umgangssprachlich svw. ↑ Gallenblase.

◆ in der *Tierheilkunde* krankhafte Flüssigkeitsansammlung im Bereich der Gelenke und Sehnenscheiden bei Haustieren (bes. bei Pferden).

Gallé, Émile [frz. ga'le], * Nancy 4. Mai 1846, † ebd. 23. Sept. 1904, frz. Kunsthandwerker. – Sein kurvig-bewegter, vegetabiler Stil und seine Vorliebe für zarte Farbeffekte (G.-Gläser) ließen ihn zu einem führenden Künstler des Jugendstils werden.

Gallegos, Rómulo [span. ɡa'jeɣɔs], * Caracas 2. Aug. 1884, † ebd. 5. April 1969, venezolan. Schriftsteller und Politiker. – Im Febr. 1948 Staatspräs., im Nov. 1948 durch eine Militärrevolte gestürzt und bis 1958 im mexikan. Exil. Bed. Darsteller der venezolan. gesellschaftl. Verhältnisse in ihrer histor. Verwurzelung im Feudalismus. – *Werke:* Doña Bárbara (R., 1929), Canaima (R., 1932), Cantaclaro (R., 1934).

Gallehus [dän. 'ɡaləhu:'s], dän. Ort in Nordschleswig, 4 km nw. von Tondern.

Fundort zweier Goldhörner mit einer in ihrem Sprachtypus dem Gemeingerman. ähnl. Runeninschrift (1639 bzw. 1734 gefunden, aufbewahrt in der königl. Kunstsammlung in Kopenhagen, aus der sie 1802 verschwanden; Nachbildungen im Nationalmuseum in Kopenhagen), wahrscheinlich Kulthörner (um 420).

Gallen [lat.] (Pflanzengallen, Zezidien), Gestaltsanomalien an pflanzl. Organen, hervorgerufen durch Wucherungen, die durch die Einwirkung pflanzl. oder (meist) tier. Parasiten (durch Einstich, Eiablage oder die sich entwickelnde Larve) ausgelöst werden. Gallenbildungen sind als Schutzmaßnahme der befallenen Pflanze aufzufassen, die damit die Parasiten gegen das übrige Gewebe abgrenzt.

Gallenblase (Vesica fellea), dünnwandiger, birnenförmiger, mit glatter Muskulatur durchsetzter Schleimhautsack als Speicherorgan für die ↑ Galle; steht durch den Gallenblasengang mit dem zum Zwölffingerdarm führenden, durch einen Schließmuskel verschließbaren Lebergallengang und dem aus der Leber kommenden Lebergang in Verbindung. Die G. ist beim Menschen auf der Unterseite des rechten Leberlappens angewachsen, ihr Fassungsvermögen beträgt etwa 50 ml.

Gallenblasenentzündung (Cholezystitis), vorwiegend durch Bakterien verursachte entzündl. Reaktion der Gallenblase; tritt bes. häufig bei Gallensteinkrankheit auf. Die *akute G.* ist durch Fieber, Koliken und schweres Krankheitsgefühl gekennzeichnet. Für die *chron. G.* sind Druckschmerz im rechten Oberbauch, Völlegefühl und Unverträglichkeit von Fett, Hülsenfrüchten u.a. Nahrungsmitteln charakteristisch. G. ist oft mit Entzündung der Gallengänge **(Cholangitis)** kombiniert.

Gallenfarbstoffe, farbige Di- und Tetrapyrole, die beim Abbau von Hämoglobin aus dem Porphyrinring entstehen und für die Stuhlfärbung verantwortlich sind. An der Bildung der G. sind Enzyme in Leber und Milz, Darmbakterien und Oxidationsprozesse durch Luftsauerstoff beteiligt. Vertreter der G. sind u.a. Biliverdin, Bilirubin, Sterkobilin und Urobilin.

Gallengang (Ductus choledochus), röhrenförmige Verbindung zw. Gallenblasengang und Zwölffingerdarm. Beim Menschen mündet er gemeinsam mit dem Ausführungsgang der Bauchspeicheldrüse auf einer in das Darmlumen vorspringenden Falte aus.

Gallén-Kallela, Akseli, eigtl. Axel Gallén, * Pori 26. Mai 1865, † Stockholm 7. März 1931, finn. Maler und Graphiker. – Führer der romant. finn. Kunstrichtung; seine hochdramat. Bildthemen beziehen sich v.a. auf das finn. Nationalepos „Kalevala" und die Volksliedvichtung (Kanteletar).

Gallenkolik, durch Dehnungsschmerz der Gallenblase oder der Gallengänge, Spasmen der glatten Gallenwegsmuskulatur bei Steineinklemmung **(Gallensteinkolik)** oder durch Entzündungen der Gallenwege verursachte Erkrankung mit plötzlich einsetzenden, krampfartigen, heftigsten Schmerzen im rechten Oberbauch, dicht unterhalb des Rippenbogens (u. U. bis in die Brust und die rechte Schulter ausstrahlend), begleitet von Übelkeit, Brechreiz, Schweißausbruch, flacher Atmung und Bauchdeckenspannung. Die Behandlung besteht in der Gabe krampflösender Mittel und vorübergehender Nahrungsmittelenthaltung sowie der Behebung des Grundleidens.

Gallenröhrling (Bitterpilz, Tylopilus felleus), von Juni bis Okt. an feuchten Stellen in Nadelwäldern wachsender Ständerpilz aus der Fam. der Röhrlinge; mittelgroßer Pilz mit braunem Hut, bauchigem Stiel und weißen, später rosaroten Poren; ungenießbar.

Gallensäuren, zu den ↑ Steroiden gehörende Gruppe chem. Verbindungen, die in der Gallenflüssigkeit von Mensch und Wirbeltieren enthalten sind. Grundkörper der G. ist die (in der Natur nicht vorkommende) Cholansäure, von der sich die einzelnen G., u. a. *Cholsäure, Desoxycholsäure* (ihre stabilen Additionsverbindungen mit Monocarbonsäuren werden Choleinsäuren genannt), *Lithocholsäure* durch Einführung von α-ständigen Hydroxylgruppen ableiten. Die G. und ihre wasserlösl. Alkalisalze haben grenzflächenaktive Eigenschaften und sind für die Emulgierung der Fette und für die Resorption der Fettsäuren im Darm unentbehrlich.

Gallenseuche ↑ Anaplasmosen.

Gallenblase und Gallengänge

Gallenstein (Cholelith), Konkrement in den Gallengängen oder in der Gallenblase. Ursachen sind Entzündungen der Gallenwege, Stauungen des Galleflusses oder bestimmte Stoffwechselstörungen. Am häufigsten sind *Cholesterinpigmentsteine* bzw. *Cholesterinpigmentkalksteine* (CPK-Steine) in charakterist. Maulbeer- bzw. Facettenform, seltener die reinen *Cholesterinsteine* (sog. Einsiedlersteine, da meist einzeln vorkommend) und die kleinen, erdigen, in den Lebergängen liegenden *Pigmentsteine*.

Gallensteinkolik ↑ Gallenkolik.

Gallensteinkrankheit (Cholelithiasis), durch Steinbildung verursachte, häufigste Erkrankung der Gallenwege. Anzeichen einer G. sind u. a. Druckgefühl im rechten Oberbauch, Blähungen, Aufstoßen und Fettunverträglichkeit. Charakterist. Symptom ist die Gallenkolik. In den meisten Fällen von G. ist eine operative Entfernung der Gallenblase **(Cholezystektomie)** angezeigt.

Gallertalge (Nostoc), Gatt. der Blaualgen mit etwa 50 v. a. im Süßwasser verbreiteten Arten; unverzweigte, aus einzelnen Zellen aufgebaute Fäden, die von einer weichen, schleimigen Gallertscheide umgeben sind; bilden oft große Gallertlager.

Gallerte [ga'lɛrtə, 'galɛrtə; zu mittellat. gelatria „Gefrorenes, Sülze" (zu lat. gelare „gefrieren machen")], in der *Lebensmittelchemie* und *Mikrobiologie* Bez. für im Gelzustand vorliegende Kolloide, die eine hohe Affinität zu ihrem Lösungsmittel, meist Wasser, haben. Der Lösungsmittelanteil kann über 99 % betragen. G. sind von zäh-elast. Konsistenz. Sie dienen zur Steifung z. B. mikrobiolog. Nährböden oder von Produkten der Nahrungsmittelind. G. können aus Gelatine, Agar-Agar, Pektin, Leim u. a. bestehen.

◆ in der *Chemie* ↑ Gel.

Gallertgeschwulst, svw. ↑ Myxom.

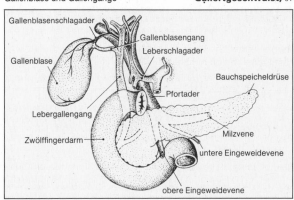

Gallenblasenschlagader

Gallenblasengang
Leberschlagader

Gallenblase

Bauchspeicheldrüse

Pfortader

Lebergallengang

Milzvene

Zwölffingerdarm

untere Eingeweidevene

obere Eingeweidevene

Gallertgewebe (gallertiges Bindegewebe), zellarmes, überwiegend aus gallertiger Interzellularsubstanz bestehendes, embryonales Bindegewebe (z. B. in der Nabelschnur; dort als *Wharton-Sulze* bezeichnet).

Gallertkrebs (Schleimkrebs), bösartige Geschwulst des schleimbildenden Drüsengewebes von Brustdrüse, Mastdarm und Magen.

Gallertpilze (Zitterpilze, Tremellales), Ordnung der Ständerpilze; vorwiegend auf Holz wachsende Pilze mit wachsartigem, knorpeligem oder gallertartigem Fruchtkörper; u. a. der orangerote, ohrförmige bis muschelartige, eßbare **Rotbraune Gallertpilz** (Guepinia helvelloides).

galletreibende Mittel, svw. ↑ Chologoga.

Gallia, röm. Bez. für ↑ Gallien.

Galliarde ↑ Gaillarde.

Gallico, Paul William [engl. 'gælıkoυ], * New York 26. Juli 1897, † Monte Carlo 15. Juli 1976, amerikan. Schriftsteller. – Schrieb erfolgreiche Sportbücher, heitere Romane und Erzählungen in zart-iron. Ton, u. a. „Kleine Mouche" (E., 1954).

Galli da Bibiena ↑ Bibiena, Galli da.

Gallien (lat. Gallia), seit Cäsar das Land der Gallier zw. Rhein, Alpen, Mittelmeer, Pyrenäen und Atlant. Ozean, in Italien seit dem 4. Jh. v. Chr. das Gebiet zw. Alpen und Apennin. Von Rom aus gesehen nw. der Alpen als **Gallia transalpina** oder **Gallia ulterior** (G. jenseits der Alpen oder jenseitiges G.) bezeichnet; entsprach im wesentlichen dem Gebiet des heutigen Frankreich sowie Belgiens und wurde in die **Belgica** (zw. Atlant. Ozean, Ardennen und Seine), **Celtica** (zw. Seine, Rhone, Cevennen und Garonne) und **Aquitania** (zw. Garonne, Pyrenäen und Atlant. Ozean) gegliedert. Diese 3 Landesteile nannte man auch **Gallia comata.** Südlich der Alpen **Gallia cisalpina** oder **Gallia citerior** (G. diesseits der Alpen oder diesseitiges G.) gen. und durch den Po (Padus) in die **Gallia cispadana** (zw. Appenin und Po) und **Gallia transpadana** (zw. Po und Alpen) unterteilt. 225–191 unterwarfen die Römer Gallia cisalpina; die kelt. Bev. südlich des Po erhielt 89 v. Chr., die nördlich des Po 49 v. Chr. das röm. Bürgerrecht. Die Eroberung des südl. Teils der Gallia transalpina und die Einrichtung der Prov. **Gallia Narbonensis** (ben. nach Narbo = Narbonne) erfolgte 125–118. Von hier aus eroberte Cäsar 58–51 die Gallia comata. Zw. 27 und etwa 16 v. Chr. kam es zu einer Neuordnung der gall. Prov.: **Belgica** (Hauptort Augusta Treverorum = Trier), **Lugdunensis** (Hauptort Lugdunum = Lyon) und **Aquitania** (Hauptort seit dem 2. Jh. Burdigala = Bordeaux). G. öffnete sich rasch der Romanisierung, so daß die Bewohner ab 69 mit dem

röm. Bürgerrecht ausgestattet wurden. Die Germaneneinfälle 167/170 und v. a. im 3. Jh., als Alemannen und Franken die Rheingrenze überschritten, führten, um G. zu sichern, zur Bildung des gall. Sonderreiches 259/260 bis 273. Seit Mitte des 2. Jh. breitete sich das Christentum aus. Im 4. Jh. Eindringen der Franken in die Belgica, 406/407 Invasion der Alanen, Vandalen und Quaden, 418 Entstehung des westgot. Kgr. in Süd-G. um Tolosa, 443 des Burgunderreiches an der Rhone. Um 500 wurde fast ganz G. dem Fränk. Reich einverleibt, die Restgebiete im S kamen später hinzu.

⟐ *Drinkwater, J. F.: The Gallic Empire. Stg. 1987. – G. in der Spätantike. Hg. v. Röm.-German. Zentralmuseum. Mainz 1980. – Duval, P. M.: G. Leben u. Kultur in römischer Zeit. Ditzingen 1979.*

Gallienus, Publius Licinius Egnatius, * Mediolanum (= Mailand) 218, † vor Mediolanum 268, röm. Kaiser (Alleinherrscher seit 259). – Als Sohn Valerians 253 Mit-, seit dessen Gefangennahme 259 Alleinregent; führte fast ständig Krieg an Rhein- und Donaufront. Die militär. Aufgaben zwangen zur Schaffung einer bewegl. Armee, wahrscheinl. auch zur Toleranz gegenüber den Christen (Aufhebung der Edikte Valerians um 260).

Gallier (lat. Galli) ↑ Kelten.

Gallier mit seinem Weib, berühmte antike Statuengruppe, von der eine Kopie in Rom (Thermenmuseum) erhalten ist; Teil des großen ↑ Attalische Weihgeschenks.

gallikanischer Gesang [mittellat./dt.], die Gesamtheit der Gesänge der gallikan. Liturgie; sie bildeten sich im 4.–7. Jh. heraus und wurden von Pippin III. und Karl dem Großen zugunsten des Gregorianischen Gesangs verboten. Die nur vereinzelt überlieferten Melodien lassen Ähnlichkeiten zum Ambrosian. und mozarab. Gesang erkennen.

Gallikanismus [mittellat.], 1. kirchenrechtl. Lehrsystem mit nationalkirchl., konziliarist. Einflüssen, das sich in Frankreich (Ecclesia Gallicana „gallikan. Kirche") seit dem Spät-MA auswirkte; 2. staatsrechtl. Lehrsystem, das dem Staat größte Rechte bei kirchl. Angelegenheiten einräumte und ein staatl. Plazet für kirchl. Erlasse verteidigte. – In der ↑ Pragmatischen Sanktion von Bourges (1438) wurde der G. zum Staatsgesetz erhoben. Seinen Höhepunkt erreichte er 1682 in der Erklärung des gallikan. Klerus, formuliert in den sog. vier **gallikan. Artikeln,** die bis zur Frz. Revolution in Geltung blieben: a) die kirchl. Gewalt erstreckt sich nur auf den geistl. Bereich; b) die Dekrete des Konstanzer Konzils über die Oberheit des Konzils sind verbindlich; c) die Gewohnheiten des frz. Königreiches und der gallikan. Kirche müssen in Kraft bleiben; d) die Entscheidungen des Papstes bedürfen der Zustimmung der Gesamtkirche.

Gallimard, Éditions [frz. edisjōgali-'ma:r] ↑ Verlage (Übersicht).

Gallina, Giacinto, * Venedig 31. Juli 1852, † ebd. 13. Febr. 1897, italien. Dramatiker. – Schrieb zahlr. venezian. Dialektlustspiele, u. a. „La famegia del santolo" (1892).

Gallinas, Punta [span. 'punta ɣa'jinas], Kap in Kolumbien, am Karib. Meer, nördlichster Punkt des südamerikan. Festlandes.

Gallipoli, italien. Hafenstadt in Apulien, am Golf von Tarent, 20 000 E. Bischofssitz; Museum; Eisengießereien. – G., das griech. **Kallipolis,** wurde 266 v. Chr. röm., im 11. Jh. normann. und gehörte zum Fürstentum Tarent; fiel in der 2. Hälfte des 15. Jh. an Ferdinand von Aragonien. – Dom (630 ff.) mit barocker Fassade (1696), Kastell (13., 15. Jh.). **G.** ↑ Gelibolu (Türkei).

Gallisch, zum Festlandkelt. gehörende Sprache (↑ keltische Sprachen), im 5. Jh. n. Chr. ausgestorben; nur mangelhaft bekannt.

gallischer Hahn, nat. Tiersymbol der Franzosen (wegen der Doppelbed. des lat. Wortes „gallus": „Gallier" und „Hahn").

Gallischer Krieg (lat. Bellum Gallicum), die Unterwerfung der Gallier durch Cäsar 58–51, in den 7 Büchern der „Commentarii de bello Gallico" von Cäsar dargestellt (von A. Hirtius ein 8. Buch hinzugefügt).

Gallitzin, Amalia Fürstin von, * Berlin 28. Aug. 1748, † Münster (Westf.) 27. April 1806. – Gattin des russ. Fürsten D. A. Golizyn, von dem sie sich 1774 trennte; freundschaftl. Beziehungen zu dem niederl. Philosophen F. Hemsterhuis, seit 1779 in Münster (Westf.) zu Franz von Fürstenberg; Mittelpunkt des sog. „Kreises von Münster", eines stark pädagog. und betont kath. Zirkels; Verbindung u. a. zu J. G. Jacobi, F. L. Graf zu Stolberg-Stolberg, M. Claudius.

Gallium [zu lat. Gallia „Gallien"], chem. Symbol Ga, ein Metall aus der III. Hauptgruppe des Periodensystems der chem. Elemente, Ordnungszahl 31, relative Atommasse 69,72, Schmelzpunkt 29,78 °C, Siedepunkt 2 403 °C, Dichte 5,904 g/cm³. Das silberweiße Metall tritt in seinen Verbindungen meist dreiwertig auf. Chemisch verhalten sich die G.verbindungen ähnlich wie die des Aluminiums. G. ist in Gesteinen und Erzen weit verbreitet; es wird durch Elektrolyse gewonnen. Die Verbindungshalbleiter **Galliumarsenid** (GaAs) und **Galliumphosphid** (GaP) spielen eine große Rolle für die Herstellung elektron. und optoelektron. Bauelemente.

Gällivare [schwed. 'jɛliva:rə], schwed. Großgemeinde in Lappland, 15 996 km², 25 000 E. Bildet mit ↑ Kiruna das erzreichste Gebiet Schwedens. Die wichtigsten Vorkommen von G. liegen bei Malmberget.

Gallizismus [lat.-frz.], eine für das Französische charakterist. sprachl. Erscheinung in einer nichtfrz. Sprache.

Gallmilben (Tetrapodili), Unterordnung 0,08–0,27 mm langer Milben, Pflanzenparasiten, die mit ihren stilettartigen Kieferfühlern Zellen des Wirtsgewebes aussaugen und durch Abgabe von Enzymen ↑ Gallen (v. a. an Blättern) hervorrufen.

Gallmücken (Itonidiidae), mit etwa 4 000 Arten weltweit verbreitete Fam. der Zweiflügler; meist 4–5 mm große, unscheinbare Mücken mit breiten, behaarten Flügeln, langen Fühlern und Beinen; nicht stechend; Larven erzeugen oft ↑ Gallen.

Gallomane [lat./griech.], jemand, der übertrieben alles Französische liebt und nachahmt.

Gallon [engl. 'gælən] (Gallone), Einheitenzeichen gal (bzw. US gal), in Großbritannien und in den USA verwendete Volumeneinheit. Das v. a. in Großbritannien und in Australien benutzte **Imperial gallon** beträgt 4,546 Liter. Daneben wird (USA, Kanada) das [alte] **Winchester gallon** (= 3,785 Liter) verwendet.

gallophil [lat./griech.], svw. ↑ frankophil.

gallophob [lat./griech.], svw. ↑ frankophob.

Galloromanisch, Bez. für die im ehemaligen röm. Gallien aus dem dortigen Vulgärlatein hervorgegangenen roman. Sprachen Frz., Provenzalisch und Frankoprovenzalisch (die Mundarten der frz. Schweiz, Savoyens und des Aostatals).

Gallup-Institut [engl. 'gæləp], das von George Horace Gallup (* 1901, † 1984) 1935 gegr. „American Institute of Public Opinion" (AIPO) zur Erforschung der öff. Meinung und der Wirkung von Massenmedien; veranstaltet wöchentlich Befragungen über polit., soziale und wirtsch. Angelegenheiten von öff. Interesse; hat die Umfrageforschung als Informationsmedium der Politik aktiviert und theoretisch ausgebaut.

Gallus, hl., * in Irland um 555, † Arbon um 645 (16. Okt. 650 ?), ir. Missionar. – Schüler Columbans des Jüngeren; lebte in der sog. G.zelle, die zum Kristallisationspunkt des späteren, von Otmar gegr. Klosters Sankt Gallen wurde. – Fest: 16. Oktober.

Gallus, Flavius Claudius Constantius, * in Etrurien 325, † bei Pola (= Pula, Istrien) 354, röm. Caesar. – Neffe Konstantins I., d. Gr.; 351 zum Caesar für den O ernannt; seine grausame Herrschaft führte zu seiner Rückberufung unter einem Vorwand und Hinrichtung noch unterwegs.

G., Gajus Vibius Trebonianus, röm. Kaiser, ↑ Trebonianus Gallus, Gajus Vibius.

G., Jacobus, eigtl. Handl, slowen. Petelin, * Ribnica (Slowenien) 3. Juli 1550, † Prag 18. Juli 1591, slowen. Komponist. – 1579–85 Kapellmeister in Olmütz, seit 1585 Regens chori an Sankt Johann in Prag; Vertreter der Gegenreformation; verband Elemente des polyphonen Satzes mit denen des venezian. Stils; u. a. Messen und Motetten.

G., Udalricus, dt. Buchdrucker, ↑ Han, Ulrich.

Gallusgerbsäure [lat./dt.], svw. ↑ Tannin.

Gallussäure [lat./dt.] (3,4,5-Trihydroxybenzoesäure), eine weitverbreitete aromat. Pflanzensäure (u. a. in Eichenrinde, Galläpfeln, Tee). Bei Zusatz von Eisen(II)-salzen bilden sich blauschwarze Niederschläge, die als Eisengallustinte verwendet werden. Verschiedene G.derivate werden als Farbstoffe verwendet. Chem. Strukturformel:

$$\text{COOH}$$

HO — OH
OH

Gallwespen [lat./dt.] (Cynipoidea), mit etwa 1 600 Arten v. a. auf der Nordhalbkugel verbreitete Überfam. der Hautflügler (Unterordnung Taillenwespen); 1–5 mm lange, häufig schwarz und/oder braun gefärbte Insekten. Die meisten Arten der G. parasitieren in Pflanzen; bes. häufig sind die **Gemeine Eichengallwespe** (Diplolepis quercusfolii) und die rötlichgelbe **Eichenschwammgallwespe** (Biorrhiza pallida), die hauptsächlich Eichenblätter befallen. Die knapp 3 mm lange, schwarze, rotbeinige **Himbeergallwespe** (Brombeer-G., Diastrophus rubi) verursacht an Himbeer- und Brombeerruten Zweiganschwellungen.

Galmei [griech.-lat.-mittellat.-frz.], Sammelbez. für carbonat. und silicat. Zinkerze, v. a. Zinkspat, Zinkblüte, Hemimorphit, Willemit (Zn$_2$[SiO$_4$]).

Galmeipflanzen, Pflanzen, die auf stark zinkhaltigen, mit Galmei angereicherten Böden wachsen. Bekannt ist das gelb oder bunt blühende **Galmeistiefmütterchen** (**Galmeiveilchen,** Viola calaminaria). Die Asche der G. kann bis über 20 % Zink enthalten.

Galois, Évariste [frz. ga'lwa], * Bourg-la-Reine 25. Okt. 1811, † (nach einem Duell) Paris 31. Mai 1832, frz. Mathematiker. – Schrieb 1832 die Konzeption einer allg. Auflösungstheorie algebraischer Gleichungen auf gruppentheoret. Grundlage (G.-Theorie).

Galon [ga'lõ:; frz.], Tresse, Borte, Litze, z. B. an der Frackhose an den Seitennähten.

Galopp [german.-frz.-italien.] ↑ Fortbewegung.

◆ um 1825 aufgekommener schneller Rundtanz im $^2/_4$-Takt, bis Ende des 19. Jh. beliebt.

galoppierende Schwindsucht, die volkstüml. Bez. für eine schnell tödlich verlaufende Form der Lungentuberkulose.

Galopprennen ↑ Reitsport.

Galosche [frz., zu lat. solea gallica „gallische Sandale"], schützender Überschuh.

Galswinda, † 567, fränk. Königin. – Tochter des Westgotenkönigs Athanagild und Schwester Brunhildes, heiratete 567 Chilperich I., der sie wegen der Nebenfrau Fredegunde verstieß und ermorden ließ.

Galsworthy, John [engl. 'gɔ:lzwə:ði], * Coombe (= London) 14. Aug. 1867, † London 31. Jan. 1933, engl. Schriftsteller. – Mitbegr. und bis zu seinem Tode Präs. des PEN-Clubs. G. wurde bekannt durch den sozialkrit. Roman „Auf Englands Pharisäerinsel" (1904). Hauptwerk ist das breit angelegte, gesellschaftskrit. Zeitgemälde der ausgehenden Viktorian. Epoche, „Die Forsyte Saga" (Romanzyklus, 5 Teile, 1906–21) mit den Fortsetzungen „Moderne Komödie" (Romanzyklus, 5 Teile, 1924–28) und „Das Ende vom Lied" (Romanzyklus, 3 Teile, 1931–33). Hervorragende Beispiele feinfühliger Erzähl- und subtiler psycholog. Charakterisierungskunst sind seine Novellen. Nobelpreis 1932. – Weitere Werke: Das Herrenhaus (R., 1907), Die dunkle Blume (R., 1913), Viktorian. Miniaturen (hg. 1935).

Galt, svw. ↑ gelber Galt.

Galton, Sir (seit 1909) Francis [engl. gɔ:ltn], * Birmingham 16. Febr. 1822, † London 17. Jan. 1911, brit. Naturforscher und Schriftsteller. – Arzt und Anthropologe in London. Durch das Werk „Hereditary genius, its laws and consequences" (1869) wurde G. zum Mitbegründer der ↑ Eugenik (G. prägte diesen Begriff); außerdem begr. er die Zwillingsforschung und stellte eine Reihe von Erbgesetzen auf. Die **Galton-Regel** (G.sche Kurve) zeigt, daß bestimmte erbl. Eigenschaften stets um einen Mittelwert schwanken. Er erkannte die Individualität des Hautreliefs und regte den Gebrauch der ↑ Daktyloskopie im polizeil. Erkennungsdienst an.

Galton-Pfeife [engl. gɔ:ltn; nach Sir F. Galton], eine Lippenpfeife zur Erzeugung von sehr hohen Tönen bzw. von Ultraschall bis zu einer Frequenz von etwa 100 kHz.

Galuppi, Baldassare, gen. il Buranello, * auf Burano 18. Okt. 1706, † Venedig 3. Jan. 1785, italien. Komponist. – Seit 1748 Kapellmeister an San Marco in Venedig, 1765–68 Hofkapellmeister in Petersburg; einer der wichtigsten Vertreter der Opera buffa (etwa 100 Werke, 1749–66 mit Goldoni als Librettist), daneben Oratorien und Kirchenmusik.

Galuth [hebr. „Verbannung"], das Leben des jüd. Volkes außerhalb Israels, als es keinen jüd. Staat gab (70–1948). – Die G. wird meist als Strafe mit der Möglichkeit zur Buße angesehen, die mit dem Erscheinen des Messias endet. Daraus erklären sich die immer wieder auftretenden messian. Bewegungen mit dem Ziel der Heimkehr. Das 19. und beginnende 20. Jh. stellen die G. nicht mehr in Frage, sondern begründen sie unter Aufnahme des ma. Vorbildmotivs mit der Sendung, an der Erlösung der Welt mitzuwirken, mit der die G. endet.

Galvani, Luigi, * Bologna 9. Sept. 1737, † ebd. 4. Dez. 1798, italien. Arzt und Naturforscher. – Prof. für Anatomie und Gynäkologie in Bologna; entdeckte 1780 die Kontraktion präparierter Froschmuskeln beim Überschlag elektr. Funken. 1786 zeigte er, daß diese Reaktion auch dann eintritt, wenn der Muskel lediglich mit zwei verschiedenen miteinander verbundenen Metallen in Kontakt gebracht wird *(Froschschenkelversuch)*. Diese Erscheinung, die früher als Galvanismus bezeichnet wurde, führte zur Entdeckung der ↑ elektrochemischen Elemente.

galvanisch [nach L. Galvani], auf elektrochem. Stromerzeugung beruhend; Gleichstrom betreffend; **galvanischer Strom,** svw. elektr. Strom (Gleichstrom).

♦ unmittelbar elektrisch leitend verbunden, z. B. *g. Kopplung, g. Verbindung* (im Ggs. zur kapazitiven oder induktiven Kopplung).

galvanisches Bad, eine Elektrolytlösung von Metallsalzen und Zusatzmitteln zur Abscheidung metall. Überzüge.

galvanisches Element ↑ elektrochemische Elemente.

galvanisieren [nach L. Galvani], Metalle oder oberflächig leitend gemachte Nichtmetalle durch elektrolyt. Abscheidung mit Metall überziehen. – ↑ Galvanoplastik.

Galvanokaustik, die Anwendung von Gleichstrom zu operativen Eingriffen in der Elektrochirurgie. Während der Schnittführung mit der glühenden aktiven Elektrode **(Galvanokauter)** werden kleinere Blutgefäße koaguliert und dadurch Blutungen vermieden.

galvanomagnetische Effekte, Sammelbez. für eine Reihe von physikal. Erscheinungen, die bei Einwirkung eines homogenen Magnetfeldes auf einen stromdurchflossenen elektr. Leiter auftreten, z. B. ↑ Thomson-Effekt und ↑ Hall-Effekt.

galvanomagnetische Elemente, Halbleiterbauelemente, deren Wirkungsweise auf einem galvanomagnet. Effekt beruht, z. B. beim Hall-Generator auf dem ↑ Hall-Effekt. G. E. werden u. a. als kontaktlose Signalgeber und Potentiometer verwendet.

Galvanometer, empfindl. Instrument zur Messung und zum Nachweis schwacher elektr. Ströme und Spannungen, bei dem die

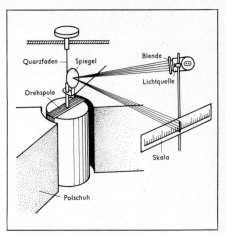

Galvanometer. Spiegelgalvanometer

Kraftwirkung zw. einem Magneten und einem vom zu messenden Strom durchflossenen Leiter zur Anzeige ausgenutzt wird. Das am häufigsten benutzte **Drehspulgalvanometer** *(Spulen-G.)* hat eine drehbare, vom zu messenden Strom durchflossene Spule zw. den Polen eines Permanentmagneten. Je nach Art der Ablesung wird beim Drehspul-G. zw. einem Zeiger-, Spiegel- (Lichtzeiger-) oder Lichtmarken-G. unterschieden. Das **Zeigergalvanometer** besitzt ein Drehspulmeßwerk, bei dem ein drehbarer, als mechan. Zeiger die Torsion der Spule auf einer Skala sichtbar macht. Im **Spiegelgalvanometer** ist an der Spule oder am Spanndraht der Spule ein sehr leichter Spiegel befestigt, der eine von einer Lampe erzeugte Strichmarke auf eine in bestimmter Entfernung vom G. stehende Skala reflektiert. Bei Verwendung langer Lichtzeiger können kleinste Drehungen der Spule sichtbar gemacht und damit geringste Ströme oder Spannungen gemessen werden. Als **Lichtmarkengalvanometer** werden Spiegel-G. bezeichnet, bei denen Lichtquelle und Lichtweg mit mehreren Umlenkspiegeln im G.gehäuse untergebracht sind und eine Lichtmarke auf der eingebauten Skala zur Ablesung erscheint. Das **ballist. Galvanometer** *(Stoß-G.)* ist ein Drehspul-G. mit stark vergrößertem Trägheitsmoment, d. h. längerer Schwingungsdauer.

Galvanoplastik, elektrochem. Verfahren zur Abscheidung dicker Metallüberzüge, die den Charakter eines massiven Metalls haben und mehr oder weniger selbsttragend sind. Heute werden v. a. mechanisch schwer zu fertigende Teile sowie Formen z. B. für die

Kunststoffverarbeitung und für die Elektronik galvanoplastisch hergestellt.

Galvanostegie [nach L. Galvani/ griech.], die Herstellung von Überzügen auf Metallen durch elektrolyt. Metallabscheidung zur Erhöhung der Verschleißfestigkeit und als Korrosionsschutz. – ↑ Galvanoplastik.

Galvanotechnik, Sammelbez. für verschiedene Verfahren der elektrolyt. oder elektrochem. Oberflächenbehandlung von Metallen (↑ Galvanostegie) und der Herstellung metall. Kopien eines Gegenstandes (↑ Galvanoplastik).

Galveston [engl. 'gælvɪstən], Hafenstadt in SO-Texas, auf G. Island, 62 000 E. Kath. Bischofssitz; medizin. Abteilung der University of Texas; Bibliotheken; Export- und Fischereihafen; Erdölraffinerien, chem. Ind., ♨. – 1836 angelegt; im Sezessionskrieg bedeutendster Hafen der Südstaaten.

Galvin, John Rogers [engl. 'gælvɪn], *Melrose (Mass.) 13. Mai 1929, amerikan. General. – 1985–87 Oberkommandierender der amerikan. Truppen in Mittelamerika, 1987–92 Oberbefehlshaber der NATO-Streitkräfte in Europa und zugleich dort stationierten amerikan. Truppen.

Galway [engl. 'gɔ:lweɪ], ir. Hafenstadt im Innern der **Galway Bay,** einer Bucht des Atlantiks, 47 000 E. Verwaltungssitz der Gft. G., kath. Bischofssitz; University College (gegr. 1845), Markt- und Ind.zentrum, Seebad. – 1124 erstmals gen., seit dem 14. Jh. Stadt. – Pfarrkirche Saint Nicholas (1320), Franziskanerkirche und Gerichtshof.
G., Gft. in W-Irland.

Gama, Dom (1499), Vasco da, Graf von Vidigueira (1504), *Sines 1468 oder 1469, †Cochin (Vorderindien) 24. Dez. 1524, portugies. Seefahrer. – Von König Emanuel I. mit 4 Schiffen 1497 ausgesandt, um Indien auf dem Seeweg zu erreichen; umsegelte das Kap der Guten Hoffnung und gelangte über Malindi in O-Afrika nach Calicut in Vorderindien (1498); erreichte Lissabon wieder 1499; 2. Fahrt mit 20 Schiffen nach Indien (1502–04); schuf die Grundlagen der portugies. Hegemonie im Ind. Ozean; als Vizekönig 1524 nach Indien zurückgesandt.

Gamaliel [...i-el] (G. d. Ä., G. der Alte), Führer des pharisäischen Judentums in der 1. Hälfte des 1. Jh. n. Chr. – Enkel des ↑ Hillel; Vorsitzender des Synedriums, nach Apg. 22,3 Lehrer des Apostels Paulus.
G. II., gen. G. von Jabne, †vor 116 n. Chr., Tannait und Vorsitzender des Synedriums in Jabne (Jamnia). – Unter ihm wurde durch die Aufnahme der Bücher „Hoheslied" und „Prediger" der bibl. Kanon des A. T. festgelegt; das ↑ Schemone Esre erhielt seine abschließende Form.

Gamander [griech.-mittellat.] (Teucrium), Gatt. der Lippenblütler mit mehr als 100 Arten in den gemäßigten und wärmeren Zonen; Kräuter, Halbsträucher oder Sträucher mit ährigen, traubigen oder kopfigen Blütenständen; bekannt ist der karminrote **Echte Gamander** (Teucrium chamaedrys).

Gamaschen [frz. zu arab.-span. guadameci „Leder aus Ghadames" (↑ Ghudamis)], sohlenlose, seitlich knöpfbare Überstrümpfe mit Steg; aus Wolle, Leinen oder Leder; kamen im 18. Jh. als hohe G. der Infanteristen auf, knie- oder knöchelhoch in der Herrenund Damenmode im 19. und 20. Jahrhundert.

Gambe [italien.] ↑ Viola da gamba.

Gambeson [frz. gãb'zõ] (Gambison, Gambisson), meist wattiertes Untergewand unter dem Kettenhemd der ma. Rüstung.

Gambetta, Léon [frz. gãbɛ'ta], *Cahors 3. April 1838, †Ville-d'Avray bei Paris 31. Dez. 1882, frz. Politiker. – Republikaner, entschiedener Gegner Napoleons III., formulierte 1869 die polit. Zielsetzung der Radikalsozialisten; scheiterte im Dt.-Frz. Krieg 1870/ 1871 mit dem Versuch, in der Prov. militär. Widerstand zu organisieren und das belagerte Paris zu befreien, an der militär. Überlegenheit der preuß. Truppen sowie an der Kriegsmüdigkeit der Bev.; trat 1871 als Innenmin. der „Regierung der nat. Verteidigung" zurück; stimmte 1875 mit seinen Anhängern für die Verabschiedung der Verfassungsgesetze und rettete somit die Republik vor einer drohenden royalist. Restauration.; 1879–81 Präs. der Deputiertenkammer; Nov. 1881/Jan. 1882 Min.präsident.

Gambia

(amtl. Vollform: Republic of the G.), Republik in Westafrika, am Atlantik, zw. 13° und 14° n. Br. sowie 14° bis 17° w. L. **Staatsgebiet:** Bis auf die Küste (Küstenlinie 50 km) ist G. vom Staatsgebiet Senegals umgeben. **Fläche:** 11 295 km², davon Landfläche 10 347 km². **Bevölkerung:** 908 000 E (1992), 80 E/km². **Hauptstadt:** Banjul (früher Bathurst). **Verwaltungsgliederung:** 6 Bezirke und das Gebiet der Hauptstadt. **Amtssprache:** Englisch. **Nationalfeiertag:** 18. Febr. (Unabhängigkeitstag). **Währung:** Dalasi (D) = 100 Bututs (b). **Internationale Mitgliedschaften:** UN, OAU, ECOWAS, WTO, Commonwealth, der EU assoziiert. **Zeitzone:** MEZ – 1 Std.

Landesnatur: G., der kleinste Staat des afrikan. Festlands, umfaßt einen Tieflandstreifen von 10–30 km beiderseits des Gambia, der sich 375 km weit ins Landesinnere erstreckt. **Klima:** Es ist randtropisch, mit einer Sommerregenzeit. **Vegetation:** Weitgehend Savannen; im

Ästuar des Gambia Mangroven, die landeinwärts von überschwemmten Grasfluren mit Raphiapalmen abgelöst werden.

Bevölkerung: Sie besteht überwiegend aus Stämmen der Sudaniden (41% Malinke [Mandingo], 19% Fulbe, 15% Wolof u. a.). Etwa 90% sind Muslime, 8% Anhänger traditioneller Religionen, 2% Christen. Neben Grundschulen (sechsjährig; keine Schulpflicht) und höheren Schulen gibt es 20 berufsbildende Schulen und lehrerbildende Anstalten.

Wirtschaft: Dominierend ist die Landw. in kleinbäuerl. Betrieben. Wichtigstes Anbauprodukt sind Erdnüsse, die z. T. in den Ölmühlen des Landes verarbeitet werden. Für die Selbstversorgung werden Hirse, Reis und Maniok angebaut. Stark ausgebaut wurde der Fremdenverkehr.

Außenhandel: Die wichtigsten Handelspartner sind die EU-Staaten (bes. Großbritannien), die USA, die VR China und Ghana. Erdnüsse und Erdnußprodukte sind mit etwa 80% an der Ausfuhr beteiligt. Eingeführt werden Lebensmittel, Textilien und Schuhe, Maschinen und Transportmittel sowie Brennstoffe.

Verkehr: Das Straßennetz ist 2990 km lang (1720 km ganzjährig befahrbar). Der Fluß G. ist die Hauptverkehrsader des Landes. Hochseehafen ist Banjul. Internat. ✈ Yundum bei Banjul.

Geschichte: Das Gebiet um den Gambia gehörte wahrscheinlich im 10./11. Jh. zum Reich Gana, vom 13.–15. Jh. zum Reich Mali. Nach Ausschaltung der Portugiesen, die seit Ende des 15. Jh. am unteren Gambia Handelskontore hatten, kämpften Spanier und Holländer, vom 17.–19. Jh. Briten und Franzosen um die Beherrschung der Mündung. 1816 gründeten die Briten den Stützpunkt Bathurst (= Banjul). 1843 Kronkolonie, 1888 Protektorat; bis 1951 von den Häuptlingen verwaltet. Am 18. Febr. 1965 wurde G. unabhängig, am 24. April 1970 Republik. Staatspräs. (seit 1970) Sir Dawda Kairaba Jawara wurde 1994 durch einen Militärputsch gestürzt. Leutnant J. Jammeh erklärte sich am 26. Juli 1994 zum Staatschef. Febr. 1982 bis Sept. 1989 Föderation mit Senegal *(Senegambia)*.

Politisches System: Nach der Verfassung von 1970 (außer Kraft gesetzt 1994) ist G. eine präsidiale Republik. *Staatsoberhaupt* ist seit 1982 der in allg. Wahlen für 5 Jahre gewählte Staatspräsident. Mit dem von ihm ernannten Vizepräs., der die Reg. vor dem Parlament vertritt, und den übrigen Ressortmin. ist er Träger der *Exekutive.* Die *Legislative* liegt beim Parlament, dem Repräsentantenhaus (35 vom Volk auf 4 Jahre gewählte Abg.; 5 Stammeshäuptlinge, 8 ernannte Mgl. und der Generalstaatsanwalt). Polit. Parteien sind seit 1994 verboten. Verwaltungsmäßig besteht G. aus 6 Bezirken mit Selbstverwaltungsorganen sowie dem Gebiet der Hauptstadt. Den Bezirken sind 35 von Häuptlingen geleitete Distrikte nachgeordnet. Das *Recht* basiert z. T. auf engl., z. T. auf islam. Recht, z. T. auf traditionellem Stammesrecht. Das *Gerichtswesen* ist gegliedert in Magistratsgerichte, den Apellationsgerichtshof und den obersten Gerichtshof.

📖 *Jahn, H./Jahn, R.:* G. Reiseführer mit Landeskunde. *Dreieich-Buchschlag* ²1990. – *Gamble, D. P.:* From the Gambian rebellion to the Senegambian federation. *San Francisco 1983.* – *Burisch, M.:* Der Wirtschaftsraum Senegambien. *Hamb. 1976.* – *Gailey, H. A.:* A history of the G. London 1964.

Gambia, Zufluß zum Atlantik, einer der wenigen natürl. Zugänge ins Innere von W-Afrika, entspringt in Guinea, mündet mit einem bis 13 km breiten Ästuar bei Banjul, Gambia; rd. 1100 km lang. Im Unterlauf für kleinere Seeschiffe befahrbar.

Gambier, Îles [frz. ilgã'bje], Inselgruppe im zentralen Pazifik, Hauptort Rikitea auf **Mangareva** (6,5 km lang, bis 1,5 km breit), eine der vier von Polynesiern bewohnten Hauptinseln der Î. G. – 1797 entdeckt, 1844 frz. Protektorat; seit 1881 gehören die Î. G. zu Frankreich.

Gambir (Gambirkatechu) [malai.], gelbroter, gerbstoffreicher Extrakt aus den Blättern und jungen Trieben des hinterind. Rötegewächses Uncaria gambir; wird zur Bereitung des ↑ Betelbissens verwendet.

Gambit [zu italien. span. gambito, eigtl. „das Beinstellen"], im Schachspiel Eröffnung einer Partie mit Bauernopfer zur schnelleren Entwicklung der eigenen Figuren.

Gambrinus, angebl. Erfinder des Bieres und Schutzherr der Bierbrauer und -trinker. Nach J. Annius (1498) einer der (von ihm konstruierten) zehn ersten Herrscher der german. Frühzeit; 1543 wurde ihm erstmals die Erfindung des Bierbrauens zugeschrieben (wohl irrtüml. anstelle seines angebl. Vaters Marsus).

Gambusen (Gambusia) [span.], Gatt. der Lebendgebärenden Zahnkarpfen mit 12 etwa 2,5–9 cm langen Arten im östl. N-Amerika, in M-Amerika und auf einigen Westind. Inseln; Körper meist unscheinbar gefärbt, ♂♂ wesentlich kleiner als ♀♀; z. T. Warmwasseraquarienfische.

Gamelan [javan.], das vorwiegend aus Idiophonen gebildete musikal. Ensemble javan. Ursprungs, das im 14. Jh. auch nach Bali gelangte. Es gibt heute G.orchester verschiedenster Besetzungen. Die Instrumente gliedern sich in 3 Gruppen, solche, die die Kernmelodie („balungan") vortragen, solche, denen die Verzierung („panerusan") zugeordnet ist und solche, die die Stücke in Abschnitte gliedern. Das volle javan. Orchester besteht aus hängenden Gongs („gong" oder „kempul"), waagrecht aufgereihten Gongs („kenong", „ketuk", „kempjang"), horizontal angeordneten Gongspielen („bonang"), Metallophonen („saron", „slentem", „gender"), aus Xylophon („gambang"), Flöte („suling"), Laute („rebab"), Zither („tjelempung", „siter"), Handtrommeln, Chor und Einzelsängern. G.musik erklingt zu Tempelfesten, begleitet rituelle und dramat. Tänze, Schatten- und Maskenspiele.

Gamelin, Maurice Gustave [frz. gam'lɛ̃], * Paris 20. Sept. 1872, † ebd. 14. April 1958, frz. General. – Als enger Mitarbeiter J. Joffres 1914 beteiligt an der strateg. Planung der Marneschlacht; seit 1931 Chef des Generalstabs der Armee; als Oberbefehlshaber der frz. und brit. Truppen (seit Sept. 1939) mitverantwortlich für die militär. Niederlage Frankreichs im 2. Weltkrieg, 1940 verhaftet und vor Gericht gestellt; 1943 an Deutschland ausgeliefert.

Gameten [griech.], svw. ↑ Geschlechtszellen.

Gametogamie [griech.] ↑ Befruchtung.

Gametogenese [griech.], Prozeß der Geschlechtszellenbildung.

Gametopathie [griech.] ↑ Mißbildung.

Gametophyt [griech.] (Gamont), die geschlechtl., haploide Generation im Fortpflanzungszyklus der Pflanzen. G. gehen aus Sporen der ungeschlechtl. Generation hervor und bilden ihrerseits geschlechtl. Fortpflanzungszellen. G. finden sich (Bakterien und Blaualgen ausgenommen) bei allen Pflanzengruppen.

Gamillscheg, Ernst, * Neuhaus (Österreich) 28. Okt. 1887, † Göttingen 18. März 1971, dt. Romanist. – Prof. in Innsbruck, Berlin und Tübingen; Erforschung des Rumänischen und der rätoroman. Dialekte; Arbeiten zu Etymologie, Syntax und Wortbildung. – *Werke:* Etymolog. Wörterbuch der frz. Sprache (1926–29), Romania germanica (1934–36).

Gamlebyen ↑ Frederikstad.

Gamma, dritter Buchstabe des griech. Alphabets: Γ, γ.

◆ in der *Chemie* ↑ Nomenklatur.

Gammaastronomie (Gammastrahlenastronomie) ↑ Röntgenastronomie.

Gammaenzephalographie, svw. ↑ Hirnszintigraphie.

Gammaeule (Autographa gamma), bis 4 cm spannender Eulenfalter in Eurasien; mit je einem silberweißen Gammazeichen auf den blaulichgrauen Vorderflügeln.

Gammafunktion (Eulersche Gammafunktion), von L. Euler eingeführte Funktion

zur Interpolation der ↑ Fakultät. Die Integraldarstellung der G. lautet

$$\Gamma(z) = \int_0^\infty e^{-t} t^{z-1} dt. \quad Re(z) > 0.$$

Für natürl. Zahlen n gilt: $\Gamma(n) = (n-1)!$

Gammaglobuline (γ-Globuline), zur Vorbeugung und Behandlung bei verschiedenen Krankheiten verwendete Eiweißstoffe (↑ Immunglobuline) des Blutplasmas.

Gammakamera, svw. ↑ Szintillationskamera.

Gammaquanten ↑ Gammastrahlen.

Gammaspektrometer, Gerät zur Aufnahme eines **Gammaspektrums,** d. h. zur Bestimmung der relativen Häufigkeit von Gammaquanten in Abhängigkeit von ihrer Energie (bzw. Frequenz). Langwellige Gammastrahlen werden durch Beugung an [Kristall]gittern untersucht, kurzwellige (energiereichere) mit Hilfe von ihnen erzeugter Reaktionen.

Gammastrahlen (γ-Strahlen), i. e. S. die von angeregten Atomkernen bei Gammaübergängen ausgesandte äußerst kurzwellige elektromagnet. Strahlung (Wellenlängen zw. 10^{-8} und 10^{-12} cm) deren Photonen, die sog. **Gammaquanten,** sehr hohe Energie besitzen. Sie treten v. a. bei der natürl. und künstl. Radioaktivität auf. Beim radioaktiven Zerfall bilden die G. neben den Alpha- und Betastrahlen die dritte, im elektr. und magnet. Feld aber nicht ablenkbare Komponente der radioaktiven Strahlung. Auf Grund ihrer hohen Quantenenergie sind G. sehr durchdringend und wirken ionisierend; ihre physiolog. Wirkung ist die gleiche wie die von Röntgenstrahlen. Sie werden in der Technik v. a. zur zerstörungsfreien Werkstoffprüfung, in der Medizin zur Tumorbehandlung herangezogen.

Gammastrahlenbursts [engl. -bə:sts], svw. ↑ Strahlenstürme.

Gammaübergang (γ-Übergang), der unter Emission von Gammaquanten erfolgende Übergang eines angeregten Atomkerns in einen energetisch tiefer liegenden Energiezustand, meist in den Grundzustand. Der unkorrekt auch **Gammazerfall** gen. G. ist kein radioaktiver Zerfall im eigentl. Sinne, da sich bei ihm weder die Kernladungszahl noch die Massenzahl des Kerns ändert.

Gammertingen, Stadt auf der Schwäb. Alb, Bad.-Württ., 662 m ü. d. M., 5 900 E. Museum; Trikotagenherstellung und Metallverarbeitung. – In alemann. Zeit angelegt, 1524–1827 im Besitz der Familie von Speth (ab 1806 Standesherrschaft), 1827 an Hohenzollern-Sigmaringen.

Gammler [niederdt.], Bez. für Jugendliche, die (als soziales Massenphänomen der

1960er Jahre) in Gruppen oder als Einzelgänger in Lebensform, Haltung, Kleidung und betont ungepflegtem Äußeren gegen die geordnete, „etablierte" industrielle Arbeits- und Leistungsgesellschaft protestierten; passive soziale Antihaltung; mehrere „vergammelte" Jugendjahre wurden i. d. R. mit der gesellschaftl. Eingliederung abgeschlossen.

Gamone [griech.] (Befruchtungsstoffe), von männl. und weibl. Geschlechtszellen gebildete Befruchtungshormone, die die Sexualreaktion zw. den ♀ und ♂ Gameten auslösen.

Gamow, George [engl. 'gɛɪmaʊ], * Odessa 4. März 1904, † Boulder (Colo.) 19. Aug. 1968, amerikan. Physiker russ. Herkunft. – G. wandte 1928 die Quantentheorie auf den Alphazerfall von Atomkernen an und deutete diesen als Tunneleffekt; prägte die Bez. „Big bang" für den Urknall.

Gams, svw. ↑ Gemse.

Gamsbart, Büschel von Rückenhaaren der Gemse, das als Schmuck an bestimmten Trachten- und Jägerhüten getragen wird.

Gamskraut (Gemskraut), volkstüml. Bez. für verschiedene Gebirgspflanzen, z. B. Arnika, Schwarze Schafgarbe und Stengelloses Leimkraut.

Gamskresse (Gemskresse), volkstüml. Bez. für verschiedene Alpenpflanzen mit kresseähnl. Blättern, z. B. für den Gletscherhahnenfuß und das Rundblättrige Hellerkraut.

Gamswild (Gemswild, Krickelwild), wm. Bez. für Gemsen.

Gamswurz, volkstüml. Bez. für verschiedene alpine Pflanzen wie Arnika, Goldpippau sowie für die Zwergschlüsselblume.
◆ svw. ↑ Gemswurz.

Gana (Ghana), ehem. westsudan. Reich, gegr. von Weißen (von Berbern?); mit Sicherheit erst um 770 nachweisbar; erstreckte sich während seiner größten Ausdehnung (nach 790) vom oberen Niger bis zum mittleren Senegal und nördlich bis in die Saharazone; stand um 850 auf der Höhe seiner Macht, zerfiel im 11. Jh. in Teilreiche; 1240 von Mali erobert.

Gänale Dorja ↑ Juba.

Ganasche [griech.-italien.-frz.], Bez. für den Bereich der Kaumuskulatur bei Tieren; v. a. beim Pferd der hintere, obere Rand des Unterkiefers.

Gance, Abel [frz. gãːs], * Paris 25. Okt. 1889, † ebd. 10. Nov. 1981, frz. Filmregisseur. – Pionier der Filmkunst; entwickelte für seinen monumentalen Film „Napoleon" (1923–27, Neufassung 1972) die „Polyvision", eine Vorstufe des Cineramasystems. – *Weitere Filme:* Ich klage an (1919), Das Rad (1923), Der Turm der sündigen Frauen (1957).

Gand [frz. gã], frz. für ↑ Gent.

Ganda, Bantustamm in S-Uganda, überwiegend Hackbauern und Hirtennomaden.

Gandak [engl. 'gændək], linker Nebenfluß des Ganges, im zentralen Nepal und in Indien, rd. 680 km lang; mehrfach gestaut.

Gandersheim, Hrotsvit von ↑ Hrotsvit von Gandersheim.

Gandersheim, Bad ↑ Bad Gandersheim.

Gandhara, NW-Provinz des alten Indien im heutigen O-Afghanistan und westl. Pakistan. Das histor. G. zeigt im Rahmen der ↑ buddhistischen Kunst eine ausgeprägte künstler. Sonderentwicklung. Unter hellenist. Einfluß verschmolzen in der G.kunst (1.–5. Jh., Nachwirkung bis zum 7./8. Jh.) ind. mit hellenist.-röm. Elementen. Es entstanden Klöster und Stupas (u. a. in Taxila), zahlr. Statuen (v. a. von Buddha) und Reliefs.

Gandhi, Indira, * Allahabad 19. Nov. 1917, † Neu-Delhi 31. Okt. 1984 (ermordet), ind. Politikerin. – Tochter J. Nehrus; trat 1938 dem Indian National Congress (INC) bei, 1946–64 enge Mitarbeiterin ihres Vaters; 1964–66 Informationsmin., 1966–77 Premiermin. und Parteiführerin; in wirtschaftspolit. Entscheidungen sozialist. Ideen verpflichtet; schloß 1971 einen Freundschaftsvertrag mit der UdSSR; 1975 wegen Wahlkorruption verurteilt, verhängte den Ausnahmezustand und ließ zahlr. polit. Gegner verhaften; trat nach der Wahlniederlage des INC 1977 vom Amt des ind. Premiermin. und des Parteiführers zurück. Nach dem Wahlerfolg des von ihr geführten selbständigen Flügels des INC 1980 erneut Premiermin., sah sie sich verstärkt mit religiösen und ethn. Spannungen konfrontiert; wurde 1983 Sprecherin der blockfreien Staaten; fiel einem Attentat zweier ihrer Leibwächter aus der Sikh-Gemeinschaft zum Opfer.

G., Mohandas Karamchand, gen. Mahatma [Sanskrit „dessen Seele groß ist"] (seit 1915), * Porbandar (Gujarat) 2. Okt. 1869, † Neu-Delhi 30. Jan. 1948 (ermordet), Führer der ind. Unabhängigkeitsbewegung. – Entwickelte als Rechtsanwalt 1893–1914 in Südafrika im Kampf um die polit. Rechte der ind. Einwanderer seine Methode des gewaltlosen Widerstandes: durch Satjagraha („Festhalten an der Wahrheit") soll der Gegner zur Einsicht in sein Fehlverhalten und Änderung seiner Handlungsweise angehalten werden. Mittel waren Verweigerung der Mitarbeit in Behörden („non-co-operation") und ziviler Ungehorsam („civil disobedience"). 1914 nach Indien zurückgekehrt, wurde er zur führenden Persönlichkeit des Indian National Congress (INC); 1922–24 und nach 1930 mehrfach inhaftiert; regte 1921 gegen das brit. Textilmonopol die Handspinnbewegung an,

1930 protestierte er mit seinem „Salzmarsch" gegen das brit. Salzmonopol; 1934 trat G. aus dem INC aus und setzte sich insbes. für die „Unberührbaren" ein. Nach dem Scheitern seiner Bemühungen, die Einheit Indiens zu erhalten, half G. 1947 blutige Auseinandersetzungen zw. Muslimen und Hindus zu schlichten. Von einem fanat. Hindu erschossen. Sein polit. Handeln war stark von der Religion geprägt; sein bleibendes Verdienst ist die weitgehende Verhinderung von Blutvergießen im Kampf um die Unabhängigkeit Indiens.

G., Rajiv, * Bombay 20. Aug. 1944, † Spierumbudur (Tamil Nadu) 21. Mai 1991, ind. Politiker. – Pilot; Sohn von Indira G., die ihn 1983 zu einem der Generalsekretäre der von ihr geführten Kongreß(-I-)Partei ernannte. Nach ihrem Tod 1984 wurde er Parteiführer und war 1984–89 Min.präsident. G. fiel einem Bombenattentat zum Opfer.

Mohandas Karamchand Gandhi, genannt Mahatma (um 1945)

Gandhinagar [engl. 'gɑ:ndɪnəgə], Hauptstadt des ind. Bundesstaates Gujarat, 450 km nördlich von Bombay, 62 000 E. – Mit dem Bau der Stadt wurde 1966 begonnen, die Verwaltung ab 1970 nach G. verlegt.

Gandscha ↑ Gjandscha.

Ganeff [jidd.], in der Gaunersprache svw. Ganove; selten auch: Schwiegersohn.

Ganerbschaft, nach altem dt. Recht gemeinschaftl. Vermögen, insbes. Grundvermögen, von **Ganerben** (Miterben zur gesamten Hand). Entstand durch einen bes. Vertrag, dessen Zweck der Ausschluß der Teilung eines Familienvermögens war.

Ganescha [Sanskrit „Herr der Schar" (d. h. des Gefolges des Schiwa)], Sohn Schiwas und Parwatis. Einigen Sekten, den „Ganapatjas", gilt er als der höchste Gott.

Gang, in der *Kfz-Technik* Bez. für ein bestimmtes [durch Betätigen des G.schaltungshebels wählbares] Übersetzungsverhältnis zw. Motor- und Raddrehzahl; Personenwagen haben 3–5 Vorwärtsgänge und einen Rückwärtsgang.

♦ in der *Uhrentechnik* Bez. für die Übereinstimmung einer Prüf- und einer Vergleichsuhr.

♦ (Gewindegang) ↑ Gewinde.

♦ Bez. für die Ausfüllung von Gesteinsklüften mit Erzen oder Mineralen.

Gang [gæŋ; engl.-amerikan., eigtl. „das Gehen", dann „das gemeinsame Handeln"], [organisierter] Zusammenschluß von Verbrechern (Gangstern).

♦ *soziolog.* Bez. für städt. Gruppen von Jugendlichen *(Bande, Rotte)* mit relativ festen sozialen Beziehungsformen.

Gangart ↑ Erz.

Ganges, mit rd. 2 700 km Länge und etwa 1 Mill. km² Einzugsgebiet der größte Strom N-Indiens. Entsteht im westl. Himalaja durch Zusammenfluß von ↑ Alaknanda und Bhagirathi, durchbricht bei Hardwar die Siwalikketten, durchfließt stark mäandrierend mit geringem Gefälle die fruchtbare, dichtbesiedelte **Gangesebene** (umfangreiche Kanalbewässerung). Der G. bildet in Bengalen, zus. mit dem Brahmaputra, ein riesiges, von zahllosen Mündungsarmen durchzogenes Delta. Die beiden wichtigsten Mündungsarme sind der rd. 300 km lange **Padma,** der in Bangladesch mündet, und der **Bhagitari,** der im Unterlauf als **Hugli** nach weiteren 230 km Lauf ebenfalls in den Golf von Bengalen mündet. Die Schiffahrt spielt nur noch im Deltabereich eine Rolle. Das Wasser des nach *hinduist. Mythologie* aus dem Fuß Wischnus entspringenden G. gilt als heilig und reinigend.

Gangfisch ↑ Felchen.

Ganggesteine ↑ Gesteine.

Ganggrab, Bez. für ein Kollektivgrab der nord- und westeurop. Megalithkulturen, zu dessen Kammerbreitseite ein Gang führt, so daß Kammer und Gang eine T-Form bilden; zeitl. Einordnung regional verschieden.

Ganghofer, Ludwig, * Kaufbeuren 7. Juli 1855, † Tegernsee 24. Juli 1920, dt. Schriftsteller. – Schrieb neben Volksstücken zahlr. naiv-gemütvolle [Heimat]romane und Erzählungen (z. T. vor histor. Hintergrund). – *Werke:* Der Herrgottsschnitzer von Ammergau (Volksstück, 1880; mit H. Neuert), Der Klosterjäger (R., 1892), Die Martinsklause (R., 1894), Schloß Hubertus (R., 1895), Das Schweigen im Walde (R., 1899).

Ganghöhe ↑ Gewinde.

Ganglienblocker [griech./dt.] (Ganglioplegika), Arzneimittel, die die Erregungsübertragung in den Ganglien des vegetativen Nervensystems hemmen; inzwischen auf Grund von Nebenwirkungen nur noch selten zur Blutdrucksenkung verwendet.

Ganglienzelle [griech./dt.], svw. ↑ Nervenzelle.

Ganglion [griech.], (Nervenknoten) Verdickung des Nervensystems, in der die Zellkörper der Nervenzellen (Ganglienzellen) konzentriert sind.

♦ (Überbein) im Bereich von Gelenkkapseln oder Sehnenscheiden (v. a. an der Streckseite des Handgelenks und auf dem Fußrücken) lokalisierte schmerzhafte Geschwulst mit gallertartigem Inhalt.

Ganglioplegika [griech.], svw. ↑Ganglienblocker.

Gangrän [griech.], svw. ↑Brand.

Gangspill, in der Schiffahrt Trommelwinde mit senkrechter Achse zum Auf- und Abwinden von Ketten (z. B. des Ankers).

Gangster ['gɛŋstər; engl.-amerikan.] ↑Gang.

Gangtok, Hauptstadt des ind. Bundesstaates Sikkim, im Vorderhimalaja, 1 730 m ü. d. M., 37 000 E. Marktort.

gang und gäbe, urspr. in der Kaufmannssprache gebrauchte Redewendung (Münzen und Waren betreffend) mit der Bed. „im Umlauf befindlich, üblich".

Gangunterschied, die Differenz der ↑optischen Weglängen zweier zur Interferenz gebrachter Wellenzüge, die sich zw. Trennung und Zusammentreffen infolge geometr. Wegunterschiede, verschiedener Brechzahlen der durchlaufenen Medien und ggf. auftretender Reflexionen ergibt.

Gangway [engl. 'gænwei, eigtl. „Gehweg"], Treppe oder Laufsteg zum Ein- und Aussteigen der Besatzung und Passagiere von Schiffen oder Flugzeugen.

Ganivet, Ángel [span. gani'βet], * Granada 13. Dez. 1865, † Riga 29. Nov. 1898 (Selbstmord), span. Schriftsteller. – Bes. sein Essay „Spaniens Weltanschauung und Weltstellung" (1897) beeinflußte die sog. „Generation von 98" und trug zur Erneuerung der span. Literatur bei.

Gan Jiang [chin. gandʒiaŋ] (Kankiang), rechter Nebenfluß des Jangtsekiang und Hauptwasserstraße der südchin. Prov. Jiangxi, entspringt im Grenzgebirge zur Prov. Guangdong, mündet unterhalb von Nanchang in den Poyang Hu, 744 km lang.

Ganoblasten [griech.], svw. ↑Adamantoblasten.

Ganoidschuppe [griech./dt.] (Schmelzschuppe), bei primitiven Knochenfischen weit verbreiteter Schuppentyp, an dessen Oberfläche während des Wachstums zahlr. Schichten einer perlmutterartig glänzenden Substanz (**Ganoin**) abgelagert werden. Die G. kommen noch bei Flösselhechten, Löffelstören und Knochenhechten vor.

Ganove [jidd.], Gauner, Dieb, Spitzbube.

Gans, Eduard, * Berlin 22. März 1797, † ebd. 5. März 1839, dt. Jurist. – Schüler G. W. F. Hegels und Lehrer von K. Marx, seit 1825 Prof. der Rechte in Berlin. G. versuchte im Ggs. zur histor. Schule, die Rechtswiss. aus der Philosophie zu begründen. Wichtige Beiträge zur Wiss. vom Judentum. – *Werk:* Das Erbrecht in weltgeschichtl. Entwicklung (4 Bde., 1824–35, Nachdr. 1963).

Gans ↑Gänse.

Gänse (Anserinae), mit etwa 30 Arten weltweit verbreitete Unterfam. etwa 0,4–1,7 m langer Entenvögel, die in der freien Natur eng an Gewässer gebunden sind. Man unterscheidet drei Gruppen: die entengroßen ↑Pfeifgänse, die sehr großen, langhalsigen ↑Schwäne und die zw. diesen Gruppen stehenden **Echten Gänse** mit etwa 15 Arten, v. a. in den gemäßigten und kälteren Regionen Eurasiens und N-Amerikas; Schnabel keilförmig, Oberschnabelspitze als kräftiger, nach unten gebogener Nagel gestaltet, der zum besseren Abrupfen und -zupfen von Gräsern, Blättern und Halmen dient. Die Echten G. sind meist gute Flieger, die im Flug den Hals nach vorn strecken. Sie sind Zugvögel, die häufig in Keilformation ziehen. ♂ und ♀ sind gleich gefärbt, Paare halten auf Lebenszeit zus. Die fast 90 cm lange, dunkelgraue **Saatgans** (Anser fabalis) kommt auf Grönland und in N-Eurasien vor; unterscheidet sich von der sehr ähnl. Graugans v. a. durch die etwas dunklere Gesamtfärbung, schwarze Abzeichen auf dem gelben Schnabel, schwärzlichgrauen Kopf und Hals sowie orangefarbene Füße. Eine aus der *Schwanengans* (Anser cygnoides) gezüchtete Hausgansrasse ist die **Höckergans;** hellbraun mit großem, orangegelbem und schwarzem Schnabelhöcker. Fast 70 cm lang ist die in Z-Asien lebende **Streifengans** (Anser indicus); bräunlichgrau mit Ausnahme des weißl. Kopfes und Oberhalses. Die **Kaisergans** (Anser canagicus) ist etwa so groß wie die Graugans und kommt in N-Alaska und O-Sibirien vor; schwärzlichgrau mit weißem Kopf, weißer Halsober- und schwarzer Halsunterseite. Bis 75 cm lang und weiß mit schwarzen Handschwingen ist die **Große Schneegans** (Anser caerulescens) in NO-Sibirien, im nördl. N-Amerika und auf Grönland. Die **Graugans** (Anser anser) ist 70 cm (♀) bis 85 cm (♂) groß und kommt in Eurasien vor; mit dunkelgrauer, meist weißlich quergebänderter Ober- und hellgrauer Unterseite und hellgrauem Kopf; Beine fleischfarben, Schnabel bei der westl. Rasse gelb, bei der östl. fleischfarben; Vorderflügelrand silbergrau; Stammform der ↑Hausgans. Ein Wintergast an der Nordseeküste ist die ↑Bläßgans. Die Arten der Gatt. **Meergänse** (Branta) haben einen völlig schwarzen Schnabel. Bekannt sind u. a.: **Rothalsgans** (Branta ruficollis), bis 55 cm lang, in W-Sibirien; **Kanadagans** (Branta canadensis), bis 1 m lang, in N-Amerika und

Gänse. Höckergans

Europa; mit schwarzem Kopf und Hals, breitem, weißem Wangenfleck, dunkelgraubrauner Ober- und weißl. Unterseite; **Ringelgans** (Branta bernicla), etwa 60 cm lang, im arkt. Küstengebiet, Hals mit weißer Ringelzeichnung. – Vermutlich wurde die Graugans seit der Jungsteinzeit als Haustier gehalten. In Kleinasien und in Griechenland waren die Gänse der Aphrodite heilig. Gegen Ende des 15. Jh. wurden G. Attribut des hl. Martin, den man als Schutzpatron der G. anrief.

Gänseblümchen (Maßliebchen, Bellis), Gatt. der Korbblütler mit 10 Arten in Europa; bekannteste Art ist das 5–15 cm hohe, auf Weiden, Wiesen, Rainen und Grasplätzen wachsende **Gänseblümchen** i. e. S. (Bellis perennis); fast ganzjährig blühende Pflanzen mit grundständiger Blattrosette; Blütenköpfchen mit zungenförmigen, weißen bis rötl. Strahlenblüten; gefüllte Zuchtformen (z. B. Tausendschön) sind beliebte Gartenzierpflanzen.

Gänsedistel (Saudistel, Sonchus), Gatt. der Korbblütler mit über 60 Arten in Europa, Afrika und Asien; von den vier einheim. Arten, die als Unkräuter auf Äckern, an Weg-

Gänse. Große Schneegans

rändern und auf Schuttplätzen zu finden sind, ist die bekannteste die **Ackergänsedistel** (Sonchus arvensis), eine bis 1,50 m hohe Staude mit goldgelben Blütenköpfchen.

Gänsefuß (Chenopodium), Gatt. der G.gewächse mit etwa 250 Arten in den gemäßigten Zonen. Am bekanntesten von den 15 einheim. Arten ist der **Gute Heinrich** (Chenopodium bonus-henricus), eine mehrjährige, bis 50 cm hohe, mehlig bestäubte Pflanze mit breiten, dreieckigen oder spießförmigen Blättern und grünen Blüten. Kultiviert und als Blattgemüse gegessen werden zwei Arten mit fleischigen, rötl., an Erdbeeren erinnernden Fruchtständen: **Echter Erdbeerspinat** (Chenopodium foliosum) und **Ähriger Erdbeerspinat** (Chenopodium capitatum).

Gänsefußgewächse (Chenopodiaceae), Fam. zweikeimblättriger Kräuter mit wechselständigen, einfachen Blättern und unscheinbaren, kleinen Blüten in knäueligen Blütenständen. Bekannte Gatt. sind Gänsefuß, Melde, Spinat. Wirtschaftl. Bed. hat die Gatt. Runkelrübe.

Gänsehaut, meist reflektorisch durch Kältereiz oder durch psych. Faktoren bewirkte Hautveränderung. Das höckerige Aussehen der Haut wird durch Zusammenziehung der an den Haarbälgen ansetzenden glatten Muskeln verursacht, die die Haarbälge hervortreten lassen und die Haare aufrichten.

Gänseklein, v. a. von Hals und Innereien einer Gans zubereitetes Gericht.

Gänsekresse (Arabis), Gatt. der Kreuzblütler mit etwa 100 Arten, v. a. in den Gebirgen Europas, Asiens, Afrikas und N-Amerikas; niedrige, rasen- oder polsterförmig wachsende Kräuter. Einige Arten, z. B. die ↑Alpengänsekresse, sind beliebte Steingartenpflanzen.

Gänserich, svw. ↑Ganter.

Gänsesäger ↑Säger.

Gänsevögel (Anseriformes, Anseres), seit dem Eozän bekannte, heute mit etwa 150 Arten weltweit verbreitete Ordnung 0,3–1,7 m langer Vögel. Man unterscheidet zwei Fam.: ↑Entenvögel, ↑Wehrvögel.

Gansu [chin. gansu] (Kansu), chin. Prov. am O-Rand des Hochlands von Tibet, 450 000 km², 22,4 Mill. E (1990), Hauptstadt Lanzhou. Der Hwangho gliedert die Prov. in zwei Teile. Der sö. Teil wird von einem niederschlagsreichen Bergland und einem tief zerschnittenen trockenen Lößhochland eingenommen. Der nw. Teil ist von den Gebirgsketten des Qilian Shan und dem sich zw. seinem N-Fuß und der Gobi erstreckenden G.korridor geprägt, einem rd. 1 000 km langen und durchschnittlich 80 km breiten, sö.–nw. verlaufenden Längstal (900–1 600 m ü. d. M.), das von alters her eine bed. Verkehrsader (Seidenstraße) mit zahlr. Oasenorten ist. Angebaut werden Getreide, in den Oasen auch Wein und Obst, im westl. G.korridor Baumwolle; bed. Seidenraupenzucht; Viehwirtschaft. Erdöl-, Kohle-, Eisenerz- und Nichteisenerzförderung mit Verhüttung, Petrolchemie, Maschinenbau; Zentrum der Kernforschung.

Ganter (Gänserich), Bez. für die männl. Gans.

Gantner, Joseph, * Baden 11. Sept. 1896, † Basel 7. April 1988, schweizer. Kunsthistoriker. - Prof. in Basel, Hg. der „Zeitschrift für Ästhetik und allg. Kunstwissenschaft" (ab 1953).

Ganymed, in der griech. Mythologie der schöne Mundschenk des Zeus; trojan. Prinz, der, von Zeus entführt, in ewiger Jugend seinen Dienst an der Göttertafel versieht. Beliebtes Motiv der Kunst (u. a. Rembrandt „Der Raub des G." [1635; Dresden, Gemäldegalerie]).

Ganymed, größter Jupitermond; mittlere Entfernung vom Planeten 15,0 Jupiterradien, Umlaufzeit 7 d 3 h 43 min, Durchmesser 5 276 km; Dichte 1,85 g/cm³.

Ganz, Bruno, * Zürich 22. März 1941, schweizer. Schauspieler. - Bed. Charakterdarsteller; Theaterrollen v. a. an der Schaubühne in Berlin; zahlr. Filmrollen. - *Filme:* Die Marquise von O (1976), Nosferatu (1979), In der weißen Stadt (1983), Der Pendler (1986), Der Himmel über Berlin (1987).

ganze Note, Zeichen ◦, ↑Noten.

ganze Pause, Zeichen ▬, ↑Noten.

ganze Zahlen (ganzrationale Zahlen), Bez. für die Zahlen ..., −3, −2, −1, 0, 1, 2, 3, ... – Die g. Z. $z < 0$ bezeichnet man als *negative g. Z.,* die g. Z. $z > 0$ als *natürl.* oder *positive ganze Zahlen.*

Ganzheit, die bes. Struktur komplexer, aus qualitativ gleichen oder/und qualitativ verschiedenen, funktionell voneinander abhängigen bzw. einander zugeordneten Elementen bestehenden Systeme, die als Einheit wirken und im Unterschied zu lediglich additiven Zusammenordnungen (etwa ↑Assoziation, ↑Aggregat) wegen der Wechselbeziehung (Wechselwirkung) der Elemente untereinander eine qualitativ andere (höhere) Wirkung (Leistung) zeigen. Zur Überwindung mechanist., kausal-analyt. Denkpositionen und -methoden, v. a. des 19. Jh., gewannen G.theorien zu Beginn des 20. Jh. zentrale Bedeutung, bes. im Bereich der Psychologie in der ↑Ganzheitspsychologie, in der Biologie sowie in der Medizin und in der Pädagogik.
In der *Biologie* wird der Organismus mit seinen jeweils für bestimmte Aufgaben verantwortl. Strukturen, deren Funktionen aufeinander abgestimmt sind, als G. betrachtet. Als G. können nicht nur Einzelindividuen, sondern gegebenenfalls auch bestimmte Tierstöcke (Tierkolonien) als „Individuen höherer Ordnung" angesehen werden, wie z. B. Staatsquallen, bei denen die Einzeltiere wegen ausgeprägter Arbeitsteilung für sich allein nicht lebensfähig sind. Ähnliches gilt für in sehr enger Symbiose lebende Organismen (Orchideen mit Mykorrhiza; Flechten).

ganzheitliches Denken ↑New Age.

Ganzheitsmedizin, medizin. Richtung, die den Kranken nicht nur nach einzelnen Krankheitsbildern und Einzelbefunden, sondern in seinem physisch-psych. Gesamtzustand erfassen und ärztlich behandeln will. – ↑Psychosomatik.

Ganzheitsmethoden, Methoden des Erstlese- und Schreibunterrichts, die von der gesprochenen Sprache ausgehen. Dem ganzen Wort **(Ganzwortmethode)** oder kleinen Sätzen **(Ganzsatzmethode)** werden sofort die Schriftbilder zugeordnet, die sich das Kind einprägt. Im Verlauf des Lehrgangs erfolgt die „Analyse" der bekannten Wort- bzw. Satzbilder, indem immer wiederkehrende Zeichen (Buchstaben) entdeckt werden und erkannt wird, daß den Buchstaben Laute entsprechen. Danach wird das Lesen und Schreiben neuer Wörter durch Zusammensetzen der Buchstaben möglich (Synthese).

Ganzheitspsychologie, eine v. a. im ersten Drittel des 20. Jh. als Reaktion gegen die elementarist. Auffassung des Seelischen entstandene Richtung der Psychologie, die auf die Notwendigkeit einer ganzheitl. Betrachtungsweise aller seel. Vorgänge hinweis. Ausgehend von der aristotel. These, daß das Ganze mehr als nur die Summe seiner Teile sei, wurde der Begriff *Ganzheit* für Erlebnis- und Gestaltqualitäten eingeführt, die nicht analysierbar sind. Zu den Hauptvertretern der G. gehören F. Krueger, W. Ehrenstein, O. Klemm, F. Sander und A. Wellek.

ganzrationale Zahlen, svw. ↑ganze Zahlen.

Ganzsatzmethode ↑Ganzheitsmethoden.

Ganzschluß ↑Kadenz.

Ganztagsschule, bis etwa zur Mitte des 19. Jh. war die G. v. a. bei weiterführenden Schulen die Regelform und blieb es in den angelsächs. und roman. Ländern auch. Bes. in Schweden, in der ČSSR, der UdSSR und der DDR wurde die G. nach dem 2. Weltkrieg wieder stark gefördert. In der BR Deutschland ist sie eine Ausnahme (angestrebt bes. in den Gesamtschulen).

Ganzton, in der Musik die große ↑Sekunde (kleine Sekunde = Halbton). – ↑Intervall.

Ganztonleiter, die Aneinanderreihung von temperierten Ganztönen zur Oktavskala: c, d, e, fis, gis, ais (b), c.

Ganzwortmethode ↑Ganzheitsmethoden.

Gao, Regionshauptstadt in Mali, am linken Ufer des Niger, 264 m ü. d. M., 37 000 E. Hl. Stadt für die Muslime Westafrikas; Handelszentrum; Fischerei; Nigerhafen, Endpunkt der Transsaharastraße, ⚓. – 1010–1591 Hauptstadt des islam. Reichs der Songhai, 1591 marokkan., 1899 französisch.

Gao Kegong (Kao K'o-kung), *1248, †1310, chin. Maler. – Die berühmte Hängerolle „Nebel in bewaldeten Bergen" (signiert 1333; Taipeh, Palastsammlung) wurde offenbar von Schülern vollendet.

Gaon [hebr. „Exzellenz"] (Mrz. Geonim), Titel der babylon.-jüd. Schulhäupter von Sura und Pumbeditha. Den Antworten der Geonim auf Anfragen von Gemeinden aus aller Welt verdankt das Religionsgesetz seine einheitl. Weiterentwicklung. Sie legten Gebetstexte fest und sicherten Traditionsliteratur, nicht zuletzt im Kampf gegen die ↑Karäer. *Saadja,* der bedeutendste G., gilt als Vater der jüd. Philosophie. Der Titel G. wurde später allen führenden Gelehrten zuerkannt.

Gap, frz. Stadt in den Alpen, ssö. von Grenoble, 739 m ü. d. M., 30 700 E. Verwaltungssitz des Dep. Hautes-Alpes; kath. Bischofssitz; Dep.museum; Handelszentrum; u. a. Holz- und Papierind.; Fremdenverkehr. – 471 burgund., 534 fränk.; kam 834 zum Kgr. Burgund. Im 16. Jh. war G. eines der Zentren der frz. Reformation; 1692 von Savoyen zerstört.